Cronologia, Cronografia e Calendario Perpetuo

MANUALI HOEPLI

A. CAPPELLI
Archivista - Paleografo
Direttore emerito dell'archivio di Stato di Parma

Cronologia, Cronografia e Calendario Perpetuo

DAL PRINCIPIO DELL'ÈRA CRISTIANA AI NOSTRI GIORNI

Tavole cronologico-sincrone e quadri sinottici
per verificare le date storiche.

Quarta edizione aggiornata

EDITORE ULRICO HOEPLI MILANO

OFSA - CASARILE (MILANO)

Printed in Italy

PREFAZIONE ALLA SECONDA EDIZIONE

> « Nelle minutaglie della cronologia
> anche i più accreditati scrittori pren-
> dono degli sbagli ».
>
> MURATORI
>
> *Annali d'Italia, a. 1537.*

Non vi è forse studioso, o persona colta, che non abbia pro-
vato, più di una volta, il bisogno di verificare qualche data sto-
rica, specialmente dovendo consultare antichi documenti. Tutti
sanno, in questo caso, quante difficoltà cronografiche e cronolo-
giche s'incontrano, sia pei diversi sistemi usati in diversi tempi
e luoghi, pel computo degli anni, mesi e giorni, come per l'uso
di êre e calendari diversi dai nostri. Tali difficoltà non si riesce tal-
volta a superare se non con l'aiuto di appositi repertori. Fu
perciò che io m'accinsi, alcuni anni or sono, a compilare questo
manuale per uso specialmente degli Archivisti e degli studiosi
di storia. Invitato più tardi dall'Editore a curarne una seconda
edizione, m'accorsi che il mio lavoro aveva bisogno, per essere
più utile ai consultatori, di venire quasi interamente rifatto
giacchè molte recenti pubblicazioni storiche italiane e straniere
venivano a pormi in grado di modificare, correggere ed ampliare,
il primitivo lavoro. Così, mercè gli ultimi miglioramenti, con-
fido che il manuale meglio risponderà alle esigenze degli
studiosi.

Riguardo alle fonti alle quali ho dovuto attingere, essendo esse
moltissime, basterà che mi limiti a citarne alcune delle più im-

portanti, cioè: il GROTEFEND (1), *il* RÜHL (2), *il* GINZEL (3), *il* GIRY (4), *il* PAOLI (5), *il* CARRARESI (6), l'ALVINO (7), ecc., *per la Cronografia; poi l'* « Art de verifier les dates » *dei* PP. MAURINI (8), *gli* Annali d'Italia *del* MURATORI, *lo* STOKVIS (9), *il* CALVI (10), *il* CANTÙ (11), *il* GAROLLO (12), *il* DREYSS (13), *il* PERTZ (14), *il* BÖHMER-MUHLBAKER *ed* ALTMANN (15) ecc., *per la Cronologia. Per la tanto discussa cronologia dei Papi mi sono attenuto alle recenti indagini eseguite per incarico del Vaticano (terminate verso la fine del 1912) sotto la direzione del prof. Fünk, con la collaborazione di Mons. Duchesne, del Pastor e d'altri eruditi* (16). *Oggi questa nuova lista dei 261 Papi, è ufficialmente riconosciuta dalla curia pontificia.*

---

(1) Handbuch der historischen Chronologie etc., Hannover, 1872, e Zeitrechnung des deutschen Mittelalters, etc., ivi 1891.

(2) Chronologie des Mittelalters und der Neuzeit, Berlin, 1897.

(3) Handbuch det Matematischen und technischen Chronologie, Leipzig, 1906.

(4) Manuel de Diplomatique, Paris, 1894.

(5) Programma scolastico di Paleografia e Diplomatica, Firenze, 1889.

(6) Cronografia generale dell'era volgare, Firenze, 1875.

(7) I Calendari; metodi di comput. il tempo dai popoli antichi, ecc. Firenze, 1891.

(8) Parigi, 1818-44, voll. 44: e versione italiana di Venezia, 1892-46, voll. 42.

(9) Manuel d'Histoire, de généalogie, etc., Leida, 1888-93, voll. 3. Opera pregevolissima, fra le moderne e molto ricca di alberi genealog. delle principali famiglie regnanti.

(10) Tavole storiche dei Comuni Italiani, Roma, Loescher, 1903. Il lavoro fu interrotto per la morte dell'Autore. Si hanno soltanto i tre primi fascicoli, cioè: Piemonte e Liguria, Romagne e Marche.

(11) Documenti alla Storia Universale, Cronologia, Torino, 1886.

(12) Dizionario biografico, Milano, Hoepli, 1905, voll. 2.

(13) Chronologie universelle, 4ª ediz., Paris, 1883, voll. 2.

(14) Monumenta Germaniae historica. Hannoverae, 1826-97, voll. 30.

(15) Regesta Imperii (751-1437), Innsbruck, 1889-1905.

(16) V. « Corriere della sera » del 24 genn. 1913.

L'ultima parte del volume comprende la serie dei Sovrani e governi dei principali Stati d'Europa, con notizie genealogiche e, fra parentesi, indicazione dei principali condominii del regnante di cui si tratta. Nella prima edizione si erano dovuti omettere alcuni Stati di minore importanza, per non uscire troppo dai limiti imposti da un semplice manuale, ma nell'ampliamento, dato a questa seconda edizione, essa viene arricchita delle tavole cronologiche di altri 46 Stati.

Questo lavoro di rifacimento, che presento ora agli studiosi, non sarà ancora, purtroppo, scevro da mende, ma so di aver fatto tutto quanto mi fu possibile per raggiungere quell'esattezza di date e di fatti necessaria in lavori consimili, ma che non può mai essere assoluta per quanto si faccia.

Debbo poi, anche questa volta, rivolgere i miei più vivi ringraziamenti a tutti quei Direttori d'Archivi e professori di storia, che mi furono cortesemente di aiuto in questo lavoro, e fra essi, in special modo, debbo menzionare il prof. Bernardino Feliciangeli per indagini sul marchesato di Camerino; il Dott. O. F. Tencajoli per notizie sul principato di Monaco; il Prof. Fernand Benoit, conservatore della biblioteca d'Arles, per ricerche storiche sulla Provenza, e il Dott. Glauco Lombardi per notizie sul marchesato di Colorno.

Modena, *novembre 1929*

A. CAPPELLI.

PREFAZIONE ALLA TERZA EDIZIONE

Questa terza edizione, a cura di Daniela Stroppa Salina, Diego Squarcialupi e Enrico Quigini Puliga, esce a quasi quarant'anni di distanza dalla seconda ed è stata completata con l'aggiornamento al 1968 delle Tavole cronologico-sincrone per la storia d'Italia e delle Tavole cronologiche dei Sovrani e dei Governi dei principali Stati d'Europa.

Si è inoltre ritenuto opportuno aggiungere a queste ultime le Tavole cronologiche riguardanti 7 Stati europei e non europei (Irlanda, Liechtenstein, Cina, Egitto, Giappone, Persia, Stati Uniti d'America) dalle loro origini ai nostri giorni.

Milano, *gennaio 1969*

NOTA ALLA QUARTA EDIZIONE

Questa edizione esce aggiornata al 1977 e con la correzione di alcune imprecisioni.

Milano, *dicembre 1977*   L'EDITORE

INDICE SISTEMATICO

PARTE I

Brevi nozioni di Cronografia.

PARTE II

I Calendari.

PARTE III

Egira maomettana.

PARTE IV

Tavole cronistoriche.

PARTE V

Tavole cronologiche dei Sovrani e Governi dei principali Stati d'Europa.

PARTE VI

Appendice.

PARTE PRIMA

Brevi nozioni di cronografia

ÈRE E PERIODI CRONOLOGICI

a) ÈRA BIZANTINA

Fra le molte Ère, desunte dal principio del mondo, la bizantina, detta anche costantinopolitana, o greca, è quella che trovasi più spesso usata nei documenti e nei codici, tanto civili che ecclesiastici, del Medio Evo.

Sorta non si sa dove, nè per opera di chi nel sec. VII, ebbe poscia grandissima diffusione specialmente presso i Greci ed in tutto l'Oriente ortodosso. Anche nel mezzodì d'Italia e soprattutto in Sicilia, molti documenti greci e latini sono datati secondo l'Èra bizantina. Essa stabiliva il principio del mondo nell'anno 5508 avanti l'Èra cristiana, cosicchè il primo anno di questa corrispondeva al 5509. Per verificare, mediante le nostre tavole cronografiche (V. parte IIIª), a qual anno dell'Èra cristiana corrisponda una data qualunque dell'Èra bizantina, si dovrà tener presente che l'anno bizantino incominciava il 1º settembre, anticipando di 4 mesi sull'anno comune: quindi se trattasi dei mesi da settembre a dicembre, l'anno dell'Èra cristiana, da noi segnato, va diminuito di un'unità (1).

L'Èra bizantina rimase in vigore anche dopo la caduta dell'Impero d'Oriente e fu molto usata fino alla fine del XVII sec. Pietro il Grande l'abolì in Russia il 1º gennaio 1700.

b) ANNI DEL CONSOLATO

L'anno ufficiale dei Romani, secondo il quale si datavano per legge gli atti pubblici, indicavasi col nome dei Consoli che entravano in carica a Roma il 1º gennaio di ogni anno. Si fa risalire la

---

(1) Una lettera di Iwan III Wassilewitch, diretta al duca di Milano Gian Galeazzo Maria Sforza, porta questa data: « *Datae Moscoriae, mense aprilis annis a constitutione mundi uno et septemmilibus* ». Trattandosi del mese d'aprile, l'anno 1493 dell'Èra cristiana, che corrisponde al 7001 nelle tavole cronografiche, sarà esatta. Se il documento portava invece la data da settembre a dicembre, l'anno corrispondente sarebbe stato il 1492.

sua origine all'epoca dello stabilimento della repubblica romana, anno 509 av. l'Èra volgare. Nel 541 dell'Èra Cristiana Flavio Basilio iuniore rivestì il consolato per l'ultima volta e gli anni che seguirono si numerarono con la formola P. C. (*post consulatum*) *Basilii anno I, II* ecc. fino al XXIV, cioè al 565. Il 1° gennaio 566 l'Imperatore Giustino II assunse egli stesso la dignità consolare, che rimase in seguito per gl'imperatori soltanto e nelle date si usò porre, accanto all'anno dell'impero, quello del *postconsolato*, segnante un'unità di meno (1).

Tuttavia, col correre dei tempi si finì per confondere frequentemente, come nota il Giry (2), il computo degli anni dell'impero con quello del *postconsolato*, i quali venivano talora espressi con le stesse cifre, finchè questo cadde in disuso, rimanendo nelle datazioni il solo anno dell'impero o del regno.

Molte lettere di papi dal 385 al 546 (3) e molti papiri dei sec. VI e VII trovansi datati con gli anni dei Consoli. Il più recente documento in cui si conosca con la data del postconsolato è una lettera dell'anno 904 di papa Sergio III (4). Daremo (Parte IV) un elenco cronologico dei consoli romani con un indice alfabetico, che permetterà di rinvenire facilmente l'anno di qualsiasi data consolare.

c) OLIMPIADI

Il computo degli anni per Olimpiadi fu introdotto in Grecia dallo storico siciliano Timeo († 256 a. C.) il quale se ne servì nella sua storia universale. Esso risale all'anno 776 av. C. e servì dapprima per calcolare il tempo nella lista dei vincitori dei giuochi Olimpici, che avevan luogo ogni 4 anni. Si indicava un dato anno segnando il numero dei periodi quadriennali corsi dal 776 fino a quell'anno, e facendolo seguire dagli anni di ciascun periodo, dall'1 al 4. Conviene notare però che l'anno olimpico incominciava il 1° luglio, così ad es. il 1° anno della nostra èra, nei primi 6 mesi corrisponde al 4° anno della CXCIV\u1d43 Olimpiade e negli ultimi 6 mesi corrisponde al I° anno della CXCV\u1d43 Olimpiade. Questo modo di computar gli anni fu usato tanto in Oriente che in Occidente, ma solo dagli storici e dai cronografi e non divenne mai popolare. Fu abolito sotto Teodosio il Grande nell'anno 395 di C. e fu rimpiazzata dal computo delle indizioni. Qualche rara volta però le Olimpiadi le vediamo usate anche nel medio evo, ma con un diverso sistema

(1) Si noti che Giustino II fu console anche una seconda volta nel 568 e gli anni seguenti si numerarono I, II, ecc., dopo il secondo consolato. In un papiro del 572 si legge: *Imperante Domino nostro Justino, perpetuo Augusto, anno septimo et post consulatum eius secundo, anno quarto*. V. MAFFEI, Istoria diplomatica, ecc., Mantova, 1727, pag. 163).

(2) Manuel de Diplomatique, Paris, 1894, pag. 84.

(3) JAFFÉ, Regesta pontif., I, pag. VIII.

(4) GIRY, Manuel de Diplom., pag. 85.

che consisteva nel dividere l'anno dei principi regnanti per qua-
driennii indicando di che quadriennio trattavasi. Così Etelredo II,
re d'Inghilterra, nel 995 sottoscrisse una carta con le parole: ....
« Olimpiade IVª regni mei » cioè il 16º anno del suo regno (V.
Parte IIIª, Tav. Cronogr.).

d) ÈRA DELLA FONDAZIONE DI ROMA

Delle due più diffuse opinioni sulla fondazione di Roma, cioè
quella di Catone il Vecchio, che la faceva risalire all'anno 752 av.
l'Èra volg. e quella di Varrone che la poneva all'anno 753, 21 aprile,
fu quest'ultima che ebbe l'approvazione dei più illustri storiografi,
quali Plinio, Tacito, Dione ed altri, che vi si attennero. Siccome poi
l'anno romano, all'epoca degli storici che adottarono l'Èra, incominciava il 1º gennaio, così si computarono anche gli anni di Roma
da questo giorno, anzichè dal 21 aprile.

È da notarsi poi che l'Èra della fondazione di Roma, tanto usata
dagli storici, non fu mai adoperata dai Romani nelle leggi, nei
documenti pubblici e nei monumenti, ma soltanto nelle liste o
« fasti » consolari.

Per ridurre un anno qualunque di Roma all'anno dell'èra volgare basterà sottrarre 753 da quella data, il resto sarà l'anno ri-
cercato. E viceversa, basterà aggiungere ad un anno di Cristo lo
stesso numero 753 per ottenere l'anno *ab Urbe condita*.

e) ÈRA DI DIOCLEZIANO O DEI MARTIRI

Il 29 agosto dell'anno 284 ebbe principio e si diffuse dapprima
in Egitto, l'Èra di Diocleziano, la quale, a partire dal VII secolo,
fu chiamata anche *Èra dei Martiri*, ricordando le grandi persecu-
zioni contro la chiesa ordinate da quell'Imperatore. Oltrechè nel-
l'Egitto, essa fu presto adottata in alcuni paesi d'Occidente, come
a Milano ai tempi di S. Ambrogio (1), e fu usata da S. Cirillo d'A-
lessandria nella sua tavola pasquale, da Evagrio, da Beda, ecc.,
ed è tuttora in uso presso i Copti (alto Egitto).

Per ricavare da un anno qualunque di quest'Èra gli anni di
Cristo basterà aggiungere all'anno stesso la cifra 284, se trattasi del
periodo dal 1º gennaio al 28 agosto, e 283 pel periodo dal 29 agosto
al 31 dicembre, però se trattasi di un anno anteriore al 1583. Oggi,
per la riforma gregoriana, l'anno copto incomincia, non già il 29
agosto, ma l'11 settembre del nostro calendario, giacchè i Copti

---

(1) Si rileva da una lettera di S. Ambrogio ai suoi diocesani dell'anno 387. V. IDELER.
Handbuch. vol. II, pag. 257.

usano ancora il calend. giuliano. Il loro anno e diviso in 12 mesi di 30 giorni ciascuno, a cui per il corso di tre anni si aggiungono 5 giorni (epagomeni) e 6 nel quarto anno, che viene considerato bisestile quando il millesimo, diviso per 4, dà un resto di 3.

f) INDIZIONE

È un periodo cronologico di 15 anni, originario, a quanto pare, dall'Egitto e che, dal sec. IV in poi, divenne una delle più importanti note croniche dei documenti, tanto in Occidente che in Oriente. Il suo punto di partenza risale ai tempi di Costantino il Grande e precisamente al 313 dell'Èra Cristiana. Gli anni di ciascuno di questi periodi quindicennali numeravansi progressivamente dal 1 al 15, poi si ricominciava da capo, senza mai indicare di qual periodo indizionale trattavasi. Anche per questo sistema di datazione variò, secondo i paesi e i tempi, la data del mese e giorno da cui facevasi cominciare una nuova indizione In origine pare che il suo punto di partenza fosse al 1º settembre, come l'anno bizantino e questa fu detta **indizione greca** o **costantinopolitana**, perchè molto usata in oriente e specialmente in Grecia. In Italia la vediamo in uso, sino dalla fine del sec. IV, specie in Milano e nel dominio longobardo (1), tanto pei documenti regi come pei ducali e privati. Fu pure usata a Venezia, Lucca (2), Pistoja, Prato, Napoli, Puglie, Calabria e in Sicilia. Anche i papi si servirono di preferenza dell'indizione greca dal 584 al 1147 (3). Fu usata anche, ma raramente, in Francia.

Inoltre eravi l'**indizione senese**, che incominciava l'8 settembre, in anticipo, di uso antichissimo in Siena, come ne fanno fede tutti i più antichi documenti e formulari di Notai dei sec. XIII-XV (4).

Altra indizione aveva il suo principio d'anno al 24 settembre ed era detta **bedana**, o **costantiniana**, o **cesarea**. Fu molto usata, secondo il Giry, in Inghilterra, dalla Cancelleria degli Imperatori di Germania da Corrado I fino a Carlo IV (912-1378) e in Francia, dall'XI al XIII sec. In Italia la vediamo usata a Firenze dal principio del secolo IV e fors'anche prima; a Pisa e a Pontremoli, secondo il Gloria (5), a Piacenza (6) e negli Stati della Monarchia di Savoia. Genova pure ne fece uso, ma computando un'indizione di

(1) PAOLI, Progr. di Diplom., pag. 185.

(2) V. FUMI, Regesti dell'Archivio diplomatico di Lucca, Lucca, 1903, pag. IX.

(3) JAFFÈ, Regesta pontif., pag. IX e GROTEFEND, Handbuch der hist. Chron. Hannover, 1872, pag. 18.

(4) V. A. LUSCHIN, Jahreszälung und indiction zu Siena, in «Mittheilungen des Instituts für osterreichische Geschictsforschung», VI.

(5) Lezioni teor.-prat. di Paleogr. e Dipl., Padova, 1870, pag. 328.

(6) V. PALLASTRELLI, Dell'anno dell'Incarnazione usato dai Placentini, Piacenza, 1856, pag. 14.

meno, cioè ritardando di un anno sulla stessa usata altrove (1). Nella cancelleria pontificia l'indizione bedana fu in uso sotto Urbano II (1088-99) e, dal 1147 in poi, assieme agli altri sistemi indizionali.

In fine abbiamo l'indizione detta **romana** o **pontificia**, che partiva dal 25 dicembre, o, più spesso, dal 1° gennaio e che fu moltissimo usata in Occidente dal IX secolo in poi (2). Nella cancelleria pontificia si cominciò ad usarla nel 1088, senza abbandonare le altre due indizioni, ma dal XIII sec. in poi, e specie nel XIV e XV, fu usata molto più frequentemente e a preferenza delle altre. Nello stesso sec. XIII essa cominciò a divenire di uso comune in Germania e in molti paesi d'Italia, come a Bologna, a Parma, a Pavia dal principio del XIII sec. (3), a Padova, secondo il Gloria, e negli Stati della Monarchia di Savoia ove fiorì assieme con la bedana (4).

Quest'indizione, essendosi sempre più generalizzata nei tempi moderni, fu poi la sola che rimase nei computi del calendario ecclesiastico (5).

A queste alcuni aggiungono l'*indizione papale*, attribuita erroneamente (6) a Gregorio VII, che partiva dal 25 marzo e che troverebbesi usata in Francia, pei diplomi imperiali, e specialmente nel Delfinato nel XIV sec.

Nelle Tavole Cronografiche abbiamo segnato ad ogni anno l'indizione romana corrente; ma si noti che nei documenti, ne' quali si fece uso dell'indizione greca, che sulla romana anticipava, come vedemmo di 4 mesi, si troverà segnata un'unità di più dal 1° settembre al 31 dicembre di ogni anno. Per quelli che usavano la bedana, che pure anticipava, tale diversità decorrerà dal 24 settembre al 31 dicembre. Quanto poi al sistema genovese, si noti che esso andava d'accordo coll'indizione romana dal 24 settembre alla fine dell'anno, segnando invece un'unità di meno dal 1° gennaio (o dal 25 dicembre prec.) al 23 settembre.

(1) Nell'atto di cessione dell'isola di Corsica al Duca di Milano nel 1464, leggesi in fine: « Actum Janue in logia de Fassiolo, anno Dominice nativitatis MCCCCLX° quarto, indictione undecima secundum cursum Janue, die mercurij quarta Julij, in tercijs ». Nel 1464 correva invece l'indizione XII, ma pei genovesi rimaneva ancora l'indizione XI, fino al 23 settembre.

(2) Il RÜHL, op. cit., pag. 173, afferma che a Roma questa indizione era già in uso nel sec. VI e VII, ma poi prevalsero altri sistemi.

(3) Nel minutario del notaio pavese Anselmo Jugi in Cuppe del 1229, cambiavasi l'indizione il 25 dicembre. Similmente in quello del notaio, pure pavese Ardito Vacca dell'anno 1250. Così a Bologna il notaio Nicola da Bagno nel 1394, mutava anno ed indizione il 25 dicembre.

(4) In una tregua conclusa nel 1447 fra il duca di Savoia e la repubblica di Milano, leggesi la data in questi termini: « Anno a Nativitate Domini nostri Jesu, MCCCCXLVII, indictione decima, die autem veneris decima septima mensis novembris ». Nella Savoia usavasi dunque l'indizione romana e a Milano la greca.

(5) PAOLI, Programma di Diplomatica, pag. 186.

(6) V. P. TORELLI, La data nei docum. mantovani, Mantova, 1909.

g) ÈRA DI SPAGNA

Verso il V secolo s'introdusse in Spagna l'uso di quest'Èra (1) che datava dall'anno in cui, compiuta da Augusto la conquista della Spagna, fu adottato il calendario giuliano, cioè dal 1° gennaio dell'anno 38 avanti l'Èra Cristiana. Essa trovasi usata nei documenti con la formola « *sub aera* » ed anche semplicemente *era* e fu molto in uso per quasi tutto il Medio Evo nella penisola Iberica, in Africa e nelle provincie meridionali, visigotiche, della Francia (2). Fu abolita nel 1180 in Catalogna, nel 1349 in Aragona, nel 1358 in Valenza e nel 1383 nel regno di Castiglia e di Leòn per un ordine di re Giovanni I, il quale vi sostituì l'Èra Cristiana con principio d'anno al 25 dicembre. La stessa sostituzione avvenne nel Portogallo, ma soltanto nel 1422. Però, anche dopo l'abolizione ufficiale, continuarono alcuni a datare con l'Èra di Spagna fin verso la metà del XV secolo.

h) ÈRA CRISTIANA

Si fa comunemente risalire allo Scita Dionigi il Piccolo, abbate a Roma nel VI secolo e dotto canonista e computista, l'introduzione di quest'Èra, che doveva più tardi propagarsi quasi universalmente. Pubblicando una nuova tavola di cicli pasquali, in continuazione a quella di Cirillo, egli sostituì pel primo all'Èra di Diocleziano gli anni di Gesù Cristo, del quale fissò la nascita al 25 dicembre dell'anno 753 di Roma. Così il primo anno dell'Èra Cristiana veniva a corrispondere col 754 di Roma (3). Questo calcolo, che fu poi da vari eruditi riconosciuto erroneo e in ritardo di sei o sette anni dalla vera epoca della nascita di Cristo, ciononostante è anche oggi universalmente adottato (4).

Fino dal sec. VI vediamo usata l'Èra cristiana dapprima in Italia negli atti pubblici, poi, dal principio del VII sec., in Inghilterra, in Spagna ed in Francia, ma, nei primi tempi, dai cronisti e dagli storici soltanto.

Nei documenti la usarono pei primi gli Anglosassoni nel principio del sec. VIII (5), con qualche raro esempio in atti privati del sec. VII (6).

---

(1) Fr. Rühl, Chronologie, pag. 206, cita il più antico esempio sicuro dell'uso di quest'Èra, cioè un'iscrizione con a data « Era DIIII » corrispondente all'anno 466, E. V.

(2) Paoli, Diplomat., pag. 189.

(3) Si noti che l'anno dionisiano incominciava il 25 marzo, festa dell'Incarnazione del Verbo, cioè circa tre mesi dopo la nascita di Cristo.

(4) Il prof. E. Millosevich, *L'Èra Volgare*, in *Nuova Antologia*, a. 1894, fasc. XXI, dimostrò abbastanza fondata l'opinione dei PP. Maurini che Cristo sia nato il 25 dicembre dell'anno sesto avanti l'Èra Volgare e messo in croce nell'anno 29 o 30.

(5) V. Giry, op. cit. pag. 89, il quale cita un esempio dell'anno 704, in Facsim. of ancient charters in the Brit. Mus. I, 3.

(6) Il più antico esempio rinvenuto è dell'anno 676, V. Bond, Handy book for verifying dates, London, 1889, p. 25.

In Francia se ne cominciò l'uso più tardi, verso la metà del sec. VIII (1); in Germania, nel sec. IX (2); in Spagna, nel XIV (3); in Grecia e nel Portogallo soltanto nel XV. Quanto all'Italia, il più antico esempio sicuro rinvenuto nei diplomi imperiali, è dell'anno 840 in un diploma di Lotario I (4). I papi l'accolsero pure nel IX sec., trovandosene un esempio, quantunque isolato, nell'878 in una lettera di Giovanni VIII (5); ma fu soltanto sotto il pontificato di Giovanni XIII (965-72) che la cancelleria pontificia cominciò a farne uso (6). Nel X secolo, del resto, la vediamo ormai generalizzata in quasi tutto l'Occidente.

Nei documenti trovasi indicata l'Èra Cristiana con le formole: *anno incarnationis*, *ab incarnatione Domini*, *Dominicae incarnationis*, *trabeationis*, *ab incarnati verbi misterio*, *anno Domini*, *a nativitate Domini*, *orbis redempti*, *salutis gratiae*, *a passione Domini*, *a resurrectione*, *circumcisionis*, ecc. Di tali formole conviene tener conto perchè possono talvolta darci indizio dello stile usato nella datazione del documento.

È nota la diversità che correva nel Medio Evo tra paese e paese ed anche fra diversi in una stessa città, riguardo al principio dell'anno. Rimanendo uguale per tutti i sistemi l'indicazione dei mesi e dei giorni, la data dell'anno di uno stesso avvenimento poteva variare di una unità più o meno a seconda dello st..e usato. Così lo stile detto **della Natività**, che indicavasi per lo più con le formole: *anno a Nativitate Domini*, o anche soltanto *anno Domini*, stabiliva il primo giorno dell'anno al 25 dicembre, festa di Natale, anticipando di sette giorni sullo stile odierno. Tutti i documenti quindi, datati dalla Natività, segneranno in quei sette giorni una unità di più nella cifra dell'anno. Questo stile fu il più diffuso tanto in Italia che altrove.

Altro stile, detto **dell'Incarnazione**, che indicavasi per lo più con le formole: *anno ab incarnatione Domini*, *Dominicae incarnationis*, *trabeationis*, ecc. (7) prendeva per principio d'anno il giorno 25 marzo, festa dell'Annunciazione di M. V., posticipando sul computo odierno di due mesi e 24 giorni. Fu detto anche *stile fiorentino* pel lungo uso che se ne fece a Firenze e in altre città della

---

(1) Il primo esempio rinvenuto è dell'anno 742. V. BÖHMER-MÜLBACHER, Regesten unter den Karolingen, n. 24.

(2) Il più antico esempio rinvenuto è dell'anno 876, in diplomi regi. V. BRESSLAU, Handbuch der Urkundenlehre, Berlin, 1889, pag. 839.

(3) Per un ordine di Pietro IV re d'Aragona del 16 dicembre 1349. V. GIRY, op. cit., pag. 93.

(4) V. SICKEL, Acta Regum et Imperatorum Karolinorum, vol. I, pag. 221.

(5) V. JAFFÈ, Regesta Pontif., vol. I, pag. 403.

(6) V. JAFFÈ, op. cit., vol. I, pag. IX e GIRY, op. cit., pag. 89.

(7) Giova notare però che queste stesse formole si usarono spesso per indicare semplicemente l'*anno dell'èra cristiana* senza tener conto del giorno dal quale facevasi cominciar l'anno medesimo. Se ne trovano moltissimi esempi in carte lombarde dal XII al XIV sec. con la formola: *anno dominicae incarnationis*, mentre usavasi lo stile della Natività.

Toscana e differiva da un altro, chiamato **stile pisano**, di un anno preciso, poichè questo in luogo di posticipare, anticipava sul computo odierno di nove mesi e sette giorni, facendo incominciar l'anno al 25 marzo precedente.

Con le formole: *anno a resurrectione* o *a paschale* o *a passione Domini* (1), usate però assai raramente, indicavasi il così detto **stile francese** (*mos gallicanus*) cioè il principio d'anno al giorno della Pasqua di Risurrezione, ritardando sul computo odierni di 2 mesi e 22 giorni a 3 mesi e 24 giorni. È stile di uso antichissimo, trovandosene esempi nelle Fiandre, secondo il Giry (2), fino dal sec. IX e poscia molto usato in Francia fino al 1564.

Il computo odierno, detto anche **stile moderno** o **della Circoncisione**, indicavasi qualche volta con la formola: *anno Circumcisionis*, dal nome della festa che ricorre il 1° gennaio.

È noto che, presso i Romani, l'anno civile incominciava il 1° gennaio, fino dal 153 av. l'E. V. Tale sistema non fu mai interamente abbandonato, anche attraverso il Medio Evo e rimase in uso in alcuni paesi, come in Spagna, Portogallo, Francia (epoca merovingica) ed altrove contemporaneamente ad altri stili. In Italia si cominciò a farne uso costante in diverse cancellerie e dai privati nella seconda metà del secolo XV (3), ma assai più tardi negli atti notarili. La curia pontificia cominciò a servirsene nelle bolle alla fine del XV sec., sotto Gregorio XIII (4).

Altri due stili, anch'essi in uso nel Medio Evo, ma non dipendenti da feste religiose, erano: lo **stile veneto** e il **bizantino**. Il **veneto** cominciava l'anno il primo giorno di marzo, posticipando di due mesi sul computo odierno. Fu usato in Francia nell'epoca merovingica e fu detto *stile veneto* pel lungo uso che se ne fece a Venezia nel Medio Evo e tempi moderni, fino alla caduta della Repubblica. In alcuni documenti trovasi designato con la formola *more veneto* e talora con le sole sigle m. v. Molti notai veneziani dei secoli XIII e XIV usarono però le formole *ab incarnatione* o *a nativitate*, pur cominciando l'anno il primo giorno di marzo (5).

Lo **stile bizantino** anticipava sul comune di quattro mesi facendo cominciar l'anno il 1° di settembre. Si usò, secondo il Paoli (6), nell'Italia meridionale e segnatamente nelle Puglie, nelle Calabrie e nei territori italo-greci. Molti esempi ne offrono le carte di Bari fino al secolo XVI.

---

(1) In luogo delle formole suddette per la pasqua usavansi anche più frequentemente quelle di :*anno incarnationis, anno Domini, anno gratiae* ed altre.

(2) Op. cit., pag. 111.

(3) Nel registro N. 29 delle lettere missive ducali degli Sforza, che conservasi nell'Archivio di Stato di Milano, notasi il cambiamento del millesimo al 1° gennaio 1457, e così nei registri successivi, mentre negli anni anteriori mutavasi data il 25 dicembre.

(4) V. PAOLI, Diplomatica, pag. 181.

(5) V. PAOLI, op. cit., pag. 177.

(6) Programma di Paleogr. e Diplom., vol. III, pag. 177.

Riepilogando, abbiamo dunque i seguenti modi usati per cominciar l'anno, cioè:

Stilo moderno, o della Circoncisione, cominciante dal 1° gennaio.

Stile veneto . . . . cominciante dal 1° marzo, posticipando sul moderno, al quale corrisponde dal 1° marzo al 31 dic.

Stile dell'Incarnazione al modo fiorentino, cominciante dal 25 maezo, posticipando sul moderno, al quale corrisponde dal 25 mar. al 31 dic.

Stile dell'Incarnazione al modo pisano, cominciante dal 25 marzo, anticipando sul moderno, al quale corrisponde dal 1° genn. al 24 marzo.

Stile della Pasqua, o francese, cominciante dal giorno di Pasqua, posticipando sul moderno, al quale corrisponde da Pasqua al 31 dic.

Stile bizantino . . . cominciante dal 1° settembre, anticipando sul moderno, al quale corrisponde dal 1° genn. al 31 agosto.

Stile della Natività, cominciante dal 25 dicembre, anticipando sul moderno, al quale corrisponde dal 1° genn. al 24 dic.

Esaminati i diversi sistemi seguiti nel Medio Evo per cominciar l'anno, ci rimane a vedere, più precisamente, in quali paesi e in quali tempi furono usati. I documenti recano nella datazione qualche formola, indicante di quale stile si fece uso, sono assai scarsi, e spesso, come vedemmo, queste indicazioni possono trarre in errore. Non poche ricerche furono quindi fatte in proposito dai diplomatisti, altre, specialmente per l'Italia, facemmo noi stessi, ma purtroppo molto rimane ancora a farsi per stabilire con esattezza le varietà di stili usati, paese per paese, secolo per secolo, non solo nel Medio Evo, ma anche nei tempi moderni. Tuttavia giudicammo opportuno riassumere in un elenco alfabetico, per città e Stati, il risultato degli studi a questo proposito fatti fino ad oggi.

ITALIA

Alessandria, stile della Natività, ancora usato nella seconda metà del sec. XV. Nel 1476 era già in uso lo stile moderno (1).
Amalfi, stile bizantino del 1° sett. fino al sec. XII, primo decennio,
Arezzo, stile della Natività (2), poi stile moderno, dal 1749 in poi.

---

(1) Desunto esaminando le date di molte lettere di condoglianza, scritte negli ultimi giorni del 1476 ai duchi di Milano per la morte di Galeazzo Maria Sforza. Così dicasi per altri paesi che seguono.

(2) V. PAOLI, Programma di Diplomatica, pag. 174. Secondo il GIRY, Manuel de Diplomatique, pag. 127, Arezzo seguì lo stile pisano.

Bari, stile bizantino, usato generalmente nel secolo XI fino al principio del XVI (1).

Benevento, stile della Circoncisione dal X sec., ma nel XII, stando al Carraresi (2), si usò lo stile del 1° marzo.

Bergamo, stile della Incarnazione al modo pisano (3). Nel 1310 era già in uso lo stile della Natività.

Bobbio, stile dell'Incarnazione dal sec. XI a oltre il sec. XV; in principio al modo pisano, poi, dal XII sec., al modo fiorentino(4).

Bologna, stile dell'Incarnazione già in uso nel 1025, fino al 1204 circa, ma rarissimo negli ultimi anni. Nel 1073 era incominciato l'uso dello stile a Natività, che poi prevalse e durò sino alla fine del XV (5). Formole: *anno ad Incarnatione, anno Domini* e *a Nativitate.*

Borgonovo, stile dell'Incarnazione, ancora in uso nel 1466 (6).

Brescia, stile della Natività, con la formola « *ab incarnatione* » da principio, poi « *a nativitate* » dalla metà del sec. XII in poi. Ancora in uso alla metà del sec. XVI.

Calabria, stile bizantino (1° sett.) fino al XVI sec.

Chiavenna, stile della Natività dalla metà del sec. XIII almeno. Formola: *Anno Dominicae Incarnationis.*

Colle di Valdelsa, stile dell'Incarnazione fino al 1749, poi stile moderno.

Como, stile della Natività nel sec. XIV. Nel 1476 era già in uso lo stile moderno.

Corneto, stile pisano fino al 1234 (7).

Cortona, stile della Natività fino al XV sec. Nel 1411 era già in uso lo *stile fiorentino*, però qualche notaio rimase fedele al vecchio stile fino al 1450 (8).

Crema, stile della Natività; nel 1476 era già in uso lo stile moderno. Formola: *anno Domini.*

Cremona, stile dell'Incarnazione, usato ancora nel sec. XVI. Alla metà del XVIII sec. era già in uso lo stile moderno anche negli atti notarili, ma con qualche eccezione (9).

---

(1) PAOLI, Programma di Diplomatica, pag. 178.

(2) Cronografia generale dell'Èra volgare. pag. 234.

(3) V. FUMAGALLI, Istituzioni diplomatiche, Milano, 1802, vol. II, pag. 61.

(4) Il più antico docum. bobbiese datato *ub incarn.* al modo pisano è finora del 1047, luglio 30. – V. Codice Diplomat. del monastero di S. Colombano, Roma, 1918, vol. III, pag. 8.

(5) V. MALAGOLA, Sunti delle lezioni del corso ufficiale di Paleografia e Diplomatica, Bologna, 1897.

(6) Ricavato dall'esame di parecchie lettere dirette a Bianca Maria Sforza per la morte di Francesco I duca di Milano (8 marzo 1466) conservate nell'Archivio di Stato di Milano.

(7) V. PFLUNGK-HARTUNG, Iter Italicum, pag. 530.

(8) G. MANCINI, Cortona nel medio evo, Firenze, 1897, e PAOLI, Diplomatica, pag. 174.

(9) Un atto notarile del 1782, 20 marzo (st. mod.), incomincia: « *In Christi nomine, anno ab Eiusdem Incarnatione millesimo septingentesimo octogesimo primo, seu ut communiter et iuxta stylum fori Cremonensis, millesimo septingentesimo octogesimo secundo, indictione XV, currente die vero mercurii, vigesima mensis martii...* »

Ferrara, stile della Natività, ancora usato dai notaj alla fine del XV sec.

Fiesole, stile dell'Incarnazione fino al 1749, poi stile moderno.

Firenze, stile dell'Incarnazione dal X sec. al 1749 inclusivo, poi stile moderno.

Gallarate (Milano), stile della Natività, ancora usato nel 1476.

Genova e Liguria, stile della Natività fin oltre la metà del XV sec. Nel 1476 era già in uso lo stile moderno.

Guastalla, stile della Natività, ancora usato nel 1466.

Lodi, stile dell'Incarnazione al modo pisano (1) fino al sec. X. Nel 1476 usavasi lo stile a Natività.

Lucca, stile dell'Incarnaz. fin verso la fine del sec. XII, poi si usò lo stile a Natività fino al 1510. Nel XIV sec. trovasi però qualche esempio di stile pisano (2) e, dal 1510 in poi, si usò lo stile moderno.

Mantova, stile dell'Incarnazione nel sec. XII, poi stile a Natività già in uso alla metà del sec. XIII (3).

Massa, stile della Natività, ancora in uso nel XIV sec.

Milano, stile dell'Incarnazione al modo pisano, però solo, secondo il Giulini (4), dalla metà del sec. IX, usato negli atti pubblici e solenni, sino verso la fine del sec. X. Dal principio del sec. XI cominciò a prevalere lo stile della Natività fino oltre la metà del XV, e fino al XVIII per gli atti notarili. La cancelleria ducale cominciò ad abbandonare lo stile della Natività nel 1459, sostituendo lo stile moderno. Formole usate: *anno Domini e Incarnationis* nei sec. X e XIII, poi *anno a Nativitate Domini.*

Modena, stile della Natività con formole *Dominicae Incarnationis* e *a Nativitate Domini* dal sec. XII fino alla fine del XV negli atti notarili (5), poi incomincia lo stile moderno, rimanendo però la formola *anno a Nativitate Domini*, fino alla fine del XVIII (6).

Monza, stile della Natività, con formola: *anno Dominicae Incarnationis,* dal sec. XIII almeno, fino al XV.

Napoli, stile della Natività dalla metà del sec. XIII, ma sotto Carlo I (1282-85) s'introdusse lo stile della Pasqua. Dal 1270 trovasi usato, specialmente dai notai, lo stile dell' Incarnazione (7).

(1) V. Fumagalli, Istituzioni diplomatiche, vol. II, p. 61, e Vignati, Cod. diplom. laudense.

(2) V. «L. Fumi, Avvertenza per la cronologia nella datazione dei documenti lucchesi, in Rivista delle Biblioteche e degli Archivi, a. XIV (1903), N. 3, 4, pag. 43 segg. Secondo questo autore lo stile a Natività rimase inalterato in Lucca anche nel periodo della dominaz. pisana, 1342-1368. V. anche: «Regesti dell'Archivio diplomatico di Lucca». Ivi, 1303, pag. IX.

(3) V. Lazzarini, Del principio dell'anno nei documenti padovani, Padova, 1900; e P. Torelli, op. cit., pag. 14.

(4) Mem. sulla Storia di Milano, agli anni: 881, 899, 902, 956, 962, 984, 987 e 1042. — V. anche Fumagalli, Istituzioni Diplomatiche, Milano, 1802, vol. II, pag. 61.

(5) Nel 1486 era già in uso lo stile moderno da alcuni notaj.

(6) P. Tosatti, Il Calendario perpetuo, Modena, 1883, pag. 172.

(7) V. Del Giudice, Codice diplomatico del regno di Carlo I e II d'Angiò, Napoli, 1863, pag. XXV.

Novara, stile della Natività, con formola: *Dominicae Incarnationis*, nel sec. XII in poi; nel 1476 erà già in uso lo stile moderno.

Orvieto, stile della Natività.

Padova, stile dell'Incarnazione, al modo pisano, poi della Natività, dal sec. XII almeno. Alla metà del XVII incomincia lo stile comune (1).

Parma, stile dell'Incarnazione che cominciò ad usarsi in principio del secolo X (2), poi, dopo la metà del XII (3) trovasi usato lo stile della Natività, il quale durò fino al XVI sec., poscia venne sostituito dallo stile comune. La formola: *anno ab Incarnatione Domini* rimase in uso a Parma nel sec. XII presso diversi notai, usando lo stile a Natività. La formola *a Nativitate Domini* rimase negli atti notarili fino al principio del sec. XIX, pure usando lo stile comune.

Pavia, stile della Natività nei sec. XII al XV, con formole: *ab Incarnatione, Dominicae Incarnationis* e *Dominicae Nativitatis*. Nel 1476 era già in uso lo stile moderno.

Piacenza, stile dell'Incarnazione dal principio del sec. X almeno fino al principio del XIX, specie dai notaj, poi si usò lo stile moderno (4). Però sulle gride di Piacenza, dall'anno 1600 in poi, si usò lo stile a Natività.

Piombino, stile dell'Incarnazione al modo pisano (5), già in uso nel sec. XIV.

Pisa, stile dell'Incarnazione, ma anticipando di un anno sullo stile fiorentino. Questo stile, detto *pisano*, fu usato dai tempi più antichi fino al 1749 inclusivo. Dal 1750 si usò lo stile moderno.

Pistoia, stile della Natività (6) fino al 1749; poi stile moderno.

Pizzighettone, stile della Natività, ancora usato nel 1498.

Pontremoli, stile dell'Incarnazione e della Natività usati dal principio del XIII sec. fino al 1749 (7).

Prato, stile dell'Incarnazione dal sec. XII al 1749.

Puglie, stile bizantino nel Medio Evo.

Ravenna, stile dell'Incarnazione nei sec. XII e XIII.

---

(1) V. TORELLI P., La data nei documenti medioevali mantovani, in « Atti e mem. della R. Accademia Virgiliana di Mantova », Mantova, 1909. – V. anche LAZZARINI, Del principio dell'anno nei docum. padovani. Padova, 1900.

(2) Il documento più antico che rinvenimmo, datato dall'Incarnazione, è una carta vescovile dell'aprile 913 che conservasi nell'Archivio capitolare di Parma. Però i notaj di questa città continuarono a datare con gli anni dell'impero fino alla metà del sec. XI.

(3) Il più antico documento da noi rinvenuto negli Archivi di Parma con la data della Natività è del 25 marzo 1170. Nel 1153 usavasi ancora lo stile dell'Incarnazione.

(4) V. PALLASTRELLI, Dell'anno dell'Incarnazione usato dai Piacentini, Piacenza, 1876. – La più antica carta rinvenuta con la data dell'Incarnazione è del 904.

(5) PAOLI, l. c., pag. 172.

(6) V. PAOLI, Progr., pag. 174. – Secondo il GIRY, Dip omatique, pag. 127, Pistoja seguì lo stile pisano.

(7) V. G. SFORZA, Memorie e documenti per servire alla Storia di Pontremoli, Lucca 1887, p. II, pag. 175

Reggio Emilia, stile dell'Incarnazione ancora usato nel 1177, con formola: *anno ab Incarnatione*, poi della Natività dal sec. XIII, con formole: *anno Domini* e *a Nativitate*, poscia stile della Circoncisione, già in uso nel 1379, con formola: *anno Circumcisionis*.

Rimini, stile della Natività, sec. XIII al XV. Formola: *ab Incarnatione*.

Roma e suo territorio, stile a Natività usato dai notaj e dai privati dal sec. X al XVII. I papi usarono lo stile a Natività da Giovanni XIII (968-70) fino ad Urbano II (1088). Però si trova usato qualche volta lo stile dell'Incarnazione fino dal pontificato di Nicolò II (1059-61). Usarono contemporaneamente lo stile a Natività, quello dell'Incarnaz. al modo fiorentino e lo stile pisano i papi: Urbano II, Pasquale II, Calisto II, Onorio II, e Innocenzo II. Lo *stile fiorentino* prevalse però da Eugenio II (1145) fino al sec. XVII, ma si trovano bolle datate *a Natività* sotto il pontificato di Alessandro III (1159-81) (1). Nicolò IV (1288-92) usò lo stile della Pasqua (2), Bonifacio VIII (1294-1303) quello a Natività, che durò per tutto il sec. XIV. Eugenio IV nel 1445 rese obbligatorio per le bolle lo *stile fiorentino*, mentre i brevi si datavano *a Natività*. Gregorio XIII (1572-85) cominciò negli ultimi anni del suo pontificato a datare le bolle con lo *stile moderno*, uso confermato poi definitivamente nel 1691 da Innocenzo XII (3). Pei brevi lo stile moderno era stato introdotto nel 1621 da Gregorio XV. Lo stile dell'Incarnazione si usò sempre e si usa ancora oggi, per le nomine dei Vescovi (4).

Salerno, stile dell'Incarnazione.

San Geminiano (Toscana), stile dell'Incarnazione fino al 1749 inclus., poi stile moderno.

San Miniato del Tedesco, stile pisano fino al 1369 (5), poi stile fiorentino fino al 1749 inclus., poscia stile moderno.

Savona, stile della Natività, ancora in uso nel 1476.

Sicilia, stile dell'Incarnazione e a Natività, usati promiscuamente fino al sec. XVI, poi stile moderno (6).

Siena, stile dell'Incarnaz. dal sec. X, con qualche esempio di stile pisano, fino al 1749; poi stile moderno.

Spezia, stile della Natività, usato ancora nel 1476.

---

(1) JAFFÈ, Regesta Pontificum, II ediz., pag. IX.

(2) V. PAPEBROCHIO, Acta Sanctorum, Propylaeum C. p. 65. ***

(3) PAOLI, op. cit., pag. 181.

(4) RÜHL, op. cit., pag. 40.

(5) PAOLI, Progr., pag. 172.

(6) Il RÜHL, op. cit., pag. 30, dice che in Sicilia si usò lo stile dell'Incarnazione fino al XVI sec., poi lo stile moderno; ma dai notaj, fino al 1604, continuò ad usarsi lo stile dell'Incarnazione.

Torino, stile dell'Incarnazione, poi della Natività dal XIII sec. almeno ed usato ancora nel 1476.

Tortona, stile della Natività, usato ancora dai notai nel 1661.

Venezia, stile del 1º marzo (detto Veneto), da tempi antichissimi fino al 1797, ma solo per gli atti pubblici ed ufficiali. I notai usarono pure lo stile veneto ma con le formole: *anno ab Incarnatione* e *a Nativitate*. Per gli atti destinati all'estero la cancelleria veneziana usava lo stile moderno. Nel 1520 circa s'introdusse a Venezia lo stile moderno, negli atti privati.

Vercelli, stile della Natività, ancora in uso nel 1476.

Verona, stile della Incarnazione al modo fiorent., dal sec. IX (1) alla fine dell'XI, poi della Natività spesso con formola: « *anno incarnationis* » (2) fino alla fine del XVIII sec., poi stile moderno.

Vicenza, stile della Natività, ancora in uso nel 1468.

Voghera, stile della Natività con la formola: *Dominicae Incarnationis* nel sec. XIII.

ALTRI STATI E CITTÀ D'EUROPA

Alvernia, stile dell'Incarnazione, usato ancora dai notaj nel 1478 (3).

Alsazia, stile della Natività fino al XV sec. nel quale cominciò a prevalere lo stile moderno.

Amiens, stile della Circoncisione dal XIII sec. in poi; stile della Pasqua almeno nel XV e XVI sec. (4).

Angoumois, stile dell'Incarnazione dalla fine del XIII sec. almeno, fino al 1565 compreso, poi stile moderno.

Anjou, stile della Natività nel 1000, ancora in uso alla fine del sec. XI, ma contemporaneamente usavasi forse lo stile dell'Incarnazione. Dal 1204 in poi prevale a poco a poco lo stile della Pasqua.

Aquitania, stile dell'Incarnazione usato fino al XII sec., poi stile della Natività o della Pasqua fino alla fine del XIII sec. Al principio del XIV si ritornò allo stile dell'Incarnazione.

Aragona, Èra di Spagna (1º genn.) ed anche stile dell'Incarnazione dal 1180 al 1350, poi stile della Natività (5) fino al principio del XVII sec. nel quale cominciò l'uso dello stile moderno.

Arles, stile dell'Incarnazione.

Artois, stile della Pasqua, già in uso nell'856 (6).

---

(1) Con la formola: « *anno salutiferae ac perenniter adorandae Incarnationis Domini* ». V. Arch. paleogr. ital., vol. III, N. 23.

(2) V. FAISELLI VITT., La data nei documenti e nelle cronache di Verona, Venezia 1911. Estratto dall'Arch. Veneto, N. 8., vol. XXI, p. 1ª.

(3) Per tutto ciò che riguarda la Francia e la Germania, veggasi: GIRY, Manuel de Diplomatique, pagg. 112 e segg., al quale in gran parte ci siamo attenuti.

(4) Art de vérifier les dates, Dissert., pag. 28.

(5) RÜHL, Chronologie, pagg. 31 e 39.

(6) RÜHL, Chronologie, pag. 34.

Austria, stile della Natività, ancora in uso nel 1477 nella cancelleria ducale (1).

Auxerre, stile della Pasqua più frequentemente, ma anche stile a Natività.

Avignone, stile della Natività, usato di preferenza al principio del XIII sec.

Bar-le-Duc, stile della Pasqua nel XV sec. e al principio del XVI.

Baviera, stile della Natività, ancora usato nel 1465.

Bearn, stile della Pasqua, già in uso alla fine del sec. XI.

Bellinzona, stile della Natività; nel 1477 era già in uso lo stile moderno.

Besançon, stile della Natività, forse dalla fine del XII sec., poi stile della Pasqua dalla metà del XIII, eccetto alcuni notaj, che datarono a Circoncisione. Dal 1566 si usò lo stile moderno. Ciò secondo il Giry (2); secondo il Rühl (3) a Besançon si usò lo stile dell'Incarnazione fino al sec. XVI.

Borgogna, stile della Natività, o a Circonc. nell'XI sec. Più tardi, dalla fine del XIV sec. alla cessazione del ducato (1477), si usò generalmente lo stile della Pasqua (4).

Bourges, stile della Pasqua, usato dall'Arcivescovo alla fine del XIII sec.

Brabante, stile della Pasqua fino al XVI sec.; dal 1576 stile a Circoncisione.

Bretagna, stile della Pasqua a partire dal XIII sec. almeno

Cambrai, stile della Pasqua.

Castiglia e Lèon, Èra di Spagna, con principio d'anno al 1° gennajo, fino al 1383, poi stile della Natività fino al principio del XVII sec., indi stile moderno.

Catalogna, Èra di Spagna (1° genn.) fino al 1180, poi stile dell'Incarnazione, usato ancora nel XIII sec., dal 1351 stile della Natività fino alla fine del sec. XVIII.

Champagne, stile della Pasqua dal sec. XII circa.

Chartres, stile della Natività o della Circoncisione dalla fine del X sec. usato da Eude I Conte di Blois, di Chartres e di Tours. Però Fulberto, vescovo di Chartres (1007-1028) usò lo stile del 1° marzo (5).

---

(1) Una lettera del duca Sigismondo d'Austria, diretta a Galeazzo Maria Sforza duca di Milano, finisce in questo modo: « *Datum in oppido nostro Insprügg, vicesima septima mensis decembris, anno Domini etc. septuagesimo septimo* ». Essendo diretta allo Sforza pred. che moriva il 26 dicembre 1476, la lettera non può essere del 1477 ma del 1476, quindi si usò lo stile a Natività.

(2) Manuel de diplomatique, pag. 120.

(3) Chronologie, pag. 35.

(4) BRUEL, Études sur la chronologie des rois de France et de Bourgogne etc. in Bibl. de l'École des Chartes, a. 1880.

(5) CH. PFISTER, Études sur le règne de Robert le Pieux. Étude prelim. pag. XXXVII Paris, 1885.

Colonia, stile della Pasqua. Però a partire dal 1310 il clero cominciò ad usare lo stile a Natività, i laici continuarono con lo stile della Pasqua. L'università cominciò l'anno dall'Incarnazione e quest'uso durava ancora nel 1428.

Danimarca, stile della Natività con qualche esempio di stile a Circoncisione, fino al 1559, poi da taluni si usò cominciar l'anno il giorno di S. Tiburzio, cioè l'11 agosto, da altri il 1° gennaio, e ciò fino al 1700, poscia prevalse definitivamente lo stile moderno (1).

Delfinato, stile dell'Incarnazione fino alla fine del XIII sec., poi si trovano esempi di stile a Natività, che finalmente prevale al principio del XIV sec. Luigi XI delfino usò di preferenza lo stile della Pasqua (2).

Fiandra (*francese*), stile della Pasqua dalla metà del IX sec. fino alla fine del Medio Evo, però con qualche esempio di stile a Natività.

Fiandra (*Paesi Bassi*), stile della Pasqua fino al XVI sec., poi, dal 1576, stile moderno.

Figeac, stile del 1° marzo, ancora in uso alla fine del XIII sec.

Fleury-sur-Loire (*Abbazia di*), stile dell'Incarnazione dal sec. XI al XII circa, poi stile della Pasqua.

Foix (*Francia*), stile della Natività nel XII sec., e al principio del XIV sec. stile della Pasqua; poi, dal 1564, stile moderno.

Franca Contea, stile della natività alla fine del XII sec.; poi, dalla metà del XIII fino al 1566, stile della Pasqua. Dal 1566 in poi, stile moderno.

Francia. Nell'epoca Merovingica l'anno cominciava il 1° gennaio e il 1° marzo; nell'epoca Carolingia si usò lo stile a Natività. Sotto i primi Capetingi la cancelleria reale cominciò l'anno ora dal 25 marzo ora dal 1° gennaio e ora dal 1° marzo. Dal sec. XI (3) fino alla metà del XVI, si usò lo stile della Pasqua. Nel 1563 Carlo IX fissò il principio dell'anno al 1° gennaio per tutta la Francia, ma fino al 1567 non ne cominciò l'uso. Questo durò fino al 1793 quando fu proclamato il calendario repubblicano che cominciava l'anno il 21 o 22 settembre. Dal 1805 in poi, si usò lo stile moderno. V. in questo elenco altri stati e città della Francia in ordine alfabetico.

Frisia, stile della Natività fino al 1576, poi stile moderno.

Germania, stile della Natività, dai tempi più antichi. La cancelleria imperiale sotto i Carolingi adottò lo stile a Natività, che fu seguito da tutti i sovrani tedeschi fino alla metà del XVI sec.;

---

(1) V. Ed. Brinckmeier, Praktisches Handbuch der histor. Chronologie etc. Berlin, 1882, pag. 94.

(2) V. U. Chevalier, Itinéraire des dauphins de Viennois, Voiron et Valence, 1886-87.

(3) Secondo il Rühl, Chronologie, pag. 34, trovansi frequenti esempi dello stile francese fino dai tempi di Filippo I (1060-1108).

poi s'introdusse lo stile della Circoncisione (1). V. Colonia, Treviri, Magonza.

Ginevra, stile della Pasqua dal 1220 circa fino al 25 dicembre 1305, poi stile a Natività fino al 1575, nel qual anno cominciò ad usarsi lo stile moderno.

Grecia, Èra bizantina, con principio d'anno al 1° settembre fino al sec. XV, poi fu introdotta l'Èra cristiana.

Gueldria (*Paesi Bassi*), stile della Natività fino al 1576, poi stile moderno.

Hainaut (*Francia*), stile della Natività usato di preferenza, ma usavasi anche lo stile della Pasqua.

Hainaut (*Paesi Bassi*), stile della Pasqua fino al XVI sec., poi, dal 1576, stile moderno.

Inghilterra ed Irlanda, stile della Natività, forse dal sec. VII, secondo alcuni cronologi, fino alla fine del XII circa; ma dopo il 1066 trovasi usato anche lo stile dell'Incarnazione. Alla fine del XII sec. si usarono da alcuni anche lo stile della Circoncisione e quello della Pasqua. Nel XIII si generalizzò lo stile dell'Incarnazione escludendo gli altri, e rimase in uso fino al 1752, nel qual anno si cominciò ad usare lo stile moderno (2).

Islanda, stile della Natività ancora usato ai tempi di Olao Worm (1588-1654) (3)

Liegi (*Paesi Bassi*), stile della Pasqua dalla metà del XII sino al XIV sec. Dal 1333 si usò lo stile a Natività.

Limousin, stile della Pasqua fino al 1301, poi stile dell'Incarnazione fino al 1565. Dal 1566 in poi, stile moderno.

Linguadoca, stile della Natività e dell'Incarnazione usati nel sec. XI, poi si usò lo stile della Pasqua, del quale si trovano esempi nel sec. XIII e che divenne di uso generale nel XIV sec.

Lionnese, stile della Pasuqa dal XII sec. al 1566.

Livonia, stile dell'Incarnazione fino alla fine del XIII sec., poi stile della Natività (4).

Lorena (*Ducato*), stile dell'Incarnazione fino al 1579.

Losanna, stile della Natività fin verso la metà del XV sec., poi stile dell'Incarnazione (5).

Lovanio, stile della Natività dal 1333, usato dal clero e dai notaj. L'Università usò lo stile della Circoncisione, la corte degli Scabini quello della Pasqua (6).

Lugano, stile della Natività fino oltre la metà del XVI sec. poi stile della Circoncisione.

---

(1) V. Brickmeier, Prakt. Handbuch etc., pag. 89-90.

(2) J. Bond, Handy-book of Rules and Tables for verifying dates etc., Londres, 1875, pag. 91.

(3) Rühl,, op. cit., pag. 39.

(4) Rühl, Chronologie, pag. 31 e Grotefend, op. cit., pag. 12.

(5) Art de vérifier les dates. Dissert, pag. 24.

(6) Reusens, Element de paléographie et de diplomatique, Louvain, 1891, pag. 97.

Lussemburgo, stile dell'Incarnazione.

Magonza, stile della Natività fino al XV sec., poi va prevalendo lo stile della Circoncisione (1).

Metz, stile dell'Incarnazione dal XIII sec. fino al 1º gennaio 1581, poi stile a Circoncisione.

Montbéliard, ora stile dell'Incarnazione ed ora della Circoncisione fino al 1564, poi prevale quest'ultimo.

Montdidier, stile dell'Incarnaz. fino al XVI sec.

Narbona, stile della Natività, che trovasi ancora in uso alla fine del XIII sec.

Navarra (*Spagna*), Èra di Spagna (1º genn.), poi stile dell'Incarnazione dal 1234, ma, dal XIV sec. circa, s'introdusse lo stile della Natività che durò fino al principio del XVI sec., poi stile moderno.

Normandia, stile della Pasqua dal principio del XIII sec.

Norvegia, stile della Natività, poi della Circoncisione dalla seconda metà del XV sec.

Olanda, stile della Pasqua fino al XVI sec. Dal 1576 in poi si usò lo stile moderno.

Parigi, stile della Pasqua, ma, dal 1470, i priori del collegio della Sorbona cominciarono ad usare lo stile della Natività o quello della Circoncisione (2).

Peronne, stile della Circoncisione dal XIII sec., della Pasqua nel XV e XVI.

Poitou, stile della Natività fino al 1225, poi stile della Pasqua, contemporaneamente con quello dell'Incarnazione, fino alla fine del XVI sec.

Polonia, stile della Circoncisione, usato dal 1364 nella cancelleria regia: divenne d'uso costante dalla metà del XV sec. (3).

Portogallo, Èra di Spagna (1º genn.) fino al 1422, poi stile a Natività (4) fino alla fine del XVI sec. o al principio del XVII, indi stile a Circoncisione.

Provenza, ora stile della Natività ed ora dell'Incarnazione nei sec. XI al XIII: a metà del XIII fu introdotto lo stile della Pasqua.

Querey (*l'Alto*), stile del 1º marzo, dalla fine del XIII sec.

Reims, stile della Pasqua dal X sec. Alla fine del XIV e a metà del XV si usò, secondo il Mabillon, lo stile pisano.

Rodi, stile dell'Incarnazione, ancora in uso alla fine del sec. XV.

Rossiglione, stile dell'Incarnazione alla fine del XII sec. e nel XIII. Dal 1351 si adottò l'uso dello stile a Natività che durò fino alla fine del sec. XVIII.

Rouergue (*Francia*), stile dell'Incarnazione, in uso nel 1289.

---

(1) BRINKMEIER, Praktisch. Handbuch etc., pag. 90.

(2) GIRY, op. cit., pag. 114.

(3) GROTEFEND e RÜHL, op. cit. pag. 12, e RÜHL, op. cit. pag. 26.

(4) Introdotto dal re Giovanni I il 22 agosto di detto anno.

Russia, stile del 1° marzo da tempi antichissimi, poi, dal sec. XI, stile del 1° settembre (èra bizantina) fino al 1725, indi stile del 1° gennaio secondo il calendario giuliano. Secondo il Rühl (1), i più antichi cronisti russi, pur usando l'Èra bizantina, erano soliti cominciar l'anno col 1° marzo. V. Livonia.

Savoia (*Stati della Monarchia di*), stile dell'Incarnazione e della Natività usati promiscuamente, ma dal XIII sec. in poi prevale quello della Natività (2).

Scozia, stile dell'Incarnazione fino al 1599; dal 1600 in poi si usò lo stile moderno.

Sion (*Svizzera*), stile dell'Incarnazione fino al 1230 poi stile a Natività e della Pasqua. Però, dalla fine del XIV sec., trovasi usato anche lo stile moderno.

Soissons, stile a Natività dal sec. XII.

Spagna, Èra di Spagna (1° genn.) fino al principio del sec. XV, ma già fino dal XII sec. usavansi anche per l'Èra Cristiana, gli stili dell'Incarnazione e della Circoncisione, e, dalla fine del XIV sec., quello a Natività che durò fino al principio del XVII sec., nel quale s'introdusse lo stile moderno. V. Aragona, Castiglia, Catalogna, Navarra, Valenza.

Svezia, stile della Natività, poi stile moderno dal 1559 in poi.

Svizzera, stile della Natività molto in uso fino dalla seconda metà del XVI sec., poi stile moderno. V. Ginevra, Losanna, Vaud, Sion, Vallese.

Tolosa, stile dell'Incarnazione nei secc. XII e XIII poi si usò anche lo stile della Pasqua. Nel 1564 s'introdusse lo stile moderno.

Toul (*Francia*), stile della Pasqua.

Treviri, stile dell'Incarnazione dal 1307 almeno, fino al sec. XVII; però dalla fine del XVI sec. si trova usato anche lo stile moderno.

Ungheria, stile dell'Incarnazione fino alla metà del XIII sec., poi stile a Natività; ma dal XIV sec. fu usato contemporaneamente anche lo stile moderno.

Utrecht, stile della Pasqua fino al 1333, poi stile a Natività. Il Gachet (3) afferma che anticamente, fino al 1317, si usò ad Utrecht lo stile dell'Incarnazione.

Valenza. Èra di Spagna (1° genn.) fino al 1358, poi stile a Natività fino al principio del XVII sec., nel quale cominciò lo stile moderno.

Vallese (*Svizzera*), stile dell'Incarnazione fino al 1230, poi stile a Natività e della Pasqua. Però dalla fine del XIV sec. si usò anche lo stile moderno.

---

(1) Chronologie etc., pag. 29. Secondo il GROTEFEND (Taschenbuch etc., pag. 12) lo stile del 1° marzo durò fino alla metà del XIII sec.

(2) DATTA, Lezioni di Paleografia e critica diplomatica, ecc., Torino, 1834, pagg. 378-379.

(3) Bull. della comm. d'histoire de Belgique, II serie, vol. I, pag. 47. – V. anche GIRY, Manuel de diplom., pag. 128.

Vaud (*Svizzera*), stile a Natività fin verso la metà del XV sec., poi stile dell'Incarnazione (1).

Velay (*Francia*), stile a Natività o a Circoncisione nell'XI sec.; poco tempo appresso trovasi usato anche lo stile del 1º marzo.

Vendmôe (*nell'Abbazia della Trinità*), stile a Natività o a Circoncisione nel sec. XI e, dal secolo XII circa, si usò quello della Pasqua.

Verdun, stile della Pasqua dal XIII sec. fino al 1º genn. 1581, nel qual anno s'introdusse lo stile moderno.

Westfalia (*in parte*), stile della Pasqua (2).

i) EGIRA DI MAOMETTO

Quest'Èra parte, come è noto, dal giorno della fuga (*egira*) di Maometto dalla Mecca, cioè dal 16 luglio dell'anno 622 dopo Cristo, ma non ne cominciò l'uso che 10 anni appresso. Nel calendario maomettano l'anno, di 354 giorni, 8 ore 48' e 33", è puramente lunare e si compone di 12 mesi di 29 e 30 giorni ciascuno alternativamente ed è quindi più corto del nostro di 10 o 11 giorni, e 33 anni maomettani equivalgono a 32 dei nostri.

I nomi dei mesi sono i seguenti:

	di giorni			di giorni
1. Moharrem	 30	7. Redscheb	 30
2. Çafar	 29	8. Schabàn	 29
3. Rebì el awwel (Rebì 1)	. 30	9. Ramadàn	 30
4. Rebì el-àkhir (Rebì II)	. 29	10. Schawwàl	 29
5. Dschumàda el-ùlà (Dsc. I) 30		11. Dhul-kade	 30
6. Dschumàda el-àkhira (Ds. II) 29		12. Dhul-hiddsche	. 29 o 30

Dell'avanzo annuo di 8', 48ᵐ, 33'. i Maomettani tennero conto istituendo un ciclo lunare di 30 anni dei quali 19 sono comuni, cioè di 354 giorni, e 11 sono abbondanti, cioè di 355 giorni. In ogni ciclo sono abbondanti gli anni 2º, 5º, 7º, 10º, 13º, 16º, 18º, 21º, 24º, 26º, 29º e il giorno che aggiungesi, ponesi in fine del 12º mese, che diventa così di 30 giorni.

L'uso di quest'Èra incominciò circa nell'anno 640 dell'Èra volgare al tempo del Califfo Omar I. Nelle nostre colonie d'Africa il calend. maomettano è usato oggi in Libia e nella Somalia.

Nelle Tavole cronografiche (parte IIIª) indicheremo per ciascun anno dell'Èra volg. l'anno dell'Egira e a qual giorno corrisponde nel nostro calendario il primo giorno dell'anno maomettano o 1º Moharrem. Conoscendo questo non sarà difficile il calcolo per avere l'inizio degli altri mesi dello stesso anno.

---

(1) Art de vérifier les dates. Dissert., pag. 24.
(2) Rühl, Chronologie, pag. 34.

PARTE SECONDA

I calendari

a) CALENDARIO ROMANO

Dell'antico calendario romano, che si fa risalire fino ai tempi di Romolo, si hanno poche ed incerte notizie. Secondo il Mommsen (1) l'anno contava 295 giorni all'incirca, distribuiti in dieci mesi lunari e cominciava con quello di marzo; poscia venne riformato da Numa Pompilio che vi aggiunse i mesi di gennajo e febbrajo, facendone così un vero anno lunare di 355 giorni, cominciante sempre dal marzo. Ogni due anni vi si dovevano però intercalare 22 o 23 giorni (2) per metterlo d'accordo con l'anno solare, ma con un errore di due giorni in più ogni biennio. Ciò durò per parecchi secoli, finchè nell'anno 708 di Roma (46 av. Cristo), Giulio Cesare, essendo sommo pontefice, chiesta la cooperazione del grande astronomo Sosigene di Alessandria, riformò di nuovo il Calendario formando un anno solare di 365 giorni e 6 ore circa e cominciante col gennajo. Delle 6 ore eccedenti si formò un giorno, che dovevasi aggiungere ogni quattro anni al mese di febbrajo, tra il quint'ultimo e il sest'ultimo giorno (24 febbrajo). L'anno così accresciuto, cioè di 366 giorni, fu detto *bissextilis*. L'equinozio di primavera fu fissato al 25 marzo.

Ciascuno dei dodici mesi. componenti l'anno era diviso in tre parti disuguali, cioè le *Calende*, che cadevano sempre al 1° del mese, le *None* al 5 e le *Idi* al 13, eccetto nei mesi di marzo, maggio, luglio e ottobre, nei quali le None cadevano invece il giorno 7 e le Idi al 15. Gli altri giorni del mese numeravansi a ritroso a seconda della distanza che correva dalle Calende, dalle Idi e dalle None, computando nel calcolo anche il giorno di queste. La vigilia delle None, delle Idi e delle Calende dicevasi *pridie Nonas*, *pridie Idus*, ecc., ma. nel medio evo, anche *secundo Nonas*, *secundo*

---

(1) *Römische Chronologie bis auf Caesar*, 1859, pag. 52. Questo autore opina però che non si trattasse di un vero anno, ma di un periodo di 10 mesi, secondo il quale regolavansi i contratti.

(2) Questi giorni venivano collocati dopo il 23 febbrajo e i cinque giorni tolti a questo mese venivano aggiunti all'altro detto « *intercalare* » che riusciva di 27 o 28 giorni.

Idus, ecc.; *postridie* indicava invece il giorno posteriore alle Calende, alle None o alle Idi. Diamo a pagg. 32-34 l'intero calendario· romano riformato, tanto usato anche in tutto il Medio Evo e tempi moderni (1).

b) CALENDARIO ECCLESIASTICO

Frequentissimo fu pure nel Medio Evo, specialmente in Francia, nella Svizzera e, dalla metà del XIII sec. in Germania, il sistema di indicare i giorni, nella datazione dei documenti, coi nomi dei santi o delle altre feste religiose che ricorrevano nel calendario ecclesiastico (2). Ad es.: «*Datum Curie, sabbato ante festum beati Georgii, anno 1419*» (22 aprile); «*Dies solis proxima ante festum omnium sanctorum, anno 1496*» (30 ottobre) oppure: «*Ex Berno, die Antonii 1493*» (17 gennaio). Anche i giorni della settimana, anzichè coi soliti nomi di *dies lunae, martis*, ecc., indicavansi molte volte per *feriae*, eccetto la domenica e spesso anche il sabato. Si aveva quindi: *dies dominicus* (3), la domenica; *feria secunda*, il lunedì; *feria tertia*, il martedì; *feria quarta*, il mercoledì; *feria quinta*, il giovedì; *feria sexta*, il venerdì; *dies sabbati*, o *feria VII*, il sabato. Ad es.: «*Feria quarta pascae, anno 1498*» (mercoledì 18 aprile); «*Feria sexta proxima post festum S. Johannis Baptistae, anno 1456*» (venerdì 25 giugno).

Per rinvenire le date precise del mese e giorno nei documenti datati con nomi di feste religiose, convien conoscere le ricorrenze delle solennità stesse come dei principali santi, nonchè le diverse denominazioni ecclesiastiche e popolari che ebbero certi giorni dell'anno. Noi ne compilammo quindi due speciali elenchi alfabetici (1) che crediamo sufficienti, specie con l'aiuto del *Calendario*

---

(1) Nel Medio Evo, oltre alla maniera romana di computare i giorni dei mesi, fu molto in uso anche il sistema *a mese entrante e uscente*, detto *consuetudo bononiensis*. I giorni della prima metà numeravansi in ordine diretto, chiamando il primo giorno: *prima dies*, il secondo *secunda intrantis*, o *introeuntis*, o *incipientis*, ecc., fino al 14 pel mese di febbraio, al 15 pei mesi di 30 giorni, e al 16 per quelli di 31. L'altra metà del mese numeravasi a ritroso cominciando dall'ultimo giorno che dicevasi sempre *ultima dies*, il penultimo dicevasi *secunda exeuntis* o *instantis* o *astantis* o *restantis*, il terz'ultimo, *tertia exeuntis*, ecc., fino a *decima quinta exeuntis*, cioè il 17º giorno pei mesi di 31, il 16º per quelli di 30 e il 14º pel febbraio. Ad es.: «*die decimatertia exeuntis mensis aprilis*», 18 aprile, «*die nona instantis mensis maii*» 23 maggio, ecc.

(2) Se ne trovano esempi anche in Italia, ove fu adottato, come nota anche il PAOLI (Diplomat., pag. 208), dalla cancelleria Angioina per influenza francese e dai·privati, ma più raramente.

(3) Rarissime volte trovasi anche *feria prima*.

(4) V. pagg. 184-227. Nella compilazione di questi elenchi ci servimmo specialmente dell'*Art de verifier les dates*, del Glossario del DU CANGE, del *Trésor de Chronologie* del MAS LATRIE e delle opere già citate del GROTEFEND, del GIRY e del RÜHL, nonchè del CAHIER, Caractéristiques des Saintes dans l'art populaire, Paris, 1867.

perpetuo (pag. 36 segg.), il quale serve anche per rinvenire il giorno della settimana di qualunque data storica (1).

È noto che le feste religiose possono essere: *fisse* se cadono ogni anno nello stesso giorno, o *mobili* se cambiano annualmente la data della loro ricorrenza. Fra quest'ultime la più importante è la Pasqua di Risurrezione sulla quale è regolato tutto il calendario ecclesiastico. Fu stabilito dalla Chiesa che essa venga celebrata la prima domenica che segue il plenilunio dopo il 21 marzo, quindi non può cadere prima del 22 marzo, nè dopo il 25 aprile. In origine essa veniva celebrata il giorno stesso della Pasqua degli Ebrei, cioè il XIV giorno della luna di marzo qualunque fosse il giorno della settimana, e ciò diede origine più tardi al così detto *rito quarto-decimano*. Altri la celebravano la domenica seguente (rito domenicale), mentre le chiese delle Gallie fissavano la Pasqua al 25 marzo, altri, in epoche diverse. Tutte queste divergenze nella celebrazione della Pasqua, che durarono in verso la fine del secolo VIII, sono segnate a piè di pagina per ciascun anno nelle nostre Tavole Cronografiche.

Le altre feste mobili, dipendenti dalla Pasqua, trovansi spesso indicate nei documenti medioevali con le prime parole dell'*Introito* alla messa, e sono: la domenica di Settuagesima, detta *Circumdederunt me*; la sessagesima, *Exurge*; la quinquagesima *Invocabit me*. Le domeniche di Quaresima s'indicavano rispettivamente con le parole: *Invocabit, Reminiscere, Oculi, Laetare, Judica*; quest'ultima festa dicevasi, più comunemente, *dominica in passione Domini*. Quella che seguiva, cioè la prima avanti Pasqua, era detta: *Domine ne longe*, o *Palmarum festum*. Le domeniche che seguivano la Pasqua, erano: la Iª, o *in albis*, detta *Quasi modo*; la II, *Misericordia Domini*; la III, *Jubilate*; la IV, *Cantate*; la V, *Rogate*; la VI, *Exaudi*. Seguiva a questa la festa di Pentecoste e la sua ottava o festa della SS. Trinità, detta *Trinitas aestivalis*. Le altre domeniche dopo Pentecoste, che potevano essere di maggiore o minore numero a seconda degli anni, fino a 27, citavansi anch'esse con le prime parole dell'Introito (2). Altre due feste importanti erano: l'Ascensione di G. C. che si celebra 40 giorni dopo Pasqua, detta: *Ascensa Domini*, e il *Corpus Domini* o *Festum Christi*, istituita nel 1264 e che celebrasi il giovedì dopo la festa della SS. Trinità. Infine, le quattro domeniche di preparazione al Natale, dette d'*Avvento* designavansi con le parole: *Ad te levavi, Populus Sion, Gaudete* e *Memento nostrum Domine*.

Si comprenderà di quanta importanza doveva essere nel Medio Evo il determinare esattamente ogni anno in qual giorno dovesse

---

(1) Un Calendario perpetuo, compilato col sistema delle 35 Pasque, pubblicava il P. ESCOFFIER, prof. di liturgia a Perigueux, nel 1880 col titolo: « Calendrier perpetuel developpé sous forme de calendrier ordinaire ». Lo stesso fu riprodotto testualmente dal MAS LATRIE nel suo *Tresor de Chronologie*, Paris, 1889, pag. 265 e segg.

(2) V. Glossario di date pag. 109 e segg.

cadere la Pasqua, se con essa potevasi costruire, come abbiamo veduto, tutto il calendario. Computisti ed astronomi immaginarono quindi diversi ingegnosi sistemi per giungere agevolmente a questo scopo, come la *lettera domenicale*, il *ciclo solare* e il *lunare*, l'*epatta*, ecc. che sarebbe assai lungo e poco utile per noi fermarci ad esaminarli, trovandosene troppo rari esempi nella datazione dei documenti.

Riforma gregoriana del Calendario. — Nella riforma giuliana del Calendario, la durata dell'anno solare erasi calcolata, come vedemmo, di 365 giorni e 6 ore con una differenza in più, sul corso vero del sole, di circa 11 minuti e 9 secondi. Per quanto lieve, tale eccedenza veniva a formare, ogni 128 anni circa, un giorno intero, facendo retrocedere gradatamente l'equinozio di primavera, già fissato al 25 marzo. Infatti, al Concilio di Nicea, tenuto nel 325, si dovette far retrocedere l'equinozio stesso al giorno 21 di detto mese.

Diversi tentativi per correggere il calendario si fecero quindi fino dal principio del medio evo (1) e continuarono più o meno alacremente, finchè nel XIII sec. Giovanni da Sacrobosco, Roberto Grosseteste, e specialmente Ruggero Bacone, studiarono la questione più da vicino, facendo vere proposte di riforma. Nel secolo XIV i papi stessi si fecero promotori di questi studi; Clemente VI (1342-52) dava incarico a valenti matematici di studiare la materia e più tardi ai Concilii di Costanza e di Basilea (1417 e 1434) furono presentati dei progetti di riforma di Pietro d'Ailly e di Nicolò di Cusa. Anche il celebre Giovanni Müller, detto Regiomontano, se ne occupava, poco prima di morire (1476), per incarico avutone da Sisto V.

Ma fu soprattutto nel XVI secolo che gli studî sulla desiderata riforma furono intrapresi con grandissima attività. Leone X, bramoso di venirne a capo, se ne interessò di proposito scrivendo all'Imperatore, alle Università, ai Vescovi e ai più insigni matematici dei suoi tempi perchè si prendesse a cuore la questione, ed infatti, durante il quinto Concilio Lateranense (1513-17) scritti opportuni furono pubblicati da diversi illustri scienziati. Spetta dunque a questo pontefice ed anche al suo cooperatore, il celebre Paolo di Middelburg, come ben nota il Paoli (2), il merito intrinseco della riforma stessa, che più tardi Gregorio XIII doveva finalmente porre in attuazione.

Questo papa, fino dai primi anni del suo pontificato, nominava una Commissione di dotti italiani e stranieri, sotto la presidenza del Cardinale Sirleto, perchè prendessero in esame diversi pro-

---

(1) V F. KALTENBRUNNER, Die Vorgeschichte der Gregorianischen Kalenderreform, nei *Sitzungsberichte der Kaiserlichen Akademie der Wissenschaften*, Vienna, 1876.

D. MARZI, La questione della riforma del calendario nel quinto concilio lateranense (1512-17), Firenze, 1896.

(2) *Programma di Diplomatica*, pag. 164.

getti di riforma ultimamente presentati. Fra questi distinguevasi per chiarezza e semplicità, uno di certo Luigi Giglio calabrese, morto da poco tempo, e presentato alla Commissione dal fratello Antonio. Il lavoro del Giglio venne in gran parte approvato, dopo lunghe discussioni e Gregorio·XIII, con sua bolla « *Inter gravissimas* » del 24 febbrajo 1581 (1582 st. com.), potè in fine promulgare la riforma del Calendario giuliano.

I punti principali di essa erano:

1.º Ricondurre l'equinozio di primavera, che era retroceduto fino all'11 marzo, al giorno stabilito dal Concilio di Nicea, cioè il 21 marzo, togliendo nel 1582 dieci giorni al mese di ottobre, dal 5 al 14 inclusivi.

2.º Per impedire l'eccedenza che erasi verificata in passato, intercalando un giorno ogni quattro anni, si decise che degli anni secolari, tutti bisestili nel Calendario giuliano, uno soltanto fosse bisestile ogni quattro e precisamente quelli che erano perfettamente divisibili per 400, cioè il 1600, il 2000, il 2400, il 2800, ecc., rimanendo comuni gli altri, cioè il 1700, il 1800, il 1900, il 2100, il 2200, il 2300, il 2500, ecc.

Però il Calendario gregoriano, nonostante queste correzioni, non può dirsi in tutto perfetto, giacchè l'anno civile reca ancora una lieve eccedenza di circa 24 secondi sull'anno tropico; ma occorreranno più di 3500 anni prima che tale differenza formi lo spazio di un giorno. (1).

La riforma gregoriana non fu subito e dovunque accettata: ragioni politiche e specialmente religiose recarono non pochi ostacoli alla sua propagazione. Nel 1582 fu accolta in Italia (2), Spagna, Portogallo, Francia, Lorena; altri Stati l'accolsero più tardi, ma taluni, come Rumania, Cristiani d'Oriente, ecc., rimangono ancora oggidì fedeli al vecchio calendario giuliano (3).

Crediamo utile dar qui un elenco alfabetico degli Stati e città d'Europa, Asia ed Africa che adottarono o meno la riforma gregoriana, indicando anche, quando ci è possibile, quali giorni precisamente furono soppressi.

Abissinia (cristiana), usa ancora il calendario giuliano.
Alsazia, gli Stati cattolici, accolsero il calendario gregor. nel 1584; nel 1648 gli altri Stati (4).
Anversa, accolse il calendario gregor. nel 1583 sopprimendo dal 22 al 31 dic.
Armenia, usa ancora il calendario giuliano.
Artois, accolse il calendario gregor. nel 1582   »   dal 22 al 31 dic.
Augsburgo,   »   »   »   1583   »   dal 14 al 23 feb.
Augusta (il Vescovado)   »   »   »   1583   »   dal 14 al 23 feb.

(1) DELAMBRE, Astronomie theorique et pratique, Paris, 1814, III, pag. 696.
(2) V. A. CAPPELLI. La riforma del Calendario giuliano negli Stati di Parma e Piacenza. In Archivio storico per le prov. Parmensi, anno 1922, vol. XXII *bis*, pag. 91 seg.
(3) Fuori d'Europa il Calendario Giuliano è usato ancor oggi dagli Armeni, dai Giorgiani, dai Siriani non uniti e dai Copti.
(4) SCHÖPFLIN, Alsatia illustrata, II, Colmariæ, 1761, pag. 343.

Austria, accolse il calendario gregor. nel 1584 sopprimendo dal 7 al 16 gen. (1).
Baviera,   »   »   »   » 1583   »   dal 6 al 15 ott.
Boemia,   »   »   »   » 1584   »   dal 7 al 16 gen.
Brabante,   »   »   »   » 1583   »   dal 22 al 31 dic. (2).
Bressanone,   »   »   »   » 1583   »   dal 6 al 15 ott.
Bulgaria,   »   »   »   » 1917.
Colonia, accolse il calendario gregor. nel 1583, sopprimendo dal 4 al 12 novembre.
Curlandia, accolse il calendario gregor. nel 1617, ma fu usato in principio da pochi: nel 1796 ritornò al calendario giuliano.
Danimarca, accolse il calendario gregor. nel 1700, ma modificato da Weigel (3), sopprimendo gli ultimi 11 giorni di febb. Editto regio del 28 novembre 1699. V. Seeland.
Eichstadt, accolse il calendario gregor. nel 1583, sopprimendo dal 6 al 15 ott.
Fiandra,   »   »   »   » 1582 -   »   dal 22 al 31 dic.
Francia,   »   »   »   » 1583   »   dal 10 al 19 dic.
Frisia,   »   »   »   » 1701   »   dal 2 al 12 gen.
Frissinga (*Baviera*),   »   »   » 1583   »   dal 6 al 15 ott.
Germania (*Stati cattolici*),   »   »   » 1584   »   dal 6 al 15 ott.
Germania (*Stati protestanti*),   »   »   » 1700   »   gli ultimi 11 giorni di febbraio. Modif. di Weigel. Però non si adottò il computo gregor. della Pasqua se non nel 1775.
Grecia, accolse il calendario gregoriano il 1º marzo 1923.
Groninga, accolse il calendario gregor. nel 1583, sopprimendo dall'1 al 10 marzo, ma il 24 giugno 1594 (4) fu ripreso il calendario giuliano il quale durò fino al 31 dic. 1700, poi si ritornò al gregoriano, sopprimendo i giorni dal 2 al 12 gen. 1701. Decis. 6 febb. 1700.
Gueldria (*in parte*) accolse il calendario gregor. nel 1582, sopprimendo dal 22 al 31 dic. Altra parte della Gueldria accettò il calendario nel 1700, sopprimendo dall'1 all'11 lugl. Decisione 26 maggio 1700.
Hainaut, accolse il calendario gregor. nel 1582, sopprimendo dal 22 al 31 dic. V. Brabante.
Inghilterra e Irlanda, accol. calen. greg. nel 1752, sopprimendo dal 3 al 13 sett.
Italia,   »   »   »   » 1582   »   dal 5 al 14 ott.
Limburgo,   »   »   »   » 1582   »   dal 22 al 31 dic.
Lorena,   »   »   »   » 1582   »   dal 10 al 19 dic.
Lusazia,   »   »   »   » 1584   »   dal 7 al 16 genn.
Lussemburgo,   »   »   »   » 1582   »   dal 22 al 31 dic.
Magonza (*Princip. elettorale*), accolse il calendario gregor. nel 1583, sopprimendo dal 12 al 21 nov.
Malines, accolse il calendario gregor. nel 1582, sopprimendo dal 22 al 31 dic.
Montenegro, accolse il calendario gregoriano nel genn. 1916.
Namour, accolse il calendario gregor. nel 1582, sopprimendo dal 22 al 31 dic.
Neuenburg (*Principato di*),   »   »   » 1582.
Neuburg (*Palatinato di*),   »   »   » 1615, sopprimendo dal 14 al 23 dic.
Olanda, (Rotterdam, Amsterdam, Leida, Delft, Harlem e l'Aja) nel 1582, sopprimendo dal 22 al 31 dic. V. Brabante.

---

(1) Secondo il GROTEFEND, Zeitrechnung, nel 1563, sopprim. dal 6 al 15 ott.

(2) Secondo il GROTEFEND, Zeitrechnung pag. 23, furono soppressi, nel 1582 nel Brabante, i giorni dal 15 al 24 dic. inclusivi, e lo stesso avvenne in Olanda, Fiandre ed Hainaut.

(3) L'astronomo Erardo Weigel modificò il Calendario Gregoriano per uso de! Protestanti, cambiando la data dell'equinozio di primavera, il quale invece di cadere sempre al 21 di marzo, può variare, a seconda degli anni, dal 19 al 23 marzo.

(4) Dopo la presa della città per Maurizio di Nassau.

Over-Yssel, accolse il calendario gregor. nel 1701, sopprimendo dall'1 all'11 gen

Paderborn, 〃 〃 〃 » 1585 » dal 17 al 26 giu.
Paesi Bassi, 〃 〃 » 1700 » dal 18 al 28 febb.
Polonia, 〃 〃 » 1582 secondo il Weinert e il Bostel (75); nel 1585, secondo il Giry (1), sopprimendo dal 22 al 31 dic.
Portogallo, accolse il calendario gregor. nel 1582, sopprimendo dal 5 al 14 ott.
Prussia, 〃 〃 » 1610 » dal 22 ag. al 2 sett.
Rumania, usa ancora il calendario giuliano.
Russia, accolse il calendario gregoriano nel marzo 1923.
Ratisbona, accolse il calendario gregor. nel 1583, sopprimendo dal 6 al 15 ott.
Salisburgo (Salzburg), 〃 〃 » 1583 » dal 6 al 15 ottobre.
Savoia, accolse 〃 〃 » 1582 » dal 22 al 31 dic.
Seeland (Danimarca), accol. » 〃 〃 » 1582 » dal 22 al 31 dic.
Nel 1700 accolse le modificazioni di Weigel.
Serbia, acolse il calendario gregoriano nel 1919, sopprimendo dal 19 al 31 genn.
Slesia, 〃 〃 » 1584 » dal 13 al 22 gen.
Spagna, 〃 〃 » 1582 » dal 15 al 14 ott.
Stiria, 〃 〃 » 1583 » dal 15 al 25 dic.
Strasburgo (città), 〃 〃 » 1682 » dal 19 al 28 febb. (2).
Strasburgo (Vescovado) 〃 » 1583 » dal 12 al 21 nov.
Svezia, accolse il calendario gregor. sotto Giovanni III († 1592), ma fu abolito da Carlo IX (1600-11). Nel 1753 fu ripreso il calendario gregor., sopprimendo dal 18 al 21 febb. (3).
Svizzera. I cantoni di Lucerna, Uri, Schwytz, Zug, Soletta (Solothurn) e Friburgo accolsero il calendario gregoriano nel 1584, sopprimendo i giorni dal 12 al 21 gennaio.
Unterwalden accolse la riforma gregor. nel giugno 1584 e così Appenzell, ma nel 1590 questo ritornò al calendario giuliano e non riprese il gregoriano che nel genn. 1724.
Nel Vallese si accettò il calendario gregor. nel 1622.
A Zurigo, Berna, Basilea, Sciaffusa, Ginevra, Bienna, Mülhausen, Neuchâtel, Turgovia, Baden, Sargans, Reinthal nel 1701, sopprimendo dal 1° all'11 genn.
A San Gallo, nel 1724, ma non da tutti i protestanti, i quali osservarono per molto tempo l'antico calendario.
A Glarona, Ausserhoden, Toggenburg, nel gennaio 1724.
I Grigioni, parte nel 1784 e il riman. nel 1798, eccetto il comune di Süs (Bassa Engadina), che rimase fedele al vecchio calendario fino al 1811.
Transilvania, accolse il calend. gregor. nel 1590, sopprimendo dal 15 al 24 dic.
Treviri (Principato elettor.) acc. cal. greg. nel 1583 » dal 5 al 14 ott.
Ungheria, accolse il calendario gregor. nel 1587 » dal 22 al 31 ott.
Utrecht, 〃 〃 » 1700 » dal 1° al 10 dic.
Westfalia, 〃 〃 » 1584 » dal 2 all'11 lug.
Würzburg (Bariera). 〃 〃 » 1583 » dal 5 al 14 nov.
Zelanda, 〃 〃 » 1582 e dal 22 al 31 dic.
Zutphen, 〃 〃 » 1701 in gennaio.

---

(1) Zur gregorianischen Kalenderreform in Polen, in Mittheilungen des Institut für österreichische Geschichtsforschung, VI (1885), pag. 626 seg.

(2) Diplomatique, pag. 166.

(3) RÜHL, Chronologie, pag. 241. Secondo il BOND, Handy-Book of Rules and Tables for verifying dates, etc. Londres, 1875, pag. 98, in Svezia furono, per un ordine di Carlo XI, resi comuni tutti gli anni bisestili dal 1696 al 1774. Così quest'anno venne a coincidere col nuovo stile. V. anche GIRY, Diplom., pag. 167.

CALENDARIO ROMANO ANTICO

#	JANUARIUS	#	FEBRUARIUS	anni bisestili	#	MARTIUS	#	APRILIS
1	Kalendis Januarii	1	Kalendis Februarii		1	Kalendis Martii	1	Kalendis Aprilis
2	IV Nonas Januarii	2	IV Nonas Februarii		2	VI Nonas Martii	2	IV Nonas Aprilis
3	III Nonas Januarii	3	III Nonas Februarii		3	V Nonas Martii	3	III Nonas Aprilis
4	Pridie Nonas Jan.	4	Pridie Nonas Febr.		4	IV Nonas Martii	4	Pridie Nonas Aprilis
5	Nonis Januarii	5	Nonis Februarii		5	III Nonas Martii	5	Nonis Aprilis
6	VIII Idus Januarii	6	VIII Idus Februarii		6	Pridie Nonas Martii	6	VIII Idus Aprilis
7	VII Idus Januarii	7	VII Idus Februarii		7	Nonis Martii	7	VII Idus Aprilis
8	VI Idus Januarii	8	VI Idus Februarii		8	VIII Idus Martii	8	VI Idus Aprilis
9	V Idus Januarii	9	V Idus Februarii		9	VII Idus Martii	9	V Idus Aprilis
10	IV Idus Januarii	10	IV Idus Februarii		10	VI Idus Martii	10	IV Idus Aprilis
11	III Idus Januarii	11	III Idus Februarii		11	V Idus Martii	11	III Idus Aprilis
12	Pridie Idus Januar.	12	Pridie Idus Febr.		12	IV Idus Martii	12	Pridie Idus Aprilis
13	Idibus Januarii	13	Idibus Februarii		13	III Idus Martii	13	Idibus Aprilis
14	XIX Kal. Februarii	14	XVI Kal. Martii		14	Pridie Idus Martii	14	XVIII Kalend. Maii
15	XVIII Kal. Febr.	15	XV Kal. Martii		15	Idibus Martii	15	XVII Kalend. Maii
16	XVII Kal. Febr.	16	XIV Kal. Martii		16	XVII Kal. Aprilis	16	XVI Kalend. Maii
17	XVI Kal. Februarii	17	XIII Kal. Martii		17	XVI Kal. Aprilis	17	XV Kalend. Maii
18	XV Kal. Februarii	18	XII Kal. Martii		18	XV Kal. Aprilis	18	XIV Kalend. Maii
19	XIV Kal. Februarii	19	XI Kal. Martii		19	XIV Kal. Aprilis	19	XIII Kalend. Maii
20	XIII Kal. Februarii	20	X Kal. Martii		20	XIII Kal. Aprilis	20	XII Kalendas Maii
21	XII Kal. Februarii	21	IX Kal. Martii		21	XII Kal. Aprilis	21	XI Kalendas Maii
22	XI Kal. Februarii	22	VIII Kal. Martii		22	XI Kal. Aprilis	22	X Kalendas Maii
23	X Kal. Februarii	23	VII Kal. Martii		23	X Kal. Aprilis	23	IX Kalendas Maii
24	IX Kal. Februarii	24	VI K. M.	Bis.VI K.M.	24	IX Kal. Aprilis	24	VIII Kalendas Maii
25	VIII Kal. Februarii	25	V K. M.	VI K. M.	25	VIII Kal. Aprilis	25	VII Kalendas Maii
26	VII Kal. Februarii	26	IV K. M.	V K. Mar.	26	VII Kal. Aprilis	26	VI Kalendas Maii
27	VI Kal. Februarii	27	III K. M	IV K. Mar.	27	VI Kal. Aprilis	27	V Kalendas Maii
28	V Kal. Februarii	28	Pr. K. M	III K. Mar.	28	V Kal. Aprilis	28	IV Kalendas Maii
29	IV Kal. Februarii	29		Pr. K. Mar.	29	IV Kal. Aprilis	29	III Kalendas Maii
30	III Kal. Februarii				30	III Kal. Aprilis	30	Pridie Kalend. Maii
31	Pridie Kal. Febr.				31	Prdie Kal. Aprilis		

	MAIUS		JUNIUS		JULIUS (Quintilis)		AUGUSTUS (Sextilis)
1	Kalendis Maii	1	Kalendis Junii	1	Kalendis Julii	1	Kalendis Augusti
2	VI Nonas Maii	2	IV Nonas Junii	2	VI Nonas Julii	2	IV Nonas Augusti
3	V Nonas Maii	3	III Nonas Junii	3	V Nonas Julii	3	III Nonas Augusti
4	IV Nonas Maii	4	Pridie Nonas Junii	4	IV Nonas Julii	4	Prdie Nonas Aug.
5	III Nonas Maii	5	Nonis Junii	5	III Nonas Julii	5	Nonis Augusti
6	Pridie Nonas Maii	6	VIII Idus Junii	6	Pridie Nonas Julii	6	VIII Idus Augusti
7	Nonis Maii	7	VII Idus Junii	7	Nonis Julii	7	VII Idus Augusti
8	VIII Idus Maii	8	VI Idus Junii	8	VIII Idus Julii	8	VI Idus Augusti
9	VII Idus Maii	9	V Idus Junii	9	VII Idus Julii	9	V Idus Augusti
10	VI Idus Maii	10	IV Idus Junii	10	VI Idus Julii	10	IV Idus Augusti
11	V Idus Maii	11	III Idus Junii	11	V Idus Julii	11	III Idus Augusti
12	IV Idus Maii	12	Pridie Idus Junii	12	IV Idus Julii	12	Pridie Idus Augusti
13	III Idus Maii	13	Idibus Junii	13	III Idus Julii	13	Idibus Augusti
14	Pridie Idus Maii	14	XVIII Kalend. Julii	14	Pridie Idus Julii	14	XIX Kal. Septem.
15	Idibus Maii	15	XVII Kalend. Julii	15	Idibus Julii	15	XVIII Kal. Septem.
16	XVII Kalend. Junii	16	XVI Kalend. Julii	16	XVII Kal. Augusti	16	XVII Kal. Septem.
17	XVI Kalend. Junii	17	XV Kalend. Julii	17	XVI Kal. Augusti	17	XVI Kal. Septem.
18	XV Kalend. Junii	18	XIV Kalend. Julii	18	XV Kal. Augusti	18	XV Kal. Septem.
19	XIV Kalend. Junii	19	XIII Kalend. Julii	19	XIV Kal. Augusti	19	XIV Kal. Septem.
20	XIII Kalend. Junii	20	XII Kalend. Julii	20	XIII Kal. Augusti	20	XIII Kal. Septem.
21	XII Kalend. Junii	21	XI Kalend. Julii	21	XII Kal. Augusti	21	XII Kal. Septem.
22	XI Kalend. Junii	22	X Kaend. Julii	22	XI Kal. Augusti	22	XI Kal. Septem.
23	X Kalendas Junii	23	IX Kalend. Julii	23	X Kal. Augusti	23	X Kal. Septembris
24	IX Kalendas Junii	24	VIII Kalend. Julii	24	IX Kal. Augusti	24	IX Kal. Septembris
25	VIII Kalendas Junii	25	VII Kalend. Julii	25	VIII Kal. Augusti	25	VIII Kal. Septem.
26	VI Kalendas Junii	26	VI Kalend. Julii	26	VII Kal. Augusti	26	VII Kal. Septem.
27	VI Kalendas Junii	27	V Kalend. Julii	27	VI Kal. Augusti	27	VI Kal. Septembris
28	V Kalendas Junii	28	IV Kalend. Julii	28	V Kal. Augusti	28	V Kal. Septembris
29	IV Kalendas Junii	29	III Kalend. Julii	29	IV Kal. Augusti	29	IV Kal. Septembris
30	III Kalendas Junii	30	Pridie Kalend. Julii	30	III Kal. Augusti	30	III Kal. Septembris
31	Pridie Kalend. Junii			31	Prdie Kal. Augusti	31	Pridie Kal. Septem.

#	SEPTEMBRIS	#	OCTOBRIS	#	NOVEMBRIS	#	DECEMBRIS
1	Kalendis Septem.	1	Kalendis Octobris	1	Kalendis Novem.	1	Kalendis Decem.
2	IV Nonas Septem.	2	VI Nonas Octobris	2	IV Nonas Novem.	2	IV Nonas Decem.
3	III Nonas Septem.	3	V Nonas Octobris	3	III Nonas Novem.	3	III Nonas Decem.
4	Pridie Nonas Sept.	4	IV Nonas Octobris	4	Pridie Nonas Nov.	4	Pridie Nonas Dec.
5	Nonis Septembris	5	III Nonas Octobris	5	Nonis Novembris	5	Nonis Decembris
6	VIII Idus Septem.	6	Pridie Nonas Oct.	6	VIII Idus Novem.	6	VIII Idus Decem.
7	VII Idus Septem.	7	Nonis Octobris	7	VII Idus Novem.	7	VII Idus Decem.
8	VI Idus Septembris	8	VIII Idus Octobris	8	VI Idus Novembris	8	VI Idus Decembris
9	V Idus Septembris	9	VII Idus Octobris	9	V Idus Novembris	9	V Idus Decembris
10	IV Idus Septembris	10	VI Idus Octobris	10	IV Idus Novembris	10	IV Idus Decembris
11	III Idus Septembris	11	V Idus Octobris	11	III Idus Novembris	11	III Idus Decembris
12	Pridie Idus Septem.	12	IV Idus Octobris	12	Pridie Idus Novem.	12	Pridie Idus Decem.
13	Idibus Septembris	13	III Idus Octobris	13	Idibus Novembris	13	Idibus Decembris
14	XVIII Kal. Octobr.	14	Pridie Idus Octobris	14	XVIII Kal. Decem.	14	XIX Kal. Januarii
15	XVII Kal. Octobris	15	Idibus Octobris	15	XVII Kal. Decem.	15	XVIII Kal. Januarii
16	XVI Kal. Octobris	16	XVII Kal. Novem.	16	XVI Kal. Decem.	16	XVII Kal. Januarii
17	XV Kal. Octobris	17	XVI Kal. Novem.	17	XV Kal. Decembris	17	XVI Kal. Januarii
18	XIV Kal. Octobris	18	XV Kal. Novem.	18	XIV Kal. Decem.	18	XV Kal. Januarii
19	XIII Kal. Octobris	19	XIV Kal. Novem.	19	XIII Kal. Decem.	19	XIV Kal. Januarii
20	XII Kal. Octobris	20	XIII Kal. Novem.	20	XII Kal. Decembris	20	XIII Kal. Januarii
21	XI Kal. Octobris	21	XII Kal. Novem.	21	XI Kal. Decembris	21	XII Kal. Januarii
22	X Kal. Octobris	22	XI Kal. Novembris	22	X Kal. Decembris	22	XI Kal. Januarii
23	IX Kal. Octobris	23	X Kal. Novembris	23	IX Kal. Decembris	23	X Kal. Januarii
24	VIII Kal. Octobris	24	IX Kal. Novembris	24	VIII Kal. Decem.	24	IX Kal. Januarii
25	VII Kal. Octobris	25	VIII Kal. Novem.	25	VII Kal. Decembris	25	VIII Kal. Januarii
26	VI Kal. Octobris	26	VII Kal. Novembris	26	VI Kal. Decembris	26	VII Kal. Januarii
27	V Kal. Octobris	27	VI Kal. Novembris	27	V Kal. Decembris	27	VI Kal. Januarii
28	IV Kal. Octobris	28	V. Kal. Novembris	28	IV Kal. Decembris	28	V Kal. Januarii
29	III Kal. Octobris	29	IV Kal. Novembris	29	III Kal. Decembris	29	IV Kal. Januarii
30	Pridie Kal. Octobris	30	III Kal. Novembris	30	Pridie Kal. Decem.	30	III Kal. Januarii
		31	Pridie Kal. Noven.			31	Pridie Kal. Januarii

CALENDARIO PERPETUO
GIULIANO E GREGORIANO

NB. Nell'uso di questo calendario, per quanto si riferisce a cerimonie ecclesiastiche, giova tener presenti i due elenchi alfabetici che seguono delle
feste religiose e dei santi, nei quali indicammo, quando fu possibile, in quali
anni furono istituite dalla Chiesa le dette feste e canonizzati i principali
santi. Per gli anni bisestili, da noi segnati con asterisco (*), si dovranno
usare, pel gennaio e febbraio, i due primi mesi del calendario che portano
l'indicazione *bis*, cioè *bisestile*. Nelle Tavole Cronologico-sincrone (pag. 206
e segg.) daremo per ogni anno dell'Era Volgare dall'1 al 2000, la ricorrenza
della Pasqua (gregoriana dal 1583), che aiuterà a trovar subito la pagina
che contiene l'intero calendario di un dato anno. Pei paesi, che non accettarono la riforma gregoriana, diamo, in fine del calendario, un elenco della
ricorrenza della Pasqua nel calendario giuliano, dall'anno 1583 al 2000,
che anch'esso rinvia lo studioso al calendario perpetuo. Quanto poi alla
differenza nei giorni dei mesi fra il vecchio e il nuovo stile, si tenga presente che essa fu di 10 giorni dal 5 ottobre 1582 al 28 febbr. 1700, di giorni
11 dal 1° marzo 1700 al 28 febbr. 1800, di 12 giorni dal 1° marzo 1800 al
28 febbr. 1900 e di 13 dal 1° marzo 1900 al 28 febbr. 2100. In altri termini
il 1° giorno dell'anno giuliano (rispetto al gregor.), cade per noi l'11 genn.
dal 1583 al 1700; il 12 genn. dal 1701 al 1800; il 13 genn., dal 1801 al 1900;
il 14 genn. dal 1901 al 2100.

Pasqua 22 Marzo — Calendario per gli anni: 72*, 319, 414, 509, 604*, 851. 946, 1041, 1136*, 1383. 1478. 1573, 1598. 1693, 1761, 1818, 2285, 2335, 2437, 2505, 2872*, 3029, 3501, 3564*, ecc.

GENNAIO	FEBBRAIO	MARZO	APRILE	MAGGIO
1 G CIRCON. G. C.	1 D Quinquages.	1 D 4ª di Q., Laet.	1 M	1 V SS. Fil. e Gia.
2 V S. Stef.	2 L Purif. M. V.	2 L	2 G S. Franc. di P.	2 S S. Atanasio v.
3 S S. Gior.	3 M S. Biagio v.	3 M	3 V	3 D 4ª d. P., Exau
4 D SS. Innoc.	4 M Le Ceneri	4 M S. Casimiro c.	4 S S. Isidoro v.	4 L S. Monica ved.
5 L S. Telesf. pp.	5 G S. Agata v.	5 G	5 D 2ª Miser. Dom.	5 M S. Pio V pp.
6 M EPIFANIA	6 V S. Tito v.	6 V	6 L	6 M S. Gio. a. P. l.
7 M dell'8ª	7 S S. Romualdo	7 S S. Tom. d'A.	7 M	7 G 5ª dell'Ascen.
8 G dell'8ª	8 D 1ª di Q., Invo.	8 D dì Passione	8 M	8 V App. S. Mich.
9 V dell'8ª	9 L S. Apollon. v.	9 L S. Franc. Ro.	9 G	9 S Vigilia
10 S dell'8ª	10 M S. Scolast. v.	10 M SS. 40 Mart	10 V	10 D PENTECOST.
11 D dell'8ª	11 M Temp. di pri.	11 M Temp. di pri.	11 S S. Leone I pp.	11 L dì Pentecoste
12 L dell'8ª	12 G	12 G S. Greg. I pp.	12 D 3ª Pat. di S. G.	12 M dì Pentecoste
13 M 8ª dell'Epifan.	13 V S. Cater. Ric.T.	13 V B. V. Addolor.	13 L S. Ermen. m.	13 M Temp. d'est.
14 M S. Ilario	14 S S. Vale. m. T.	14 S	14 M S. Tiburzio m.	14 V Temp.
15 G S. Paolo er.	15 D 2ª di Q., Rem.	15 D delle Palme	15 M	15 S dell'8ª Temp.
16 V S. Marcello p.	16 L	16 L santo	16 G	16 D 1ª SS. Trinità
17 S S. Antonio ab.	17 M	17 M santo	17 V S. Aniceto pp.	17 L S. Venanzio m.
18 D Settuagesima	18 M S. Simeone v.	18 M santo	18 S	18 M S. Piet. Cel. pp.
19 L S. Canuto re	19 G	19 G Cena del Sign.	19 D 4ª Cantate	19 M S. Bern. da S.
20 M SS. Fab., Seb.	20 V	20 V Parascere	20 L	20 G CORP.S DO.
21 M S. Agnese v.	21 S	21 S santo	21 M S. Anselmo v.	21 V dell'8ª
22 G S. Vinc. e A.	22 D 3ª di Q., Oculi	22 D PASQUA	22 M SS. Sot. e Caio	22 S dell'8ª
23 V Spos. di M. V.	23 L S. Pier D. Vig.	23 L dell'Angelo	23 G S. Giorgio m.	23 D 2ª di Pentec.
24 S S. Timoteo v.	24 M S. Mattia ap.	24 M di Pasqua	24 V S. Fedele Sig.	24 L S. Gregorio VII
25 D Sessagesima	25 M	25 M dell'8ª	25 S S. Marco Ev.	25 M S. Filippo Neri
26 L S. Policarpo v.	26 G	26 G dell'8ª	26 D 5ª Rogate	26 M dell'8ª
27 M S. Giov. Cr. v.	27 V	27 V dell'8ª	27 L Le Rogazioni	27 G S. a. Cor. Do.
28 M S. Agnese 2ª f.	28 S	28 S dell'8ª	28 M S. Vit. m. Rog.	28 V S. CUORE G.
29 G S. Frances. S.		29 D 1ª di P., in Al.	29 M S. Pie. m. Rog.	29 S S. Felice I pp.
30 V S. Martina v.		30 L ANN. DI M.V.	30 G ASCEN. G. C.	30 D 3ª P. Cuor. M.
31 S S. Pietro Nol.		31 M		31 M

GENNAIO bis.	FEBBRAIO bis.
1 M CIRCON. G. C.	1 S S. Ignaz o v.
2 G S. Stef.	2 D Quinquages.
3 V 8ª S. Gior.	3 L Pur. di M. V.
4 S 8ª SS. Innoc.	4 M S. Andrea Cor.
5 D EPIFANIA	5 M Le Ceneri
6 L EPIFANIA	6 G S. Tito v.
7 M dell'8ª	7 V S. Romualdo
8 M dell'8ª	8 S S. Gior. Mat.
9 G dell'8ª	9 D 1ª di Q., Inv.
10 V dell'8ª	10 L S. Scolast. v.
11 S dell'8ª	11 M
12 D dell'8ª	12 M Temp. di prim
13 L 8ª Epifania	13 G
14 M S. Ilario vesc.	14 V Tempora
15 M S. Paolo er.	15 S SS. Fa., Gio. T
16 G S. Marcello pp.	16 D 2ª di Q., Rem.
17 V S. Antonio ab.	17 L
18 S Cat. S. Piet. R.	18 M S. Simeone v.
19 D Settuagesima	19 M
20 L SS. Fab. e Seb.	20 G
21 M S. Agnese v.	21 V
22 M SS. Vinc. e A.	22 S Cat. S. Piet. A.
23 G Spos. di M. V.	23 D 3ª di Q., Oculi
24 V S. Timoteo v.	24 L
25 S Conv. S. Paolo	25 M S. Mattia ap.
26 D Sessagesima	26 M
27 L S. Giov. Cris.	27 G
28 M S. Agnese 2ª f.	28 V
29 M S. Frances. S.	
30 G S. Martina v.	
31 V S. Pietro Nol.	

GIUGNO	LUGLIO	AGOSTO	SETTEMBRE	OTTOBRE	NOVEMBRE	DICEMBRE
1 L	1 M S. di S. Gio. B.	1 S S. Pietro in v.	1 M S. Egidio ab.	1 G S. Remigio v	1 D OGNISSANTI	1 M
2 M SS. Marc. e C.	2 G Vis. di M. V.	2 D 12ª d. Pentec.	2 M S. Stefano re	2 V SS. Angeli C.	2 L Comm. Def.	2 M S. Bibiana v.
3 M	3 V dell'8ª	3 L Inv. S. Stef.	3 G	3 S	3 M dell'8ª	3 G S. Franc. Sav.
4 G S. Fran. Car.	4 S dell'8ª	4 M S. Dom. di G.	4 V	4 D 21ª. B. V. Ros.	4 M S. Carlo Bor.	4 V S. Barb. m.
5 V S. Bonifacio v.	5 D 8ª d. Pentec.	5 M S. Maria d. N.	5 S S. Lorenzo G.	5 L SS. Pl. e C. m.	5 G dell'8ª	5 S S. Sabba ab.
6 S S. Norbert. v.	6 L 8ª SS. Ap. PP.	6 G Trasf. di G. C.	6 D 17ª d. Pentec.	6 M S. Brunone c.	6 V dell'8ª	6 D 2ª d'Arr. Rom.
7 D 4ª di Pentec.	7 M	7 V S. Gaetano v.	7 L	7 M S. Marco pp.	7 S dell'8ª	7 L S. Ambr. v.
8 L	8 M S. Elisabetta r.	8 S SS. Cir. e c. m.	8 M Nat. di M. V.	8 G S. Brigida ved.	8 D 8ª Ognissanti	8 M Imm. C. M. V.
9 M SS. Pri. e Fel.	9 G	9 D 13ª. S. Rom.	9 M S. Gorgon. m.	9 V SS. Dion. e C.	9 L S. Teodoro m.	9 M dell'8ª
10 M S. Marg. reg.	10 V SS. Sett. fr. m.	10 L S. Lorenzo m.	10 G S. Nic. Tol. c.	10 S S. Franc. B.	10 M S. Andrea Av.	10 G S. Melch. pp.
11 G S. Barnab. ap.	11 S S. Pio I pp.	11 M SS. Tib. e Sus.	11 V dell'8ª	11 D 22ª Mat. M. V.	11 M S. Martino v.	11 V S. Dam. I pp.
12 V S. G. d S. Fac.	12 D 9ª S. Giov. G.	12 G S. Chiara v.	12 S dell'8ª	12 L	12 G S. Mart. pp.	12 S dell'8ª
13 S S. Ant. di P.	13 L S. Anacl. pp.	13 V S. Cass. m.	13 D 18ª ss. No. M.	13 M S. Edoardo re	13 V S. StanislaoK.	13 D 3ª d. Arr. Rom.
14 D 5ª d. P. S. Bas.	14 M S. Bonav. d.	14 S S. Eusebio pr.	14 L Es. d. S. croce	14 M S. Calisto pp.	14 S	14 L dell'8ª
15 L SS. Vito e M.	15 M S. Enric. imp.	15 D ASSUN. M. V.	15 M 8ª d. N. M. V.	15 G S. Teresa v	15 D 27ª. [Arr. M.]	15 M 8ª d. Imm. C.
16 M	16 G B. V. de Car.	16 D 14ª. S. Gioac.	16 M Temp. d'aut.	16 V	16 L	16 M Temp. d'inv.
17 M	17 V S. Aless. con.	17 L 8º di S. Lor.	17 G Stim. di S. Fr.	17 S S. Edvige r.	17 M S. Greg. tau.	17 G
18 G SS. Mar. e M.	18 S S. Camillo L.	18 M S. Agap. m.	18 V S. Giu. Co. T.	18 D 23ª Pur. M. V.	18 M D. b. ss. P.. P.	18 V Asp. Div. P. T.
19 V SS. Ger. e Pr.	19 D 10ª S. Vinc. d.	19 M dell'8ª	19 S S. Genn. v. T.	19 L S. Pietro d'A.	19 G S. Elisabetta	19 S Temp.
20 S S. Silverio pp.	20 L S. Margh. v.	20 G S. Bernar. ab.	20 D 19ª Dol. M. V.	20 M S. Giovan. C.	20 V S. Felice Val.	20 D 4ª d'Arr. Rom.
21 D 6ª S. Luigi G.	21 M S. Prassede v.	21 V S. Gio .di Ch.	21 L S. Matteo ap.	21 M S. Orsola m.	21 S Pres. di M.V.	21 L S. Tomm. ap.
22 L S. Paolino v.	22 M S. Maria M.	22 S 8ª Ass. M. V.	22 M SS. Maur, e C.	22 G	22 D 28ª. S. Cecilia	22 M
23 M Vigilia	23 G S. Apol in. v.	23 D 15ª. S. Fil. B.	23 M S. Lino pp.	23 V	23 L S. Clem. I pp	23 M
24 M Nat. S. G. B.	24 V S. Cristina v.	24 L S. Bartol. ap.	24 G B. V. d. Merc.	24 S	24 M S. Gio. d. Cr.	24 G Vigilia
25 G S. Gugl. ab.	25 S S. Giac. ap.	25 M S. Luigi re	25 V	25 D 24ª d. Pentec.	25 M S. Cater. v	25 V NATALE G. C.
26 V SS. Gio. e Pa.	26 D 11ª S. Anna	26 M S. Zeffrino p.	26 S SS. Cip., Giu.	26 L S. Evar. pp.	26 G S. Pietro Al.	26 S S. Stef. prot.
27 S dell'8ª	27 L S. Pantal. m.	27 G S. Gius. Cal.	27 D 20ª ss. Cos. e D	27 M Vigilia	27 V	27 D S. Giov. ev.
28 D 7ª d. Pentec.	28 M SS. Naz. e C.	28 V S. Agost. v. e C.	28 L S. Vences. m.	28 M SS. Sim. e G.	28 S	28 L SS. Innoc. D.
29 L SS. P. e P. ap.	29 M S. Marta v.	29 S Dec. d. S. G.B.	29 M S. Michele A.	29 G	29 D 1ª d'Arr. Rom.	29 M S. Tom. C. v.
30 M Comm. S. Pa.	30 G SS. Abd., Sen.	30 D 16ª S. Rosa L.	30 M S. Girol. d.	30 V	30 L S. Andrea ap.	30 M dell'8ª
	31 V S. Ignazio L.	31 L S. Raim. N		31 S Vigilia		31 G S. Silvestro P.

Pasqua 23 Marzo. — Calendario per gli anni: 4*, 167, 251, 262, 346, 357, 411, 452*, 536*, 699, 783, 794, 878, 889, 973, 984*, 1068*, 1231, 1315, 1326, 1410, 1421, 1505, 1516*, 1636*, 1704*, 1798*, 1845, 1856*, 1913, 2008*, 2160*, 2228*, 2350*, 2533*, 2600, 2752*, 3124*, ecc.

GENNAIO bis.	FEBBRAIO bis.	GENNAIO	FEBBRAIO	MARZO	APRILE	MAGGIO
1 M CIRCON. G. C.	1 V S. Ignazio v.	1 M CIRCON. G. C.	1 S S. Ignazio v.	1 S	1 M	1 G ASCEN. G. C.
2 M Sª Stef.	2 S Pur. di M. V.	2 G Sª S. Stef.	2 D Quinquages.	2 D 4ª di Q., Laet.	2 M S. Fran. di P.	2 V S. Atanas. v.
3 V Sª S. Giov.	3 D Quinquagesim.	3 V Sª S. Giov.	3 L Pur. di M. V.	3 L	3 G	3 S Inv. S. Croce
4 V Sª SS. Innoc.	4 L S. Andrea Co.	4 S Sª SS. Innoc.	4 M S. Andrea Co.	4 M S. Casimiro c.	4 V S. Isidoro v.	4 D 6ª, Exaudi
5 S S. Telesf. pp.	5 M S. Agata v.	5 D S. Telesf. pp.	5 M Le Ceneri	5 M	5 S S. Vinc. Ferr.	5 L S. Pio V pp.
6 D EPIFANIA	6 M Le Ceneri	6 L EPIFANIA	6 G S. Tito v.	6 G	6 D 2ª Miser. Dom.	6 M S. Gio. a. P. L.
7 L dell'8ª	7 G S. Romua. ab.	7 M Cristoforia	7 V S. Romua. ab.	7 V S. Tom. aq.	7 L	7 M S. Stanisl. v.
8 M dell'8ª	8 V S. Giov. di M.	8 M dell'8ª	8 S S. Giov. di M.	8 S S. Giov. di D.	8 M	8 G 6ª dell'Ascen.
9 M dell'8ª	9 S S. Apollon. v.	9 G dell'8ª	9 D 1ª di Q., Inv.	9 D di Passione	9 M	9 V S. Greg. Naz.
10 G dell'8ª	10 D 1ª di Q., Inv.	10 V dell'8ª	10 L S. Scolastica v.	10 L SS. 40 Martiri	10 G	10 S SS. Gord. e E.
11 V dell'8ª	11 L	11 S dell'8ª	11 M	11 M	11 V S. Leone I pp.	11 D PENTECOS.
12 S dell'8ª	12 M	12 D dell'8ª	12 M Temp. di pri.	12 M S. Greg. I pp.	12 S	12 L di Pent.
13 D 8ª dell'Epifan.	13 M Temp. di pri.	13 L 8ª Epifania	13 G	13 G	13 D 3ª Pat. di S. G.	13 M di Pent.
14 L S. Ilario	14 G S. Valent. m.	14 M S. Ilario	14 V S. Vale. m. T.	14 V B. V. Addol.	14 L SS. Tibur. c. m	14 M Temp. d'est.
15 M S. Paolo er.	15 V SS. Fau. G. T.	15 M S. Paolo er.	15 S SS. Fau. G. T.	15 S	15 M	15 G dell'8ª
16 M S. Marcello p.	16 S Temp.	16 G S. Marcello p.	16 D 2ª di Q. - Rem.	16 D delle Palme	16 M	16 V dell'8ª, Temp.
17 G S. Antonio ab.	17 D 2ª di Q. - Rem.	17 V S. Antonio ab.	17 L santo	17 L santo	17 G S. Aniceto pp.	17 S dell'8ª, Temp.
18 V Cat. S. Piet. R.	18 L S. Simeone v.	18 S Cat. S. Piet. R.	18 M santo	18 M santo	18 V	18 D 1ª, SS. Trinità
19 S SS. Mar. e C. m.	19 M	19 D Settuagesima	19 M santo	19 M santo	19 S	19 L S. Piet. C. pp.
20 D Settuagesima	20 M	20 L SS. Fab. e Seb.	20 G Cena del Sig.	20 G Cena del Sig.	20 D 4ª, Cantate	20 M S. Bern. da S.
21 L S. Agnese v.	21 G	21 M S. Agnese v.	21 V Parasceve	21 V Parasceve	21 L S. Anselmo v.	21 M
22 M SS. Vinc. e A.	22 V Cat. S. Piet. A.	22 M SS. Vinc. e A.	22 S santo	22 S santo	22 M SS. Sot. e Caio	22 G CORPUS DO.
23 M SS. Raim. di P.	23 S S. Pier Dam	23 G SS. Raim. di P.	23 D 3ª di Q., Oculi	23 D PASQUA	23 M S. Giorgio m.	23 V dell'8ª
24 G S. Timoteo v.	24 D 3ª di Q., Oculi	24 V S. Timoteo v.	24 L S. Mattia ap.	24 L dell'Angelo	24 G S. Fedele Sig.	24 S dell'8ª
25 V Conv. S. Paolo	25 L S. Mattia ap.	25 S Conv. S. Paolo	25 M	25 M di Pasqua	25 V S. Marc. L. M.	25 D 2ª S. Greg. VII
26 S S. Policar. v.	26 M	26 D Sessagesima	26 M	26 M dell'8ª	26 S SS. Cleto Mar.	26 L S. Filip. Neri
27 D Sessagesima	27 M	27 L S. Giov. Cris.	27 G	27 G dell'8ª	27 D 5ª, Rogate	27 M S. Giovan. pp.
28 L S. Agnese 2ª f.	28 G	28 M S. Agnese 2ª f.	28 V	28 V dell'8ª	28 L Le Rogazioni	28 M dell'8ª
29 M S. Frances. S.	29 V	29 M S. Frances. S.		29 S dell'8ª	29 M S. Pie. m. Rog.	29 G 8ª Cor. Dom.
30 M S. Martina v.		30 G S. Martina v.		30 D 1ª in Albis	30 M S. Cat. S. Rog.	30 V S. CUORE G.
31 G S. Pietro Nol.		31 V S. Pietro Nol.		31 L ANN. DI M.V.		31 S S. Angela M.

GIUGNO	LUGLIO	AGOSTO	SETTEMBRE	OTTOBRE	NOVEMBRE	DICEMBRE
1 D 3ª d. Pentec. P. Cuore di M.	1 M 8ª di S. Gio. B	1 V S. Pietro in v.	1 L S. Egidio a.b.	1 M S. Remigio v.	1 S OGNISSANTI	1 L
2 L SS. Mar. Piet.	2 M Vis. di M. V.	2 S S. Alfonso L.	2 M S. Stefano re	2 G SS. Angeli C.	2 D 25ª d. Pentec.	2 M S. Bibiana v.
3 M	3 G dell'8ª	3 D 12ª d. Pentec.	3 M	3 V	3 L Comm. Def.	3 M S. Franc. Sav.
4 M S. Franc. Car.	4 V dell'8ª	4 L S. Dom. di G.	4 G	4 S S. Fran. d'As.	4 M S. Carlo Bor.	4 G S. Barb. m.
5 G S. Bonifac. v.	5 S dell'8ª	5 M S. Maria d. N.	5 V S. Lorenzo G.	5 D 21ª, B. V. Ros.	5 M dell'8ª	5 V S. Sabba ab.
6 V S. Norbert. v.	6 D 8ª d. Pentec.	6 M Trasf. di G. C.	6 S	6 L S. Brunone c.	6 G dell'8ª	6 S S. Nicolò ab
7 S	7 L	7 G S. Gaetano T.	7 D 17ª d. Pentec.	7 M S. Marco pp.	7 V dell'8ª	7 D 2ª d'Avv. Ro.
8 D 4ª d. Pentec.	8 M S. Elisab. reg.	8 V SS. Cir. L. e S.	8 L Nat. di M. V.	8 M S. Brigida v.	8 S 8ª Ognissanti	8 L Imm. C. M. V
9 L SS. Pri. e Fel.	9 M	9 S S. Roman. m.	9 M S. Gorgon. m.	9 G SS. Dion. R. E.	9 D 25ª Pat. M. V.	9 M dell'8ª
10 M S. Marg. Reg.	10 G SS. Sett. fr. m	10 D 13ª S. Lorenz.	10 M S. Nicol. Tol.	10 V S. Franc B.	10 L S. Andrea Av.	10 M S. Melch. pp.
11 M S. Barn. ap.	11 V S. Pio I pp.	11 L SS. Tib. e Sus.	11 G SS. Pr. e Giac.	11 S	11 M S. Martino v.	11 G S. Dam. I pp.
12 G S. Gio. d. S. F	12 S S. Giov. Gual	12 M S. Chiara v	12 V dell'8ª	12 D 22ª Mat. M. V.	12 M S. Mart. pp.	12 V dell'8ª
13 V S. Ant. di P	13 D 9ª d. Pentec.	13 M S. Cassia m.	13 S dell'8ª	13 L S. Edoardo re	13 G S. Staniel. K.	13 S S. Lucia v. m.
14 S S. Basil. M. v	14 L S. Bonavent.	14 G S. Eusebio pr.	14 D 18ª Es. S. Cro.	14 M S. Calisto pp.	14 V	14 D 3ª d'Avv. Ro.
15 D 5ª d. Pentec	15 M S. Enrico imp.	15 V ASSUN. M. V.	15 L 8ª Nat. M. V.	15 M S. Teresa v.	15 S S. Geltrude v.	15 L 8ª dell'Im. Co.
16 L	16 M B. V. del Car.	16 S S. Giacinto	16 M SS. Corn. e C.	16 G	16 D 27ª [Avv. A]	16 M S. Eusebio v.
17 M	17 G S. Aless. Con.	17 D 14ª S. Gioac.	17 M Temp. d'aut.	17 V 3ª Pur. M. V.	17 L S. Greg. tau.	17 M Temp. d'inv.
18 M SS. Mar. e M	18 V S. Camillo L.	18 L S. Agap. m.	18 G SS. Gius. da C.	18 S S. Luca Ev.	18 M D. b ss F., P.	18 G Asp. Div. Par.
19 G SS. Ger. e Pr.	19 S S. Vincen. P.	19 M dell'8ª	19 V S. Gen. m. T.	19 D 23ª Pur. M. V.	19 M S. Elisabet. r.	19 V Temp.
20 V S. Silver. pp.	20 D 10ª d. Pentec.	20 M S. Bernar. ap.	20 S S. Eust. m. T.	20 L S. Giovan. C.	20 G SS. Felice Val.	20 S Vigilia
21 S S. Luigi G.	21 L S. Prassede v.	21 G S. Gio di Ch.	21 D 19ª Dol. M. V.	21 M SS. Orsol. e C.	21 V Pres di M. V	21 D 4ª S. Tom. ap.
22 D 6ª d. Pentec.	22 M S. Maria Mad	22 V 8ª Ass. M. V.	22 L SS. Maur. e C.	22 M	22 S S. Cecilia v.	22 L S. Flav. m.
23 L Vigilia	23 M S. Apollin. v.	23 S S. Filip. Ben.	23 M S. Lino pp.	23 G	23 D 28ª d. Pentec.	23 M S. Vittoria v.
24 M Nat. S. Gio. B.	24 G Vigilia	24 D 15ª d. Pentec	24 M B. V. d. Merc.	24 V	24 L S. Gio. d. Cr.	24 M Vigilia
25 M S. Gugl. ab.	25 V S. Giac. ap.	25 L S. Luigi re	25 G	25 S SS. Crisan. D.	25 M S. Cater. v.	25 G NATALE G. C.
26 G SS. Gio. e Pa.	26 S S. Anna	26 M S. Zeffrino	26 V SS. Cip. e Giu.	26 D 24ª d. Pentec.	26 M S. Pietro Al.	26 V S. Stef. prot
27 V dell'8ª	27 D 11ª d. Pentec	27 M S. Gius. Cal.	27 S SS. Cos. e D.	27 L Vigilia	27 G	27 S S. Giov. Ev.
28 S S. Leone II P.	28 L SS. Naz. e C.	28 G S. Agost. v. d.	28 D 20ª d. Pentec.	28 M SS. Sim. e G.	28 V	28 D Ss. Innocenti
29 D 7ª Ss. Pie. Pa.	29 M S. Marta ma.	29 V Dec. di S.G.B.	29 L S. Michele A.	29 M	29 S S. Saturn. m.	29 L S. Tomm. C.
30 L Comm. S. Pa.	30 M SS. Abd. Sen.	30 S S. Rosa da L.	30 M S. Girol. d.	30 G	30 D 1ª d'Avv. Ro.	30 M
	31 G S. Ignazio L. c.	31 D 16ª d. Pentec.		31 V Vigilia		31 M S. Silves. pp.

Pasqua 24 Marzo. – Calendario per gli anni: 15, 99, 110, 194, 205, 289, 300*, 384*, 547, 631, 642, 726, 737, 821, 832*, 916*, 1079, 1163, 1174, 1258, 1269, 1353, 1364*, 1448*, 1799, 1940*, 2391, 2475, 2695, 2847, 2999, ecc.

GENNAIO bis.	FEBBRAIO bis.	GENNAIO	FEBBRAIO	MARZO	APRILE	MAGGIO
1 L CIRCON. G. C.	1 G S. Ignazio v.	1 M CIRCON. G. C.	1 V S. Ignazio v.	1 V	1 L ANN. di M. V.	1 M SS. Fi. G. Rog.
2 M S di S. Stef.	2 V Pur. di M. V.	2 M S di S. Stef.	2 S Purif di M. V.	2 S	2 M S. Fran. di P.	2 G S. ASCEN. G. C.
3 M S di S. Gior.	3 S S. Biagio v.	3 G S^a di S. Giov.	3 D Quinquages.	3 D 4ª di Q.. Laet.	3 M	3 V Inv. S. Croce
4 G S^a SS. Innoc.	4 D Quinquages.	4 V S^a SS. Innoc.	4 L S. Biagio v.	4 L S. Casimiro c.	4 G S. Isidoro v.	4 S S. Monica ved.
5 V Vigilia	5 L S. Agata v.	5 S S. Telesf. pp.	5 M S. Agata v.	5 M	5 V S. Vinc. Ferr.	5 D 6ª, Exaudi
6 S EPIFANIA	6 M S. Tito v.	6 D EPIFANIA	6 M Le Ceneri	6 M	6 S	6 L S. Gio. a. p. l.
7 D dell'8ª	7 M Le Ceneri	7 L dell'8ª	7 G S. Romua. ab.	7 G S. Tom. aq.	7 D 2ª Miser. Dom.	7 M S. Stanisl. v.
8 L dell'8ª	8 G S. Giov. di M.	8 M dell'8ª	8 V S. Gior. di M.	8 V S. Gior. di D.	8 L	8 M Ap. S. Mich.
9 M dell'8ª	9 V S. Apollon. v.	9 M dell'8ª	9 S S. Apollon. v.	9 S S. Franc. R.	9 M	9 G S^a dell'Ascen.
10 M dell'8ª	10 S S. Scolas. v.	10 G dell'8ª	10 D 1ª di Q.. Inv.	10 D di Passione	10 M	10 V S. Anton. v.
11 G dell'8ª	11 D 1ª di Q.. Inv.	11 V dell'8ª	11 L	11 L	11 G S. Leone I pp.	11 S Vigilia
12 V dell'8ª	12 L	12 S dell'8ª	12 M	12 M S. Greg. I pp.	12 V	12 D PENTECOS.
13 S S^a dell'Epif.	13 M Temp. di pri.	13 D S^a dell'Epif.	13 M Temp. di pri.	13 M	13 S S. Ermen. m.	13 L di Penter.
14 D SS. N. di Ges.	14 M Temp. di pri.	14 L S. Ilar. S. Fel.	14 G S. Valent. m.	14 G	14 D 3ª Pat. di S. G.	14 M di Penter.
15 L S. Paolo er.	15 G SS. Fau. e G	15 M S. Paolo er.	15 V Tempora	15 V V B. V. Addol.	15 L	15 M Temp. d'est.
16 M S. Marcello p.	16 V Tempora	16 M S. Marcello p.	16 S Tempora	16 S S. Eriberto	16 M	16 G dell'8ª
17 M S. Antonio ab.	17 S Tempora	17 G S. Antonio ab.	17 D 2ª di Q.. Rem.	17 D delle Palme	17 M S. Aniceto pp.	17 V Tempora
18 G Cat. S. Piet. R.	18 D 2ª di Q.. Rem.	18 V Cat. S. Piet. R.	18 L S. Simeone v.	18 L santo	18 G	18 S Tempora
19 V S. Mario	19 L	19 S S. Canuto re	19 M	19 M santo	19 V	19 D 1ª, SS. Trinita
20 S S. Fab. e Seb.	20 M	20 D Settuagesima	20 M	20 M santo	20 S	20 L S. Bern. da S.
21 D Settuagesima	21 M	21 L S. Agnese v.	21 M	21 G Cena del Sig.	21 D 4ª, Cantate	21 M
22 L SS. Vinc. e A.	22 G Cat. S. P et. A.	22 M SS. V nc. e A.	22 G Cat. S. Piet. A.	22 V Parasceve	22 L S. Sot. e Caio	22 M
23 M S. Raim. di P.	23 V S. Pier Dam.	23 M S. Raim. di P.	23 V S. Pier Dam.	23 S santo	23 M S. Giorgio m.	23 G CORPUS DO.
24 M S. Timoteo v.	24 S Vigilia	24 G S. Timoteo v.	24 S 3ª di Q.. Oculi	24 D PASQUA	24 M S. Fedele Sig.	24 V dell'8ª
25 G Conv. S. Paolo	25 D 3ª di Q.. Oculi	25 V Conv. S. Paolo	25 L	25 L dell'Angelo	25 G S. Marco Ev.	25 S S. Greg. VII
26 V S. Pol car. v.	26 L	26 S S. Pol car. v.	26 M	26 M di Pasqua	26 V SS. Cleto Mar.	26 D 2ª di Pentec.
27 S S. Giov. cris.	27 M	27 D Sessagesima	27 M	27 M dell'8ª	27 S	27 L S. Giovan. p.
28 D Sessagesima	28 M	28 L S. Agnese 2ªf.	28 G	28 G dell'8ª	28 D 5ª, Rogate	28 M dell'8ª
29 L S. Frances. S.	29 G	29 M S. Frances. S.		29 V dell'8ª	29 L Le Rogazioni	29 M dell'8ª
30 M S. Martina v.		30 M S. Martina v.		30 S	30 M S. Sat. S. Rog.	30 G 3ª Cor. Dom.
31 M S. Pietro Nol.		31 G S. Pietro Nol.		31 D 1ª, in Albis		31 V S. CUORE G.

GIUGNO	LUGLIO	AGOSTO	SETTEMBRE	OTTOBRE	NOVEMBRE	DICEMBRE
1 S.	1 L S. di S. Gio. B.	1 G S. Pietro in v.	1 D 16ª d. Pentec.	1 M S. Remigio v.	1 V OGNISSANTI	1 D 1ª d'Avv. Ro.
2 D 3ª d. Pentec. P. Cuore di M.	2 M Vis. di M. V.	2 V S. Alfonso L.	2 L S. Stefano re	2 M SS. Angeli c.	2 S Comm. Def.	2 L S. Bibiana v.
3 L.	3 M dell'8ª	3 S Inv. di S. Ste.	3 M	3 G S. Franc. d'As.	3 D 25ª d. Pentec.	3 M S. Franc. Sav.
4 M S. Fran. Car.	4 G dell'8ª	4 D 12ª d. Pentec.	4 M	4 V S. Franc. d'As.	4 L S. Carlo Bor.	4 M S. Barb. m.
5 M S. Bonifac. v.	5 V dell'8ª	5 L S. Maria d. N.	5 G S. Lorenzo G.	5 S SS. Pl. e C. m.	5 M dell'8ª	5 G S. Sabba ab.
6 G S. Norbert. v.	6 S 8ª SS. A. P. P.	6 M Trasf. di G. C.	6 V	6 D 21ª. B. V. Ros.	6 M dell'8ª	6 V S. Nicolò v.
7 L.	7 D 8ª d. Pentec.	7 M S. Gaetano T.	7 S	7 L S. Marco pp.	7 G dell'8ª	7 S S. Ambrog. v.
8 S.	8 L S. Elisab. reg.	8 G SS. Cir. L. e S.	8 D Nat. di M. V.	8 M S. Brigida v.	8 V 8ª Ognissanti	8 D 2ª Im. C. M. V.
9 D 4ª d. Pentec.	9 M	9 V S. Roman. m.	9 L S. Gorgon. m.	9 M S. Dion. R. E.	9 S S. Teodoro m.	9 L dell'8ª
10 L S. Marg. Reg.	10 M SS. Sett. fr. m	10 S S. Lorenzo m.	10 M S. N col. Tol.	10 G S. Franc. B.	10 D 26ª Pat. M. V.	10 M S. Melch. pp.
11 M S. Barn. ap.	11 G S. Pio I pp.	11 D 13ª d. Pentec.	11 M SS. Prot. e G ac.	11 V	11 L S. Martino v.	11 M S. Dam. I pp.
12 M S. G. o d. S. F.	12 V S. Giov. Gua.	12 L S. Chiara v.	12 G dell'8ª	12 S	12 M S. Mart. pp.	12 G S. Valer. ab.
13 G S. Ant. d. P.	13 S S. Anacl. pp.	13 M S. Cassia. pr.	13 V dell'8ª	13 D 22ª Ma. M. V.	13 M S. Stan sl. K.	13 V S. Lucia v. m.
14 D 5ª d. Pentec.	14 D 9ª d. Pentec.	14 M S. Eusebio pr.	14 S Esalt. d. S. Cr.	14 L S. Calisto pp.	14 G	14 S dell'9ª
15 L S. Basi. M. v.	15 L S. Enric. imp.	15 G ASSUN. M. V.	15 D 18ª S. N. M. V.	15 M S. Teresa v.	15 V S. Getrude v.	15 D 3ª d'Avv. Ro.
16 M S. Vit. e m.	16 M B. V. del Car	16 V S. Giacinto c.	16 L SS. Corn. e C.	16 M	16 S	16 L S. Eusebio v.
17 M S. Aless. Con.	17 M S. Aless. Con.	17 S 8ª S. Lorenzo	17 M Stim. d. S. Fr.	17 G S. Edvige r.	17 D 27ª [Avv. .I]	17 M
18 M SS. Mar. e M.	18 G S. Camillo L.	18 D 14ª. S. Gioac.	18 M Temp. d'aut.	18 V S. Luca Ev.	18 L D. b. ss. P. e P.	18 M Temp. d'inv.
19 V S. Vincenz. P.	19 V S. Vincenz. P.	19 L dell'8ª	19 G S. Gennaro m.	19 S S. Piet. d'Alc.	19 M S. Elisabetta r.	19 G
20 S S. Margh. v	20 S S. Margh. v	20 M S. Bernar. ap.	20 V S. Eust. T.	20 D 23ª. Pur. M. V.	20 G S. Felice Val.	20 V Tempora
21 V S. Luigi G.	21 D 10ª d. Pentec.	21 M S. Gio. di Ch.	21 S S. Mat. ap. T.	21 L SS. Orsol. e C.	21 V S. Pres. di M. V.	21 S S. Tom. ap. T.
22 S S. Paolino v.	22 L S. Maria Mad.	22 G 8ª Ass. M. V.	22 D 19ª. Dol. M. V.	22 M	22 S S. Cec Ila v.	22 D 4ª d'Avvento
23 D 6ª d. Pentec.	23 V S. Apollin. v.	23 V S. Filip. Ben.	23 L S. Lino pp.	23 M	23 D 28ª d. Pentec.	23 L
24 L Nat. S. G. B.	24 M S. Caterina v.	24 S S. Bartol. ap.	24 M B. V. d. Merc.	24 G	24 L S. Giov. d. Pentec.	24 M Vigilia
25 M S. Gugl. ab.	25 G S. Giac. ap.	25 D 15ª d. Pentec.	25 M	25 V SS. Crisan. D.	25 L S. Cater. v.	25 M NATALE G. C.
26 M S. Gio e Pa.	26 V S. Anna	26 L S. Zefirino p.	26 G SS. Cip. e Giu.	26 S S. Evaristo pp.	26 M S. Pietro Aless.	26 G S. Stef. prot.
27 G dell'8ª	27 S S. Pantal. m.	27 M S. Gius. Cal.	27 V SS. Cos. e D.	27 D 24ª. Vigilia	27 M	27 V S. Giov. ev.
28 V S. Leone II p.	28 D 11ª d. Pentec.	28 M S. Agost. v. d.	28 S S. Agost. v. d.	28 L SS. Sim. e G.	28 G	28 S SS. Innocenti
29 S SS. Pietr. e Pa.	29 L S. Marta v.	29 G Dec. di S. G. B.	29 D 20ª. S. Michel.	29 M	29 V S. Saturn. m.	29 D dell'8ª
30 D 7ª Com. S. Pa.	30 M SS. Abd. Sen.	30 V S. Rosa da L.	30 L S. Girol. d.	30 M	30 S S. Andrea ap.	30 L dell'8ª
	31 M S. Ignaz o L.	31 S S. Raim. Non.		31 G Vigilia		31 M S. Silvest. pp.

Pasqua 25 Marzo. — Calendario per gli anni: 31, 42, 53, 126, 137, 148*, 221, 232*, 316*, 395, 479, 490, 563, 574, 585, 655, 658, 669, 680*, 753, 764*, 848*, 927, 1011, 1022, 1095, 1106, 1117, 1190, 1201, 1212*, 1285, 1296*, 1380*, 1459, 1543, 1554, 1663, 1674, 1731, 1742, 1883, 1894, 1951, 2035, 2046, 2103, 2187, 2198, 2255, 2266, 2320*, ecc.

GENNAIO bis.	FEBBRAIO bis.	GENNAIO	FEBBRAIO	MARZO	APRILE	MAGGIO
1 D CIRCON. G. C.	1 M S. Ignazio v.	1 L CIRCON. G. C.	1 G S. Ignazio v	1 G	1 D 1ª d. P. in Alb.	1 M S. Fil. Rog.
2 L 8ª di S. Stef.	2 G Pur. di M. V.	2 M 8ª di S. Stef.	2 V Purif. di M. V.	2 V	2 L ANN. di M.V.	2 M S. Atan: Rog.
3 M 8ª di S. Giov.	3 V S. Biagio v.	3 M 8ª di S. Giov.	3 S S. Biagio v.	3 S	3 M	3 G ASCEN. G. C.
4 M 8ª SS. Innoc.	4 S S. Andrea Co.	4 G 8ª SS. Innoc.	4 D Quinquages.	4 D 4ª di Q., Laet.	4 M S. Isidoro v.	4 V S. Monica ved.
5 G S. Telesf. Vigil.	5 D Quinquagesim.	5 V S. Telesf. pp.	5 L S. Agata v.	5 L	5 G S. Vinc. Ferr.	5 S S. Pio V pp.
6 V EPIFANIA	6 L S. Tito, S. Dor.	6 S EPIFANIA	6 M S. Tito. S. Dor.	6 M	6 V	6 D 6ª d. P., Exau
7 S dell'8ª	7 M S. Romualdo	7 D 1ª d. l'Epif.	7 M Le Ceneri	7 M S. Tom. d'A.	7 S	7 L S. Stanislao v.
8 D 1ª dopo l'Epif.	8 M Le Ceneri	8 L dell'8ª	8 G S. Giov. di M.	8 G S. Giov. di D.	8 D 2ª Miser. Dom.	8 M App. S. Mich.
9 L dell'8ª	9 G dell'8ª	9 M dell'8ª	9 V S. Apollon. v.	9 V S. Franc. Ro.	9 L	9 M S. Greg. Naz.
10 M dell'8ª	10 V S. Scolast. v.	10 M dell'8ª	10 S S. Scolast. v.	10 S SS. 40 Mart.	10 M	10 M G 8ª dell'Ascen.
11 M dell'8ª	11 S	11 G S. Igino pp.	11 D 1ª di Q., Invo.	11 D di Pass. Iudic.	11 M S. Leone I pp.	11 V
12 G S. Igino pp.	12 D 1ª di Q. Inr.	12 V dell'8ª	12 L	12 L S. Greg. I pp.	12 G S. Giulio I pp.	12 S Vigilia
13 V 8ª dell'Epif.	13 L	13 S 8ª dell'Epif.	13 M	13 M	13 V S. Ernuen. m.	13 D PENTECOST
14 S S. Ilar. S. Fel.	14 M S. Valent. m.	14 D 2ª SS N. G.	14 M Temp. di pri.	14 M	14 S S. Tiburzio m.	14 L dì Pent.
15 D SS. N. di Ges.	15 M Temp. di pri.	15 L S. Paolo er.	15 G SS. Fan. Giov.	15 G	15 D 3ª Pat. di S. G.	15 M dì Pent.
16 L S. Marcello p.	16 G	16 M S. Marcello p.	16 V Temp.	16 V B. V. Addolor.	16 L	16 M Temp. d'est.
17 M S. Antonio ab.	17 V Temp.	17 M S. Antonio ab	17 S Temp.	17 S S. Patrizio v.	17 M S. Aniceto pp.	17 G dell'8ª
18 M Cat. S. Piet. R.	18 S 2ª di Q., Rem.	18 G Cat. S. Piet. R.	18 D 2ª di Q., Rem.	18 D delle Palme	18 M	18 V dell'8ª. Temp.
19 G S. Canuto re	19 D 2ª di Q., Rem.	19 V S. Canuto re	19 L	19 L santo	19 G	19 S dell'8ª. Temp.
20 V S. Fab. e Seb.	20 L	20 S SS. Fab., Seb.	20 M	20 M santo	20 V	20 D SS. Trinità
21 S S. Agnese v.	21 M	21 D Settuagesima	21 M	21 M santo	21 S S. Anselmo v.	21 L santo
22 D Settuagesima	22 M Cat. S. Piet A.	22 L SS. Vinc. e A.	22 G Cat. S. Piet. A.	22 G Cena del Sig.	22 D 4ª Cantate	22 M
23 L Spos. di M. V.	23 G S. Pier. Dam.	23 M S. Spos. di M. V.	23 V S. Parascere	23 V Parascere	23 L S. Giorgio m.	23 M
24 M S. Timoteo v.	24 V S. Gerardo v.	24 M S. Timoteo v.	24 S S. Mattia ap.	24 S santo	24 M S. Fedele Sig.	24 G CORPUS DO.
25 M Conv. S. Paolo	25 S S. Mattia ap.	25 G Conv. S. Paolo	25 D 3ª di Q., Oculi	25 D PASQUA	25 M S. Marco ev.	25 V S. Gregor. VII
26 G S. Policar. v.	26 D 3ª di Q., Oculi	26 V S. Policar. v.	26 L	26 L dell'Angelo	26 G SS. Cleto Mar.	26 S S. Eleuter. p.
27 V S. Giov. Cris.	27 L	27 S S. Giov Cris.	27 M	27 M di Pasqua	27 V	27 D 2ª d. Pentec.
28 S S. Agnese 2ªf.	28 M	28 D Sessagesima	28 M	28 M dell'8ª	28 S S. Paolo d. Cro.	28 L dell'8ª
29 D Sessagesima	29 M	29 L S. Frances. S.		29 G dell'8ª	29 D 5ª Rogate	29 M dell'8ª
30 L S. Martina v.		30 M S. Martina v.		30 V dell'8ª	30 L Le Rogazioni	30 M dell'8ª
31 M S. Pietro Nol.		31 M S. Pietro Nol.		31 S dell'8ª		31 G 8ª Cor. Dom.

GIUGNO	LUGLIO	AGOSTO	SETTEMBRE	OTTOBRE	NOVEMBRE	DICEMBRE
1 V|S. CUORE G.	1 D|7ª d. Pentec.	1 M|S. Pietro in v.	1 S|S. Egidio ab.	1 L|S. Remigio v.	1 G|OGNISSANTI	1 S
2 S|SS. Marc. e C.	2 L|Vis. di M. V.	2 G|S. Alfonso L.	2 D|16ª d. Pentec.	2 M|S. Angeli C.	2 V|Comm. Def.	2 D|1ª d'Avv. Ro.
3 D|3ª di Pentec.	3 M|dell'8ª	3 V|Inv. S. Stef.	3 L|S. Mans. v.	3 M|S. Calim. v.	3 S|dell'8ª	3 L|S. Franc. Sav.
P. Cuore di M.	4 M|dell'8ª	4 S|S. Dom. di G.	4 M	4 G|S. Fran. d'As.	4 D|25ª d. Pentec.	4 M|S. Pietro C.
4 L|S. Fran. Car.	5 G|dell'8ª	5 D|12ª.S. Mar. N.	5 M	5 V|SS. Pl. e C. m.	5 L|dell'8ª	5 M|S. Sabba ab.
5 M|S. Bonifac. v.	6 V|8ª SS. Ap.P.P.	6 L|Trasf. di G.C.	6 V	6 S|S. Brunone c.	6 M|dell'8ª	6 G|S. Nicolò v.
6 M|S. Norbert. v.	7 S	7 M|S. Gaetano T.	7 V	7 D|21ª. B. V. Ros.	7 M|dell'8ª	7 V|S. Ambr. v.
7 G	8 D|8ª d. Pentec.	8 M|SS. Cir. e c. m.	8 S|Nat. di M. V.	8 L|S. Brigida v.	8 G|8ª Ognissanti	8 S|Imm. C. M. V.
8 V	9 L	9 G|S. Romano m.	9 D|17ª. SS. N. M.	9 M|SS. Dion. e C.	9 V|S. Teodoro m.	9 D|2ª d'Avv. Ro.
9 S|SS. Pri. e Fel.	10 M|SS. Sett. fr. m	10 V|S. Lorenzo m.	10 L|S. Nic. Tol. c.	10 M|S. Franc. B.	10 S|S. Andrea Av.	10 L|S. Melch. pp.
10 D|4ª d. Pentec.	11 M|S. Pio I pp.	11 S|SS. Tib. e Sus.	11 M|SS. Pr. e Giac.	11 G	11 D|26ª Pat. M. V.	11 M|S. Dam. I pp.
11 L|S. Barn. ap.	12 G|S. Giov. G.	12 D|13ª d. Pentec.	12 M|dell'8ª	12 V	12 L|S. Mart. pp.	12 M|dell'8ª
12 M|SS. G. d. S. Fac.	13 V|S. Anacl. pp.	13 L|S. Cass. m.	13 G|dell'8ª	13 S|S. Edoardo re	13 M|S. Stanisl. K.	13 G|S. Lucia v. m.
13 M|S. Ant. di P.	14 S|S. Bonav. d.	14 M|S. Eusebio pr.	14 V|Es. d. S. Croce	14 D|22ª. Mat. M. V.	14 M	14 V|dell'8ª
14 G|S. Basil. M. v.	15 D|9ª d. Pentec.	15 M|ASSUN. M. V.	15 L|8ª d.N. M. V.	15 L|S. Teresa v.	15 G|S. Geltrude v.	15 S|8ª d. Imm. C.
15 V|SS. Vito e M.	16 L|B. V. del Car.	16 G|S. Giacinto c.	16 D|18ª. Dol. M. V.	16 M	16 V	16 D|3ª d'Avv. Ro.
16 S	17 M|S. Aless. con.	17 V|dell' S. Lor.	17 L|Stim. di S. Fr.	17 M|S. Edvige r.	17 S|S. Greg. tau.	17 L
17 D|5ª d. Pentec.	18 M|S. Camillo L.	18 S|S. Agap. m.	18 M|SS. Gia. Co.	18 G|S. Luca Ev.	18 D|27ª. [Avv. A.]	18 M|Asp. Div. Par.
18 L|SS. Mar. e M.	19 G|S. Vinc. P.	19 D|14ª. S. Gi ac.	19 M|Temp. d'Aut.	19 V|S. Pietro d'A.	19 L|S. Elisabetta	19 M|Temp. d'inv.
19 M|SS. Ger. e Pr.	20 V|S. Girol. Em.	20 L|S. Bernar. ab.	20 G|S. Eust.m.	20 S|S. Giovan. C.	20 M|S. Felice Val.	20 G|Vigilia
20 M|S. Silver. pp.	21 S|S. Prassede v.	21 M|S. Gio. di Ch.	21 V|S. Matteo T.	21 D|23ª Pur. M. V.	21 M|Pres. di M.V.	21 V|S. Tommu. T.
21 G|S. Luigi G.	22 D|10ª S. Ma. M.	22 M|8ª Ass. M. V	22 S|SS. Man. C. T.	22 L	22 G|S. Cecilia v.	22 S|S. Flav. m. T.
22 V|S. Paolino v.	23 L|S. Apollin. v.	23 G|S. Filippo B.	23 D|19ª d. Pentec.	23 M	23 V|S. Clem. I pp	23 D|4ª d'Avv.
23 S|Vigilia	24 M|S. Cristina v.	24 V|S. Bartol. ap.	24 L|B. V. d. Merc.	24 M	24 S|S. Gio. d. Cr.	24 L|Vigilia
24 D|6ª Nat. S. Gio.	25 M|S. Giac. ap.	25 S|S. Luigi re	25 M	25 G|SS. Crisan. D.	25 D|28ª d. Pentec.	25 M|NATALE G.C.
25 L|S. Gugl. ab.	26 G|S. Anna	26 D|15ª d. Pentec.	26 M|SS. Cip. e Giu.	26 V|S. Evar. pp.	26 L|S. Silves. ah.	26 M|S. Stef. prot.
26 M|SS. Gio e Pa.	27 V|S. Pantal. m.	27 L|S. Gius. Cal.	27 G|SS. Cos. e D.	27 S|Vigilia	27 M	27 G|S. Giov. ev.
27 M|dell'8ª	28 S|SS. Naz. e C.	28 M|S. Agost. v. d.	28 V|S. Venc. m.	28 D|24ªSS.Sim.eG.	28 M	28 V|SS. Innoc. m.
28 G|SS. Leone II pp.	29 D|11ª d. Pentec.	29 M|Dec. d. S. G. B.	29 S|S. Michele A.	29 L	29 G|S. Saturn. m.	29 S|S. Tom. C. v.
29 V|SS. P. e P. ap.	30 L|SS. Abd., Sen.	30 G|S. Rosa da L.	30 D|20ª d. Pentec.	30 M	30 V|S. Andrea ap.	30 D|dell'8ª
30 S|Comm. S. Pa.	31 M|S. Ignazio L.	31 V|S. Raim. N.		31 M|Vigilia		31 L|S. Silvestro pp.

Pasqua 26 Marzo. - Calendario per gli anni: 58, 69, 80*, 153, 164*, 243, 248*, 327, 338, 411, 422, 433, 495, 506, 517, 538*, 590, 601, 612*, 685, 696*, 775, 780*, 850, 870, 943, 954, 965, 1027, 1038, 1049, 1060*, 1122, 1133, 1144*, 1217, 1228*, 1307, 1312*, 1391, 1402, 1475, 1486, 1497, 1559, 1570, 1581, 1595, 1606, 1617, 1690, 1758, 1769, 1780*, 1815, 1826, 1837, 1967, 1978, 1989, 2062, 2073, 2084*, 2119, 2130, 2141, 2209, ecc.

MARZO

1 M	
2 G	
3 V	
4 S	S. Casimiro
5 D 4ª	di Q., Laet.
6 L	
7 M	S. Tom. d'A.
8 M	S. Gio. di D.
9 G	S. Franc. Ro.
10 V	SS. 40 Mart.
11 S	
12 D 1ª	di Passione
13 L	
14 M	
15 M	
16 G	
17 V	B. V. Addolo.
18 S	
19 D	delle Palme
20 L	santo
21 M	santo
22 M	santo
23 G	Cena del Sig.
24 V	Parasceve
25 S	santo
26 D	PASQUA
27 L	dell'Angelo
28 M	dell'8ª
29 M	dell'8ª
30 G	dell'8ª
31 V	dell'8ª

APRILE

1 S	dell'8ª
2 D	1ª d. P. in Alb.
3 L	ANN. in M. V.
4 M	S. Isidoro v.
5 M	S. Vinc. Ferr.
6 G	
7 V	
8 S	
9 D 2ª	Miser. Dom.
10 L	
11 M	S. Leone I pp.
12 M	
13 G	S. Ermen. m.
14 V	S. Tiburzio m.
15 S	
16 D 3ª	Pat. di S. G.
17 L	S. Aniceto pp.
18 M	
19 M	
20 G	
21 V	S. Anselmo v.
22 S	SS. Sot. e Caio
23 D 4ª	Cantate
24 L	S. Fedele Sig.
25 M	S. Marco Ev.
26 M	SS. Cleto Mar.
27 G	
28 V	S. Paolo d. Cro.
29 S	S. Pietro m.
30 D 5ª	Rogate
	S. Cater. d. S.

MAGGIO

1 L	Le Rogazioni
2 M	S. Atan. Rog.
3 M	S. + Inv. S. C. Rog.
4 G	ASCEN. G. C.
5 V	S. Pio V pp.
6 S	S. Gio. av. p. L.
7 D 6ª	d. P., Erau.
8 L	App. S. Mich.
9 M	S. Greg. Naz.
10 M	S. Antonio v.
11 G 9ª	dell'Ascen.
12 V	SS. Nereo e C.
13 S	Vigilia
14 D	PENTECOS.
15 L	di Pent.
16 M	di Pent.
17 M	Temp. d'est.
18 G	dell'8ª
19 V	dell'8ª, Temp.
20 S	dell'8ª, Temp.
21 D 1ª	SS. Trinità
22 L	
23 M	
24 M	
25 G	CORPUS DO.
26 V	S. Filippo N.
27 S	dell'8ª
28 D 2ª	d. Pente.
29 L	dell'8ª
30 M	S. Felice I pp.
31 M	S. Petronilla v.

GENNAIO

1 D	CIRCON. G. C.
2 L	8ª di S. Stef.
3 M	8ª di S. Giov.
4 M	8ª SS. Innoc.
5 G	S. Telesf. pp.
6 V	EPIFANIA
7 S	dell'8ª
8 D	1ª d. l'Epif.
9 L	dell'8ª
10 M	dell'8ª
11 M	S. Igino pp.
12 G	dell'8ª
13 V	8ª dell'Epif.
14 S	S. Ilar. S. Fel.
15 D 2ª	SS. N. di G.
16 L	S. Marcello p.
17 M	S. Antonio ab.
18 M	Cat. S. Piet. R.
19 G	S. Canuto re
20 V	SS. Fab., Seb.
21 S	S. Agnese v.
22 D	Settuagesima
23 L	Spos. di M. V.
24 M	S. Timoteo v.
25 M	Conv. S. Paolo
26 G	S. Policar. v.
27 V	S. Giov. Cr.
28 S	S. Agnese 2ª.
29 D	Sessagesima
30 L	S. Martina v.
31 M	S. Pietro Nol.

FEBBRAIO

1 M	S. Ignazio v.
2 G	Pur. di M. V.
3 V	S. Biagio v.
4 S	S. Agata v.
5 D	Quinquages.
6 L	S. Tito, S. Dor.
7 M	S. Romua. ab.
8 M	Le Ceneri
9 G	S. Apollon. v.
10 V	S. Scolast. v.
11 S	
12 D	1ª di Q., Invo.
13 L	
14 M	S. Valent. m.
15 M	Temp. di pri.
16 G	
17 V	Temp.
18 S	S. Simeo. v. T.
19 D	2ª di Q., Rem.
20 L	
21 M	S. Pier. Dam.
22 M	Cat. S. Piet. A.
23 G	S. Pier. Dam.
24 V	S. Mattia ap.
25 S	
26 D	3ª di Q., Oculi
27 L	
28 M	

GENNAIO bis

1 S	CIRCON. G. C.
2 D	8ª di S. Stef.
3 L	8ª di S. Giov.
4 M	8ª SS. Innoc.
5 M	S. Telesf. pp.
6 G	EPIFANIA
7 V	dell'8ª
8 S	dell'8ª
9 D	1ª d. l'Epif.
10 L	dell'8ª
11 M	dell'8ª
12 M	dell'8ª
13 G	8ª dell'Epif.
14 V	S. Ilar. S. Fel.
15 S	S. Paolo er.
16 D	SS. N. di Ges.
17 L	S. Antonio ab.
18 M	Cat. S. Piet. R.
19 M	S. Canuto re
20 G	SS. Fab. e Seb.
21 V	S. Agnese v.
22 S	S. Vin. ed A.
23 D	Settuagesima
24 L	S. Timoteo v.
25 M	Conv. S. Paolo
26 M	S. Policar. v.
27 G	S. Giov. Cris.
28 V	S. Agnese 2ª.
29 S	S. Franc. Sal.
30 D	Sessagesima
31 L	S. Pietro Nol.

FEBBRAIO bis

1 M	S. Ignazio v.
2 M	Pur. di M. V.
3 G	S. Biagio v.
4 V	S. Andrea Co.
5 S	S. Agata v.
6 D	Quinquages.
7 L	S. Romualdo
8 M	S. Giov. di M.
9 M	Le Ceneri
10 G	S. Scolast v.
11 V	
12 S	
13 D	1ª di Q., Invo.
14 L	S. Valent. m.
15 M	SS. Fau. Giov.
16 M	Temp. di pri.
17 G	
18 V	S. Sim. v. T.
19 S	Temp.
20 D	2ª di Q., Rem.
21 L	S. Pier. Dam.
22 M	Cat. S. Piet. A.
23 M	S. Pier. Dam.
24 G	Vigilia
25 V	S. Mattia ap.
26 S	
27 D	3ª di Q., Oculi
28 L	
29 M	

GIUGNO	LUGLIO	AGOSTO	SETTEMBRE	OTTOBRE	NOVEMBRE	DICEMBRE
1 G 8ª Cor. Dom.	1 S 8ª di S. Gio. B.	1 M S. Pietro in v.	1 V S. Egidio ab.	1 D 20ª. B. V. Ros.	1 M OGNISSANTI	1 V
2 V S. CUORE G.	2 D 7ª d. Pentec.	2 M S. Alfonso L.	2 S S. Stefano re	2 L SS. Angeli C.	2 G Comm. Def.	2 S S. Bibiana v.
3 S L.	3 L	3 G Inv. di S. Ste.	3 D 16ª d. Pentec.	3 M	3 V S. Uberto v.	3 D 1ª d'Avv. Ro.
4 D 3ª d. Pentec. — P. Cuore di M.	4 M dell'8ª	4 V S. Dom. di G.	4 L	4 M S. Fran. d'As.	4 S S. Carlo Bor.	4 L S. Barb. m.
5 L S. Bonifac. v.	5 M dell'8ª	5 S S. Maria d. N.	5 M S. Lorenzo G.	5 G SS. Pl. e C. m.	5 D 25ª d. Pentec.	5 M S. Sabba ab.
6 M S. Norbert. v.	6 G 8ª SS. A. P. P.	6 D 12ª d. Pentec.	6 M	6 V S. Brunone c.	6 L dell'8ª	6 M S. Nicolò ab.
7 M	7 V dell'8ª	7 L S. Gaetano T.	7 G	7 S S. Marco pp.	7 M dell'8ª	7 G V Imm. C. M. V
8 G	8 S S. Elisab. reg.	8 M SS. Cir. L. e S.	8 V Nat. di M. V.	8 D 21ª. Mat. M. V.	8 M 8ª Ognissanti	8 V Imm. C. M. V.
9 V SS. Pri. e Fel.	9 D 8ª d. Pentec.	9 M S. Roman. m.	9 S S. Gorgon. m.	9 L SS. Dion. R.E.	9 G S. Teodoro m.	9 S dell'8ª
10 S S. Marg. Reg.	10 L SS. Sett. fr. m.	10 G S. Lorenzo m.	10 D 17ª. SS. N. M.	10 M S. Franc. B	10 V S. Andrea Av.	10 D 2ª d'Avvento
11 D 4ª d. Pentec.	11 M S. Pio I pp.	11 V SS. Tib. e Sus.	11 L S. Pr. e Giac.	11 M	11 S S. Martino v.	11 L S. Dam. I pp.
12 L S. Gio. d. S. F	12 M S. Giov. Gua.	12 S S. Chiara v.	12 M dell'8ª	12 G	12 D 26ª. Pat. M. V.	12 M dell'8ª
13 M S. Ant. di P.	13 G SS. Anacl. pp.	13 D 13ª d. Pentec.	13 M dell'8ª	13 V S. Edvard. re	13 L S. Stanisl. K.	13 M S. Lucia v. m.
14 M S. Basil. M. v.	14 V S. Bonavent.	14 L S. Eusebio pr.	14 G Esalt. d. S. Cr.	14 S S. Calisto pp.	14 M	14 G dell'8ª
15 G SS. Vit. e M.	15 S S. Enric. imp.	15 M ASSUN. M. V.	15 V 8ª d. N. M. V.	15 D 22ª. Pur. M.V.	15 M S. Geltrude v.	15 V 8ª di Imm. Co.
16 V	16 D 9ª d. Pentec.	16 M S. Giacinto c.	16 S SS. Corn. e C.	16 L S. Edvige r.	16 G	16 S S. Eusebio v.
17 S	17 L S. Aless. Con.	17 G 8ª S. L. S. El.	17 D 18ª. Dol. M. V.	17 M S. Edvige r.	17 V S. Greg. tau.	17 D 3ª d'Avv. Ro.
18 D 5ª d. Pentec.	18 M S. Camillo L.	18 V S. Agap. m.	18 L S. Gius. da C.	18 M S. Luca Ev.	18 S S. d. b. ss. P., P	18 L
19 L S. Giul. Fal.	19 M S. Vincen. P.	19 S dell'8ª	19 M S. Gennar. m.	19 G S. Piet. d'Alc.	19 D 27ª [Avv. A.]	19 M
20 M S. Silver. pp.	20 G S. Margh. v.	20 D 14ª. S. Gioac.	20 M Temp. d'aut.	20 V S. Giovan. C.	20 L S. Felice Val.	20 M Temp. d'inv.
21 M S. Luigi G.	21 V S. Prassede v.	21 L S. Gio. di Ch.	21 G S. Mat. ap.	21 S S. Orsol. e C.	21 M Pres. di M. V.	21 G S. Tom. ap.
22 G S. Paolino v.	22 S S. Maria Mad.	22 M 8ª Ass. M. V.	22 V S. Mau. e C. T.	22 D 23ª d. Pentec.	22 M S. Cecilia v.	22 V Tempora
23 V Vigilia	23 D 10ª d. Pentec.	23 M S. Filip. Ben.	23 S S. Lino pp. T.	23 L	23 G S. Clem. I pp.	23 S Tempora
24 S Nat. S. G. B.	24 L S. Cristina v.	24 G S. Bartol. ap.	24 D 19ª d. Pentec.	24 M S. Raf. arc.	24 V S. Gio. d. Cro.	24 D 4ª d'Av. Vig.
25 D 6ª d. Pentec.	25 M S. Giac. ap.	25 V S. Luigi re	25 L	25 M SS. Crisan. D.	25 S S. Cater. v.	25 L NATALE G. C.
26 L SS. Gio. Pa.	26 M S. Anna	26 S S. Zefirino	26 M SS. Cip. e Giu.	26 G S. Evaristo p.	26 D 28ª d. Pentec.	26 M S. Stef. prot.
27 M dell'8ª	27 G S. Pantal. m.	27 D 15ª d. Pentec.	27 M SS. Cos. e D.	27 V Vigilia	27 L	27 M S. Giov. ev.
28 M S. Leone II p.	28 V SS. Naz. e C.	28 L S. Agost. v. d.	28 G S. Venceslao	28 S SS. Sim. e G.	28 M	28 G SS. Innocenti
29 G SS. Piet. e Pa.	29 S S. Marta v.	29 M S. Dec. di S.G.B.	29 V S. Michele ar.	29 D 24ª d. Pentec.	29 M Vigilia	29 V S. Tomm. C.
30 V Comm. San. Pa.	30 D 11ª d. Pentec.	30 M S. Rosa da L.	30 S S. Girol. d.	30 L	30 G S. Andrea ap.	30 S dell'8ª
	31 L S. Ignazio L.	31 G S. Raimondo		31 M Vigilia		31 D S. Silves. pp.

Pasqua 27 Marzo. — Calendario per gli anni: 1, 12*, 91, 96*, 175, 186, 259, 270, 281, 343, 354, 365, 376*, 438, 449, 460*, 533, 544* 623, 628*, 707, 718, 791, 802, 813, 875, 886, 897, 908* 970, 981, 992*, 1065, 1076*, 1155, 1160*, 1239, 1250, 1323, 1334, 1345, 1407, 1418, 1429, 1440*, 1502, 1513, 1524*, 1622, 1633, 1644*, 1701, 1712*, 1785, 1796*, 1842, 1853, 1864*, 1910, 1921, 1932*, 2003, 2016*, 2157, 2168* 2214, ecc.

GENNAIO bis.	FEBBRAIO bis.	GENNAIO	FEBBRAIO	MARZO	APRILE	MAGGIO
1 V CIRCON. G. C.	1 L S. Ignazio v.	1 S CIRCON. G. C.	1 M S. Ignazio v.	1 M	1 V dell'8ª	1 D 5ª, *Rogate*
2 S 8ª di S. Stef.	2 M *Pur. di M. V.*	2 D 8ª di S. Stef.	2 M *Pur. di M. V.*	2 M	2 S dell'8ª	2 L *Le Rogazioni*
3 D 8ª di S. Giov.	3 M S. Biagio v.	3 L 8ª di S. Giov.	3 G S. Biagio v.	3 G	3 D 1ª, *in Albis*	3 M I. S. Cro. Rog.
4 L 8ª SS. Innoc.	4 G S. Andrea Co.	4 M 8ª SS. Innoc.	4 V S. Andrea Co.	4 V S. Casimiro c.	4 L ANN. di M. V.	4 M S. Mon. En. V.
5 M S. Telesf. pp.	5 V S. Agata v.	5 M S. Telesf. pp	5 S S. Agata v.	5 S	5 M S. Vinc. Ferr.	5 G ASCEN. G. C.
6 M EPIFANIA	6 S S. Tito v.	6 G EPIFANIA	6 D *Quinquages.*	6 D 4ª *di Q., Laet.*	6 M	6 V S. Gio. a. P. l.
7 G dell'8ª	7 D *Quinquagesi.*	7 V dell'8ª	7 L S. Romua. ab.	7 L S. Tom. Aq.	7 G	7 S S. Stanislao
8 V dell'8ª	8 L S. Giov. di M.	8 S dell'8ª	8 M S. Giov. di M.	8 M S. Giov. di D.	8 V	8 D 6ª, *Exaudi*
9 S dell'8ª	9 M S. Apollonio	9 D 1ª d. l'Epif.	9 M *Le Ceneri*	9 M S. Franc. R.	9 S	9 L S. Greg. Naz.
10 D 1ª d. l'Epif.	10 M *Le Ceneri*	10 L S. Guglel. v.	10 G S. Scolastica	10 G SS. 40 Mart.	10 D 2ª *Miser. Dom.*	10 M S. Anton. v.
11 L dell'8ª	11 G	11 M S. Igino pp.	11 V	11 V	11 L S. Lecme I pp.	11 M
12 M dell'8ª	12 V	12 M dell'8ª	12 S	12 S S. Greg. I pp.	12 M	12 G 8ª dell'Ascen.
13 M 8ª dell'Epif.	13 S	13 G 8ª dell'Epif.	13 D 1ª *di Q., Inv.*	13 D *di Pass. Iudic.*	13 M S. Ermen. r.	13 V
14 G S. Ilar. S. Fel.	14 D 1ª *di Q., Inv*	14 V S. Ilar. S. Fel.	14 L S. Valent. m.	14 L	14 G S. Tiburzio m.	14 S *Vigilia*
15 V S. Paolo er.	15 L SS. Fau e G.	15 S S. Paolo, S. Ma	15 M SS. Fau. e Gio.	15 M	15 V	15 D PENTECOS.
16 S S. Marcello p.	16 M	16 D 2ª *SS. N. di Gi*	16 M *Temp. di prim.*	16 M	16 S	16 L *di Pent.*
17 D SS. N. di Gesù	17 M *Temp. di pri.*	17 L S. Marcello p	17 G	17 G S. Patrizio v.	17 D 3ª *Pat. di S. G.*	17 M *di Pent.*
18 L Cat. S. Piet. R.	18 G S. Simeone v.	18 M Cat. S. Piet. R.	18 V S. Simeon. T.	18 V B. V. Addol.	18 L	18 M *Temp. d'est.*
19 M S. Canuto re	19 V *Tempora*	19 M S. Canuto re	19 S *Tempora*	19 S S. Giuseppe	19 M	19 G dell'8ª
20 M S. Fab. e Seb.	20 S *Tempora*	20 G SS. Fab., Seb.	20 D 2ª *di Q., Rem.*	20 D *delle Palme*	20 M	20 V *Tempora*
21 G S. Agnese v.	21 D 2ª *di Q., Rem.*	21 V S. Agnese v.	21 L S. Severa v.	21 L *santo*	21 G S. Anselmo v.	21 S *Tempora*
22 V SS. Vinc. e A.	22 L Cat. S. Piet. A.	22 S SS. Vinc. e A.	22 M Cat. S. Piet. A.	22 M *santo*	22 V SS. Sot. e Caio	22 D 1ª. *SS. Trinità*
23 S S. Spos. di M. V.	23 M S. Pier Dam.	23 D *Settuagesima*	23 M S. Pier Dam.	23 M *santo*	23 S S. Giorgio m.	23 L
24 D *Settuagesima*	24 M *Vigilia*	24 L S. Timoteo	24 G S. Mattia ap.	24 G *Cena del Sig.*	24 D 4ª, *Cantate*	24 M
25 L Conv. S. Paolo	25 G S. Mattia ap.	25 M Conv. S. Paolo	25 V	25 V *Parascete*	25 L S. Marco Ev.	25 M S. Greg. VII
26 M S. Policar. v.	26 V	26 M S. Policar. v.	26 S	26 S *santo*	26 M SS. Cleto Mar.	26 G CORPUS DO.
27 M S. Giov. Cris.	27 S	27 G S. Giov. Cris.	27 D 3ª *di Q., Oculi*	27 D PASQUA	27 M	27 V S. Giovan. p.
28 G S. Agnese 2ª.	28 D 3ª *di Q., Oculi*	28 V S. Agnese 2ª.	28 L	28 L dell'Angelo	28 G S. Paolo d. Cro.	28 S dell'8ª
29 V S. Frances. S.	29 L	29 S S. Frances. S.		29 M dell Pasqua	29 V S. Pietro m.	29 D 2ª d. Pentec.
30 S S. Martina v.		30 D *Sessagesima*		30 M dell'8ª	30 S S. Cat. da Sie.	30 L S. Felice I pp.
31 D *Sessagesima*		31 L S. Pietro Nol.		31 G dell'8ª		31 M S. Angela M.

GIUGNO	LUGLIO	AGOSTO	SETTEMBRE	OTTOBRE	NOVEMBRE	DICEMBRE
1 M dell'8ª	1 V S³ di S. Gio. B.	1 L S. Pietro in v.	1 G S. Egidio ab.	1 S S. Remigio v.	1 M OGNISSANTI	1 G
2 G 8ª Cor. Dom.	2 G Vis. di M. V.	2 M S. Alfonso L.	2 V S. Stefano re	2 D 20ª, B. V. Ros.	2 M Comm. Def.	2 V S. Bibiana v.
3 V S. CUORE G.	3 D 7ª d. Pentec.	3 M Inv. S. Stef.	3 S	3 L	3 G dell'8ª	3 S S. Franc. Sav.
4 S S. Fran. Car.	4 L dell'8ª	4 G S. Dom. di G.	4 D 16ª d. Pentec.	4 M S. Fran. d'As.	4 V S. Carlo Bor.	4 D 2ª d'Avv. Ro.
5 D 3ª d. Pentec. P. Cuore di M.	5 M dell'8ª	5 V S. Maria d. N.	5 L S. Lorenzo G.	5 M SS. Pl. e C. m.	5 S dell'8ª	5 L S. Sabba ab.
6 L S. Norbert. v.	6 M 8ª SS. Ap. P.P.	6 S Trasf. di G. C.	6 M	6 G S. Brunone c.	6 D S. Leon. P. M.	6 M S. Nicolò v.
7 M	7 G	7 D 12ª d. Pentec.	7 M	7 V S. Marco pp.	7 L dell'8ª	7 M S. Ambr. v.
8 M	8 V S. Elisab. reg.	8 L SS. Cir. e c. m.	8 G Nat. di M. V.	8 S S. Brigida v.	8 M 8ª Ognissanti	8 G Imm. C. M. V.
9 G SS. Pri. e Fel.	9 S	9 M S. Roman. m.	9 V S. Gorgon. m.	9 D 21ª, M. M. V.	9 M S. Teodoro m.	9 V dell'8ª
10 V S. Marg. reg.	10 D 8ª d. Pentec.	10 M S. Lorenzo m.	10 S S. Nic. Tol. c.	10 L S. Franc. B.	10 G S. Andrea Av.	10 S S. Melch. pp.
11 S S. Barn. ap.	11 L S. Pio I pp.	11 G SS. Tib. e Sus.	11 D 17ª, SS. N. M.	11 M	11 V S. Martino v.	11 D 3ª d'Avv. Ro.
12 D 4ª d. Pentec.	12 M S. Giov. Gua.	12 V S. Chiara v.	12 L	12 M	12 S S. Mart. pp.	12 L S. Damaso
13 L S. Ant. di P.	13 M S. Anacl. pp.	13 S Vigilia	13 M	13 G S. Edoar. re	13 D 26ª Pat. M. V.	13 M S. Lucia v.
14 M S. Basil. M. v.	14 G S. Bonav. d.	14 D 13ª d. Pentec.	14 M Es. d. S. Croce	14 V S. Calisto pp.	14 L	14 M Temp. d'inv.
15 M SS. Vito e M.	15 V S. Enric. imp.	15 L ASSUN. M. V.	15 G 8ª d. N. M. V.	15 S S. Teresa v.	15 M S. Gertrude v.	15 G 8ª d. Imm. C.
16 G	16 S B. V. del Car.	16 M S. Giacinto c.	16 V SS. Corn. e C.	16 D 22ª Pur. M. V.	16 M	16 V S. Euse. v. T.
17 V	17 D 9ª d. Pentec.	17 M dell'8ª	17 S Stim. di S. Fr.	17 L S. Edvige r.	17 G S. Greg. tau.	17 S Tempora
18 S SS. Mar. e M.	18 L S. Camillo L.	18 G dell'8ª	18 D 18ª d. M. V.	18 M S. Luca Ev.	18 V D. b. ss. P..P	18 D 4ª d'Avvento
19 D 5ª d. Pentec.	19 M S. Vincen. P.	19 V dell'8ª	19 L S. Gennar. m.	19 M S. Pietro d'A.	19 S S. Elisabetta	19 L
20 L S. Silver. pp.	20 M S. Margh. v.	20 S S. Bernar. ab	20 M S. Eustac. m.	20 G S. Giovan. C.	20 D 27ª d. Pentec.	20 M Vigilia
21 M S. Luigi G.	21 G S. Prassede v.	21 D 14ª, S. Gioac.	21 M Temp. d'aut.	21 V SS. Orsol. e C.	21 L Pres. di M. V.	21 M S. Tom. ap.
22 M S. Paolino v.	22 V S. Maria Mad.	22 L 8ª Ass. M. V.	22 G S. Man. C. m.	22 S	22 M S. Cecilia v.	22 G
23 G Vigilia	23 S S. Apollin. v.	23 M S. Filip. Ben.	23 V S. Lino pp. T.	23 D 23ª d. Pentec.	23 M S. Clem. I pp.	23 V
24 V Nat. S. Gio.B.	24 D 10ª d. Pentec.	24 M S. Bartol. ap.	24 S B. V. d. M.	24 L	24 G S. Gio. d. Cr.	24 S Vigilia
25 S S. Gugl. ab.	25 L S. Giac. ap.	25 G S. Luigi re	25 D 19ª d. Pentec.	25 M SS. Crisan. D.	25 V S. Cater. v.	25 D NATALE G. C.
26 D 6ª d. Pentec.	26 M S. Anna	26 V S. Zefirino	26 L SS. Cip. e Giu.	26 M S. Evar. pp.	26 S S. Pietro Aless.	26 L S. Stef. prot.
27 L dell'8ª	27 M S. Pantal. m.	27 S S. Gius. Cal.	27 M SS. Cos. e D.	27 G Vigilia	27 D ¹ª d'Avv. Ro.	27 M S. Giov. ev.
28 M SS. Leone II p.	28 G SS. Naz. e C.	28 D 15ª d. Pentec.	28 M S. Vences. m.	28 V SS. Sim. e G.	28 L	28 M SS. Innoc. m.
29 M SS. P. e P. ap.	29 V S. Marta v.	29 L Dec. d. S. G. B.	29 G S. Michele A.	29 S	29 M S. Saturn. m.	29 G S. Tom. C. v.
30 G Comm. S. Pa.	30 S SS. Abd., Sen.	30 M S. Rosa da L.	30 V S. Girol. d.	30 D 24ª d. Pentec.	30 M S. Andrea ap.	30 V dell'8ª
	31 D 11ª d. Pentec.	31 M S. Raim. N.		31 L Vigilia		31 S S. Silves. pp.

Pasqua 28 Marzo. — Anni: 23, 28* 34, 107, 118, 129, 191, 202, 213, 224*, 275, 286, 297, 308*, 370, 381, 392*, 465, 471, 476*, 555, 560* 566, 639, 650, 661, 723, 734, 745, 756*, 807, 818, 839, 840*, 902, 913, 924*, 997, 1003, 1008*, 1087, 1092* 1098, 1171, 1182, 1193, 1255, 1266, 1277, 1288*, 1339, 1350, 1361, 1372*, 1434, 1445, 1456*, 1529, 1535, 1540*, 1655, 1660*, 1717, 1733, 1728* 1869, 1875, 1880*, 1937, 1948*, 2037, ecc.

GENNAIO bis.	FEBBRAIO bis.	GENNAIO	FEBBRAIO	MARZO	APRILE	MAGGIO
1 G CIRCON. G. C.	1 D Sessagesima	1 V CIRCON. G. C.	1 L S. Ignazio v.	1 L	1 G dell'8ª	1 S SS. Fil. e G. a.
2 V Sª di S. Stef.	2 L Pur. di M. V.	2 S Sª di S. Stef.	2 M Pur. di M. V.	2 M	2 V dell'8ª	2 D 5ª, Rogate
3 S Sª di S. Giov.	3 M S. Biagio v.	3 D Sª di S. Giov.	3 M S. Biagio v.	3 M	3 S dell'8ª	3 L Le Rogazioni
4 D Sª SS. Innoc.	4 M S. Andrea Co.	4 L Sª SS. Innoc.	4 G S. Andrea Co.	4 G S. Casimiro	4 D ¹ᵃ d. P., in Alb.	4 M S. Mon. Reg.
5 L S. Telesf. pp.	5 G S. Agata v.	5 M S. Telesf. pp.	5 V S. Agata v.	5 V	5 L ANN. di M. V.	5 M S. Pio V Rog.
6 M EPIFANIA	6 V S. Tito v.	6 M EPIFANIA	6 S S. Tito, S. Dor.	6 S	6 M	6 G ASCEN. G. C.
7 M dell'8ª	7 S S. Romualdo	7 G dell'8ª	7 D Quinquagea.	7 D 4ª di Q., Laet.	7 M	7 V S. Stanislao v.
8 G dell'8ª	8 D Quinquagea.	8 V dell'8ª	8 L S. Giov. di M	8 L S. Giov. di D.	8 G	8 S App. S. Mich.
9 V dell'8ª	9 L S. Apollon.	9 S dell'8ª	9 M S. Apollon. v.	9 M S. Franc. Ro.	9 V	9 D 6ª d. P., Exau.
10 S dell'8ª	10 M S. Scolast. v.	10 D ¹ᵃ d. l'Epif.	10 M Le Ceneri	10 M SS. 40 Mart.	10 S S. Antonin. v.	10 L S. Antonin. v.
11 D ¹ᵃ d. l'Epif.	11 M Le Ceneri	11 L dell'8ª	11 G	11 G	11 D 2ª Miser. Dom.	11 M dell'8ª
12 L dell'8ª	12 G	12 M dell'8ª	12 V	12 V S. Greg. I pp.	12 L	12 M SS. Nereo e C.
13 M Sª dell'Epif.	13 V	13 M Sª dell'Epif.	13 S	13 S	13 M S. Ermen. m.	13 G 8ª dell'Ascen.
14 M S. Ilar. S. Fel.	14 S S. Valent. m.	14 G S. Ilar. S. Fel.	14 D ¹ᵃ di Q, Invo.	14 D Pas. Judic.	14 M S. Tiburzio m.	14 V S. Bonif. m.
15 G S. Paolo er.	15 D ¹ᵃ di Q., Inv.	15 V S. Paol. S. Ma.	15 L SS. Fan. e Gio.	15 L	15 G	15 S Vigilia
16 V S. Marcello p.	16 L	16 S S. Marcello p.	16 M	16 M	16 V	16 D PENTECOS.
17 S S. Antonio ab.	17 M Temp. di pri.	17 D 2ª, SS. N. G.	17 M Temp. di pri.	17 M S. Patrizio. v.	17 S S. Aniceto pp.	17 L di Pente.
18 D SS. N. di Gesù	18 L Temp. di pri.	18 L S. Pietro R.	18 G S. Simeone v.	18 G	18 D 3ª Pat. di S.G.	18 M di Pente.
19 L S. Canuto re	19 G	19 M S. Canuto re	19 V Tempora	19 V B. V. Addolo.	19 L	19 M Temp. d'est.
20 M SS. Fab. e Seb.	20 V Tempora	20 M SS. Fab., Seb.	20 S Tempora	20 S	20 M	20 G dell'8ª
21 M S. Agnese v.	21 S Tempora	21 G S. Agnese v.	21 D 2ª di Q., Rem.	21 D delle Palme	21 M S. Anselmo v.	21 V dell'8ª, Temp.
22 G S. Vin. ed A.	22 D 2ª di Q. Rem.	22 V S. Vinc. e Caio	22 L Cat. S. Piet. A.	22 L santo	22 G SS. Sot. e Caio	22 S dell'8ª, Temp.
23 V Spos. di M. V.	23 L S. Pier Dam.	23 S Spos. di M. V.	23 M S. Pier Dam.	23 M santo	23 V S. Giorgio m.	23 D ¹ᵃ SS. Trinità
24 S S. Timoteo v.	24 M Vigilia	24 D Settuagesima	24 M S. Mattia ap.	24 M santo	24 S S. Fedele Sig.	24 L
25 D Settuagesima	25 M S. Mattia ap.	25 L Conv. S. Paolo	25 G	25 G Cena del Sig.	25 D 4ª, Cantate	25 M S. Greg. VII
26 L S. Policar. v.	26 G	26 M S. Policar. v.	26 V	26 V Parascere	26 L SS. Cleto Mar.	26 M S. Filippo N.
27 M S. Giov. Cris.	27 V	27 M S. Giov. Cris.	27 S	27 S santo	27 M	27 G CORPUS DO.
28 M S. Agnese 2ª d.	28 S	28 G S. Agnese 2ª d.	28 D 3ª di Q., Oculi	28 D PASQUA	28 M S. Paolo d.	28 V dell'8ª
29 G S. Franc. Sal.	29 D 3ª di Q., Oculi	29 V S. Frances. S.		29 L dell'Angelo	29 G S. Pietro m.	29 S dell'8ª
30 V S. Martina v.		30 S S. Martina v.		30 M Mì Pasqua	30 V S. Cat. da Sie.	30 D 2ª d. Pente.
31 S S. Pietro Nol.		31 D Sessagesima		31 M dell 8ª		31 L S. Angela M.

GIUGNO	LUGLIO	AGOSTO	SETTEMBRE	OTTOBRE	NOVEMBRE	DICEMBRE
1 M dell'8ª	1 G 8ª di S. Gio. B.	1 D 11ª d. Pentec.	1 M S. Egidio ab.	1 V S. Remigio v.	1 L OGNISSANTI	1 M
2 M dell'8ª	2 V Vis. di M. V.	2 L S. Alfonso L.	2 G S. Stefano re	2 S SS. Angeli C.	2 M Comm. Def.	2 G S. Bibiana v.
3 G S. Cor. Dom.	3 S dell'8ª	3 M Inv. di S. Ste.	3 V	3 D 20ª B. V. Ros.	3 M dell'8ª	3 V S. Franc. Sav.
4 V S. CUORE G.	4 D 7ª d. Pentec.	4 M S. Dom. di G.	4 S	4 L S. Fran. d'As.	4 G S. Carlo Bor.	4 S S. Pietro Cri.
5 L S. Bonifac. v.	5 L dell'8ª	5 G S. Maria d. N.	5 D 16ª d. Pentec.	5 M SS. Pl. e C. m.	5 V dell'8ª	5 D 2ª d'Avvento
6 D 3ª d. Pentec. P. Cuore di M.	6 M 8ª SS. A. P. P.	6 V Trasf. di G. C.	6 L	6 M S. Brunone c.	6 S dell'8ª	6 L S. Nicolò v.
7 L	7 M	7 S S. Gaetano T.	7 M	7 G S. Marco pp.	7 D 25ª d. Pentec.	7 M S. Ambrog. v.
8 M SS. Pri. e Fel.	8 G S. Elisab. reg.	8 D 12ª d. Pentec.	8 M Nat. di M. V.	8 V S. Brigida v.	8 L 8ª Ognissanti	8 M Imm. C. M. V.
9 M SS. Marc. Reg.	9 V	9 L S. Roman. m.	9 G S. Gorgon. m.	9 S SS. Dion. R.E.	9 M S. Teodoro Av.	9 G dell'8ª
10 G S. Marg. Reg.	10 S SS. Sett. fr. m.	10 M S. Lorenzo m.	10 V S. Nic. Tol. c.	10 D 21ª Mat. M. V	10 M S. Andrea Av.	10 V S. Melch. pp.
11 V S. Barn. ap.	11 D 8ª d. Pentec.	11 M SS. Tib. e Sus.	11 S SS. Pr. e Giac.	11 L	11 G S. Martino v.	11 S S. Dam. I pp.
12 S S. Gio. d. S. F.	12 L S. Giov. Gua.	12 G S. Chiara v.	12 D 17ª S. N. M. V	12 M	12 V S. Mart. pp.	12 D 3ª d'Avv. Ro.
13 D 4ª d. Pentec.	13 M S. Anacl. pp.	13 V S. Cassid. m.	13 L dell'8ª	13 M S. Edoard. re	13 S S. Stanisl. K.	13 L S. Lucia v. m.
14 L S. Basil. M. v.	14 M S. Bonavent.	14 S S. Eusebio pr.	14 M Esalt. d. S. Cr.	14 G S. Calisto pp.	14 D 26ª, Lav. A.J.	14 M dell'8ª
15 M SS. Vit. e M.	15 G S. Enric. imp.	15 D 13ª ASS. M. V.	15 M Temp. d'Aut.	15 V S. Teresa v.	15 L S. Geltrude v.	15 M Temp. d'inv.
16 M	16 V B. V. del Car.	16 L S. Giacinto c.	16 G SS. Corn. e C.	16 S	16 M S. Eusebio v.	16 G S. Eusebio v.
17 G	17 S S. Aless. Con.	17 M 8ª S. Lorenzo	17 V Sti. d. S. F. T.	17 D 22ª Pur. M. V.	17 M	17 V Tempora
18 V SS. Mar. e M.	18 D 9ª d. Pentec.	18 M S. Agap. m.	18 S S. Gius. C. T.	18 L S. Luca Ev.	18 G D. b. ss. P., P.	18 S Tempora
19 S SS. Ger. e Pr.	19 L S. Vincen. P.	19 G dell'8ª	19 D 18ª Dol. M. V.	19 M S. Piet. d'Alc.	19 V S. Elisabetta	19 D 4ª d'Avv. Ro.
20 D 5ª d. Pentec.	20 M S. Margh. v.	20 V S. Bernar. ab.	20 L S. Eust. m.	20 M S. Giovan. C.	20 S S. Felice Val.	20 L Vigilia
21 L S. Luigi G.	21 M S. Prassede v.	21 S S. Gio. di Ch.	21 M S. Mat. ap.	21 G SS. Orso e C.	21 D 27ª d. Pentec.	21 M S. Tom. ap.
22 M S. Paolino v.	22 G S. Maria Mad.	22 D 14ª S. Gioac.	22 M SS. Maur. e C.	22 V	22 L S. Cecilia v.	22 M
23 M Vigilia	23 V S. Apollin. v.	23 L S. Filip. Ben.	23 G S. Lino pp.	23 S	23 M S. Clem. I pp.	23 G
24 G Nat. S. G. B.	24 S S. Cristina v.	24 M S. Bartol. ap.	24 V B. V. d. Merc.	24 D 23ª d. Pentec.	24 M S. Gio. d. Cr.	24 V Vigilia
25 V S. Gugl. ab.	25 D 10ª S. Giac.	25 M S. Luigi re	25 S	25 L SS. Crisan. D.	25 G S. Cater. v.	25 S NATALE G. C.
26 S SS. Gio. e Pa.	26 L S. Anna	26 G S. Zefirino p.	26 D 19ª d. Pentec.	26 M S. Evarist. pp.	26 V S. Pietro d'Al.	26 D S. Stef. prot.
27 D 6ª d. Pentec.	27 M S. Pantal. m.	27 V S. Gius. Cal.	27 M SS. Cos. e D.	27 M Vigilia	27 S	27 L S. Giov. ev.
28 L S. Leone II p.	28 M S. Naz. e C.	28 S S. Agost. v. d.	28 M S. Venceslao	28 G SS. Sim. e G.	28 D 1ª d'Avv. Ro.	28 M SS. Innocenti
29 M SS. Piet. e Pa.	29 G S. Marta v.	29 D 15ª d. Pentec.	29 M S. Michele ar.	29 V	29 L S. Saturn. m.	29 M S. Tomm. C.
30 M Com. San. Pa.	30 V SS. Abd., Sen.	30 L S. Rosa da L.	30 G S. Girol. d.	30 S	30 M S. Andrea ap.	30 G dell'8ª
	31 S S. Ienzio L.	31 M S. Raimondo		31 D 24ª d. Pentec.		31 V S. Ilves. pp.

Pasqua 29 Marzo. – Calendario per gli anni: 39, 50, 61, 123, 134, 145, 156*, 218, 229, 240*, 313, 324*, 403, 408*,
487, 498, 571, 582, 593, 655, 666, 677, 688*, 750, 761, 772*, 845, 856*, 935, 940*, 1019, 1030, 1103, 1114, 1125, 1187,
1198, 1209, 1220*, 1282, 1293, 1304*, 1377, 1388* 1467, 1472* 1551, 1562, 1587, 1592* 1671, 1682, 1739, 1750, 1807,
1812* 1891, 1959, 1964* 1970, 2043, 2054, 2065, 2111, 2116*, 2122, ecc.

GENNAIO bis.	FEBBRAIO bis.	GENNAIO	FEBBRAIO	MARZO	APRILE	MAGGIO
1 M CIRCON. G. C.	1 S S. Ignazio v.	1 G CIRCON. G. C.	1 D Sessagesima	1 D 3ª di Q., Oculi	1 M dell'8ª	1 V
2 G 8ª di S. Stef.	2 D Sessagesima	2 V 8ª di S. Stef.	2 L Pur. di M. V.	2 L	2 G dell'8ª	2 S S. Atana. v.
3 V 8ª di S. Giov.	3 L Pur. di M. V.	3 S 8ª di S. Giov.	3 M S. Biagio v.	3 M	3 V dell'8ª	3 D 5ª, Rogate
4 S 8ª SS. Innoc.	4 M S. Andrea Co.	4 D 8ª SS. Innoc.	4 M S. Andrea Co.	4 M S. Casimiro C.	4 S dell'8ª	4 L Le Rogazioni
5 D S. Telesf. pp.	5 M S. Agata v.	5 L S. Telesf. pp.	5 G S. Agata v.	5 G	5 D 1ª, in Albis	5 M S. Pio V. Rog.
6 L EPIFANIA	6 G S. Tito v.	6 M EPIFANIA	6 V S. Tito, S. Dor.	6 V	6 L ANN. DI M. V.	6 M S. Gio. a. Rog.
7 M dell'8ª	7 V S. Romualdo	7 M dell'8ª	7 S S. Romua. ab.	7 S S. Tom. d'Aq.	7 M	7 G ASCEN. G. C.
8 M dell'8ª	8 S S. Giov. di M.	8 G dell'8ª	8 D Quinquages.	8 D 4ª di Q., Læt.	8 M	8 V App. S. Mich.
9 G dell'8ª	9 D Quinquagesi.	9 V dell'8ª	9 L S. Apollon. v.	9 L S. Franc. R.	9 G	9 S S. Greg. Naz.
10 V dell'8ª	10 L S. Scolast. v.	10 S dell'8ª	10 M S. Scolastica	10 M SS. 40 Mart.	10 V	10 D 6ª, Exaudi
11 S dell'8ª	11 M	11 D 1ª d. l'Epif.	11 M Le Ceneri	11 M	11 S S. Leone I pp.	11 L dell'8ª
12 D 1ª d. l'Epif.	12 M Le Ceneri	12 L S. Modest. m.	12 G	12 G S. Greg. I pp.	12 D 2ª Miser. Dom.	12 M S. Nereo e C.
13 L 8ª dell'Epif.	13 G	13 M 8ª dell'Epif.	13 V	13 V	13 L S. Ermen. m.	13 M dell'8ª
14 M S. Ilar. S. Fel.	14 V S. Valent. m.	14 M S. Ilar. S. Fel.	14 S S. Valent. m.	14 S	14 M S. Tiburzio m.	14 G 8ª dell'Ascen.
15 M S. Paolo er.	15 S SS. Fau. e G.	15 G S. Paolo er.	15 D 1ª di Q., Inv.	15 D di Pas. Indic.	15 M	15 V
16 G S. Marcello pp.	16 D 1ª di Q., Inv.	16 V S. Marcello p.	16 L	16 L	16 G	16 S Vigilia
17 V S. Anton o ab.	17 L	17 S S. Anton o ab.	17 M	17 M S. Patrizio v.	17 V S. Aniceto pp.	17 D PENTECOS.
18 S Cat. S. Piet. R.	18 M S. Simeone v.	18 D 2ª, SS. N. di G.	18 M Temp. di pri.	18 M	18 S	18 L di Penter.
19 D SS. N. di Gral	19 M Temp. di pri.	19 L S. Canuto re	19 G S. Corrado c.	19 G S. Giuseppe	19 D 3ª, Pat. di S. G.	19 M di Penter.
20 L S. Fab. e Seb.	20 G	20 M SS. Fab., Seb.	20 V Tempora	20 V B. V. Addol.	20 L	20 M Temp. d'st.
21 M S. Agnese v.	21 V Tempora	21 M S. Agnese v.	21 S Tempora	21 S S. Bened. ab.	21 M S. Anselmo v.	21 G dell'8ª
22 M S. Vinc. e A.	22 S Cat. S. P. A. T.	22 G S. Vinc. e A.	22 D 2ª di Q., Rem.	22 D del Palme	22 M SS. Sot. e Caio	22 V Tempora
23 G S pos. di M. V.	23 D 2ª di Q. Rem.	23 V S pos. di M. V.	23 L S. Pier Dam.	23 L Santo	23 G S. Giorgio m.	23 S Tempora
24 V S. Timoteo v.	24 L Vigilia	24 S S. Timoteo v.	24 M S. Mattia ap.	24 M Santo	24 V S. Fedele Sig.	24 D 1ª, SS. Trinità
25 M Conv. S. Paolo	25 M S. Mattia ap.	25 D Settuagesima	25 M	25 M Santo	25 S S. Marco Ev.	25 L S. Greg. VII
26 D Settuagesima	26 M	26 L S. Polìcar. v.	26 G	26 G Cena del Sig.	26 D 4ª Cantate	26 M S. Elenter. P.
27 L S. Giov. Cris.	27 G	27 M Settuagesima	27 V	27 V Parascere	27 L	27 M S. Mar. M. P.
28 M S. Agnese 2ªf.	28 V	28 M S. Agnese 2ª f.	28 S	28 S santo	28 M S. Vitale m.	28 G CORPUS DO.
29 M S. Frances. S.	29 S	29 G S. Frances. S.		29 D PASQUA	29 M S. Pietro m.	29 V dell'8ª
30 G S. Martina v.		30 V S. Martina v.		30 L dell'Angelo	30 G S. Cat. da Sie.	30 S dell'8ª
31 V S. Pietro Nol.		31 S S. Pietro Nol.		31 M di Pasqua		31 D 2ª d. Penter.

GIUGNO	LUGLIO	AGOSTO	SETTEMBRE	OTTOBRE	NOVEMBRE	DICEMBRE
1 L dell'8ª	1 M 8ª di S. Gio. B.	1 S S. Pietro in v.	1 M S. Egidio ab.	1 G S. Remigio v.	1 D OGNISSANTI	1 M
2 M dell'8ª	2 G Vis. di M. V.	2 D 11ª d. Pentec.	2 M S. Stefano re	2 V SS. Angeli C.	2 L Comm. Def.	2 M S. Bibiana v.
3 M dell'8ª	3 V dell'8ª	3 L Inv. di S. Ste.	3 G	3 S	3 M dell'8ª	3 M S. Franc. Sav.
4 G 8ª Cor. Dom.	4 S dell'8ª	4 M S. Dom. di G.	4 V	4 D 20ª, B. V. Ros.	4 M S. Carlo Bor.	4 G S. Pietro Cri.
5 V S. CUORE G.	5 D 7ª d. Pentec.	5 M S. Maria d. N.	5 S S. Lorenzo G.	5 L SS. Pl. e C. m.	5 G dell'8ª	5 V S. Sabba ab.
6 S S. Norbert. v.	6 L 8ª SS. A. P.P.	6 G Trasf. di G. C.	6 D 16ª d. Pentec.	6 M S. Brunone c.	6 V dell'8ª	6 D 2ª d'Avvento
7 D 3ª d. Pentec., P. Cuore di M.	7 M	7 V S. Gaetano T.	7 L	7 M S. Marco pp.	7 S dell'8ª	7 L S. Ambrogio v.
8 L	8 M S. Elisab. reg.	8 S SS. Cir. C. m.	8 M Nat. di M. V.	8 G S. Brigida v.	8 D 25ª, Pad. M. V.	8 M Imm. C. M. V.
9 M SS. Pri. e Fel.	9 G	9 D 12ª d. Pentec.	9 M S. Gorgon. m.	9 V SS. Dion. R. E.	9 L S. Teodoro m.	9 M dell'8ª
10 M S. Marg. Reg.	10 V SS. Sett. fr. m.	10 L S. Lorenzo m.	10 G S. Nic. Tol. c.	10 S S. Fran. Bor.	10 M S. Andrea Av.	10 G dell'8ª
11 G S. Barn. ap.	11 S S. Pio I pp.	11 M SS. Tib. e Sus.	11 V SS. Pr. e Giac.	11 D 21ª, Mat. M.V.	11 M S. Martino v.	11 V S. Dam. I pp.
12 V S. Gio. d. S. F.	12 D 8ª d. Pentec.	12 M S. Chiara v.	12 S dell'8ª	12 L	12 G S. Mart. pp.	12 S dell'8ª
13 S S. Ant. di Pa.	13 L S. Anacl. pp.	13 G S. Ippolito m.	13 D 17ª, S. N. M. V	13 M S. Edoard. re.	13 V S. Stanislao K.	13 D 3ª d'Avv. Ro.
14 D 4ª d. Pentec.	14 M S. Bonavent.	14 V S. Eusebio pr.	14 L Esalt. di S. Cr.	14 M S. Calisto pp.	14 S	14 L dell'8ª
15 L SS. Vit. e M	15 M S. Enric. imp.	15 S ASSUN. M. V.	15 M dell'8ª M. V.	15 G S. Teresa v.	15 D 26ª, [Avv. A.]	15 M Temp. d'inv.
16 M	16 G B. V. del Car.	16 D 13ª, S. Gioac.	16 M Temp. d'Aut.	16 V	16 L	16 M
17 M	17 V S. Aless. Con.	17 L 8ª S. Lorenzo	17 G Sti. di S. Fra.	17 S S. Edvig. reg	17 M S. Greg. tau.	17 G
18 G SS. Mar. e M.	18 S S. Camillo L.	18 M S. Agap. m.	18 V S. Gius. C. T.	18 D 22ª, Pur. M.V.	18 M D. b. ss. P., P.	18 V Tempora
19 V SS. Ger. e Pr.	19 D 9ª d. Pentec.	19 M dell'8ª	19 S S. Gen. m. T.	19 L S. Piet. d'Alc.	19 G S. Elisabetta	19 S Temp. Vigilia
20 S S. Silverio pp.	20 L S. Girolamo E.	20 G S. Bernar. ab.	20 D 18ª, Dol. M. V.	20 M S. Giovan. C.	20 V S. Felice Val.	20 D 4ª d'Avv. Ro.
21 D 5ª d. Pentec.	21 M S. Prassede v.	21 V S. Gio. di Ch.	21 L S. Mat. ap.	21 M SS. Orsol. e C.	21 S Pres. di M. V.	21 L S. Tom. ap.
22 L S. Paolino v.	22 M S. Maria M.	22 S 8ª dell'Assu.	22 M SS. Tomm. Vill.	22 G	22 D 27ª d. Pentec.	22 M
23 M Vigilia	23 G S. Apollin. v.	23 D 14ª d. Pentec.	23 M S. Lino pp.	23 V	23 L S. Clem. I pp.	23 M
24 M Nat. S. G. B.	24 V S. Cristina v.	24 L S. Bartol. ap.	24 G B. V. d. Merc.	24 S	24 M S. Gio. d. Cr.	24 G Vigilia
25 G S. Gugl. ab.	25 S S. Giacom. a.	25 M S. Luigi re	25 V	25 D 23ª d. Pentec.	25 M S. Cater. v.	25 V NATALE G. C.
26 V SS. Gio. e Pa.	26 D 10ª d. Pentec.	26 M S. Zefirino p.	26 S SS. Cipr. e C.	26 L S. Evarist. pp.	26 G S. Pietro Al.	26 S S. Stef. prot.
27 S S. Ladisl. re	27 L S. Pantal. m.	27 G S. Gius. Cal.	27 D 19ª d. Pentec.	27 M Vigilia	27 V	27 D S. Giov. ev.
28 D 6ª d. Pentec.	28 M SS. Naz. e C.	28 V S. Agost. v. d.	28 L S. Venceslao	28 M SS. Sim. e Giu	28 S Vigilia	28 L SS. Innocenti
29 L SS. Piet. e Pa.	29 M S. Marta v.	29 S Dec. di S. G. B.	29 M S. Michele ar.	29 G	29 D 1ª d'Avv. Ro.	29 M SS. Tomm. C
30 M Com. San. Pa.	30 G SS. Abd., Sen.	30 D 15ª d. Pentec.	30 M S. Girol. d.	30 V	30 L S. Andrea ap.	30 M dell'8ª
	31 V S. Ignazio L.	31 L S. Raim. Non.		31 S Vigilia		31 G S. Silves. pp.

Pasqua 30 Marzo. — Calendario per gli anni: 55, 66, 77, 88*, 150, 161, 172* 245, 256* 335, 340*, 419, 430, 503, 514, 525, 587, 598, 609, 620* 682, 693, 704* 777, 788* 867, 872* 951, 962, 1035, 1046, 1057, 1119, 1130, 1141, 1152*, 1214, 1225, 1236*, 1309, 1320*, 1399, 1404*, 1483, 1494, 1567, 1578, 1593, 1614, 1625, 1687, 1698, 1755, 1766, 1777, 1823, 1834, 1902, 1975, 1986, 1997, 2059, 2070, 2081, 2092*, ecc.

GENNAIO bis.	FEBBRAIO bis.	GENNAIO	FEBBRAIO	MARZO	APRILE	MAGGIO
1 M CIR.ON. G. C.	1 V S. Ignazio v.	1 M CIR.ON. G. C.	1 S S. Ignazio v.	1 S	1 M di Pasqua	1 G SS. Fil. e G. a.
2 M⁹ di S. Stef.	2 S Pur. di M. V.	2 G 9ª di S. Stef.	2 D Sessagesima	2 D 3ª di Q., Oculi	2 M dell'8ª	2 V S. Atanas. v.
3 V G⁸ di S. Giov.	3 D Sessagesima	3 V 8ª di S. Giov.	3 L Pur. di M. V.	3 L	3 G dell'8ª	3 S Inv. di S. Cro.
4 S S. Telesf. pp.	4 L S. Andrea Co.	4 S S. Andrea Co.	4 M S. Andrea Co.	4 M S. Casimiro c.	4 V dell'8ª	4 D 5ª, Rogate
5 D EPIFANIA	5 M S. Agata v.	5 D S. Telesf. pp.	5 M S. Agata v.	5 M	5 S dell'8ª	5 L Le Rogazioni
6 M S. Tito v.	6 M S. Tito v.	6 L EPIFANIA	6 G S. Tito v.	6 G	6 D 1ª in Albis	6 M S. Gio. a. Rog.
7 L dell'8ª	7 G S. Ronnualdo	7 M dell'8ª	7 V S. Ronnua. ab.	7 V S. Tom. d'Aq.	7 L ANN. di M. V.	7 M S. Stani. Rog.
8 M dell'8ª	8 V S. Giov. di M.	8 M dell'8ª	8 S S. Giov. di M	8 S S. Dionigi v.	8 M	8 G ASCEN.
9 M dell'8ª	9 S S. Apollonia v.	9 G dell'8ª	9 D Quinquages. S. Apollon. v.	9 D 4ª di Q., Laet.	9 M	9 V S. Greg. Naz.
10 G dell'8ª	10 D Quinquagesi.	10 V dell'8ª	10 L S. Scolastica	10 L SS. 40 Mart.	10 G	10 S S. Antonio v.
11 V dell'8ª	11 L	11 S dell'8ª	11 M	11 M	11 V S. Leone I pp.	11 D 6ª, Exandi
12 S dell'8ª	12 M	12 D 1ª d. l'Epif.	12 M Le Ceneri	12 M S. Greg. I pp.	12 S	12 L S. Nereo e C.
13 D 1ª d. l'Epif.	13 M Le Ceneri	13 L S⁸ dell'Epif.	13 G	13 G	13 D 2ª Miser. Dom.	13 M dell'8ª
14 L S. Ilar. S. Fel.	14 G S. Valent. m.	14 M S. Ilar. S. Fel.	14 V S. Valent. m.	14 V	14 L S. Giustino m.	14 M S. Bonif. m.
15 M S. Paolo er.	15 V SS. Fan. e G	15 M S. Paolo er.	15 S S. Fau. Giov.	15 S	15 M	15 G 8ª dell'Ascen.
16 M S. Marcello p.	16 S	16 G S. Marcello p.	16 D 1ª di Q., Inv.	16 D Di Pas. Judic.	16 M	16 V S. Ubaldo v.
17 G S. Antonio ab.	17 D 1ª di Q., Inv.	17 V S. Antonio ab.	17 L S. Patrizio v.	17 L S. Patrizio v.	17 G S. Aniceto pp.	17 S Vigilia
18 V Cat. S. Piet. R.	18 L S. Simeone v.	18 S Cat. S. Piet. R.	18 M	18 M	18 V	18 D PENTECOS.
19 S S. Canuto re	19 M	19 D 2ª, SS. N. di G.	19 M S. Giuseppe	19 M S. Giuseppe	19 S	19 L di-Pente.
20 D SS. N. di Gesù	20 M Temp. di pri.	20 L S. Fab., Seb.	20 G	20 G	20 D 3ª, Pat. di S. G.	20 M di Pente.
21 L S. Agnese v.	21 G	21 M S. Agnese v.	21 V B. V. Addol.	21 V B. V. Addol.	21 L S. Anselmo v.	21 M Temp. d'est.
22 M SS. Vinc. e A.	22 V Cat. S. P. A. T.	22 M SS. Vinc. e A.	22 S	22 S	22 M SS. Sot. e Caio	22 G dell'8ª
23 M Spos. di M. V.	23 S S. Pier. Da. T.	23 G Spos. di M. V.	23 D delle Palme	23 D delle Palme	23 M S. Giorgio m.	23 V Tempora
24 G S. Timoteo v.	24 D 2ª di Q., Rem.	24 V S. Timoteo v.	24 L Lazaro	24 L Lazaro	24 G S. Fedele Sig.	24 S Tempora
25 V Conv. S. Paolo	25 L S. Mattia ap.	25 S Conv. S. Paolo	25 M santo	25 M santo	25 V S. Marco ev.	25 D 1ª, SS. Trinità
26 S S. Policarpo v.	26 M	26 D Settuagesima	26 M santo	26 M santo	26 S SS. Cleto e Ma.	26 L S. Filippo Neri
27 D Settuagesima	27 M	27 L S. Giov. Cris.	27 G Cena del Sig.	27 G Cena del Sig.	27 D 4ª, Cantate	27 M S. Mar. M. P.
28 L S. Agnese 2ªf.	28 G	28 M S. Agnese 2ªf.	28 V Parascere	28 V Parascere	28 L S. Vitale m.	28 M
29 M S. Frances. S.	29 V	29 M S. Frances. S.	29 S santo	29 S santo	29 M S. Pietro m.	29 G CORPUS DO.
30 M S. Martina v.		30 G S. Martina v.		30 D PASQUA	30 M S. Cat. da Sie.	30 V S. Felice I pp.
31 G S. Pietro Nol.		31 V S. Pietro Nol.		31 L dell'Angelo		31 S S. Angela M.

GIUGNO	LUGLIO	AGOSTO	SETTEMBRE	OTTOBRE	NOVEMBRE	DICEMBRE
1 D 2ª d. Pentec.	1 M 8ª di S. Gio. B.	1 V S. Pietro in v.	1 L S. Egidio ab.	1 M S. Remigio v.	1 S OGNISSANTI	1 L S. Eligio v.
2 L S.S. Marc. e C.	2 M Vis. di M. V.	2 S S. Alfonso L.	2 M S. Stefano re	2 G S.S. Angeli C.	2 D 24ª d. Pentec.	2 M S. Bibiana v.
3 M dell'8ª	3 G dell'8ª	3 D 11ª d. Pentec.	3 M	3 V	3 L Comm. Def.	3 M S. Franc. Sav.
4 M Vis. di M. V.	4 V dell'8ª	4 L S. Dom. di C.	4 G	4 S S. Fran. d'As.	4 M S. Carlo Bor.	4 G S. Pietro Cris.
5 G dell'8ª	5 S dell'8ª	5 M S. Maria d. N.	5 V S. Lorenzo G.	5 D 20ª, B. V. Ros.	5 M dell'8ª	5 V S. Sabba. ab.
6 V dell'8ª	6 D 7ª d. Pentec.	6 M Trasf. di G. C.	6 S	6 L S. Brunone c.	6 G dell'8ª	6 S S. Nicolò v.
7 S S.S. Cor. Dom.	7 L	7 G S. Gaetano T.	7 D 16ª d. Pentec.	7 M S. Marco pp.	7 V dell'8ª	7 D 2ª d'Avv. Ro.
8 D 3ª d. Pentec. — P. Cuore di M.	8 M S. Elisab. reg.	8 V S.S. Cir. e c. m.	8 L Nat. di M. V.	8 M S. Brigida v.	8 S 8ª Ognissanti	8 L Imm. C. M. V.
9 L S.S. Pri. e Fel.	9 M	9 S S. Roman. m.	9 M S. Gorgon. m.	9 G S.S. Dion. R. E.	9 D 25ª, Pat. M. V.	9 M dell'8ª
10 M S. Marg. reg.	10 G S.S. Sett. fr. m.	10 D 12ª d. Pentec.	10 M S. Nic. Tol. c.	10 V S. Franc. B.	10 L S. Andrea Av.	10 M dell'8ª
11 M S. Barn. ap.	11 V S. Pio I pp.	11 L S.S. Tib. e Sus.	11 G S.S. Pr. e Giac.	11 S	11 M S. Martino v.	11 G S. Dam. I pp.
12 G S. Gio. d. S. F.	12 S S. Gio. Gun.	12 M S. Chiara v.	12 V dell'8ª	12 D 21ª, M. M. V.	12 M S. Matt. pp.	12 V S. Valer. ab.
13 V S. Ant. di P.	13 D 8ª d. Pentec.	13 M S. Cassia. m.	13 S dell'8ª	13 L S. Edoardo re	13 G S. Stanisl. K.	13 S S. Lucia v.
14 S S. Basil. M. v.	14 L S. Bonav. d.	14 G S. Eusebio pr.	14 D 17ª, SS. N. M.	14 M S. Calisto pp.	14 V	14 D 3ª d'Avv. Ro.
15 D 4ª d. Pentec.	15 M S. Enric. imp.	15 V ASSUN. M. V.	15 L 8ª d. N. M. V.	15 M S. Teresa v.	15 S S. Geltrude v.	15 L 8ª d. Imm. C.
16 L	16 M B. V. del Car.	16 S S. Giacinto	16 M S.S. Corn. e C.	16 G	16 D 26ª, [Arr. A.]	16 M S. Eusebio v.
17 M	17 G S. Aless. Con.	17 D 13ª, S. Gioac.	17 M Temp. d'aut.	17 V S. Edvige r.	17 L S. Greg. tau.	17 M Temp. d'inv.
18 M S.S. Mar. e M.	18 V S. Camillo L.	18 L S. Agap. m.	18 G S. Gius. Cop.	18 S S. Luca Ev.	18 M D. b. ss. P., P.	18 G Asp. Div. P.
19 G S.S. Ger. e Pr.	19 S S. Vincen. P.	19 M dell'8ª	19 V S. Genn. m. T.	19 D 22ª Par. M. V.	19 M S. Elisabetta	19 V Tempora
20 V S. Silver. pp.	20 D 9ª d. Pentec.	20 M S. Bernar. ab.	20 S S. Eust. m. T.	20 L S. Giovan. C.	20 G S. Felice Val.	20 S Tempora
21 S S. Luigi G.	21 L S. Prassede v.	21 G S. Gio. di Ch.	21 D 18ª, Dol. M. V.	21 M S.S. Orsol. e C.	21 V Pres. di M. V.	21 D 4ª d'Avvento
22 D 5ª d. Pentec.	22 M S. Maria Mad.	22 V 8ª Ass. M. V.	22 L S. Tomm. Vill.	22 M	22 S S. Cecilia v.	22 L
23 L Vigilia	23 M S. Apollin. v.	23 S S. Filip. Ben.	23 M S. Lino pp.	23 G	23 D 27ª d. Pentec.	23 M
24 M Nat. S. Gio. B.	24 G S. Cristina v.	24 D 14ª d. Pentec.	24 M B. V. d. M.	24 V	24 L S. Gio. d. Cr.	24 M Vigilia
25 M S. Gugl. ab.	25 V S. Giac. ap.	25 L S. Luigi re	25 G	25 S S.S. Crisan. D.	25 M S. Cater. v.	25 G NATALE G. C.
26 G S.S. Gio. e Pa.	26 S S. Anna	26 M S. Zefirino p.	26 V S.S. Cip. e Giu.	26 D 23ª d. Pentec.	26 M S. Pietro Al.	26 V S. Stef. prot.
27 V dell'8ª	27 D 10ª d. Pentec.	27 M S. Gius. Cal.	27 S S.S. Cos. e D.	27 L Vigilia	27 G	27 S S. Gior. ev.
28 S S. Leone II p.	28 L S.S. Naz. e C.	28 G S. Agost. v. d.	28 D 19ª d. Pentec.	28 M S.S. Sim. e G.	28 V	28 D SS. Innoc. m.
29 D S.S. P. e P. ap.	29 M S. Marta v.	29 V Dec. d. S. G. B.	29 L S. Michele A.	29 M	29 S S. Saturn. m.	29 L S. Tom. C. v.
30 L Comm. S. Pa	30 M S.S. Abd., Sen.	30 S S. Rosa da L.	30 M S. Girol. d.	30 G	30 D 1ª d'Avv. Ro.	30 M dell'8ª
	31 G S. Ignazio L.	31 D 15ª d. Pentec.		31 V Vigilia		31 M S. Silves. pp.

Pasqua 31 Marzo. — Anni: 9, 20*, 82, 93, 104*, 177, 183, 188*, 267, 272*, 278, 351, 362, 373, 435, 446, 457, 468*, 519, 530, 541, 552* 614, 625, 636*, 709, 715, 720*, 799, 804*, 810, 883, 894, 905, 967, 978, 989, 1000*, 1051, 1062, 1073, 1084*, 1146, 1157, 1168*, 1241, 1247, 1252*, 1331, 1336*, 1342, 1415, 1426, 1437, 1499, 1510, 1521, 1532*, 1619, 1630, 1641, 1652*, 1709, 1720*, 1771, 1782, 1793, 1839, 1850, 1861, 1872*, 1907, 1918, 1929, 1991, 2002, 2013, 2024*, 2086, 2097, 2143, 2154, 2165, 2176*; ecc.

	GENNAIO	FEBBRAIO	MARZO	APRILE	MAGGIO
1	M CIRCON. G. C.	V S. Ignazio v.	V	L dell'Angelo	M SS. Fil. e G. a.
2	M S8 di S. Stef.	S Pur. di M. V.	S	M di Pasqua	G S. Atanas.
3	G S8 di S. Giov.	D Sessagesima	D 3ª di Q. Oculi	M dell'8ª	V Inv. di S. Cro.
4	V SS. Innoc.	L S. Andrea Co.	L S. Casimiro c.	G dell'8ª	S S. Mon. ved.
5	S S. Telesf. Pp.	M S. Agata v.	M	V dell'8ª	D 5ª Rogate
6	D EPIFANIA	M S. Tito, S. Dor.	M	S dell'8ª	L Le Rogazioni
7	L D.ª d. l'Epif.	G S. Romua. ab.	G S. Tom. d'Aq.	D 1ª d. P. in Alb.	M S. Stan. Rog.
8	M dell'8ª	V S. Giov. di D.	V S. Giov. di D.	L Annunc. M. V.	M Ap. S. M. Rog.
9	M dell'8ª	S S. Apollon. v.	S S. Franc. Ro.	M	G ASCEN G. C.
10	G dell'8ª	D Quinquages.	D 4ª di Q. Lael.	M	V S. Antonio v.
11	V dell'8ª	L	L S. Eulogio m.	G S. Leone I pp.	S dell'8ª
12	S dell'8ª	M Le Ceneri	M S. Greg. I pp.	V	D 6ª d. P., Exau.
13	D 1ª d. l'Epil.	M	M	S S. Ermen. m.	L SS. Nereo eC.m
14	L S. Ilar. S. Fel.	G S. Valent. m.	G	D 2ª Miser. Dom.	M S. Bonif. m.
15	M S. Paol. S. Ma.	V SS. Fau e Gio.	V	L	M dell'8ª
16	M S. Marcello p.	S	S	M	G dell'8ª Ascen.
17	G S. Antonio ab.	D 1ª di Q. Inv.	D di Pas. Iudic.	M S. Aniceto pp.	V S. Pasqual. B.
18	V Cat. S. Piet. R.	L S. Simeone v.	L	G	S Vigilia
19	S S. Canuto re	M	M S. Giuseppe	V	D PENTECOS.
20	D D.ª SS. N. G.	M Temp. di pri.	M	S	L di Pentec.
21	L S. Agnese v.	G S. Severio	G S. Bened. ab.	D 3ª Pat. di S.G.	M di Pentec.
22	M SS. Vinc. e A.	V Cat. S. P. A. T.	V B. V. Addolo.	L S. Sot. e Caio	M Temp. d'est.
23	M Spos. di M. V.	S S. Pier Da. T.	S	M S. Giorgio m.	G dell'8ª
24	G S. Timoteo v.	D 2ª di Q. Rem.	D delle Palme	M S. Fedele Sig.	V Tempora
25	V Conv. S. Paolo	M	L santo	G S. Marco Ev.	S Tempora
26	S S. Policarpo v.	M	M santo	V SS. Cleto Mar.	D 1ª SS. Trinità
27	D Settuagesima	G	M santo	S	L S. Mar. Mad.P.
28	L S. Agnese 2ª f.	V	G Cena del Sig.	D 4ª Cantate	M
29	M S. Franc. Sal.		V Parascere	L S. Pietro m.	M
30	M S. Martina v.		S santo	M S. Cat. da Sie.	G CORPUS DO.
31	G S. Pietro Nol.		D PASQUA		

	GENNAIO bis.	FEBBRAIO bis.
1	L CIRCON. G. C.	G S. Ignazio v.
2	M S8 di S. Stef.	V Pur. di M. V.
3	M S8 di S. Giov.	S Sessagesima
4	G SS. Innoc.	D Sessagesima
5	V S. Telesf. Pp.	L S. Agata v.
6	D EPIFANIA	M S. Tito v.
7	L D.ª d. l'Epif.	M S. Romualdo
8	M dell'8ª	G S. Giov. di M.
9	M dell'8ª	V S. Cirillo v.
10	G dell'8ª	S S. Scolast. v.
11	V dell'8ª	D Quinquages.
12	S dell'8ª	L
13	D 8ª dell'Epil.	M
14	L SS. N. di Gesù	M Le Ceneri
15	M S. Paolo er.	G SS. Fau. e G.
16	M S. Marcello p.	V
17	G S. Antonio ab.	S
18	V Cat. S. Piet. R.	D 1ª di Q. Inv.
19	S S. Canuto re	L
20	D D.ª SS. N. G.	M
21	L 3ª Sac. Fam.	M Temp. di pri.
22	M SS. Vin. ed A.	G Cat. S. Piet. A.
23	M Spos. di M. V.	V S. Pier Da. T.
24	G S. Timoteo v.	S Vigilia
25	V Conv. S. Paolo	D 2ª di Q. Rem.
26	S S. Policarpo v.	L
27	D S. Giov. Cris.	M
28	L Settuagesima	M
29	M S. Franc. Sal.	G
30	M S. Martina v.	
31	G S. Pietro Nol.	

GIUGNO	LUGLIO	AGOSTO	SETTEMBRE	OTTOBRE	NOVEMBRE	DICEMBRE
1 S. dell'8a	1 L S. di S. Gio. B.	1 G S. Pietro in v.	1 D 15a d. Pentec.	1 M S. Remigio v.	1 V OGNISSANTI	1 D 1a d'Avv. Ro.
2 D 3a d. Pentec.	2 M Vis. di M. V.	2 V S. Alfonso L.	2 L S. Stefano re	2 M SS. Angeli C.	2 S Comm. Def.	2 L S. Bibiana v.
3 L dell'8a	3 M dell'8a	3 S Inv. di S. Ste.	3 M	3 G	3 D 24a d. Pentec.	3 M S. Franc. Sav.
4 M S. Fran. Car.	4 G dell'8a	4 D 11a d. Pentec.	4 M	4 V S. Fran. d'As.	4 L S. Carlo Bor.	4 M S. Barb. m.
5 M S. Bonifac. v.	5 V dell'8a	5 L S. Maria d. N.	5 G S. Lorenzo G.	5 S SS. Pl. e C. m.	5 M dell'8a	5 G S. Sabba ab
6 G 8a Cor Dom.	6 G 8a SS. A. P. P.	6 M Trasf. di G. C.	6 V	6 D 20a, B. V. Ros.	6 M dell'8a	6 V S. Nicolò v.
7 V S. CUORE G.	7 D 7a d. Pentec.	7 M S. Gaetano T.	7 S	7 L S. Marco pp.	7 G dell'8a	7 S S. Ambrog. v.
8 S	8 L S. Elisab. reg.	8 G SS. Cir. C. m.	8 D Nat. di M. V.	8 M S. Brigida. v.	8 V 8a Ognissanti	8 D Imm. C. M. V.
9 D 3a d. Pentec. P. Cuore di M.	9 M	9 V S. Roman. m.	9 L S. Giorgon. m.	9 M SS. Dion. R. E.	9 S S. Teodoro m.	9 L dell'8a
10 L S. Marg. Reg.	10 M SS. Sett. fr. m.	10 S S. Lorenzo m.	10 M S. Nic. Tol. c.	10 G S. Fran. Bor.	10 D 25a, Pat. M. V.	10 M dell'8a
11 M S. Barn. ap.	11 G S. Pio I pp.	11 D 12a d. Pentec.	11 M SS. Pr. e Giac.	11 V	11 L S. Martino v.	11 M S. Dam. I pp.
12 M S. Gio. d. S. F.	12 V S. Gio. Gua.	12 L S. Chiara v.	12 G dell'8a	12 S	12 M S. Mart. pp.	12 G dell'8a
13 G S. Ant. di Pa.	13 S S. Anacl. pp.	13 M S. Cass. m.	13 V dell'8a	13 D 21a, Mat. M. V	13 M S. Stanisl. K.	13 V S. Lucia v.
14 V S. Basil. M. v.	14 D 8a d. Pentec.	14 M S. Eusebio pr.	14 S Esalt. S. C.	14 L S. Calisto pp.	14 G	14 S S. Spiridione
15 S SS. Vit. e M.	15 L S. Enric. imp.	15 G ASSUN. M. V.	15 D 17a, S.N.M.V.	15 M S. Teresa v.	15 V S. Geltrude v.	15 D 3a d'Avv. Ro.
16 D 4a d. Pentec.	16 M B. V. del Car.	16 V S. Giacinto c.	16 L SS. Corn. e C.	16 M	16 S	16 M
17 L	17 M S. Aless. Con.	17 S 8a S. Lorenzo	17 M Sti. di S. Fra.	17 G S. Edvige reg.	17 D 26a, [Avv. A.]	17 M
18 M SS. Mar. e M.	18 G S. Camillo L.	18 D 13a, S. Gioac.	18 M Temp. d'Aut.	18 V S. Luca Ev.	18 L D. b. ss. P...	18 M Temp. d'inv.
19 M SS. Ger. e Pr.	19 V S. dell'8a	19 L dell'8a	19 G S. Gennar. v.	19 S S. Piet. d'Alc.	19 M S. Elisabetta	19 G Tempora
20 G S. Silverio p.	20 S S. Girol. E.	20 M S. Bernar. ab.	20 V S. Eust. m. T	20 D 22a, Pur. M. V.	20 M S. Felice Val.	20 V Tempora
21 V S. Luigi G.	21 D 9a d. Pentec.	21 M S. Gio. fii Ch.	21 S S. Mat. ap. T.	21 L SS. Orsol. e C.	21 G Pres. di M. V.	21 S Tempora
22 S S. Paolino Vig.	22 L S. Maria Mad.	22 G 8a dell'Assum.	22 D 18a Dol. M. V.	22 M	22 V S. Cecilia v.	22 D 4a d'Avv. Ro.
23 D 5a d. Pentec.	23 M S. Apollin. v.	23 V S. Filip. Ben.	23 L S. Lino pp.	23 M	23 S S. Clem. I pp.	23 L
24 L Nat. S. G. B.	24 M S. Crist. Vig.	24 S S. Bartol. ap.	24 M B. V. d. Merc.	24 G	24 D 27a d. Pentec.	24 M Vigilia
25 M S. Gugl. ab.	25 G S. Giacom. a.	25 D 14a d. Pentec.	25 M	25 V SS. Crisan. D.	25 M S. Cater. v.	25 M NATALE G. C.
26 M SS. Gio. e Pa.	26 V S. Anna	26 L S. Zefirino pp.	26 G SS. Cipr. e G.	26 S S. Evarist. pp.	26 M S. Pietro Al.	26 G S. Stef. prot.
27 G S. Pantal. m.	27 S S. Pantal. m.	27 M S. Gius. Cal.	27 V SS. Cos. e D.	27 D 23a Vigilia	27 M	27 V S. Giov. ev.
28 V S. Ladislao re	28 D 10a d. Pentec.	28 M S. Agost. v. d.	28 S 23a Vigilia	28 L SS. Sim. e G.	28 G	28 S SS. Innocenti
29 S SS. Piet. e Pa.	29 L S. Marta v.	29 G Dec. di S. G. B.	29 D 19a d. Pentec.	29 M	29 V S. Saturn. Vig.	29 D S. Tomm. C.
30 D 6a d. Pentec.	30 M SS. Abd... Sen.	30 V S. Rosa da L.	30 L S. Girol. d.	30 M	30 S S. Andrea ap.	30 L dell'8a
	31 M S. Ignazio L.	31 S S. Raim. Non.		31 G Vigilia		31 M S. Silves. pp.

Pasqua 1 Aprile. — Anni: 25, 36*, 115, 120* 199, 210, 283, 294, 305, 367, 378, 389, 400*, 462, 473, 484* 557, 568*,
647, 652*, 731, 742, 815, 826, 837, 899, 910, 921, 932*, 994, 1005, 1016*, 1089, 1100*, 1179, 1184*, 1263, 1274, 1347,
1358, 1369, 1431, 1442, 1453, 1464* 1526, 1537, 1548*, 1554*, 1646, 1657, 1668* 1714, 1725, 1736*, 1804*, 1866, 1877,
1888*, 1923, 1934, 1945, 1956, 2018* 2029, 2040* 2108, 2170, 2181, 2192, ecc.

GENNAIO bis.	FEBBRAIO bis.	GENNAIO	FEBBRAIO	MARZO	APRILE	MAGGIO
1 D CIRCON. G. C.	1 M S. Ignazio v.	1 L Circ. di G. C.	1 G S. Ignazio v.	1 G	1 D PASQUA	1 M SS. Fil. e G. a.
2 L S⁸ di S. Stef.	2 G Pur. di M. V.	2 M 8⁰ di S. Stef.	2 V Pur. di M. V.	2 V	2 L dell'Angelo	2 M SS. Atanas.
3 M S⁸ di S. Giov.	3 V S. Biagio v.	3 M 8⁰ di S. Giov.	3 S S. Biagio v.	3 S	3 M di Pasqua	3 G Inv. di S. Cro.
4 M⁰ SS. Innoc.	4 S S. Andrea C.	4 G 8⁰ SS. Innoc.	4 D Sessagesima	4 D 3ᵃ di Q., Ocul.	4 M dell'8ᵃ	4 V S. Mo. ved.
5 G S. Telesf. pp.	5 D Sessagesima	5 V S. Telesf. pp.	5 L S. Agata v.	5 L	5 G dell'8ᵃ	5 S S. Pio V. pp.
6 V EPIFANIA	6 L S. Tito v.	6 S EPIFANIA	6 M S. Tito, S. Dor.	6 M	6 V dell'8ᵃ	6 D 5ᵃ, Rogate
7 S dell'8ᵃ	7 M S. Romualdo	7 D 1ᵃ d. l'Epif.	7 M S. Romua. ab.	7 M S. Tom. d'Aq.	7 S dell'8ᵃ	7 L Le Rogazioni
8 D 1ᵃ d. l Epif.	8 M S. Giov. di M.	8 L S. Sever. ab.	8 G S. Giov. di M.	8 G S. Giov. di D.	8 D 1ᵃ d. P., in Alb.	8 M Ap. S. M. Reg.
9 L dell'8ᵃ	9 G S. Cirillo v.	9 M SS. Giul. e R.	9 V S. Apollon. v.	9 V S. Franc. Ro.	9 L S. Maria Cle.	9 M SS. Greg., Reg.
10 M dell'8ᵃ	10 V S. Scolast.	10 M S. Guglie l.	10 S S. Scolastica	10 S SS. 40 Martiri	10 M	10 G ASCEN. G. C.
11 M dell'8ᵃ	11 S	11 G S. Igino pp.	11 D Quinquages.	11 D 4ᵃ di Q., Laet.	11 M	11 V dell'8ᵃ
12 G dell'8ᵃ	12 D Quinquages.	12 V S. Modesto m.	12 L S. Eulalia v.	12 L S. Greg. I pp.	12 G	12 S dell'8ᵃ
13 V 8ᵃ dell'Epif.	13 L	13 S 8ᵃ dell'Epif.	13 M	13 M	13 V S. Ermen. m.	13 D 6ᵃ d. P., Exan.
14 S S. Ilar. S. Fel.	14 M S. Valent. m.	14 D 2ᵃ, SS. N. G.	14 M Le Ceneri	14 M	14 S S. Giustin. m.	14 L S. Bonif. m.
15 D SS. N. di Gesù	15 M Le Ceneri	15 L S. Paol. S. Ma.	15 G SS. Fau. e Gio.	15 G	15 D 2ᵃ Miser. Dom.	15 M dell'8ᵃ
16 L S. Marcello p.	16 G	16 M S. Marcello p.	16 V	16 V	16 L	16 M S. Ubaldo v.
17 M S. Antonio ab.	17 V	17 M S. Antonio ab.	17 S	17 S S. Patrizio v.	17 M S. Aniceto pp.	17 G 8ᵃ dell'Ascen.
18 M Cat. S. Piet. R.	18 S S. Simeone v.	18 G Cat. S. Piet. R.	18 D 1ᵃ di Q., Inv.	18 D di Pas. Iudic.	18 M	18 V S. Venan. m.
19 G S. Canuto re	19 D 1ᵃ di Q., Inv.	19 V S. Canuto re	19 L S. Corrado	19 L S. Giuseppe	19 G	19 S S. Pie. to Cel.
20 V S. Fab. e Seb.	20 L	20 S SS. Fab., Seb.	20 M	20 M	20 V	20 D PENTECOS.
21 S S. Agnese v.	21 M	21 D 3ᵃ, Sac. Fam.	21 M Temp. di pri.	21 M S. Bened. ab.	21 S S. Anselmo v.	21 L di Pentec.
22 D 3ᵃ, Sac. Fam.	22 M Temp. di pri.	22 L SS. Vinc. e A.	22 G Cat. S. P. A.	22 G	22 D 3ᵃ, Pat. di S.G.	22 M di Pentec.
23 L Spos. di M. V.	23 G S. Pier Da. v.	23 M Spos. di M. V.	23 V S. Pier Da. T.	23 V B. V. Addolo.	23 L S. Giorgio m.	23 M Temp. d'est.
24 M S. Tinoteo v.	24 V S. Gerar. v. T.	24 M S. Timoteo v.	24 S S. Mattia a. T.	24 S	24 M S. Fedele Sig.	24 G dell'8ᵃ
25 M Conv. S. Paolo	25 S S. Mat. ap. T.	25 G Conv. S. Paolo	25 D 2ᵃ di Q., Rem.	25 D Dette Palme	25 M S. Marco Ev.	25 V dell'8ᵃ Temp.
26 G S. Policar. v.	26 D 2ᵃ di Q., Rem.	26 V S. Policar. v.	26 L	26 L santo	26 G SS. Cleto Mar.	26 S dell'8ᵃ Temp.
27 V S. Giov. Cris.	27 L	27 S S. Giov. Cris.	27 M	27 M santo	27 V	27 D 1ᵃ SS. Trinità
28 S S. Agnese 29 f.	28 M	28 D Settuagesima	28 M	28 M santo	28 S S. Vitale m.	28 L
29 D Settuagesima	29 M	29 L S. Frances. S.		29 G Cena del Sig.	29 D 4ᵃ, Cantate	29 M
30 L S. Martina v.		30 M S. Martina v.		30 V Parasceve	30 L S. Cat. da Sie.	30 M S. Felice I pp.
31 M S. Pietro Nol.		31 M S. Pietro Nol.		31 S santo		31 G CORPUS Do.

GIUGNO	LUGLIO	AGOSTO	SETTEMBRE	OTTOBRE	NOVEMBRE	DICEMBRE
1 V dall'8ª	1 D 6ª d. Pentec.	1 M S. Pietro in v.	1 S S. Egidio ab.	1 L S. Remigio v.	1 G OGNISSANTI	1 S
2 S dall'8ª	2 L Vis. di M. V.	2 G S. Alfonso L.	2 D 15ª d. Pentec.	2 M SS. Angeli C.	2 V Comm. Def.	2 D 1ª d'Avv. Ro.
3 D 2ª d. Pentec.	3 M dall'8ª	3 V Inv. di S. Ste.	3 L	3 M	3 S dall'8ª	3 L S. Franc. Sav.
4 L S. Fran. Car.	4 M dall'8ª	4 S S. Dom. di G.	4 M	4 G S. Franc. d'As.	4 D 24ª, S. Carlo	4 M S. Barb. m.
5 M S. Bonifac. v.	5 G dall'8ª	5 D 11ª d. Pentec.	5 M S. Lorenzo G.	5 V S. Zaccaria pr.	5 L dall'8ª	5 M S. Sabba ab.
6 M S. Norberto v.	6 V SS. A. P. P.	6 L Trasf. di G. C.	6 G	6 S S. Brunone c.	6 M dall'8ª	6 G S. Nicolò v.
7 G 8ª Cor. Dom.	7 S	7 M S. Gaetano T.	7 V	7 D 20ª, B. V. Ros.	7 M dall'8ª	7 V S. Ambrog. v.
8 V S. CUORE G.	8 D 7ª d. Pentec.	8 M SS. Cir. e c. m.	8 S Nat. di M. V.	8 L S. Brigida v.	8 G 8ª Ognissanti	8 S Imm. C. M. V.
9 S SS. Pri. e Fel.	9 L	9 G S. Roman. m.	9 D 16ª d. Pentec.	9 M SS. Dion. R. E.	9 V S. Teodoro m.	9 D 2ª d'Avv. Ro.
10 D 3ª d. Pentec. P. Cuore di M.	10 M SS. Sett. fr. m	10 V S. Lorenzo m.	10 L	10 M S. Franc. B.	10 S S. Andrea Av.	10 L dall'8ª
11 L S. Barn. ap.	11 M S. Pio I pp.	11 S SS. Tib. e Sus.	11 M SS. Pr. e Giac.	11 G	11 D 25ª, Pat. M. V.	11 M S. Dam. I pp.
12 M S. Gio. d. S. F.	12 G S. Giov. Gua.	12 D 12ª d. Pentec.	12 M dall'8ª	12 V	12 L S. Mart. pp.	12 M S. Valer. ab.
13 M S. Ant. di P.	13 V S. Anacl. pp.	13 L S. Cassiano m.	13 G dall'8ª	13 S S. Edoardo re	13 M S. Stanisl. K.	13 G S. Lucia v.
14 G S. Basil. M. v.	14 S S. Bonav. d.	14 M S. Eusebio pr.	14 V Esalt. S. Cr.	14 D 21ª, M. M. V.	14 M	14 V S. Spiridione
15 V 8ª S. Vito e M	15 D 8ª d. Pentec.	15 M ASSUN. M. V.	15 S 8ª d. N. M. V.	15 L S. Teresa v.	15 G S. Gertrude v.	15 S 8ª d. Imm. C.
16 S	16 L B. V. del Car.	16 G S. Giacinto c.	16 D 17ª, Dol. M. V.	16 M	16 V	16 D 3ª d'Avv. Ro.
17 D 4ª d. Pentec.	17 M S. Aless. Con.	17 V 8ª S. Lorenzo	17 L Sti. di S. Fra.	17 M S. Edvige r.	17 S S. Greg. tau.	17 L
18 L SS. Mar. e Mel	18 M S. Camillo L.	18 S S. Agap. m.	18 M S. Gius. Cop.	18 G S. Luca Ev.	18 D 26ª, [Avv. A.]	18 M
19 M SS. Ger. e Pr.	19 G S. Vincen. P.	19 D 13ª d. Pentec.	19 M Temp. d'aut.	19 V S. Piet. d'Alc.	19 L S. Elisabetta	19 M Temp. d'inv.
20 M S. Silver. pp.	20 V S. Girol. Em.	20 L S. Bernar. ab.	20 G S. Eustach. m.	20 S S. Giovan. C.	20 M S. Felice Val.	20 G
21 G S. Luigi G.	21 S S. Prassede v.	21 M S. Gio. di Ch.	21 V S. Mat. a. T.	21 D 22ª Pur. M. V.	21 M Pres. di M. V.	21 V S. Tom. ap. T.
22 V S. Paolino v.	22 D 9ª d. Pentec.	22 M 8ª Ass. M. V.	22 S S. Tomm. Vill.	22 L	22 G S. Cecilia v.	22 S S. Flav. m. T.
23 S Vigilia	23 L S. Apollin. v.	23 G S. Filip. Ben.	23 D 18ª d. Pentec.	23 M	23 V S. Clem. I p.	23 D 4ª d'avvento
24 D Nat. S. G. B.	24 M S. Crist., Vig.	24 V S. Bartol. ap.	24 L B. V. d. Merc.	24 M	24 S S. Gio. d. Cr.	24 L Vigilia
25 L S. Gugl. ab.	25 M S. Giac. ap.	25 S S. Luigi re	25 M	25 G SS. Crisan. D.	25 D 27ª d. Pentec.	25 M NATALE G. C.
26 M SS. Gio. e Pa.	26 G S. Anna	26 D 14ª d. Pentec.	26 M SS. Cip. e Giu.	26 V S. Evaristo pp.	26 L S. Pietro Al.	26 M S. Stef. prot.
27 M dall'8ª	27 V S. Pantal. m.	27 L S. Gius. Cal.	27 G SS. Cos. e D.	27 S S. Vigilia	27 M	27 G S. Giov. ev.
28 G S. Leone II p.	28 S SS. Naz. e C.	28 M S. Agost. v. d.	28 V S. Vencesl. m.	28 D 23ª SS. Sim. eG.	28 M	28 V SS. Innoc. m.
29 V SS. P. e P. ap.	29 D 10ª d. Pentec.	29 M Dec. d. S. G. B.	29 S S. Michele A.	29 L	29 G S. Saturn. m.	29 S S. Tom. C. v.
30 S Comm. S. Pa.	30 L SS. Abd. Sen.	30 G S. Rosa da L.	30 D 19ª d. Pentec.	30 M	30 V S. Andrea ap.	30 D dall'8ª
	31 M S. Ignazio L.	31 V S. Raim. Non.		31 M Vigilia		31 L S. Silves. pp.

Pasqua 2 Aprile. – Calendario per gli anni: 47, 52*, 131, 142, 215, 226, 237, 299, 310, 321, 332*, 394, 405, 416*, 189, 500*, 579, 584*, 663, 674, 747, 758, 769, 831, 842, 853, 864*, 926, 937, 948*, 1021, 1032*, 1111, 1116*, 1195, 1206, 1279, 1290, 1301, 1363, 1374, 1385, 1396*, 1458, 1469, 1480*, 1533, 1564*, 1589, 1600*, 1673, 1679, 1684*, 1741, 1747, 1752*, 1809, 1820*, 1893, 1899, 1961, 1972*, 2051, 2056*, 2113, 2124*, 2265, ecc.

GENNAIO	FEBBRAIO	MARZO	APRILE	MAGGIO
1 D CIRCON. G. C.	1 M S. Ignazio v.	1 M	1 S *santo*	1 L SS. Fil. e G. a.
2 L S di S. Stef.	2 G Pur. di M. V.	2 G	2 D PASQUA	2 M S. Atanas. v.
3 M S di S. Gior.	3 V S. Biagio v.	3 V	3 L dell'Angelo	3 M Inv. di S. Cro.
4 M SS. Innoc.	4 S S. Andrea Co.	4 S S. Casimiro c.	4 M *di Pasqua*	4 G S. Mon. ved.
5 G S. Telesf. pp.	5 D *Sessagesima*	5 D 3ª *di Q., Oculi*	5 M dell'8ª	5 V S. Pio V pp.
6 V EPIFANIA	6 L S. Tito, S. Dor.	6 L	6 G dell'8ª	6 S S. Gio. a. p. l.
7 S dell'8ª	7 M S. Romua. ab.	7 M S. Tom. d'Aq.	7 V dell'8ª	7 D 5ª, *Rogate*
8 D 1ª d. l'Epif.	8 M S. Giov. di M.	8 M S. Dionigi v.	8 S dell'8ª	8 L *Le Rogazioni*
9 L dell'8ª	9 G S. Apollon. v.	9 G S. Franc. Ro.	9 D 1ª, *in Albis*	9 M S. Greg. *Rog.*
10 M dell'8ª	10 V S. Scolastica	10 V SS. 40 Mart.	10 L	10 M S. Gior. *Rog.*
11 M dell'8ª	11 S S. Lazzaro v.	11 S S. Eulogio m.	11 M S. Leone I pp.	11 G ASCEN. G. C.
12 G dell'8ª	12 D *Quinquages.*	12 D 4ª *di Q., Laet.*	12 M	12 V S. Nereo e C.
13 V S⁸ dell'Epif.	13 L	13 L	13 G S. Ermen. m.	13 S S. Servazio v.
14 S S. Ilar. S. Fel.	14 M S. Valent. m.	14 M	14 V S. Giustino m.	14 D 6ª *d. P., Exau.*
15 D 2ª. SS. N. di G.	15 M *Le Ceneri*	15 M	15 S S. Paterno v.	15 L S. Isidoro ag.
16 L S. Marcello p.	16 G	16 G	16 D 2ª *Miser. Dom.*	16 M S. Ubaldo v.
17 M S. Antonio ab.	17 V	17 V S. Patrizio v.	17 L S. Aniceto pp.	17 M S. Pasqual. B.
18 M Cat. S. Piet. R	18 S S. Simeone v.	18 S S. Galdino v.	18 M	18 G dell'Ascen.
19 G S. Canuto re	19 D 1ª *di Q., Inv.*	19 D *Pas. Iudic.*	19 M	19 V S. Pietro Cel.
20 V SS. Fab. e Seb.	20 L	20 L dℓ *Pas. Iudic.*	20 G	20 S S. Bern. da S.
21 S S. Agnese v.	21 M S. Severiano	21 M S. Beued. ab.	21 V S. Anselmo v.	21 D PENTECOS.
22 D 3ª. *Soc. Fam.*	22 M *Temp. di pri.*	22 M	22 S SS. Sot. e Caio	22 L dℓ *Pentec.*
23 L Spos. di M. V.	23 G S. Pier D. Fig.	23 G S. Vittoriano	23 D 3ª, *Pat. di S. G.*	23 M dℓ *Pentec.*
24 M S. Timoteo v.	24 V S. Mattia m. T.	24 V *B. V. Addol.*	24 L S. Fedele Sig.	24 M *Temp. d'est.*
25 M Conv. di S. Paolo	25 S *Temp.*	25 S ANN. di M. V.	25 M S. Marco Er.	25 G CORPUS DO.
26 G S. Policar. v.	26 D 2ª *di Q., Rem.*	26 D *dille Palme*	26 M S. Cleto e Ma.	26 V S. Eleuterio T.
27 V S. Giov. Cr.	27 L	27 L *santo*	27 G	27 S S. Mar. M. T.
28 S S. Agnese 2ª f.	28 M	28 M *santo*	28 V S. Vitale m.	28 D 1ª SS. *Trinità*
29 D *Settuagesima*		29 M *santo*	29 S S. Pietro m.	29 L
30 L S. Martina v.		30 G *Cena del Sig.*	30 D 4ª, *Cantate*	30 M S. Felice I pp.
31 M S. Pietro Nol.		31 V *Parascere*		31 M S. Petronilla v.

GENNAIO bis.	FEBBRAIO bis.
1 S CIRCON. G. C.	1 M S. Ignazio v.
2 D S di S. Stef.	2 M Pur. di M. V.
3 L S di S. Gior.	3 G S. Biagio v.
4 M SS. Innoc.	4 V S. Andrea Co.
5 M S. Telesf. pp.	5 S S. Agata v.
6 G EPIFANIA	6 D *Sessagesima*
7 V dell'8ª	7 L S. Romualdo
8 S dell'8ª	8 M S. Giov. di M.
9 D 1ª d. l'Epif.	9 M S. Cirillo v.
10 L dell'8ª	10 G S. Scolast. v.
11 M dell'8ª	11 V
12 M dell'8ª	12 S S. Eulalia v.
13 G S⁸ dell'Epif.	13 D *Quinquagesi.*
14 V S. Ilar. S. Fel.	14 L S. Valent. m.
15 S S. Paol. S. M.	15 M S. Fau. e G.
16 D SS. N. di Gesù	16 M *Le Ceneri*
17 L S. Antonio ab.	17 G S. Silvino v.
18 M Cat. S. Piet. R.	18 V S. Simeone v.
19 M S. Canuto re	19 S S. Corrado c.
20 G SS. Fab. e Seb.	20 D 1ª *di Q., Invo.*
21 V S. Agnese v.	21 L
22 S SS. Vinc. e A.	22 M Cat. S. P. A.
23 D 3ª *Soc. Fam.*	23 M *Temp. di prim.*
24 L S. Timoteo v.	24 G *Vigilia*
25 M Conv. S. Paolo	25 V S. Mattia T.
26 M S. Policar. v.	26 S S. Alesand. T.
27 G S. Giov. Cris.	27 D 2ª *di Q., Rem.*
28 V S. Agnese 2ª f.	28 L
29 S S. Frances. S.	29 M
30 D *Settuagesima*	
31 L S. Pietro Nol.	

GIUGNO	LUGLIO	AGOSTO	SETTEMBRE	OTTOBRE	NOVEMBRE	DICEMBRE
1 G CORPUS DO.	1 S 8a di S. Gio. B.	1 M S. Pietro in v.	1 V S. Egidio ab.	1 D 19a, B. V. Ros.	1 M OGNISSANTI	1 V
2 V dell'8a	2 D 6a d. Pentec.	2 M S. Alfonso L.	2 S S. Stefano re	2 L SS. Angeli C.	2 G Comm. Def.	2 S S. Bibiana v.
3 S S. Clotilde reg.	3 L dell'8a	3 G Inv. di S. Ste.	3 D 15a d. Pentec.	3 M	3 V dell'8a	3 D 1a d Avv. Ro.
4 D 2a d. Pentec.	4 M dell'8a	4 V S. Dom. di G.	4 L	4 M S. Fran. d As.	4 S S. Carlo Bor.	4 L S. Barb. m.
5 L S. Bonifac. v.	5 M dell'8a	5 S S. Maria d. N.	5 M S. Lorenzo G.	5 G SS. Pl. e C. m.	5 D 24a d. Pentec.	5 M S. Sabba ab.
6 M S. Norberto v.	6 G 8a SS. A. P. P.	6 D 11a d. Pentec.	6 M	6 V S. Runone C.	6 L S. Leon. P. M.	6 M S. Nicolò v.
7 M S. Roberto ab.	7 V S. Fros. v.	7 L S. Gaetano T.	7 G	7 S dell'8a	7 M S. Prosd.	7 G S. Ambrog. v.
8 G 8a Cor. Dom.	8 S S. Elisab. reg.	8 M SS. Cir. C. m.	8 V Nat. di M. V.	8 D 20a, Mat. M. V.	8 M 8a Ognissanti	8 V Imm. C. M. V.
9 V S. CUORE G.	9 D 7a d. Pentec.	9 M S. Roman. m.	9 S S. Gorgon. m.	9 L SS. Dion. R. E.	9 G S. Teodoro m.	9 S S. Siro v.
10 S S. Marg. Reg.	10 L SS. Sett. fr. m.	10 G S. Lorenzo m.	10 D 16a, SS. N. M.	10 M S. Fran. Bor.	10 V S. Andrea Av.	10 D 2a d Avv. Ro.
11 D 3a d. Pentec. P. Cuore di M.	11 M S. Pio I pp.	11 V SS. Tib. e Sus.	11 L SS. Pr. e Giac.	11 M	11 S S. Martino v.	11 L S. Dam. I pp.
12 L S. Gio. d. S. F.	12 M S. Giov. Gua.	12 S S. Chiara v.	12 M	12 G	12 D 25a, Pat. M. V.	12 M dell'8a
13 M S. Ant. di Pa.	13 G S. Anacl. pp.	13 D 12a d. Pentec.	13 M	13 V S. Eulogio p.	13 L S. Stanisl. K.	13 M S. Lucia v.
14 M S. Basil. M. d.	14 V S. Bonav. d.	14 L S. Eusebio pr.	14 G Esalt. S. Cr.	14 S S. Calisto pp.	14 M	14 G dell'8a
15 G SS. Vito e M.	15 S S. Enric. imp.	15 M ASSUN. M. V.	15 V 8a d. N. M. V.	15 D 21a, Pur. M. V.	15 M S. Geltrude v.	15 V 8a d Imm. C.
16 V	16 D 8a d. Pentec.	16 M S. Giacinto c.	16 S SS. Corn. e C.	16 L	16 G	16 S S. Eusebio v.
17 S S. Ranieri er.	17 L S. Aless. con.	17 G 8a S. Lorenzo	17 D 17a, Dol. M. V.	17 M S. Edvige reg.	17 V S. Greg. tau.	17 D 3a d Avv. Ro.
18 D 4a d. Pentec.	18 M S. Camillo L.	18 V S. Agapito m.	18 L S. Gius. Cop.	18 M S. Luca Ev.	18 S D. b. ss. P. P.	18 L
19 L SS. Ger. e Pr.	19 M S. Vincen. P.	19 S dell'8a	19 M S. Gennar. m.	19 G S. Piet. d'Alc.	19 D 26a d. Pentec.	19 M S. Nemes. m.
20 M S. Silverio p.	20 G S. Girol. Em.	20 D 13a, S. Gioer.	20 M Temp. d aut.	20 V S. Giovan. C.	20 M Temp. d'inv.	20 M Temp. d'inv.
21 M S. Luigi G.	21 V S. Prassede v.	21 L S. Gio. di Ch.	21 G S. Mat. ap.	21 S SS. Orsol. e C.	21 M Pres. di M. V.	21 G S. Tom. ap.
22 G S. Paolino v.	22 S S. Maria Madd.	22 M dell'Assu.	22 V S. Tom. V. T.	22 D 22a d. Pentec.	22 G S. Cecilia v.	22 V S. Flav. m. T.
23 V Vigilia	23 D 9a d. Pentec.	23 M S. Filip. Ben.	23 S S. Lino pp. m.	23 L	23 V S. Clem. I pp.	23 S S. Vittor. v. T.
24 S Nat. S. G. B.	24 L S. Crist. Vig.	24 G S. Bartol. ap.	24 D 18a d. Pentec.	24 M	24 S S. Gio. d. Cr.	24 D Vigilia
25 D 5a d. Pentec.	25 M S. Giacom. a.	25 V S. Luigi re	25 L	25 M SS. Crisan. D.	25 D S. Caterina v.	25 L NATALE G. C.
26 L SS. Gio. e Pa.	26 M S. Anna	26 S S. Zefirino p.	26 M SS. Cipr. e G.	26 G S. Evaristo p.	26 L 27a d. Pentec.	26 M S. Stef. prot.
27 M dell'8a	27 G S. Pantal. m.	27 D 14a d. Pentec.	27 M SS. Cos. e D.	27 V Vigilia	27 M 27a d. Pentec.	27 M S. Giov. ev.
28 M S. Leone II p.	28 V SS. Naz. e C.	28 L S. Agost. v. d.	28 V S. Venceslao m.	28 S SS. Sim. e G.	28 M	28 G SS. Innocenti
29 G SS. Piet. e Pa.	29 S S. Marta v.	29 M Dec. di S. G. B.	29 S S. Michele A.	29 D 23a d. Pen.ec.	29 M S. Saturn. m.	29 V S. Tomm. C.
30 V Comm. S. Pa.	30 D 10a d. Pentec.	30 M S. Rosa da L.	30 D S. Girol. d.	30 L	30 V S. Andrea ap.	30 S dell'8a
	31 L S. Ignazio L.	31 G S. Raim. Non.		31 M Vigilia		31 D S. Silves. pp.

Pasqua 3 Aprile. – Calendario per gli anni: 63, 74, 85, 147, 158, 169, 180*, 231, 242, 253, 264*, 326, 337, 348*, 421, 427, 432*, 511, 516*, 522, 595, 606, 617, 679, 690, 701, 712* 763, 785, 796*, 774, 858, 869, 880*, 953, 959, 964*, 1043, 1048*, 1054, 1122, 1127, 1138, 1149, 1211, 1222, 1233, 1244* 1295, 1306, 1317, 1328*, 1390, 1401, 1412* 1485, 1491, 1496*, 1575, 1580*, 1611, 1616*, 1695, 1763, 1768*, 1774, 1825, 1831, 1836*, 1904*, 1983, 1988* 1994, 2067, 2078, 2089, 2135, 2140, 2146*, ecc.

GENNAIO bis.	FEBBRAIO bis.	GENNAIO	FEBBRAIO	MARZO	APRILE	MAGGIO
1 V CIRCON. G. C.	1 L S. Ignazio v.	1 S CIRCON. G. C.	1 M S. Ignazio v.	1 M	1 V Parasceve	1 D 4ª, Cantate
2 S di S. Stef.	2 M Pur. di M. V.	2 D di S. Stef.	2 M Pur. di M. V.	2 M	2 S santo	2 L S. Atanas. v.
3 D S. di S. Giov.	3 M S. Biagio v.	3 L 8ª di S. Giov.	3 G S. Biagio v.	3 G	3 D PASQUA	3 M Inv. di S. Cro.
4 L S. Telesf. pp.	4 G S. Andrea Co.	4 M 8ª SS. Innoc.	4 V S. Andrea Co.	4 V S. Casimiro c.	4 L dell'Angelo	4 M S. Monica ved.
5 M S. Telesf. pp.	5 V S. Agata v.	5 M S. Telesf. pp.	5 S S. Agata v.	5 S	5 M dell'8ª	5 G S. Pio V pp.
6 M EPIFANIA	6 S S. Tito v.	6 G EPIFANIA	6 D Sessagesima	6 D 3ª di Q., Oculi	6 M dell'8ª	6 V S. Gio. a. P. l.
7 G dell'8ª	7 D Sessagesima	7 V dell'8ª	7 L S. Romua. ab.	7 L S. Tom. d'Aq.	7 G dell'8ª	7 S S. Stanisl. v.
8 V dell'8ª	8 L S. Giov. di M.	8 S dell'8ª	8 M S. Giov. di M.	8 M S. Dionigi v.	8 V dell'8ª	8 D 5ª, Rogate
9 S dell'8ª	9 M S. Cirillo v.	9 D 1ª d. l'Epif.	9 M S. Apollou. v.	9 M S. Franc. Ro.	9 S dell'8ª	9 L Le Rogazioni
10 D 1ª d. l'Epif.	10 M S. Scolast. v.	10 L dell'8ª	10 G S. Scolastica	10 G SS. 40 Mart.	10 D 1ª, in Albis	10 M S. Gor. Rog.
11 L dell'8ª	11 G	11 M dell'8ª	11 V	11 V	11 L	11 M S. Mam. Rog.
12 M dell'8ª	12 V	12 M dell'8ª	12 S	12 S	12 M S. Zenone m.	12 G ASCEN. G. C.
13 Mª dell'Epif.	13 S	13 G 8ª dell'Epif.	13 D Quinquagnes.	13 D 4ª di Q., Laet.	13 M S. Ermen. m.	13 V S. Servazio v.
14 G S. Ilar. S. Fel.	14 D Quinquages.	14 V S. Ilar. S. Fel.	14 L S. Valent. m.	14 L	14 G S. Giusti. m.	14 S S. Bonifac. m.
15 V S. Paol. S. M.	15 L SS. Fau. e G.	15 S S. Paol. S. M.	15 M SS. Fau e G.	15 M	15 V	15 D 6ª d. P., Exau.
16 S S. Marc. I pp.	16 M Le Ceneri	16 D 2ª S. N. di G.	16 M Le Ceneri	16 M	16 S	16 L S. Ubaldo v.
17 D SS. N. di Gesù	17 M Le Ceneri	17 L S. Antonio ab.	17 G	17 G S. Patrizio v.	17 D 2ª Miser. Dom.	17 M S. Pasqual. B.
18 L Cat. S. Piet. R.	18 G S. Simeone v.	18 M Cat. S. Piet. R.	18 V S. Simeone v.	18 V	18 L	18 M S. Venan. m.
19 M S. Canuto re	19 V	19 M S. Canuto re	19 S	19 S S. Giuseppe	19 M	19 G S. dell'Ascen.
20 M S. Fab. e Seb.	20 S	20 G S. Fab. Seb.	20 D 1ª di Q., Invo.	20 D Di Pas. Iudic.	20 M	20 V S. Bern. da S.
21 G S. Agnese v.	21 D 1ª d. Q., Invo.	21 V S. Agnese v.	21 L	21 L S. Beued. ab.	21 G S. Anselmo v.	21 S Vigilia
22 V SS. Vinc. e A.	22 L Cat. S. P. A.	22 S SS. Vinc. An.	22 M	22 M	22 V SS. Sot. e Caio	22 D PENTECOST.
23 S S. Spos. di M. V.	23 M SS. Pier. Dam.	23 D 3ª, Sac. Fam.	23 M Temp. di pri.	23 M	23 S S. Giorgio m.	23 L di Pentec.
24 D 3ª Sac. Fam.	24 M Temp. di pri.	24 L S. Timoteo v.	24 G S. Mattia ap.	24 G	24 D 3ª, Pal. di S. G.	24 M di Pentec.
25 L Conv. S. Paolo	25 G S. Mattia ap.	25 M Conv. S. Paolo	25 V Tempora	25 V ANN. di M. V.	25 L S. Marco Ev.	25 M Temp. d'est.
26 M S. Policar. v.	26 V Tempora	26 M S. Policar. v.	26 S Tempora	26 S B. V. Addol.	26 M SS. Cleto e Ma.	26 G CORPUS DO.
27 M S. Giov. Cris.	27 S Tempora	27 G S. Giov. Cris.	27 D 2ª di Q., Rem.	27 D delle Palme	27 M S. Vitale m.	27 V S. Mar. M. T.
28 G S. Agnese 2ª f.	28 D 2ª di Q., Rem.	28 V S. Agnese 2ª f.	28 L	28 L santo	28 G S. Vitale m.	28 S S. Agos. C. T.
29 V S. Frances. S.	29 L	29 S S. Frances ed A.		29 M santo	29 V S. Pietro m.	29 D 1ª SS. Trinità
30 S S. Martina v.		30 D Settuagesima		30 M santo	30 S S. Cater. da S.	30 L S. Felice I pp.

	GIUGNO	LUGLIO	AGOSTO	SETTEMBRE	OTTOBRE	NOVEMBRE	DICEMBRE
1	M	V led¹ . S. Gio. B.	L S. Pietro in v.	G S. Egidio ab.	S S. Remigio v.	M OGNISSANTI	G
2	G CORPUS DO.	S Vis. di M. V.	M S. Alfonso L.	V S. Stefano re	D 19ª, B. V. Ros.	M Comm. Def.	V S. Bibiana v.
3	V S. Clotilde reg.	D 3ª d. Pentec.	M Inv. di S. Ste.	S	L	G dell'8ª	S S. Franc. Sav.
4	S S. Fran. Car.	L dell'8ª	G S. Dom. di G.	D 15ª d. Pentec.	M S. Fran. d'As.	V S. Carlo Bor.	D 2ª d'Avv. Ro.
5	D 2ª d. Pentec.	M dell'8ª	V S. Maria d. N.	L S. Lorenzo G.	M S. Zaccaria pr.	S dell'8ª	L S. Sabba ab.
6	L S. Norbert. v.	M SS. A. P. P.	S Trasf. di G. C.	M	G S. Brunone co.	D 24ª d. Pentec.	M S. Nicolò v.
7	M dell'8ª	G	D 11ª d. Pentec.	M	V S. Marco pp.	L dell'8ª	M S. Ambrogio v.
8	M dell'8ª	V S. Elisab. reg.	L SS. Cir. e c. m.	G Nat. di M. V.	S S. Brigida v.	M 8ª Ognissanti	G Imm. C. M. V.
9	G 8ª Cor. Dom.	S	M S. Roman. m.	V S. Gorgon. m.	D 20ª, M. M. V.	M S. Teodoro m.	V dell'8ª
10	V S. CUORE G.	D 7ª d. Pentec.	M S. Lorenzo m.	S S. Nic. Tol. c.	L S. Franc. B.	G S. Andrea Av.	S dell'8ª
11	S S. Barn. ap.	L S. Pio I pp.	G SS. Tib. e Sus.	D 16ª, SS. N. M.	M	V S. Martino v.	D 3ª d'Avv. Ro.
12	D 3ª d. Pentec. / P. Cuore di M.	M S. Giov. Gua.	V S. Chiara v.	L dell'8ª	M	S S. Mart. pp.	L dell'8ª
13	L S. Ant. di P.	M S. Anacl. pp.	S S. Cassia. m.	M dell'8ª	G S. Edoardo re	D 25ª Ped. M. V.	M S. Lucia v.
14	M S. Basil. M. v.	G S. Bonav. d.	D 12ª d. Pentec.	M Esalt. S. Cr.	V S. Calisto pp.	L	M Temp. d'inv.
15	M SS. Vito e m.	V S. Enric. imp.	L ASSUN. M. V.	G 8ª N. M. V.	G S. Teresa v.	M S. Geltrude v.	G 8ª d. Imm. C.
16	G	S B. V. del Car.	M S. Giacinto c.	V SS. Corn. e C.	D 21ª, Pur. M. V	M	V Tempora
17	V	D 8ª d. Pentec.	M 8ª S. Lorenzo	S Stim. S. Fra.	L S. Edvige r.	S Greg. tau.	S Tempora
18	S SS. Mar. e M.	L S. Camillo L.	G S. Agap. m.	D 17ª, Dol. M. V.	M S. Luca Ev.	V D. b. ss. P., P.	D 4ª d'Avv.to
19	D 4ª d. Pentec.	M S. Vincen. P.	V	L S. Gennar. v.	M S. Piet. d'Alc.	L S. Elisabetta	L S. Nemes m.
20	L S. Silver. pp.	M S. Margh. v.	S S. Bernar. ab.	M S. Eustach. m.	G S. Giovan. C.	D 26ª d. Pentec.	M S. Timo. m.
21	M S. Luigi G.	G S. Prassede v.	D 13ª, S. Gioac.	M Temp. d'aut.	V SS. Orsol. e C.	L Pres. di M. V.	M S. Ton. a.
22	M S. Paolino v.	V S. Maria Mad.	L 8ª Ass. M. V.	G SS. Mau. C.	S	M S. Cecilia v.	G
23	G Vigilia	S S. Apollin. v.	M S. Filip. Ben.	V SS. Lino pp. T.	D 22ª d. Pentec.	M SS. Clem. I p.	V
24	V Nat. S. G. B.	D 9ª d. Pentec.	M S. Bartol. ap.	S B. V. d. M. T.	L	G S. Gio. d. Cr.	S Vigilia
25	S S. Gugl. ab.	L S. Giac. ap.	G S. Luigi re	D 18ª d. Pentec.	M SS. Crisan. D.	V S. Cater. v.	D NATALE G.C.
26	D 5ª d. Pentec.	M S. Anna	V S. Zeffiro	L SS. Cip. e Giu.	M S. Evaristo pp.	S S. Pietro Al.	L S. Stef. prot.
27	L S. Ladislao re	M S. Pantal. m.	S S. Gius. Cal.	M SS. Cos. e D.	G Vigilia	D 1ª d'Avv. Ro.	M S. Giov. ev.
28	M S. Leone II p.	G SS. Naz. e C.	D 14ª d. Pentec.	M S. Agost. v. d.	V SS. Sim. e G.	L	M SS. Innoc. m.
29	M SS. P. e P. ap.	V S. Marta v.	L Dec. d. S. G. B.	G S. Michele A.	S	M S. Saturn. m.	G S. Tom. C. v.
30	G Comm. S. Pa.	S SS. Abd., Sen.	M S. Rosa da L.	V S. Girol. d.	D 23ª d. Pentec.	M S. Andrea ap.	V dell'8ª
31		D 10ª d. Pentec.	M S. Raim. Non.		L Vigilia		S S. Silves. pp.

Pasqua 4 Aprile. – Anni: 6, 17, 79, 90, 101, 112*, 174, 185, 196*, 269, 280*, 359, 364*, 443, 454, 527, 538, 549, 611, 622, 633, 644*, 706, 717, 728*, 801, 812*, 891, 896*, 975, 986, 1059, 1070, 1081, 1143, 1154, 1165, 1176*, 1238, 1249, 1260*, 1333, 1344*, 1423, 1428*, 1507, 1518, 1627, 1638, 1649, 1706, 1779, 1790, 1847, 1858, 1915, 1920*, 1926, 1999, 2010*, 2021, 2083, 2094, 2151, 2162, 2173, 2219, ecc.

GENNAIO bis.	FEBBRAIO bis.
1 G CIRCON. G. C.	1 D Settuagesima
2 V S di S. Stef.	2 L Pur. di M. V.
3 S 8ª di S. Giov.	3 M S. Biagio v.
4 D 8ª SS. Innoc.	4 M S. Andrea C.
5 L S. Telesf. pp.	5 G S. Agata v.
6 M EPIFANIA	6 V S. Tito v.
7 M dell'8ª	7 S S. Romualdo
8 G dell'8ª	8 D Sessagesima
9 V dell'8ª	9 L S. Apollon. v.
10 S	10 M S. Scolast. v.
11 D 1ª d. l'Epif.	11 M SS. Sett. Fon.
12 L dell'8ª	12 G
13 M 8ª dell'Epif.	13 V
14 M S. Ilar. S. Fel.	14 S S. Valent. m.
15 G S. Paol. S. M.	15 D Quinquages.
16 V S. Marcello p.	16 L
17 S S. Antonio ab.	17 M
18 D SS. N. di Gesù	18 M Le Ceneri
19 L S. Canuto re	19 G
20 M SS. Fab. e Seb.	20 V
21 S S. Agnese v.	21 S S. Severiano v.
22 G SS. Vinc. e A.	22 D 1ª di Q., Inv.
23 V Spos. di M. V.	23 L S. Pier Dam.
24 S S. Timoteo v.	24 M Vigilia
25 D 3ª, Sac. Fam.	25 M S. Mattia ap., di pri.
26 L S. Policar. v.	26 G
27 M S. Giov. Cris.	27 V Temp.
28 M S. Agnese 2ª f.	28 S Temp.
29 G S. Frances. S.	29 D 2ª di Q., Rem.
30 V S. Martina v.	
31 S S. Pietro Nol	

GENNAIO	FEBBRAIO	MARZO	APRILE	MAGGIO
1 V CIRCON. G. C.	1 L S. Ignazio v.	1 L	1 G Cena del Sig.	1 S SS. Fil. e G. a.
2 S 8ª di S. Stef.	2 M Pur. di M. V.	2 M	2 V Parasceve	2 D 4ª, Cantate
3 D 8ª di S. Giov.	3 M S. Biagio v.	3 M S. Cuneg. imp.	3 S santo	3 L Inv. di S. Cro.
4 L 8ª SS. Innoc.	4 G S. Andrea Co.	4 G S. Casimiro c.	4 D PASQUA	4 M S. Mon. ved.
5 M S. Telesf. pp.	5 V S. Agata v.	5 V	5 L dell'Angelo	5 M S. Pio V pp.
6 M EPIFANIA	6 S S. Tito. S. Dor.	6 S	6 M di Pasqua	6 G S. Gio. a. p. l
7 G dell'8ª	7 D Sessagesima	7 D 3ª di Q., Oculi	7 M dell'8ª	7 V S. Stanislao v.
8 V dell'8ª	8 L S. Giov. di M.	8 L S. Giov. di D.	8 G dell'8ª	8 S Ap. di S. Mic.
9 S dell'8ª	9 M S. Apollon. v.	9 M S. Frauc. Ro.	9 V dell'8ª	9 D 5ª, Rogate
10 D 1ª d. l'Epif.	10 M S. Scolast. v.	10 M SS. 40 Martiri	10 S dell'8ª	10 L Le Rogazioni
11 L dell'8ª	11 G	11 G S. Eulogio m.	11 D 1ª d. P. in Alb.	11 M S. Mam. Rog.
12 M dell'8ª	12 V	12 V S. Greg. I pp.	12 L	12 M SS. Ner. Rog.
13 M 8ª dell'Epif.	13 S S. Cat. de Ric.	13 S	13 M S. Ermen. m.	13 G ASCEN. G. C.
14 G S. Ilar. S. Fel.	14 D Quinquagesi.	14 D 4ª di Q., Laet.	14 M S. Tiburzio m.	14 V dell'8ª
15 V S. Paol. S. Ma.	15 L SS. Fau. e Gio.	15 L	15 G	15 S dell'8ª
16 S S. Marcello p.	16 M	16 M	16 V	16 D 6ª d. P., Ex.
17 D 2ª SS. N. G.	17 M Le Ceneri	17 M S. Patrizio v.	17 S S. Aniceto pp.	17 L S. Pasqual. B.
18 L S. Cat. S. Piet. R.	18 G S. Simeone v.	18 G	18 D 2ª, Miser. Dom.	18 M S. Venan. m.
19 M S. Canuto re	19 V	19 V S. Giuseppe	19 L	19 M S. Pietro Cel.
20 M SS. Fab., Seb.	20 S S. Eleuterio m.	20 S	20 M	20 G 8ª dell'Ascen.
21 G S. Agnese v.	21 D 1ª di Q., Inv.	21 D di Pas. Iudi.	21 M S. Anselmo v.	21 V S. Felice C.
22 V SS. Vinc. e A.	22 L Cat. S. P. A.	22 L	22 G SS. Sot. e Caio	22 S Vigilia
23 S Spos. di M. V.	23 M S. Pier Dam.	23 M	23 V S. Giorgio m.	23 D PENTECOS.
24 D 3ª, Sac. Fam.	24 M Temp. di pri.	24 M	24 S S. Fedele Sig.	24 L di Pentec.
25 L Conv. S. Paolo	25 G	25 G ANN. DI M. V.	25 D 3ª, S. Marc. et.	25 M di Pentec.
26 M S. Policar. v.	26 V B. V. Addolo.	26 V B. V. Addolo.	26 L SS. Cleto Mar.	26 M Temp. d'est.
27 M S. Giov. Cris.	27 S	27 S	27 M	27 G dell'8ª
28 G S. Agnese 2ª f.	28 D 2ª di Q., Rem.	28 D delle Palme	28 M S. Vitale m.	28 V dell'8ª Temp.
29 V S. Frances. S.		29 L santo	29 G S. Pietro m.	29 S S. Massim. T.
30 S S. Martina v.		30 M santo	30 V S. Cat. da Sie.	30 D 1ª SS. Trinità
31 D Settuagesima		31 M santo		31 L S. Angela M

GIUGNO	LUGLIO	AGOSTO	SETTEMBRE	OTTOBRE	NOVEMBRE	DICEMBRE
1 M.	1 G 8ª di S. Gio. B.	1 D 10ª d. Pentec.	1 M S. Egidio ab.	1 V S. Remigio v.	1 L OGNISSANTI	1 M
2 M SS. Marc. e P.	2 V Vis. di M. V.	2 L S. Alfonso L.	2 G S. Stefano re	2 S SS. Angeli C.	2 M Comm. Def.	2 G S. Bibiana v.
3 G CORPUS DO.	3 S S. Marziale v.	3 M Inv. di S. Ste.	3 V	3 D 19ª. B. V. Ros.	3 M dell'8ª	3 V S. Fran. Sav.
4 V S. Fran. Car.	4 D 6ª d. Penter.	4 M S. Dom. di G.	4 S ·	4 L S. Fran. d'As.	4 G S. Carlo Bor.	4 S S. Barb. m
5 S S. Bonifacio v.	5 L	5 G S. Maria d. N.	5 D 13ª d. Pentec.	5 M SS. Pl. e C. m.	5 V dell'8ª	5 D 2ª d'Avv. Ro.
6 D 2ª d. Penter.	6 M 9ª SS. A. P. P.	6 V Trasf. di G. C.	6 L	6 M S. Brunone c.	6 S dell'8ª	6 L S. Nicolo v.
7 L dell'8ª	7 M	7 S S. Gaetano T.	7 M	7 G S. Marco pp.	7 D 24ª d. Pentec.	7 M S. Ambrogio v.
8 M dell'8ª	8 G S. Elisab. reg.	8 D 11ª d. Penter.	8 M Nat. di M. V.	8 V S. Brigida v.	8 L 8ª Ognissanti	8 M Imm. C. M. V.
9 M SS. Pri. e Fel.	9 V	9 L S. Roman. m.	9 G S. Gorgon. m.	9 S SS. Dion. R. E.	9 M S. Teodoro m.	9 G dell'8ª
10 G S. Cor. Dom.	10 S SS. Sett. fr. m	10 M S. Lorenzo m.	10 V S. Nic. Tol. c.	10 D 20ª. Mat. M. V.	10 M S. Andrea Av	10 V dell'8ª
11 V S. CUORE G.	11 D 7ª d. Penter.	11 M SS. Tib. e Sus.	11 S SS. Pr. e Giac.	11 L	11 G S. Martino v.	11 S S. Dam. I pp.
12 S S. Gio. d. S. F.	12 L S. Giov. Gua.	12 G S. Chiara v.	12 D 16ª SS. N. M.	12 M	12 V S. Mart. pp.	12 D 3ª d'Avv. Ro.
13 D 3ª d. Penter. P. Cuore di M.	13 M S. Anacl. mp.	13 V S. Cassia. m.	13 L dell'8ª	13 M S. Edoardo re	13 S S. Didaco c.	13 L S. Lucia v.
14 L S. Basil. M. v.	14 M S. Bonav. d.	14 S S. Euseb o pr.	14 M Esalt. S. Cr.	14 G S. Calisto pp.	14 D 25ª. [Avv. A.]	14 M S. Spiridione
15 M SS. Vito e M.	15 G S. Enric. imp.	15 D 12ª ASS. M. V.	15 M Temp. d'Aut.	15 V S. Teresa v.	15 L S. Geltrude v.	15 M Temp. d'Inv.
16 M	16 V B. V. del Car.	16 L S. Giachnto c.	16 G SS. Corn. e C.	16 S S. Gallo ab.	16 M	16 G S. Eusebio v.
17 G	17 S S. Alessio c.	17 M 8ª S. Lorenzo	17 V Stim. S. F. T.	17 D 21ª. Pur. M. V.	17 M S. Greg. tau.	17 V Tempora
18 V SS. Mar. e M	18 D 8ª d. Penter.	18 M S. Agapito m.	18 S SS. Gius. C. T.	18 L S. Luca Ev.	18 G D. b. ss. P. P.	18 S Tempora
19 S SS. Ger. e Pr.	19 L S. Vincen. P.	19 G	19 D 17ª Dol. M. V.	19 M S. Piet. d'Alc.	19 V S. Elisabetta	19 D 4ª d'Avv. Ro.
20 D 4ª d. Penter.	20 M S. Margh. v.	20 V S. Bernar. ab.	20 L SS. Eustach. m.	20 M S. Giovan. C.	20 S S. Felice Val.	20 L S. Teofilo m.
21 L S. Luigi G.	21 M S. Prassede v	21 S S. Gio. di Ch.	21 M S. Matteo ap.	21 G SS. Orsol. e C.	21 D 26ª. Pat. M. V.	21 M S. Tom. ap.
22 M S. Paolino v.	22 G S. Maria Mad.	22 D 13ª. S. Gioac.	22 M SS. Mauri C.	22 V	22 M S. Cecilia v.	22 M
23 M Vigilia	23 V S. Apollin. v.	23 L S. Filip. Ben.	23 G S. Lino pp.	23 S S. Severino v.	23 M S. Clem. I pp	23 G
24 G Nat. S. G. B.	24 S S. Cristina v.	24 M S. Bartol. ap.	24 V B. V. d. Merc.	24 D 22ª d. Pentec.	24 G S. Gio. d. Cr.	24 V Vigilia
25 V S. Gugl. ab.	25 D 9ª d. Penter.	25 M S. Luigi re	25 S S. Firmino v.	25 L S. Crisan. D.	25 V S. Caterina v.	25 S NATALE G. C.
26 S SS. Gio. e Pa.	26 L S. Anna	26 G S. Zeffrino p.	26 D 18ª d. Pentec.	26 M S. Vigilia	26 S S. Pietro Alesa.	26 D S. Stef. prot
27 D 5ª d. Penter.	27 M S. Pantal. m.	27 V S. Gius. Cal.	27 L SS. Cos. e D.	27 M S. Frumenz.	27 D S. Vigilia	27 L S. Giov. evc.
28 L S. Leone II p.	28 M SS. Naz. e C	28 S S. Agost. v. d.	28 M S. Vences. m.	28 G SS. Sim. e G.	28 L 2ª d'Avv. Ro.	28 M SS. Innocenti
29 M SS. Piet. e Pa.	29 G S. Marta v.	29 D 14ª d. Pentec.	29 M S. Michele A.	29 V	29 M S. Satur. m.	29 M S. Tomm. C.
30 M Comm. S. Pa.	30 V SS. Abd. Sen.	30 L S. Rosa da L.	30 G S. Girol. d.	30 S	30 M S. Andrea ap.	30 G dell'8ª
	31 S S. Ignazio L.	31 M S. Raim...Nov...		31 D 23ª d. Pentec.		31 V S. Silvest. pp.

Pasqua 5 Aprile. — Anni: 11, 22, 33, 44* 106, 117, 128* 201, 207, 212* 291, 296* 302, 375, 386, 397, 459, 470, 481, 492*, 543, 554, 565, 576*, 638, 649, 660*, 733, 739, 744* 823, 898* 834, 907, 918, 929, 991, 1002, 1013, 1024*, 1075*, 1086, 1097, 1108*, 1170, 1181, 1192*, 1265, 1271, 1276*, 1355, 1360*, 1366, 1439, 1450, 1461, 1523, 1534, 1545, 1556*, 1643, 1654, 1665, 1676*, 1711, 1722, 1733, 1744*, 1795, 1801, 1863, 1874, 1885, 1896*, 1931, 1942, 1953, 2015, 2026, 2037, 2048*, 2105, 2167, 2178, 2189, ecc.

GENNAIO bis.	FEBBRAIO bis.	GENNAIO	FEBBRAIO	MARZO	APRILE	MAGGIO
1 M CIRCON. G. C.	1 S S. Ignazio v.	1 M CIRCON. G. C.	1 D Settuagesima	1 D 2ª di Q., Rem	1 M santo	1 V SS. Fil. e G. a.
2 G 8ª di S. Stef.	2 D Settuagesima	2 V 8ª di S. Stef.	2 L Pur. di M. V.	2 L	2 G Cena del Sig.	2 S S. Atanas. v.
3 V 8ª dè di S. Giov.	3 L Pur. di M. V.	3 S 8ª dè di S. Giov.	3 M S. Biagio v.	3 M S. Cunegonda	3 V Parasceve	3 D 4ª, Cantate
4 S 8ª SS. Innoc.	4 M S. Andrea Co.	4 D 8ª SS. Innoc.	4 M S. Andrea Co.	4 M S. Casimiro c.	4 S santo	4 L S. Mon. ved.
5 D S. Telesf. pp.	5 M S. Agata v.	5 L S. Telesf. pp.	5 G S. Agata v.	5 G	5 D PASQUA	5 M S. Pio V pp.
6 L EPIFANIA	6 G S. Tito v.	6 M EPIFANIA	6 V S. Tito, S. Dor.	6 V	6 L dell'Angelo	6 M S. Gio. a. p. l.
7 M dell'8ª	7 V S. Romualdo	7 M dell'8ª	7 S S. Romua. ab.	7 S S. Tom. d'Aq.	7 M dell'8ª	7 G S. Stanislao v.
8 M dell'8ª	8 S S. Giov. di M	8 G dell'8ª	8 D Sessagesima	8 D 3ª di Q., Oculi	8 M dell'8ª	8 V 8ª Ap. di S. Mic.
9 G dell'8ª	9 D Sessagesima	9 V dell'8ª	9 L S. Apollon. v.	9 L S. Franc. Ro.	9 G dell'8ª	9 S S. Greg. Naz.
10 V dell'8ª	10 L S. Scolast. v.	10 S dell'8ª	10 M S. Scolastica	10 M SS. 40 Mart.	10 V dell'8ª	10 D 5ª, Rogate
11 S dell'8ª	11 M SS. Set. Fond.	11 D 1ª d. l Epif.	11 M	11 M S. Eulogio m.	11 S S. Leone I pp.	11 L Le Rogazioni
12 D 1ª d. l'Epif.	12 G	12 L	12 G	12 G S. Greg. I pp.	12 D 1ª, in Albis	12 M S. Ner. C. Rog.
13 L 8⁰ dell'Epif	13 G	13 M 8⁰ dell'Epif.	13 V S. Cat. de Ric.	13 V	13 L S. Ermen. m.	13 M S. Serv. Rog.
14 M S. Ilar. S. Fel.	14 V S. Valent. m.	14 M S. Ilar. S. Fel.	14 S S. Valent. m.	14 M S. Matilde reg.	14 M S. Tiburzio m.	14 G ASCEN. G. C.
15 M S. Paol. S. M.	15 S SS. Faus. e G.	15 G S. Marcello p.	15 D Quinquages.	15 D 4ª di Q., Laet.	15 M	15 V dell'8ª
16 G S. Marc. I pp.	16 D Quinquages.	16 V S. Marcello p.	16 L	16 L	16 G	16 S S. Ubaldo v.
17 V S. Antonio ab.	17 L S. Silvino v.	17 S S. Antonio ab.	17 M S. Silvino v.	17 M S. Patrizio v.	17 V S. Aniceto pp.	17 D 6ª d. P., Exon.
18 S Cat. S. Piet. R.	18 M S. Simeone v.	18 D 2ª SS. N. di G.	18 M Le Ceneri	18 M	18 S	18 L S. Venan. m.
19 D SS. N. di Gesù	19 G Le Ceneri	19 L S. Canuto re	19 G	19 G S. Giuseppe	19 D 2ª Miser. Dom.	19 M S. Pietro Ce.
20 L S. Fab. e Seb.	20 V	20 M SS. Fab., Seb.	20 V S. Eleute. m.	20 V	20 L	20 M S. Bern. da S.
21 M S. Agnese v.	21 S S. Severia v.	21 M S. Agnese v.	21 S S. Severiano	21 S S. Bened. ab.	21 M S. Anselmo v.	21 G 8ª dell'Ascen.
22 M SS. Vinc. e A.	22 S Cat. s. P. A.	22 G SS. Vinc. An.	22 D 1ª di Q., Inv.	22 D Di Pas. Iudic.	22 M SS. Sot. e Caio	22 V S. Emilio m.
23 G S pos. di M. V.	23 D 1ª di Q., Inv.	23 V Spos. di M. V.	23 L S. Pier Dam.	23 L	23 G S. Giorgio m.	23 S Vigilia
24 V S. Timoteo v.	24 L Vigilia	24 S S. Timoteo v.	24 M S. Mattia ap.	24 M Vigilia	24 V S. Fedele Sig.	24 D PENTECOS.
25 S Conv. S. Paolo	25 M S. Mattia ap.	25 D 3ª, Sac. Fam.	25 M Temp. di pri.	25 M ANN. DI M. V.	25 S S. Marco Ev.	25 L di Pentec.
26 D 3ª, Sac. Fam.	26 M Temp. di pri.	26 L S. Policar. v.	26 G	26 G	26 D 3ª, Pat. di S. G.	26 M di Pentec.
27 L S. Giov. Cris.	27 G	27 M S. Giov. Cris.	27 V B. V. Addolo.	27 V B. V. Addolo.	27 L	27 M Temp. d'est.
28 M S. Agnese 2ª f.	28 V Tempora	28 M S. Agnese 2ª f.	28 S	28 S	28 M S. Vitale m.	28 G dell'8ª
29 G S. Frances. S.	29 S Tempora	29 G S. Fran. el A.		29 V Delle Palme	29 M S. Pietro m.	29 V S. Massim. T.
30 V S. Martina v.		30 V S. Martina v.		30 L santo	30 G S. Cater. da S.	30 S S. Felice I. T.
31 S S. Pietro Nol.		31 S S. Pietro Nol.		31 M santo		31 D 1ª SS. Trinità

GIUGNO	LUGLIO	AGOSTO	SETTEMBRE	OTTOBRE	NOVEMBRE	DICEMBRE
1 L	1 M 8ª di S. Gio. B.	1 S S. Pietro in v.	1 M S. Egidio ab.	1 G S. Remigio v.	1 D OGNISSANTI	1 M
2 M SS. Marc. e P.	2 G *Vis. di M. V.*	2 D *10ª d. Pente.*	2 M S. Stefano re	2 V SS. Angeli c.	2 L *Comm. Def.*	2 M S. Bibiana v.
3 M	3 V *dell'8ª*	3 L Inv. di S. Ste.	3 G	3 S	3 M	3 G S. Franc. Sav.
4 G CORPUS DO.	4 S *dell'8ª*	4 M S. Dom. di G.	4 V	4 D *19ª B. V. Ros.*	4 M S. Carlo Bor.	4 V S. Barb. m.
5 V S. Bonifacio v.	5 D *6ª d. Pente.*	5 M S. Maria d. N.	5 S S. Lorenzo G.	5 L S. Zaccaria pr.	5 G *dell'8ª*	5 S S. Sabba ab.
6 S S. Norbert. v.	6 L 8ª SS. A. P. P.	6 G Trasf. di G. C.	6 D *15ª d. Pente.*	6 M S. Brunone c.	6 V *dell'8ª*	6 D *2ª d'Avv. Ro.*
7 D *2ª d. Pente.*	7 M	7 V S. Gaetano T.	7 L	7 M S. Marco pp.	7 S *dell'8ª*	7 L S. Ambrogio v.
8 L *dell'8ª*	8 M S. Elisab. reg.	8 S SS. Cir. e c. m.	8 M *Nat. di M. V.*	8 G S. Brigida v.	8 D *23ª d. Pente.*	8 M *Imm. C. M. V.*
9 M *dell'8ª*	9 G	9 D *11ª d. Pente.*	9 M S. Gorgon. m.	9 V SS. Dion. R. E.	9 L S. Teodoro m.	9 M *dell'8ª*
10 M	10 V SS. Sett. fr. m.	10 L S. Lorenzo m.	10 G S. Nic. Tol. c.	10 S S. Franc. B.	10 M S. Andrea Av.	10 G *dell'8ª*
11 G 8ª Cor. Dom.	11 S S. Pio I pp.	11 M SS. Tib. e Sus.	11 V S. Pr. e Giac.	11 D *20ª M. M. V.*	11 M S. Martino v.	11 V *dell'8ª*
12 V S. CUORE G.	12 D *7ª d. Pente.*	12 M S. Chiara v.	12 S *dell'8ª*	12 L	12 G S. Mart. pp.	12 S *dell'8ª*
13 S S. Ant. di Pa.	13 L S. Anacl. pp.	13 G S. Cassia. m.	13 D *16ª SS. N. M.*	13 M S. Edoardo re	13 V S. Didaco c.	13 D *3ª d'Avv. Ro.*
14 D *3ª d. Pente. P. Cuore di M.*	14 M S. Bonav. d.	14 V S. Eusebio pr.	14 L Esalt. S. Cr.	14 M S. Calisto pp.	14 S	14 L S. Spiridione
15 L SS. Vito e M.	15 M S. Enric. imp.	15 S ASSUN. M. V.	15 M 8ª d. N. M. V.	15 G S. Teresa v.	15 D *25ª Pat. M. V.*	15 M *8ª d. Imm. C.*
16 M	16 G B. V. del Car.	16 D *12ª d. Pente.*	16 M *Temp. d'aut.*	16 V	16 L	16 M *Temp. d'inv.*
17 M	17 V S. Alessio c.	17 L S. Lorenzo	17 G Stim. S. Fra.	17 S S. Edvige r.	17 M S. Greg. tau.	17 G S. Lazzaro v.
18 G SS. Mar. e M.	18 S S. Camillo L.	18 M S. Agap. m.	18 V S. Gius. C. T.	18 D *21ª Pur. M. V.*	18 M D. b. ss. P. e P.	18 V *Tempora*
19 V SS. Ger. e Pr.	19 D *8ª d. Pente.*	19 M	19 S S. Gennar. v.	19 L S. Piet. d'Alc.	19 G S. Elisabetta	19 S *Tempora*
20 S S. Silver. pp.	20 L S. Margh. v.	20 G S. Bernar. ab.	20 D *17ª Dol. M. V.*	20 M S. Giovan. C.	20 V S. Felice Val.	20 D *4ª d'Avvento*
21 D *4ª d. Pente.*	21 M S. Prassede v.	21 V S. Gio. di Ch.	21 L S. Matteo ap.	21 M S. Orsol. e C.	21 S Pres. di M. V.	21 L S. Tom. ap.
22 L S. Paolino v.	22 M S. Maria Mad.	22 S Ass. M. V.	22 M SS. Mau. e C.	22 G	22 D *26ª d. Pente.*	22 M
23 M *Vigilia*	23 G S. Apollin. v.	23 D *13ª S. Gioac.*	23 M S. Lino p.	23 V	23 L S. Clem. I p.	23 M
24 M Nat. S. G. B.	24 V S. Cristina v.	24 L S. Bartol. ap.	24 G B. V. d. Merc.	24 S	24 M S. Gio. d. Cr.	24 G *Vigilia*
25 G S. Gugl. ab.	25 S S. Giac. ap.	25 M S. Luigi re	25 V	25 D *22ª d. Pente.*	25 M S. Cater. v.	25 V NATALE G. C.
26 V SS. Gio. e Pa.	26 D *9ª S. Anna*	26 M S. Zefirino p.	26 S SS. Cip. e Giu.	26 L	26 G S. Pietro Aless.	26 S S. Stef. prot.
27 S S. Ladislao re	27 L S. Pantal. m.	27 G S. Gius. Cal.	27 D *18ª d. Pente.*	27 M *Vigilia*	27 V	27 D S. Giov. ev.
28 D *5ª d. Pente.*	28 M SS. Naz. e C.	28 V S. Agost. v. d.	28 L S. Vencesl. m.	28 M SS. Sim. e G.	28 S *Vigilia*	28 L SS. Innoc. m.
29 L SS. P. e P. ap.	29 M S. Marta v.	29 S Dec. di S.G.B.	29 M S. Michele A.	29 G	29 D *1ª d'Avv. Ro.*	29 M S. Tom. C. v.
30 M Comm. S. Pa.	30 G SS. Abd., Sen.	30 D *14ª d. Pente.*	30 M S. Girol. d.	30 V	30 L S. Andrea ap.	30 M *dell'8ª*
	31 V S. Ignazio L.	31 L S. Raim. Non.		31 S *Vigilia*		31 G S. Silves. pp.

Pasqua 6 Aprile. – Anni: 38, 49, 60* 133, 139, 144* 223, 228* 234, 307, 318, 329, 391, 402, 413, 424* 475, 486, 497, 508*570, 581, 592* 665, 671, 676* 755, 760* 766, 839, 850, 861, 923, 934, 945, 956*, 1007, 1018, 1029, 1040*, 1102, 1113, 1124*, 1197, 1203, 1208* 1287, 1292* 1298, 1371, 1382, 1393, 1455, 1466, 1477, 1488* 1539, 1550, 1561, 1572*, 1586, 1597, 1608*, 1670, 1681, 1692* 1738, 1749, 1760*, 1806, 1817, 1828* 1890, 1947, 1958, 1969, 1980*, 2042, 2053, 2064*, 2110, 2121, 2132*, 2194, ecc.

GENNAIO	FEBBRAIO	MARZO	APRILE	MAGGIO
1 M Circ. di G. C.	1 S S. Ignazio v.	1 S Tempora	1 M santo	1 G SS. Fil. e G. a.
2 G 8ª di S. Stef.	2 D Settuagesima	2 D 2ª di Q., Rem.	2 M santo	2 V S. Atanas. v.
3 V 8ª di S. Giov.	3 L Pur. di M. V.	3 L S. Cuneg. imp.	3 G Cena del Sig.	3 S Inv. di S. Cro.
4 S 8ª SS. Innoc.	4 M S. Andrea Co.	4 M S. Casimiro c.	4 V Parasceve	4 D 4ª, Cantate
5 D S. Telesf. pp.	5 M S. Agata v.	5 M	5 S santo	5 L S. Pio V pp.
6 L EPIFANIA	6 G S. Tito. S. Dor.	6 G	6 D PASQUA	6 M S. Gio. a. p. l.
7 M dell'8ª	7 V S. Romua. ab.	7 V S. Tom. d'Aq	7 L dell'Angelo	7 M S. Stanislao v.
8 M dell'8ª	8 S S. Giov. di M.	8 S S. Giov. di D.	8 M dell'8ª	8 G Ap. di S. Mic.
9 G dell'8ª	9 D Sessagesima	9 D 3ª di Q., Oculi	9 M dell'8ª	9 V S. Greg. Naz.
10 V dell'8ª	10 L S. Scolastica	10 L SS. 40 Martiri	10 G dell'8ª	10 S SS. Gor. ed E.
11 S dell'8ª	11 M	11 M S. Eulogio m.	11 V dell'8ª	11 D 5ª, Roga e
12 D 1ª d. l'Epif.	12 M	12 M S. Greg. I pp.	12 S dell'8ª	12 L Le Rogazioni
13 L 8ª dell'Epif.	13 G S. Cat. de Ric.	13 G	13 D 1ª d. P. in Alb.	13 M Le Rogazioni
14 M S. Ilar. S. Fel.	14 V S. Valent. m.	14 V S. Matilde reg.	14 L S. Tiburzio m.	14 M Le Rogazioni
15 M S. Paol. S. Ma.	15 S S. Fau. e Gio.	15 S S. Longino m.	15 M	15 G ASCEN. G. C.
16 G S. Marcello p.	16 D Quinquagesi.	16 D 4ª di Q., Læt.	16 M	16 V dell'8ª
17 V S. Antonio ab	17 L S. Silvino v.	17 L S. Patrizio	17 G S. Aniceto pp.	17 S dell'8ª
18 S Cat. S. Piet. R.	18 M S. Simeone v.	18 M	18 V S. Galdino v.	18 D 6ª d. P.. Exau.
19 D 2ª, SS. N. G.	19 M Le Ceneri	19 M S. Giuseppe	19 S S. Leone IX p.	19 L S. Pietro Cel.
20 L SS. Fab., Seb.	20 G S. Eleuter. m.	20 G	20 D 2ª, Miser. Dom	20 M
21 M S. Agnese v.	21 V S. Severiano	21 V S. Bened. ab.	21 L S. Anselmo v.	21 M S. Felice C.
22 M S. Vinc. e A.	22 S Cat. S. P. A.	22 S S. Paolo v.	22 M SS. Sot. e Caio	22 G 8ª dell'Ascen.
23 G Spos. di M. V.	23 D 1ª di Q., Invo.	23 D di Pas. Judic.	23 M S. Giorgio m.	23 V S. Desiderio v.
24 V S. Timoteo v.	24 L S. Mattia ap.	24 L	24 G S. Fedele Sig.	24 S Vigilia
25 S Conv. S. Paolo	25 M	25 M ANN. DI M.V.	25 V S. Marco Ev.	25 D PENTECOS.
26 D 3ª, Sac. Fam.	26 M Temp. di pri.	26 M	26 S SS. Cleto Mar.	26 L S. Pente.
27 L S. Giov. Cris.	27 G	27 G	27 D 3ª, P. S. Gius.	27 M dì Pente.
28 M S. Agnese 2ª f.	28 V Tempora	28 V B. V. Addolo.	28 L S. Vitale m.	28 M Temp. d'est.
29 M S. Frances. S.		29 S	29 M S. Pietro m.	29 G S. Massim.
30 G S. Martina v.		30 D dell. Palme	30 M S. Cat. da Sie.	30 V Tempora

GENNAIO bis.	FEBBRAIO bis.
1 M CIRCON. G C.	1 V S. Ignazio v.
2 M 8ª di S. Stef.	2 S Pur. di M. V.
3 G 8ª di S. Giov.	3 D Settuagesima
4 V 8ª SS. Innoc.	4 L S. Andrea Co.
5 S S. Telesf. pp.	5 M S. Agata v.
6 D EPIFANIA	6 M S. Tito v.
7 L dell'8ª	7 G S. Romualdo
8 M dell'8ª	8 V S. Giov. di M.
9 M dell'8ª	9 S S. Apollon. v.
10 G dell'8ª	10 D Sessagesima
11 V dell'8ª	11 L SS. Sett. Fon.
12 S dell'8ª	12 M
13 D 1ª d. l'Epif.	13 M
14 L S. Ilar. S. Fel.	14 G S. Valent. m.
15 M S. Pao. S. M	15 V SS. Fau e G.
16 M S. Marcello P.	16 S S. Giuliana v.
17 G S. Antonio ab.	17 D Quinquagesi.
18 V Cat. S. Piet. R.	18 L S. Simeone v.
19 S S. Canuto re	19 M S. Corrado c.
20 D SS. N. H Gras	20 M Le Ceneri
21 L S. Agnese v.	21 G S. Severia. v.
22 M S. Vinc. e A.	22 V Cat. S. P. A.
23 M Spos. di M. V.	23 S S. Pier. Dam.
24 G S. Timoteo v.	24 D 1ª di Q. Invo.
25 V Con. S. Paolo	25 L S. Mattia ap.
26 S Polica. v.	26 M
27 D 3ª, Sac. Fa n.	27 M Temp. di pri.
28 L S. Agnese 2ª f.	28 G
29 M S. Frances. S.	29 V Tempora
30 M S. Martina v.	

GIUGNO	LUGLIO	AGOSTO	SETTEMBRE	OTTOBRE	NOVEMBRE	DICEMBRE
1 D 1ª, SS. Trinità	1 M Sⁿ di S. Gio. B.	1 V S. Pietro in v.	1 L S. Egidio ab.	1 M S. Remigio v.	1 S OGNISSANTI	1 L
2 L SS. Marc. e P.	2 M Vis. di M. V.	2 S S. Alfonso L.	2 M S. Stefano re	2 G SS. Angeli C.	2 D 23ª d. Pentec.	2 M S. Bibiana v.
3 M S. Clotilde reg.	3 G S. Marziale v.	3 D 10ª d. Pentec.	3 M	3 V	3 L Comm. Def.	3 M S. Franc. Sav.
4 M	4 V dell'8ª	4 L S. Dom. di G.	4 G S. Rosalia v.	4 S S. Fran. d'As.	4 M S. Carlo Bor.	4 G S. Barb. m.
5 G CORPUS DO.	5 S dell'8ª	5 M S. Maria di N.	5 V S. Lorenzo G.	5 D 19ª, B. V. Ros.	5 M dell'8ª	5 V S. Sabba ab.
6 V S. Norbert. v.	6 D 6ª d. Pentec.	6 M Trasf. di G. C.	6 S	6 L S. Brunone c.	6 G dell'8ª	6 S S. Nicolò v.
7 S dell'8ª	7 L	7 G S. Gaetano T.	7 D 15ª d. Pentec.	7 M S. Marco pp.	7 V dell'8ª	7 D 2ª d'Avv. Ro.
8 D 2ª d. Pentec.	8 M S. Elisab. reg.	8 V SS. Cir. e c. m.	8 L Nat. di M. V.	8 M S. Brigida v.	8 S 8ª Ognissanti	8 L Imm. C. M. V.
9 L SS. Pri. e Fel.	9 M	9 S S. Roman. m.	9 M S. Gorgon. m.	9 G SS. Dion. R. E.	9 D 24ª, Pat. M. V.	9 M dell'8ª
10 M S. Marg. Reg.	10 G SS. Sett. fr. m.	10 D 11ª, S. Loren.	10 M S. Nic. Tol. c.	10 V S. Fran. B.	10 L S. Andrea Av.	10 M dell'8ª
11 M S. Barn. ap.	11 V S. Pio I pp.	11 L SS. Tib. e Sus.	11 G SS. Pr. e Giac.	11 S	11 M S. Martino v.	11 G dell'8ª
12 G 8ª Cor. Dom.	12 S S. Giov. Gua.	12 M S. Chiara v.	12 V	12 D 20ª, Mat.M.V.	12 M S. Mart. pp.	12 V dell'8ª
13 V S. CUORE G.	13 D 7ª d. Pentec.	13 M S. Cassic. m.	13 S	13 L S. Edoardo re	13 G S. Didaco c.	13 S S. Lucia v.
14 S S. Basil. M. v.	14 L S. Bonav. d.	14 G S. Eusebio pr.	14 D Esalt. S. Cro.	14 M S. Calisto pp.	14 V	14 D 3ª d'Avv. Ro.
15 D 3ª d. Pentec. P. Cuore di M.	15 M S. Enric. imp.	15 V 5ª ASSUN. M. V.	15 L 8ª d. N.M.V.	15 M S. Teresa v.	15 S S. Geltrude v.	15 L 8ª d'Imm. C.
16 L	16 M B. V. del Car.	16 S S. Giacinto c.	16 M SS. Corn. e c.	16 G S. Gallo ab.	16 D 25ª, [Avv. A.]	16 M S. Eusebio v.
17 M	17 G S. Alessio c.	17 D 12ª, S. Gioac.	17 M Temp. d'aut.	17 V S. Edvige r.	17 L S. Greg. tau.	17 M Temp. d'inv.
18 M SS. Mar. e M.	18 V S. Camillo L.	18 L S. Agapito m.	18 G S. Gius. C.	18 S S. Luca Ev.	18 M D. b. ss. P.. P.	18 G Asp. Div. P.
19 G SS. Ger. e Pr.	19 S S. Vincen. P.	19 M	19 V S. Gennaro T.	19 D 21ª, Pur. M. V.	19 M S. Elisabetta	19 V S. Nemesio T.
20 V S. Silver. pp.	20 D 8ª d. Pentec.	20 M S. Bernar. ab.	20 S S. Eust. m. T.	20 L S. Giovan. C.	20 G S. Felice Val.	20 S S. Teofilo T.
21 S S. Luigi G.	21 L S. Prassede v.	21 G S. Gio. di Ch.	21 D 17ª, Dol. M. V.	21 M SS. Orsol. e C.	21 V Pres. di M. V.	21 D 4ª d'Avv. Ro.
22 D 4ª d. Pentec.	22 M S. Maria Mad.	22 V 8ª Ass. M. V.	22 L S. Mauri C.	22 M	22 S S. Cecilia v.	22 L
23 L Vigilia	23 M S. Apollin. v.	23 S S. Filip. Ben.	23 M S. Lino pp.	23 G S. Severino v.	23 D 26ª, d. Pentec.	23 M
24 M Nat. S. G. B.	24 G S. Cristina v.	24 D 13ª d. Pentec.	24 M B. V. d. Merc.	24 V	24 L S. Gio. d. Cr.	24 M Vigilia
25 M S. Gugl. ab.	25 V S. Giac. ap.	25 L S. Luigi re	25 G S. Firmino v.	25 S SS. Crisan. D.	25 M S. Caterina v.	25 G NATALE G. C.
26 G SS. Gio. e Pa.	26 S S. Anna	26 M S. Zefirino p.	26 V SS. Cip. e Giu.	26 D 22ª d. Pentec.	26 M S. Pietro Aless.	26 V S. Stef. prot.
27 V S. Ladislao re	27 D 9ª d. Pentec.	27 M S. Gius. Cal.	27 S SS. Cos. e D.	27 L Vigilia	27 G	27 S S. Gior. ev.
28 S S. Leone II p.	28 L SS. Naz. e c.	28 G S. Agost. v. d.	28 D 18ª d. Pentec.	28 M SS. Sim. e G.	28 V	28 D SS. Innocenti
29 D SS. Piet. e Pa.	29 M S. Marta v.	29 V Dec. di S.G.B.	29 L S. Michele A.	29 M	29 S S. Saturn. m.	29 L S. Tomm. C.
30 L Comm. S. Pa.	30 M SS. Abd., Sen.	30 S S. Rosa da L.	30 M S. Girol. d.	30 G	30 D 1ª d'Avv. Ro.	30 M dell'8ª
	31 G S. Ignazio L.	31 D 14ª d. Pentec.		31 V Vigilia		31 M S. Silves. pp.

Pasqua 7 Aprile. – Anni: 71, 76*, 155, 166, 239¹ 250, 261, 323, 334, 345, 356*, 418, 429, 440*, 513, 524*, 603, 608*, 687, 698, 771, 782, 793, 855, 866, 877, 898*, 950, 961, 972*, 1045, 1056*, 1135, 1140*, 1219, 1230, 1303, 1314, 1325, 1387, 1398, 1409, 1420*, 1482, 1493, 1504*, 1577, 1602, 1613, 1624*, 1697, 1765, 1776*, 1822, 1833, 1844*, 1901, 1912*, 1985, 1996*, 2075, 2080*, 2137, 2148*, 2205, 2216*. ecc.

GENNAIO bis.	FEBBRAIO bis.	GENNAIO	FEBBRAIO	MARZO	APRILE	MAGGIO
1 L S. Circon. G. C.	1 G S. Ignazio v.	1 M CIRCON. G. C.	1 V S. Ignazio v.	1 V Tempora	1 L Santo	1 M SS. Fil. e G. a.
2 M 8ª di S. Stef.	2 V Pur. di M. V.	2 M 8ª di S. Stef.	2 S Pur. di M. V.	2 S Tempora	2 M santo	2 G S. Atanas. v.
3 M 8ª di S. Giov.	3 S S. Biagio	3 G 8ª di S. Giov.	3 D Settuagesima	3 D 2ª di Q., Rem.	3 M santo	3 V Inv. di S. Cro.
4 G 8ª SS. Innoc.	4 D Settuagesima	4 V 8ª SS. Innoc.	4 L S. Andrea Cor.	4 L S. Casimiro c.	4 G S. Cena del Sig.	4 S S. Monica ved.
5 V S. Telesf. pp.	5 L S. Agata v.	5 S S. Telesf. pp.	5 M S. Agata v.	5 M	5 V Parascere	5 D 4ª, Cantate
6 S EPIFANIA	6 M S. Tito v.	6 D EPIFANIA	6 M S. Tito. S. Dor.	6 M	6 S santo	6 L S. Gio. a. p. l.
7 D I⁴ d. l'Epif.	7 M S. Romualdo	7 L dell'8ª	7 G S. Romua. ab.	7 G S. Tom. d'Aq.	7 D PASQUA	7 M S. Stanislao v.
8 L dell'8ª	8 G S. Giov. di M.	8 M dell'8ª	8 V S. Giov. di M	8 V S. Giov. di D.	8 L dell'Angelo	8 M Ap. di S. Mic.
9 M dell'8ª	9 V S. Apollon. v.	9 M dell'8ª	9 S S. Apollon. v.	9 S S. Franc. Ro.	9 M dell'8ª	9 G S. Greg. Naz.
10 M dell'8ª	10 S S. Scolastica	10 G dell'8ª	10 D Sessagesima	10 D 3ª di Q., Ocul	10 M dell'8ª	10 V 88. Gor. ed E.
11 G dell'8ª	11 D Sessagesima	11 V dell'8ª	11 L	11 L S. Eulogio m.	11 G S. Leone I pp.	11 S S. Mamert. v.
12 V S. Modesto m.	12 L	12 S S. Modesto m.	12 M	12 M S. Greg. I pp.	12 V dell'8ª	12 D 5ª, Rogate
13 S 8ª dell'Epif.	13 M	13 D I⁴ d. l'Epif.	13 M S. Cat. de Ric.	13 M	13 S dell'8ª	13 L Le Rogazioni
14 D SS. N. di Gesù	14 M S. Valent. m.	14 L S. Ilar. S. Fel.	14 G S. Valent. m.	14 G S. Matilde reg.	14 D I⁴ d. P., in Alb.	14 M S. Bonif. Rog.
15 L S. Paol. S. M.	15 G SS. Fau. e G.	15 M S. Paol. S. Ma.	15 V SS. Fau. e Gio.	15 V S. Longino m.	15 L	15 M Rogaz.
16 M S. Marcello p.	16 V S. Silvino v.	16 M S. Marcello p.	16 S	16 S	16 M	16 G ASCEN. G. C.
17 M S. Antonio ab.	17 S Quinquages.	17 G S. Antonio ab.	17 D Quinquages.	17 D 4ª di Q., Laet.	17 M S. Aniceto pp.	17 V dell'8ª
18 G Cat. S. Piet. R.	18 D Quinquages.	18 V Cat. S. Piet. R.	18 L S. Simeone v.	18 L	18 G	18 S S. Venan. m.
19 V S. Canuto re	19 L S. Corrado c.	19 S S. Canuto re	19 M	19 M S. Giuseppe	19 V S. Leone IX p.	19 D 6ª d. P., Exau.
20 S SS. Fab. Seb.	20 M	20 D 2ª SS. N. G.	20 M Le Ceneri	20 M	20 S	20 L S. Bern. da S.
21 D 3ª, Sac. Fam.	21 M Le Ceneri	21 L S. Agnese v.	21 G S. Serveriano	21 G S. Bened. ab.	21 D 2ª, Miser. Dom	21 M S. Felice C.
22 L SS. Vinc. e A.	22 G Cat. S. Piet. A.	22 M SS. Vinc. e A.	22 V Cat. S. Piet. A.	22 V S. Paolo v.	22 L SS. Sot. e Caio	22 M S. Emilio m.
23 M Spos. di M. V.	23 V S. Pier Dam.	23 M Spos. di M. V.	23 S S. Pier Dam.	23 S	23 M S. Giorgio m.	23 G 8ª dell'Ascen.
24 M S. Timoteo v.	24 S Vigilia	24 G S. Timoteo v.	24 D I⁴ di Q., Inno.	24 D Di Pas. Indic.	24 M S. Fedele Sig.	24 V S. Donaz. v.
25 G Conv. S. Paolo	25 D I⁴ di Q., Inno.	25 V Conv. S. Paolo	25 L	25 L ANN. di M. V.	25 G S. Marco Ev.	25 S Vigilia
26 V S. Policar. v.	26 L	26 S S. Policar. v.	26 M	26 M	26 V SS. Cleto Mar.	26 D PENTECOS.
27 S S. Giov. Cris.	27 M	27 D 3ª, Sac. Fam.	27 M Temp. di pri.	27 M	27 S	27 L dell Penter.
28 D 4ª d. l'Epif.	28 M Temp. di pri.	28 L S. Agnese 2ª f.	28 G	28 G	28 D 3ª, P. S. Gius.	28 M di Penter.
29 L S. Frances. S.	29 G	29 M S. Frances. S.		29 V B. V. Addolo.	29 L S. Pietro m.	29 M Temp. d'est.
30 M S. Martina v.		30 M S. Martina v.		30 S	30 M S. Cat. da Sie.	30 G dell'8ª
31 M S. Pietro Nol.		31 G S. Pietro Nol.		31 D delle Palme		31 V dell'8ª Temp.

GIUGNO	LUGLIO	AGOSTO	SETTEMBRE	OTTOBRE	NOVEMBRE	DICEMBRE
1 S Temp.	1 L 16ª di S. Gio. B.	1 G S. Pietro in v.	1 D 14ª d. Pentec.	1 M S. Remigio v.	1 V OGNISSANTI	1 D 1ª d'Avv. Ro.
2 D 1ª SS. Trinita	2 M Vis. di M. V.	2 V S. Alfonso L.	2 L S. Stefano re	2 M SS. Angeli C.	2 S Comm. Dej.	2 L S. Bibiana v.
3 L S. Clotilde reg.	3 M S. Marziale v.	3 S Inv. di S. Ste.	3 M	3 G S. Calim. v.	3 D 23ª d. Pentec.	3 M S. Franc. Sav.
4 M S. Fran. Car.	4 G S. Ireneo v.	4 D 10ª d. Pentec.	4 M S. Rosalia v.	4 V S. Fran. d'As.	4 L S. Carlo Bor.	4 M S. Barb. m.
5 M S. Bonifacio v.	5 V	5 L S. Maria d. N.	5 G S. Lorezzo G.	5 S SS. Placid. C.	5 M dell'8ª	5 G S. Sabba ab.
6 G CORPUS DO.	6 D 8ª SS. A. P. P.	6 M Trasf. di G. C.	6 V	6 D 19ª, B. V. Ros.	6 M dell'8ª	6 V S. Nicolò v.
7 V dell'8ª	7 L 7ª d. Pentec.	7 M S. Gaetano T.	7 S	7 L S. Marco pp.	7 G dell'8ª	7 S S. Ambrogio v.
8 S dell'8ª	8 M S. Elrab. reg	8 G SS. Cir. e c. m.	8 D 15ª, N. M. V.	8 M S. Brigida v.	8 V 8ª Ognissanti	8 D Imm. C. M. V.
9 D 2ª d. Pentec.	9 M	9 V S. Roman. m.	9 L S. Gorgon. m.	9 M SS. Dion. R. F.	9 S S. Teodoro m.	9 L dell'8ª
10 L S. Marg. Reg.	10 M SS. Sett. fr. m.	10 S S. Lorenzo m.	10 M S. Nic. Tol. c.	10 G S. Franc. B.	10 D 24ª. Pat. M. V.	10 M dell'8ª
11 M S. Barn. ap.	11 G S. Pio I pp.	11 D 11ª d. Pentec.	11 M SS. Pr. e Giac.	11 V	11 L S. Martino v.	11 M S. Dam. I pp.
12 M S. Gio. d. S. F.	12 V S. Giov. Gual.	12 L S. Chiara v.	12 G S. Guido sag.	12 S	12 M S. Mart. pp.	12 G S. Valer. ab.
13 G S. Cor. Dom.	13 S S. Anacl. pp.	13 M S. Cassia. m.	13 V dell'8ª	13 D 20ª, M. M. V.	13 M S. Diduco c.	13 V S. Lucia v.
14 V S. CUORE G.	14 D 7ª d. Pentec.	14 M S. Eusebio pr.	14 S Esalt. S. Cr.	14 L S. Calisto pp.	14 G S. Gioeat v.	14 S S. Spiridione
15 S SS. Vito e M.	15 L S. Enric. imp.	15 G ASSUN. M. V.	15 D 16ª, SS. N. M.	15 M S. Teresa v.	15 V S. Gertrude v.	15 D 3ª d'Avv. Ro.
16 D 3ª d. Pentec. P. Cuore di M.	16 M B. V. del Car.	16 V S. Giacinto c.	16 L SS. Corn. e C.	16 M S. Gallo ab.	16 S	16 L S. Eusebio v.
17 L	17 M S. Alessio C.	17 S 9ª S. Lorenzo	17 M Stim. S. Fra.	17 G S. Edvige r.	17 D 25ª. (Avv. A.)	17 M S. Lazzaro v.
18 M SS. Mar. e M.	18 G S. Camillo L.	18 D 12ª, S. Gioa.	18 M Temp. d'aut.	18 V S. Luca Ev.	18 L D. b., ss P. P.	18 M Temp. d'inv.
19 M SS. Ger. e Pr.	19 V S. Vincen. P.	19 L	19 G S. Gennaro	19 S S. Piet. d'Alc.	19 M S. Elisabetta	19 G S. Nemes. m.
20 G S. Silver. pp.	20 S S. Margh. v.	20 M S. Bernar. ab.	20 V S. Eustac. T.	20 D 21ª, Pur. M. V.	20 M S. Felice Val	20 V Tempora
21 V S. Luigi G.	21 D 8ª d. Pentec.	21 M S. Gio. di Ch.	21 S S. Matteo T.	21 L SS. Orsol. e C.	21 G Pres. di M. V.	21 S Tempora
22 S S. Paolino v.	22 L S. Maria Mad.	22 G 9ª Ass. M. V.	22 D 17ª, Dol. M. V.	22 M	22 V S. Cecilia v.	22 D 3ª d'Avv. Ro.
23 D 4ª d. Pentec.	23 M S. Apollin. v.	23 V S. Filip. Ben.	23 L S. Lino p.	23 G S. Severin. v.	23 S S. Clem. I p.	23 L
24 L Nat. S. G. B.	24 M S. Cristina v.	24 S S. Bartol. ap.	24 M B. V. d. Merc.	24 G S. Rafaele A.	24 D 26ª d. Pentec.	24 M Vigilia
25 M S. Gugl. ab.	25 G S. Giac. ap.	25 D 13ª d. Pentec.	25 M S. Firmino v.	25 V S. Crisan. d.	25 L S. Cater. v.	25 M NATALE G.C.
26 M SS. Gio. e Pa.	26 V S. Anna	26 L S. Zefirino p.	26 G SS. Cip., Giu.	26 S S. Evarist. pp.	26 M S. Pietro Al.	26 G S. Stef. prot.
27 G S. Ladislao re	27 S S. Pantal. m.	27 M S. Giu. Cal.	27 V SS. Cos., e D.	27 D 22ª d. Pentec.	27 M	27 V S. Giov. ev.
28 V S. Leone II p.	28 D 9ª d. Pentec.	28 M S. Agost. v. d.	28 S S. Venceslao m	28 L SS. Sim. e G.	28 G	28 S SS. Innoc. m.
29 S SS. P. e P. ap.	29 L S. Marta v.	29 G Dec. di S. G.B.	29 D 18ª d. Pentec.	29 M	29 V S. Saturn. m.	29 D S. Tom. C. v.
30 D 5ª d. Pentec.	30 M SS. Abd.. Sen.	30 V S. Rosa da L.	30 L S. Girol. d.	30 M	30 S S. Andrea ap.	30 L dell'8ª
	31 M S. Ignazio L.	31 S S. Raim. Non.	31 G Vigilia	31 G Vigilia		31 M S. Silves. pp.

Pasqua 8 Aprile. – Anni: 3, 8*, 11, 87, 98, 109, 171, 182, 193, 204*, 255, 266, 277, 288*, 350, 361, 372*, 445, 451, 456*, 535, 540*, 546, 619, 630, 641, 703, 714, 725, 736*, 787, 798, 809, 820*, 882, 893, 904*, 977, 983, 988*, 1067, 1072*, 1078, 1151, 1162, 1173, 1235, 1246, 1257, 1268*, 1319, 1330, 1341, 1352*, 1414, 1425, 1436*, 1509, 1515, 1520*, 1635, 1640*, 1703, 1708*, 1787, 1792*, 1798, 1849, 1855, 1860*, 1917, 1928*, 2007, 2012*, 2091, 2159, 2164*, ecc.

#	GENNAIO	FEBBRAIO	MARZO	APRILE	MAGGIO
1	L CIRCON. G. C.	G S. Ignazio v.	G S. Albino v.	D[4a] de Palme	M SS. Fil. e G. a.
2	M SS. di S. Stef.	V Pur. di M. V.	V S. Simplic. T.	L santo	M S. Atanas. v.
3	M S[ma] di S. Giov.	S S. Biagio v.	S S. Cunego. T.	M santo	G Inv. di S. Cro.
4	G SS. Innoc.	D Settuagesima	D[2a] di Q. Rem.	M santo	V S. Mon. ved.
5	V S. Telesf. pp.	L S. Agata v.	L	G Cena del Sig.	S S. Pio V pp.
6	S EPIFANIA	M S. Tito S. Dor.	M	V Parascere	D[4a] Cantate
7	D[1a] d. l'Epif.	M S. Romua. ab.	M S. Tom. d'Aq.	S santo	L S. Stanislao v.
8	L dell'8a	G S. Giov. di M.	G S. Giov. di D.	D PASQUA	M Ap. di S. Mic.
9	M dell'8a	V S. Apollon. v.	V S. Franc. Ro.	L dell'Angelo	M S. Greg. Naz.
10	M dell'8a	S S. Scolastica	S SS. 40 Mart.	M dell'8a	G SS. Gor. ed E.
11	G dell'8a	D Sessagesima	D[3a] di Q. Oculi	M dell'8a	V S. Mamert. v.
12	V dell'8a	L	L	G SS. Greg. I pp.	S dell'8a
13	S dell'Epi.	M	M	V dell'8a	D[5a] Rogate
14	D[2a] SS. N. di G.	M S. Valent. m.	M S. Matilde reg.	S S. Giusti. m.	L Le Rogazioni
15	L S. Paol. S. M.	G SS. Fau. e Gio.	G S. Longino m.	D[1a] in Albis	M S. Isidoro Rog.
16	M S. Marcello p.	V	V	L	M S. Giov. Rog.
17	M S. Antonio ab.	S S. Silvino v.	S S. Patrizio v.	M S. Aniceto pp.	G ASCEN. G. C.
18	G Cat. S. Piet. R.	D Quinquages.	D[4a] di Q. Laet.	M	V dell'8a
19	V S. Canuto re	L	L S. Giuseppe	G S. Leone IX p.	S S. Pietro Cel.
20	S SS. Fab. e Seb.	M	M	V	D[6a] A. P. Erau.
21	D[3a] S. Agnese v.	M Le Ceneri	M S. Benef. ab.	S S. Anselmo v.	L S. Felice C.
22	L SS. Vinc. An.	G Cat. S. Piet. A.	G S. Paolo v.	D[2a] Miser. Dom.	M S. Emilio m.
23	M Spos. di M. V.	V S. Pier Dam.	V	L S. Giorgio m.	M S. Desiderio v.
24	M S. Timoteo v.	S S. Mattia ap.	M S. Simeone m.	M S. Fedele Sig.	G[2a] dell'Ascen.
25	G Conv. S. Paolo	D[1a] di Q.. Invo.	M D ANN. DI M. V.	M S. Marco Ev.	V S. Gre. VII P.
26	V S. Policar. v.	L	L	G SS. Cleto Mar.	S Vigilia
27	S S. Giov. Cris.	M	M	V	D PENTECOS.
28	D[4a] d. l'Epif.	M Temp. di pri.	M	S S. Vitale m.	L di Pentec.
29	L S. Fran. di S.		G	D[3a] Pat. di S.G.	M di Pentec.
30	M S. Martina v.		V B. V. Addolo.	L S. Cater. da S.	M Temp. d'est.
31	M S. Pietro Nol.		S		G dell'8a

#	GENNAIO bis	FEBBRAIO bis
1	D CIRCON. G. C.	M S. Ignazio v.
2	L SS. di S. Stef.	G Pur. di M. V.
3	M S[ma] di S. Giov.	V S. Biagio v.
4	M SS. Innoc.	S S. Andrea Co.
5	G S. Telesf. pp.	D Settuagesima
6	V EPIFANIA	L S. Tito v.
7	S dell'8a	M S. Romualdo
8	D[1a] d. l'Epif.	M S. Giov. di M.
9	L dell'8a	G S. Apollon. v.
10	M dell'8a	V S. Scolast. v.
11	M dell'8a	S SS. Set. Fond.
12	G dell'8a	D Sessagesima
13	V S[a] dell'Epi.	L
14	S S. Ilar S. Fel.	M S. Valent. m.
15	D SS. N. di Gesù	M SS. Fau. e G.
16	L S. Marc. I pp.	G S. Giuliana v.
17	M S. Antonio ab.	V S. Silvino v.
18	M Cat. S. Piet. R.	S S. Simeone v.
19	G S. Canuto re	D Quinquagesi.
20	V SS. Fab. e Seb.	L
21	S S. Agnese v.	M Le Ceneri
22	D[2a] Sac. Fam.	M Sac. Fam.
23	L Spos. di M. V.	G S. Pier Dam.
24	M Vigilia	V Vigilia
25	M S. Mattia ap.	S S. Mattia ap.
26	G[1a] di Q.. Invo.	D[1a] di Q.. Invo.
27	V	L
28	S S. Agnese 2a.	M
29	D[3a] d. l'Epif.	M Temp. di pri.
30	L S. Martina v.	
31	M S. Pietro Nol.	

	GIUGNO	LUGLIO	AGOSTO	SETTEMBRE	OTTOBRE	NOVEMBRE	DICEMBRE
1	V S. Panfilom. T.	D 5ª d. Pentec.	M S. Pietro in v.	S S. Egidio ab.	L S. Remigio v.	G OGNISSANTI	S S. Eligio v.
2	S SS. Marc. e C. T.	L Vis. di M. V.	G S. Alfonso L.	D 14ª d. Pentec.	M SS. Angeli C.	V Comm. Def.	D 1ª d'Avv. Ro.
3	D 1ª, SS. Trinità	M S. Marzial. v.	V Inv. di S. Ste.	L	M S. Calim. v.	S S. Uberto v.	L S. Franc. Sav.
4	L	M S. Ireneo v.	S S. Dom. di G.	M	G S. Fran. d'As.	D 23ª, S. Carlo	M S. Barb. m.
5	M S. Bonifacio v.	G	D 10ª, d. Pentec.	M S. Lorenzo G.	V SS. Placid. C.	L dall'8ª	M S. Sabba ab.
6	M S. Norbert. v.	V 8ª SS. A. P. P.	L Trasf. di G. C.	G Tras. S. Ag. C.	S S. Brunone c.	M dall'8ª	G S. Nicolò v.
7	G CORPUS DO.	S S. Pulcheria	M S. Gaetano T.	V	D 19ª, B. V. Ros.	M S. Prosdoc. v.	V S. Ambrogio v.
8	V dall'8ª	D 6ª d. Pentec.	M SS. Cir. e c. m.	S Nat. di M. V.	L S. Brigida v.	G 8ª Ognissanti	S Imm. C. M. V.
9	S SS. Pri. e Fel.	L	G S. Roman. m.	D 15ª d. Pentec.	M S. Dion. R. E.	V S. Teodoro m.	D 2ª d'Avv. Ro.
10	D 2ª d. Pentec.	M SS. Sett. fr. m	V S. Lorenzo m.	L S. Nic. Tol. c.	M S. Fran. B.	S S. Andrea Av.	L dall'8ª
11	L S. Barn. ap.	M S. Pio I pp.	S SS. Tib. e Sus	M SS. Pr. e Giac.	G	D 24ª, Pat. M. V.	M S. Dam. I pp.
12	M S. Gio. d. S. F.	G S. Giov. Gua.	D 11ª d. Pentec.	M dall'8ª	V	L S. Mart. pp.	M S. Valer. ab.
13	M S. Ant. di Pa.	V S. Anacl. pp.	L S. Cassia. m.	G S. Eulogio p.	S S. Edoardo re	M S. Didaco c.	G S. Lucia v.
14	G 8ª Cor. Dom.	S S. Bonav. d.	M S. Eusebio pr.	V Esalt. S. Cro.	D 20ª, Mat. M. V.	M S. Giosaf. v.	V S. Spiridione
15	V S. CUORE G.	D 7ª d. Pentec.	M ASSUN. M. V.	S 8ª d. N. M. V.	L S. Teresa v.	G S. Geltrude v.	S 8ª d. Imm. C.
16	S	L B. V. del Car.	G S. Giacinto c.	D 16ª, Dol. M. V.	M S. Gallo ab.	V	D 3ª d'Avv. Ro.
17	D 3ª d. Pentec. P. Cuore di M.	M S. Alessio c.	V 9ª S. Lorenzo	L Stim. S. Fra.	M S. Edvige v.	S S. Greg. tau.	L S. Lazzaro v.
18	L SS. Mar. e M.	M S. Camillo L.	S S. Agapito m.	M SS. Gius. da C.	G S. Luca Ev.	D 25ª, [Arr. A.]	M Asp. Div. P.
19	M SS. Ger. e Pr.	G S. Vincen. P.	D 12ª, S. Gioac.	M Temp. d'aut.	V S. Piet. d'Alc.	L S. Elisabetta	M Temp. d'inv.
20	M S. Silver. pp.	V S. Marg. v.	L S. Bernar. ab.	G S. Eustac.	S S. Giovan. C.	M S. Felice Val.	G S. Teofilo m.
21	G S. Luigi G.	S S. Prassede v.	M S. Gio. di Ch.	V S. Matteo T.	D 21ª, Pur. M. V.	M Pres. :li M. V.	V Tempora
22	V S. Paolino v.	D 8ª d. Pentec.	M	S	L	G S. Cecilia v.	S Tempora
23	S Vigilia	L S. Apollin. v.	G S. Filip. Ben.	D 17ª d. Pentec.	M S. Severin. v.	V S. Clem. I p.	D 4ª d'Avv. Ro.
24	D Nat. S. Gio.	M S. Cristina v.	V S. Bartol. ap.	L B. V. d. Merc.	M S. Rafaele A.	S S. Gio d. Cr.	L Vigilia
25	L S. Gugl. ab.	M S. Giac. ap.	S S. Luigi re	M	G SS. Crisan. D.	D 26ª d. Pentec.	M NATALE G. C.
26	M SS. Gio e Pa.	G S. Anna	D 13ª d. Pentec.	M SS. Cip., Giu.	V S. Evarist. pp.	L S. Pietro Al.	M S. Stef. prot.
27	M S. Ladislao re	V S. Pantal. m.	L S. Gius. Cal.	G SS. Cos. e D.	S Vigilia	M	G S. Giov. ev.
28	G S. Leone II p.	S SS. Naz. e C.	M S. Agost. v. d.	V S. Vences. m.	D 22ª d. Pentec.	M	V SS. Innocenti
29	V SS. Pie. e Pa.	D 9ª d. Pentec.	M Dec. d. S. G. B.	S S. Michele A.	L	G S. Saturn. m.	S S. Tomm. C.
30	S Comm. S. Pa.	L SS. Abd., Sen.	G S. Rosa da I.	D 18ª d. Pentec.	M	V S. Andrea ap.	D dall'8ª
31		M S. Ignazio L.	V S. Raim. Non.		M Vigilia		L S. Silves. pp.

Pasqua 9 Aprile. – Anni: 19, 30, 41, 103, 114, 125, 136*, 198, 209, 220*, 293, 304*, 383, 388*, 467, 478, 551, 562, 573, 635, 646, 657, 668*, 730, 741, 752*, 825, 836*, 915, 920*, 999, 1010, 1083, 1094, 1105, 1167, 1178, 1189, 1200*, 1262, 1273, 1284*, 1357, 1368*, 1447, 1452*, 1531, 1542, 1651, 1662, 1719, 1730, 1871, 1882, 1939, 1944*, 1950, 2023, 2034, 2045, 2102, 2175, 2186, 2197, 2243, ecc.

GENNAIO bis.	FEBBRAIO bis.	GENNAIO	FEBBRAIO	MARZO	APRILE	MAGGIO
1 S CIRCON. G. C.	1 M S. Ignazio v.	1 D CIRCON. G. C.	1 M S. Ignazio v.	1 M Temp. di pri.	1 S	1 L SS. Fil. e G. a.
2 D ss. di S. Stef.	2 M Pur. di M. V.	2 L ss. di S. Stef.	2 G Pur. di M. V.	2 G	2 D delle Palme	2 M S. Atanas. v.
3 L ss. di S. Giov.	3 G S. Biagio v.	3 M ss. di S. Giov.	3 V S. Biagio v.	3 V S. Cuneg. T.	3 L Santo	3 M Inv. di S. Cro.
4 M ss. SS. Innoc.	4 V S. Andrea Co.	4 M ss. SS. Innoc.	4 S S. Andrea Co.	4 S S. Casimiro T.	4 M Santo	4 G S. Monica ved.
5 M S. Telesf. pp.	5 S S. Agata v.	5 G S. Telesf. pp.	5 D Settuagesima	5 D 2ª di Q., Rem.	5 M Santo	5 V S. Pio V pp.
6 G EPIFANIA	6 D Settuagesima	6 V EPIFANIA	6 L S. Tito S. Dor.	6 L	6 G Cena del Sig.	6 S S. Gio. a. p. l.
7 V dell'8ª	7 L S. Romualdo	7 S dell'8ª	7 M S. Romua. ab.	7 M S. Tom. d'Aq.	7 V Parasceve	7 D 4ª, Cantate
8 S dell'8ª	8 M S. Giov. di M.	8 D 1ª d. l'Epif.	8 M S. Giov. di M.	8 M S. Giov. di D.	8 S santo	8 L Ap. di S. Mic.
9 D 1ª d. l'Epif.	9 M S. Apollon. v.	9 L dell'8ª	9 G S. Apollon. v.	9 G S. Franc. Ro.	9 D PASQUA	9 M S. Greg. Naz.
10 L dell'8ª	10 G S. Scolastica	10 M dell'8ª	10 V S. Scolastica	10 V SS. 40 Mart.	10 L dell'Angelo	10 M SS. Gor. ed E.
11 M dell'8ª	11 V SS. Set. Fond.	11 M dell'8ª	11 S	11 S S. Eulogio m.	11 M dell'8ª	11 G S. Mamert. v.
12 M dell'8ª	12 S	12 G dell'8ª	12 D Sessagesima	12 D 3ª di Q., Oculi	12 M dell'8ª	12 V SS. Ner. C. M.
13 G 8ª dell'Epif.	13 D Sessagesima	13 V 8ª dell'Epif.	13 L S. Cat. de Ric.	13 L	13 G dell'8ª	13 S S. Servazio v.
14 V S. Ilar. S. Fel.	14 L S. Valent. m.	14 S S. Ilar. S. Fel.	14 M S. Valent. m.	14 M S. Matilde reg.	14 V S. Tiburzio m.	14 D 5ª, Rogate
15 S S. Paolo er.	15 M SS. Fau. e G.	15 D SS. N. di G.	15 M SS. Fau. e Gio.	15 M S. Longino m.	15 S dell'8ª	15 L Le Rogazioni
16 D SS. N. di Gesù	16 M S. Giuliana v.	16 L S. Marcello P.	16 G	16 G	16 D 1ª d. P., in Alb.	16 M S. Ubaldo Rog.
17 L S. Antonio ab.	17 G S. Silvino v.	17 M S. Antonio ab.	17 V S. Silvino v.	17 V S. Patrizio v.	17 L S. Aniceto pp.	17 M 5ª, Pasq. Rog.
18 M Cat. S. Piet. R.	18 V S. Simeone v.	18 M Cat. S. Piet. R.	18 S S. Simeone v.	18 S	18 M S. Galdino v.	18 G ASCEN. G. C.
19 M S. Canuto re	19 S S. Corrado c.	19 G S. Canuto re	19 D Quinquages.	19 D 4ª di Q., Laet.	19 M S. Leone IX p.	19 V S. Pietro Cel.
20 G SS. Fab. Seb.	20 D Quinquages.	20 V SS. Fab. Seb.	20 L S. Eleuterio m.	20 L	20 G	20 S S. Bern. da S.
21 V S. Agnese v.	21 L S. Severia. v.	21 S S. Agnese v.	21 M S. Severiano	21 M S. Bened. ab.	21 V S. Anselmo v.	21 D 6ª d. P., Exau.
22 S SS. Vinc. e t.	22 M Cat. S. Piet. A.	22 D 3ª, Sac. Fam.	22 M Le Ceneri	22 M S. Paolo v.	22 S SS. Sot. e Caio	22 L S. Emilio m.
23 D 3ª, Sac. Fam.	23 M Le Ceneri	23 L S. Spos. di M. V.	23 G S. Pier Dam.	23 G	23 D 2ª, Miser. Dom	23 M S. Desiderio v.
24 L S. Timoteo v.	24 G Vigilia	24 M S. Timoteo v.	24 V S. Mattia ap.	24 V Vigilia	24 L S. Fedele Sig.	24 M S. Donaz. v.
25 M Conv. S. Paolo	25 V S. Mattia ap.	25 M Conv. S. Paolo	25 S	25 S ANN. di M. V.	25 M S. Marco Ev.	25 G 8ª dell'Ascen.
26 M S. Policar. v.	26 S	26 G S. Policar. v.	26 D 1ª di Q., Inv.	26 D di Pas. Indic.	26 M SS. Cleto Mar.	26 V S. Filippo N.
27 G S. Giov. Cris.	27 D 1ª di Q., Inv.	27 V S. Giov. Cris.	27 L	27 L	27 G	27 S Vigilia
28 V S. Agnese 2ª f.	28 L	28 S S. Agnese 2ª f.	28 M	28 M	28 V S. Vitale m.	28 D PENTECOS.
29 S S. Frances. S.	29 M	29 D 4ª d. l'Epif.		29 M	29 S S. Pietro m.	29 L di Penit.
30 D 4ª d. l'Epif.		30 L S. Martina v.		30 G	30 D 3ª, P. S. Gius.	30 M di Penit.
31 L S. Pietro Nol.		31 M S. Pietro Nol.		31 V B. V. Addolo.		31 M Temp. d'est.

GIUGNO	LUGLIO	AGOSTO	SETTEMBRE	OTTOBRE	NOVEMBRE	DICEMBRE
1 G|	1 S|8ª di S. Gio. B.	1 M|S. Pietro in v.	1 V|S. Egidio ab.	1 D|18ª, B. V.Ros.	1 M|OGNISSANTI	1 V|
2 V|SS. Mar. C. T.	2 D|5ª d. Pente.	2 M|S. Alfonso L.	2 S|S. Stefano re	2 L|SS. Angeli C.	2 G|Comm. Def.	2 S|S. Bibiana v.
3 S|S. Clotil. r. T.	3 L|S. Marziale v.	3 G|Inv. di S. Ste.	3 D|14ª d. Pente.	3 M|S. Calin. v.	3 V|dall'8ª	3 D|1ª d'Avv. Ro.
4 D|1ª SS. Trinità	4 M|S. Ireneo v.	4 V|S. Dom. di G.	4 L|	4 M|S. Fran. d'As.	4 S|S. Carlo Bor.	4 L|S. Barb. m.
5 L|S. Bonifacio v.	5 M|	5 S|S. Maria di. N.	5 M|S. Lorenzo G.	5 G|S. Placid. C.	5 D|23ª d. Pente.	5 M|S. Sabba ab.
6 M|S. Norberto v.	6 G|8ª SS. A. P. P.	6 D|10ª d. Pente.	6 M|	6 V|S. Brunone c.	6 L|dall'8ª	6 M|S. Nicolò v.
7 M|S. Roberto ab.	7 V|	7 L|S. Gaetano T.	7 G|	7 S|S. Marco pp.	7 M|dell'8ª	7 G|S. Ambrogio v.
8 G|CORPUS DO.	8 S|S. Elisab. reg.	8 M|SS. Cir. e c. m.	8 V|Nat. di M. V.	8 D|19ª, M. M. V.	8 M|8ª Ognissanti	8 V|Imm. C. M. V.
9 V|dall'8ª	9 D|6ª d. Pente.	9 M|S. Romano m.	9 S|S. Gorgon. m.	9 L|S. Dion. R. E.	9 G|S. Teodoro m.	9 S|dall'8ª
10 L|SS. Sett. fr. m.	10 L|SS. Sett. fr. m.	10 G|S. Lorenzo m.	10 D|15ª SS. N. M.	10 M|S. Franc. B.	10 V|S. Martino v.	10 D|2ª d'Avv. Ro.
11 D|2ª d. Pente.	11 M|S. Pio I pp.	11 V|SS. Tib. e Sus.	11 L|SS. Pr. e Giac.	11 M|	11 S|S. Andrea Av.	11 L|S. Dam. I pp.
12 L|S.Gio. d. S. F.	12 M|S. Giov. Gual.	12 S|S. Chiara v.	12 M|S. Guido sag.	12 G|	12 D|24ª, Pat. M. V.	12 M|S. Valer. ab.
13 M|S. Ant. di Pa.	13 G|S. Anacl. pp.	13 D|11ª d. Pente.	13 M|dall'8ª	13 V|S. Edoardo re	13 L|S. Ditaco c.	13 M|S. Lucia v.
14 M|S. Basil. M. v.	14 V|S. Bonav. d.	14 L|S. Eusebio pr.	14 G|Esalt. S. Cro.	14 S|S. Calisto pp.	14 M|S. Giosaf. v.	14 G|S. Spiridione
15 G|8ª Cor. Dom.	15 S|S. Enric. imp.	15 M|ASSUN. M. V.	15 V|8ª d. N. M. V.	15 D|20ª. Pur. M. V.	15 M|S. Geltrude v.	15 V|8ª d. Imm. Co.
16 V|S. CUORE G.	16 D|7ª d. Pente.	16 M|S. Giacinto c.	16 S|SS. Corn. e C.	16 L|S. Gallo ab.	16 G|	16 S|S. Eusebio v.
17 S|	17 L|S. Alessio c.	17 G|8ª S. Lorenzo	17 D|16ª Dol. M. V.	17 M|S. Edvige r.	17 V|S. Greg. tau.	17 D|3ª d'Avv. Ro.
18 D|3ª d. Pente. P. Cuore di M.	18 M|S. Camillo L.	18 V|S. Agapit. m.	18 L|S. Gius. C.	18 M|S. Luca Ev.	18 S|D. b. ss. P.. P	18 L|Asp. Dir. P.
19 L|SS. Ger. e Pr.	19 M|S. Vincen. P.	19 S|	19 M|S. Gennaro v.	19 G|S. Piet. d'Alc.	19 D|25ª d. Pente.	19 M|S. Nemes. m.
20 M|S. Silver. pp.	20 G|S. Girol. E.	20 D|12ª S. Gioac.	20 M|Temp. d'aut.	20 V|S. Giovan. C.	20 M|S. Felice Val.	20 M|Temp. d'inv.
21 M|S. Luigi G.	21 V|S. Prassede v.	21 L|S. Gio. di Ch.	21 G|S. Matteo ap.	21 S|SS. Orsol. e C.	21 M|Pres. di M. V.	21 G|S. Tom. ap.
22 G|S. Paolino v.	22 S|S. Maria Mad.	22 M|8ª Ass. M. V.	22 V|S. Mau. c. T.	22 D|21ª d. Pente.	22 G|S. Cecilia v.	22 V|Tempora
23 V|Vigilia	23 D|8ª d. Pente.	23 M|S. Filip. Ben.	23 S|S. Lino p. T.	23 L|S. Severino v.	23 V|S. Clem. I p.	23 S|Tempora
24 S|Nat. S. G. B.	24 V|S. Cristina v.	24 G|S. Bartol. ap.	24 D|17ª d. Pente.	24 M|S. Raffaele A.	24 S|S. Gio. d. Cr.	24 D|4ª d'Avv. Ro.
25 D|4ª d. Pente.	25 L|S. Giac. ap.	25 V|S. Luigi re	25 L|S. Firmino v.	25 M|SS. Crisan. d.	25 D|26ª d. Pente.	25 L|NATALE G.C.
26 L|SS. Gio. e Pa.	26 M|S. Anna	26 S|S. Zefirino p.	26 M|SS. Cip._ Giu.	26 G|S. Evaristo pp.	26 L|	26 M|S. Stef. prot.
27 M|S. Ladislao re	27 G|S. Pantal. m.	27 D|13ª d. Pente.	27 M|SS. Cos. e D.	27 V|Vigilia	27 M|	27 M|S. Giov. ev.
28 M|S. Leone II p.	28 V|SS. Naz. e C.	28 L|S. Agost. v. d.	28 G|S. Vencesl. m.	28 S|SS. Sim. e G.	28 M|	28 G|SS. Innoc. m.
29 G|SS. P. e P. ap.	29 S|S. Marta v.	29 M|Dec. d. S.G.B.	29 V|S. Michele A.	29 D|22ª d. Pente.	29 G|S. Saturn. m.	29 V|S. Tom. C. v.
30 V|Comm. S. Pa.	30 D|9ª d. Pente.	30 M|S. Rosa da L.	30 S|S. Girol. d.	30 L|S. Gerardo v.	30 V|S. Andrea ap.	30 S|dall'8ª
	31 L|S. Ignazio L.	31 G|S. Raim. Non.		31 M|Vigilia		31 D|S. Silves. pp.

Pasqua 10 Aprile. – Anni: 35, 46, 57, 68*, 130, 141, 152*, 225, 236*, 315, 320*, 399, 410, 483, 494, 505, 567, 578, 589, 600*, 662, 673, 684*, 757, 768*, 852*, 931, 942, 1015, 1026, 1037, 1099, 1110, 1121, 1132*, 1194, 1205, 1216*, 1289, 1300*, 1379, 1384*, 1463, 1474, 1547, 1558, 1569, 1583, 1594, 1605, 1667, 1678, 1689, 1735, 1746, 1757, 1803, 1814, 1887, 1898, 1955, 1966, 1977, 2039, 2050, 2061, 2072*, 2107, 2118, 2129, 2191, 2259, ecc.

GENNAIO	FEBBRAIO	MARZO	APRILE	MAGGIO
1 S CIRCON. G. C.	1 M S. Ignazio v.	1 M S. Albino v.	1 V B. V. Addol.	1 D 3ª, Jubilate
2 D S di S. Stef.	2 M Pur. di M. V.	2 M Temp. di pri.	2 S S. Franc. di P.	2 L S. Atanas, v.
3 L S di S. Giov.	3 G S. Biagio v.	3 G S. Cunegunda	3 D delle Palme	3 M Inv. di S. Cro.
4 M SS. Innoc.	4 V S. Andrea Co.	4 V S. Casimir. T.	4 L santo	4 M S. Mon. ved
5 M S. Telesf. pp.	5 S S. Agata v.	5 S S. Foca m. T.	5 M santo	5 G S. Pio V pp.
6 G EPIFANIA	6 D Settuagesima	6 D 2ª di Q., Rem.	6 M santo	6 V S. Gio. a. p. l.
7 V dell'8ª	7 L S. Romua. ab.	7 L S. Tom. d'Aq.	7 G Cena del Sig.	7 S S. Stanisl. v.
8 S dell'8ª	8 M S. Giov. di M.	8 M S. Giov. di D.	8 V Parascere	8 D 4ª, Cantate
9 D 1ª d. l'Epif.	9 M S. Apollon. v.	9 M S. Franc. Ro.	9 S santo	9 L S. Greg. Naz.
10 L dell'8ª	10 G S. Scolastica	10 G SS. 40 Mart.	10 D PASQUA	10 M SS. Gor. ed E.
11 M dell'8ª	11 V	11 V	11 L dell'Angelo	11 M S. Mamert. v.
12 G S. dell'Epif.	12 S S. Eulalia v.	12 S S. Greg. I pp.	12 M dell'8ª	12 G SS. Ner. C. m.
13 V S. Ilar. S. Fel.	13 D Sessagesima	13 D 3ª di Q., Oculi	13 M dell'8ª	13 V
14 S S. Paolo er.	14 L S. Valent. m.	14 L S. Matil. reg.	14 G S. Tiburzio m.	14 S S. Bonifacio
15 D 2ª SS. N. di G.	15 M SS. Fau. e Gio.	15 M S. Longino m.	15 V dell'8ª	15 D 5ª, Rogate
16 L S. Antonio ab.	16 M	16 M	16 S dell'8ª	16 L Le Rogazioni
17 M S. Marc. S. Piet. R.	17 G S. Silvino v.	17 G S. Patrizio v.	17 D 1ª, in Albis	17 M S. Pasq. Roy.
18 M S. Canuto re	18 V S. Simeone v.	18 V	18 L S. Galdino v.	18 M S. Vena. Roy.
19 G S. Fab. e Seb.	19 S S. Corrado c.	19 S S. Giuseppe	19 M S. Leone IX p.	19 G ASCEN. G. C.
20 V S. Agnese v.	20 D Quinquages.	20 D 4ª di Q., Laet.	20 M	20 V dell'9ª
21 S SS. Vinc. e A.	21 L S. Severiano	21 L S. Bened. ab.	21 G S. Anselmo v.	21 S S. Felice C.
22 D 3ª Spos. di M.	22 M S. Cat. S. Piet. A.	22 M S. Paolo v.	22 V SS. Sot. e Caio	22 D 6ª d. P.. Exau.
23 L S. Timoteo v.	23 M S. Paolo v.	23 M	23 S S. Giorgio m.	23 L S. Desider. v.
24 M S. Con. S. Paolo	24 G S. Mattia ap.	24 G Vigilia	24 D 2ª, Miser. Dom.	24 M S. Donaz. v.
25 M S. Policar. v.	25 V	25 V ANN. di M. V.	25 L S. Marco Ev.	25 M S. Gre. VII P.
26 G S. Giov. Cr.	26 S	26 S S. Teodoro v.	26 M SS. Cleto Mar.	26 G S. Filip. dell'Asce.
27 V S. Agnese 2ª f.	27 D 1ª di Q., Inv.	27 D di Pas. Judic.	27 M	27 V S. Maria Mad.
28 S S. Fran. ed A.	28 L	28 L	28 G S. Vitale m.	28 S Vigilia
29 D 4ª d. l'Epif.		29 M	29 V S. Pietro m.	29 D PENTECOS.
30 L S. Pietro Nol.		30 M	30 S S. Cater. da S.	30 L di Pentec.
31 M		31 G		31 M di Pentec.

GENNAIO bis	FEBBRAIO bis
1 V CIRCON. G. C.	1 L S. Ignazio v.
2 S S di S. Stef.	2 M Pur. di M. V.
3 D S di S. Giov.	3 M S. Biagio v.
4 L SS. Innoc.	4 G S. Andrea Co.
5 M S. Telesf. pp.	5 V S. Agata v.
6 M EPIFANIA	6 S S. Tito v.
7 G dell'8ª	7 D Settuagesima
8 V dell'8ª	8 L S. Giov. di M.
9 S dell'8ª	9 M S. Apollon. v.
10 D 1ª d. l'Epif.	10 M S. Scolast. v.
11 L dell'8ª	11 G SS. Set. Fond
12 M dell'8ª	12 V
13 M S. dell'Epif.	13 S
14 G S. Ilar. S. Fel.	14 D Sessagesima
15 V S. Paolo er.	15 L S. Fau. e G.
16 S S. Marc. di Ges.	16 M S. Giuliana v.
17 D SS. N. di Ges.	17 M S. Silvino v.
18 L Cat. S. Piet. R.	18 G S. Simeone v.
19 M S. Canuto re	19 V
20 M S. Fab. e Seb.	20 S
21 G S. Agnese v.	21 D Quinquagesima
22 V SS. Vinc. e A.	22 L Cat. S. Piet. A.
23 S Spos. S. Fam.	23 M S. Pier Dam.
24 D 3ª Suc. Fam.	24 M Le Ceneri
25 L Con. S. Paolo	25 G S. Mattia ap.
26 M S. Policar. v.	26 V
27 M S. Giov. Cris.	27 S
28 G S. Agnese 2ª f.	28 D 1ª di Q., Inv.
29 V S. Frances. S.	29 L
30 S S. Martina v.	
31 D 4ª d. l'Epif.	

GIUGNO	LUGLIO	AGOSTO	SETTEMBRE	OTTOBRE	NOVEMBRE	DICEMBRE
1 M Temp. d'Est.	1 V 8ª di S. Gio. B.	1 L S. Pietro in v.	1 G S. Egidio ab.	1 S S. Remigio v.	1 M OGNISSANTI	1 G
2 G SS. Marc. e C.	2 S Vis. di M. V.	2 M S. Alfonso L.	2 V S. Stefano re	2 D 18ª, B. V. Ros.	2 M Comm. Def.	2 V S. Bibiana v.
3 V S. Clotil. r. T.	3 D 5ª d. Pentec.	3 M Inv. di S. Ste.	3 S S. Mansue. v.	3 L S. Calim. v.	3 G dell'8ª	3 S S. Franc. Sav.
4 S S. Fran. C. T.	4 L S. Ireneo v.	4 G S. Dom. di G.	4 D 14ª d. Pentec.	4 M S. Fran. d'As.	4 V S. Carlo Bor.	4 D 2ª d'Avv. Ro.
5 D 1ª, SS. Trinità	5 M	5 V S. Maria d. N.	5 L S. Lorenzo G.	5 M SS. Placid. C.	5 S S. Zaccar. pr.	5 L S. Sabba ab.
6 L S. Norbert. v.	6 M 8ª SS. A. P. P.	6 S Trasf. di G. C.	6 M	6 G S. Brunone c.	6 D 23ª d. Pentec.	6 M S. Nicolò v.
7 M S. Robert. ab.	7 G S. Pulcheria	7 D 10ª d. Pentec.	7 M	7 V S. Marco pp.	7 L S. Prosdoc. v.	7 M S. Ambrogio
8 M S. Gugliel. v.	8 V S. Elisab. reg.	8 L SS. Cir. e c. m.	8 G Nat. di M. V.	8 S S. Brigida v.	8 M 8ª Ognissanti	8 G Imm. C. M. V.
9 G CORPUS DO.	9 S S. Veron. G.	9 M S. Roman. m.	9 V S. Gorgon. m.	9 D 19ª, Mat. M.V.	9 M S. Teodoro m.	9 V dell'8ª
10 V dell'8ª	10 D 6ª d. Pentec.	10 M S. Lorenzo m.	10 S S. Nic. Tol. c.	10 L S. Fran. B.	10 G S. Andrea Av.	10 S dell'8ª
11 S dell'8ª	11 L S. Pio I pp.	11 G SS. Tib. e Sus.	11 D 15ª d. Pentec.	11 M	11 V S. Martino	11 D 3ª d'Avv. Ro.
12 D 2ª d. Pentec.	12 M S. Giov. Gua.	12 V S. Chiara v.	12 L S. Guido sag.	12 M	12 S S. Mart. pp.	12 L S. Valer. ab.
13 L S. Ant. di Pa.	13 M S. Anacl. pp.	13 S S. Cassin. m.	13 M dell'8ª	13 G S. Edoardo re	13 D 24ª Post. M. V.	13 M S. Lucia v.
14 M S. Basil. M. v.	14 G S. Bonav. d.	14 D 11ª d. Pentec.	14 M Esalt. S. Cro.	14 V S. Calisto pp	14 L S. Giosaf. v.	14 M Temp. d'Inv.
15 M SS. Vito e M.	15 V S. Enric. imp.	15 L ASSUN. M. V.	15 G d. N. M. V.	15 S S. Teresa v.	15 M S. Geltrude v.	15 G 8ª d. Imm. C.
16 G 8ª Cor. Dom.	16 S B. V. del Car.	16 M S. Giacinto c.	16 V SS. Corn. e C.	16 D 20ª, Pur. M. V.	16 M	16 V S. Euse. v. T.
17 V S. CUORE G.	17 D 7ª d. Pentec.	17 M 8ª S. Lorenzo	17 S Stim. S. Fra.	17 L S. Edvige r.	17 G S. Greg. tau.	17 S S. Lazz. v. T.
18 S SS. Marc. e M.	18 L S. Camillo L.	18 G S. Agapit. m.	18 D 16ª, Dol. M. V.	18 M S. Luca Ev.	18 V D. b. ss. P.	18 D 4ª d'Avv. Rom.
19 D 3ª d. Pentec. P. Cuore di M.	19 M S. Vincen. P.	19 V	19 L S. Gennaro v.	19 M S. Piet. d Alc.	19 S S. Elisabetta	19 L S. Nemes. m.
20 L S. Silver. pp.	20 M S. Marg. v.	20 S S. Bernar. ab.	20 M S. Eustac. m.	20 G S. Giovan. C.	20 D 25ª d. Pentec.	20 M S. Timot. m.
21 M S. Luigi G.	21 G S. Prassede v.	21 D 12ª, S. Giovc.	21 M Temp. d'Aut.	21 V S. Orsol. e C.	21 L Pres. di M. V.	21 M S. Tom. ap.
22 M S. Paolino v.	22 V S. Maria Mad.	22 L 8ª Ass. M. V.	22 G S. Mau. C.	22 S S. Donato v.	22 M S. Cecilia v.	22 G S. Flav. m.
23 G Vigilia	23 S S. Apollin. v.	23 M S. Filip. Ben.	23 V S. Lino pp. T.	23 D 21ª d. Pentec.	23 M S. Clem. I p.	23 V S. Vittoria v.
24 V Nat. S. G. B.	24 D 8ª d. Pentec.	24 M S. Bartol. ap.	24 S B. V. d. M. T.	24 L S. Raffael. A.	24 G S. Gio. d. Cr.	24 S Vigilia
25 S S. Gug. ab.	25 L S. Giac. ap.	25 G S. Luigi re	25 D 17ª d. Pentec.	25 M SS. Crisan. D.	25 V S. Cater. v.	25 D NATALE G. C.
26 D 4ª d. Pentec.	26 M S. Anna	26 V S. Zefirino p.	26 L SS. Cos. e D.	26 M	26 S S. Pietro Al.	26 L S. Stef. prot.
27 L S. Ladislao re	27 M S. Pantal. m.	27 S S. Gius. Cal.	27 M SS. Vences. m.	27 G Vigilia	27 D 1ª d'Avv. Ro.	27 M S. Giov. ev.
28 M S. Leone II p.	28 G SS. Naz. e C.	28 D 13ª d. Pentec.	28 M S. Venc. m.	28 V SS. Sim. e G.	28 L	28 M SS. Innocenti
29 M SS. Piet. e Pa.	29 V S. Marta v.	29 L Dec. d. S. G. B.	29 G S. Michele a.	29 S S. Ernel. v.	29 M S. Saturn. m.	29 G S. Tomm. C.
30 G Comm. S. Pa.	30 S SS. Abd., Sen.	30 M S. Rosa da L.	30 V S. Girol. d.	30 D 22ª d. Pentec.	30 M S. Andrea ap	30 V dell'8ª
	31 D 9ª d. Pentec.	31 M S. Raim. Non.		31 L Vigilia		31 S S. Silves. pp.

Pasqua 11 Aprile — Anni: 62, 73, 84*, 157, 163, 168*, 247, 252*, 258, 331, 342, 353, 415, 426, 437, 448*, 499, 510, 521, 532*, 594, 605, 616*, 659, 695, 700*, 779, 784*, 790, 863, 874, 885, 947, 958, 969, 980*, 1031, 1042, 1053, 1064*, 1126, 1137, 1148*, 1221, 1227, 1232*, 1311, 1316*, 1322, 1395, 1406, 1417, 1479, 1490, 1501, 1512*, 1563, 1574, 1599, 1610, 1621, 1632*, 1694, 1700, 1751, 1763, 1773, 1784, 1819, 1830, 1841, 1852, 1909, 1971, 1982, 1993, 2004*, 2066, 2077, 2088*, 2123, 2134, 2145, 2156*, 2202, ecc.

GENNAIO	FEBBRAIO	MARZO	APRILE	MAGGIO
1 V CIRCON. G. C.	1 L S. Ignazio v.	1 L	1 G S. Ugo v.	1 S SS. Fil. e G. a.
2 S 8ª di S. Stef.	2 M Pur. di M. V.	2 M	2 V B. V. Addolo.	2 D 3ª Jubilate
3 D 8ª di S. Giov.	3 M S. Biagio v.	3 M Temp. di pri.	3 S S. Pancra. v.	3 L Inv. di S. Cro.
4 L 8ª SS. Innoc.	4 G S. Andrea Co.	4 G S. Casimiro c.	4 D delle Palme	4 M S. Monica ved.
5 M S. Telesf. pp.	5 V S. Agata v.	5 V S. Foca m. T.	5 L santo	5 M S. Pio V pp.
6 M EPIFANIA	6 S S. Tito, S. Dor.	6 S S. Coletta v. T.	6 M santo	6 G S. Gio. a. P. l.
7 G dell'8ª	7 D Settuagesima	7 D 2ª di Q., Rem.	7 M santo	7 V S. Stanisl. v.
8 V dell'8ª	8 L S. Giov. di M.	8 L S. Giov. di D.	8 G Cena del Sig.	8 S Ap. di S. Mic.
9 S dell'8ª	9 M S. Apollon. v.	9 M S. Franc. Ro.	9 V Parasceve	9 D 4ª Cantate
10 D 1ª d. l'Epif.	10 M S. Scolastica	10 M SS. 40 Mart.	10 S santo	10 L SS. Gor. ed E.
11 L dell'8ª	11 G	11 G	11 D PASQUA	11 M SS. Mamert. v.
12 M dell'8ª	12 V	12 V S. Greg. I pp.	12 L dell'Angelo	12 M SS. Ner. C. m.
13 M 8ª dell'Epif.	13 S S. Cat. de Ric.	13 S S. Eufrasia v.	13 M dell'8ª	13 G
14 G S. Ilar. S. Fel.	14 D Sessagesima	14 D 3ª di Q., Ocul	14 M dell'8ª	14 V S. Bonifacio
15 V S. Paolo er.	15 L SS. Fau. e Gio.	15 L S. Longino m.	15 G dell'8ª	15 S dell'8ª
16 S S. Marcello p.	16 M S. Giuliana v.	16 M	16 V dell'8ª	16 D 5ª Rogate
17 D 2ª, SS. N. di G.	17 M S. Silvino v.	17 M S. Patrizio v.	17 S dell'8ª	17 L Le Rogazioni
18 L Cat. S. Piet. R.	18 G S. Simeone v.	18 G	18 D 1ª d.P., in Alb.	18 M S. Venan. Rog.
19 M S. Canuto re	19 V	19 V S. Giuseppe	19 L S. Leone IX p.	19 M S. Pie.Cel.Rog.
20 M SS. Fab. Seb.	20 S	20 S SS. Grat. e M.	20 M	20 G ASCEN. G. C.
21 G S. Agnese v.	21 D Quinquages.	21 D 4ª di Q., Laet.	21 M S. Anselmo v.	21 V dell'8ª
22 V SS. Vinc. An.	22 L Cat. S. Piet. A.	22 M S. Paolo v.	22 G SS. Sot. e Caio	22 S S. Emilio m.
23 S Spos. di M. V.	23 M SS. Pier Dam.	23 M	23 V S. Giorgio m.	23 D 6ª Exaudi
24 D 3ª, Sac. Fam.	24 M Le Ceneri	24 M Vigilia	24 S S. Fedele Sig.	24 L S. Donaz v.
25 L Con. S. Paolo	25 G	25 G ANN. DI M. V.	25 D 2ª, Miser. Dom	25 M S. Gre. VII p.
26 M S. Polcar. v.	26 V	26 V S. Teodoro v.	26 L SS. Cleto Mar.	26 M S. Filippo N.
27 M S. Giov. Cris.	27 S	27 S	27 M	27 G 8ª dell'Ascen.
28 G S. Agnese 2ª f.	28 D 1ª di Q., Invo.	28 D di Pas. Indic.	28 M S. Vitale m.	28 V S. Agost. C.
29 V S. Fran. di A.		29 L	29 G S. Pietro m.	29 S S. Massimino
30 S S. Martina v.		30 M	30 V S. Cater. da S.	30 D PENTECOS.
31 D 4ª d. l'Epif.		31 V		31 L di Pentec.

GENNAIO bis	FEBBRAIO bis
1 G CIRCON. G. C.	1 D 1ª d. l'Epif.
2 V 8ª di S. Stef.	2 L Pur. di M. V.
3 S 8ª di S. Giov.	3 M S. Biagio
4 D 8ª SS. Innoc.	4 M S. Andrea Co.
5 L S. Telesf. pp.	5 G S. Agata v.
6 M EPIFANIA	6 V S. Tito v.
7 M dell'8ª	7 S S. Romualdo
8 G dell'8ª	8 D Settuagesima
9 V dell'8ª	9 L S. Apollon. v.
10 S dell'8ª	10 M S. Scolastica
11 D 1ª d. l'Epif.	11 M SS. Set. Fond.
12 L dell'8ª	12 G
13 M 8ª dell'Epif.	13 V
14 M S. Ilar. S. Fel.	14 S S. Valent. m.
15 G S. Paolo er.	15 D Sessagesima
16 V S. Marc. I pp.	16 L S. Giuliana v.
17 S S. Antonio ab.	17 M S. Silvino v.
18 D SS. N. di Gesù	18 M S. Simeone v.
19 L S. Canuto re	19 G
20 M SS. Fab. Seb.	20 V
21 M S. Agnese v.	21 S
22 G SS. Vinc. e A.	22 D Quinquages.
23 V Spos. di M. V.	23 L S. Pier. Dam.
24 S S. Timoteo v.	24 M S. Gerardo v.
25 D 3ª, Sac. Fam.	25 M Le Ceneri
26 L S. Policar. v.	26 G
27 M S. Giov. Cris.	27 V
28 M S. Agnese 2ª f.	28 S
29 G S. Frances. S.	29 D 1ª di Q., Inv.
30 V S. Martina v.	
31 S S. Pietro Nol.	

GIUGNO	LUGLIO	AGOSTO	SETTEMBRE	OTTOBRE	NOVEMBRE	DICEMBRE
1 M	1 G 8ª di S. Gio. B.	1 D 9ª d. Pente.	1 M S. Egidio ab.	1 V S. Remigio v.	1 L OGNISSANTI	1 M
2 M Temp. d'Est.	2 V Vis. di M. V.	2 L S. Alfonso L.	2 M S. Stefano re	2 S SS. Angeli C.	2 M Comm. Def.	2 G S. Bibiana v.
3 G S. Clotilde r.	3 S S. Marziale v.	3 M Inv. di S. Ste.	3 V S. Mansue. v.	3 D 18ª. B. V. Ros.	3 M dell'8ª	3 V S. Fran. Sav.
4 V S. Fran. C. T.	4 D 5ª d. Pente.	4 M S. Dom. di G.	4 S	4 L S. Fran. d'As.	4 G S. Carlo Bor.	4 S S. Barb. m.
5 S S. Bonif. v. T.	5 L	5 G S. Maria d. N.	5 D 14ª d. Pente.	5 M SS. Placid. C.	5 V dell'8ª	5 D 2ª d'Avv. Ro.
6 D 1ª SS. Trinità	6 M 6ª SS. A. P. P.	6 V Trasf. di G. C.	6 L	6 M S. Brunone c.	6 S dell'8ª	6 L S. Nicolò v.
7 L S. Robert. ab.	7 M	7 S S. Gaetano T.	7 M	7 G S. Marco pp.	7 D 23ª d. Pente.	7 M S. Ambrogio v.
8 M S. Gugl. v.	8 G S. Elisab. reg.	8 D 10ª d. Pen er.	8 M Nat. di M. V.	8 V S. Brigida v.	8 L S. Ognissanti	8 M Imm. C. M. V.
9 M SS. Pri. e Fel.	9 V S. Veron. G.	9 L S. Roman. m.	9 G S. Gorgon. m.	9 S SS. Dion. C m.	9 M S. Teodoro m.	9 G dell'8ª
10 G CORPUS DO.	10 S SS. Sett. fr. m.	10 M S. Lorenzo m.	10 V S. Nic. Tol. c.	10 D 19ª. M. M. V.	10 M S. Andrea Av.	10 V S. Melch. pp.
11 V dell'8ª	11 D 6ª d. Pente.	11 M SS. Tib. e Sus.	11 S SS. Pr. e Giac.	11 L	11 G S. Martino v.	11 S S. Dam. I pp
12 S dell'8ª	12 L S. Giov. Gual.	12 G S. Chiara v.	12 D 15ª SS. N. M	12 M	12 V S. Mart. pp.	12 D 3ª d'Avr. Ro.
13 D 2ª d. Pente.	13 M S. Anacl. pp.	13 V S. Cassia m.	13 L dell'8ª	13 M S. Edoardo re	13 S S. Stanisl. K.	13 L S. Lucia v.
14 L S. Basil. M. v.	14 M S. Bonav. d.	14 S S. Eusebio pr.	14 M Esalt. S. Cro.	14 G S. Calisto pp.	14 D 24ª. Pat. M. V.	14 M S. Spiridione
15 M SS. Vito e M.	15 G S. Enric. imp.	15 D ASSUN. M. V.	15 M Temp. d'aut.	15 V S. Teresa v.	15 L S. Geltrud. v.	15 M Temp. d'inv.
16 M S. Gio. F. Reg	16 V B. V. del Car.	16 L S. Giacinto c.	16 G SS. Corn. e C.	16 S S. Gallo ab.	16 M	16 G S. Eusebio v.
17 G 8ª Cor. Dom.	17 S S. Alessio c.	17 M 12ª S. Lorenzo	17 V Stim. S. F. T.	17 D 20ª. Pur. M. V.	17 M S. Greg. tau.	17 V Tempora
18 V S. CUORE G.	18 D 7ª d. Pente.	18 M S. Azapit. m.	18 S S. Gius. C. T.	18 L S. Luca Ev.	18 G D. b. ss. P. P.	18 S Tempora
19 S SS. Ger. e Pr.	19 L S. Vincen. P.	19 G	19 D 16ª. Dol. M. V.	19 M S. Piet. d'Alc.	19 V S. Elisabetta	19 D 4ª d'Avr. Ro.
20 D 3ª d. Pente. P. Cuore di Ja.	20 M S. Margh. v.	20 V S. Bernar. ab.	20 L S. Eustac.	20 M S. Giovan. C.	20 S S. Felice Val.	20 L S. Teofilo m.
21 L S. Luigi G.	21 M S. Prassede v.	21 S S. Gio. di Ch.	21 M S. Matteo ap.	21 G SS. Orsol. e C.	21 D 25ª d. Pente.	21 M S. Tom. ap.
22 M S. Paolino v.	22 G S. Maria Mad.	22 D 12ª. S. Gioac	22 M SS. Mau. C. T.	22 V S. Donato c.	22 L S. Cecilia v.	22 M S. Flaviam. m.
23 M Vigilia	23 V S. Apollin. v.	23 L S. Filip. Ben.	23 G S. Lino p. T.	23 S S. Severin. v.	23 M S. Clem. I p.	23 G S. Vittoria v.
24 G Nat. S. G. B.	24 S S. Cristina v.	24 M S. Bartol. ap.	24 V B. V. d. Merc.	24 D 21ª d. Pente.	24 M S. Gio. d. Cr.	24 V Vigilia
25 V S. Gugl. ab.	25 D 8ª d. Pente.	25 M S. Luigi re	25 S S. Firmino v.	25 L S. Crisan. d D.	25 G S. Cater. v.	25 S NATALE G. C.
26 L S. Gio e Pa	26 L S. Anna	26 G S. Zefirino p.	26 D 17ª d. Pent c.	26 M S. Evaristo pp.	26 V S. Pietro Al.	26 D S. Stef. prot.
27 D 4ª d. Pente.	27 M S. Pantal. m.	27 V S. Gius. Cal.	27 L SS. Cos. e D.	27 M Vigilia	27 S	27 L S. Giov. ev.
28 L S. Leone II p.	28 M SS. Naz. e C.	28 S S. Agost. v. d.	28 M S. Vences. m.	28 G SS. Sim. e G.	28 D 1ª d'Avv. Ro.	28 M SS. Innoc. m.
29 M SS. P. e P. ap.	29 G S. Marta v.	29 D 13ª d. Pente.	29 M S. Michele A.	29 V	29 L S. Saturn. m.	29 M SS. Tom. C. v.
30 M Comm. S. Pa.	30 V S. Abd. Sen.	30 L S. Rosa da L.	30 G S. Girol. d.	30 S	30 M S. Andrea ap.	30 G dell'8ª
	31 S S. Ignazio L.	31 M S. Raim. Non.		31 D 22ª d. Pente.		31 V S. Silves. pp.

Pasqua 12 Aprile. – Anni: 5, 16*, 95, 100*, 179, 190, 263, 274, 285, 347, 358, 369, 380*, 442, 453, 464*, 537, 548*, 627, 632*, 711, 722, 795, 806, 817, 879, 890, 901, 912*, 974, 985, 996*, 1069, 1080*, 1159, 1164*, 1243, 1254, 1327, 1338, 1349, 1411, 1422, 1433, 1444* 1506, 1517, 1528*, 1626, 1637, 1648*, 1705, 1716*, 1789, 1846, 1857, 1868*, 1903, 1914, 1935, 1936*, 1998, 2009, 2020* 2093, 2099, 2150, 2161, 2172*, ecc.

GENNAIO bis.	FEBBRAIO bis.	GENNAIO	FEBBRAIO	MARZO	APRILE	MAGGIO
1 M CIRCON. G. C.	1 S S. Ignazio v.	1 G CIRCON. G. C.	1 D 4a d. l'Epif.	1 D 1a di Q., Inv.	1 M S. Ugo v.	1 V SS. Fi. e G. a.
2 G S. di S. Stef.	2 D Pur. di M. V.	2 V S. di S. Stef.	2 L Pur. di M. V.	2 L	2 G S. Franc. di P.	2 S S. Atanas. v.
3 V S. di S. Giov.	3 L	3 S S. di S. Giov.	3 M S. Biagio v.	3 M	3 V B. V. Addol.	3 D 3a, Jubilate
4 S S. di S. innoc.	4 M S. Andrea Co.	4 D S. SS. Innoc.	4 M Temp. di pri.	4 M Temp. di pri.	4 S S. Isidoro v.	4 L S. Mon. ved.
5 L EPIFANIA	5 M S. Agata v.	5 L S. Telesf. pp.	5 G S. Agata v.	5 G	5 D Le Palme	5 M S. Pio V pp.
6 M dell'8a	6 G S. Tito v.	6 M EPIFANIA	6 V S. Tito v. T.	6 V Tempora	6 L Lunto	6 M S. Gio. a. p.
7 M dell'8a	7 V S. Romualdo	7 M dell'8a	7 S S. Rom. ab. T.	7 S S. To. d'Aq. T.	7 M Manto	7 G S. Stanis. v.
8 G dell'8a	8 S S. Giov. di M.	8 G dell'8a	8 D Settuagesima	8 D 2a di Q., Rem.	8 M Santo	8 V Ap. di S. Mic.
9 V dell'8a	9 D Settuagesima	9 V dell'8a	9 L S. Apollon. v.	9 L S. Franc. Rot.	9 G Cena del Sig.	9 S S. Greg. Naz.
10 S dell'8a	10 L S. Scolast. v.	10 S dell'8a	10 M S. Scolast. v.	10 M SS. 40 Mart.	10 V Parasceve	10 D 4a, Cantate
11 D d. l'Epif.	11 M	11 D d. l'Epif.	11 M	11 M	11 S santo	11 L S. Mamert. v.
12 L d. l'Epif.	12 L	12 L	12 G	12 G S. Greg. I pp.	12 D PASQUA	12 M SS. Ner. C. m.
13 L S. dell'Epif.	13 G	13 M S. dell'Epil.	13 V S. Cat. de Ric.	13 V S. Eufrasia v.	13 L dell'Angelo	13 M
14 M S. Ilar. S. Fel.	14 M S. Valent. m.	14 M S. Ilario	14 S S. Valent. m.	14 S	14 M di Pasqua	14 G
15 M S. Paolo er.	15 D Sessagesima	15 G S. Paolo er.	15 D Sessagesima	15 D 3a di Q., Oculi	15 M	15 V
16 G S. Marc. I pp.	16 D Sessagesima	16 V S. Marcello p.	16 L S. Giulian. v.	16 L S. Eriberto v.	16 G dell'8a	16 S S. Ubaldo v.
17 V S. Antonio ab.	17 L S. Antonio ab.	17 S S. Antonio ab.	17 M S. Silvino v.	17 M S. Patrizio v.	17 V dell'8a	17 D 5a, Rogate
18 S Cat. S. Piet. R.	18 M S. Simeone v.	18 D 2a SS. N. di G.	18 M S. Simeone v.	18 M S. Galdino v.	18 S dell'8a	18 L Le Rogazioni
19 L SS. N. di Gesù	19 M S. Corrado c.	19 L S. Canuto re	19 G	19 G S. Giuseppe	19 D 1a, in Albis	19 M S. Pietr. Rog.
20 L S. Fab. e Seb.	20 G S. Eleuterio m.	20 M SS. Fab. Seb.	20 V	20 V SS. Graf. e M.	20 L S. Marcel v.	20 M S. Bern. Rog.
21 M S. Agnese v.	21 V S. Severia v.	21 M S. Agnese v.	21 S	21 S S. Bened. ap.	21 M S. Anselmo v.	21 G ASCEN. G. C.
22 M SS. Vinc. e A.	22 S Cat. S. Piet. A.	22 G SS. Vinc., An.	22 D Quinquages.	22 D 4a di Q., Laet.	22 G S. Giorgio m.	22 V S.Emilio m.
23 G' S. Spos. di M. V.	23 D Quinquages.	23 V Spos. di M. V.	23 L S. Pier Dam.	23 L S. Vittoriano	23 V S. Fedele Sig.	23 S S. Desider. v.
24 V S. Timoteo v.	24 D Vigilia	24 S S. Timoteo v.	24 M S. Mattia ab.	24 M S. Simone m.	24 S S. Marco Ev.	24 D 6a, Exaudi
25 S Con. S. Paolo	25 M S. Mattia ap.	25 D 3a, Sac. Fam.	25 M Le Ceneri	25 M ANN. DI M. V.	25 D 2a Miser. Dom	25 L S. Greg. VII P.
26 D 3a Sac. Fam.	26 D Le Ceneri	26 L S. Policar. v.	26 G	26 G	26 L S. Zita v.	26 M S. Filippo N.
27 L S. Giov. Cris.	27 G	27 M S. Giov. Cris.	27 V	27 V	27 M S. Vitale m.	27 M S. Mar. Mad.
28 M S. Agnese 2a	28 V	28 M S. Agnese 2a	28 S	28 S	28 M S. Pietro m.	28 G 8a dell'Ascen.
29 M S. Frances. S.	29 S	29 G S. Fran. ed A.		29 D Dd Pas. Indie.	29 G S. Massimino	29 V S. Massimino
30 G S. Martina v.		30 V S. Martina v.		30 L	30 G S. Cater. da S.	30 S Vigilia
31 V S. Pietro Nol		31 S S. Pietro Nol		31 M		31 D PENTECOS.

GIUGNO	LUGLIO	AGOSTO	SETTEMBRE	OTTOBRE	NOVEMBRE	DICEMBRE
1 L di Pentec.	1 M S[o] di S. Gio. B.	1 S S. Pietro in v.	1 M S. Egidio ab.	1 G S. Remigio v.	1 D OGNISSANTI	1 M
2 M di Pentec.	2 G Vis. di M. V.	2 D[9a] d. Pentec.	2 G S. Stefano re	2 V SS. Angeli C.	2 L Comm. Def	2 M S. Bibiana v.
3 M Temp. d'Est.	3 V S. Marzial. v.	3 L Inv. di S. Ste.	3 V S. Mansue. v.	3 S S. Calim. v.	3 M dell'8a	3 G S. Franc. Sav.
4 G S. Fran. C.	4 S S. Ireneo v.	4 M S. Dom. di G.	4 V	4 D[18a] S. Fr. Ros.	4 M S. Carlo Bor.	4 V S. Barb. m.
5 V S. Bonif. v. T.	5 D[5a] d. Pentec.	5 M S. Maria d. N.	5 S S. Lorenzo G.	5 L SS. Placid. Co.	5 G dell'8a	5 S S. Sabba ab.
6 S S. Norbert. T.	6 L S[a] SS. A. P. P.	6 G Trasf. di G. C.	6 D[14a] d. Pentec.	6 M S. Brunone c.	6 V dell'8a	6 D[2a] d'Avv. Ro.
7 D[1a] SS. Trinità	7 M S. Pulcheria	7 V S. Gaetano T.	7 L	7 M S. Marco pp.	7 S dell'8a	7 L S. Ambrogio
8 L S. Guglieli. v.	8 M S. Elisab. reg.	8 S SS. Cir. e c. m.	8 M Nat. di M. V.	8 G S. Brigida v.	8 D[22a] Pat. M. V.	8 M Imm. C. M. V.
9 M SS. Pri. e Fel.	9 G S. Veron. G.	9 D[10a] d. Pentec.	9 M S. Gorgon. m.	9 V SS. Dion. C. m.	9 L S. Teodoro m.	9 M dell'8a
10 M SS. Marg. reg.	10 V SS. Sett. fr. m.	10 L S. Lorenzo m.	10 G S. Nic. Tol. c.	10 S SS. Fran. B.	10 M S. Andrea Av.	10 G S. Melch. pp.
11 G CORPUS DO.	11 S S. Pio I pp.	11 M SS. Tib. e Sus.	11 V SS. Pr. e Giac.	11 D[19a] Mat. M. V.	11 M S. Martino v.	11 V S. Dam. I pp.
12 V dell'8a	12 D[6a] d. Pentec.	12 M S. Chiara v.	12 S S. Guido sag.	12 L	12 G S. Mart. pp.	12 S S. Valer. ab.
13 S dell'8a	13 L S. Anacl. pp.	13 G S. Cassia. m.	13 D[15a] SS. N. M.	13 M S. Edoardo re	13 V S. Stanisl. K.	13 D[3a] d'Avv. Ro.
14 D[2a] d. Pentec.	14 M S. Bonav. d.	14 V S. Eusebio pr.	14 L S. Esalt. S. Cro.	14 M S. Callisto pp.	14 S S. Giosaf. v.	14 L S. Spiridione
15 L S. Vito e M.	15 M S. Enric. imp.	15 S ASSUN. M. V.	15 M S[a] d. N. M. V.	15 G S. Teresa v.	15 D[24a] [Avv. A.]	15 M S[a] d. Imm. C.
16 M S. Giov. Fr.	16 G B. V. del Car.	16 D[11a] S. Gioac.	16 M Temp. d'Aut.	16 V S. Gallo ab.	16 L	16 M Temp. d'Inv.
17 M S. Ranieri	17 V S. Alessio c.	17 L S[a] S. Lorenzo	17 G Stim. S. Fra.	17 S S. Edvige r.	17 M S. Greg. tau.	17 G S. Lazz. v.
18 G S[a] Cor. Dom.	18 S S. Camillo L.	18 M S. Agapit. m.	18 V S. Gius. C. T.	18 D[20a] Pur. M. V.	18 M D. b. ss. P. P.	18 V Tempori
19 V S. CUORE G.	19 D[7a] d. Pentec.	19 M	19 S S. Genna. v. T.	19 L S. Piet. d'Alc.	19 G S. Elisabetta	19 S Tempori
20 S S. Silver. pp.	20 L S. Marg. v.	20 G S. Bernar. ab.	20 D[16a] Dol. M. V.	20 M S. Giovan. C.	20 V S. Felice Val.	20 D[4a] d'Avv. Ro.
21 D[3a] d. Pentec. P. Cuore di M.	21 M S. Prassede v.	21 V S. Gio. di Ch.	21 L S. Matteo ap.	21 M S. Orsol. e C.	21 S Pres. di M. V.	21 L S. Tom. ap.
22 L S. Paolino v.	22 M S. Maria Madd.	22 S S[a] Ass. M. V.	22 M S. Mau. C. m.	22 G S. Donato v.	22 D[25a] d. Pentec.	22 M S. Flav. m.
23 M Vigilia	23 G S. Apollin. v.	23 D[12a] d. Pentec.	23 M S. Lino pp. m.	23 V S. Severin. v.	23 L S. Clem. I p.	23 M S. Vittoria v.
24 M Nat. S. G. B.	24 V S. Cristina v.	24 L S. Bartol. ap.	24 G B. V. d. Merc.	24 S S. Raffaele A.	24 M S. Giov. d. Cr.	24 G Vigilia
25 G S. Gugl. ab.	25 S S. Giac. ap.	25 M S. Luigi re	25 V S. Firmino v.	25 D[21a] d. Pentec.	25 M S. Cater. v.	25 V NATALE G. C.
26 V SS. Gio. e Pa.	26 D[8a] d. Pentec.	26 M S. Zeffirino p.	26 S SS. Cip., Giu.	26 L S. Evaristo pp.	26 G S. Pietro Al.	26 S S. Stef. prot.
27 S S. Ladisl. re	27 L S. Pantal. m.	27 G S. Gius. Cal.	27 D[17a] d. Pentec.	27 M Vigilia	27 V	27 D S. Giov. ev.
28 D[4a] d. Pentec.	28 M SS. Naz. e C.	28 V S. Agost. v. d.	28 L S. Vences. m.	28 M SS. Sim. e G.	28 S	28 L SS. Innocenti
29 L SS. Piet. e Pa.	29 M S. Marta v.	29 S S. Dec. d. S. G. B.	29 M S. Michele A.	29 G	29 D[1a] d'Avv. Ro.	29 M S. Tonim. C.
30 M Comm. S. Pa.	30 G SS. Abs., Sen.	30 D[13a] d. Pentec.	30 M S. Girol. d.	30 V	30 L S. Andrea ap.	30 M dell'8a
	31 V S. Ignazio L.	31 L S. Raim. Non.		31 S Vigilia		31 G S. Silves. pp.

Pasqua 13 Aprile. — Anni: 27, 32*, 111, 122, 195, 206, 217, 279, 290, 301, 312* 374, 385, 396*, 469, 480* 559, 564, 643, 654, 727, 735, 749, 811, 822, 833, 844*, 906, 917, 928* 1001, 1012* 1091, 1098* 1175, 1186, 1259, 1270, 1281, 1343, 1354, 1365, 1376*, 1435, 1449, 1460*, 1533, 1544*, 1653, 1659, 1664*, 1721, 1727, 1733*, 1800, 1873, 1879, 1884*, 1941, 1952*, 2031, 2036*, 2104*, 2183, 2198* 2245, 2251, 2256*, ecc.

GENNAIO bis.	FEBBRAIO bis.	GENNAIO	FEBBRAIO	MARZO	APRILE	MAGGIO
1 M CIRCON. G. C.	1 V S. Ignazio v.	1 M CIRCON. G. C.	1 S S. Ignazio v.	1 S	1 M	1 G SS. Fil. e G. a.
2 M⁸ di S. Stef.	2 S Pur. di M. V.	2 G 8ᵃ di S. Stef.	2 D Pur. di M. V.	2 D 1ᵃ di Q., Inv.	2 M S. Fran. di P.	2 V S. Atanas. v.
3 G 8ᵃ di S. Gior.	3 D 4ᵃ d. l'Epif.	3 V 8ᵃ di S. Giov.	3 L S. Biagio v.	3 L	3 G	3 S Inv. di S. C.
4 V 8ᵃ d. l'Epif.	4 L S. Andrea Co.	4 S 8ᵃ SS. Innoc.	4 M S. Andrea Co.	4 M S. Casimiro c.	4 V B. V. Addol.	4 D 3ᵃ, Jubilate
5 S S. Telesf. pp.	5 M S. Agata v.	5 D S. Telesf. pp.	5 M S. Agata v.	5 M Temp. di pr.	5 S S. Vinc. Fer.	5 L S. Pio V pp.
6 D EPIFANIA	6 M S. Tito v.	6 L EPIFANIA	6 G S. Tito v.	6 G	6 D delle Palme	6 M S. Gio. a. p. l.
7 L dell'8ᵃ	7 G S. Romualdo	7 M dell'8ᵃ	7 V S. Rom. ab.	7 V S. To. d'Aq. T.	7 L santo	7 M S. Stanisl. v.
8 M dell'8ᵃ	8 V S. Giov. di M.	8 M dell'8ᵃ	8 S S. Giov. di M.	8 S S. Giov. di D.	8 M santo	8 G Ap. di S. Mic.
9 M dell'8ᵃ	9 S S. Apollon. v.	9 G dell'8ᵃ	9 D Settuagesima	9 D 2ᵃ di Q., Rem.	9 M santo	9 V S. Greg. Naz.
10 V dell'8ᵃ	10 D Settuagesima	10 V dell'8ᵃ	10 L S. Scolastica	10 L SS. 40 Mart.	10 G Cena del Sig.	10 S SS. Gord. e E.
11 V dell'8ᵃ	11 L	11 S dell'8ᵃ	11 M S. Lazzaro v.	11 M	11 V Parasceve	11 D 4ᵃ, Cantate
12 S dell'8ᵃ	12 M S. Eulalia v.	12 D 1ᵃ d. l'Epif.	12 M	12 M S. Greg. I pp.	12 S santo	12 L SS. Ner. C. m.
13 D 1ᵃ d. l'Epif.	13 M	13 L 8ᵃ dell'Epif.	13 G	13 G	13 D PASQUA	13 M
14 L S. Ilar. S. Fel.	14 G S. Valent. m.	14 M S. Ilar. S. Fel.	14 V S. Valent. m.	14 V	14 L dell'Angelo	14 M S. Bonifacio
15 M S. Paolo er.	15 V SS. Fau. e G.	15 M S. Paolo er.	15 S SS. Faus. e G.	15 S	15 M di Pasqua	15 G
16 M S. Marc. I pp.	16 S	16 G S. Marcello p.	16 D Sessagesima	16 D 3ᵃ di Q... Ocul	16 M dell'8ᵃ	16 V S. Ubaldo v.
17 G S. Antonio ab.	17 D Sessagesima	17 V S. Antonio ab.	17 L S. Silvino v.	17 L S. Patrizio v.	17 G dell'8ᵃ	17 S S. Pasqual. B.
18 V Cat. S. Piet. R.	18 L S. Simeone v.	18 S Cat. S. Piet. R.	18 M S. Simeone v.	18 M	18 V dell'8ᵃ	18 D 5ᵃ, Rogate
19 S S. Canuto re	19 M S. Corrado c.	19 D 2ᵃ, SS. N. di G.	19 M	19 M	19 S dell'8ᵃ	19 L Le Rogazioni
20 D SS. N. di Gesù	20 M	20 L SS. Fab. . Seb.	20 G	20 G	20 D 1ᵃ, in Albis	20 M S. Bern. Rog.
21 L S. Agnese v.	21 V	21 M S. Agnese v.	21 V	21 V S. Bened. ab.	21 L S. Anselmo v.	21 M Vigilia Rog.
22 M SS. Vinc. e A.	22 V Cat. S. Piet.A.	22 M SS. Vinc. An.	22 S Catt. S. Piet.	22 S	22 M SS. Sot. e Caio	22 G ASCEN. G. C.
23 M Spos. di M. V.	23 M Quinquages.	23 G Spos. di M. V.	23 D Quinquagesi.	23 D 4ᵃ di Q... Laet.	23 M S. Giorgio m.	23 V dell'8ᵃ
24 G S. Timoteo v.	24 D Quinquagesi.	24 V S. Timoteo v.	24 L S. Mattia ab.	24 L	24 G S. Fedele Sig.	24 S S. Donazia. v.
25 V Con. S. Paolo	25 L S. Mattia ap.	25 S Con. S. Paolo	25 M	25 M ANN. DI M. V.	25 V S. Marco Ev.	25 D 6ᵃ, Exaudi
26 S S. Policar. v.	26 M	26 D 3ᵃ, Sac. Fam.	26 M Le Ceneri	26 M	26 S SS. Cleto e M.	26 L S. Filippo N.
27 D 3ᵃ, Sac. Fam.	27 M Le Ceneri	27 L S. Giov. Cr.	27 G	27 G	27 D 2ᵃ, Mater. Dom.	27 M S. Mar. Mad.
28 L S. Agnese 2ª f.	28 G	28 M S. Agnese ed A	28 V	28 V	28 L S. Vitale m.	28 M S. Agost. C.
29 M S. Frances. S.	29 V	29 M S. Fran. ed A		29 S	29 M S. Pietro m.	29 G 8ᵃ dell'Ascn.
30 M S. Martina v.		30 G S. Martina v.		30 D di Pas. Iudic.	30 M S. Cater. da S.	30 V S. Felice I pp.
31 G S. Pietro Nol.		31 V S. Pietro Nol.		31 L		31 S Vigilia

GIUGNO	LUGLIO	AGOSTO	SETTEMBRE	OTTOBRE	NOVEMBRE	DICEMBRE
1 D PENTECOS.	1 Mª di S. Gio. B.	1 V S. Pietro in v.	1 L S. Egidio ab.	1 M S. Remigio v.	1 S OGNISSANTI	1 L
2 L di Pentec.	2 M Vis. di M. V.	2 S S. Alfonso L.	2 M S. Stefano re	2 G SS. Angeli C.	2 D 22ª d. Pentec.	2 M S. Bibiana v.
3 M di Pentec.	3 G dell'8ª	3 D 9ª d. Pen ec.	3 M	3 V	3 L Comm. Def.	3 M S. Fran. Sav.
4 M Temp. d'Est.	4 V dell'8ª	4 L S. Dom. di G.	4 G	4 S S. Fran. d'As.	4 M S. Carlo Bor.	4 G S. Barb.m.
5 G dell'8ª	5 S dell'8ª	5 M S. Maria d. N.	5 V S. Lorenzo G.	5 D 18ª B. V. Ros.	5 M dell'8ª	5 V S. Sabba ab.
6 V dell'8ª	6 D 3ª d. Pentec.	6 M Trasf. d. G. C.	6 S	6 L S. Brunone c.	6 G dell'8ª	6 S S. Nicolò v.
7 S dell'8ª	7 L	7 G S. Gaetano T.	7 D 14ª d. Pentec.	7 M S. Marco pp.	7 V dell'8ª	7 D 2ª d'Avv. Ro.
8 D 1ª SS. Trinità	8 M S. Elisab. reg.	8 V SS. Cir e c. m.	8 L Nat. di M. V.	8 M S. Brigida v.	8 S 8ª Ognissanti	8 L Imm. C. M. V.
9 L SS. Pri. e Fel.	9 M	9 S Vigilia	9 M S. Gorgon. m.	9 G SS. Dion. C. m.	9 D 23ª Pat. M. V.	9 M dell'8ª
10 M S. Marg. reg.	10 G SS. Sett. fr. m.	10 D 10ª d. Pentec.	10 M S. Nic. Tol. c.	10 V S. Fran. B.	10 L S. Andrea Av.	10 M dell'8ª
11 M S. Barn. ap.	11 V S. Pio I pp.	11 L SS. Tib. e Sus.	11 G SS. Pr. e Giac.	11 S	11 M S. Martino v.	11 G S. Dam. I pp.
12 G CORPUS DO.	12 S S. Giov. Gual.	12 M S. Chiara v.	12 V dell'8ª	12 D 19ª Ma. M. V.	12 M S. Mart. pp.	12 V S. Valer. ab.
13 V S. Ant. di Pa.	13 D 4ª d. Pen ec.	13 M S. Cassia. m.	13 S dell'8ª	13 L S. Edoardo re	13 G S. Stanisl. K.	13 S S. Lucia v.
14 S S. Basil. M. v.	14 L S. Bonav. d.	14 G S. Eusebio pr.	14 D 15ª SS. N. M.	14 M S. Calisto pp.	14 V	14 D 3ª d'Avv. Ro.
15 D SS. Vito e M.	15 M S. Enric. imp.	15 V ASSUN. M. V.	15 L 8ª d. N. M. V.	15 M S. Teresa v.	15 S S. Geltrud. v.	15 L 8ª d. Imm. C.
16 L dell'8ª	16 M B. V. del Car.	16 S S. Giacinto c.	16 M SS. Corn. e C.	16 G	16 D 24ª (Avv. A.)	16 M S. Eusebio v.
17 M dell'8ª	17 G dell'8ª	17 D 11ª S. Gioac.	17 M Temp. d'au.	17 V S. Edvige r.	17 L S. Greg. tau.	17 M Temp. d'int.
18 M dell'8ª	18 V S. Camillo L.	18 L S. Agapit. m.	18 G S. Gius. C.	18 S S. Luca Ev.	18 M D. b. ss. P., P.	18 G
19 G 8ª Cor. Dom.	19 S S. Vincen. P.	19 M S. Lodov. v.	19 V S. Genn. m. T.	19 D 20ª Pur. M. V.	19 M S. Elisabetta	19 V S. Nemesio T.
20 V S. CUORE G.	20 D 7ª d. Pen ec.	20 M S. Bernar. ab.	20 S S. Eustac. m.	20 L S. Giovan. C.	20 G V. Pres. di M. V.	20 S S. Timoteo T.
21 S S. Luigi G.	21 L S. Prassede v.	21 G S. Gio di Ch.	21 D 16ª Dol. M. V.	21 M SS. Orsol. e C.	21 V S. Felice Val.	21 D 4ª d'Avv. Rom.
22 D 3ª d. Pen ec. P. Cuore di M.	22 M S. Maria Mad.	22 V S. Ass. M. V.	22 M S. Man. C. T.	22 M	22 S S. Cecilia v.	22 L
23 L Vigilia	23 M S. Apollin. v.	23 S S. Filip. Bene.	23 M S. Lino p. T.	23 G	23 D 25ª d. Pentec.	23 M
24 M Nat. S. G. B.	24 G Vigilia	24 D 12ª d. Pentec.	24 G B. V. d. Merc.	24 V S. Gio. d. Cr.	24 L S. Gio. d. Cr.	24 M Vigilia
25 M S. Gugl. ab.	25 V S. Giac. ap.	25 L S. Luigi re	25 V S. Firmino v.	25 S SS. Crisan. D.	25 M S. Cater. v.	25 G NATALE G. C.
26 G SS. Gio e Pa.	26 S S. Anna	26 M S. Aless. m.	26 S SS. Cip. Giu.	26 D 21ª d. Pentec.	26 M S. Pietro Al.	26 V S. Stef. prot.
27 V dell'8ª	27 D 8ª d. Pentec.	27 M SS. Gius. Cal.	27 D 17ª Cos. e D.	27 L Vigilia	27 G	27 S S. Giov. ev.
28 S S. Leone II p.	28 L SS. Naz. e C.	28 G S. Agost. v. d.	28 L 17ª d Pentec.	28 M SS. Sim. e G.	28 V	28 D SS. Innoc. m.
29 D SS. P. e P. ap.	29 M S. Marta v.	29 V Dec. d. S. G. B.	29 M S. Michele A.	29 M	29 V Vigilia	29 L S. Tom. C. v.
30 L Comm. S. Pa.	30 M SS. Abd., Sen.	30 S S. Rosa da L.	30 M S. Girol. d.	30 G	30 D 1ª d'Avv. Ro.	30 M dell'8ª
	31 G S. Ignazio L.	31 D 13ª d. Pentec.		31 V Vigilia		31 M S. Silvez. pp.

Pasqua 14 Aprile. -- Anni: 43, 54, 65, 127, 138, 149, 160*, 211, 222, 233, 244*, 306, 317, 328*, 401, 407, 412*, 491, 496*, 502, 575, 586, 597, 659, 670, 681, 692*, 743, 754, 765, 776*, 838, 849, 860* 933, 939, 944*, 1023, 1028*, 1034, 1107, 1118, 1129, 1191, 1202, 1213, 1224*, 1275, 1286, 1297, 1308* 1370, 1381, 1392* 1465, 1471, 1476*, 1555, 1560*, 1566, 1591, 1596*, 1675, 1683, 1743, 1748*, 1754, 1805, 1811, 1816*, 1895, 1963, 1968* 1974, 2047, 2058, 2069, 2115, 2120*, 2126, 2199, 2267, ecc.

GENNAIO bis.	FEBBRAIO bis.	GENNAIO	FEBBRAIO	MARZO	APRILE	MAGGIO
1 L CIRCON. G. C.	1 G S. Ignazio v.	1 M CIRCON. G. C.	1 V S. Ignazio v.	1 V	1 L	1 M SS. Fil. e G. a.
2 M 8ª di S. Stef.	2 V Pur. di M. V.	2 M 8ª di S. Stef.	2 S Pur. di M. V.	2 S	2 M S. Fran. di P.	2 G S. Atanas. v.
3 M S. di S. Giov.	3 S S. Biagio v.	3 G 8ª di S. Giov.	3 D 4ª d. l'Epif.	3 D 1ª di Q. Invo.	3 M	3 V Inv. di S. Cro.
4 G 8ª SS. Innoc.	4 D 5ª d. l'Epif.	4 V 8ª SS. Innoc.	4 L S. Andrea Co.	4 L S. Casimiro C.	4 G S. Isidoro v.	4 S S. Monica ved.
5 V S. Telesf. pp.	5 L S. Agata v.	5 S S. Telesf. pp.	5 M S. Agata v.	5 M	5 V B. V. Addol.	5 D 3ª, Jubilate
6 S EPIFANIA	6 M S. Tito v.	6 D EPIFANIA	6 M S. Tito S. Dor.	6 M Temp. di q.	6 S	6 L S. Gio. a. p. l.
7 D 1ª d. l'Epif.	7 M S. Romualdo	7 L dell'8ª	7 G S. Rom. ab.	7 G S. To. d'Aq.	7 D delle Palme	7 M S. Stanisl. v.
8 L dell'8ª	8 G S. Giov. di M.	8 M dell'8ª	8 V S. Giov. di M	8 V S. Giov. D. T.	8 L santo	8 M Ap. di S. Mic.
9 M dell'8ª	9 V S. Apollon. v.	9 M dell'8ª	9 S S. Apollon. v.	9 S S. Fran. R. T.	9 M santo	9 G S. Greg. Naz.
10 M dell'8ª	10 S S. Scolastica	10 G dell'8ª	10 D Settuagesima	10 D 2ª di Q., Rem.	10 M santo	10 V SS. Gor. el E.
11 G dell'8ª	11 D Settuagesima	11 V dell'8ª	11 L	11 L	11 G Cena del Sig.	11 S
12 V dell'8ª	12 L	12 S dell'8ª	12 M	12 M S. Greg. I pp.	12 V Parasceve	12 D 4ª, Cantate
13 S 8ª dell'Epif.	13 M	13 D 1ª d. l'Epif.	13 M	13 M	13 S santo	13 L
14 D SS. N. di Gesù	14 M S. Valent. m.	14 L S. Ilar. B. Fel.	14 G S. Valent. m.	14 G	14 D PASQUA	14 M
15 L S. Paolo er.	15 G SS. Fau. e G.	15 M S. Paolo er.	15 V SS. Fau. e Gio	15 V	15 L dell'Angelo	15 M S. Bonifacio
16 M S. Marc. I pp.	16 V	16 M S. Marcello p.	16 S	16 S	16 M dell'Pasqua	16 G S. Ubaldo v.
17 M S. Antonio ab.	17 S	17 G S. Antonio ab.	17 D Sessagesima	17 D 3ª di Q., Oculi	17 M dell'8ª	17 V S. Pasqual. Ba.
18 G Cat. S. Piet. R.	18 D Sessagesima	18 V Cat. S. Piet. R.	18 L S. Simeone v.	18 L	18 G dell'8ª	18 S S. Venanz. m.
19 V S. Canuto re	19 L	19 S S. Canuto re	19 M	19 M S. Giuseppe	19 V dell'8ª	19 D 5ª, Rogate
20 S SS. Fab. e Seb.	20 M	20 D 2ª, SS. N. G.	20 M	20 M	20 S dell'8ª	20 L Le Rogazioni
21 D 3ª, Sac. Fam.	21 M	21 L S. Agnese v.	21 G	21 G S. Bened. ap.	21 D 1ª d. P., in Alb.	21 M S. Felic. Rog.
22 L SS. Vinc. e A.	22 G Cat. S. Piet. A.	22 M SS. Vinc. An.	22 V Cat. S. Piet. A.	22 V	22 L SS. Sot. e Caio	22 M Vigilia Rog.
23 M Spos. di M. V.	23 V S. Pier Dam.	23 M Spos. di M. V.	23 S S. Pier Dam	23 S	23 M S. Giorgio m.	23 G ASCEN. G. C.
24 M S. Timoteo v.	24 S Vigilia	24 G S. Timoteo v.	24 D Quinquages.	24 D 4ª di Q., Laet.	24 M S. Fedele Sig.	24 V S. Donaz. v.
25 G Con. S. Paolo	25 D Quinquages.	25 V Con. S. Paolo	25 L	25 L ANN. DI M. V.	25 G S. Marco Ev.	25 S S. Gre. VII P.
26 V S. Policar. v.	26 L	26 S S. Policar. v.	26 M	26 M	26 V SS. Cleto Mar,	26 D 6ª, Exaudi
27 S S. Giov. Cris.	27 M	27 D 3ª, Sac. Fam.	27 M Le Ceneri	27 M	27 S	27 L S. Mar. Mad.
28 D 4ª d. l'Epif.	28 M Le Ceneri	28 L S. Agnese 2ª f.	28 G	28 G	28 D 2ª, Miser. Dom	28 M S. Agost. C.
29 L S. Frances. S.	29 G	29 M S. Fran. ed A.		29 V	29 L S. Pietro m.	29 M S. Massimino
30 M S. Martina v.		30 M S. Martina v.		30 S	30 M S. Cater. da S.	30 G 8ª dell'Ascen.
31 M S. Pietro Nol.		31 G S. Pietro Nol.		31 D Ddi Pas. Iudic.		31 V S. Angela M

GIUGNO	LUGLIO	AGOSTO	SETTEMBRE	OTTOBRE	NOVEMBRE	DICEMBRE
1|S|	1 L|8ª di S. Gio. B.	1 G|S. Pietro in v.	1 D|13ª d. Pentec.	1 M|S. Remigio v.	1 V|OGNISSANTI	1 D|1ª d'Avv. Ro.
2 D|PENTECOS.	2 M|Vis. di M. V.	2 V|S. Alfonso L.	2 L|S. Stefano re	2 M|SS. Angeli C.	2 S|Comm. Def.	2 L|S. Bibiana v.
3 L|di Pentec.	3 M|dell'8ª	3 S|Inv. di S. Ste.	3 M|S. Mansue. v.	3 G|	3 D|22ª d. Pentec.	3 M|S. Franc. Sav.
4 M|di Pentec.	4 G|dell'8ª	4 D|9ª d. Pentec.	4 M|	4 V|S. Franc. d'As.	4 L|S. Carlo Bor.	4 M|S. Barb. m.
5 M|Temp. d'Est.	5 V|dell'8ª	5 L|S. Maria d. N.	5 G|S. Lorenzo G.	5 S|SS. Placid. C.	5 M|dell'8ª	5 G|S. Sabba ab.
6 G|S. Norbert. v.	6 S|8ª SS. A. P. P.	6 M|Trasf. di G. C.	6 V|Trasf. S. Ag. C.	6 D|16ª B. V. Ros.	6 M|S. Leon. P M.	6 V|S. Nicolò v.
7 V|S. Rober. a. T.	7 D|5ª d. Pentec.	7 M|S. Gaetano T.	7 S|S. Regina v.	7 L|S. Marco pp.	7 G|dell'8ª	7 S|S. Ambrogio v.
8 S|S. Guglel. T.	8 L|S. Elisab. reg.	8 G|SS. Cir. e c. m.	8 D|Nat. di M. V.	8 M|S. Brigida v.	8 V|8ª Ognissanti	8 D|Imm. C. M. V.
9 D|4ª SS. Trinità	9 M|	9 V|S. Roman. m.	9 L|S. Gorgon. m.	9 M|SS. Dion. C. m.	9 S|S. Teodoro m.	9 L|S. Siro v.
10 L|S. Marg. reg.	10 M|SS. Sett. fr. m.	10 S|S. Lorenzo m.	10 M|S. Nic. Tol. c.	10 G|S. Fran. B.	10 D|23ª d. Pentec.	10 M|S. Melch. pp.
11 M|S. Barn. ap.	11 G|S. Pio I pp.	11 D|10ª d. Pentec.	11 M|SS. Pr. e Giac.	11 V|	11 L|S. Martino v.	11 M|S. Dam. I pp.
12 M|S. Gio. d. S. F.	12 V|S. Giov. Gual.	12 L|S. Chiara v.	12 G|dell'8ª	12 S|	12 M|S. Mart. pp.	12 G|dell'8ª
13 G|CORPUS DO.	13 S|S. Anacl. pp.	13 M|S. Cassia. m.	13 V|dell'8ª	13 D|19ª Mat. M. V.	13 M|S. Stanisl. K.	13 V|S. Lucia v.
14 V|S. Basil. M. v.	14 D|6ª d. Pentec.	14 M|S. Eus-bio pr.	14 S|Esalt. S. Cro.	14 G|S. Calisto pp.	14 G|	14 S|dell'8ª
15 S|SS. Vito e M.	15 L|S. Enric. imp.	15 G|ASSUN. M. V.	15 D|15ª SS. N. M.	15 M|S. Teresa v.	15 V|S. Geltrud. v.	15 D|3ª d'Avv. Ro.
16 D|2ª d. Pentec.	16 M|B. V. del Car	16 V|S. Giacinto c.	16 L|SS. Corn. e C.	16 M|	16 S|	16 L|S. Eusebio v.
17 L|dell'8ª	17 M|S. Alessio c.	17 S|8ª S. Lorenzo	17 M|Stim. S. Fra.	17 G|S. Edvige v.	17 D|24ª [Avv. A.]	17 M|S. Lazz. v.
18 M|d'll'8ª	18 G|S. Camillo L.	18 D|11ª S. Gioac.	18 M|Temp. d'Aut.	18 V|S. Luca Ev.	18 L|D. b. ss. P. P.	18 M|Temp. d'Int.
19 M|dell'8ª	19 V|S. Vincen. P.	19 L|dell'8ª	19 G|S. Genna. v.	19 S|S. Piet. d'Alc.	19 M|S. Elisabetta	19 G|S. Nem. m.
20 G|8ª Cor. Dom.	20 S|S. Girol. E.	20 M|S. Bernar. ab.	20 V|S. Eust. m. T.	20 D|20ª Pur. M. V.	20 M|S. Felice Val.	20 V|S. Timoteo T.
21 V|S. CUORE G.	21 D|7ª d. Pentec.	21 M|S. Gio. di Ch.	21 S|S. Matt. ap. T.	21 L|SS. Orsol. e C.	21 G|Pres. di M. V.	21 S|S. Tom. ap. T.
22 S|S. Paolino v.	22 L|S. Maria Mad.	22 G|8ª Ass. M. V.	22 D|16ª Dol. M. V.	22 M|S. Donato v.	22 V|S. Cecilia v.	22 D|4ª d'Avv. Ro.
23 D|3ª d. Pentec. P. Cuore di M.	23 M|S. Apollin. v.	23 V|S. Filip. Ben.	23 L|S. Lino pp. m.	23 M|	23 S|S. Clem. I p.	23 L|S. Vittoria v.
24 L|Nat. S. G. B.	24 M|S. Cristina Vig.	24 S|S. Bartol. ap.	24 M|B. V. d. Merc.	24 G|	24 D|25ª d. Pentec.	24 M|Vigilia
25 M|S. Gugl. ab.	25 G|S. Giac. ap.	25 D|12ª d. Pentec.	25 M|	25 V|SS. Crisan. D.	25 L|S. Cater. v.	25 M|NATALE G.C.
26 M|SS. Gio. e Pa.	26 V|S. Anna	26 L|S. Zefirino p.	26 G|SS. Cip. Gin.	26 S|S. Evarist. p.	26 M|S. Pietro Al.	26 G|S. Stef. prot.
27 G|dell'8ª	27 S|S. Pantal. m.	27 M|S. Gius. Cal.	27 V|SS. Cos. e D.	27 D|21ª d. Pentec.	27 M|	27 V|S. Giov. er.
28 V|S. Leone II p.	28 D|8ª d. Pentec.	28 M|S. Agost. v. d.	28 S|S. Vences. m.	28 L|SS. Sim. e G.	28 G|	28 S|SS. Innocenti
29 S|SS. Piet. e Pa.	29 L|S. Marta v.	29 G|Dec. di S. G. B.	29 D|17ª d. Pentec.	29 M|S. Ernel. v.	29 V|S. Saturn. m.	29 D|S. Tomm. C.
30 D|4ª d. Pentec.	30 M|SS. Abd. Sen.	30 V|S. Rosa da L.	30 L|S. Girol. d.	30 M|	30 S|S. Andrea ap.	30 L|dell'8ª
	31 M|S. Ignazio L.	31 S|S. Raim. Non.	31 G|Vigilia	31 G|Vigilia		31 M|S. Silves. pp.

Pasqua 15 Aprile. — Anni: 59, 70, 81, 92*, 154, 165, 176*, 249, 260*, 339, 344*, 423, 434, 507, 518, 529, 591, 602, 613, 624*, 686, 697, 708*, 781, 792*, 871, 876*, 955, 966, 1039, 1050, 1061, 1123, 1134, 1145, 1156*, 1218, 1229, 1240*, 1313, 1324*, 1403, 1408*, 1487, 1498, 1571, 1582, 1607, 1618, 1629, 1691, 1759, 1770, 1781, 1827, 1838, 1900. 1906, 1979, 1990, 2001, 2063, 2074, 2085, 2096*, 2131, 2142, 2153, 2210, ecc.

GENNAIO bis.	FEBBRAIO bis.	GENNAIO	FEBBRAIO	MARZO	APRILE	MAGGIO
1 D CIRCON. G. C.	1 M S. Ignazio v.	1 L CIRCON. G. C.	1 G S. Ignazio v.	1 G S. Albino v.	1 D di Pas. Iudic.	1 M SS. Fil. e G. a.
2 L S. di S. Stef.	2 G Pur. di M. V.	2 M S. di S. Stef.	2 V Pur. di M. V.	2 V	2 L S. Fran. di P.	2 M S. Atanas. v.
3 M S. di S. Giov.	3 V	3 M S. di S. Giov.	3 S	3 S	3 M S. Pancra. v.	3 G Inv. di S. C.
4 M SS. Innoc.	4 S S. Andrea Co.	4 G SS. Innoc.	4 D 5ᵃ d. l'Epif.	4 D 1ᵃ di Q., Inv.	4 M S. Isidoro v.	4 V S. Monica ved.
5 G S. Telesf. pp.	5 D 5ᵃ d. l'Epif.	5 V S. Telesf. pp.	5 L S. Agata v.	5 L	5 G S. Vinc. Fer.	5 S S. Pio V pp.
6 V EPIFANIA	6 L S. Tito v.	6 S EPIFANIA	6 M S. Tito v.	6 M	6 V B. V. Addol.	6 D 3ᵃ, Jubilate
7 S dell'8ᵃ	7 M S. Romualdo	7 D dell'8ᵃ	7 M S. Rom. ab.	7 M Temp. di pri.	7 S S. Egesippo c.	7 L S. Stanisl. v.
8 D 1ᵃ d. l'Epif.	8 M S. Giov. di M.	8 L dell'8ᵃ	8 G S. Giov. di M.	8 G S. Giov. di D.	8 D delle Palme	8 M Ap. di S. Mic.
9 L dell'8ᵃ	9 G S. Apollon. v.	9 M dell'8ᵃ	9 V S. Apollon. v.	9 V S. Franc. T.	9 L santo	9 M S. Greg. Naz.
10 M dell'8ᵃ	10 V S. Scolastica	10 M dell'8ᵃ	10 S S. Scolastica	10 S SS. 40 Mar.T.	10 M santo	10 G SS. Gord. e E.
11 M dell'8ᵃ	11 S	11 G dell'8ᵃ	11 D Settuagesima	11 D 2ᵃ di Q., Rem.	11 M santo	11 V S. Mamert. v.
12 G dell'8ᵃ	12 D Settuagesima	12 V dell'8ᵃ	12 L	12 L S. Greg. I pp.	12 G Cena del Sig.	12 S SS. Ner. c. m.
13 V 8ᵒ dell'Epif.	13 L S. Cat. de R.	13 S 8ᵒ dell'Epif.	13 M S. Cat. de R.	13 M S. Eufrasia v.	13 V Parascene	13 D 4ᵃ, Cantate
14 S S. Ilar. S. Fel.	14 M S. Valent., m.	14 D 2ᵃ, SS. N. di G.	14 M S. Valent. m.	14 M S. Matil. reg.	14 S santo	14 L S. Bonifacio
15 D SS. .V. di Gesù	15 M SS. Fau. e G.	15 L S. Paolo er.	15 G SS. Fau. e G.	15 G S. Longino m.	15 D PASQUA	15 M S. Isidoro ag.
16 L S. Marc. I pp.	16 G S. Giuliana v.	16 M S. Marcello p.	16 V S. Giuliana v.	16 V S. Eribert. v.	16 L dell'Angelo	16 M S. Ubaldo v.
17 M S. Antonio ab.	17 V S. Silvino v.	17 M S. Antonio ab.	17 S S. Silvino v.	17 S S. Patrizio v.	17 M di Pasqua	17 G S. Pasqual. B.
18 M Cat. S. Piet. R.	18 S S. Simeone v.	18 G Cat. S. Piet. R.	18 D Sessagesima	18 D 3ᵃ di Q. Ocul.	18 M dell'8ᵃ	18 V S. Venanz. m.
19 G S. Canuto re	19 D Sessagesima	19 V S. Canuto re	19 L	19 L S. Giuseppe	19 G dell'8ᵃ	19 S S. Pietro Cel.
20 V SS. Fab. Seb.	20 L	20 S SS. Fab. Seb.	20 M	20 M SS. Grat. e M.	20 V dell'8ᵃ	20 D 5ᵃ, Rogate
21 D 3ᵃ, Sac. Fam.	21 M	21 D 3ᵃ, Sac. Fam.	21 M	21 M S. Bened. ab.	21 S dell'8ᵃ	21 L Le Rogazioni
22 L Spos. di M. V.	22 M Cat. S. Piet. A.	22 L Spos. di M. V.	22 G Catt. S. Piet.	22 G S. Paolo v.	22 D 1ᵃ, in Albis	22 M S. Emil. Rog
23 M S. Timoteo v.	23 G S. Pier Dam.	23 M S. Timoteo v.	23 V S. Pier Dam.	23 V S. Vittor. m.	23 L S. Giorgio m.	23 M S. Desid. Rog
24 M S. di M. V.	24 V Vigilia	24 M S. di M. V.	24 S S. Mattia ab.	24 S S. Simeone m.	24 M S. Fedele Sig.	24 G ASCEN. G. C.
25 G Con. S. Paolo	25 S S. Mattia ap.	25 G Con. S. Paolo	25 D Quinquages.	25 D ANN. DI M. V.	25 M S. Marco Ev.	25 V S. Gre. VII P.
26 V S. Policar. v.	26 D Quinquages.	26 V S. Policar. v.	26 L	26 L S. Teodoro v.	26 G SS. Cleto Mar.	26 S S. Filippo N.
27 S S. Giov. Cris.	27 L	27 S S. Giov. Cr.	27 M	27 M	27 V S. Zita v.	27 D 6ᵃ, Exaudi
28 D 4ᵃ d. l'Epif.	28 M	28 D 4ᵃ d. l'Epif.	28 M Le Ceneri	28 M	28 S S. Vitale m.	28 L S. Agost. c.
29 L S. Agnese 2ᵃ¹.	29 M Le Ceneri	29 L S. Agnese 2ᵃ¹.		29 G	29 D 2ᵃ, Mis. Dom.	29 M S. Massimino
30 M S. Martina v.		30 M S. Martina v.		30 V	30 L S. Cater. da S.	30 M S. Felice I pp.
31 M S. Pietro Nol.		31 M S. Pietro Nol.		31 S		31 G 8ᵃ dell'Ascen.

GIUGNO

1	V	
2	S	SS. Marc. e C.
3	D	PENTECOS.
4	L	dì Pente.
5	M	dì Pente.
6	M	Temp. d'est.
7	G	dell'8ª
8	V	dell'8ª Temp.
9	S	dell'8ª Temp.
10	D	1ª SS. Trinità
11	L	S. Barn. ap.
12	M	S. Gio. d. S. F.
13	M	S. Ant. di Pa.
14	G	CORPUS DO.
15	V	SS. Vito e M.
16	S	
17	D	2ª d. Pente.
18	L	SS. Mar. e M.
19	M	SS. Ger. e Pr.
20	M	S. Silver. pp.
21	G	S. Cor. Dom.
22	V	S. CUORE G.
23	S	S. Ianfr. v.
24	D	3ª d. Pente. P. Cuore di M.
25	L	S. Gugl. ab.
26	M	SS. Gio. e Pa.
27	M	S. Ladisl. re
28	G	S. Leone II p.
29	V	SS. P. e P. ap.
30	S	Comm. S. Pa.

LUGLIO

1	D	4ª d. Pente.
2	L	Vis. di M. V.
3	M	dell'8ª
4	M	dell'8ª
5	G	dell'8ª
6	V	8ª SS. A. P. P.
7	S	
8	D	5ª d. Pente.
9	L	
10	M	SS. Sett. fr. m.
11	M	S. Pio I pp.
12	G	S. Gio. Gual.
13	V	S. Anacl. pp.
14	S	S. Bonav. d.
15	D	6ª d. Pente.
16	L	B. V. del Car.
17	M	S. Alessio c.
18	M	S. Camillo L.
19	G	S. Vincen. P.
20	V	S. Girol. E.
21	S	S. Prassede v.
22	D	7ª d. Pente.
23	L	S. Apollin. v.
24	M	Vigilia
25	M	S. Giac. ap.
26	G	S. Anna
27	V	S. Pantal. m.
28	S	SS. Naz. e C.
29	D	8ª d. Pente.
30	L	SS. Abd., Sen.
31	M	S. Ignazio L.

AGOSTO

1	M	S. Pietro in v.
2	G	S. Alfonso L.
3	V	Inv. d. S. Ste.
4	S	S. Dom. di G.
5	D	9ª d. Pente.
6	L	Trasf. di G. C.
7	M	S. Gaetano T.
8	M	SS. Cir. e c. m.
9	G	S. Roman. m.
10	V	S. Lorenzo m.
11	S	SS. Proto e G.
12	D	10ª d. Pente.
13	L	S. Cassia. m.
14	M	S. Eusebio pr.
15	M	ASSUN. M. V.
16	G	S. Giacinto c.
17	V	8ª S. Lorenzo
18	S	S. Agapit. m.
19	D	11ª. S. Gioac.
20	L	S. Bernar. ab.
21	M	S. Gio. di Ch.
22	M	8ª Ass. M. V.
23	G	S. Filip. Ben.
24	V	S. Bartol. ap.
25	S	S. Luigi re
26	D	12ª d. Pente.
27	L	S. Gius. Cal.
28	M	S. Agost. v. e C.
29	M	Dec. di S. G. B.
30	G	S. Rosa da L.
31	V	S. Raim. Non.

SETTEMBRE

1	S	S. Egidio ab.
2	D	13ª d. Pente.
3	L	
4	M	
5	M	S. Lorenzo G.
6	G	Tras. S. Ag. C.
7	V	S. Regina v.
8	S	Nat. di M. V.
9	D	14ª. SS. N. M.
10	L	S. Nic. Tol. c.
11	M	SS. Pr. e Giac.
12	M	dell'8ª
13	G	dell'8ª
14	V	Esalt. S. Cro.
15	S	8ª d. N. M. V.
16	D	15ª. Dol. M. V.
17	L	Stim. S. Fra.
18	M	S. Gius. C.
19	M	Temp. d'aut.
20	G	S. Eustac. v.
21	V	S. Mau. ap. T.
22	S	S. Mau. c. T.
23	D	16ª d. Pente.
24	L	B. V. d. Merc.
25	M	
26	M	SS. Cip., Giu.
27	G	SS. Cos. e D.
28	V	S. Vences. m.
29	S	S. Michele A.
30	D	17ª d. Pente.

OTTOBRE (1)

1	L	S. Remigio v.
2	M	SS. Angeli C.
3	M	
4	G	S. Fran. d'As.
5	V	S. Facil. C.
6	S	S. Brunone c.
7	D	18ª. B. V. Ros.
8	L	S. Brigida v.
9	M	SS. Dion. c. m.
10	M	S. Fran. B.
11	G	
12	V	S. Massim. v.
13	S	S. Edoardo re
14	D	19ª Mat. M. V.
15	L	S. Teresa v.
16	M	
17	M	S. Edvige r.
18	G	S. Luca Ev.
19	V	S. Piet. d'Alc.
20	S	S. Giovan. C.
21	D	20ª Pur. M. V.
22	L	
23	M	
24	M	
25	G	SS. Crisan. D.
26	V	S. Evaristo pp.
27	S	Vigilia
28	D	21ª d. Pente.
29	L	
30	M	
31	M	Vigilia

NOVEMBRE

1	G	OGNISSANTI
2	V	Comm. Def.
3	S	S. Uberto v.
4	D	22ª. S. Carlo
5	L	dell'8ª
6	M	dell'8ª
7	M	dell'8ª
8	G	8ª Ognissanti
9	V	S. Teodoro m.
10	S	S. Andrea Av.
11	D	23ª. Pat. M. V.
12	L	S. Mart. pp.
13	M	S. Stanisl. K.
14	M	
15	G	S. Geltrud. v.
16	V	S. Edmon. v.
17	S	S. Greg. tau.
18	D	24ª. (Avv. A.)
19	L	S. Elisabetta
20	M	S. Felice Val.
21	M	Pres. di M. V.
22	G	S. Cecilia v.
23	V	S. Clem. I p.
24	S	S. Gio. d. Cr.
25	D	25ª d. Pente.
26	L	S. Pietro Al.
27	M	
28	M	
29	G	S. Saturn. m.
30	V	S. Andrea ap.

DICEMBRE

1	S	
2	D	1ª d'Avv. Ro.
3	L	S. Fran. Sav.
4	M	S. Barb. m.
5	M	S. Sabba ab.
6	G	S. Nicolò v.
7	V	S. Ambrogio v.
8	S	Imm. C. M. V.
9	D	2ª d'Avv. Ro.
10	L	S. Melch. pp.
11	M	S. Dam. I pp.
12	M	dell'8ª
13	G	S. Lucia v.
14	V	S. Spiridione
15	S	8ª S. Imm. C.
16	D	3ª d'Avv. Ro.
17	L	S. Lazz. v.
18	M	Asp. Div. P.
19	M	Temp. d'inv.
20	G	S. Timoteo
21	V	S. Tomm. T.
22	S	S. Flav. m. T.
23	D	4ª d'Avv. Ro.
24	L	Vigilia
25	M	NATALE G.C.
26	M	S. Stef. prot.
27	G	S. Giov. ev.
28	V	SS. Innoc. m.
29	S	S. Tom. C. v.
30	D	dell'8ª
31	L	S. Silves. pp.

(1) Nell'anno 1582, i giorni dal 5 al 14 inclusivi del mese di Ottobre, furono soppressi da papa Gregorio XIII per la correzione del calendario. Dal 15 Ottobre in poi, vennero quindi alterati i giorni della settimana, chiamando venerdì il lunedì 15, sabato il martedì e così di seguito.

Pasqua 16 Aprile. – Anni: 2, 13, 24*, 86, 97, 108*, 181, 187, 192*, 271, 276*,382, 355, 366, 377, 439, 450, 461, 472*,
533, 534, 545, 556*, 618, 629, 640*, 713, 724*, 803, 808* 814, 887, 898, 909, 971, 982, 993, 1004*, 1055, 1066.
1077, 1088*, 1150, 1161, 1172*, 1245, 1251, 1256*, 1335, 1340*, 1346, 1419, 1430, 1441, 1503, 1514, 1525, 1536*, 1623.
1631, 1645, 1656*, 1702, 1713, 1724*, 1775, 1786, 1797, 1843, 1854, 1865, 1876*, 1911, 1922, 1933, 1995, 2006, 2017.
2028*, 2090, 2147, 2158*, 2169, 2180*, ecc.

GENNAIO	FEBBRAIO	MARZO	APRILE	MAGGIO
1 D CIRCON. G. C.	1 M S. Ignazio v.	1 M Le Ceneri	1 S	1 L SS. Fil. e G. a.
2 L ss di S. Stef.	2 G Pur. di M. V.	2 G	2 D di Pas. Iudic.	2 M S. Atanas. v.
3 M ss di S. Gior.	3 V S. Biagio v.	3 V	3 L	3 M Inv. di S. Cro.
4 Mer SS. Innoc.	4 S S. Andrea Co.	4 S S. Casimiro c.	4 M S. Isidoro v.	4 G S. Monica ved.
5 G S. Telesf. pp.	5 D 5ª d. l'Epif.	5 D 1ª di Q. Invo.	5 M S. Vinc. Fer.	5 V S. Pio V pp.
6 V EPIFANIA	6 L S. Tito. S. Dor.	6 L	6 G	6 S S. Gio. a. p. l.
7 S dell'8ª	7 M S. Rom. ab.	7 M S. To. d'Aq.	7 V B. V. Addolo.	7 D 3ª, Jubilate
8 D dell'8ª	8 M S. Giov. di M.	8 M Temp. di pri.	8 S S. Dionigi v.	8 L Ap. di S. Mic.
9 L dell'8ª	9 G S. Apollon. v.	9 G S. Fran. R.	9 D delle Palme	9 M S. Greg. Naz.
10 M dell'8ª	10 V S. Scolastica	10 V SS. 40 Mar. T	10 L santo	10 M SS. Gor. ed E.
11 M dell'8ª	11 S S. Lazzaro v.	11 S Tempora	11 M santo	11 G
12 G dell'8ª	12 D Settuagesima	12 D 2ª di Q., Rem.	12 M santo	12 V SS. Ner. C. u.
13 V 8ª dell'Epif.	13 L S. Cat. de Ric.	13 L	13 G Cena del Sig.	13 S
14 S S. Ilar. S. Fel.	14 M S. Valent. m.	14 M	14 V Parascere	14 D 4ª, Cantate
15 D 2ª SS. N. G.	15 M SS. Faus. e Gio.	15 M	15 S santo	15 L
16 L S. Marcello p.	16 G S. Giulian. v.	16 G	16 D PASQUA	16 M S. Ubaldo v
17 M S. Antonio ab.	17 V S. Silvino v.	17 V S. Patrizio v.	17 L dell'Angelo	17 M S. Pasqual. B.
18 M Cat. S. Piet. R.	18 S S. Simeone v.	18 S	18 M di Pasqua	18 G S. Venanz. m.
19 G S. Canuto re	19 D Sessagesima	19 D 3ª di Q. Oculi	19 M dell'8ª	19 V S. Pietro Cel.
20 V SS. Fab., Seb.	20 L	20 L	20 G dell'8ª	20 S S. Bern. d. S
21 S S. Agnese v.	21 M	21 M	21 V dell'8ª	21 D 5ª, Rogate
22 D 3ª Sac. Fam.	22 M Cat. S. Piet. A.	22 M	22 S dell'8ª	22 L Le Rogazioni
23 L Spos. di M. V.	23 G S. Pier Dam.	23 G	23 D 1ª d.P. in Alb.	23 M S. Desid. Rog.
24 M S. Timoteo v.	24 V S. Mattia ab.	24 V S. Simone m.	24 L S. Fedele Sig.	24 M S. Vigilia Rog.
25 M Con. S. Paolo	25 S	25 S ANN. di M. V.	25 M S. Marco Ev.	25 G S. ASCEN. G. C.
26 G S. Policar. v.	26 D Quinquages.	26 D 4ª di Q., Laet.	26 M SS. Cleto Mar.	26 V S. Filippo N.
27 V S. Giov. Cr.	27 L	27 L	27 G	27 S S. Mar. Mad.
28 S S. Agnese 2ª	28 M	28 M	28 V S. Vitale m.	28 D 6ª, Exaudi
29 D 4ª d. l'Epif.		29 M	29 S S. Pietro m.	29 L S. Massimino
30 L S. Martina v.		30 G	30 D 2ª Miser. Dom	30 M S. Felice I pp.
31 M S. Pietro Nol.		31 V		31 M S. ... v

GENNAIO bis.	FEBBRAIO bis.
1 S CIRCON. G. C.	1 M S. Ignazio v.
2 D ss di S. Stef.	2 G Pur. di M. V.
3 L ss di S. Gior.	3 V S. Biagio v.
4 Mer SS. Innoc.	4 S S. Andrea Co.
5 G S. Telesf. pp.	5 D S. Agata v.
6 V EPIFANIA	6 L S. Tito. S. Dor.
7 S dell'8ª	7 M S. Rom. ab.
8 D dell'8ª	8 M S. Giov. di M.
9 L d. l'Epif.	9 G S. Apollon. v.
10 M dell'8ª	10 V S. Scolastica
11 M dell'8ª	11 S SS. Sett. Fon.
12 G dell'8ª	12 D Settuagesima
13 V 8ª dell'Epif.	13 L
14 S S. Ilar. S. Fel.	14 M S. Valent. m.
15 D SS. N. di Gesù	15 M SS. Faus. e Gio.
16 L S. Paolo er.	16 G S. Giuliana v.
17 M S. Antonio ab.	17 V S. Silvino v.
18 M Cat. S. Piet. R.	18 S S. Simeone v.
19 G S. Mario	19 D
20 V SS. Fab. Seb.	20 L Sessagesima
21 S S. Agnese v.	21 M
22 D SS. Vinc. e A.	22 M Cat. S. Piet. A.
23 L Spos. di M. V.	23 G S. Pier Dam.
24 M S. Timoteo v.	24 V Vigilia
25 M Con. S. Paolo	25 S S. Mattia ap.
26 G S. Policar. v.	26 D Quinquages.
27 V S. Giov. Cris.	27 L
28 S S. Frances. S.	28 M
29 D 4ª d. l'Epif.	29 M
30 L S. Martina v.	
31 M S. Pietro Nol.	

GIUGNO	LUGLIO	AGOSTO	SETTEMBRE	OTTOBRE	NOVEMBRE	DICEMBRE
1 G 8ª dell'Ascen.	1 S 8ª di S. Gio. B.	1 M S. Pietro in v.	1 V S. Egidio ab.	1 D 17ª, B. V. Ros.	1 M OGNISSANTI	1 V
2 V SS. Marc. e C.	2 D 4ª d. Pentec.	2 M S. Alfonso L.	2 S S. Stefano re	2 L SS. Angeli C.	2 G Comm. Def.	2 S S. Bibiana v.
3 S S. Clotilde r.	3 L dell'8ª	3 G Inv. di S. Ste.	3 D 13ª d. Pentec.	3 M	3 V S. Uberto v.	3 D 1ª d'Avv. Ro.
4 D PENTECOS.	4 M dell'8ª	4 V S. Dom. di G.	4 L	4 M S. Fran. d'As.	4 S S. Carlo Bor.	4 L S. Barb. m.
5 L di Pentec.	5 M dell'8ª	5 S S. Maria d. N.	5 M S. Lorenzo G.	5 G SS. Placid. C.	5 D 22ª d. Pentec.	5 M S. Sabba ab.
6 M di Pentec.	6 G 8ª SS. A. P. P.	6 D 9ª d. Pentec.	6 M Tras. S. Ag. C.	6 V S. Brunone c.	6 L dell'8ª	6 M S. Nicolò v.
7 M Temp. d'Est.	7 V	7 L S. Gaetano T.	7 G S. Regina v.	7 S S. Marco pp.	7 M dell'8ª	7 G S. Ambrogio v.
8 G dell'8ª	8 S S. Elisab. reg.	8 M SS. Cir. e c. m.	8 V Nat. di M. V.	8 D 18ª, Mat. M. V.	8 M 8ª Ognissanti	8 V Imm. C. M. V.
9 V dell'8ª Temp.	9 D 5ª d. Pentec.	9 M	9 S S. Gorgon. m.	9 L SS. Dion. C. m.	9 G S. Teodoro m.	9 S dell'8ª
10 S dell'8ª Temp.	10 L SS. Sett. fr. m.	10 G S. Lorenzo m.	10 D 14ª, SS. N. M.	10 M S. Fran. B.	10 V S. Andrea Av.	10 D 2ª d'Avv. Ro.
11 D 1ª, SS. Trinità	11 M S. Pio I pp.	11 V SS. Proto e G.	11 L SS. Pr. e Giac.	11 M	11 S S. Martino v.	11 L S. Dam. I pp.
12 L S. Gio. d. S. F.	12 M S. Gio., Gual.	12 S	12 M dell'8ª	12 G S. Massim. v.	12 D 23ª, Pat. M. V.	12 M S. Valer. ab.
13 M S. Ant. di Pa.	13 G S. Anacl. pp.	13 D 10ª d. Pentec.	13 M dell'8ª	13 V S. Edoardo re	13 L S. Stanisl. K.	13 M S. Lucia v.
14 M S. Basil. M. v.	14 V S. Bonav. d.	14 L S. Eusebio pr.	14 G Esalt. S. Cro.	14 S S. Calisto pp.	14 M	14 G S. Spiridione
15 G CORPUS DO.	15 S S. Enric. imp.	15 M ASSUN. M. V.	15 V 8ª d. N. M. V.	15 D 19ª, Pur. M. V.	15 M S. Geltrude v.	15 V 8ª d'Imm. C.
16 V dell'8ª	16 D 6ª d. Pentec.	16 M S. Giacinto c.	16 S SS. Corn. e C.	16 L	16 G S. Edmon. v.	16 S S. Eusebio v.
17 S dell'8ª	17 L S. Alessio c.	17 G 8ª S. Lorenzo	17 D 15ª Do. M. V.	17 M S. Edvige r.	17 V S. Greg. tau.	17 D 3ª d'Avv. Ro.
18 D 2ª d. Pentec.	18 M S. Camillo L.	18 V S. Agapit. m.	18 L S. Gius. C.	18 M S. Luca Ev.	18 S D. b. ss. P., P.	18 L
19 L SS. Ger. e Pr.	19 M S. Vincen. P.	19 S S. Lodov. v.	19 M S. Genna. v.	19 G S. Piet. d'Alc.	19 D 24ª d. Pentec.	19 M S. Nem. m.
20 M S. Silver. pp.	20 G S. Marg. v.	20 D 11ª, S. Gioac.	20 M Temp. d'Aut.	20 V S. Giovan. C.	20 L S. Felice Val.	20 M Temp. d'Inv.
21 M S. Paolino v.	21 V S. Prassede v.	21 L S. Gio. di Ch.	21 G S. Matt. ap.	21 S S. Orsol. e C.	21 M Pres. di M. V.	21 G S. Tom. ap.
22 G 3ª Cor. Dom.	22 S S. Maria Mad.	22 M 8ª Ass. M. V.	22 V S. Mau. C. T.	22 D 20ª d. Pentec.	22 M S. Cecilia v.	22 V Tempora
23 V S. CUORE G.	23 D 7ª d. Pentec.	23 M S. Filip. Ben.	23 S S. Lino pp. T.	23 L	23 G S. Clem. i p.	23 S Tempora
24 S Nat. S. G. B.	24 L Vigilia	24 G S. Bartol. ap.	24 D 16ª d. Pentec.	24 M	24 V S. Gio. d. Cr.	24 D 4ª d'Avv. Ro.
25 D 4ª d. Pentec. P. Cuor di M.	25 M S. Giac. ap.	25 V S. Luigi re	25 L S. Firmino v.	25 M SS. Crisan. D.	25 S S. Cater. v.	25 L NATALE G.C.
26 L SS. Gio. e Pa.	26 M S. Anna	26 S S. Aless. m.	26 M SS. Cip., Giu.	26 G S. Evarist. pp.	26 D 25ª d. Pentec.	26 M S. Stef. prot.
27 M dell'8ª	27 G S. Pantal. m.	27 D 12ª d. Pentec.	27 M SS. Cos. e D.	27 V Vigilia	27 L	27 M S. Giov. ev.
28 M S. Leone II p.	28 V SS. Naz. e C.	28 L S. Agost. v. d.	28 G Vigilia	28 S SS. Sim. e G.	28 M	28 G SS. Innocenti
29 G SS. Piet. e Pa.	29 S S. Marta v.	29 M Dec. d. S. G. B.	29 V S. Michele A.	29 D 21ª d. Pentec.	29 M Vigilia	29 V S. Tomm. C.
30 V Comm. S. Pa.	30 D 8ª d. Pentec.	30 M S. Rosa da L.	30 S S. Girol. d.	30 L	30 G S. Andrea ap.	30 S
	31 L S. Ignazio L.	31 G S. Girol. d.		31 M Vigilia		31 D S. Silves. pp.

Pasqua 17 Aprile. – Anni: 29, 40*, 119, 124*, 203, 214, 287, 298, 309, 371, 382, 393, 404*, 466, 477, 488*, 561, 572*, 651, 656*, 735, 746, 819, 830, 841, 903, 914, 925, 936*, 998, 1009, 1020*, 1093, 1104*, 1183, 1188*, 1267, 1351, 1362, 1373, 1435, 1446, 1457, 1468*, 1530, 1541, 1552*, 1588*, 1650, 1661, 1672*, 1718, 1729, 1740*, 1808* 1870, 1881, 1892*, 1927, 1938, 1949, 1960*. 2022, 2033, 2044*, 2101, 2112*, 2174, 2185, 2196*, 2242, 2253, 2264*, ecc.

GENNAIO bis.	FEBBRAIO bis.	GENNAIO	FEBBRAIO	MARZO	APRILE	MAGGIO
1 V CIRCON. G. C.	1 L S. Ignazio v.	1 S CIRCON. G. C.	1 M S. Ignazio v.	1 M	1 V	1 D 2a, Miser. Dom
2 S S. di S. Stef.	2 M Pur. di M. V.	2 D S. di S. Stef.	2 M Pur. di M. V.	2 M Le Ceneri	2 S S. Fran. di P.	2 L S. Atanas. v.
3 D S. di S. Giov.	3 M S. Biagio v.	3 L S. di S. Giov.	3 G S. Biagio v.	3 G	3 D Di Pas. Indic.	3 M Inv. di S. Cro.
4 L S. SS. Innoc.	4 G S. Andrea Co.	4 M SS. Innoc.	4 V S. Andrea Co.	4 V S. Casimiro c.	4 L S. Isidoro v.	4 M S. Monica ved.
5 M S. Telesf. pp.	5 V S. Agata v.	5 M S. Telesf pp.	5 S S. Agata v.	5 S S. Foca m.	5 M S. Vinc. Fer.	5 G S. Pio V PP.
6 M EPIFANIA	6 D 5a d. l'Epif.	6 G EPIFANIA	6 D 5a d. l'Epif.	6 D 1a di Q. Inv.	6 M S. Ben. G. L.	6 V S. Gio. a. p. L.
7 G dell'8a	7 L S. Giov. di M.	7 V dell'8a	7 L S. Rom. ab.	7 L S. To. d'Aq.	7 G S. Egesippo c.	7 S S. Stanisl v.
8 V dell'8a	8 M S. Apollon. v.	8 S dell'8a	8 M S. Giov. di M.	8 M S. Giov. di D.	8 V B. V. Addolo.	8 D 3a, Pat. S. G.
9 S dell'8a	9 M S. Scolastica	9 D 1a d. l'Epif.	9 M S. Apollon. v.	9 M Temp. di pr.	9 S S. Maria Cle.	9 L S. Greg. Naz.
10 D 1a d. l'Epif.	10 M S. Scolastica	10 L dell'8a	10 G S. Scolastica	10 G SS. 40 Martiri	10 D delle Palme	10 M SS. Gor. et E.
11 L dell'8a	11 G	11 M dell'8a	11 V S. Eulalia v.	11 V Tempora	11 L santo	11 M S. Mamert. vc.
12 M dell'8a	12 V S. Eulalia v.	12 M dell'8a		12 S S. Greg. I p. T.	12 M santo	12 G SS. Ner. C. m.
13 M S8 dell'Epif.	13 S	13 G S. dell'Epil.	13 D Settuagesima	13 D 2a di Q., Rem.	13 M santo	13 V
14 G S. Ilar. S. Fel.	14 D Settuagesima	14 V S. Ilar. S. Fel.	14 L S. Valent. m.	14 L	14 G Cena del Sig.	14 S S. Bonifa. m.
15 V S. Paolo er.	15 L SS. Fau. e G	15 S S. Paol. S. M.	15 M SS. Fau. e Gio.	15 M	15 V Parascere	15 D S. Ubaldo v.
16 S S. Marc. I d	16 M	16 D 2a, SS. N. G.	16 M	16 M S. Eriberto v.	16 S santo	16 L S. Pasqual. B.
17 D SS. N. di Gesù	17 M S. Silvino v.	17 L S. Antonio ab.	17 G S. Silvino v.	17 G S. Patrizio v.	17 D PASQUA	17 M S. Venanz. m.
18 L Cat. S. Piet. R.	18 G S. Simeone v.	18 M Cat. S. Piet. R.	18 V S. Simeone v.	18 V S. Gabriele a.	18 L dell'Angelo	18 M S. Pietro Cel.
19 M S. Canuto re	19 V S. Corrado c.	19 M S. Canuto re	19 S S. Corrado c.	19 S S. Giuseppe	19 M di Pasqua	19 G S. Bern. d. S.
20 M S. Fab. Seb.	20 S S	20 G S. Fab. Seb.	20 D Sessagesima	20 D 3a di Q., Oculi	20 M dell'8a	20 V
21 G S. Agnese v.	21 D Sessagesima	21 V S. Agnese v.	21 L S. Severiano	21 L S. Bened. ab.	21 G dell'8a	21 S
22 V SS. Vinc. e A.	22 L Cat. S. Piet. A.	22 S SS. Vin. el A.	22 M Cat. S. Piet. A.	22 M S. Paolo v.	22 V dell'8a	22 D Rogate
23 S Spos. di S. M.	23 M S. Pier Dam.	23 D 3a, Spos. M. V.	23 M S. Pier Dam.	23 M S. Vittore. m.	23 S dell'8a	23 L Le Rogazioni
24 D 3a, Sac. Fam.	24 M S. Vigilia	24 L S. Timoteo v.	24 G S. Mattia ab.	24 G S. Simone m.	24 D 1a d. P., in Alb.	24 M S. Dona. Rog.
25 L Con. S. Paolo	25 G S. Mattia ap	25 M Con. S. Paolo	25 V	25 V ANN. DI M.V.	25 L S. Marco Ev.	25 M S. Greg. Rog.
26 M S. Policar. v.	26 V	26 M S. Policar. v.	26 S	26 S	26 M SS. Cleto Mar.	26 G S. ASCEN. G. C.
27 M S. Giov. Cris.	27 S	27 G S. Giov. Cr.	27 D Quinquages.	27 D 4a di Q., Laet.	27 M	27 V S. Maria Mad.
28 G S. Agnese 2a f.	28 D Quinquages.	28 V S. Agnese 2a f.	28 L	28 L	28 G S. Vitale m.	28 S S. Agos. Can.
29 V S. Frances. S.	29 L	29 S S. Fran. Sal.		29 M	29 V S. Pietro m.	29 D 6a, Exaudi
30 S S. Martina v.		30 D 4a d. l'Epif.		30 M	30 S S. Cater. da S.	30 L S. Felice I pp.
31 D 4a d. l'Epif.		31 L S. Pietro Nol.		31 G		31 M

GIUGNO	LUGLIO	AGOSTO	SETTEMBRE	OTTOBRE	NOVEMBRE	DICEMBRE
1 M S. Panfilo m.	1 V 8ª di S. Gio. B.	1 L S. Pietro in v.	1 G S. Egidio at.	1 S S. Remigio v.	1 M OGNISSANTI	1 G
2 G 1ª dell' Ascen.	2 S Vis. di Ma. V.	2 M S. Alfonso re	2 V S. Stefano re	2 D 17ª B. V. Ros.	2 M Comm. Def.	2 V S. Bibiana v.
3 V S. Clotilde r.	3 D 4ª d. Pentec.	3 M Inv. di S. Ste.	3 L	3 L	3 G S. Uberto v.	3 S S. Fran. Sav.
4 S S. Fran C.	4 L S. Ireneo v.	4 G S. Dom. di G.	4 D 13ª d. Pente.	4 M S. Fran. d'As.	4 V S. Carlo Bor.	4 D 2ª d'Avv. Ro.
5 D PENTECOS.	5 M dell'8ª	5 V S. Maria d. N.	5 L S. Lorenzo G.	5 M SS. Placid. C.	5 S dell'8ª	5 L S. Sabba ab.
6 L dâ Pentec.	6 M SS. A. P. P.	6 S Trasf. di G. C.	6 M	6 G S. Brunone c.	6 D 22ª d. Pentec.	6 M S. Nicolò v.
7 M di Pentec.	7 G	7 D 9ª d. Pentec.	7 M S. Regina v.	7 V S. Marco pp.	7 L dell'8ª	7 M S. Ambrogio v.
8 M Temp. d'est..	8 V S. Elisab. reg.	8 L SS. Cir. e c. m.	8 G Nat. di M. V.	8 S S. Brigida v.	8 M 8ª Ognissanti	8 G Imm. C. M. V.
9 G SS. Pri. e Fel.	9 S	9 M	9 V S. Gorgon. m.	9 D 18ª Mat.M.V.	9 M S. Teodoro m.	9 V dell'8ª
10 V S. Margh. T.	10 D 5ª d. Pente.	10 M S. Lorenzo m.	10 S S. Nic. Tol. c.	10 L	10 G S. Andrea Av.	10 S dell'8ª
11 L S. Barn. ap. T	11 L S. Pio I pp.	11 G SS. Proto e G.	11 D 14ª SS. N. M.	11 M S. Germ. v.	11 V S. Martino v.	11 D 3ª d'Avv. Ro.
12 D le SS. Trinità	12 M S. Giov. Gual.	12 V S. Chiara v.	12 L dell'8ª	12 M S. Massim. v.	12 S S. Mart. pp.	12 L S. Valer. ab.
13 L S Ant. di Pa..	13 M S. Anacl. pp.	13 S S. Cassia. m.	13 M dell'8ª	13 G S. Edoardo re	13 D 23ª Pat.M. V.	13 M S. Lucia v.
14 M S. Basil. M. v.	14 G S. Bonav. d.	14 D 10ª d. Pente.	14 M Esalt. S. Cro.	14 V S. Calisto pp.	14 L	14 M Temp. d'inv.
15 M SS. Vito e M	15 V S. Enric. imp.	15 L ASSUN. M. V.	15 G 8ª d. N. M. V.	15 S S. Teresa v.	15 M S. Geltrud. v.	15 G 8ª d. Imm. C.
16 G CORPUS DO.	16 S B. V. del Car.	16 M S. Giacinto c.	16 V SS. Corn. e C.	16 D 19ª Pur. M. V.	16 M S. Edmon. v.	16 V S. Euseb. v. T.
17 V S. Ranieri c.	17 D 6ª d. Pente.	17 M 8ª S. Lorenzo	17 S Stim. S. Fra.	17 L S. Edvige v.	17 G S. Greg. tau.	17 S S. Lazz. v. T.
18 S SS. Mar. e M.	18 L S. Camillo L.	18 G S. Agapit. m.	18 D 15ª Dol. M. V.	18 M S. Luca Ev.	18 V D. b. ss. P.. P.	18 D 4ª d'Avv. Ro.
19 D 2ª d. Pente.	19 M S. Vincen. P.	19 V S. Lodor. v.	19 L SS. Gennar. v.	19 M S. Piet. d'Alc.	19 S S. Elisabetta	19 L
20 L S. Silver. pp.	20 M S. Marg. v.	20 S S. Bernar. ab.	20 M S. Eustac. m.	20 G S. Giovan. c.	20 D 24ª d. Pentec.	20 M S. Timoteo
21 M S. Paolino v.	21 G S. Prassede v.	21 D 11ª S. Giovar.	21 M Temp. d'aut.	21 V SS. Orsol. e C.	21 L Pres. di M. V.	21 M S. Tom. ap.
22 G 9ª Cor. Dom.	22 V S. Maria Mad.	22 L 8ª Ass. M. V.	22 G SS. Mau. c.	22 S	22 M S. Cecilia v.	22 G
23 V S. CUORE di..	23 S S. Apollin. v.	23 M S. Filip. Ben.	23 V S. Lino pp. T.	23 D 20ª d. Pentec.	23 M SS. Clem. I p.	23 V S. Vittoria v.
24 S S. Guglie. ab.	24 D 7ª d. Pent. Vig.	24 M S. Bartol. ap.	24 S B. V. d. M. T.	24 L S. Raffaele	24 G S. Gio. di Cr.	24 S Vigilia
25 D 3ª d. Pente. P. Cuore di M.	25 L S. Giac. ap.	25 G S. Luigi re	25 D 16ª d. Pente.	25 M SS. Crisan. D.	25 V S. Cater. v.	25 D NATALE G.C.
26 L	26 M S. Anna	26 V S. Zeffirino p.	26 L SS. Cip., Giu.	26 M S. Evarist. p.	26 S S. Pietro Al.	26 L S. Stef. prot.
27 L dell'8ª	27 M S. Pantal. m.	27 S S. Gius. Cal.	27 M SS. Cos. e D.	27 G Vigilia	27 D 1ª d'Avv. Ro.	27 M S. Giov. ev.
28 M S. Leone II pp.	28 G SS. Naz. e C.	28 D 12ª d. Pentec.	28 M S. Vences. m.	28 V SS. Sim. e G.	28 L	28 M SS. Inno. m.
29 V S. Marta v.	29 V S. Marta v.	29 L Dec. d. S. G. B	29 G S. Michele A.	29 S	29 M	29 G S. Tom. C. v.
30 G Comm. S. Pa.	30 S SS. Abd. Sen.	30 M S. Rosa da L.	30 V S. Girol. d.	30 D 21ª d. Pente.	30 M S. Andrea ap.	30 V
	31 D 8ª d. Pente.	31 M S. Raim. Non.		31 L Vigilia		31 S S. Silves. pp.

Pasqua 18 Aprile. – Anni: 51, 56*, 135, 146, 219, 230, 241, 303, 314, 325, 336*, 398, 409, 420*, 493, 504*, 533, 588*, 667, 678, 751, 762, 773, 835, 846, 857, 868*, 930, 941, 953*, 1025, 1036*, 1115, 1120*, 1199, 1210, 1283, 1294, 1305, 1367, 1378, 1389, 1400*, 1462, 1473, 1484*, 1557, 1568*, 1593, 1604*, 1677, 1683, 1688*, 1745, 1756*, 1802, 1813, 1824*, 1897, 1954, 1965, 1976*, 2049, 2055, 2060*, 2106, 2117, 2128*, ecc.

GENNAIO bis.	FEBBRAIO bis.	GENNAIO	FEBBRAIO	MARZO	APRILE	MAGGIO
1 G CIRCON. G. C.	1 D 4ª d. l'Epif.	1 V CIRCON. G. C.	1 L S. Ignazio v.	1 L	1 G	1 S SS. Fil e G. a.
2 V 8ª di S. Stef.	2 L Pur. di M. V.	2 S 8ª di S. Stef.	2 M Pur. di M. V.	2 M	2 V S. Fran. di P.	2 D 2ª, Mis. Dom.
3 S 8ª di S. Giov.	3 M S. Biagio v.	3 D 8ª di S. Giov.	3 M S. Biagio v.	3 M Le Ceneri	3 S	3 L Inv. di S. C.
4 D 8ª SS. Innoc.	4 M S. Andrea Co.	4 L 8ª SS. Innoc.	4 G S. Andrea Co.	4 G S. Casimiro c.	4 D Di Pas. Iudic.	4 M S. Monica ved.
5 L S. Telesf. pp.	5 G S. Agata v.	5 M S. Telesf. pp.	5 V S. Agata v.	5 V	5 L S. Vinc. Fer.	5 M S. Pio V pp.
6 M EPIFANIA	6 V S. Tito v.	6 M EPIFANIA	6 S S. Tito v.	6 S	6 M	6 G S. Gio. av. p. l.
7 M dell'8ª	7 S S. Romualdo	7 G dell'8ª	7 D 5ª d. l'Epif.	7 D 1ª di Q., Inv.	7 M	7 V S. Stanisl. v.
8 G dell'8ª	8 D 5ª d. l'Epif.	8 V dell'8ª	8 L S. Giov. di M.	8 L S. Giov. di D.	8 G	8 S Ap. di S. Mic.
9 V dell'8ª	9 L	9 S dell'8ª	9 M S. Apollon. v.	9 M S. Franc. Ro.	9 V B. V. Addolo.	9 D 3ª, Pat. S. G.
10 S dell'8ª	10 M S. Scolastica	10 D 1ª d. l'Epif.	10 M S. Scolastica	10 M Temp. di pri.	10 S	10 L SS. Gord. e E.
11 D 1ª d. l'Epif.	11 M	11 L dell'8ª	11 G	11 G	11 D delle Palme	11 M
12 L dell'8ª	12 G	12 M dell'8ª	12 V	12 V S. Greg. I p. T.	12 L Santo	12 M SS. Ner. C. m.
13 M 8ª dell'Epif.	13 V	13 M 8ª dell'Epif.	13 S	13 S S. Eufra. v. T.	13 M Santo	13 G S. Servazio v.
14 M S. Ilar. S. Fel.	14 S S. Valent. m.	14 G S. Ilar. S. Fel.	14 D Settuagesima	14 D 2ª di Q. Rem.	14 M Santo	14 V S. Bonifacio
15 G S. Paolo er.	15 D Settuagesima	15 V S. Paolo er.	15 L SS. Faus. e G.	15 L	15 G Cena del Sig.	15 S
16 V S. Marc. I pp.	16 L	16 S S. Marcello p.	16 M	16 M	16 V Parascere	16 D 4ª Cantate
17 S S. Antonio ab.	17 M	17 D 2ª SS. N. di G.	17 M	17 M S. Patrizio v.	17 S Santo	17 L S. Pasqual. B.
18 D SS. N. di Gesù	18 M S. Simeone v.	18 L Cat. S. Piet. R.	18 G S. Simeone v.	18 G	18 D PASQUA	18 M S. Venanz. m.
19 L S. Canuto re	19 G	19 M S. Canuto re	19 V	19 V S. Giuseppe	19 L dell'Angelo	19 M S. Pietro Cel.
20 M SS. Fab. Seb.	20 V	20 M SS. Fab. Seb.	20 S	20 S	20 M di Pasqua	20 G S. Bern. d. S.
21 M S. Agnese v.	21 S	21 G S. Agnese v.	21 D Sessagesima	21 D 3ª di Q. Oculi	21 M dell'8ª	21 V
22 G SS. Vinc. e A.	22 D Sessagesima	22 V SS. Vinc. An.	22 L Catt. S. Piet.	22 L	22 G dell'8ª	22 S
23 V Spos. di M. V.	23 L S. Pier Dam.	23 S Spos. di M. V.	23 M S. Pier Dam.	23 M	23 V dell'8ª	23 D 5ª, Rogate
24 S S. Timoteo v.	24 M Vigilia	24 D 3ª, Sac. Fam.	24 M S. Mattia ab.	24 M	24 S dell'8ª	24 L Le Rogazioni
25 D 3ª, Sac. Fam.	25 M S. Mattia ap.	25 L Con. S. Paolo	25 G	25 G ANN. DI M. V.	25 D 1ª, in Albis	25 M S. Greg. Rog.
26 L S. Policar. v.	26 G	26 M S. Policar. v.	26 V	26 V	26 L SS. Cleto Mar.	26 M SS. Fil N. Rog.
27 M S. Giov. Cris.	27 V	27 M S. Giov. Cris	27 S	27 S	27 M	27 G ASCEN. G. C.
28 M S. Agnese 2ª f.	28 S	28 G S. Agnese 2ª f.	28 D Quinquages.	28 D 4ª di Q. Laet.	28 M S. Vitale m.	28 V S. Agost. C.
29 G S. Frances. S.	29 D Quinquagesi.	29 V S. Fran. ed A.		29 L	29 G S. Pietro m.	29 S S. Massimino
30 V S. Martina v.		30 S S. Martina v.		30 M	30 V S. Cater. da S.	30 D 6ª, Exaudi
31 S S. Pietro Nol.		31 D 4ª d. l'Epif.		31 M		31 L S. Angela M.

GIUGNO	LUGLIO	AGOSTO	SETTEMBRE	OTTOBRE	NOVEMBRE	DICEMBRE
1 M S. Panfilo m.	1 G Sᵃ di S. Gio. B	1 D 8ª d. Pentec.	1 M S. Egidio ab.	1 V S. Remigio v	1 L OGNISSANTI	1 M
2 M SS. Marc. e C.	2 V Vis. di M. V.	2 L S. Alfonso L.	2 G S. Stefano re	2 S SS. Angeli C.	2 M Comm. Def.	2 G S. Bibiana v.
3 G Sᵃ dell'Ascen.	3 S dell'8ª	3 M Inv. di S. Ste.	3 V	3 D 17ª B. V. Ros.	3 M S. Uberto v.	3 V S. Fran Sav.
4 V S. Frac. C.	4 D 4ª d. Pentec.	4 M S. Dom. di G.	4 S S. Rosalia v.	4 L S. Fran. d'As.	4 G S. Carlo Bor.	4 S S. Barbara m.
5 S S. Bonifac. v.	5 L dell'8ª	5 G S. Maria d. N.	5 D 13ª d. Pentec.	5 M SS. Placid. C.	5 V dell'8ª	5 D 2ª d'Avv. Rom.
6 D PENTECOS.	6 M dell'8ª	6 V Trasf. di G. C.	6 L	6 M S. Brunone c.	6 S dell'8ª	6 L S. Nicolò v.
7 L di Pentec.	7 M S. Pulcheria	7 S S. Gaetano T.	7 M S. Regina v.	7 G S. Marco pp.	7 D 22ª d. Pentec.	7 M S. Ambrogio v.
8 M di Pentec.	8 G S. Elisab. reg.	8 D 9ª d. Pen c.	8 M Na. di M. V.	8 V S. Brigida v.	8 L Sᵃ Ognissanti	8 M Imm. C. M. V.
9 M Temp. d'est.	9 V S. Veron. d.	9 L	9 G S. Gorgon. m.	9 S SS. Dion. C. m.	9 M S. Teodoro m.	9 G dell'8ª
10 G S. Margh. r.	10 S SS. Sett. fr. m	10 M S. Lorenzo m.	10 V S. Nic. Tol. c	10 D 18ª Mat. M. V.	10 M S. Andrea Av.	10 V dell'8ª
11 V S. Barn. ap. T.	11 D 5ª d. Pentec.	11 M SS. Proto e G.	11 S SS. Proto e G.	11 L S. Germ. v	11 G S. Martino v.	11 S S. Damas. I p.
12 S S. Giov. T.	12 L S. Giov. Gual.	12 G S. Chiara v.	12 D 14ª SS. N. M.	12 M S. Massim. c.	12 V S. Mart. pp.	12 D 3ª d'Avv. Ro.
13 D Sᵃ SS. Trinità	13 M S. Anacl. pp.	13 V S. Cassia. m.	13 L S. Eulogio pr.	13 M S. Edoardo re	13 S S. Stanisl. K.	13 L S. Lucia v.
14 L S. Basil. M. v.	14 M S. Bonav. d.	14 S S. Eusebio pr	14 M Esalt. S. Cro.	14 G S. Callisto pp.	14 D 23ª, Pat. M. V.	14 M S. Spiridio. v.
15 M SS. Vito e M	15 G S. Enric. imp.	15 D ASSUN. M. V.	15 M S. Teresa v	15 V S. Teresa v	15 L S. Geltrud. v.	15 M Temp. d'inv.
16 M SS. Giov. Fr. R	16 V B. V. del Car.	16 L S. Giacinto c	16 G SS. Corn. e C	16 S S. Gallo ab.	16 M S. Edmon. v.	16 G S. Euseb. v.
17 G CORPUS DO.	17 S S. Alessio c.	17 M Sᵃ S. Lorenzo	17 V Stim. S. F. T.	17 D 19ª Pur. M. V.	17 M S. Greg. tau.	17 V S. Lazz. v. T.
18 V SS. Mar. e M.	18 D 6ª d. Pentec.	18 M S. Agapit. m.	18 S SS. Gius. C. T.	18 L S. Luca Ev.	18 G D. b. ss. P., T.	18 S Tempora
19 S SS. Gerv. Pr.	19 L S. Vincen. P.	19 G S. Lodov. v.	19 D 15ª Dol. M. V.	19 M S. Piet. d'Alc.	19 V S. Elisabetta	19 D 4ª d'Avv. Ro.
20 D 2ª d. Pentec.	20 M S. Marg. v.	20 V S. Bernar. ab.	20 L S. Eustac. v.	20 M S. Giovan. C.	20 S S. Felice Val.	20 L S. Teofilo m.
21 L S. Luigi G.	21 M S. Prassede v.	21 S S. Gior. d. Ch	21 M S. Matt. ap.	21 G SS. Or-ol. e C.	21 D 24ª d. Pentec.	21 M S. Tomm. ap.
22 M S. Paolino v.	22 G S. Mar. Mad.	22 D 11ª S. Gioac.	22 M S. Mau. C.	22 V	22 L S. Cecilia v.	22 M
23 M S. Lanfr. v.	23 V S. Apollin. v.	23 L S. Filip. Ben.	23 G S. Lino pp.	23 S S. Severino v.	23 M S. Clem. I p.	23 G S. Vittoria
24 G Sᵃ Cor. Dom.	24 S S. Cristina v.	24 M S. Bartol. ap.	24 V B. V. d. M.	24 D 20ª d. Pentec.	24 M S. Gio. d. Cr.	24 V Vigilia
25 V S. CUORE G.	25 D 7ª d. Pentec.	25 M S. Luigi re	25 S S. Firmino v.	25 L SS. Crisan. D.	25 G S. Cater. v.	25 S NATALE G. C.
26 S SS. Giov. e P.	26 L S. Anna	26 G S. Aless. m.	26 D 16ª d. Pentec.	26 M S. Evarist. pp.	26 V S. Pietro Al.	26 D S. Stef. prot.
27 D 3ª d. Pentec. P. Cuore di M.	27 V S. Gius. Cal.	27 V S. Gius. Cal.	27 L SS. Cos. e D.	27 M Vigilia	27 S	27 L S. Giov. ev.
28 L S. Leone II p.	28 M S. Pantal. m.	28 S S. Agost. v. d.	28 M SS. Vences. m.	28 G SS. Sim. e G.	28 D 1ª d'Arv. Ro.	28 M SS. Innoc. m.
29 M SS. P. e P. ap	29 M SS. Naz. e C.	29 D 12ª d. Pentec.	29 M SS. Michele A.	29 V S. Ermel. v.	29 L S. Saturn. m.	29 G S. Tom. C. v
30 M Comm. S. Pa.	30 M S. Marta v.	30 L S. Rosa da L.	30 G S. Girol. d.	30 S	30 M S. Andrea ap.	30 V
	31 S S. Ignazio L.	31 M S. Raim. Non.		31 D 21ª d. Pentec.		31 S S. Silves. pp.

Pasqua 19 Aprile. — Anni: 67, 78, 89, 151, 162, 173, 184*, 235, 246, 257, 268*, 330, 341, 352*, 425, 431, 436*, 515, 520*, 526, 599, 610, 621, 683, 694, 705, 716*, 767, 778, 789, 800*, 862, 873, 884*, 957, 963, 968*, 1047, 1052*, 1058, 1131, 1142, 1153, 1215, 1226, 1237, 1248*, 1299, 1310, 1321, 1332*, 1394, 1405, 1416*, 1459, 1495, 1500*, 1579, 1609, 1615, 1620*, 1699, 1767, 1772*, 1778, 1829, 1835, 1840*, 1908*, 1981, 1987, 1992*, 2071, 2076*, 2083, 2133, 2139, 2144*, 2201, 2207, 2212*, ecc.

MARZO	APRILE	MAGGIO
1 D Quinquages.	1 M	1 V SS. Fil. e G. a.
2 L	2 G S. Fran. di P.	2 G S. Atan. Dot.
3 M S. Pancrac. v.	3 V	3 D Inv. di S. C.
4 M Le Ceneri	4 S S. Isidoro v.	4 L S. Monica ved.
5 G	5 D di Pas. Iudic.	5 M S. Pio V pp.
6 V	6 L	6 M S. Gio. av. p. l.
7 S S. Egesip. c.	7 M	7 G S. Stanisl. v.
8 D 1ª di Q., Inv.	8 M	8 V Ap. di S. Mic.
9 L S. Franc. Ro.	9 G	9 S S. Greg. Naz.
10 M SS. 40 Mart.	10 V B. V. Addolo.	10 D 3ª, Pat. S. G.
11 M Temp. di pri.	11 S S. Leone I pp.	11 L
12 G S. Greg. I p.	12 D delle Palme	12 M S. Ner. C. m.
13 V S. Eufra. v. T.	13 L Lunto	13 M S. Servazio v.
14 S S. Mat. v. T.	14 M Manto	14 G S. Bonifacio
15 D 2ª di Q., Rem.	15 M Manto	15 V
16 L	16 G Cena del Sig.	16 S S. Ubaldo v.
17 M S. Patrizio v.	17 V Parascere	17 D 4ª, Contate
18 M	18 S santo	18 L S. Venanz. m.
19 G S. Giuseppe	19 D PASQUA	19 M S. Pietro Cel.
20 V	20 L dell'Angelo	20 M S. Bern. da S.
21 S S. Beneo. ab.	21 M di Pasqua	21 G
22 D 3ª di Q., Locul.	22 M dell'8ª	22 V
23 L	23 G dell'8ª	23 S S. Desider. v.
24 M	24 V dell'8ª	24 D 5ª, Rogate
25 M ANN. DI M. V.	25 S dell'8ª	25 L Le Rogazioni
26 G	26 D 1ª, in Albis	26 M S. Filip. Rog.
27 V	27 L	27 M S. Mar. Rog.
28 S	28 M S. Vitale m.	28 G GASCEN. G. C.
29 D 4ª di Q., Laet.	29 M S. Pietro m.	29 V S. Massimino
30 L	30 G S. Cater. da S.	30 S S. Felice I pp.
31 M		31 D 8ª Exaudi

GENNAIO bis.	FEBBRAIO bis.	GENNAIO	FEBBRAIO
1 M CIRCON. G. C.	1 S S. Ignazio v.	1 G CIRCON. G. C.	1 D 4ª. l'Epif.
2 G S² di S. Stef.	2 D Pur. di M. V.	2 V S² di S. Stef.	2 L Pur. di M. V.
3 V S² di S. Giov.	3 L S. Biagio v.	3 S 8ª di S. Giov.	3 M S. Biagio v.
4 S D⁵ª SS. Innoc.	4 M S. Andrea Co.	4 D S⁵ª SS. Innoc.	4 M S. Andrea Co.
5 D S. Telesf. pp.	5 M S. Agata v.	5 L S. Paolo er.	5 G S. Agata v.
6 L EPIFANIA	6 G S. Tito, S. Dor.	6 M EPIFANIA	6 V S. Tito, S. Dor.
7 M dell'8ª	7 V S. Romualdo	7 M dell'8ª	7 S S. Romua. ab.
8 M dell'8ª	8 S S. Gio. d. M.	8 G dell'8ª	8 D 5ª d. l'Epif.
9 G dell'8ª	9 D 5ª d. l'Epif.	9 V dell'8ª	9 L S. Apollon. v.
10 V dell'8ª	10 L S. Scolastica	10 S dell'8ª	10 M S. Scolastica
11 S dell'8ª	11 M	11 D 1ª d. l'Epif.	11 M
12 D 1ª d. l'Epif.	12 M	12 L dell'8ª	12 G
13 L S² dell'Epif.	13 G	13 M S² dell'Epif.	13 V
14 M S. Ilar. S. Fel.	14 V S. Valent. m.	14 M S. Ilar. S. Fel.	14 S S. Valent. m.
15 M S. Paolo er.	15 S SS. Faus. e G.	15 G S. Paolo er.	15 D Settuagesima
16 G S. Marc. I pp.	16 D Settuagesima	16 V S. Marcello p.	16 L
17 V S. Antonio ab.	17 L	17 S S. Antonio ab.	17 M
18 S Cat. S. Pie. R.	18 M S. Simeone v.	18 D 2ª SS. N. di G.	18 M S. Simeone v.
19 D SS. N. di Gesù	19 M	19 L S. Canuto re	19 G
20 L SS. Fab. Seb.	20 G	20 M SS. Fab., Seb.	20 V
21 M S. Agnese v.	21 V	21 M S. Agnese v.	21 S
22 M SS. Vinc. e A.	22 S Cat. S. Piet. A.	22 G SS. Vinc. An.	22 D Sessagesima
23 G Spos. di M. V.	23 D Sessagesima	23 V Spos. di M. V.	23 L S. Pier Dam.
24 V S. Timoteo v.	24 L Vigilia	24 S S. Timoteo v.	24 M S. Mattia ab.
25 S Conv. S. Paol.	25 M S. Mattia ap.	25 D 3ª, Sac. Fam.	25 M
26 D 3ª Sac. Fam.	26 M	26 L S. Policar. v.	26 G
27 L S. Giov. Cris.	27 G	27 M S. Giov. Cr.	27 V
28 M S. Agnese 2ª f.	28 V	28 M S. Agnese 2ª f.	28 S
29 M S. Frances. S.	29 S	29 G S. Fran. ed A.	
30 G S. Martina v.		30 V S. Martina v.	
31 V S. Pietro Nol.		31 S S. Pietro Nol.	

GIUGNO	LUGLIO	AGOSTO	SETTEMBRE	OTTOBRE	NOVEMBRE	DICEMBRE
1 L dell'8ª	1 M 8ª di S. Gio. B.	1 S SS. Pietro in v.	1 M S. Egidio ab.	1 G S. Remigio v.	1 D OGNISSANTI	1 M
2 M dell'8ª	2 G Vis. di M. V.	2 D 8ª d. Pentec.	2 M S. Stefano re	2 V SS. Angeli C.	2 L Comm. Def.	2 M S. Bibiana v.
3 M dell'8ª	3 V dell'8ª	3 L Inv. di S. Ste.	3 G	3 S	3 M dell'8ª	3 G S. Fran. Sav.
4 G 8ª dell'Ascen.	4 S dell'8ª	4 M S. Dom. di G.	4 V	4 D 17ª, B. V. Ros.	4 M S. Carlo Bor.	4 V S. Barb. m.
5 V S. Bonif. v.	5 D 4ª d. Pentec.	5 M S. Maria d. N.	5 S S. Lorenzo G.	5 L SS. Placid. C.	5 G dell'8ª	5 S S. Sabba ab.
6 S Vigilia	6 L 8ª SS. A. P. P.	6 G Trasf. di G. C.	6 D 13ª d. Pentec.	6 M S. Brunone c.	6 V dell'8ª	6 D 2ª d'Avv. Ro.
7 D PENTECOS.	7 M	7 V S. Gaetano T.	7 L	7 M S. Marco pp.	7 S dell'8ª	7 L S. Ambrogio v.
8 L di Pentec.	8 M S. Elisab. reg.	8 S SS. Cir. e c. m.	8 M Nat. di M. V.	8 G S. Brigida v.	8 D 22ª, Pat. M. V.	8 M Imm. C. M. V.
9 M di Pentec.	9 G	9 D 9ª d. Pentec.	9 M dell'8ª	9 V SS. Dion. C. m.	9 L S. Teodoro m.	9 M dell'8ª
10 M Temp. d'Est.	10 V SS. Sett. fr. m.	10 L S. Lorenzo m.	10 G S. Nic. Tol. c.	10 S S. Fran. B.	10 M S. Andrea Av.	10 G dell'8ª
11 G dell'8ª	11 S S. Pio I pp.	11 M dell'8ª	11 V SS. Pr. e Giac.	11 D 18ª Mat. M.V.	11 M S. Martino v.	11 V S. Dam. I pp.
12 V dell'8ª Temp.	12 D 5ª d. Pentec.	12 M dell'8ª	12 S dell'8ª	12 L	12 G S. Mart. pp.	12 S dell'8ª
13 S S. Ant. di P. T.	13 L S. Anacl. pp.	13 G dell'8ª	13 D 14ª SS. N. M.	13 M S. Edoardo re	13 V S. Stanisl. K.	13 D 3ª d'Avv. Ro.
14 D 1ª SS. Trinità	14 M S. Bonav. d.	14 V dell'8ª	14 L Esalt. S. Cro.	14 M S. Calisto pp.	14 S	14 L dell'8ª
15 L SS. Vito e M.	15 M S. Enric. imp.	15 S ASSUN. M. V.	15 M Temp. d'Aut.	15 G S. Teresa v.	15 D 23ª, [Avv. A.]	15 M 8ª d'Imm. C.
16 M	16 G B. V. del Car.	16 D 10ª, S. Gioac.	16 M Temp. d'Aut.	16 V	16 L	16 M Temp. d'Int.
17 M	17 V S. Alessio c.	17 L S. Lorenzo	17 G Stim. S. Fra.	17 S S. Edvige r.	17 M S. Greg. tau.	17 G
18 G CORPUS DO.	18 S S. Camillo L.	18 M S. Agapit. m.	18 V S. Gius. C. T.	18 D 19ª, Pur. M. V.	18 M D. b. ss. P., P.	18 V Tempora
19 V SS. Ger. e Pr.	19 D 6ª d. Pentec.	19 M dell'8ª	19 S S. Genna. v. T.	19 L S. Piet. d'Alc.	19 G S. Elisabetta	19 S Tempora
20 S S. Silver. pp.	20 L S. Marg. v.	20 G S. Bernar. ab.	20 D 15ª Dol. M. V.	20 M S. Giovan. C.	20 V S. Felice Val.	20 D 4ª d'Avv. Ro.
21 D 2ª d. Pentec.	21 M S. Prassede v.	21 V S. Gio. di Ch.	21 L S. Matt. ap.	21 M SS. Orsol. e C.	21 S Pres. di M. V.	21 L S. Tom. ap.
22 L S. Paolino v.	22 M S. Maria Mad.	22 S 8ª Ass. M. V.	22 M SS. Man. C.	22 G	22 D 24ª d. Pentec.	22 M
23 M Vigilia	23 G S. Apollin. v.	23 D 11ª d. Pentec.	23 M S. Lino pp.	23 V	23 L S. Clem. I p.	23 M
24 M Nat. S. G. B.	24 V S. Cristina v.	24 L S. Bartol. ap.	24 G B. V. d. Merc.	24 S	24 M S. Gio. d. Cr.	24 G Vigilia
25 G S. Cor. Dom.	25 S S. Giac. ap.	25 M S. Luigi re	25 V	25 D 20ª d. Pentec.	25 M S. Cater. v.	25 V NATALE G.C.
26 V S. CUORE G.	26 D 7ª d. Pentec.	26 M SS. Zefirino p.	26 S	26 L S. Evarist. p.	26 G S. Pietro Al.	26 S S. Stef. prot.
27 S S. Ladislao re	27 L S. Pantal. m.	27 G S. Gius. Cal.	27 D 16ª d. Pentec.	27 M Vigilia	27 V	27 D S. Giov. ev.
28 D 3ª d. Pentec. P. Cuore di M.	28 M SS. Naz. e C.	28 V S. Agost. v. d.	28 L S. Vences. m.	28 M SS. Sim. e G.	28 S Vigilia	28 L SS. Innocenti
29 L SS. Piet. e Pa.	29 M S. Marta v.	29 S Dec. d. S. G. B.	29 M S. Michele A.	29 G	29 D 1ª d'Avv. Ro.	29 M S. Tomm. C.
30 M Comm. S. Pa.	30 G SS. Abd.. Sen.	30 D 12ª d. Pentec.	30 M S. Girol. d.	30 V	30 L S. Andrea ap.	30 M
	31 V S. Ignazio L.	31 L S. Raim. Non.		31 S Vigilia		31 G S. Silves. pp.

Pasqua 20 Aprile. – Anni: 10, 21, 83, 94, 105, 116*, 178, 189, 200*, 273, 284*, 363, 388*, 447, 458, 531, 542, 553, 615, 626, 637, 648*, 710, 721, 732*, 805, 816*, 895, 900*, 979, 990, 1063, 1074, 1085, 1147, 1158, 1169, 1180*, 1242, 1253, 1264*, 1337, 1348*, 1427, 1432*, 1511, 1522, 1631, 1642, 1710, 1783, 1794, 1851, 1862, 1919, 1924*, 1930, 2003, 2014, 2025, 2087, 2098, 2155, 2166, 2177, 2223, 2234, ecc.

GENNAIO	FEBBRAIO	MARZO	APRILE	MAGGIO
1 M CIRCON. G. C.	1 S S. Ignazio v.	1 S	1 M	1 G SS. Fil. e G. a.
2 G S. di S. Stef.	2 D *Pur. di M. V.*	2 D *Quinquages.*	2 M S. Fran. di P.	2 V S. Atanas. v.
3 V S. di S. Giov.	3 L S. Biagio v.	3 L S. Cunegonda	3 G	3 S Inv. di S. Cro.
4 S SS. Innoc.	4 M S. Andrea Co.	4 M S. Casimiro C.	4 V S. Isidoro v.	4 D *2ª Miser. Dom*
5 D S. Telesf. pp.	5 M S. Agata v.	5 M *Le Ceneri*	5 S S. Vinc. Fer.	5 L S. Pio V pp.
6 L EPIFANIA	6 G S. Tito, S. Dor.	6 G S. Coletta v.	6 D *Dii Pas. Iudic.*	6 M S. Gio. a. F. l.
7 M *dell'8ª*	7 V S. Rom. ab.	7 V S. To d'Aq.	7 L S. Egesippo c.	7 M S. Stanisl. v.
8 M *dell'8ª*	8 S S. Giov. di M.	8 S S. Giov. di D.	8 M	8 G Ap. di S. Mic.
9 G *dell'8ª*	9 D *5ª d. l'Epif.*	9 D *1ª di Q., Inv.*	9 M	9 V S. Greg. Naz.
10 V *dell'8ª*	10 L S. Scolastica	10 L SS. 40 Martiri	10 G	10 S SS. Gor. ed E.
11 S *dell'8ª*	11 M	11 M	11 V *B. V. Addolo.*	11 D *3ª, Pat. S. G.*
12 D *1ª d. l'Epif.*	12 M	12 M *Temp. di pri.*	12 S S. Zenone v.	12 L SS. Ner. C. m.
13 L S. dell'Epif.	13 G	13 G	13 D *Dele Palme*	13 M
14 M S. Ilar. S. Fel.	14 V S. Valent. m.	14 V	14 L *Santo*	14 M S. Bonifa. m.
15 M S. Paol., S. M.	15 S SS. Fau. e Gio.	15 S	15 M *Santo*	15 G
16 G S. Marcello p.	16 D *Settuagesima*	16 D *2ª di Q., Rem.*	16 M *Santo*	16 V S. Ubaldo v.
17 V S. Antonio ab.	17 L S. Silvino v.	17 L S. Patrizio v.	17 G *Cena del Sig.*	17 S S. Pasqual. B.
18 S Cat. S. Piet. R.	18 M	18 M	18 V *Parasceve*	18 D *4ª, Cantate*
19 D *2ª, SS. N. G.*	19 M	19 M S. Giuseppe	19 S *santo*	19 L S. Pietro Cel.
20 L SS. Fab., Seb.	20 G	20 G	20 D PASQUA	20 M S. Bern. a. S.
21 M S. Agnese v.	21 V	21 V S. Bened. ab.	21 L *Dell'Angelo*	21 M S. Felice d. C.
22 M SS. Vin. ed A.	22 S Cat. S. Pietro A.	22 S	22 M *di Pasqua*	22 G S. Emilio m.
23 G Spos. di M. V.	23 D *Sessagesima*	23 D *3ª di Q., Oculi*	23 M *dell'8ª*	23 V S. Desiderio v.
24 V S. Timoteo v.	24 L S. Mattia ab.	24 L S. Simone m.	24 G *dell'8ª*	24 S S. Donaz. v.
25 S Con. S. Paolo	25 M	25 M ANN. DI M. V.	25 V *dell'8ª*	25 D *5ª, Rogate*
26 D *3ª, Sac. Fam.*	26 M	26 M	26 S *dell'8ª*	26 L *Le Rogazioni*
27 L S. Giov. Cris.	27 G	27 G	27 D *1ª d. P., in Alb.*	27 M S. Mar. *Rog.*
28 M S. Agnese 2ª	28 V	28 V	28 L S. Vitale m.	28 M *Vigilia Rog.*
29 M S. Fran. Sal.		29 S	29 M S. Pietro m.	29 G ASCEN. G. C.
30 G S. Martina v.		30 D *4ª di Q., Lad.*	30 M S. Cater. da S.	30 V S. Felice I pp.
31 V S. Pietro Nol.		31 L		31 S S. Angela M.

GENNAIO bis.	FEBBRAIO bis.	GENNAIO	FEBBRAIO
1 L CIRCON. G. C.	1 V S. Ignazio v.	1 M CIRCON. G. C.	1 S S. Ignazio v.
2 M S. di S. Stef.	2 S *Pur. di M. V.*	2 G S. di S. Stef.	2 D *Pur. di M. V.*
3 M S. di S. Giov.	3 D *4ª d. l'Epif.*	3 V S. di S. Giov.	3 L S. Biagio v.
4 G SS. Innoc.	4 L S. Andrea Co.	4 S SS. Innoc.	4 M S. Andrea Co.
5 V S. Telesf. pp.	5 M S. Agata v.	5 D S. Telesf. pp.	5 M S. Agata v.
6 S EPIFANIA	6 M S. Tito v.	6 L EPIFANIA	6 G S. Tito, S. Dor.
7 D *1ª d. l'Epif.*	7 G S. Romualdo	7 M *dell'8ª*	7 V S. Rom. ab.
8 L *dell'8ª*	8 V S. Giov. di M.	8 M *dell'8ª*	8 S S. Giov. di M.
9 M *dell'8ª*	9 S S. Cirillo v.	9 G *dell'8ª*	9 D *5ª d. l'Epif.*
10 M *dell'8ª*	10 D *5ª d. l'Epif.*	10 V *dell'8ª*	10 L S. Scolastica
11 G *dell'8ª*	11 L SS. Sett. Fon.	11 S *dell'8ª*	11 M
12 V *dell'8ª*	12 M	12 D *1ª d. l'Epif.*	12 M
13 S S. dell'Epif.	13 M	13 L S. dell'Epif.	13 G
14 D S. Ilar. S. Fel.	14 G S. Valent. m.	14 M S. Ilar. S. Fel.	14 V S. Valent. m.
15 L S. Paolo er.	15 V SS. Fau. e G.	15 M S. Paol., S. M.	15 S SS. Fau. e Gio.
16 M S. Marc. I pp.	16 S	16 G S. Marcello p.	16 D *Settuagesima*
17 M S. Antonio ab.	17 D *Settuagesima*	17 V S. Antonio ab.	17 L S. Silvino v.
18 G Cat. S. Piet. R.	18 L S. Simeone v.	18 S Cat. S. Piet. R.	18 M
19 V S. Canuto re	19 M	19 D *2ª, SS. N. G.*	19 M
20 S SS. N. di Gesù	20 M	20 L SS. Fab., Seb.	20 G
21 D S. Agnese v.	21 G	21 M S. Agnese v.	21 V
22 L SS. Vinc. e A.	22 V Cat. S. Piet. A.	22 M SS. Vin. ed A.	22 S Cat. S. Pietro A.
23 M Spos. di M. V.	23 S S. Pier Dam.	23 G Spos. di M. V.	23 D *Sessagesima*
24 M S. Timoteo v.	24 D *Sessagesima*	24 V S. Timoteo v.	24 L S. Mattia ab.
25 G Con. S. Paolo	25 L S. Mattia ap.	25 S Con. S. Paolo	25 M
26 V S. Polican. v.	26 M	26 D *3ª, Sac. Fam.*	26 M
27 S *3ª, Sac. Fam.*	27 M	27 L S. Giov. Cris.	27 G
28 D S. Agnese 2ª	28 G	28 M S. Agnese 2ª	28 V
29 L S. Frances. S.	29 V	29 M S. Fran. Sal.	
30 M S. Martina v.		30 G S. Martina v.	
31 M S. Pietro Nol.		31 V S. Pietro Nol.	

GIUGNO	LUGLIO	AGOSTO	SETTEMBRE	OTTOBRE	NOVEMBRE	DICEMBRE
1 D 6ª, Erardi	1 M² di S. Gio. B.	1 V S. Pietro in v.	1 L S. Egidio ab.	1 M S. Renuigio v.	1 S OGNISSANTI	1 L
2 L SS. Marc. e C.	2 M Vis. di M. V.	2 S S. Alfonso L.	2 M S. Stefano re	2 G SS. Angeli C.	2 D 21ª d. Pentec.	2 M S. Bibiana v.
3 M dell'8ª	3 G dell'8ª	3 D 8ª d. Pentec.	3 M	3 V	3 L Comm. Def.	3 M S. Fran. Sav.
4 M S. Fran. C.	4 V dell'8ª	4 L S. Dom. di G.	4 G	4 S S. Fran. d'As.	4 M S. Carlo Bor.	4 G SS. Pietro Cris.
5 G 8ª dell'Ascen.	5 S dell'8ª	5 M S. Maria d. N.	5 V S. Lorenzo G.	5 D 17ª, B. V. Ros.	5 M dell'8ª	5 V S. Sabica ap.
6 V S. Norbert. v.	6 D 4ª d. Pentec.	6 M Trasf. di G. C.	6 S	6 L S. Brunone c.	6 G dell'8ª	6 S S. Nicolò v.
7 S Vigilia	7 L	7 G S. Gaetano T.	7 D 13ª d. Pentec.	7 M S. Marco pp.	7 V dell'8ª	7 D 2ª d'Avv. Ro.
8 D PENTECOS.	8 M S. Elisab. reg.	8 V SS. Cir. e c. m.	8 L Nat. di M. V.	8 M S. Brigida v.	8 S 8ª Ognissanti	8 L Imm. C. M. V.
9 L di Pentec.	9 M	9 S S. Roman. m.	9 M S. Gorgon. m.	9 G SS. Dion. C. m.	9 D 22ª, Pat. M. V.	9 M dell'8ª
10 M di Pentec.	10 G SS. Sec. fr. m.	10 D 9ª, di Pentec.	10 M S. Nic. Tol. c.	10 V S. Fran. B.	10 L S. Andrea Av.	10 M S. Melch. pp.
11 M Temp. d'est.	11 V S. Pio I pp.	11 L dell'8ª	11 G dell'8ª	11 S	11 M S. Martino v.	11 G S. Damas. I p.
12 G S. Giov.. S. F.	12 S S. Giov. Gual.	12 M S. Chiara v.	12 V dell'8ª	12 D 18ª, Mat. M. V.	12 M S. Mart. pp.	12 V dell'8ª
13 V S. Ant. P., T.	13 D 5ª d. Pentec.	13 M dell'8ª	13 S dell'8ª	13 L S. Edoardo re	13 G S. Stanisl. K.	13 S S. Lucia v.
14 S S. Basil. M. T.	14 L S. Bonav. d.	14 G Vigilia	14 D 14ª, SS. N. M.	14 M S. Calisto pp.	14 V	14 D 3ª d'Avv. Ro.
15 D 1ª, SS. Trinità	15 M S. Enric. imp.	15 V ASSUN. M. V.	15 L 8ª d. N. M. V.	15 M S. Teresa v.	15 S S. Geltrud. v.	15 L 8ª d'Imm. C.
16 L	16 M B. V. del Car.	16 S S. Giachito c.	16 M S. Corn. e C.	16 G	16 D 23ª, [Arr. A.]	16 M S. Euseb. v.
17 M	17 G S. Alessio c.	17 D 10ª, S. Gioac.	17 M Temp. d'aut.	17 V S. Edvige v.	17 L S. Greg. tau.	17 M Temp. d'inv.
18 M SS. Marco M.	18 V S. Camillo L.	18 L S. Agapit. m.	18 G S. Gius. Cop.	18 S S. Luca Ev.	18 M D. b. Sa. P., P.	18 G Tempora
19 G CORPUS DO.	19 S S. Vincen. P.	19 M dell'8ª	19 V S. Eustac. T.	19 D 19ª, Pur. M. V.	19 M S. Elisabetta	19 V Tempora
20 V S. Silver. pp.	20 D 6ª d. Pentec.	20 M S. Bernar. ab	20 S Temp. Dol. M. V.	20 L S. Giovan. C.	20 G S. Felice Val.	20 S Tempora
21 S S. Luigi G.	21 L S. Prassede v.	21 G S. Giov. d. Ch.	21 D 15ª, Dol. M. V.	21 M SS. Oysol. e C.	21 V Pres. di M. V.	21 D 4ª d'Avv. Ro.
22 D 2ª d. Pentec.	22 M S. Mar. Mad.	22 V 8ª Ass. M. V.	22 L S. Tomm. Vill.	22 M	22 S S. Cecilia v.	22 L
23 L Vigilia	23 M S. Apollin. v.	23 S S. Filip. Ben.	23 M S. Lino pp.	23 G	23 D 24ª d. Pentec.	23 M
24 M Nat. S. G. B.	24 G Vigilia	24 D 11ª d. Pentec.	24 M B. V. d. Merc.	24 V	24 L S. Gio. d. Cr.	24 M Vigilia
25 M S. Gugl. ab.	25 V S. Giac. ap.	25 L S. Luigi re	25 G	25 S SS. Crisan. D.	25 M S. Cater. v.	25 G NATALE G.C.
26 G 8ª Cor. Dom.	26 S S. Anna	26 M S. Zefirino pp.	26 V SS. Cip. Giu.	26 D 20ª d. Pentec.	26 M	26 V S. Stef. prot.
27 V S. CUORE G.	27 D 7ª d. Pentec.	27 M S. Gius. Cal.	27 S SS. Cos. e D.	27 L Vigilia	27 G	27 S S. Giov. ev.
28 S S. Leone II pp.	28 L SS. Naz. e c	28 G S. Agost. v. d.	28 D 16ª d. Pentec.	28 M SS. Sim. e G.	28 V	28 D SS. Innoc. m.
29 D 3ª d. P...C. di M. SS. P. e P. ap.	29 M S. Marta v.	29 V Dec. di S. G. B.	29 L S. Michele A.	29 M	29 S 8ª d'Avv. Ro.	29 L S. Tom. C. v.
30 L Comm. S. Pa.	30 M SS. Abd., Sen.	30 S S. Rosa da L.	30 M S. Girol. d.	30 G	30 D	30 M
	31 G S. Ignazio L.	31 D 12ª d. Pentec.		31 V Vigilia		31 M S. Silves. pp.

Pasqua 21 Aprile. — Anni: 26, 37, 48* 121, 132*, 216*, 295, 379, 390, 463, 474, 485, 558, 569, 580*, 653, 664*, 748*, 827, 911, 922, 995, 1006, 1017, 1090, 1101, 1112*, 1185, 1196*, 1280*, 1359, 1443, 1454, 1527, 1538, 1549, 1585, 1658, 1669, 1680*, 1715, 1726, 1737, 1867, 1878, 1889, 1946, 1957, 2019, 2030, 2041, 2052*, 2109, 2171, 2182, 2193, 2239, 2350, 2261, ecc.

	GENNAIO	FEBBRAIO	MARZO	APRILE	MAGGIO
1	M CIRCON. G. C.	V S. Ignazio v.	V	L	M SS. Fil. e G. a.
2	M 8a di S. Stef.	S Pur. di M. V.	S	M S. Fran. di P.	G S. Atanas. v.
3	G 8a di S. Giov.	D 4a d. l'Epif.	D Quinquages.	M	V Inv. di S. Cro.
4	V 8a SS. Innoc.	L S. Andrea Co.	L S. Casimiro c.	G S. Isidoro v.	S S. Monica ved.
5	S S. Telesf. pp.	M S. Agata v.	M	V S. Vinc. Fer.	D 2a. Miser. Dom
6	D EPIFANIA	M S. Tito, S. Dor.	M Le Ceneri	S	L S. Gio. a. p. l
7	L dell'8a	G S. Rom. ab	G S. To. d'Aq.	D Di Pas. Judic.	M S. Stanisl. v.
8	M dell'8a	V S. Giov. di M.	V S. Giov. di D.	L	M Ap. di S. Mic.
9	M dell'8a	S S. Apollon. v.	S S. Fran. Rom.	M	G S. Greg. Naz.
10	G dell'8a	D 5a d. l'Epif,	D 1a di Q., Inv.	M	V SS. Gor. ed E.
11	V dell'8a	L S. Lazzaro v.	L	G S. Leone I pp.	S
12	S dell'8a	M	M S. Greg. I pp.	V B. V. Addolo.	D 3a. Pat. S. G.
13	D 1a d. l'Epif.	M	M Temp. di pri.	S S. Ermeneg.	L
14	L S. Ilar. S. Fel.	G S. Valent. m.	G	D delle Palme	M S. Bonifa. m.
15	M S. Paolo er.	V SS. Fau. e Gio.	V S. Longi. m. T.	L santo	M
16	M S. Marcello p.	S	S S. Eribe. v. T.	M santo	G S. Ubaldo v.
17	G S. Antonio ab.	D Settuagesima	D 2a di Q., Rem.	M santo	V S. Pasqual. B.
18	V Cat. S. Piet. R.	L S. Simeone v.	L	G Cena del Sig.	S S. Venanz. m.
19	S S. Canuto re	M	M S. Giuseppe	V Parasceve	D 4a. Cantar.
20	D 2a. SS. N. G.	G	M	S santo	L S. Bern. d. S.
21	L S. Agnese v.	G	G S. Bened. ab.	D PASQUA	M
22	M S. Vinc. e A.	V Cat. S. Piet. A.	V	L dell'Angelo	G
23	M Spos. di M. V.	S S. Pier Dam.	S	M di Pasqua	S
24	G S. Timoteo v.	D Sessagesima	D 3a di Q., Oculi	M dell'8a	V
25	V Con. S. Paolo	M	L ANN. DI M. V.	G dell'8a	S S. Greg. VII P.
26	S S. Policar. v.	M	M	V dell'8a	D 5a. Rogate
27	D 3a. Ser. Fam.	M	M	S dell'8a	L Le Rogazioni
28	L S. Agnese 2a	G	G	D 1a d. P., in Alb.	M S. Mas. Rog.
29	M S. Fran. Sal.		V	L S. Pietro m.	M S. Fel. I Ror.
30	M S. Martina v.		S	M S. Cater. da S.	G ASCEN. G. C.
31	G S. Pietro Nol.		D 4a di Q., Laet.		V S. Angela M.

	GENNAIO bis.	FEBBRAIO bis.
1	L CIRCON. G. C.	G S. Ignazio v.
2	M 8a di S. Stef.	V Pur. di M. V.
3	M 8a di S. Giov.	S S. Biagio v.
4	G 8a SS. Innoc.	D 5a d. l'Epif.
5	V 8a S. Telesf. pp.	L S. Agata v.
6	S EPIFANIA	M S. Tito v.
7	D dell'8a	M S. Romualdo
8	L dell'8a	G S. Giov. di M.
9	M dell'8a	V S. Apollon. v.
10	M dell'8a	S S. Scolast. v.
11	G dell'8a	D 6a d. l'Epif.
12	V dell'8a	L
13	S 8a dell'Epif.	M
14	D SS. N. di Gesù	M SS. Valent. m.
15	L S. Paolo er.	M SS. Fau. e G.
16	M S. Marc. I pp.	V
17	M S. Antonio ab.	S
18	G Cat. S. Piet. R.	D Settuagesima
19	V S. Canuto re	L
20	S S. Fab. Seb.	M
21	D 3a. Sac. Fam.	M
22	L S. Vinc. e A.	G Cat. S. Piet. A.
23	M Spos. di M. V.	V S. Pier Dam.
24	M S. Timoteo v.	S S. Gerardo v.
25	G Con. S. Paolo	D Sessagesima
26	V S. Policar. v.	L
27	S S. Giov. C. d.	M
28	D 4a. d. l'Epif.	M
29	L S. Frances. S.	G
30	M S. Martina v.	
31	M S. Pietro Nol.	

GIUGNO	LUGLIO	AGOSTO	SETTEMBRE	OTTOBRE	NOVEMBRE	DICEMBRE
1 S S. Panfilo m.	1 L 8ª di S. Gio. B.	1 G S. Pietro in v.	1 D 12ª d. Penter.	1 M S. Remigio v.	1 V OGNISSANTI	1 D 1ª d'Avv. Ro.
2 D 6ª, Erardi	2 M Vis. di M. V.	2 V S. Alfonso L.	2 L S. Stefano re	2 M SS. Angeli C.	2 S Comm. Def.	2 L S. Bibiana v.
3 L dell'8ª	3 M dell'8ª	3 M Inv. di S. Ste.	3 M	3 G	3 D 21ª d. Penter.	3 M S. Fran. Sav.
4 M S. Franc. C.	4 G dell'8ª	4 D 8ª d. Penter.	4 M	4 V S. Fran. d'As.	4 L S. Carlo Bor.	4 M S. Pietro Cris.
5 M S. Bonif. v.	5 V dell'8ª	5 L S. Maria d. N.	5 G S. Lorenzo G.	5 S SS. Placid. C.	5 M dell'8ª	5 G S. Sabba ab.
6 G 8ª dell'Ascen.	6 S 8ª SS. A. P. P.	6 M Trasf. di G. C.	6 V Trasf. S. Ag. C.	6 D 17ª, B. V. Ros.	6 M dell'8ª	6 V S. Nicolò v.
7 V S. Rober. ab.	7 D 4ª d. Penter.	7 M S. Gaetano T.	7 S S. Regina v.	7 L S. Marco pp.	7 G dell'8ª	7 S S. Ambrogio v.
8 S Vigilia	8 L S. Elisab. reg	8 G SS. Cir. e c. m.	8 D Nat. di M. V.	8 M S. Brigida v.	8 V 8ª Ognissanti	8 D Imm. C. M. V.
9 D PENTECOS.	9 M	9 V S. Roman. m.	9 L S. Gorgon. m.	9 M SS. Dion. C. m.	9 S S. Teodoro m.	9 L dell'8ª
10 L di Penter.	10 M SS. Sett. fr. m.	10 S S. Lorenzo m.	10 M S. Nic. Tol. c.	10 G S. Fran. B.	10 D 22ª, Pat. M. V.	10 M S. Melch. pp.
11 M di Penter.	11 G S. Pio I pp.	11 D 9ª d. Penter.	11 M	11 V	11 L S. Martino v.	11 M S. Dam. I pp.
12 M Temp. d'Est.	12 V S. Giov. Gual.	12 L S. Chiara v.	12 G	12 S S. Massim. v.	12 M S. Mart. pp.	12 G S. Valer. ab.
13 G S. Ant. di P.	13 S S. Anacl. pp.	13 M	13 V	13 D 18ª, Mad. M. V.	13 M S. Stanisl. K.	13 V S. Lucia v.
14 V S. Basilio. T.	14 D 5ª d. Penter.	14 M	14 S Esalt. S. Cro.	14 L S. Calisto pp.	14 G	14 S S. Spiridione
15 S S. Vito e M.	15 M S. Enric. imp.	15 G ASSUN. M. V.	15 D 14ª, SS. N. M.	15 M S. Teresa v.	15 V S. Geltrud. v.	15 D 3ª d'Avv. Ro.
16 D 1ª, SS. Trinità	16 M B. V. del Car.	16 V S. Giacinto c.	16 L SS. Corn. e C.	16 M	16 S S. Edmon. v.	16 L S. Euseb. v.
17 L	17 G S. Alessio c.	17 S S. Lorenzo	17 M Stim. S. Fra.	17 G S. Edvige r.	17 D 23ª, (Avv. A.)	17 M Temp. d'Inv.
18 M SS. Mar. e M.	18 G S. Camillo L.	18 D 10ª, S. Gioac.	18 M Temp. d'Aut.	18 V S. Luca Ev.	18 L D. b. ss. P. P.	18 M Lazz. v.
19 M SS. Ger. e Pr.	19 V S. Vincen. P.	19 L	19 G S. Gennaro v.	19 S S. Piet. d'Alc.	19 M S. Elisabetta.	19 G S. Nemes. m.
20 G CORPUS DO.	20 S S. Marg. v.	20 M S. Bernar. ah.	20 V S. Eust. m. T.	20 D 19ª Pur. M. V.	20 M S. Felice Val.	20 V Tempora
21 V S. Luigi G.	21 D 6ª d. Penter.	21 M S. Gio. di Ch.	21 S S. Matt. ap. T.	21 L SS. Orsol. e C.	21 G Pres. di M. V.	21 S Tempora
22 S S. Paolino v.	22 G S. Maria Mad.	22 G 8ª Ass. M. V.	22 D 15ª, Dol. M. V.	22 M	22 V S. Cecilia v.	22 D 4ª d'Avv. Ro.
23 D 2ª d. Penter.	23 V S. Apollin. v.	23 V S. Filip. Ben.	23 L S. Lino pp.	23 M	23 S S. Clem. I p.	23 L
24 L Nat. S. G. B.	24 M	24 S S. Bartol. ap.	24 M B. V. d. Merc.	24 G	24 D 24ª d. Penter.	24 M vigilia
25 M S. Gugl. ab.	25 G S. Giac. ap.	25 D 11ª d. Penter.	25 M	25 V SS. Crisan. D.	25 L S. Cater. v.	25 M NATALE G. C.
26 M SS. Giov. e P.	26 V S. Anna	26 L S. Zefirino p.	26 V SS. Crisan. D.	26 S S. Evarist. pp.	26 M S. Pietro Al.	26 G S. Stef. prot.
27 G 8ª Cor. Dom.	27 S S. Pantal. m.	27 M SS. Gius. Cal.	27 S SS. Cos. e D.	27 D 20ª d. Penter.	27 M	27 V S. Giov. ev.
28 V S. CUORE G.	28 D 7ª d. Penter.	28 M S. Agost. v. d.	28 D 16ª d. Penter.	28 L SS. Simone G.	28 G	28 S SS. Innocenti
29 S SS. Piet. e Pa.	29 G S. Marta v.	29 G Dec. di S. G. B.	29 L S. Girol. d.	29 M	29 G S. Saturn. m.	29 D S. Tomm. C.
30 D 3ª d. Penter.	30 M SS. Abd., Sen	30 V S. Rosa da L.	30 M	30 M	30 S S. Andrea ap.	30 L
P. Cuor di M.	31 M S. Ignazio L.	31 S S. Raim. Non.		31 G Vigilia		31 M S. Silves. pp.

Pasqua 22 Aprile. — Anni: 64* 143, 227, 238, 311, 322, 333, 406, 417, 428*, 501, 512* 596*, 675, 759, 770, 843, 854, 865, 938, 949, 960* 1033, 1044*, 1128*, 1207, 1291, 1302, 1375, 1386, 1397, 1470, 1481, 1492* 1565, 1576* 1590, 1601, 1612*, 1685, 1696*, 1753, 1764*, 1810, 1821, 1832*, 1962, 1973, 1984*, 2057, 2068*, 2114, 2125, 2136* 2204*, ecc.

GENNAIO bis.	FEBBRAIO bis.	GENNAIO	FEBBRAIO	MARZO	APRILE	MAGGIO
1 D CIRCON. G. C.	1 M S. Ignazio v.	1 L CIRCON. G. C.	1 G S. Ignazio v.	1 G	1 D 4ª di Q., Lœt.	1 M SS. Fil. e G. a.
2 L 8ª di S. Stef.	2 G Pur. di M. V.	2 M 8ª di S. Stef.	2 V Pur. di M. V.	2 V	2 L S. Fran. di P.	2 M S. Atanas. v.
3 M 8ª di S. Giov.	3 V S. Biagio v.	3 M 8ª di S. Giov.	3 S S. Biagio v.	3 S	3 M	3 G Inv. di S. C.
4 M 8ª SS. Innoc.	4 S S. Andrea Co.	4 G 8ª SS. Innoc.	4 D 5ª d. l'Epif.	4 D Quinquages.	4 M S. Isidoro v.	4 V S. Monica ved.
5 G S. Telesf. pp.	5 D 5ª d. l'Epif.	5 V S. Telesf. pp.	5 L S. Agata v.	5 L	5 G S. Vinc. Fer.	5 S S. Pio V pp.
6 V EPIFANIA	6 L S. Tito. S. Dor.	6 S EPIFANIA	6 M S. Tito, S. Dor.	6 M Le Ceneri	6 V	6 D 2ª, Mis, Dom.
7 S dell'8ª	7 M S. Romualdo	7 D 1ª d. l'Epif.	7 M S. Romua. ab.	7 M	7 S	7 L S. Stanisl. v.
8 D 1ª d. l'Epif.	8 M S. Giov. di. M.	8 L dell'8ª	8 G S. Glov. di M.	8 G S. Giov. di D.	8 D di Pas. Iudic.	8 M Ap. di S. Mic.
9 L dell'8ª	9 G S. Apollon. v.	9 M dell'8ª	9 V S. Apollon. v.	9 V S. Franc. Ro.	9 L	9 M S. Greg. Naz.
10 M dell'8ª	10 V S. Scolastica	10 M dell'8ª	10 S S. Scolastica	10 S SS. 40 Mart.	10 M	10 G SS. Gor. ed E.
11 M dell'8ª	11 S	11 G dell'8ª	11 D 6ª d. l'Epif.	11 D 1ª di Q., Inv.	11 M S. Leone I pp.	11 V
12 G dell'8ª	12 D 6ª d. l'Epif.	12 V dell'8ª	12 L	12 L S. Greg. I pp.	12 G	12 S SS. Ner. C. m.
13 V 8ª dell'Epif.	13 L	13 S 8ª dell'Epif.	13 M S. Cat. de Ric.	13 M	13 V B. V. Addolo.	13 D 3ª, Pat. S. G.
14 S S. Ilar. S. Fel	14 M S. Valent. m.	14 D 2ª. SS. N. di G.	14 M S. Valent. m.	14 M Temp. di pri.	14 S S. Giustin. m.	14 L S. Bonifacio
15 D SS. N. di Gesù	15 M SS. Faus. e G.	15 L S. Paolo er.	15 G	15 G	15 D delle Palme	15 M
16 L S. Marc. I pp.	16 G	16 M S. Marcello p.	16 V	16 V S. Eriber. v. T.	16 L santo	16 M S. Ubaldo v.
17 M S. Antonio ab.	17 V	17 M S. Antonio ab.	17 S	17 S S. Patriz. v. T.	17 M santo	17 G S. Pasqual. B.
18 M Cat. S. Pie. R.	18 S S. Simeone v.	18 G Cat. S. Piet.R.	18 D Settuagesima	18 D 2ª di Q., Rem.	18 M santo	18 V S. Venanz. m.
19 G S. Canuto re	19 D Settuagesima	19 V S. Canuto re	19 L	19 L S. Giuseppe	19 G Cena del Sig.	19 S S. Pietro Cel.
20 V SS. Fab; Seb.	20 L	20 S SS. Fab; Seb.	20 M	20 M	20 V Parascere	20 D 4ª, Cantate
21 S S. Agnese v.	21 M	21 D 3ª, Sac. Fam.	21 M S. Bened. ab.	21 M S. Bened. ab.	21 S santo	21 L
22 D Sac. Fam.	22 M Cat. S. Piet. A.	22 L SS. Vinc., An.	22 G Cat. S. Piet. A.	22 G	22 D PASQUA	22 M
23 L Spos. di M. V.	23 G S. Pier Dam.	23 M Spos. di M. V.	23 V S. Pier Dam.	23 V	23 L dell'Angelo	23 M
24 M S. Timoteo v.	24 V Vigilia	24 M S. Timoteo v.	24 S S. Mattia ab.	24 S	24 M di Pasqua	24 G
25 M Conv. S. Paolo	25 S S. Mattia ab.	25 G Conv. S. Paolo	25 D Sessagesima	25 D ANN. DI M. V.	25 M dell'8ª	25 V S. Greg. VII p.
26 G S. Policar. v.	26 D Sessagesima	26 V S. Policar. v.	26 L	26 L	26 G dell'8ª	26 S S. Filip. Neri
27 V S. Giov. Cris.	27 L	27 S S. Giov. Cr.	27 M	27 M	27 V dell'8ª	27 D 5ª, Rogate
28 S S. Agnese 2ª f.	28 M	28 D 4ª d. l'Epif.	28 M	28 M	28 S dell'8ª	28 L Le Rogazioni.
29 D 4ª d. l'Epif.	29 M	29 L S. Fran. ed A.		29 M	29 D 1ª, in Albis	29 M S. Mass., Rog.
30 L S. Martina v.		30 M S. Martina v.		30 V	30 L S. Cater. da S.	30 M S. Fel I., Rog.
31 M S. Pietro Nol.		31 M S. Pietro Nol.		31 S		31 G ASCEN. G. C

GIUGNO	LUGLIO	AGOSTO	SETTEMBRE	OTTOBRE	NOVEMBRE	DICEMBRE
1 V dell'8ª	1 D 3ª. P. C. di M.	1 M S. Pietro in v.	1 S S. Egidio ab.	1 L S. Remigio v.	1 G OGNISSANTI	1 S S. Eligio v.
2 S dell'8ª	2 L Vis. di M. V.	2 G S. Alfonso L.	2 D 12ª d. Pentec.	2 M SS. Angeli C.	2 V Comm. Def.	2 D 1ª d'Avv. Ro.
3 D 6ª. Exaudi	3 M dell'8ª	3 V Inv. di S. Ste.	3 L	3 M	3 S S. Uberto v.	3 L S. Fran. Sav.
4 L S. Fran. C.	4 M dell'8ª	4 S S. Dom. di G.	4 M	4 G S. Fran. d'As.	4 D 21ª d. Pentec.	4 M S. Pietro Cris.
5 M S. Bonif. v.	5 G dell'8ª	5 D 8ª d. Pentec.	5 M S. Lorenzo G.	5 V SS. Placid. C.	5 L dell'8ª	5 M S. Sabba ap.
6 M S. Norbert. v.	6 V 8ª SS. P. P. A.	6 L Trasf. di G. C.	6 G Trasf. S. Ag. C.	6 S S. Brunone c.	6 M dell'8ª	6 G S. Nicolò v.
7 G 8ª dell'Ascen.	7 S S. Pulcheria	7 M S. Gaetano T.	7 V S. Regina v.	7 D 17ª, B. V. Ros.	7 M dell'8ª	7 V S. Ambrogio v.
8 V S. Guglel. v.	8 D 4ª d. Pentec.	8 M SS. Cir. e c. m.	8 S Nat. di M. V.	8 L S. Brigida v.	8 G 8ª Ognissanti	8 S Imm. C. M. V.
9 S Vigilia	9 L	9 G S. Roman. m.	9 D 13ª, SS. N. M.	9 M SS. Dion. C. m.	9 V S. Teodoro m.	9 D 2ª d'Avv. Ro.
10 D PENTECOS	10 M SS. Sette fr. m.	10 V S. Lorenzo m.	10 L S. Nic. To. c.	10 M S. Fran. B.	10 S S. Andrea Av.	10 L S. Melch. pp.
11 L di Pentec.	11 M S. Pio I pp.	11 S SS. Tiber. e S.	11 M	11 G	11 D 22ª, Pat. M. V.	11 M S. Damas. I pp.
12 M di Pentec.	12 G S. Giov. Gua.	12 D 9ª d. Pentec.	12 M	12 V S. Massim. v.	12 L S. Mart. pp.	12 M S. Va er. ab.
13 M Temp. d'est.	13 V S. Anac. pp.	13 L	13 G	13 S S. Edoardo re	13 M S. Stanis K.	13 G S. Lucia v.
14 G dell'8ª	14 S S. Bonav. d.	14 M	14 D Esalt. S. Cro.	14 D 18ª, Mat. M.V.	14 M	14 V S. Spiridione
15 V SS. Vit. e M. T.	15 D 5ª d. Pentec.	15 M ASSUN. M. V.	15 L 8ª d. N. M. V.	15 L S. Teresa v.	15 G S. Geltrud. v.	15 S 8ª d'Imm. C.
16 S S. Giov. Fr. T.	16 L B. V. del Car.	16 G S. Giacinto c.	16 M 16ª, Dol. M. V.	16 M S. Edmon. v.	16 V S. Edmon. v.	16 D 3ª d'Avv. Ro.
17 D 1ª. SS. Trinità	17 M S. Aless. Con.	17 V 8ª S. Lorenzo	17 L S. Stim. S. Fra.	17 M S. Edvige r.	17 S S. Greg. tau.	17 L S. Lazz. v.
18 L SS. Marco M.	18 M S. Camillo L.	18 S S. Agapit. m.	18 M S. Gius. Cop.	18 G S. Luca Ev.	18 D 23ª. [Avv. A.]	18 M Asp. Div. P.
19 M SS. Ger. e Pr.	19 G S. Vincen. P.	19 D 10ª, S. Gioac.	19 M Temp. d'aut.	19 V S. Piet. d'A. c.	19 L S. Elisabetta	19 M Temp. d'inv.
20 M S. Silver. pp.	20 V S. Marg. v.	20 L S. Bernar. ab.	20 G S. Eustac. m.	20 S S. Giovan. C.	20 M S. Felice Val.	20 G S. Timo. m.
21 G CORPUS DO.	21 S S. Prassede v.	21 M S. Giov. d. Ch.	21 V S. Mat. ap. T.	21 D 19ª, Pur. M. V.	21 M Pres. di M. V.	21 V Tempora
22 V S. Paolino v.	22 D 6ª d. Pentec.	22 M 8ª Ass. M V.	22 S SS. Mau. C. T.	22 L	22 G S. Cecilia v.	22 S Tempora
23 S S. Lanfr. v.	23 L S. Apollin. v.	23 G S. Filip. Ben.	23 D 15ª d. Pentec.	23 M	23 V S. Clem. I p.	23 D 4ª d'Avv. Ro.
24 D 2ª d. Pentec.	24 M Vigilia	24 V S. Bartol. ap.	24 L B. V. d. Merc.	24 M	24 S S. Gio. d. Cr.	24 L Vigilia
25 L S. Gugl. ab.	25 M S. Giac. ap.	25 S S. Luigi re	25 M	25 G SS. Crisan. D.	25 D 24ª d. Pentec.	25 M NATALE G. C.
26 M SS. Giov. è P.	26 G S. Anna	26 D 11ª d. Pentec.	26 M SS. Cip., Giu.	26 V S. Evarist. pp.	26 L S. Pietro Al.	26 L S. Stef. prot.
27 M S. Ladisl. re	27 V S. Pantal. m.	27 L S. Gius. Cal.	27 G SS. Cos. e D.	27 S Vigilia	27 M	27 G S. Gior. ev.
28 G 9ª Cor. Dom.	28 S SS. Naz. e C.	28 M S. Agost. v. d.	28 V S. Vences. m.	28 D 20ª d. Pentec.	28 M	28 V SS. Innoc. m.
29 V SS. P. e P. ap.	29 D 7ª d. Pentec.	29 M Dec. di S. G. B.	29 S S. Michele A.	29 L	29 G S. Saturn. m.	29 S S. Tom. C. v.
30 S. CUORE G.	30 L SS. Abd., Sen.	30 G S. Rosa da L.	30 D 16ª d. Pentec.	30 M	30 V S. Andrea ap.	30 D
30 S Comm. S. Pa.	31 M S. Ignazio L.	31 V S. Raim. Non.		31 M Vigilia		31 L S. Silves. pp.

Pasqua 23 Aprile. — Calendario per gli anni: 75, 159, 170, 254, 265, 349, 360*, 444*, 607, 691, 702, 786, 797, 851, 892*, 976*, 1139, 1223, 1234, 1318, 1329, 1413, 1424*, 1508*, 1628*, 1848*, 1905, 1916*, 2000*, 2079, 2152*, ecc.

	GENNAIO bis.	FEBBRAIO bis.	GENNAIO	FEBBRAIO	MARZO	APRILE	MAGGIO
1	S CIRCON. G. c.	M S. Ignazio v.	D CIRCON. G. C.	M S. Ignazio v.	M	S	L SS. Fil. e G. a.
2	D 8ª di S. Stef.	M Pur. di M. V.	L 8ª di S. Stef.	G Pur. di M. V.	G	D 4ª di Q. Laet.	M S. Atanas. v.
3	L 8ª di S. Giov.	G S. Biagio v.	M 8ª di S. Giov.	V S. Biagio v.	V	L	M Inv. di S. Cro.
4	M 8ª SS. Innoc.	V S. Andrea Co.	M 8ª SS. Innoc.	S S. Andrea Co.	S S. Casimiro c.	M S. Isidoro v.	G S. Monica ved.
5	M S. Telesf. pp.	S S. Agata v.	G S. Telesf. pp.	D 5ª d. l'Epif.	D Quinquages.	M S. Vinc. Fer.	V S. Pio V pp.
6	G EPIFANIA	D 6ª d. l'Epif.	V EPIFANIA	L S. Tito. S. Dor.	L	G	S S. Gio. a. p. l.
7	V dell'8ª	L S. Romualdo	S dell'8ª	M S. Rom. ab.	M S. To. d'Aq.	V	D 2ª, Misr. Dom
8	S dell'8ª	M S. Giov. di M.	D 1ª d. l'Epif.	M S. Giov. di M.	M Le Ceneri	S	L Ap. di S. Mic.
9	D 1ª d. l'Epif.	M S. Apollon. v.	L dell'8ª	G S. Apollon. v.	G S. Fran. Rom.	D di Pas., Judic.	M S. Greg. Naz.
10	L dell'8ª	G S. Scolast. v.	M dell'8ª	V S. Scolastica	V SS. 40 Mart.	L	M SS. Gor. ed E.
11	M dell'8ª	V	M dell'8ª	S	S	M S. Leone I pp	G
12	G dell'8ª	S S. Eulalia v.	G dell'8ª	D 6ª d. l'Epif.	D 1ª di Q. Invo.	M	V SS. Ner. C. m.
13	G 8ª dell'Epif.	D 6ª d. l'Epif.	V 8ª dell'Epif.	L S. Cat. de Ric.	L	G S. Ermeneg.	S S. Servazio v.
14	V S. Ilar. S. Fel.	L S. Valent. m.	S S. Ilar. S. Fel.	M S. Valent. m.	M	V B. V. Addolo.	D 3ª, Pat. S. G.
15	S S. Paolo S. Mau.	M SS. Fau. e G.	D SS. N. di G.	M SS. Fau. e G o.	M Temp. di pri.	S	L
16	D SS. N. di Gesù	M	L S. Marcello p.	G	G	D Delle Palme	M S. Ubaldo v.
17	L S. Antonio ab.	G	M S. Antonio ab.	V	V S. Patriz. v. T.	L santo	M S. Pasqual. B.
18	M Cat. S. Piet. R.	V S. Simeone v.	M Cat. S. Piet. R.	S S. Simeone v.	S S. Galr. a. T.	M santo	G S. Venanz. m.
19	M S. Canuto re	S S. Corrado c.	G S. Canuto re	D Settuagesima	D 2ª di Q. Rem.	M santo	V S. Pietro Cel.
20	G SS. Fab. Seb.	D Settuagesima	V SS. Fab. Seb.	L S. Eleute. m.	L	G Cena del Sig.	S S. Bern. da. S.
21	V S. Agnese v.	L	S S. Agnese v.	M	M S. Bened. ab.	V Parascene	D 4ª, Cantate
22	S SS. Vinc. e A.	M Cat. S. Piet. A.	D 3ª, Sac. Fam.	M Cat. S. Piet. A.	M	S santo	L
23	D 3ª, Sac. Fam.	M S. Pier Dam.	L Spos. di M. V.	G S. Pier Dam.	G	D PASQUA	M
24	L S. Timoteo v.	G Viglia	M S. Timoteo v.	V S. Mattia ab.	V	L dell'Angelo	M
25	M Con. S. Paolo	V S. Mattia ap.	M Con. S. Paolo	S	S ANN. DI M. V.	M di Pasqua	G S. Greg. VII p.
26	M S. Policar. v.	S	G S. Policar. v.	D Sessagesima	D 3ª di Q. Oculi	M dell'8ª	V S. Filip. Neri
27	G S. Giov. C. d.	D Sessagesima	V S. Giov. Cr.	L	L	G dell'8ª	S B. Mar. M. P.
28	V S. Agnese 2ª f.	L	S S. Agnese 2ª f.	M	M	V dell'8ª	D 5ª, Rogate
29	S S. Frances. S.	M	D 4ª d. l'Epif.		M	S dell'8ª	L Le Rogazioni
30	D 4ª d. l'Epif.		L S. Martina v.		G	D 1ª d. P., in Alb.	M SS. Fel. Ipp. Rog.
31	L S. Pietro Nol.		M S. Pietro Nol.		V		M SS. Aug. M. Rog.

GIUGNO	LUGLIO	AGOSTO	SETTEMBRE	OTTOBRE	NOVEMBRE	DICEMBRE
1 G ASCEN. G. C.	1 S 8ª di S. Gio. B.	1 M S. Pietro in v.	1 V S. Egidio ab.	1 D 16ª, B. V. Ros.	1 M OGNISSANTI	1 V
2 V dell'8ª	2 D 3ª, P. C. di M.	2 M S. Alfonso L.	2 S S. Stefano re	2 L SS. Angeli C.	2 G Comm. Def.	2 S S. Bibiana v.
3 S dell'8ª	3 L S. Marzial. v.	3 G Inv. di S. Ste.	3 D 12ª. d. Pentec.	3 M	3 V S. Uberto v.	3 D 1ª d'Av. Ro.
4 D 6ª, Exaudi	4 M dell'8ª	4 V S. Dom. dì G.	4 L	4 M S. Fran. d'As.	4 S S. Carlo Bor.	4 L S. Barb. m.
5 L S. Bonif. v.	5 M dell'8ª	5 S S. Maria d. N.	5 M S. Lorenzo G.	5 G SS. Placid. C.	5 D 21ª d. Pentec.	5 M S. Sabba ab.
6 M S. Norbert. v.	6 G 8ª SS. A. P. P.	6 D 8ª d. Pentec.	6 M	6 V S. Brunone c.	6 L dell'8ª	6 M S. Nicolò v.
7 M dell'8ª	7 V	7 L S. Gaetano T.	7 G	7 S S. Marco pp.	7 M dell'8ª	7 G S. Ambrogio v.
8 G 8ª dell'Ascen.	8 S S. Elisab. reg.	8 M SS. Cir e c. m.	8 V Nat. di M. V.	8 D 17ª, Mat. M. V	8 M 8ª Ognissanti	8 V Imm. C. M. V.
9 V SS. Pri. e Fel.	9 D 4ª d. Pentec.	9 M S. Ronnan. m.	9 S S. Gorgon. m.	9 L SS. Dion. C. m.	9 G S. Teodoro m.	9 S dell'8ª
10 S Vigilia	10 L SS. Sett. fr. m.	10 G S. Lorenzo m.	10 D 13ª. SS. N. M.	10 M S. Fran. B.	10 V S. Andrea Av.	10 D 2ª d'Av. Ro.
11 D PENTECOS.	11 M S. Pio I pp.	11 V S. Proto e G.	11 L dell'8ª	11 M	11 S S. Martino v.	11 L S. Dam. I pp.
12 L di Pentec.	12 M S. Giov. Gual.	12 S S. Chiara v.	12 M dell'8ª	12 G S. Massim. v.	12 D 22ª, Pat. M. V.	12 M S. Valer. ab.
13 M di Pentec.	13 G S. Anacl. pp.	13 D 9ª d. Pentec.	13 M dell'8ª	13 V S. Edoardo re	13 L S. Stanisl. K.	13 M S. Lucia v.
14 M Temp. d'Est.	14 V S. Bonav. d.	14 L S. Eusebio pr.	14 G Esalt. S. Cro.	14 S S. Calisto pp.	14 M S. Giosaf. v.	14 G dell'8ª
15 G dell'8ª	15 S S. Enric. imp.	15 M ASSUN. M. V.	15 V 8ª Nat. M. V.	15 D 18ª, Pur. M. V.	15 M S. Geltrud v.	15 V 8ª d'Imm. Co.
16 V dell'8ª Temp.	16 D 5ª d. Pentec.	16 M S. Giacinto c.	16 S SS. Corn. e C.	16 L S. Gallo ab.	16 G S. Edmon. v.	16 S S. Euseb. v.
17 S dell'8ª Temp.	17 L S. Alessio c.	17 G 8ª S. Lorenzo	17 D 14ª, Dol. M. V.	17 M S. Edvige v.	17 V S. Greg. tau.	17 D 3ª d'Avv. Ro.
18 D 1ª. SS. Trinità	18 M S. Camillo L.	18 V S. Agapit. m.	18 L S. Gius. Cop.	18 M S. Luca Ev.	18 S D. b. ss. P. P.	18 L
19 L S. Giul. Fal.	19 M S. Vincen. P.	19 S	19 M S. Gennaro v.	19 G S. Piet. d'Alc.	19 D 23ª d. Pentec.	19 M
20 M S. Silver. pp.	20 G S. Marg. v.	20 D 10ª, S. Gioac.	20 M Temp. d'Aut.	20 V S. Giovan. C.	20 L S. Felice Val.	20 M Temp. d'Inv.
21 M S. Luigi G.	21 V S. Prassede v.	21 L S. Gio. dì Ch.	21 G S. Eust. m.	21 S SS. Orsol. e C.	21 M Pres. di M. V.	21 G S. Tom. ap.
22 G CORPUS DO.	22 S S. Maria M.	22 M 8ª Ass. M. V.	22 V S. Lino pp. T.	22 D 19ª d. Pentec.	22 M S. Cecilia v.	22 V Tempora
23 V dell'8ª	23 D 6ª d. Pentec.	23 M S. Filip. Ben.	23 S B. V. d. M. T.	23 L	23 G S. Clem. I p.	23 S Tempora
24 S Nat. S. G. B.	24 L Vigilia	24 G S. Bartol. ap.	24 D 15ª d. Pentec.	24 M	24 V S. Gio. d. Cr.	24 D 4ª d'Avv. Ro.
25 D 2ª d. Pentec.	25 M S. Giac. ap.	25 V S. Luigi re	25 L	25 M SS. Crisan. D.	25 S S. Cater. v.	25 L NATALE G.C.
26 L S. Giov. e P.	26 M S. Anna	26 S S. Zefirino p.	26 M SS. Cip., Giu.	26 G S. Evarist. pp.	26 D 24ª d. Pentec.	26 M S. Stef. prot.
27 M S. Ladisl. re	27 G S. Pantal. m.	27 D 11ª d. Pentec.	27 M SS. Cos. e D.	27 V Vigilia	27 L	27 M S. Giov. ev.
28 M S. Leone II p.	28 V SS. Naz. e C.	28 L S. Agost. v. d.	28 G S. Vences. m.	28 S SS. Sim. e G.	28 M	28 G SS. Innocenti
29 G SS. Piet. e Pa.	29 S S. Marta v.	29 M Dec. dì S. G. B.	29 V S. Michele A.	29 D 20ª d. Pentec.	29 M S. Saturn. m.	29 V S. Tomm. C.
30 V S. CUORE G.	30 D 7ª d. Pentec.	30 M S. Rosa da L.	30 S S. Girol. d.	30 L	30 S S. Andrea ap.	30 S
	31 L S. Ignazio L.	31 G S. Raim. Non.		31 M Vigilia		31 D S. Silves. pp.

Pasqua 24 Aprile. — Calendario per gli anni: 7, 18, 102, 113, 197, 208*, 292*, 455, 539, 550, 634, 645, 729, 740*, 824*, 987, 1071, 1082, 1166, 1177, 1261, 1272*, 1356*, 1519, 1639, 1707, 1791, 1859, 2011, 2095, 2163, 2231, ecc.

GENNAIO bis.	FEBBRAIO bis.	GENNAIO	FEBBRAIO	MARZO	APRILE	MAGGIO
1 V CIRCON. G. C.	1 L S. Ignazio v.	1 S CIRCON. G. C.	1 M S. Ignazio v.	1 M	1 V	1 D 1ª, in Albis
2 S S⁹ di S. Stef.	2 M Pur. di M. V.	2 D S⁹ di S. Stef.	2 M Pur. di M. V.	2 M	2 S S. Fran. di P.	2 L S. Atanas. v.
3 D L⁸ di S. Giov.	3 M S. Biagio v.	3 L S⁸ di S. Giov.	3 G S. Biagio v.	3 G	3 D 4ª di Q., Lae.	3 M Inv. di S. C.
4 L S⁸ SS. Innoc.	4 G S. Andrea Co.	4 M S⁸ SS. Innoc.	4 V S. Andrea Co.	4 V S. Casimiro c.	4 L S. Isidoro v.	4 M S. Monica ved
5 M S. Telesf. pp.	5 V S. Agata v.	5 M S. Telesf. pp.	5 S S. Agata v.	5 S S. Foca m.	5 M S. Vinc. Fer.	5 G S. Pio V pp.
6 M EPIFANIA	6 D 5ª d. l'Epif.	6 G EPIFANIA	6 D 5ª d. l'Epif.	6 D Quinquages.	6 M	6 V S. Gio. a. p. l.
7 G dell'8ª	7 L S. Tito, S. Dor.	7 V dell'8ª	7 L S. Romua. ab.	7 L S. To. d'Aq.	7 G	7 S S. Stanisl. v.
8 V dell'8ª	8 L S. Giov. d. M.	8 S dell'8ª	8 M S. Giov. di M.	8 M S. Giov. di D	8 V	8 D 2ª, Mis. Dom.
9 S dell'8ª	9 M S. Apollon. v.	9 D 1ª d. l'Epif.	9 M S. Apollon. v.	9 M Le Ceneri	9 S S. Maria Cle.	9 L S. Greg. Naz.
10 D 1ª d. l'Epif.	10 M S. Scolastica	10 L dell'8ª	10 G S. Scolastica	10 G SS. 40 Mart.	10 D di Pas.. Indic.	10 M SS. Gor. ed E.
11 L dell'8ª	11 G	11 M dell'8ª	11 V	11 V	11 L S. Leone I pp.	11 M
12 M dell'8ª	12 V S. Eulalia v.	12 M dell'8ª	12 S S. Eulalia v.	12 S S. Greg. I pp.	12 M	12 G SS. Ner. C. m.
13 M⁹ dell'Epif.	13 S S. Cat. de' R.	13 G⁹ dell'Epif.	13 D 6ª d. l'Epif.	13 D 1ª di Q., Inv.	13 M S. Ermeneg.	13 V S. Servazio v.
14 G S. Ilar. S. Fel.	14 D 6ª d. l'Epif.	14 V S. Ilar. S. Fel.	14 L S. Valent. m.	14 L	14 G S. Giustin. m.	14 S S. Bonifacio
15 V S. Paolo er.	15 L SS. Faus. e G.	15 S S. Paolo er.	15 M SS. Fau. e Gio.	15 M S. Longin. m.	15 V B. V. Addolo.	15 D 3ª, Jubilate
16 S S. Marc. I pp.	16 M	16 D⁹ SS. N. di G.	16 M	16 M Tempo di pri.	16 S S. Contar. pr.	16 L S. Ubaldo v.
17 D SS. N. di Gesù	17 M	17 L S. Anton. ab.	17 G	17 G S. Patriz. v.	17 D Idde Palme	17 M S. Pasqual. B.
18 L Cat. S. Pie. R.	18 G S. Simeone v.	18 M Cat. S. Piet. R.	18 V S. Simeone v.	18 V S. Gabr. a. T.	18 L Lunedì	18 M S. Venanz. m.
19 M S. Canuto re	19 V S. Corrado c.	19 M S. Canuto re	19 S S. Corrado c.	19 S S. Giusepp. T.	19 M Martedì	19 G S. Pietro Cel.
20 M SS. Fab. Seb.	20 S S. Eleuter. m.	20 G SS. Fab. Seb.	20 D Settuagesima	20 D 2ª di Q., Rem.	20 M Mercoledì	20 V S. Bern. a. S
21 G S. Agnese v.	21 D Settuagesima	21 V S. Agnese v.	21 L S. Severia. v.	21 L S. Benet. ab.	21 G Cena del Sig.	21 S S. Felice d. U.
22 V SS. Vinc. e A.	22 L Cat. S. Piet. A.	22 S SS. Vinc. An.	22 M Cat. S. Piet A.	22 M	22 V Parasceve	22 D 4ª, Cantate
23 S Spos. di M. V.	23 M S. Pier Dam.	23 D 3ª, Sac. Fam.	23 M S. Pier Dam.	23 M	23 S Santo	23 L
24 D 3ª, Sac. Fam.	24 M Vigilia	24 L S. Timoteo v.	24 G S. Mattia ap.	24 G	24 D PASQUA	24 M
25 L Conv. S. Paolo.	25 G S. Mattia ap.	25 M Conv. S. Paolo	25 V	25 V ANN. DI M. V.	25 L dell'Angelo	25 M S. Greg. VII p.
26 M S. Policar. v.	26 V	26 M S. Policar. v.	26 S	26 S	26 M di Pasqua	26 G S. Filip. Neri
27 M S. Giov. Cris.	27 S	27 G S. Giov. Cr.	27 D Sessagesima	27 D 3ª di Q. Oculi	27 M	27 V S. Mar. M.P.
28 G S. Agnese 2ª f.	28 D Sessagesima	28 V S. Agnese 2ª f.	28 L	28 L	28 G	28 S S. Agos. Can.
29 V S. Frances. S.	29 L	29 S S. Fran. ed A.		29 M	29 V	29 D 5ª Rogate
30 S S. Martina v.		30 D 4ª d. l'Epif.		30 M	30 S S. Cater. da S.	30 L Le Rogazioni
31 D 4ª d. l'Epif.		31 L S. Pietro Nol.		31 G		31 M S. Ang. M. Ro.

GIUGNO

1 M S. Panfil. *Rog.*
2 G ASCEN. G. C.
3 V *dell'8ª*
4 S *dell'8ª*
5 D 6ª, *Exaudi*
6 L S. Norbert. v.
7 M
8 M S. Gugl. v.
9 G 8ª *dell'Ascen.*
10 V
11 S *Vigilia*
12 D PENTECOS.
13 L *di Pentec.*
14 M *dì Pentec.*
15 M *Temp. d'est.*
16 G S. Giov. Fr.
17 V S. Ranieri T.
18 S SS. Mar. M. T.
19 D 1ª, *SS. Trinità*
20 L S. Silver. pp.
21 M S. Luigi G.
22 M S. Paolino v.
23 G CORPUS DO.
24 V *Nat. S. G. B.*
25 S S. Gugl. ab.
26 D 2ª *d. Pentec.*
27 L S. Ladisl. re
28 M S. Leone II p.
29 M *SS. P. e P. ap.*
30 G 8ª *Cor. Dom.*

LUGLIO

1 V S. CUORE G.
2 S *Vis. di M. V.*
3 D 3ª, *P. Cuore M.*
4 L *dell'8ª*
5 M *dell'8ª*
6 M 8ª *SS. P. P. A.*
7 G
8 V S. Elisab. r.
9 S S. Veron. G.
10 D 4ª *d. Pentec.*
11 L S. Pio I pp.
12 M S. Giov. Gual.
13 M S. Anac. pp.
14 G S. Bonav. d.
15 V S. Enric. imp.
16 S B. V. del Car.
17 D 5ª *d. Pentec.*
18 L S. Camillo L.
19 M S. Vincen. P.
20 M S. Marg. v.
21 G S. Prassede v.
22 V S. Maria Mad.
23 S S. Apollin. v.
24 D 6ª *d. Pentec.*
25 L S. Giac. ap.
26 M S. Anna
27 M S. Pantal. m.
28 G SS. Naz. e C.
29 V S. Marta v.
30 S SS. Abd., Sen.
31 D 7ª *d. Pentec.*

AGOSTO

1 L S. Pietro in v.
2 M S. Alfonso L.
3 M Inv. di S. Ste.
4 G S. Dom. di G.
5 V S. Maria d. N.
6 S Trasf. di G. C.
7 D 8ª *d. Pentec.*
8 L SS. Cir. e c. m.
9 M S. Roman. m.
10 M S. Lorenzo m.
11 G SS. Tiber. e S.
12 V S. Chiara v.
13 M
14 G D 9ª *d. Pentec.*
15 L L'ASSUN. M. V.
16 M S. Giacinto c.
17 M S. Liberato c.
18 G S. Agapit. m.
19 V
20 S S. Bernar. ab
21 D 10ª, *S. Gioac.*
22 L 8ª *Ass. M. V.*
23 M S. Filip. Ben.
24 M S. Bartol. ap.
25 G S. Luigi re
26 V S. Zefirino p.
27 S S. Gius. Cal.
28 D 11ª *d. Pentec.*
29 L Dec. di S. G. B.
30 M S. Rosa da L.
31 M S. Raim. Non.

SETTEMBRE

1 G S. Egidio ab.
2 V S. Stefano re
3 S
4 D 12ª *d. Pentec.*
5 L S. Lorenzo G.
6 M Tras. S. Ag. C.
7 M S. Regina v.
8 G *Nat. di M. V.*
9 V S. Gorgon. m.
10 S S. Nic. Tol. c.
11 D 13ª, *SS. N. M.*
12 L
13 M
14 M Esalt. S. Cro.
15 G 8ª *d. N. M. V.*
16 V SS. Corn. e C.
17 S Stim. S. Fra.
18 D 14ª, *Dol. M. V.*
19 L S. Gennaro v.
20 M S. Eustac. m.
21 M *Temp. d'aut.*
22 G SS. Mau. C.
23 V S. Lino pp. T.
24 S
25 D 15ª *d. Pentec.*
26 L SS. Cip., Giu.
27 M SS. Cos. e D.
28 M S. Vences. m.
29 G S. Michele A.
30 V S. Girol. d.

OTTOBRE

1 S S. Remigio v.
2 D 16ª, *B. V. Ros.*
3 L
4 M S. Fran. d'As.
5 M SS. Placid. C.
6 G S. Brunone c.
7 V S. Marco pp.
8 S S. Brigida v.
9 D 17ª, *Mat. M. V*
10 L S. Fran. B.
11 M S. Germ. v.
12 M S. Massim. v.
13 G S. Edoardo re
14 V S. Calisto pp.
15 S S. Teresa v.
16 D 18ª, *Pur. M. V.*
17 L S. Edvige r.
18 M S. Luca Ev.
19 M S. Piet. d'Alc.
20 G S. Giovan. C.
21 V SS. Orsol. e C
22 S
23 D 19ª *d. Pentec.*
24 L
25 M SS. Crisan. D.
26 M S. Evarist. pp.
27 G D 1ª *d'Avv. Ro.*
28 L
29 M
30 D 20ª *d. Pentec.*
31 L *Vigilia*

NOVEMBRE

1 M OGNISSANTI
2 M *Comm. Def.*
3 G S. Uberto v.
4 V S. Carlo Bor.
5 S S. Zacca. pr.
6 D 21ª *d. Pentec.*
7 L *dell'8ª*
8 M 8ª *Ognissanti*
9 M S. Teodoro m.
10 G S. Andrea Av.
11 V S. Mart.no v.
12 S S. Mart. pp.
13 D 22ª, *Pat. M. V*
14 L
15 M S. Geltrud. v.
16 M S. Edmon. v.
17 G S. Greg. tau.
18 V D. b. ss. P.. P
19 S S. Elisabetta
20 D 23ª, *S. Fel. V.*
21 L Pres. di M. V.
22 M S. Cecilia v.
23 M S. Clem. I pp.
24 G S. Gio. d. Cr.
25 V S. Cater. v.
26 S S. Pietro Al.
27 D 1ª *d'Avv. Ro.*
28 L
29 M S. Saturn. m.
30 M S. Andrea ap

DICEMBRE

1 G
2 V S. Bibiana v.
3 S S. Fran. Sav.
4 D 2ª *d'Avv. Ro.*
5 L S. Sabba ap.
6 M S. Nicolò v.
7 M S. Ambrogio v.
8 G *Imm. C. M. V.*
9 V *dell'8ª*
10 S S. Melc. pp.
11 D 3ª *d'Avv. Ro.*
12 L *dell'8ª*
13 M S. Lucia v.
14 M *Temp. d'inv.*
15 G 8ª *d'Imm. C.*
16 V S. Euseb. v. T
17 S S. Lazz. v. T.
18 D 4ª *d Avv. Ro.*
19 L S. Nemes. m.
20 M S. Thuo. m.
21 M S. Tom. ap.
22 G S. Flav. m.
23 V S. Vittoria v.
24 S *Vigilia*
25 D NATALE G.C.
26 L S. Stef. prot.
27 M S. Giov. ev.
28 M SS. Innoc. m.
29 G S. Tom. C. v.
30 V
31 S S. Silves. pp.

Pasqua 25 Aprile. — Calendario per gli anni: 45, 110*, 387, 432, 577, 672*, 919, 1014, 1109, 1204*, 1151, 1346, 1666, 1734, 1886, 1943, 2038, 2190, 2258, 2326, 2410, 2573, 2630, 2782, 2877, 2945, ecc.

GENNAIO	FEBBRAIO	MARZO	APRILE	MAGGIO
1 V CIRCON. G. C.	1 L S. Ignazio v.	1 L	1 G	1 S SS. Fil. G. ap.
2 S 8ª di S. Stef.	2 M Pur. di M. V.	2 M	2 V S. Fran. di P.	2 D 1ª, in Albis
3 D 8ª di S. Giov.	3 M S. Biagio v.	3 M	3 S	3 M Inv. di S. C.
4 L 8ª SS. Innoc.	4 G S. Andrea Co.	4 G S. Casimiro c.	4 D 4ª di Q., Laet.	4 M S. Monica ved.
5 M S. Telesf. pp.	5 V S. Agata v.	5 V S. Foca m.	5 L S. Vinc. Fer.	5 G S. Pio V. pp.
6 M EPIFANIA	6 S S. Tito, S. Dor.	6 S	6 M	6 V S. Gio. a. p. l.
7 G dell'8ª	7 D 5ª d. l'Epif.	7 D Quinquages.	7 M	7 S S. Stanisl. v.
8 V dell'8ª	8 L S. Giov. d. M.	8 L S. Giov. di D.	8 G	8 D App. S. Mic.
9 S dell'8ª	9 M S. Apollon. v.	9 M S. Fran. Rom.	9 V S. Maria Cle.	9 L 2ª, Mis. Dom.
10 D 1ª d. l'Epif.	10 M S. Scolastica	10 M Le Ceneri	10 S	10 M SS. Gor. ed E.
11 L dell'8ª	11 G	11 G	11 D di Pas., Iudic.	11 M
12 M dell'8ª	12 V S. Eulalia v.	12 V S. Greg. I pp.	12 L	12 G SS. Ner. C. m.
13 M 8ª dell'Epif.	13 S S. Cat. di Ric.	13 S	13 M S. Ermeneg.	13 V S. Servazio v.
14 G S. Ilar. S. Fel.	14 D 6ª d. l'Epif.	14 D 1ª di Q., Inv.	14 M S. Giustino m.	14 S S. Bonifacio
15 V S. Paolo 1º er.	15 L SS. Faus. e Gio.	15 L S. Longin. m.	15 G	15 D
16 S S. Marc. I pp.	16 M	16 M	16 V B. V. Addolo.	16 L 3ª, Jubilate
17 D 2ª SS. N. di G.	17 M Temp. di pri.	17 M Temp. di pri.	17 S S. Aniceto pp.	17 M S. Pasqual. B.
18 L S. Cat. S. Piet. R.	18 G S. Simeone v.	18 G S. Gabriele a.	18 D delle Palme	18 M S. Venanz. m.
19 M S. Canuto re	19 V S. Corrado c.	19 V S. Giusepp. T.	19 L santo	19 G S. Pietro Cel.
20 M SS. Fab. Seb.	20 S S. Eleuter. m.	20 S Tempora	20 M santo	20 V S. Bern. di S.
21 G S. Agnese v.	21 D Settuagesima	21 D 2ª di Q., Rem.	21 M santo	21 S 4ª, S. Felice d. C.
22 V SS. Vinc. e An.	22 L Cat. S. Piet. A.	22 L	22 G Cena del Sig.	22 D
23 S Spos. di M. V.	23 M S. Pier Dam.	23 M	23 V Parascev	23 L 5ª, Cantate
24 D 3ª Sac. Fam.	24 M S. Mattia ap.	24 M	24 S santo	24 M
25 L Con. S. Paolo	25 G	25 G ANN. DI M. V.	25 D PASQUA	25 M S. Greg. VII p.
26 M S. Policar. v.	26 V	26 V	26 L dell'Angelo	26 G S. Filip. Neri
27 M S. Giov. Cris.	27 S	27 S	27 M di Pasqua	27 V S. Mar. M. P.
28 G S. Agnese 2ª f.	28 D Sessagesima	28 D 3ª di Q., Ocul.	28 M dell'8ª	28 S S. Agos. Can.
29 V S. Franc. di S.		29 L	29 G dell'8ª	29 D S. Massim. v.
30 S S. Martina v.		30 M	30 V S. Cater. da S.	30 L 6ª, Rogate
31 D 4ª d. l'Epif.		31 M		31 M Le Rogazioni

GENNAIO bis	FEBBRAIO bis
1 G CIRCON. G. C.	1 D 4ª d. l'Epif.
2 V 8ª di S. Stef.	2 L Pur. di M. V.
3 S 8ª di S. Giov.	3 M S. Biagio v.
4 D 8ª SS. Innoc.	4 M S. Andrea Co.
5 L S. Telesf. pp.	5 G S. Agata v.
6 M EPIFANIA	6 V S. Tito, S. Dor.
7 M dell'8ª	7 S S. Romual. a.
8 G dell'8ª	8 D 5ª d. l'Epif.
9 V dell'8ª	9 L S. Apollon. v.
10 S dell'8ª	10 M S. Scolastica
11 D 1ª d. l'Epif.	11 M
12 L dell'8ª	12 G S. Eulalia v.
13 M 8ª dell'Epif.	13 V S. Cat. de' R.
14 M S. Ilar. S. Fel.	14 S S. Valent. m.
15 G S. Paolo 1º er.	15 D 6ª d. l'Epif.
16 V S. Marc. I pp.	16 L
17 S S. Antonio ab.	17 M
18 D SS. N. di Gesù	18 M S. Simeone v.
19 L S. Canuto re	19 G S. Corrado c.
20 M SS. Fab. Seb.	20 V S. Eleuter. m.
21 M S. Agnese v.	21 S
22 G SS. Vinc. e A.	22 D Settuagesima
23 V Spos. di M. V.	23 L S. Pier Dam.
24 S S. Timoteo v.	24 M Vigilia
25 D Con. S. Paolo	25 M S. Mattia ap.
26 L S. Policar. v.	26 G
27 M S. Giov. Cris.	27 V
28 M S. Agnese 2ª f.	28 S
29 G S. Franc. S.	29 D Sessagesima
30 V S. Martina v.	
31 S S. Pietro Nol.	

GIUGNO	LUGLIO	AGOSTO	SETTEMBRE	OTTOBRE	NOVEMBRE	DICEMBRE
1 M SS. M. C. Rog.	1 G 8ª Cor. Dom.	1 D 7ª d. Pentec.	1 M S. Egidio ab.	1 V S. Remigio v.	1 L OGNISSANTI	1 M
2 M S. Panf. Ron.	2 V S. CUORE G.	2 L S. Alfonso L.	2 G S. Stefano re	2 S SS. Angeli C.	2 M Comm. Def.	2 G S. Bibiana v.
3 G S. ASCEN. G. C.	3 S S. Marzial. v.	3 M Inv. di S. Ste-	3 V S. Mansue. v.	3 D 16ª, B. V. Ros.	3 M S. Uberto v.	3 V S. Fran. Sav
4 V dell'8ª	4 D 3ª. P. Cuore M.	4 M S. Dom. di Gu	4 S	4 L S. Fran. d'As.	4 G S. Carlo Bor.	4 S S. Barb. m.
5 S dell'8ª	5 L dell'8ª	5 G S. Maria d. N.	5 D 12ª d. Pentec.	5 M SS. Placid. C.	5 V dell'8ª	5 D 2ª d'Avv. Ro.
6 D 6ª. Esaudi	6 M 8ª SS. A. P. P.	6 V Trasf. di G. C.	6 L	6 M S. Brunone c.	6 S dell'8ª	6 L S. Nicolò v.
7 L dell'8ª	7 M	7 S S. Gaetano T.	7 M	7 G S. Marco pp.	7 D 21ª d. Pentec.	7 M S. Ambrogio
8 M S. Gugliel. v.	8 G S. Elisab. reg.	8 D 8ª d. Pentec.	8 M Nat. di M. V.	8 V S. Brigida v.	8 L 8ª Ognissanti	8 M Imm. C. M. V.
9 M SS. Pri. e Fel.	9 V S. Veron. G.	9 L S. Ronan. G.	9 G S. Gorgon. m.	9 S SS. Dion. c. m.	9 M S. Teodoro m.	9 G dell'8ª
10 G 8ª dell'Ascen.	10 D 4ª d. Pentec.	10 M S. Lorenzo m.	10 V S. Nic. Tol. c.	10 D 17ª, Mat. M. V	10 M S. Andrea Av.	10 V S. Melch. pp
11 V S. Barn. ap.	11 L S. Gior. Gual.	11 M SS. Proto e G.	11 S	11 L	11 G S. Martino v.	11 S S. Dam. I pp.
12 S Vigilia	12 M S. Anacl. pp.	12 G S. Chiara v.	12 D 13ª, SS. N. M.	12 M S. Massim. v.	12 V S. Mart. pp.	12 D 3ª d'Avv. Ro.
13 D PENTECOS.	13 M S. Bonav. d.	13 V S. Cassia. m.	13 L	13 M S. Edoardo re	13 S S. Stanisl. K.	13 L S. Lucia v.
14 L di Pentec.	14 G S. Enric. imp.	14 S S. Eusebio pr.	14 M Esalt. S. Cro.	14 G S. Calisto pp.	14 D 22ª, Pat. M. V.	14 M dell'8ª
15 M di Pentec.	15 V B. V. del Car.	15 D ASSUN. M. V.	15 M Temp. d'Aut.	15 V S. Teresa v.	15 L S. Geltrud. v.	15 M Temp. d'Avv.
16 M Temp. d'Est.	16 V B. V. del Car.	16 L S. Giacinto c.	16 G SS. Corn. e C.	16 S S. Gallo ab.	16 M S. Edmon. v.	16 G S. Euseb. v.
17 G S. Ranieri	17 D 5ª d. Pentec.	17 M 9ª S. Lorenzo	17 V Stim. S. F. T.	17 D 18ª, Pur. M. V.	17 M S. Greg. tau.	17 V S. Lazz. v. T.
18 V SS. Mar. M. T.	18 L S. Vincen. P.	18 M S. Agapit. m.	18 S S. Gius. C. T.	18 L S. Luca Ev.	18 G D. b. ss. P. . P.	18 S Tempora
19 S SS. Ger. P. T.	19 M S. Marg. v	19 G S. Lodov. v.	19 D 14ª, Dol. M. V.	19 M S. Piet. d'Alc	19 V S. Elisabetta	19 D 4ª d'Avv. Ro.
20 D 1ª, SS. Trinità	20 M S. Marg. v	20 V S. Bernar. ab.	20 L S. Eustac. m.	20 M S. Giovan. C.	20 S S. Felice Val.	20 L S. Teofilo m.
21 L S. Luigi G.	21 G S. Prassede v.	21 S S. Gio. di Ch.	21 M S. Matteo ap.	21 G SS. Orsol. e C.	21 D 23ª, Pres. M. V	21 M S. Tom. ap.
22 M S. Paolino v.	22 V S. Maria Mad.	22 D 10ª, S. Gioac.	22 M SS. Mau. C. m.	22 V S. Donato v.	22 L S. Cecilia v.	22 M S. Flavian. m.
23 M S. Lanfr. v.	23 S S. Apollin. v.	23 L S. Filip. Ben.	23 G S. Lino pp.	23 S	23 M S. Clem. I pp.	23 G S. Vittor. v.
24 G CORPUS DO.	24 D Vigilia	24 M S. Bartol. ap.	24 V B. V. d. Merc.	24 D 19ª d. Pentec.	24 M S. Gio. d. Cr.	24 V Vigilia
25 V dell'8ª	25 L 6ª d. Pentec.	25 M S. Luigi re	25 S	25 L SS. Crisan. D.	25 G S. Cater. v.	25 S NATALE G. C.
26 S SS. Giov. e P.	26 M S. Anna	26 G S. Zefirino p.	26 D 15ª d. Pentec.	26 M S. Evarist. P.	26 V S. Pietro Al.	26 D S. Stef. prot.
27 D 2ª d. Pentec.	27 M S. Pantal. m.	27 V S. Gius. Cal.	27 L SS. Cos. e D.	27 M Vigilia	27 S	27 L S. Giov. ev.
28 L S. Leone II p.	28 G SS. Naz. e C.	28 S S. Agost. v. d.	28 M S. Vences. m.	28 G SS. Sim. e G.	28 D 1ª d'Avv. Ro.	28 M SS. Innocenti
29 M SS. Pie. e Pa.	29 V S. Marta v.	29 D 11ª d. Pentec.	29 M SS. Michele A.	29 V S. Ermel. v.	29 L S. Saturn. m.	29 M S. Tomm. C.
30 M Comm. S. Pa.	30 V SS. Abd., Sen.	30 L S. Rosa da L.	30 G S. Girol. d.	30 S S. Gerardo v.	30 M S. Andrea ap.	30 G
	31 S S. Ignazio L.	31 M S. Raim. Non.		31 D 20ª d. Pentec.		31 D S. Silves. pp.

Ricorrenza della Pasqua nel calendario giuliano

dal 1583 al 2000, pei paesi che non accettarono
la riforma gregoriana.

Anni dell'Era Cristiana	Pasqua giuliana e rinvio al calendario	Anni dell'Era Crisitana	Pasqua giuliana e rinvio al calendario	Anni dell'Era Cristiana	Pasqua giuliana e rinvio al calendario	Anni dell'Era Cristiana	Pasqua giuliana e rinvio al calendario
1583	31 Marzo	1617	20 Aprile	1651	30 Marzo	1685	19 Aprile
1584 b	19 Aprile	1618	5 Aprile	1652 b	18 Aprile	1686	4 Aprile
1585	11 Aprile	1619	28 Marzo	1653	10 Aprile	1687	27 Marzo
1586	3 Aprile	1620 b	16 Aprile	1654	26 Marzo	1688 b	15 Aprile
1587	16 Aprile	1621	1 Aprile	1655	15 Aprile	1689	31 Marzo
1588 b	7 Aprile	1622	21 Aprile	1656 b	6 Aprile	1690	20 Aprile
1589	30 Marzo	1623	13 Aprile	1657	29 Marzo	1691	12 Aprile
1590	19 Aprile	1624 b	28 Marzo	1658	11 Aprile	1692 b	27 Marzo
1591	4 Aprile	1625	17 Aprile	1659	3 Aprile	1693	16 Aprile
1592 b	26 Marzo	1626	9 Aprile	1660 b	22 Aprile	1694	8 Aprile
1593	15 Aprile	1627	25 Marzo	1661	14 Aprile	1695	24 Marzo
1594	31 Marzo	1628 b	13 Aprile	1662	30 Marzo	1696 b	12 Aprile
1595	20 Aprile	1629	5 Aprile	1663	19 Aprile	1697	4 Aprile
1596 b	11 Aprile	1630	28 Marzo	1664 b	10 Aprile	1698	24 Aprile
1597	27 Marzo	1631	10 Aprile	1665	26 Marzo	1699	9 Aprile
1598	16 Aprile	1632 b	1 Aprile	1666	15 Aprile	1700 b	31 Marzo
1599	8 Aprile	1633	21 Aprile	1667	7 Aprile	1701	20 Aprile
1600 b	23 Marzo	1634	6 Aprile	1668 b	22 Marzo	1702	5 Aprile
1601	12 Aprile	1635	29 Marzo	1669	11 Aprile	1703	28 Marzo
1602	4 Aprile	1636 b	17 Aprile	1670	3 Aprile	1704 b	16 Aprile
1603	24 Aprile	1637	9 Aprile	1671	23 Aprile	1705	8 Aprile
1604 b	8 Aprile	1638	25 Marzo	1672 b	7 Aprile	1706	24 Marzo
1605	31 Marzo	1639	14 Aprile	1673	30 Marzo	1707	13 Aprile
1606	20 Aprile	1640 b	5 Aprile	1674	19 Aprile	1708 b	4 Aprile
1607	5 Aprile	1641	25 Aprile	1675	4 Aprile	1709	24 Aprile
1608 b	27 Marzo	1642	10 Aprile	1676 b	26 Marzo	1710	9 Aprile
1609	16 Aprile	1643	2 Aprile	1677	15 Aprile	1711	1 Aprile
1610	8 Aprile	1644 b	21 Aprile	1678	31 Marzo	1712 b	20 Aprile
1611	24 Marzo	1645	6 Aprile	1679	20 Aprile	1713	5 Aprile
1612 b	12 Aprile	1646	29 Marzo	1680 b	11 Aprile	1714	28 Marzo
1613	4 Aprile	1647	18 Aprile	1681	3 Aprile	1715	17 Aprile
1614	24 Aprile	1648 b	2 Aprile	1682	16 Aprile	1716 b	1 Aprile
1615	9 Aprile	1649	25 Marzo	1683	8 Aprile	1717	21 Aprile
1616 b	31 Marzo	1650	14 Aprile	1684 b	30 Marzo	1718	13 Aprile

Anni dell' Era Cristiana	Pasqua giuliana e rinvio al calendario	Anni dell' Era Cristiana	Pasqua giuliana e rinvio al calendario	Anni dell' Era Cristiana	Pasqua giuliana e rinvio al calendario	Anni dell' Era Cristiana	Pasqua giuliana e rinvio al calendario
1719	29 Marzo	1767	8 Aprile	1815	18 Aprile	1863	31 Marzo
1720 b	17 Aprile	1768 b	30 Marzo	1816 b	9 Aprile	1864 b	19 Aprile
1721	9 Aprile	1769	19 Aprile	1817	25 Marzo	1865	4 Aprile
1722	25 Marzo	1770	4 Aprile	1818	14 Aprile	1866	27 Marzo
1723	14 Aprile	1771	27 Marzo	1819	6 Aprile	1867	16 Aprile
1724 b	5 Aprile	1772 b	15 Aprile	1820 b	28 Marzo	1868 b	31 Marzo
1725	28 Marzo	1773	31 Marzo	1821	10 Aprile	1869	20 Aprile
1626	10 Aprile	1774	20 Aprile	1822	2 Aprile	1870	12 Aprile
1727	2 Aprile	1775	12 Aprile	1823	22 Aprile	1871	28 Marzo
1728 b	21 Aprile	1776 b	3 Aprile	1824 b	6 Aprile	1872 b	16 Aprile
1729	6 Aprile	1777	16 Aprile	1825	29 Marzo	1873	8 Aprile
1730	29 Marzo	1778	8 Aprile	1826	18 Aprile	1874	31 Marzo
1731	18 Aprile	1779	31 Marzo	1827	3 Aprile	1875	13 Aprile
1732 b	9 Aprile	1780 b	19 Aprile	1828 b	25 Marzo	1876 b	4 Aprile
1733	25 Marzo	1781	4 Aprile	1829	14 Aprile	1877	27 Marzo
1734	14 Aprile	1782	27 Marzo	1830	6 Aprile	1878	16 Aprile
1735	6 Aprile	1783	16 Aprile	1831	19 Aprile	1879	1 Aprile
1736 b	25 Aprile	1784 b	31 Marzo	1832 b	10 Aprile	1880 b	29 Aprile
1737	10 Aprile	1785	20 Aprile	1833	2 Aprile	1881	12 Aprile
1738	2 Aprile	1786	12 Aprile	1834	22 Marzo	1882	28 Marzo
1739	22 Aprile	1787	28 Marzo	1835	7 Aprile	1883	17 Aprile
1740 b	6 Aprile	1788 b	16 Aprile	1836 b	29 Marzo	1884 b	8 Aprile
1741	29 Marzo	1789	8 Aprile	1837	18 Aprile	1885	24 Marzo
1742	18 Aprile	1790	24 Marzo	1838	3 Aprile	1886	13 Aprile
1743	3 Aprile	1791	13 Aprile	1839	26 Marzo	1887	5 Aprile
1744 b	25 Marzo	1792 b	1 Aprile	1840 b	11 Aprile	1888 b	24 Aprile
1745	14 Aprile	1793	24 Aprile	1841	30 Marzo	1889	9 Aprile
1746	30 Marzo	1794	9 Aprile	1842	19 Aprile	1890	1 Aprile
1747	19 Aprile	1795	1 Aprile	1943	11 Aprile	1891	21 Aprile
1748 b	10 Aprile	1796 b	20 Aprile	1844 b	26 Marzo	1892 b	5 Aprile
1749	26 Marzo	1797	5 Aprile	1845	15 Aprile	1893	28 Marzo
1750	15 Aprile	1798	28 Marzo	1846	7 Marzo	1894	17 Aprile
1751	7 Aprile	1799	17 Aprile	1847	23 Marzo	1895	2 Aprile
1752 b	29 Marzo	1800 b	8 Aprile	1848 b	11 Aprile	1896 b	24 Marzo
1753	11 Aprile	1801	24 Marzo	1849	3 Aprile	1897	13 Aprile
1754	3 Aprile	1802	13 Aprile	1850	23 Aprile	1898	5 Aprile
1755	23 Aprile	1803	5 Aprile	1851	8 Aprile	1899	18 Aprile
1756 b	14 Aprile	1804 b	24 Aprile	1852 b	30 Marzo	1900 b	9 Aprile
1757	30 Marzo	1805	9 Aprile	1853	19 Aprile	1901	1 Aprile
1758	19 Aprile	1806	1 Aprile	1854	11 Aprile	1902	14 Aprile
1759	11 Aprile	1807	11 Aprile	1855	27 Marzo	1903	6 Aprile
1760 b	26 Marzo	1808 b	5 Aprile	1856 b	15 Aprile	1904 b	28 Marzo
1761	15 Aprile	1809	28 Marzo	1857	7 Aprile	1905	17 Aprile
1762	7 Aprile	1810	17 Aprile	1858	23 Marzo	1906	2 Aprile
1763	23 Aprile	1811	2 Aprile	1859	12 Aprile	1907	22 Aprile
1764 b	11 Aprile	1812 b	21 Aprile	1860 b	3 Aprile	1908 b	13 Aprile
1765	3 Aprile	1813	13 Aprile	1861	23 Aprile	1909	29 Aprile
1766	23 Aprile	1814	29 Marzo	1862	8 Aprile	1910	18 Aprile

Anni dell'Era Cristiana	Pasqua giuliana e rinvio al calendario	Anni dell'Era Cristiana	Pasqua giuliana e rinvio al calendario	Anni dell'Era Cristiana	Pasqua giuliana e rinvio al calendario	Anni dell'Era Cristiana	Pasqua giuliana e rinvio al calendario
1911	10 Aprile	1934	26 Marzo	1957	8 Aprile	1980 b	24 Marzo
1912 b	25 Marzo	1935	15 Aprile	1958	31 Marzo	1981	13 Aprile
1913	14 Aprile	1936 b	30 Marzo	1959	20 Aprile	1982	5 Aprile
1914	6 Aprile	1937	19 Aprile	1960 b	4 Aprile	1983	25 Aprile
1915	22 Marzo	1938	11 Aprile	1961	27 Marzo	1984 b	9 Aprile
1916 b	10 Aprile	1939	27 Marzo	1962	16 Aprile	1985	1 Aprile
1917	2 Aprile	1940 b	15 Aprile	1963	1 Aprile	1986	21 Aprile
1918	22 Aprile	1941	7 Aprile	1964 b	20 Aprile	1987	6 Aprile
1919	7 Aprile	1942	23 Marzo	1965	12 Aprile	1988 b	28 Marzo
1920 b	29 Marzo	1943	12 Aprile	1966	28 Marzo	1989	17 Aprile
1921	18 Aprile	1944 b	3 Aprile	1967	17 Aprile	1990	2 Aprile
1922	3 Aprile	1945	23 Aprile	1968 b	8 Aprile	1991	25 Marzo
1923	26 Marzo	1946	8 Aprile	1969	31 Marzo	1992 b	13 Aprile
1924 b	14 Aprile	1947	31 Marzo	1970	13 Aprile	1993	5 Aprile
1925	6 Aprile	1948 b	19 Aprile	1971	5 Aprile	1994	18 Aprile
1926	19 Aprile	1949	11 Aprile	1972 b	27 Marzo	1995	10 Aprile
1927	11 Aprile	1950	27 Marzo	1973	16 Aprile	1996 b	1 Aprile
1928 b	2 Aprile	1951	16 Aprile	1974	1 Aprile	1997	14 Aprile
1929	22 Aprile	1952 b	7 Aprile	1975	21 Aprile	1998	6 Aprile
1930	7 Aprile	1953	23 Marzo	1976 b	12 Aprile	1999	29 Marzo
1931	30 Marzo	1954	12 Aprile	1977	28 Marzo	2000 b	17 Aprile
1932 b	18 Aprile	1955	4 Aprile	1978	17 Aprile		
1933	3 Aprile	1956 b	23 Aprile	1979	9 Aprile		

Glossario di date [1]

Abramo, V. Domenica di Abramo.
Accipite jucunditatem, il martedì dopo Pentecoste.
Adorate Deum, la III* domen. dopo l'Epifania.
Adorate Deum secundum, o *tertium*, o *quartum*, la IV*, o V*, o VI* domen. dopo l'Epifania.
Adoratio Magorum, l'Epifania.
Adorazione della S. Croce, V. Croce; Ador. dei Magi, V. Epifania.
Ad te levavi, la I* domen. dell'Avvento.
Adventus, V. Avvento.
Adventus Spiritus Sancti, la domen. di Pentecoste. — *Adventus Spiritus commemoratio*, il 15 maggio.
Albaria, V. Hebdomada alba.
Alleluia, alleluia clausum, la domen di Settuagesima.
Ammalato di trentott'anni, il venerdì della I* settimana di Quaresima.
Angaria, V. Quattro Tempora.
Angeli Custodi, il 2 ottobre. Festa introdotta da papa Paolo V (1205-21) da celebrarsi in Germania ed Austria la I* domen. di sett. e negli altri Stati la I* domen. dopo S. Michele. Clement. X, nel 1670, la estese a tutta la Chiesa, fissandola ai 2 ottobre. In Spagna fu celebrata anche il 14 marzo.
Angelorum festum, il 29 settembre.
Animarum commemoratio, o *dies*, il giorno dei morti, 2 novembre. Se questo cade in domen. la commemor. ha luogo il giorno appresso. Le memorie più antiche della commemor. dei de-

funti risalgono al sec. X. Pel rito ambrosiano, il giorno dei morti, fino al 1582, cadeva il lunedì dopo la III* domen. di ottobre.
Annunciazione o Annunziata, V. Maria Verg.
Antecinerales feriae, i giorni di Carnevale precedenti alle *Ceneri*.
Antipascha, la I* domen. dopo Pasqua.
Apostolorum divisio, o *dispersio*, o *demissio*, il 15 lugl., separaz. degli Apostoli.
Apostolorum festum, o *dies*, il 1° magg. presso i Latini, festa degli ap. Filippo e Giacomo; il 30 giugno nella chiesa greca; il 29 giugno in Germania.
Apparitio Domini, l'Epifania.
Apparitio S. Crucis, V. Crucis.
Apparitio B. Mariae Immaculatae, l'11 febb., appariz. della B. V. a Lourdes nel 1858.
Apparitio S. Michaelis, 29 sett. V. Elenco dei Santi, S. Michele.
Aqua in vinum mutata, il 6 genn.
Aqua sapientiae, il martedì dopo Pasqua.
Architriclini festum, o *dies*, la II* domen. dopo l'Epifania.
Armorum Christi festum, V. *Clavorum festum*.
Ascensione di G. Cristo (*Ascensio Domini*, *Ascensa*, *Assumptio Christi*) festa che si celebra dalla Chiesa 40 giorni dopo Pasqua. Gli orientali la chiamarono perciò *Tessaracostè*. Risale ai primi tempi del cristianesimo.
Ascensionis Dominicae Commemoratio, il 5 maggio.

(1) Da questo gossario che comprende, fra altro i nomi delle principali feste religiose antiche e moderne, abbiamo escluse quelle dei Santi, dei quali diamo in seguito un elenco speciale.

Aspiciens a longe, la I^a domen. dell'Avvento Romano.

Assunta o Assunzione di Maria Verg., V. Maria Verg. (Assunz. di).

Audivit Dominus, il venerdì e sabato dopo le *Ceneri*.

Aurea missa, il sabato dopo la festa della SS. Trinità.

Ave preclara, il 22 agosto, ottava dell'Assunzione di M. V.

Avvento (*Adventus Domini*), il tempo di preparazione al Natale di G. Cristo. È di istituzione antichissima e con esso incomincia l'anno ecclesiastico. Pel rito romano la I^a domen. dell'Avvento cade tra il 27 nov. e il 3 dic.; pel rito ambrosiano, l'Avv. incomincia nella domen. che segue la festa di S. Martino (11 nov.); pel greco, il 15 nov. Finisce, pei tre riti, il 25 dicembre. I capitolari di Carlo Magno dànno all'Avvento il nome di *Quaresima*.

Azymorum festum, il giorno di Pasqua.

Bambino Gesù di Praga, la II^a domen. dopo l'Epifania. Festa che risale al 1630 circa.

Befana, la festa dell'Epifania.

Benedicta, la domen. della SS. Trinità.

Benedictio cerei, o *fontium*, il sabato santo, nel qual giorno vengono benedetti il cero pasquale e i fonti battesimali.

Benedizione delle candele, il 2 febbr., Purif. di M. V.

Benedizione della gola, il 3 febbr., giorno di S. Biagio.

Berlingaccio, il giovedì grasso, ultimo giovesì di carnevale.

Berlingacciuolo, il penultimo giovedì di carnevale; oggi Berlingaccino.

Bordae, Brandones, Burae, o *Focorum dies*, la I^a domen. di Quaresima e la settimana successiva.

Broncheria, la domen. delle Palme.

Calamai, il 2 febb., Purif. di M. V.

Calendarum festum, o *dies*, o *Calènes*, il giorno di Natale in Provenza.

Calendimaggio, il 1° giorno di maggio, festa dei Fiorentini.

Calendimarzo, il 1° giorno di marzo, festa nella valle dell'Adige e in molte campagne dell'Italia superiore.

Campanarum festum, il 25 marzo.

Cananea, il giovedì della I^a settimana di Quaresima.

Candelarum festum, Candelaria, Candelatio, Candelosa, Candelora, il 2 febb., V. Maria Verg. (Purificazione di).

Canite, Canite tuba, la IV^a domen. dell'Avvento.

Cantate Domino, la IV^a domen. dopo Pasqua.

Capitilavium, la domen. delle Palme.

Capo d'anno, il 1° gennaio.

Caput adventus, il principio dell'Avvento.

Caput Kalendarum, il giorno delle calende.

Caput jejunii, o *Quadragesimae*, il mercoledì delle Ceneri.

Cara cognatio, il 22 febb., festa della catt. di S. Pietro in Antiochia.

Caromentranum, il martedì grasso, ultimo giorno di Carnevale.

Carismata, il giorno di Pentecoste.

Caristia, il 22 febbr., V. *Cara Cognatio*.

Carnasciale, l'ultimo giorno di Carnevale.

Carnevale, tempo che corre dal giorno di S. Stefano (26 dic.) al 1° di Quaresima. A Livorno incomincia il 3 febbr. dal 1742 in poi.

Carnevalino, la I^a domen. di Quaresima.

Carnevalone, i 4 giorni che a Milano dura di più il Carnevale, cioè dal mercol. al sabato.

Carnicapium, carniplarium, il martedì grasso.

Carnisprivium, carnislevamen, privicarnium, indicavansi in tal modo talora i primi giorni di Quaresima e altre volte la domen. di Settuagesima.

Carnisprivium novum, il mercol. delle Ceneri. — *vetus*, la I^a domen. di Quaresima.

Cena del Signore (*Coena Domini*), il giovedì santo.

Ceneri (*Cinerum, o cineris et cilicii dies*), il Iº giorno di Quares. pel rito rom. Nel rito ambros. le ceneri si dànno il lunedì che segue la Iª domen. dopo l'Ascensione.

Ceppo, il giorno di Natale, 25 dic.

Ceriola, V. Maria V. della Ceriola.

Charitas Dei, il sabato delle Quattro Tempora di Pentecoste.

Chiodi e Lancia di N. S. (Festa dei), il venerdì dopo la Iª domen. di Quares.

Christi festum, il Natale di G. C. 25 dic.

Cibavit eos, il lunedì di Pentecoste e il giorno del *Corpus Domini*.

Cieco (Domen. del), V. *Dominica caeci-nati*.

Cieco-nato (Mercoledì del), il mercol. dopo la IVª domen. di Quaresima.

Circoncisione di G. C. (*Circumcisio Agni, o Domini*), il 1º genn.

Circumdederunt me, la domen. di Settuagesima.

Clausum Pascha, Pasqua chiusa, la Iª domen. dopo Pasqua.

Clausum Pentecostes, la domen. dopo Pentecoste.

Clavorum festum, il venerdì dopo l'ottava di Pasqua o il seguente se nel primo cadeva altra festa.

Coena Domini, V. Cena del Signore

Coena pura, il venerdì santo.

Commemorazione dell'Ascensione di G. C., il 5 maggio. – dell'Assunzione di M. V., il 25 sett.; – della Passione di G. C., V. Passione; – di tutti i Santi, V. Elenco dei Santi, alla voce *Ognissanti*; – dei fedeli defunti, V. *Animarum commem.*; – di tutti i SS. Apostoli, il 29 giu.; – di tutti i SS. Martiri, il 26 dic.

Commovisti terram et conturbasti eam, la domen. di Sessagesima.

Compassione della Vergine o Madonna di Pietà, V. Maria Verg. Addolorata.

Conceptio Domini, V. Maria Verg. (Annunc. di).

Conceptio B. Mariae, V. Maria Verg. (Immac. Conc. di).

Conductus Paschae, o *Pentecostes*, la domen. dopo Pasqua o dopo Pentecoste.

Consacrazione di S. Maria *ad Martyres*, o del Pantheon, il 13 maggio a Roma; – della basilica di S. Maria Maggiore, il 5 agosto a Roma.

Consiglio degli Ebrei, il venerdì che precede la domen. delle Palme.

Corona di spine di Gesù Cristo, il venerdì avanti la Iª domen. di Quaresima; il 4 maggio in Germania.

Corpus Domini, Festum Dei, Corporis Christi festum, solennità dell'August. Sacramento che si celebra il giovedì dopo la domen. della SS. Trinità. Fu istituita da papa Urbano IV l'11 agosto 1264.

Correzione fraterna, il martedì della IIIª settim. di Quaresima.

Cristoforia, il 7 gennaio. Ritorno in Giudea della S. Famiglia dopo la morte di Erode.

Croce (Adorazione della S.), il VIº venerdì di Quaresima.

Croce (Invenzione della S.), il 3 maggio nella chiesa latina; il 6 marzo, anticamente, nella greca. In memoria del ritrovamento della S. Croce nel 326, per opera di S. Elena madre dell'Imp. Costantino.

Croce (Esaltazione della S.), il 14 sett. Risale al VII sec.

Cruces nigrae, la processione del giorno di S. Marco, 25 aprile.

Crucis, le Tempora d'autunno, V. Quattro Tempora.

Crucis (Apparitio S.), l'appariz. della S. Croce, 19 agosto.

Crucis (Triumphus S.), il 16 luglio.

Cum clamarem, la Xª domen. dopo Pentecoste.

Cum santificatus fuero, il mercol. dopo la IVª domen. di Quaresima.

Cuore (Sacro) di Gesù, festa approvata da papa Clemente X, con bolla 4 ott. 1674. Si celebra il venerdì dopo l'ottava del *Corpus Domini* nel rito romano; la IIIª domen. dopo Pentecoste nel rito ambrosiano.

Cuore (Puriss.) di Maria, V. Maria Verg. (Pur. Cuore di).

Daemon mutus, la IIIª domen. di Quaresima.

Da pacem, la XVIIIª domen. dopo Pentecoste.

Dedicazione della basilica del SS. Salvatore (S. Giov. Later. in Roma), 9 nov.; – delle basiliche dei SS. Apost. Pietro e Paolo, in Roma, 18 nov.; – della chiesa del S. Sepolcro, a Gerusal., 14 sett.; – della chiesa di S. Maria ad Martyres o Pantheon, a Roma, 13 magg.; – della chiesa di S. Maria Maggiore o ad Nives o ad Praesepe, a Roma, 5 agosto; – della chiesa di S. Pietro in Vincoli, a Roma, 1º agosto; – della chiesa della B. V. degli Angeli, ad Assisi, 2 agosto; – della chiesa di S. Michele Arcangelo sul Monte Gargano, 29 sett.; – di tutte le chiese, la domen. dopo l'ottava di Ognissanti.

Defunti (Commem. dei fedeli), V Animarum commemoratio.

De necessitatibus meis, il venerdì dopo la Iª domen. di Quaresima.

Depositio, il giorno della morte di un santo per lo più non martire.

Depositio S. Mariae, il 15 agosto, giorno dell'Assunzione di M. V. al Cielo.

Deus cum egredieris, il mercoledì dopo Pentecoste.

Deus in adjutorium meum, il giovedì dopo la IIª domen. di Quares. e la XIIª domen. dopo Pentecoste.

Deus in loco sancto, l'XIª domen. dopo Pentecoste.

Deus in nomine tuo, il lunedì dopo la IVª domen. di Quaresima.

Deus omnium exauditor, la domen. dopo l'ottava del Corpus Domini

Dicit Dominus: ego cogito, la XXIIIª e XXIVª domen. dopo Pentecoste.

Dierum dominicorum rex, la domen. della SS. Trinità.

Dierum omnium supremum rex, il giorno di Pasqua.

Dies absolutionis, o absolutus, il giovedì santo.

Dies adoratus, il venerdì santo.

Dies aegyptiaci, o atri, giorni creduti infausti.

Dies animarum, il 2 nov., V. Animarum commemoratio.

Dies ater, il giorno delle Ceneri o Iª di Quaresima.

Dies Dominicus, la domen. e specialmente il giorno di Pasqua.

Dies caniculares, i giorni dal 6 luglio al 17 agosto.

Dies carnivora, il martedì grasso.

Dies felicissimus, magnus, pulchra, regalis, sancta, il giorno di Pasqua.

Dies florum, o ramorum, la domen. delle Palme.

Dies focorum, V. Bordae.

Dies indulgentiae, il giovedì santo.

Dies jovis albi, il giovedì santo.

Dies lavationis, il sabato santo.

Dies lunae salax, il lunedì dopo la domen. di Quinquagesima.

Dies lustrationis, le Rogazioni.

Dies magnae festivitatis, il giovedì santo.

Dies mandati, il giovedì santo.

Dies Martyrum, o Martror, il giorno di Ognissanti, 1º nov.

Dies muti, i tre ultimi giorni della settimana santa.

Dies mysteriorum, il giovedì santo.

Dies neophitorum, i sei giorni che seguono la domen. di Pasqua.

Dies omnium Apostolorum, il 15 luglio, divisione degli Apostoli.

Dies pandicularis, il 1º nov., Ognissanti.

Dies pingues, gli ultimi giorni di Carnevale.

Dies reconciliationis, il giovedì santo.

Dies regum trium, o magorum trium, il 6 gennaio, festa dei Re Magi. Traslaz. delle loro reliquie, il 23 lugl. a Colonia.

Dies sancti, la Quaresima.

Dies saturni, o sabbatinus, il sabato.

Dies solis, la domenica.

Dies strenarum, il 1º gennaio.

Dies tenebrarum, i tre ultimi giorni della settimana santa.

Dies virginum, il 21 ott., festa di S. Orsola e comp. mart.

Dies viridus, o viridium, il giovedì santo.

Dispersio apostolorum, V. *Apostolorum divisio*.

Disputatio Domini cum doctoribus in Templo, la Iª domen. dopo l'Epifania.

Domenica di Abramo, la IIIª domen. di Quaresima a Milano.

Domenica dei Bigelli, la Iª domen. di Quaresima.

Domenica del Buon Pastore, la IIª domen. dopo Pasqua.

Domenica dell'olivo, la domen. delle Palme, V. *Dominica Palmarum*.

Domenica del mese di Pasqua, l'ottava di Pasqua.

Domenica grassa, l'ultima domenica di Carnevale.

Domenica perduta, la domenica di Settuagesima.

Domenica della Samaritana, V. *Dominica de Samaritana*.

Domine in tua misericordia, la Iª domen. dopo Pentecoste.

Domine ne in ira tua, la IIª domen. dopo l'Epifania.

Domine ne longe, la domen. delle Palme.

Domine refugium, il martedì dopo la Iª domen. di Quaresima.

Dominica ad carnes levandas, la domen. di Quinquagesima.

Dominica adorandae Crucis, la IIIª domen. di Quares.; chiesa greca.

Dominica ad te levavi, la Iª domen. dell'Avvento.

Dominica alba, la domen. di Pentecoste.

Dominica ante Brandones, la domen. di Quinquagesima.

Dominica ante Candelas, la domen. avanti il 2 febb.

Dominica ante Litanias, la Vª domen. dopo Pasqua.

Dominica ante Natale Domini Iª, IIª, IIIª; la IIª, IIIª e IVª domen. dell'Avvento.

Dominica benedicta, la domenica della SS. Trinità.

Dominica brandonum, burarum, focorum, la Iª domen. di Quaresima.

Dominica capitilavii, la domen. delle Palme.

Dominica carne levale, o *carnis privii*, la domen. di Quinquages.

Dominica Chananaeae, la IIª domen. di Quaresima.

Dominica caeci-nati, la IVª domen. di Quaresima pel rito Ambros., la Vª per la chiesa greca.

Dominica competentium, la domen. delle Palme.

Dominica de fontanis, la IVª domen. di Quaresima.

Dominica de Jerusalem, la IIª domen. dell'Avvento.

Dominica de Lazaro, la Vª domen. di Quaresima a Milano.

Dominica de panibus, la domen. di metà Quaresima.

Dominica de parabola regis, l'XIª domen. dopo Pentecoste.

Dominica de parabola semis, la XXIIIª domen. dopo Pentec.

Dominica de parabola vineae, la XIIIª domen. dopo Pentecoste.

Dominica de Pastore bono, la IIª domenica dopo Pasqua.

Dominica de quinque panibus et decem piscibus, l'VIIIª domen. dopo Pentecoste.

Dominica de rosa, o *de rosis*, la domen. nell'ottava dell'Ascensione a Roma.

Dominica de Samaritana, o *de Transfiguratione*, la IIª domen. di Quaresima.

Dominica vocatis ad nuptias, la IIª domen. dell'Avvento.

Dominica duplex, la domen. della SS. Trinità.

Dominica florum, la domen. delle Palme.

Dominica focorum, la Iª domen. di Quaresima.

Dominica gaudii, la Pasqua.

Dominica Hosanna, la domen. delle Palme.

Dominica in Albis, o *post Albas*, o *in Albis depositis*, la Iª domen. dopo Pasqua.

Dominica in alleluia, o *in carnes tollendas*, la IIª domen. di Quar.

Dominica in capite Quadragesimae, la domen. di Quinquagesima.

Dominica indulgentiae, la domen. delle Palme.

Dominica in Passione Domini, la domen. di Passione, o Vª di Quares., o anche una domen. qualunque di Quaresima.

Dominica magna, la domen. di Pasqua.

Dominica mapparum albarum, la IIᵃ domen. dopo Pasqua.

Dominica mediana, la domen. di Passione.

Dominica misericordiae, la IVᵃ domen. dopo Pentecoste, avanti il XII sec.

Dominica palmarum; la domen. delle Palme o Iᵃ avanti Pasqua.

Dominica post Albas, V. *Dominica in Albis.*

Dominica post Ascensum Domini, la domen. nell'ottava dell'Ascensione.

Dominica post focos o *post ignes*, la IIᵃ domen. di Quaresima.

Dominica post ostensionem reliquiarum, la IIᵃ domen. dopo Pasqua.

Dominica post strenas, la Iᵃ domen. dopo il 1° genn.

Dominica privilegiata, la Iᵃ domen. di Quaresima.

Dominica Publicani et Pharisei, la XIIᵃ domen. dopo Pentecoste.

Dominica quintana, la Iᵃ domen. di Quaresima.

Dominica quadraginta, la domen. di Quinquagesima.

Dominica refectionis, la IVᵃ domen. di Quaresima.

Dominica Resurrectionis, la domen. di Pasqua, ma talvolta anche una domen. qualunq. dell'anno.

Dominica Rogationum, la Vᵃ domen. dopo Pasqua.

Dominica rosae o *rosata*, la IVᵃ domen. di Quaresima (dopo Leone IX), perchè il papa benedice in tal giorno la rosa d'oro. Anche la domen. nell'ottava dell'Ascensione.

Dominica sancta, o *sancta in Pascha*, la domen. di Pasqua.

Dominica Transfigurationis, la IIᵃ domen. di Quaresima.

Dominica trium septimanarum Paschae, la IIIᵃ domen. dopo Pasqua.

Dominica unam Domini, la IIᵃ domen. dopo Pasqua.

Dominica vacans, o *vacat*, le due domen. comprese fra il Natale e l'Epifania.

Dominica vetus, la domen. di Pasqua o la domen. di Settuagesima.

Dominicae matris festivitas, l'Annunciazione di M. V., 25 marzo. V. Maria Verg.

Dominicae vacantes, le domen. che seguono i sabati delle Quattro Tempora e dell'Ordinazione.

Dominicarum rex, la Iᵃ domen. dopo Pentecoste (SS. Trinità).

Dominus dixit, la Iᵃ messa di Natale.

Dominus fortitudo, la VIᵃ domen. dopo Pentecoste.

Dominus illuminatio mea, la IVᵃ domen. dopo Pentecoste.

Dominus surrexit, il 27 maggio.

Dormitio S. Mariae, l'Assunzione della B. Vergine, 15 ag., V. Maria Verg.

Dum clamarem, il giovedì dopo le Ceneri e la Xᵃ domen. dopo Pentecoste.

Dum medium silentium, la domen. nell'ottava di Natale e quella che cade la vigilia dell'Epifania.

Ecce advenit, il 6 genn., Epifania.

Ecce Deus adiuvat, la IXᵃ domen. dopo Pentecoste.

Eductio Christi ex Aegypto, l'11 gennaio.

Eduxit Dominus populum, il sabato dopo Pasqua.

Eduxit eos Dominus, il venerdì dopo Pasqua.

Ego autem cum justitia, il venerdì dopo la IIᵃ domen. di Quaresima.

Ego autem in Domino, il mercoledì dopo la IIIᵃ domen. di Quaresima.

Ego clamavi, il martedì dopo la IIIᵃ domen. di Quaresima.

Ego sum pastor bonus, la IIᵃ domen. dopo Pasqua.

Elevatio S. Crucis, V. Croce (Esaltaz. di S.).

Epiphania o giorno dei Re, il 6 genn., detto anche *Appartio* o *festum stellae* o *Theophania*, Festa religiosa che ricorda la visita dei Re Magi a Gesù bambino.

Episcopatus puerorum, il 12 marzo e il 28 dicembre.

Epularum S. Petri festum, il 22 febb., Cattedra di S. Pietro in Antiochia.

Esaltazione della S. Croce, V. Croce.

Estate di S. Martino, i pochi giorni di bel tempo che spesso si hanno avanti o dopo la festa di S. Martino (11 nov.).

Esto mihi, la domen. di Quinquagesima.

Evangelium Chananeae, la IIIª domen. di Quaresima.

Exaudi Deus, il martedì dopo la IVª domen. di Quaresima.

Exaudi Domine, la VIª domen. dopo Pasqua ed anche la Vª dopo Pentecoste.

Exaudi nos Domine, il mercoledì delle Ceneri.

Exaudivit de templo, il lunedì e martedì dopo la Vª domen. dopo Pasqua.

Ex ore infantium, il 28 dicembre.

Expecta Dominum, il martedì della settimana di passione.

Expectatio Partus B. Mariae, V. Maria Verg. (Aspett. Div. Par.).

Exsurge, la domen. di Sessagesima.

Exultate Deo, il mercoledì delle Tempora d'autunno.

Exultet, il sabato santo.

Fac mecum Domine, il venerdì dopo la IIIª domen. di Quaresima.

Factus est Dominus, la IIª domen. dopo Pentecoste.

Famiglia, V. Sacra Famiglia.

Feria, nel medio-evo gli ecclesiastici chiamavano *ferie* tutti i giorni della settimana, eccetto la domenica che dicevasi più spesso *dominica. Feria* ebbe anche il significato di fiera.

Feria ad angelum, il mercoledì delle quattro tempora d'Avvento.

Feria alba, il giovedì santo.

Feria bona sexta, il venerdì santo.

Feria bona septima, il sabato santo.

Feria cacci-nati, il mercoledì dopo la IVª domen. di Quaresima.

Feria largum sero, il 24 dicembre.

Feria magnificet, il giovedì dopo la IIIª domen. di Quaresima.

Feria magni scrutinii, il mercoledì della IVª settimana di Quaresima.

Feria quarta, il mercoledì; – *quarta cinerum*, il primo giorno di Quares., mercol. delle Ceneri; – *quarta maior*, o *magna*, il mercoledì santo.

Feria quinta, il giovedì; – *quinta magna*, o *viridium*, o *in Coena Domini*, il giovedì santo.

Feria salus popoli, il giovedì dopo la IIIª domen. di Quaresima.

Feria secunda, il lunedì; – *secunda maior*, il lunedì santo; – *secunda jurata*, il lunedì dopo l'Epifania.

Feria septima, il sabato; – *septima maior*, il sabato santo.

Feria sexta, il venerdì; – *sexta maior*, il venerdì santo.

Feria tertia, il martedì; – *tertia maior*, il martedì santo.

Ferialis hebdomada, V. *Hebdomada*.

Ferragosto, il Iº giorno di agosto in molti luoghi d'Italia. In Lombardia e in alcuni altri paesi, il 15 dello stesso mese.

Festa Paschalia, le feste di Natale, Pasqua e Pentecoste.

Festivitas Dominicae Matris, il 25 marzo, Annunc. di M. V.

Festivitas omnium metropolis, il 25 dic., Natale di G. C.

Festum Christi, V. *Christi festum*.

Festum Dei, V. *Corpus Domini*.

Fuga di Gesù in Egitto, il 17 febbr.

Gaudete [in Domino], la IIIª domen. dell'Avvento.

Gesù Nazzareno (Festa di), il 23 ottobre, nella diocesi di Modena.

Giorno dei Re, il 6 genn., Epifania.

Giovedì bianco o il gran giovedì (*iovis albi, iovis mandati, viridus dies*), il giovedì santo.

Giovedì delle olive, il giovedì che precede la domen. delle Palme.

Giovedì *Magnificet*, il giovedì di mezza Quaresima.

Giovedì grasso, l'ultimo giovedì di Carnevale. V. Berlingaccio.

Giovedì santo, il giovedì che precede la Pasqua di Risurr.

Giudizio estremo, il lunedì della Iª settimana di Quaresima.

Gran Madre di Dio. V. Maria Verg. (Maternità di).

Gula Augusti, il primo giorno di agosto.

Hebdomada absolutionis, la settimana santa.

Hebdomada alba, o albaria, la settimana che segue la Pasqua ed anche quella che segue la Pentecoste.

Hebdomada antipaschalis, la settimana dopo Pasqua.

Hebdomada authentica, la settimana santa.

Hebdomada communis, la settimana che cominciava la domen. dopo S. Michele (29 sett.).

Hebdomada crucium, la settimana delle Rogazioni.

Hebdomada de excepto, l'ultima settimana dell'Avvento.

Hebdomada duplex, la settim. dopo la domen. della SS. Trinità.

Hebdomada expectationis, la settim. dopo l'Ascensione di G. C.

Hebdomada ferialis, o indulgentiae, la settimana santa.

Hebdomada laboriosa, la settimana di Passione.

Hebdomada magna, o maior, la settimana santa e quella avanti Pentecoste.

Hebdomada media jejunorum Paschalium, la IIIª settimana di Quaresima.

Hebdomada mediana Quadragesimae, la IVª settimana di Quaresima.

Hebdomada muta, o penalis, o penosa, o poenitentiae, o nigra, la settimana santa.

Hebdomada passionis, la settimana di passione o quella che precede la domen. delle Palme.

Hebdomada sacra, o sancta, la settimana che precede la Pasqua.

Hebdomada Trinitatis, la settimana dopo la domen. della SS. Trinità.

Herbarum festum, il 15 agosto, Assunzione di M. V.

Hodie scietis, la vigilia di Natale.

Hosannah, la domen. delle Palme.

Hypapanti, il 2 febbr., festa della Presentazione di Gesù Cristo al Tempio. V. Maria Verg. (Purificazione di).

Hypodiaconorum festum, il primo o secondo giorno dell'anno, festa dei Sottodiaconi.

Incarnazione del Divin Verbo, il 25 marzo. V. Maria Verg. (Annunc. di).

Immacolata Concezione di M. V., V. Maria Verg.

Inclina, Domine, aurem tuam, la XVª domen. dopo Pentecoste.

In Deo laudabo, il lunedì dopo la IIIª domen. di Quaresima.

Inductio in Aegyptum, l'11 febbr.

In excelso throno, la Iª domen. dopo l'Epifania.

Infernus factus est, il 12 gennaio.

In medio ecclesiae, il 27 dicembre.

In nomine Jesu, il mercoledì dopo la domen. delle Palme.

Instrumentorum Dominicae Passionis festum, V. *Coronae Christi festum.*

Intret oratio mea, il sabato delle *Tempora di primav.*

Introduxit vos Dominus, il lunedì di Pasqua.

Inventio J. Christi in templo, la domen. fra l'ottava dell'Epifania, o il 9 genn. se l'Epifania cade in domen.

Inventio S. Crucis, V. *Croce* (Inv. della S.).

Invocabit me, la Iª domen. di Quaresima.

In voluntate tua, la XXIª domen. dopo Pentecoste.

Isti sunt dies, la domen. di Passione o Vª di Quaresima.

Jejunium aestivale, il digiuno d'estate, cominciante il mercoledì di Pentecoste.

Jejunium autumnale, il digiuno cominciante dopo l'Esaltaz. di S. Croce (14 sett.).

Jejunium hiemale, il digiuno cominciante dopo la festa di S. Lucia (13 dic.).

Jejunium vernale, la Quaresima.

Jubilate Deo omnis terra, la IIIª domen. dopo Pasqua.

Judica, Domine, nocentes, il lunedì dopo la domen. delle Palme.

Iudica me, Deus, la Vª domen. di Quaresima o domenica di Passione.

Judicium extremum, V. *Giudizio estremo.*

Justus es, Domine, la XVII^a domen. dopo Pentecoste.

Laetare Jerusalem, la IV^a domen. di Quaresima.

Laetetur cor quaerentium, il giovedì dopo la IV^a domen. di Quaresima e il venerdì delle Tempora d'autunno.

Lancia e chiodi di Gesù Cristo, il venerdì dopo la I^a doman. di Quaresima.

Lazzaro, il venerdì della IV^a settimana di Quaresima. V. anche *Dominica de Lazzaro*.

Lex Domini, il sabato dopo la II^a domen. di Quaresima.

Liberator meus, il mercoledì della settimana di Passione.

Litania, o *Litaniae*, le Rogazioni.

Litania Maior, o *Romana*, le litanie maggiori; solenne processione della festa di S. Marco (25 aprile). Se il giorno di S. Marco cade nella domen. di Pasqua, la processione viene trasferita al martedì che segue. Le litanie maggiori risalgono al tempo di S. Gregorio Magno (607).

Litania Minor, o *Gallicana*, le Rogazioni.

Litanie ambrosiane, V. Rogazioni.

Luciae, le Tempora d'inverno, V. Quattro Tempora.

Lumina sancta, o *Luminum festum*, il 2 febbr. Purif. di M. V.

Lunedì dell'ante, il lunedì che precede il Berlingaccio a Firenze

Lunedì dell'Angelo, il lunedì dopo la domen. di Pasqua.

Lunedì dello Spirito Santo, il lunedì dopo la domen. di Pentecoste nel calend. Greco-Russo.

Lunedì grasso, il penultimo giorno di Carnevale.

Lux Domini, o *Dei*, la domenica.

Lux fulgebit, la II^a messa di Natale.

Madonna, V. Maria Vergine.

Magnae Dominae festum, il 15 agosto, Assunz. di M. V.

Magorum festum, il 6 gennaio, Epifania.

Mandatum pauperum, il sabato avanti la domen. delle Palme.

Malvagio (Il) ricco, il giovedì della II^a settimana di Quaresima.

Maria Vergine (Immacolata Concezione di), l'8 dicembre. Festa di data antichissima in Oriente; in Occid. risale al VII sec. Pio IX l'8 dic. 1854 ne definì il dogma.

Maria Vergine (Natività di), l'8 settembre. Festa ordinata da Sergio I nel 688.

Maria Vergine (SS. Nome di), la domen. dopo la Natività di M. V. Festa già celebrata in molte parti della Cristianità; estesa a tutta la Chiesa da Innocenzo XI il 17 luglio 1683 e confermata da Pio IX il 3 giu. 1856.

Maria Vergine (Presentazione al Tempio di), il 21 nov. Festa già celebre nella chiesa greca in dai primi secoli del cristianesimo; fu introdotta in Occidente nel 1372 da Gregorio XI.

Maria Vergine (Sposalizio di), il 23 genn. Festa promossa da Gio. Gerson nel 1414 ed approvata poscia da Paolo III, verso il 1540, che la rese universale.

Maria Vergine (Annunciazione di), o Annunziata, o Incarnazione del Verbo, il 25 marzo. La più antica memoria di questa festa risale alla fine del IV secolo, ed in Oriente fu introdotta fino dai primi tempi del cristianes. Fu sanzionata dal decimo Concilio di Toledo nel 656 che stabilì dovesse celebrarsi il 18 dic. Nelle chiese di Toledo e di Milano si celebrò il 10 dic. (1). Gli Armeni la celebrano il 5 genn., i Sirii il 1° dic. Quando la Pasqua di Risurr. cade nei giorni compresi fra il 22 marzo e 1° apr. inclusivi, la festa dell'Annunciaz. di Maria viene trasportata al lunedì dopo la domen. in Albis.

Maria Vergine (Visitazione di), a S. Elisabetta, il 2 luglio; festa istituita da Urbano VI nel 1378 e confermata da Gregorio XI nel 1380.

Maria Vergine (Aspettazione del

(1) MARTÈNE. De antiquis ecclesiae ritibus. III, p. 560.

Divin Parto di), detta anche Madonna della Fabbrica o Incarnaz. del Verbo, il 18 dicembre. Ebbe principio nella Spagna; Gregorio XIII la estese a tutta la cristianità.

Maria Vergine (Purificazione di), il 2 febb. Festa che credesi istituita da Papa Gelasio nel 492. Papa Sergio I la riordinò verso il 689, aggiungendovi la processione delle candele; da ciò il nome di Candelora o Candelaia dato a questa festa. Se il 2 febb. cade nelle domen. di Quinquages., Sessages., Settuages., la festa della Purif. viene trasferita al giorno sussequente.

Maria Vergine Addolorata, o Dolori di M. V. (Compassio, Septem dolores, Spasmus, Transfixio B. Mariae). Festa che cominciò a celebrarsi nel 1423. Dal 1727 si celebra nel venerdì dopo la domen. di Passione e, dal 1734, anche nella IIIª domen. di settembre.

Maria Vergine (Assunzione di), al Cielo (Assumptio Matris Dei, Dormitio, Natalis, Depositio S. Mariae), Festa che cade il 15 agosto, ma anticamente celebravasi il 18 genn. Si fa cenno di questa festa nella storia Ecclesiastica di Eusebio, vescovo di Cesarea (270-338). — Commemoraz. dell'Assunz. di M. V., 25 sett.

Maria Vergine (Purissimo Cuore di), la IIIª domen. dopo Pentec.

Maria Vergine (Maternità di) o Gran Madre di Dio, la IIª domen. di ott.

Maria Vergine (Patrocinio di), la IIª domen. di nov. pel rito romano; la IIª domen. di lugl. pel rito ambros. Festa istituita da Papa Alessandro VII nel 1656, ad istanza di Filippo IV re di Spagna. Innocenzo XI, nel 1679, la estese a tutti i dominii spagnuoli e Benedetto XIII la introdusse in tutta la chiesa cattolica.

Maria Vergina (Purità di), la III domen. di ottobre.

Maria Vergine degli Angioli, il 2 agosto; festa approvata da papa Onorio III nel 1223. Venerata nella chiesa detta della Porziuncola, presso Assisi.

Maria Vergine Ausiliatrice, il 24 maggio. Venerata dalla congreg. Salesiana.

Maria Vergine di Caravaggio, il 26 maggio; venerata a Caravaggio (Lombardia) dal 1432.

Maria Vergine del Carmine o di Monte Carmelo, o del Divino Scapolare. Venerata, credesi, fino dal sec. X, il 16 luglio, pel rito rom.; il 19 luglio pel rito ambros.

Maria Vergine della Ceriola, il 2 febbr. Purif. di M. V.

Maria Vergine della Cintura, festa che si celebra la domen. successiva al 28 agosto. Risale ai tempi di S. Agostino.

Maria Vergine della Consolazione, detta anche « la Consolata », protett. di Torino, ove si venera il 20 giugno. Risale al 1104.

Maria Vergine della Guadalupa, il 12 dicembre.

Maria Vergine della Lettera, venerata a Messina il 3 giugno, data della lettera della Vergine ai Messinesi.

Maria Vergine di Loreto, venerata il 10 dicembre a Loreto. V. Traslazione della S. Casa di Loreto.

Maria Vergine di Lourdes, l'11 febbr., a Lourdes. V. Apparitio B. Mariae Immac.

Maria Vergine della Mercede o della Redenzione degli Schiavi, il 24 sett. Risale al 1218.

Maria Vergine Madre di Misericordia, il 18 marzo. Festa che risale al 1536.

Maria Vergine della Neve o del Presepio, il 5 agosto. Festa istituita dopo la metà del IV sec.

Maria Vergine di Oropa, venerata l'ultima domen. di agosto nel santuario di Oropa, diocesi di Biella. Risale al IV sec.

Maria Vergine di Pompei, vener. a Valle di Pompei l'8 magg.

Maria Vergine del Rosario, risale al 1212. Papa Gregorio XIII

(1572-85) ne fissò la festa alla prima domen. di ottobre.

Maria Vergine della Salette, il 19 settembre.

Maria Vergine del Suffragio, la prima domen. di nov.

Maria Vergine della Vittoria, la II\a domen. di nov. a Roma. Festa istituita in commemor. della vittoria riportata sui Turchi dalle armi cristiane presso Praga, nel 1620.

Martedì grasso, l'ultimo giorno di Carnevale.

Martror, V. *Dies Martyrum*.

Marzia, o Madonna di marzo, o dei famigli, il 25 marzo, Annunciaz. di M. V.

Mater Noctium, la notte di Natale.

Matris Dominicae festivitas, il 25 marzo, Annunc. di M. V.

Mediae o Medianae Quadragesimae, la IV\a dom. di Quaresima.

Mediana octava, V. *Dominica mediana*.

Meditatio cordis, il venerdì dopo la IV\a domen. di Quaresima.

Memento nostrum Domine, la IV\a domen. dell'Avvento.

Mensis fenalis, il mese di luglio.

Mensis exiens, astans, stans, restans, i 15 ultimi giorni di un mese, numerati a ritroso.

Mensis intrans o introiens, i primi 15 giorni nei mesi di 30 e i primi 16 nei mesi di 31 giorno.

Mensis magnus, il mese di giugno perchè ha i giorni più lunghi.

Mensis messionum, l'agosto, mese delle messi.

Mensis novarum, l'aprile, mese delle primizie.

Mensis purgatorius, il febbraio, per la festa della Purif. di M. V.

Mercoledì delle Ceneri, il primo giorno di Quaresima, pel rito romano.

Mercoledì delle tradizioni, il mercol. della III\a settim. di Quares.

Merla (I tre giorni della), gli ultimi tre giorni di gennaio, in Lombardia.

Mese di Maria o Mariano, il mese di maggio.

Mirabilia Domine, la II\a domen. dopo Pasqua.

Miserere mei, Domine, il lunedì dopo la domen. di Passione.

Miserere mihi, Domine, la XVI\a do men. dopo Pentecoste.

Miserere mihi, Domine, quoniam tribulor, il venerdì e sabato della settimana di Passione.

Misereris omnium, Domine, il mercol. delle Ceneri.

Misericordia Domini plena est terra, la II\a domen. dopo Pasqua.

Missa, il giorno dell'ufficio o della festa di un santo.

Missae Domini, Alleluja, la domen. di *Quasimodo*, ottava di Pasqua.

Morti (Giorno dei). V. *Animarum commem*.

Mulier adultera, il sabato avanti la IV\a domen. di Quaresima.

Munera oblata quaesumus, la domen. di Pentecoste.

Munus quod tibi, Domine, il lunedì dopo la III\a domen. di Quaresima.

Natale, V. *Nativitas Domini*.

Natales, le quattro principali feste dell'anno cioè Natale, Pasqua, Pentecoste, Ognissanti.

Natalis o Natale, il giorno della morte di un santo, specialmente se martire.

Natalis Calicis, il giovedì santo.

Natalis Innocentium, il 28 dic. festa de' SS. Innocenti martiri sotto Erode.

Natalis Mariae, il 15 Agosto, Assunz. di M. V.

Natalis reliquiarum, l'anniversario della traslazione delle reliquie d'un santo.

Nativitas B. Mariae, V. Maria Vergine.

Nativitas Domini, il 25 dicembre, giorno della nascita di G. C. È una delle più antiche feste della Cristianità. Pare che nel sec. III si festeggiasse il Natale unitamente all'Epifania il 6 genn., specie in Oriente, ma circa alla metà del IV sec. la chiesa romana fissò tale solennità al 25 dicembre.

Ne derelinquas me, il mercol. dopo la II\a domen. di Quaresima.

Nome di Gesù, Festa istituita nel

1500. Dapprima fu fissata all'8 genn., poi al 14 dello stesso mese, al 15 marzo, al 17 agosto. In fine, nel 1721, papa Innocenzo XIII la fissò alla IIª domen. dopo l'Epifania.

Nome di Maria, V. Maria Verg.

Nos autem gloriari, il martedì e giovedì dopo la domen. delle Palme.

Nostra Donna. V. Maria Verg.

Nox Sacrata, la vigilia di Pasqua.

O dell'Avvento, o di Natale, V. *Oleries*.

Obdormitio B. Mariae, festa dell'Assunzione di M. V., 15 agosto.

Oblatio B. Mariae in templo, il 21 nov.

Occursus festum, la Purificazione, il 2 febbr.

Octava, V. Ottava.

Octava Domini, o *Christi*, il 1º di genn. ottava della Nativ. di G.C.

Octava Infantium, la domen. dell'ottava di Pasqua.

Octava SS. Innocentium, il 4 genn.

Octo dies Neophitorum, l'ottava di Pasqua o di Pentecoste.

Oculi, la IIIª domen. di Quaresima

Ognissanti, il 1º nov. V. Elenco alfab. dei Santi. Istituita da Bonif. IV nel 608 si celebr. in origine al 13 maggio.

Oléries, i sette ultimi giorni dell'Avvento, dal 17 al 23 dicembre, nei quali cantavansi le antifone comincianti per O; *O Sapientia*, il 17; *O Adonai*, il 18; *O radix Jesse*, il 19; *O clavis David*, il 20; *O Oriens*, il 21; *O Rex gentium*, il 22; *O Emmanuel*, il 23.

Olivarum festum, la domen. delle Palme.

Omnes gentes, la VIIª domen. dopo Pentecoste.

Omnia quae fecisti, il giovedì della settimana di Passione e la XXª domen. dopo Pentecoste.

Omnis terra, la IIª domen. dopo l'Epifania.

Orazione di Gesù nell'Orto, il martedì dopo la domen. di Settuagesima.

Ottava, spazio di 8 giorni destinato alla prorogazione di una festa religiosa. Più spesso intendesi l'ottavo giorno dopo la festa stessa.

Palmae o *Palmarum festum*, la domen. delle Palme cioè quella che precede la Pasqua.

Pani (Domenica dei cinque), la IVª domen. di Quaresima.

Parasceve, il venerdì santo; talvolta anche il venerdì di ogni settimana.

Pascha, o *Paschalis dies*, o *Resurrectio*, il giorno della Pasqua di Resurr. e qualche volta la settimana di Pasqua o altra festa solenne, aggiungendovi il suo nome; come: *Pascha Nativitatis*, *Pascha Pentecostes*, etc. La Pasqua di Risurrez., la principal festa dell'anno, si celebra dalla Chiesa nella 1ª domen. dopo il plenilunio di marzo. Da essa dipendono le altre feste mobili dell'anno.

Pascha annotinum, l'anniversario della Pasqua dell'anno preced.

Pascha clausum, Pasqua chiusa, la 1ª domen. dopo Pasqua di Ris.

Pascha competentium, o *florum*, o *floridum*, Pasqua fiorita, la domen. delle Palme.

Pascha de madio, la Pentecoste, Pasqua di maggio.

Pascha medium, il mercoledì nell'ottava di Pasqua.

Pascha militum, la Pentecoste.

Pascha novum, il sabato santo.

Pascha Pentecostes, la Pentecoste.

Pascha petitum, la domen. delle Palme.

Pascha primum, il 22 marzo, primo termine nel quale può cadere la Pasqua. Così dicevasi anche *Pascha ultimum* il 25 apr.

Pascha rosarum, o *rosata*, la Pentecoste, detta anche Pasqua rosa o di rose.

Pasqua dei morti, il 2 novembre, in Toscana.

Pasqua di ceppo o di Natale, il 25 dicembre.

Pasqua d'uovo o d'agnello, la Pasqua di Resurr.

Pasqua carnuta, o comunicante, o scomunicante, o comuniale, la Pasqua di Resurr.

Pasqua fiorita, V. *Pascha competentium*.

Pasqua maggiore, la Pasqua di Resurr.

Pasquetta, o Piccola Pasqua, il 6 genn., Epifania.

Passio, commemoraz. del martirio di un santo. Ad es.: *Passio quadraginta militum*, il 10 marzo -- *quatuor coronatorum martyrum*, l'8 nov.; – 20.000 marty; rum in Nicomedia, il 28 dic.

Passio dominica, il venerdì santo.

Passione di G. C. (Commemoraz. della), il martedì dopo la domen. di Sessagesima.

Passione (Domenica di), V. *Dominica in Passione Domini*.

Passione (Venerdì di), il venerdì che precede la domen. delle Palme.

Passionis lugubris dies, il venerdì santo.

Pastor bonus, la IIa domen. dopo Pasqua.

Patefactio Domini in monte Thabor, il 6 agosto; trasfigur. di Cristo.

Patrocinio di Maria Verg. V. Maria Verg.

Pausatio S. Mariae, il 15 agosto, V. Maria V. (Assunz. di).

Peccatrice (La penitente), il giovedì della Va settim. di Quares.

Pentecoste, antichissima festa cristiana, ma di origine ebraica che si celebra il 50° giorno dalla resurr. di Cristo e ricorda la discesa dello Spirito Santo sugli Apostoli. Gli Ebrei l'applicavano al giorno che avevano ricevuto dal Sinai le tavole della legge.

Pentecoste collectorum, la festa di Pentecoste.

Pentecoste media, il mercoledì della settimana di Pentecoste.

Pentecoste prima, ultima, il 10 magg. e il 13 giugno, termini estremi nei quali può cadere la Pentec.

Pentolaccia (Domen. di), la Ia domen. di Quaresima in alcuni paesi d'Italia.

Perdono d'Assisi, il 2 d'agosto. Istituito da papa Onorio III (1216-27).

Piaghe (le cinque S.) di Gesù Cristo, il venerdì dopo la IIIa domen. di Quaresima.

Piccola Quaresima, l'11 novembre, festa di S. Martino.

Populus Sion, la IIa domen. dell'Avvento.

Porziuncola, il 2 agosto. V. Perdono d'Assisi.

Praesentatio Domini Nostri Jesu Christi, il 2 febb.; presentaz. di Gesù al tempio.

Prati feria, il 9 ottobre.

Presentazione di Maria Verg. al tempio, il 21 novembre, V. Maria Verg.

Privicarnium, V. *Carnisprivium*.

Processio in cappis, il 1° e il 3 maggio.

Prodigo (Il figliuol), il sabato della IIa settim. di Quaresima.

Prope es tu, Domine, il venerdì dopo la IIIa domen. dell'Avvento.

Protector noster, la XIVa domen. dopo Pentecoste.

Puer Jesus relatus de Aegypto, V. Cristoforia.

Puer natus est, la IIIa messa di Natale e quella del 1° genn.

Pueri tres, il 24 genn.

Puerperium, il 26 dicembre presso i Russi e i Greci.

Purificatio B. Mariae, V. Maria V.

Purità di Maria Verg., V. Maria V.

Quadragesima, la Quaresima, cioè i 40 giorni che precedono la Pasqua di Risurr. fu istituita nei primi tempi del cristianesimo in memoria del digiuno di Cristo nel deserto. Fu detta talvolta *Quadragesima maior* per distinguerla da quelle di Natale, Pentecoste, S. Martino e S. Giovanni che erano anticamente osservate.

Quadragesima intrans, o *Quaresmentranum*, il martedì grasso.

Quadragesima minor, l'avvento ambrosiano.

Quaresima, V. *Quadragesima*.

Quasimodo geniti, la Ia domen. dopo Pasqua, detta anche *in albis*.

Quattro tempora (*Quatuor tempora, Angaria*), digiuni stabiliti dalla Chiesa per santificare le quattro stagioni dell'anno. Tali digiuni si osservano nei giorni di mercoledì, venerdì e sabato dopo la Iª domen. di Quaresima (Tempora di primavera), dopo Pentecoste (Temp. d'estate) dopo l'Esaltazione della S. Croce (Temp. d'autunno) e dopo la festa di S. Lucia (Temp. d'inverno), e prendono i nomi di *Reminiscere, Trinitatis, Crucis, Luciae*. Le Tempora si credono istituite dagli Apostoli di G. C. S. Leone nel sec. V ne parla come di cosa già in uso nei primi tempi della Chiesa.

Quatuor tempora intret, le quattro tempora avanti la IIª domen. di Quaresima.

Quindena, quindana, quinquenna, la quindicina.

Quindena Paschae, la settimana che precede e quella che segue la festa di Pasqua.

Quinquagesima (Esto mihi), la VIIª domen. avanti Pasqua, o ultima di Carnevale. Indicò anche i 50 giorni compresi tra Pasqua e Pentecoste, o lo stesso giorno di Pentecoste.

Ramifera, Ramalia, Ramorum festum, la domen. delle Palme, o Iª avanti Pasqua.

Re (Festa dei), l'Epifania, 6 genn.

Re delle domeniche (*Rex dominicarum*), la domen. della SS. Trinità.

Reddite quae sunt Caesaris Caesari, la XXIVª domen. dopo Pentecoste.

Redentore (Festa del SS.), la IIIª domen. di luglio, a Venezia. Festa che ricorda la cessazione della peste del 1578. — Commemorazione del SS. Redentore, 23 ottobre.

Redime me, Domine, il lunedì dopo la IIª domen. di Quaresima.

Relatio pueri Jesu de Aegypto, V. Cristoforia.

Reminiscere, la IIª domen. di Quaresima e il mercoledì delle *tempora* di primavera.

Repleatur os meum, il venerdì dopo Pentecoste.

Requies Mariae, il 15 agosto. V. Maria Verg. (Assunz. di).

Respice Domine, o *Respice secundum*, la XIIIª domen. dopo Pentecoste.

Respice in me, o *Respice primum*, la IIIª domen. dopo Pentecoste.

Resurrexi, il giorno di Pasqua.

Rogale, la Vª domen. dopo Pasqua.

Rogazioni, preghiere e processioni che hanno luogo nei tre giorni che precedono la festa dell'Ascensione di G. C. Pel rito ambrosiano, le Rogazioni cadono nel lunedì, martedì e mercoledì che seguono la Iª domen. dopo l'Ascensione e sono dette anche *litanie ambrosiane*. Nel primo di questi tre giorni si dànno le *ceneri*. Le Rogazioni si credono istituite verso il 470 da S. Mamerto.

Rorate coeli, il mercoledì delle tempora d'inverno e la IVª domen. dell'Avvento.

Rosario (Festa del S.), la Iª domen. di ottobre. V. anche Maria Verg. del Rosario.

Rosalia, la Pentecoste.

Rosala Pascha, la Pentecoste.

Rapti sunt fontes abyssi, il 12 apr.

Sabato grasso, l'ultimo sabato di Carnevale.

Sabato *sitientes*. V. *Sitientes venite ad aquas*.

Sabbatum, il sabato e talora anche la settimana, trovandosi usato, per la domenica, *prima sabbati*; pel lunedì, *secunda sabbati*, etc.

Sabbatum albis depositis, o *in albis*, o *post albas*, il sabato dopo Pasqua.

Sabbatum audivit Dominus, il primo sabato di Quares., rito rom.

Sabbatum Caritas Domini, il sabato dopo Pentecoste.

Sabbatum carnisprivii, il sabato grasso.

Sabbatum de gaudete, i tre sabati dell'Avvento rom.

Sabbatum duodecim lectionum, i sabati delle Quattro tempora.

Sabbatum filii prodigi, il sabato avanti la IIIª domen. di Quaresima.

Sabbatum in traditione symboli, o *vacans*, o in *passione*, il sabato che precede la domen. delle Palme.

Sabbatum lavationis, o *luminum*, o *magnum*, il sabato santo o vigilia di Pasqua.

Sabbatum Paschae, il sabato avanti la domen. in Albis.

Sabbatum sanctum Paschae, il sabato avanti Pasqua.

Sabbatum quando elemosyna datur, il sabato dopo la domen. di Pass.

Sabbatum Pentecostes, il sabato dopo Pentecoste.

Sabbatum Trinitatis, il sabato dopo la SS. Trinità.

Sacerdotes tui, il 31 dicembre.

Sacra Famiglia, festa che si celebra dalla chiesa la III^a domen. dopo l'Epifania; istituita da papa Leone XIII il 14 giu. 1892.

Sacrosanctum Sacramentum, la festa del *Corpus Domini*.

Salax lunae dies, l'ultimo lunedì di Carnevale.

Salus populi, il giovedì dopo la III^a domen. di Quaresima e la XIX^a domen. dopo Pentecoste.

Salutatio S. Mariae, V. Maria Verg. (Aspett. div. Parto di).

Samaritana, il venerdì dopo la III^a domen. di Quaresima. V. anche: *Dominica de Samaritana*.

Sanctificatio Mariae, l'8 dicembre pei domenicani.

Sanctus Spiritus, la Pentecoste.

Sangue (Prez.) di Gesù (*Sanguinis Christi festum*), il 19 giu.; oggi il venerdì dopo la IV^a domen. di Quaresima e la I^a domen. di luglio.

Sanguis Domini, il giovedì santo.

Scapolare (Festa dello), V. Maria Verg. del Carmine.

Secunda Nativitas, l'Epifania, 6 gennaio.

Sederunt principes, il 26 dic.

Septem dolores (o *spasmi*) *B. Mariae*, V. Maria Verg. Addolor.

Septem gaudia B. Mariae, il 23 sett.

Sessagesima, l'VIII^a domen. avanti Pasqua.

Settimana, V. *Hebdomada*.

Settimana santa o maggiore, la settim. che precede la Pasqua.

Settuagesima, la IX^a domen. av. Pasqua (*Circumdederunt*).

Sicut oculi servorum, il lunedì dopo la I^a domen. di Quaresima.

Si iniquitates, la XXII^a domen. dopo Pentecoste.

Sindone (S.) di Gesù C., il venerdì dopo la II^a domen. di Quaresima.

Sitientes venite ad aquas, il sabato avanti la domen. di Passione.

Solemnitas solemnitatum, il giorno di Pasqua.

Spasmus B. Mariae, V. Maria Verg. Addol.

Spiritus Domini replevit, la domen. di Pentecoste.

Statuit, il 22 febb. e il 6 dic., feste della Catt. di S. Pietro e di S. Nicola.

Stellae festum, il 6 genn., Epifania.

Subdiaconorum festum, V. *Hipodiaconorum festum*.

Succinctio campanarum, il sabato santo.

Sudario di Cristo, V. Sindone.

Suscepimus Deus, l'VIII^a domen. dopo Pentecoste.

Susceptio S. Crucis, l'11 agosto a Parigi, giorno del ricevimento della S. Croce da Luigi IX.

Suscipe Domine, la V^a domen. dopo Pasqua.

Tempora, V. Quattro Tempora.

Theophania, il 6 genn., Epifania.

Tibi dixit cor meum, il martedì dopo la II^a domen. di Quaresima.

Tradizioni, V. Mercoledì delle tradizioni.

Transfigurationis festum, o *Transfiguratio Domini*, il 6 agosto, giorno della trasfigurazione di Gesù Cristo sul monte Tabor. In diverse diocesi fu festeggiata anche il 17 marzo; il 26, 27, 31 luglio; il 4, 5, 7, 26 agosto e 3 sett. V. anche *Dominica Transfigurationis*.

Transfixio B. Mariae Virginis, V. Maria Verg. Addolorata.

Traslazione della S. Casa di Loreto, festegg. il 10 dicembre nelle Marche, dal 1291.

Tredicino (Festa del), il 13 marzo, festegg. ad Arona e a Milano.

Tres pueri, il 24 genn.; in alcuni luoghi anche il 12 sett.

Trinitatis festum, o *Trinitas aestivalis*, festa della SS. Trinità, la 1ª domen. dopo Pentecoste. Risale a Papa Pelagio II (579-590): nel 1316 papa Giovanni XXII la estese a tutta la Chiesa.

Triumphus Corporis Christi, V. *Corpus Domini. — S. Crucis*, V. *Crucis*.

Trium Regum, o *Magorum dies*, V. *Dies Regum*.

Trombe (Festa delle), il 7 maggio, vigilia della traslaz. delle reliquie di S. Genziano all'abbazia di Corbie.

Tua nos quaesumus, Domine, la XVIIª domen. dopo Pentecoste.

Valletorum festum, la festa dei Paggi, la domen. dopo la festa di S. Dionigi (9 ott.).

Vecchia (Giorni della), i tre ultimi giorni di marzo e i primi tre di aprile nelle Romagne.

Venerdì adorato, il venerdì santo.

Venerdì del gnocco, l'ultimo venerdì di Carnevale a Verona.

Venerdì grasso, l'ultimo venerdì di Carnevale.

Venerdì santo, o *Parasceve*, il venerdì che precede la Pasqua.

Veni et ostende, il sabato dopo la IIIª domen. dell'Avvento.

Venite adoremus, il sabato delle Tempora d'autunno.

Venite, benedicti, il mercoledì dopo Pasqua.

Verba mea, il sabato avanti la IVª domen. di Quaresima.

Verberalia, la domen. delle Palme. V. *Palmae festum*.

Verbum incarnatum, il giorno del Natale di G. C., 25 dic.

Vergine (Beata), V. Maria Verg.

Victricem manum, il giovedì dopo Pasqua.

Vigilia Christi, Domini, Verbi incarnati, luminum, Nativitatis, la vigilia di Natale, 24 dic.

Vigilia vigiliae, l'antivigilia di una festa, come *Vigilia vigiliae Domini*, l'antivigilia di Natale, 23 dic.

Viri Galilei, il giorno dell'Ascensione di G. C.; V. Ascensione.

Visitatio B. Mariae, V. Maria Verg. (Visit. di).

Vocem jucunditatis, la Vª domen. dopo Pasqua, detta anche *Rogate* e *Dominica rogationum*.

Elenco alfabetico dei principali Santi e Beati

ABBREVIATURE: *ab.*, abbate; *abb.ᵃ*, abbadessa; *ap.*, apostolo; *arc.*, arcivescovo; *arcid.*, arcidiacono; *B.*, Beato; *B.ᵃ*, Beata; *c.*, circa; *comp.*, compagno; *card.*, cardinale; *can.*, canonizzato; *canon. regol.*, canonico regolare; *conf.*, confessore; *diac.*, diacono; *er.*, eremita; *fond.*, fondatore; *lat.*, latina; *m.*, morto; *mart.*, martire; *miss.*, missionario; *mon.*, monaco; *M. V.*, Maria Vergine; *onor.*, onorato; *Occ.*, Occidente; *Or.*, Oriente; *patr.*, patriarca; *pp.* papa; *prof.*, profeta; *S.*, Santo; *SS.*, Santi; *sec.*, secolo; *trasl.*, traslazione; *V.*, Vedi; *v.*, verso; *ved.*, vedova; *Ven.*, Venerabile; *verg.*, vergine; *vesc.*, vescovo.

NB. Salvo indicazione contraria, la festa del santo cade il giorno della sua morte. Indicammo, fra parentesi, le località ove il santo riceve un culto speciale o ne è patrono.

Abaco, V. Mario.

Abbondio, *Abundus*, vesc. di Como, m. 2 apr. 468, onor. 31 agosto (Como).

Abbone, *Abbo*, ab. di Fleury, m. 1004, 13 nov.

Abdon e Sennen, persiani, mart. a Roma, 250, 30 lugl. (Roma).

Abele, vesc. di Reims, m. v. 751, 5 agosto.

Abramo, patr., onor. 9 ott.

Abramo, ab. di Clermont, sec. V, 15 giu.

Acacio, centurione, mart. 306, 8 magg. (Squillace).

Acario, vesc. di Noyon, m. 639, 27 nov.

Achille, vesc. di Larissa in Tessaglia, m. v. 330, 15 magg.

Achilleo e Nereo, mart. a Roma IIº sec., 12 magg.

Ada, abb.ᵃ di Mans, m. v. 689, 4 dic.

Adalberto, di Boemia, ap. della Prussia, arciv. di Praga, m. 997, 23 aprile.

Adalgiso o Adelgiso, vesc. di Novara, m. 840, 6 ott.

Adaucto, V. Felice.

Adelaide, *Adelais*, *Adelheidis*, imp. di Germ., m. 999, 16 dic. (Boemia, Polonia, Slesia).

Adelardo, ab. di Corbie, m. 826, 2 genn.

Adele, abb.ᵃ figlia di Dagoberto II re d'Austrasia, m. v. 734, 30 giu.

Adelgonda, V. Aldegonda.

Adelfo, *Adelphus*, vesc. di Metz, IV sec., 29 agosto.

Adolfo, mart. a Cordova, 821, 27 sett.

Adone, *Ado*, arciv. di Vienna, m. 875, 16 dic.

Adriano, mart. di Nicomedia, 303, 4 mar.; sua trasl. a Roma e sua festa, 8 sett.; onor. in chiese greche 26 agosto (Fabriano).

Adriano III, papa, m. 885 metà sett.; onor. 8 lugl. (Nonantola).

Agape e Chionia, verg. e mart. a Tessalonica, 304, 3 apr.

Agapito, vesc. di Ravenna, m. 232, 16 marzo.

Agapito, papa, m. 22 apr. 536; sua trasl. 20 sett.

Agapito, mart. sotto Aureliano, onor. 18 ag.

Agata, verg. e mart. 251, 5 febb. (Catania, Mirandola).

Agatone, *Agatho*, papa, m. 681, 10 genn. (Palermo).

Agnese, *Agnes*, verg. romana, mart. v. 304, onor. 21 e 28 gennaio.

Agostino, *Augustinus*, vesc. d'Ippona e dott., m. 430, 28 agosto (festa princ.); sua trasl. a Pavia 722, 28 febb.; sua conversione 5 magg.; suo battesimo 24 apr. (Pavia, Palermo, Piombino).

Agostino, ap. d'Inghilterra, vesc. di Cantorbery, m. v. 604, 26 magg., sua trasl. 6 sett.

Agricola, vesc. e patrono d'Avignone, m. 700, 2 sett. -- V. Vitale.

Agrippina, verg. e mart. a Roma, 262, 23 giugno.

Agrippino, vesc. di Como, m. 615, 17 giugno.

Albano, mart. in Inghilterra, 303, 22 giu. (Sant'Albano).

Albano, mart. a Magonza, V sec. 21 giu. (Magonza).

Alberto, vesc. di Liegi, mart. a Reims 1192, 23 nov.

Alberto da Trapani, carmelitano, m. 1306, 7 agosto (Messina, Palermo, Trapani).

Alberto, vescovo di Vercelli, patr. di Gerusal., m. 1240, 8 aprile, legisl. carmelitano.

Albino, vesc. d'Angers, m. 560, 1º marzo.

Alda, verg. a Parigi, m. av. 512, 18 nov.

Aldegonda, verg., ab. di Maubeuge, m. v. 684, 30 genn. (Maubeuge, Emmerich).

Aldrico, arciv. di Sens, m. 836, 10 ott., onor. 6 giu. (Sens).

Alessandro I, papa, mart. 132, 3 magg. (Mirandola).

Alessandro, mart. a Lione 178; onor. a Roma 24 apr., a Parigi 26 apr.

Alessandro, vesc. di Gerusal., m. 250, onor. 18 mar. (Parigi).

Alessandro, vesc. di Alessandria d'Eg., m. 326, 26 febb. (Alessandria d'Eg.).

Alessandro, soldato della legione Tebea, mart. v. 288, onor. 26 agosto (Bergamo, Desana, Rastadt).

Alessandro, vesc. di Verona, sec. VIII, 4 giugno.

Alessandro Sauli (B.), vesc. conf. m. a Pavia 1592, 23 apr. Canon. da Benedetto XIV.

Alessio, conf. ad Edessa, m. a Roma 6 sett. 417, onor. 17 luglio.

Alfio, Filadelfio e Cirino, mart. sotto Decio v. 250, 10 magg. (Lentini).

Alfonso o Ildefonso, vesc. di Toledo, m. 667, 23 genn. (Toledo, Zamora).

Alfonso Maria de' Liguori, vesc., dott. della Chiesa, m. 1787, can. 1839; onor. 2 agosto (Napoli, S. Agata de' Goti).

Alfredo, ab. Cistercense a Rieval, m. 1166, 12 genn.

Amabile, prete, mart. 475, 1º nov., sua trasl. 19 ott. (Riom nell'Alvernia)

Amando, vesc. di Strasburgo, m. v. 346, 6 febb., sua trasl. 26 ottobre.

Amando, vesc. di Bordeaux, m. v. 432, 18 giu.

Amando, vesc. di Maestricht, m. v. 679, 6 febb. (S. Amando, Utrecht).

Amanzio, vesc. di Como, m. v. 422, 8 apr.

Amaranto, mart. ad Alby, sec. III, 7 nov.

Amato, vesc. di Sion (?), m. 690, 29 apr., onor. 13 sett. (Douai).

Amatore, vesc. d'Auxerre, m. 418, 1º magg.

Ambrogio, vesc. di Milano, m. 4 apr. 397, onor. 7 dic. a Roma e a Milano, 4 apr. a Parigi (Milano, Vigevano).

Amedeo IX (B.), duca di Savoia, m. 1472, 30 mar.

Anacleto, papa, mart. 112, onor. 13 luglio a Roma, 26 aprile a Parigi.

Anastasia, dama rom., mart. 304, onor. 25 dic. (Piombino).

Anastasio I, papa, m. 19 dic. 402, onor. 27 apr. e 14 dic.

Anastasio II, papa, m. 498, 19 nov., onor. 8 sett.

Anastasio, mon. persiano, mart. 628, 22 genn.

Andrea, ap., 1º sec., 30 nov. (Amalfi, Pienza, Sarzana, Russia).

Andrea Corsini, vesc. di Fiesole, m. 1373, 4 febb. (Fiesole).

Andrea Avellino, conf., mon. teatino, m. 1608, 10 nov. (Napoli, Sicilia).

Angadrema, *Angadrisma*, verg., m. v. 695, 14 ott., sua trasl. 27 mar. (Beauvais).

Angela Merici, fond. delle Orsoline. m. 1510, 31 magg., onor. anche 30 genn. (Desenzano).

Angeli Custodi, onor. 2 ott. V. Glossario di date.

Angelo, sac. carm., mart. in Sicilia 1220, 5 magg. (Palermo).

Aniano, vesc. di Orleans, m. 453, 17 nov.; sua trasl. 14 giu.

Aniceto, papa, mart. 175, 17 aprile.

Anna, madre di Maria Verg., onor. 26 luglio. Festa istituita, insieme a quella di S. Gioacchino, da papa Giulio II nel 1510.

Anselmo, duca del Friuli, fond. del monast. di Nonantola, sec. VIII., 3 marzo.

Anselmo, arciv. di Cantorbery e dott., m. 1109, 21 aprile.

Anselmo, vesc. di Lucca, m. 1086, 18 marzo (Mantova).

Anselmo, vesc. di Belley, m. 1178, 26 giugno (Belley).

Antonino, soldato della legione Tebea, morto 303, 4 luglio (Piacenza).

Antonino, arc. di Firenze, m. 1459, onor. 2 magg. a Roma, 10 magg. a Parigi.

Antonio, ab. patr. dei Cenobiti, m. 356, 17 genn. (Ampurias in Sardegna).

Antonio di Padova, francesc., m. 1231, 13 giu.; sua trasl. 15 febb.; onor. a Parigi 28 marzo (Padova, Lisbona, Anzio, Hildesheim).

Apollinare, vesc., m. v. 78, 23 lugl. (Ravenna).

Apollinare, vesc. di Valenza nel Delfinato; m. v. 520, 5 ott. (Valenza).

Apollonia, verg. e mart. ad Alessandria d'Egitto, 249, 9 febb.

Apollonio, Senatore romano, mart. 186, 18 apr.

Aquilino, prete, mart. a Milano sec. VII, 29 genn.

Aquilino, vesc. d'Evreux, m. v. 690, 19 ott.

Arcadio, mart. in Cesarea, sec. III, 12 genn.

Arialdo, diacono di Milano, mart. 1066, 28 giugno.

Aristide, ateniese, mart. 128, 31 agosto,

Arsenio, anacoreta di Scetè; m. v. 449, 19 luglio.

Atanasio, patr. di Alessandria, m. 18 genn. 373; onor. 2 magg., sua trasl.

Audiface, V. Mario.

Augusto, prete ed ab. a Bourges, m. v. 560, 7 ott.

Aureliano, vesc. di Arles, m. 551 o 553, 16 giugno.

Aureliano, arciv. di Lione, m. 895, 4 luglio.

Aurelio, vesc. di Cartagine, m. v. 429, 20 luglio.

Aureo e Giustina, mart. in Magonza v. 450, 16 giu.

Ausonio, primo vesc. di Angouleme, mart. III sec., 22 magg.

Avito, vesc. di Vienna, m. 523, 5 febbr.

Avito, ab. di S. Mesmin presso Orleans, m. v. 527, 17 giugno.

Babila, Babylas, Babillus, vesc. d'Antiochia, mart. v. 250, 24 genn., chiesa lat.; 4 sett., chiesa greca.

Balbina, verg. e mart. a Roma, m. 117, 31 marzo.

Baldassare, uno dei tre Re Magi, onor. 6 genn. (Colonia, Lima).

Balderico, conf. a Montfaucon, m. av. 650, 16 ott.

Baldo, vesc. di Tours, VI sec., 7 nov.

Barbara, verg. e mart. a Eliopoli, m. 306, 4 dic. (Paternò).

Barbato, vesc. di Benevento, m. 382, 19 febb.

Barlaam e Giosafat, onor. 27 nov.

Barnaba, ap. dei Gentili, vesc., mart. in Cipro, sec. I, 11 giu.

Bartolomeo, ap., mart. v. 47, onor. 24 agosto, a Roma 25 agosto (Curzola, Fermo, Francoforte sul Meno, Altenburgo).

Basilide e comp. soldati mart., sec. III e IV, 12 giugno.

Basilio Magno, vesc. di Cesarea, m. 1° genn. 379; onor. 14 giu.; a Parigi 31 marzo.

Basilio il Giov., anacor. a Costantinop., m. v. 952, 26 marzo.

Basolo, mon. erem. a Verzy (Marna), m. v. 620, 26 nov.

Bassiano vesc., m. 413, 19 genn. (Bassano, Lodi).

Batilde, regina di Francia, m. 680, onor. 26 e 30 genn.; sua trasl. nell'833, 17 marzo (Chelles, Corbie).

Bavone, *Bavo*, m. v. 653 1º ottobre (Gand).

Beatrice (B.ª) d'Este, m. 1262, 19 genn.

Beda detto il Venerabile, mon. a Jarrow, m. 735, onor. 27 magg.

Beda il giovane, mon., m. 883, onor. 10 apr. (Genova).

Bellino, vesc. di Padova, onor. 26 nov. (Adria).

Benedetta (B.ª), ab.ª francesc. d'Assisi, m. 1260, 16 marzo.

Benedetto da Norcia, fond. dell'ordine monast. d'Occid., m. 543, 21 marzo, festa princip., chiesa lat.; 12 marzo, chiesa greca; sua traslaz. a Fleury, v. 653, 11 lugl.

Benedetto, ab. in Inghilterra, m. v. 703, 12 genn.

Benedetto, arc. di Milano, m. v. 725, 11 marzo.

Benedetto, ab. di Agnane, m. 821, 12 febbr.

Benedetto, pastore, fond. del ponte di Avignone, m. 1184, 14 aprile.

Benedetto (B.) Giuseppe Labre, m. a Roma 1783, 16 aprile.

Benigno, ap. di Digione, m. v. 179, 1º nov.

Benigno da Todi, mart. IV sec., 13 febb.

Benigno, vesc. e mart., onor. 28 giugno (Utrecht.)

Bernardino da Siena, francescano, m. 1444, 20 magg. (Carpi).

Bernardo, arc. di Vienna, m. 842, 22 genn.

Bernardo di Menthon, arcid. d'Aosta, ap. delle Alpi, fond. degli ospizii sul S. Bernardo, m. 1008, 28 magg., onor. 15 giu.; sua trasl. 31 luglio.

Bernardo, card. vesc. di Parma, m. 1133, 4 dic. (Parma).

Bernardo, fond. e ab. del mon. di Chiaravalle, m. 1153, 20 agosto; sua traslaz. 14 novem. (Borgogna).

Berta, abb.ª d'Avenay, VII sec., 1º maggio.

Berta, abb.ª di Blangy, m. v. 725, 4 luglio.

Bertilla, verg. a Mareuil, m. 687, 3 genn.

Bertilla, abb.ª di Chelles, m. v. 692, 5 nov.

Bertino, ab. di Sithin, m. v. 709, 5 sett.

Bertolfo, ab. di Bobbio, m. 639 o 640, 19 agosto.

Bertrando, vesc. e patr. di Comminges, m. v. 1123, 16 ott.

Bertrando (B.), patr. d'Aquileia, mart. 1350, 6 giu. (Friuli).

Biagio, vesc. di Sebastopoli e mart. v. 316, 3 febbraio (Cento, Codogno).

Biagio, vesc. di Verona, m. 750, 22 giugno.

Bibiana, verg. e mart. a Roma, 363, 2 dic.

Bobone, sign. provenzale, m. a Voghera, 22 magg. 986, onor. 2 genn.; in Lombardia 22 maggio (Tortona, Verona, Lodi).

Boezio, filosofo, m. presso Pavia 522, 23 ott.

Bonaventura, gener. dell'Ord. di S. Francesco, card. e vesc. di Albano, m. 1274, can. 1482, onor. 14 luglio, sua trasl. 14 marzo.

Bonifacio, mart. a Tarso 290, 14 maggio.

Bonifacio I, papa, m. 423, 4 sett.

Bonifacio di Magonza, Vinifrido, apost. d'Alemagna, vesc. e mart. v. 754, 5 giugno.

Brigida, *Brigitta, Birgita, Britta*, verg. di Scozia, abb. di Kildare in Irlanda, m. 523, 1º febb.

Brigida di Svezia, ved., m. 25 lugl. 1373, onor. 8 ott.

Brizio, *Brixius, Brictius*, vesc. di Tours nel 397, m. v. 447, 13 nov. (Orvieto).

Brunone, arc. di Colonia, m. 966, 11 ott.

Brunone, vesc., apost. della Prussia, m. 1009, 15 ott.

Brunone, vesc. di Würzbourg, m. 27 magg. 1045, onor. 17 magg.

Brunone o Bruno, ab., fond. dei Certosini nel 1086, m. in Calabria 1101, 6 ott. – Canon. da Leone X nel 1514.

Brunone, vesc. di Segni, m. 1123, 18 luglio.

Burcardo, 1° vesc. di Würzburgo, m. 754, 2 febb.; sua trasl. 983, 14 ottobre.

Caio, vesc. di Milano, m. 85, 27 sett.

Calimero, vesc. e mart. a Milano, m. v. 191, onor. 31 lugl. e 3 ott.

Calisto I, papa, m. 227, 14 ott.

Calocero, vesc. di Ravenna, m. 132, 11 febb.

Camilla, verg. ad Auxerre, m. 437, 3 marzo.

Camillo de Lellis, di Bacchianico negli Abbruzzi, conf., m. 1614, 18 luglio.

Candida, convert. da S. Pietro a Roma, sec. I, 4 sett.

Candida, mart. a Napoli 586, 4 sett. (Napoli).

Candida, verg. e mart. a Cartagine, sec. III, 20 sett. (Ventotene).

Candido, mart. a Roma, sec. III, 3 ott.

Canuto IV, re di Danimarca, m. 10 lugl. 1086, can. 1100, onor. 19 genn.

Canuto il giovane, duca di Sleswig, m. 1131, canon. 1171, onor. 7 genn.

Carlo Magno, imp. d'Occid., m. 814, 28 genn., festa prescr. da Luigi XI (Haix-la-Chapelle, Francoforte sul Meno, Munster, Osnabrück, Paderborn).

Carlo il Buono (B.), conte di Fiandra, m. 1127, 2 marzo (Bruges).

Carlo Borromeo, arc. di Milano, m. 1584, 4 nov. (Milano).

Carpoforo e comp. mart. sotto Massimiano, 7 agosto (Como).

Casimiro, figlio di Casimiro IV re di Polonia, m. 1483, canon. da Leone X, onor. 4 mar. (Polonia, Lituania).

Cassiano, vesc. di Todi, mart. 330 c., 13 agosto, V. Ippolito.

Cassiano, vesc. di Autun, m. 355, 5 agosto.

Cassiano, prete di Marsiglia, m. 450, 23 luglio; onor. in Grecia, 29 febb.

Cassio e comp., mart. in Alvergnia, m. v. 264, 15 magg.

Casto, V. Emilio e Casto.

Casto, vesc. in Bretagna, VI sec., 5 luglio.

Catello, vesc., sec. VII, 19 genn. (Castellamare di Stabia).

Caterina, Catharina, verg. e mart. ad Alessandria, IV sec., 25 nov. (Jaen, Magdeburgo, Oppenheim).

Caterina da Siena, della famiglia Benincasa, religiosa domenicana m. 29 apr. 1380, onor. 30 aprile (Siena).

Caterina de' Ricci, di Firenze, verg. domenicane, m. 1589, 13 febb. (Prato).

Caterina dei Fieschi di Genova, ved. m. 1510, 15 sett. e 22 marzo (Genova).

Cecilia, verg. e mart. a Roma, m. 230, 22 nov.

Celestino I, papa, m. 27 lugl. 432, onor. 6 apr.

Celestino, papa, V. Pietro Celestino.

Celinia, verg. a Meaux, V sec., 21 ottobre.

Celso, mart. a Milano, I sec., onor. con S. Nazario, 28 lugl. (Milano).

Cerano, vesc. di Parigi, m. av. 625, 27 sett.

Cerbonio, vesc. di Populonia, m. v. 575, onor. 10 ott.

Cesaria, abb.ᵃ d'Arles, m. v. 529, 12 genn.

Cesario, medico, m. 369, 25 febb.

Chiara, Clara, verg., fond. delle francescane, dette poi Clarisse, m. 11 ag. 1253, can. 1435, onor. 12 agosto (Assisi).

Chiara di Montefalco, m. 1308, 17 agosto.

Chiaro, vesc. e mart. a Nantes, m. v. 300, 10 ott.

Chiaro, prete, v. 400, onor. a Tours 8 nov.

Chiaro, abb. a Vienna nel Delfinato, m. v. 660, 1° genn.

Chiliano, Kilianus, ap. del Würzbourg, mart. 689, 8 lugl.

Cipriano, vesc. di Cartagine e dott. mart. 14 sett. 258; già onor. 14 sett., oggi 16 settem. (Compiègne).

Cipriano e Giustina, mart. a Nicomedia, 304, 26 sett.

Cipriano, vesc. di Tolone, mart. 546, onor. 3 ott. (Tolone).

Ciriaco, inv. della Croce l'anno 326, vesc. e prot. di Ancona, m. in Gerusalemme, onor. 6 magg.

Ciriaco, Largo e Smeraldo, mart. a Roma, IV sec., 8 agosto.

Cirillo, *Cyrillus*, vesc. e mart., 250, 9 luglio.

Cirillo, vesc. di Gerusalemme e dott.; m. 18 mar. 386, onor. 18 o 22 marzo.

Cirillo, patr. d'Alessandria e dott., m. 27 giu. 444; onor. in chiese latine 28 genn., ad Alessandria d'Egitto 9 febb.

Cirillo e Metodio, apost. degli Slavi, IX sec.; onor. in chiese lat. 9 marzo, oggi 5 lugl. (Boemia, Morávia, Croazia, Bulgaria).

Cirino, V. Alfio.

Ciro o Ciríco, *Cyrus*, *Cyricus*, *Syricus*, mart. in Cilicia nel 305, 16 giugno, con S.ª Giulitta sua madre, onor. a Parigi 1º giu.

Claudio, vesc. di Besançon, m. 693, 6 o 7 giu. (Saint-Claude).

Claudio, mart. a Roma 286, 7 lugl. (Léon).

Clemente I, papa, mart. 100, 23 novem. (Siviglia, Velletri, Crimea).

Cleto e Marcellino, papi, mart. I e IV sec., 26 aprile.

Clotilde, regina di Francia, sposa di Clodoveo, m. v. 545, 3 giugno.

Coletta, verg. di Picardia, riform. dell'ordine di S. Chiara, m. 1417, can. 1807, m. 6 marzo (Corbie, Gand).

Colomba, verg. e mart. a Sens v. 273, 31 dic.; sua trasl. 17 dic. (Sens).

Colomba di Rimini, verg. e mart. v. 275, 31 dic. (Rimini).

Colombano, ab. di Bobbio, m. 615, 21 nov., sua trasl. 21 agosto (Bobbio, Irlanda, Luxeuil).

Concordio, vesc. di Saintes, VI sec., 25 febbr.

Consolo, vesc. di Como, m. v. 495, 7 luglio.

Consorzia, verg. in Provenza, m. v. 578, onor. 22 giu. (Cluny).

Contardo Estense, principe, m. 1249, 16 apr. (Broni).

Contesto, vesc. di Bayeux, m. v. 513, 19 gennaio.

Corbiniano, 1º vesc. di Frisinga in Baviera, m. 730, 8 sett.

Cornelio I, papa, m. giugno 255, onor.16sett.con S.Cipriano vesc.

Corrado, *Conradus*, vesc. di Costanza, m. 976, 26 nov.

Corrado Confalonieri, er. piacentino, in Sicilia, m. 1351, 19 febb. (Noto).

Cosma e Damiano, medici e martiri in Cilicia nel 297, onor. 27 sett., chiesa latina, e 1º luglio, chiesa greca (Praga, Essen, Salamanca).

Costantino, imp. m. 22 magg. 337, onor. 21 magg. (Bova di Reggio Cal.).

Costanziano, solitario nel Maine, m. v. 582, 1º dic.

Costanzo, vesc. d'Aquino (525-585), onor. 1º sett. (Aquino).

Costanzo, vesc. e mart. sotto Marco Aurelio, 20 genn. (Perugia).

Crescenzio, discep. di S. Paolo, 1º sec., 27 giu. a Roma; 29 dic. in Francia.

Crisanto e Daria, mart. III sec., 25 ott. (Reggio Emilia, Salzbourg).

Crisogono, prete e mart. presso Aquileia, m. v. 304, 24 nov.

Crispino e Crispiniano, frat. mart. a Soissons, 285 o 286, 25 ott. (Osnabrück, Soissons).

Crispino (B.) da Viterbo, cappuccino, onor. 23 magg. (Viterbo).

Cristina, verg. e mart., III o IV sec., 24 lugl. (Bolsena, Palermo, Torcello).

Cristoforo, mart. in Siria, III sec., onor. 25 lugl. (Gallarate).

Cristoforo, mart. in Palestina, on. 14 apr.

Cromazio, vesc. di Aquileja, m. 411, 2 dicembre.

Cunegonda, *Chunegundis*, *Kunegunda*, imper., m. 1040, can. 1198, vener. 3 marzo (Bamberga).

Cuniberto o Uniberto o Chuniberto, vesc. di Colonia, m. 663, 12 nov.

Cutberto, *Cuthbertus*, vesc. di Lindisfarn in Inghilterra, m. 687, 20 marzo (Northumberland).

Dagoberto, m. v. 679, onor. 23 sett. (Stenay, 2 sett.).

Dagoberto, arciv. di Bourges, m. 1013, 19 genn.

Dalmazio, vesc. di Rodez, m. v. 541, 2 nov.

Damaso I, papa, m. 384, 11 dic.

Damiano, V. Cosma e Damiano.

Daniele, levita, mart. v. 169, onor. 3 genn. (Padova, Treviso).

Daria, V. Crisanto.

Dato, vesc. di Ravenna, m. 185, 3 luglio.

David, vesc. di Ménévie, m. 544, 1° marzo.

David (Ven.), re di Scozia, onor. 24 magg. (Scozia).

Dazio, vesc. di Milano, m. 552, 14 gennaio.

Decoroso, vesc. di Capua, m. 693, 15 febbr.

Defendente, Defendens, soldato, mart., onor. 2 genn. (Chivasso, Novara).

Delfino, vesc. di Bordeaux, m. 403, 24 dic.

Demetrio, mart. di Tessalonica, 307, 8 ott. (Grecia e Russia 26 ott.).

Desiderato, vesc. di Bourges, m. 550, 8 magg.

Desiderio, vesc. di Vienna nel Delfinato, m. v. 608, 23 magg., onor. a Lione 11 febb.

Deus-Dedit, papa, m. 618, 8 nov.

Diego o Didaco, mon. francescano, miss. alle isole Canarie, m. 1463, 13 nov.

Diodato, vesc. di Vienna, VII sec., 15 ott.

Diodato, Deodatus, Theodatus, vescono di Nevers, m. 729, 19 giu. (S. Diodato presso Chambord).

Dionigi, Dionysius, l'Areopagita, m. I° sec., 9 ottobre.

Dionigi, vesc. di Corinto, m. II° sec., 8 aprile.

Dionigi, patriar. d'Alessandria, m. 265, 17 nov.

Dionigi, papa, m. 272, 27 dic., onor. 12 febb. e 26 dic.

Dionigi, ap. dei Galli, vesc. di Parigi, mart. v. 286 coi comp. Rustico ed Eleuterio, 9 ott.

Dionigi, vesc. di Milano, m. v. 371, 25 maggio.

Domenica, verg. e mart., sec. III, 6 luglio (Tropea in Calabria).

Domenico de' Guzman, fond. dell'ord. de' predicatori, m. 6 ag. 1221, onor. 4 agosto, canon. 1234 (Bologna, Tolosa).

Domitilla, verg. mart. 98, 12 mag., onor. coi SS. Nereo e Achilleo.

Donato, vesc. d'Arezzo, mart. 362, 7 agosto (Arezzo, Mondovì, Pinerolo, Acerno).

Donato, vesc. di Besançon, m. 660, 23 giugno.

Donato, vesc. di Fiesole, m. 864, 22 ott. (Fiesole).

Donaziano, vesc. di Reims, m. 389, onor. 14 ott. (Bruges, Gand).

Donaziano e Rogaziano, mart. a Nantes v. 288, 24 magg. (Nantes).

Donnino, mart. 304, 9 ott. (Borgo S. Donnino).

Dorotea, verg. e mart. in Cappadocia, v. 306, 6 febb. (Pescia).

Dunstano, arc. di Cantorbéry, m. 988, 19 magg. (Cantorbéry).

Ebbone, Ebbo, vesc. di Sens, m. 740, 27 agosto; sua trasl. 15 feb.

Edmondo, Eadmundus, re d'Estanglia, m. 870, 20 nov.; sua trasl. 29 apr.

Edmondo, arc. di Cantorbéry, m. 1240, 16 nov., can. 1247.

Eduardo II, Edwardus, re d'Inghiltera, mart. 978, onor. 18 marzo a Roma; sua trasl. 18 febb.

Eduardo III il Confessore, re d'Inghilterra, m. 5 genn. 1066, can. 1161, onor. 13 ott., giorno della sua trasl. nel 1163 (Inghilterra, Westminster).

Edvige, Hedwigis, ved., duchessa di Polonia, m. 15 ott. 1243, can. 1267, onor. 17 ott. (Slesia, Cracovia).

Efisio di Antiochia, mart., sec. III-IV, 15 genn. (Cagliari).

Efrem, Ephrem, diac. di Edessa, m. 378, 1° febb.

Egberto, prete in Irlanda, m. 729, 24 apr.

Egesippo, Hegesippus, conf. a Roma, m. v. 180, 7 apr.

Egidio. Aegidius, ab. in Linguadoca, m. 721, 1° sett. (Edimburgo, Klagenfurth, Norimberga, Tolosa).

Elena, *Helena*, madre di Costantino, m. 328, onor. 18 agosto; 21 magg. rito ambr. (Treves, Colchester).

Eleuterio, papa, m. 193, 26 magg.

Eleuterio, vesc. di Auxerre, m. 561 onor. 16 agosto; ad Auxerre 26 agosto.

Eleuterio, vesc. di Tournay, m. 532, 20 febb. (Tournày).

Eleuterio, V. Dionigi ap. dei Galli.

Elia, prof. sul Carmelo, onor. 20 luglio.

Eligio, vesc. di Noyon e di Tournai, m. 30 nov. 659, onor. 1° dic. (Anversa, Dunkerque, Limoges, Marsiglia, Noyon, Parigi, Bologna).

Eliodoro, dalmata, vesc. di Altino (Chieti), m. v. 407, 3 luglio.

Elisabetta, madre di S. Gio. Batt., I sec., onor. 10 febb.

Elisabetta d'Ungheria, ved., m. 1231, can. 1235, onor. 19 nov.; sua trasl., 2 magg. (Turingia, Marbourg, Isny).

Elisabetta, reg. di Portogallo, m. 1336, 8 lugl., can. 1516 (Coimbra, Estremoz, Saragozza).

Elpidio, abb., m. av. 410, 2 sett. (Sant'Elpidio nella Marca d'Ancona).

Emerenziana, verg. e mart. a Roma nel 304, 23 genn. (Térnel).

Emerico, *Hemericus, Hainricus*, figlio di S. Stefano re d'Ungheria; sua depos. 1031, 2 sett.; sua trasl. 5 nov. (Ungheria).

Emidio, *Emigdius*, vesc. e mart., IV sec., 5 agosto (Ascoli Piceno).

Emilia Biccheria, mon. a Vercelli, m. 1314, 3 magg.

Emiliano, mart. a Trevi, v. 298, 28 genn. e 6 nov. (Faenza, Trevi).

Emiliano (B.), prete, in Spagna, m. 574, 12 nov.

Emiliano, vesc. di Vercelli, sec. VI, 11 sett.

Emiliano, vesc. di Nantes, m. v. 726, 25 giu.

Emilio e Casto, mart. in Africa, 250, 22 magg. V. Marcello.

Ennodio, vesc. di Pavia, m. 1° ag.

Enrico, imp. a Parigi, 17 luglio.

Enrico, imp. di Germania, m.1024, onor. a Roma 15 luglio, a Parigi 2 marzo (Basilea, Bamberga).

Epifanio, *Epiphanus*, vesc. di Pavia. m. 21 genn. 496, onor. 30 genn.

Epimaco. V. Gordiano ed Epimaco

Eraclio, *Heraclius*, vesc. di Sens, m. v. 515, 8 giugno.

Erasmo, o Elmo, vesc. e mart. a Formies, IV sec., 2 giugno (Gaeta, Napoli).

Ercolano, vesc. e mart. 547, 1° marzo (Perugia).

Eriberto, *Heribertus*, arc. di Colonia, 999-1021, 16 marzo (Deutz).

Ermelinda, verg., m. v. 595, 29 ott. (Meldraërt).

Ermenegildo, *Hermenegildus*,mart. a Tarragona, 24 marzo 585, onor. 13 aprile (Siviglia).

Ermete, *Hermetis*, mart. in Roma, sec. II, 28 agosto (Salzbourg).

Erminia, figlia del re Dagoberto II, abb.ª di Ocren, sec. VIII, 24 dicembre.

Ermino od Ermo, vesc. ed abb. di Lobbes, m. 737, 25 aprile; sua trasl. 26 ott.

Ermolao, *Hermolaus*, prete, mart. a Nicomedia, 303, 27 luglio (Chartres).

Esuperanzia, verg. a Troyes, V a VI sec., 26 apr.

Esuperanzio, vesc. di Ravenna, m. 418, 30 magg.

Esuperanzio, vesc. di Cingoli, sec. V, 24 genn. (Cingoli).

Eucario, vesc. di Treveri, sec. III, 8 dic.

Eucherio I, vesc. di Lione, m. 450, 16 nov.

Eucherio II, vesc. di Lione, m. 530, 16 luglio.

Eucherio, vesc. d'Orleans, m. 738, 20 febb.

Eufemia, verg. e mart. in Calcedonia nel 307, 16 sett. (Calatafimi).

Eufrasia, verg. della Tebaide, mar. aprile 410, onor. 13 marzo.

Eufrasio, vesc. di Clermont in Alvernia, m. 515, 15 magg.

Eufronio, vesc. d'Autun, m. 490, 3 agosto.

Eugenia, verg. e mart. a Roma v. 258, 25 dicem.

Eugenio, vesc. di Cartagine, m. 505, 13 luglio.

Eugenio I, papa, m. 657, 2 giugno.

Eugenio, arc. di Milano, sec. VIII, 30 dic.

Eulalia, verg. e mart. 304, 12 febb. (Barcellona).

Eulalia, verg. e mart. a Merida, 404, 10 dic. (Merida, Lentini).

Eulogio e comp., mart. a Costantinop. sotto Valente, onor. 3 lug.

Eulogio, patriarca d'Alessandria, m. 13 febbr. 607, onor. 13 sett.

Eulogio, prete di Cordova, arc. di Toledo, mart. 859, 11 marzo.

Eurosia, verg. e mart., sec. VII, 25 giugno.

Eusebia, verg. e mart. v. sec. VII, 29 ott. (Bergamo).

Eusebio di Cremona, m. v. 423, 5 marzo.

Eusebio, prete romano, mart. 347, 14 agosto.

Eusebio, papa, m. 311, 26 sett.

Eusebio, vesc. di Vercelli, m. v. 370, onor. 1º agosto, oggi 16 dic. (Vercelli).

Eustachio, soldato e compagni, mart. a Roma v. 118, 20 sett.

Eustasio, abb. di Luxeuil, m. 625, 29 marzo.

Eustochia, verg. rom., m. a Betlemme, 419, 28 sett.

Eustorgio, vesc. di Milano, m. 518, 6 giugno (Milano).

Eutichiano, papa, m. 7 dic. 283, onor. 8 dic.

Eutichio, suddiac. d'Alessandria, mart. IV sec., 26 marzo.

Eutropia, ved. in Alvernia, V sec., 15 sett.

Eutropia, mart. a Reims, 451, 14 dicembre.

Eutropio, vesc. di Saintes, III sec., 30 aprile.

Eutropio, vesc. d'Orange, m. dopo 475, 27 magg.

Evaristo, papa, mart. v. 121, 26 ott.

Evasio, vesc. e mart., sec. III o IV, 1º dic. (Casale Monf., Asti).

Evodio, vesc. di Rouen, m. v. 430, 8 ott.

Fabiano, papa, mart. 253, 20 genn.

Fabiola, dama romana, mart. 400, 27 dic.

Famiano, conf., m. 1150, 8 agosto (Gallese).

Faustino e Giovita, mart. v. 134, 15 febb. (Brescia).

Faustina e Liberata, verg. piacentine, onor. 18 genn.

Fausto, vesc. di Riez, m. v. 490, 28 sett. (Cordova).

Fede, *Fidis*, verg. e mart. di Agen v. 287, 6 ott. (Agen, Chartres, Morlas).

Fedele, soldato, mart. a Como v. 285, 28 ott.

Fedele da Sigmaringa, cappuccino, mart. 1632, 24 apr.

Federico, *Fredericus*, vesc. di Utrecht, mart. 838, 18 luglio.

Felice, vesc. di Metz, m. v. 500, 21 febbr.

Felice, Fortunato e Achilleo, diaconi apostoli del Valentinois, mart. v. 212, 26 apr.

Felice e Fortunato, mart. ad Aquileia, 296, 11 giu. (Chioggia).

Felice, prete di Nola, mart. v. 265, 14 genn.

Felice I, papa, mart. 275, onor. 30 maggio.

Felice II, papa e comp., mart. 365, 29 luglio.

Felice III, papa, mart. 492, 25 febb.

Felice IV, papa, m. 22 sett. 530, onor. 30 genn.

Felice, vesc. di Nantes, m. 582, 7 luglio.

Felice ed Adaucto, mart. a Roma, sec. IV, 30 ag.

Felice, vesc. di Clermont, m. v. 664, 10 ott.

Felice di Valois, fond. dei Trinitari, m. 4 nov. 1212, onor. 20 nov. (Meaux).

Felice da Cantalice, conf., m. 18 magg. 1587, onor. 21 magg., can. 1712 (Roma).

Feliciano, vesc. di Foligno, mart. v. 251, 24 genn. (Foligno).

Feliciano, V. Primo e Feliciano.

Felicita, mart. a Roma 164, onor. 23 nov.; coi figli, 10 lugl.

Felicita, V. Perpetua e Felicita.

Felicola, verg. e mart. a Roma sec. I, 13 giu.

Felino e Graziano, soldati, mart. a Perugia, v. 250, 1° giugno (Milano).

Ferdinando III, re di Leone e Castiglia, m. 1252, 30 maggio (Cordova, Siviglia).

Ferdinando, vesc. di Cajazzo (Caserta), m. v. 1050, 27 giugno (Cajazzo).

Fermo e Rustico, mart. a Verona v. 340, 9 agosto.

Ferreolo, mart. a Vienna nel Delfinato, IV sec., 18 sett. (Catalogna).

Filadelfio, V. Alfio.

Filastro, vesc. di Brescia, m. v. 387, 18 lugl.

Filiberto, ab. di Jumièges, m. 684, 20 agosto (Jumièges, Tournus, Donzerès nel Delfinato).

Filippo, ap. e mart. con S. Giacomo il minore, I sec., 1° magg.; in alcune chiese onor. 14 nov. (Algeri).

Filippo Benizzi, conf., m. 1285, 23 agosto.

Filippo Berruyer, arciv. di Bourges, m. 1261, 9 genn.

Filippo Neri, fondat. della Congr. dell'Oratorio, m. 1595, onor. 26 magg. in Italia, 21 magg. a Parigi. (Roma).

Filogono, vesc. d'Antiochia, m. 323, 20 dic.

Filomena, Philumena, verg., sec. VI, 5 lugl. (San Severino nelle Marche).

Fiorentino ed Ilario, mart. a Borgogna v. 406, 27 sett.

Fiorenzo, prete e conf. a Glonne, m. v. 400, onor. 22 sett. (Saumur).

Fiorenzo, Flentius, vesc. di Vienna, m. v. 258, 3 genn.

Fiorenzo, vesc. d'Orange, m. 526, 17 ott. (Fiorenzuola, Orange).

Firmiliano, vesc. di Cesarea in Cappadocia, m. 269, onor. 28 ott. dai Greci, 26 dic. dai Latini.

Firmino, vesc. di Amiens, conf., m. v. 290, 25 sett. (Pamplona, Amiens, Beauvais, Navarra).

Flaviano, pref. di Roma, mart. III sec., 28 genn.

Flaviano, vesc. d'Antiochia, m. 404, 26 sett.

Flaviano, vesc. di Costantinopoli, m. 449, onor. 18 febb.

Flavio, vesc. di Rouen, m. v. 542 23 agosto.

Floriano, mart. a Lorch in Austria v. 304, 4 magg. (Austria, Polonia).

Foca, giardiniere, mart. in Antiochia, 303, 5 marzo.

Fortunato, V. Felice.

Fortunato, Caio ed Ante, sec. III IV, 28 agosto (Salerno).

Fortunato, vesc. di Fano, m. v 620, 8 giu. (Fano).

Francesca romana, ved., istit. delle Collatine, m. 1440, 9 maro (Roma).

Francesco d'Assisi, istit. dei Frati Minori, m. 1226, canon. 16 lugl 1228; onor. 4 ott. Sua trasl. 25 magg.; stigmati, 17 sett.; invenz. del suo corpo, 12 dic. (Assisi, Guastalla, Livorno, Mirandola, Massa e Carrara).

Francesco Borgia, gesuita, conf. m. 1572, 10 ott. (Gandia).

Francesco di Paola, istit. dei Minimi, m. 1507, 2 apr., rito ambr 6 magg. (Cosenza, Tours).

Francesco Caracciolo, conf., fond dei Chierici Reg. Min., m. 1610 4 giugno.

Francesco Saverio, ap. delle Indie, m. 1552, 3 dic. (Piacenza Bastia, Goa, Macao, Portogallo Pamplona).

Francesco di Sales, vesc. di Ginevra, m. 28 dic. 1622, can 1665; onor. 29 genn. (Annecy Chambery).

Francesco Regis, gesuita di Narbona, m. 1640, 16 giugno (Velay).

Francesco Solano, francescano spagnuolo, evangelizz. del Perù m. 1610, 21 lugl. (Granata Perù).

Frediano, Frigidianus, vesc. d Lucca, m. 588, 18 mar. (Lucca)

Frumenzio, ap. dell'Etiopia, vesc. m. v. 380, onor. 27 ott. dai La tini, 30 nov. dai Greci, 18 dic in Abissinia.

Fruttuoso, vesc. di Tarragona mart. 259, 21 genn. (Segovia Tarragona).

Fruttuoso, arc. di Braga, m. 665, 16 aprile (Braga, Lisbona, Compostella).

Fulberto, vesc. di Chartres, m. 1029, 10 apr.

Fulcrano, vesc. di Lodéve in Linguadoca, m. 1006, 13 febb.

Fulgenzio, vesc. di Ruspe in Africa, m. 533, 1° genn. (Cagliari).

Fusciano, mart. presso Amiens, III o IV sec., 11 dic., onor. anche 27 lugl.

Gabriele Arcangelo, on. 18 marzo.

Gaetano, Cajetanus, da Thiene, istitut. dei Teatini, m. 1547, 7 agosto; can. 1670 (Napoli, Poggio e Mirteto).

Gaio o Caio, papa, mart. 296, 22 aprile, V. Sotero.

Galdino, arc. di Milano, m. 1176, 18 apr.

Gallo, vesc. di Alvernia, m. 10 magg. v. 554, onor. 1° lugl.

Gallo, ab. irlandese, apost. della Svizzera, m. v. 627, 16 ott. (Saint-Gall, Ladenberg).

Gasparo, V. Re Magi.

Gauchero, Galcherius, canon. regol. nel Limosino, m. 1140, 9 apr.

Gaudenzio, vesc. di Brescia, m. v. 410, 25 ott.

Gaudenzio, vesc. di Novara, m. 417, 22 gennaio (Ivrea, Novara).

Gavino, mart. in Sardegna 304, 25 ott. (Porto-Torres).

Gelasio I, papa, m. 496, 21 nov.

Gelasio, vesc. di Poitier, V sec., 26 agosto.

Gemelli (I tre), Speusippo, Eleusippo e Meleusippo, mart. in Cappadocia, II o III sec., 17 genn.

Geminiano, vesc. di Modena, m. 397, 31 genn. Suo patrocin. 4 apr., sua trasl. 30 apr. (Modena, Este, Ferrara, Pontremoli).

Gemma, verg., m. 1426, 13 maggio (Goriano Sicoli, Aquila degli Abruzzi).

Genebaldo, I° vesc. di Laon, m. v. 549, 5 sett.

Generoso, ab. di S. Jouin-de-Marne, v. 682, 10 luglio.

Genesio, mimo, mart. a Roma, 286, 25 agosto.

Genesio, mart. a Arles v. 303, 25 agosto.

Genesio, vesc. d'Alvernia, m. v. 662, 3 giugno.

Gennaro, Januarius, vesc. di Benevento, mart. 21 apr. 305, onor. 19 sett. Festa della sua trasl. la I° o II° domen. di magg. (Napoli, Benevento, Sassari).

Genoveffa, verg., di Nanterre, m. 512, 3 genn.; sua trasl. 28 ott. (Parigi).

Genziano, mart. presso Amiens v. 303, 11 dic., sua trasl. 8 magg.

Geraldo, fondat. dell'Abbazia di S. Pietro d'Aurillac, m. 909, 13 ott.

Gerardo, vesc. di Potenza, m. v. 1120, 30 ottobre.

Gerardo, vesc. di Toul, m. 994, 23 aprile.

Gerardo, vesc. di Csanad (Ungheria), m. 1046, 24 sett., onor. a Venezia 27 sett. Sua trasl. 24 febb.

Gerardo dei Tintori, conf., m.1207, 13 giu. (Monza).

Germano, vesc. di Besançon, m. v. 407, 11 ott.

Germano, vesc. di Parigi, m. 576, 28 magg.

Germano, patriarca di Costantinopoli, m. 733, 12 maggio.

Germerio, vesc. di Tolosa, m. dopo 560, 16 magg.

Gerolamo, V. Girolamo.

Gertrude, Geretrudis, abb.[a] di Nivelle nel Brabante, m. 659, 17 marzo (Breda, Nivelle).

Gertrude, abb.[a] benedettina di Rodersdorff e di Heldelfs, m. 1334, 15 nov.

Gervasio e Protasio, mart. I° sec., 19 giu. (Milano, Parigi, Soissons, Nevers). -- Festa dell'elevazione dei loro corpi nel 1864 a Milano, 14 magg.

Giacinta de' Marescotti, Hyacintha, verg. romana, 1640, 6 febb. (Viterbo).

Giacinto, Hyacintus, domenicano, m. 1257, 16 agosto (Polonia).

Giacomo il Maggiore, ap. e mart. 41, 25 lugl. Festa della sua appariz., in Spagna, 23 magg. (Pesaro, Pistoia, Chili, Coimbra,

Brunswick, Compostella, Innsbrück).

Giacomo il Minore, apost. e vesc. di Gerusalemme, mart. 62, 1° magg. (Dieppe).

Giacomo l'Interciso, m. 421, 27 nov. (Braga).

Giacomo della Marca, conf., m. 1479, 28 nov. (Chemnitz).

Gilberto, fond. dell'ordine di Simptingham in Inghilterra, m. 1190, 4 febb.

Gilberto, ab. di Neuffons, m. 6 giu. 1152, onor. 3 ott.

Gilda, abb.ª di Ruis in Bretagna, m. 565, 29 genn.

Gioacchino, *Joachim*, padre di M. V., già onor. 20 marzo a Roma, 22 marzo in Polonia, 28 lugl. a Parigi, 9 sett. in Grecia e a Milano, 9 dic. a Magonza. Clemente XII (1730-40) ne trasferì la festa alla domen. fra l'ottava dell'Assunzione di M. V.

Gioconda, verg., sec. V, 25 nov. (Reggio-Emilia).

Giocondo, vesc. di Bologna, m. v. 490, 14 nov.

Giona, mart. in Persia 327, 29 mar.

Giorgia, verg. di Clermont, sec. V, 15 febb.

Giorgio, guerriero, mart. a Lydda in Palestina v. 303, onor. 23 apr. rito rom., 24 apr. rito ambr., 25 apr. a Coira (Inghilterra, Baviera, Aragona, Costantinopoli, Russia, Serbia, Sassonia, Ferrara, Genova, Vigevano).

Giorgio, vesc. di Suelli (Cagliari), m. 1117, 23 apr. (Suelli).

Giosafat, V. Barlaam e Giosafat.

Giosafatte, vesc., mart., 1632, 12 nov.

Giovanna (B.ª) di Francia, moglie di Luigi XII, istit. delle suore dell'Annuneiaz., m. 1505, 4 febbraio.

Giovanna Francesca Fremiot di Chantal, ved., m. 13 dic. 1641, can. 1767, onor. 21 agosto.

Giovanni Battista, precurs. di Cristo; sua concez. 24 sett.: sua natività (festa princ.) 24 giugno; sua decoll. 29 agosto (Firenze, Torino, Cesena, Breslau, Francoforte s. M., Avignone, Amiens,

Cambrai, Utrecht, Malta, Rodi, Lipsia, Lubecca, Lione).

Giovanni Batt. de La Salle, pedagogista, fond. delle scuole d La Salle, m. 9 apr. 1719.

Giovanni Bono, vesc. di Milano m. v. 660, 10 genn.

Giovanni Buralli, conf. francesc. m. 1289, 20 marzo (Parma).

Giovanni da Capistrano, francescano, m. 1456, 23 ott., onor. anche 28 mar. (Belgrado, Villach)

Giovanni Climaco, detto lo Scolastico, ab. del Monte Sinai, m 605, 30 marzo.

Giovanni Colombini da Siena, fondat. dei Gesuati, m. 1367, 31 lugl.

Giovanni Crisostomo, dott., vesc di Costantinop., m. 14 sett. 407 onor. 27 genn. a Roma, 18 sett a Parigi, 30 genn. e 13 nov. i Grecia.

Giovanni della Croce, conf., ri form. dei Carmelitani, m. 14 dic 1591; onor. 24 nov.

Giovanni Canzio (di Kenty), prete conf., m. 1473, 20 ott. (Cracovia Polonia, Lituania).

Giovanni Damasceno, dott., m. v 780, onor. a Roma 6 maggio, a Parigi 8 magg., dai Greci 29 nov

Giovanni di Dio, istit. dell'ordin della Carità o Fate-bene-fratelli m. 1550, 8 marzo (Granata).

Giovanni di Matha, fondat. de Trinitarii, m. dic. 1213, onor. 8 febb., pel rito ambros. 14 febb (Parigi, Toledo).

Giovanni Oldrato da Meda (*d Mida*), fondat. degli Umiliati m. 1159, 25 o 26 sett.

Giovanni de Montemirabili, cister cense, m. 1217, 29 sett.

Giovanni Elemosinario, patriarc d'Alessandria, m. 11 nov. 616 onor. a Roma 23 genn.; a Parig 9 apr.; in Oriente 11 nov. (Mo naco).

Giovanni Evangelista, ap., m. 101 on. 27 dic.;–avanti la porta lat 6 magg. (Pesaro, Mecklemburgo Besançon, Clèves, Langres, Lio ne).

Giovanni Francesco Régis, gesui ta, conf., onor. 16 giu.

Giovanni e Paolo, mart. a Roma v. 363, 26 giu.

Giovanni, er. a Nicopoli nell'Egitto, sec. IV, 27 marzo.

Giovanni da S. Facondo, conf., m. 1479, onor. 12 giugno.

Giovanni Gualberto, ab. fondat. di Vallombrosa, m. 1073, can. 1193, onor. 12 luglio, sua trasl. 10 ott.

Giovanni Nepomuceno, canonico di Praga, mart. 1383, 16 maggio (Boemia, Praga, Santander).

Giovanni Silenziario, vesc. di Armenia, m. 558, 13 magg.

Giovanni I, papa, mart. 18 magg. 526, onor. 27 magg.

Giovanni II, papa, detto *Mercurio* per la sua eloquenza, m. 8 magg. 535.

Giovenale, vesc. di Narni, m. 376, 3 magg. (Narni).

Giovita, V. Faustino.

Girolamo, *Hieronymus*, prete e dott., m. 430, 30 sett. (Roma, Pesaro, Curzola).

Girolamo, vesc. di Nevers, m. 816, 5 ottobre.

Girolamo Emiliani o Miani, fond. della congreg. de' Somaschi, m. 1537, 20 lugl. (Venezia, Treviso).

Gisleno, ab. nell'Hainaut, m. 681, 9 ottobre.

Giuda, *Judas*, ap. detto Taddeo, mart. dopo il 62, onor. 28 ott.; dai Greci e Russi 19 giu. (Magdeburgo, Colonia).

Giulia, *Julia*, verg. e mart. in Siria, v. 300, 7 ott.

Giulia, verg. e mart. in Corsica, VI o VII sec., 22 magg. (Livorno).

Giuliana, verg. e mart. a Nicomedia, m. 308, onor. 16 febb. a Roma (sua traslaz.); 21 marzo a Parigi.

Giuliana Falconieri, verg. a Firenze, m. 1341, 19 giu.

Giuliano, mart. a Rimini, sec. III, 22 giu. (Rimini, Macerata).

Giuliano, mart. ad Auxerre, III sec., 3 febb.

Giuliano, vesc. del Mans, III sec., 27 genn. (Mans).

Giuliano, vesc. di Vienna, m. v. 532, 22 apr.

Giuliano, mart. a Brioude (Alvergnia) v. 304, 28 agosto (Brioude, Tournon).

Giuliano, vesc. di Toledo, m. 690, 8 marzo (Toledo).

Giuliano e Basilissa, mart. sotto Dioclez., 9 genn.

Giulietta o Giulitta, mart. con S. Ciro v. 305, onor. 16 giugno a Roma, 1° giugno a Parigi.

Giulio, senatore, mart. 182, 19 ag.

Giulio d'Orta, prete, m. 400, 31 gennaio (Orta).

Giulio I, papa, m. 352, 12 aprile (Volterra).

Giuniano, *Junianus*, er. nel Limosino, m. v. 500, onor. 16 ott. e 15 novembre.

Giuseppe, sposo di M. V.; sua festa 19 marzo, in chiese latine; 20 aprile a Parigi. -- Suo Patrocinio, la IIIª domen. dopo Pasqua; festa istituita nel 1680 (Belgio, Spagna, Verdun, Westfalia, Napoli).

Giuseppe da Calasanzio, istit. della congreg. dei chierici regolari, m. 1648, 27 agosto.

Giuseppe da Copertino, conf., m. 1663, 18 sett.

Giustina, verg. e mart. a Padova, v. II sec., 7 ott. (Padova, Piacenza, Venezia).

Giustino, il filosofo, dott., mart. 13 apr. 167, onor. 14 apr.

Giusto, mart. nella persecuz. di Diocleziano, onor. 2 nov. (Trieste).

Giusto, vesc. e Clemente, prete, v. 1140, 5 giu. (Volterra).

Giusto, mart. nel Beauvais, V sec., 18 ott.

Giusto, vesc. di Lione, m. v. 390, 2 sett. (Lione).

Giusto, mart. a Roma, on. 28 febbraio.

Giuvenale, vesc. di Narni, m. v. 377, 3 magg. (Narni).

Goffredo, ab. di Nogent, vesc. d'Amiens, m. 1115, 8 nov. (Amiens, Soissons).

Gontrano, re di Borgogna e d'Orleans, m. 593, 28 marzo.

Gonzales, *Gonsalvus*, domenic., nel Portogallo, m. v. 1259, 10 genn.

Gordiano, mart. a Roma nel 362,

onor. 10 magg. con S. Epimaco a Parigi 22 marzo.

Gorgonia, sorella di S. Gregorio Nazianzeno, m. v. 372, 9 dic.

Gorgonio e Doroteo, mart. sotto Diocleziano nel 304, 9 sett.

Gotardo, *Godehardus*, vesc. d'Hildesheim, m. 1038, on. 4 magg.

Grato, vesc. d'Aosta, sec. V, onor. 7 sett. (Aosta).

Grato, vesc. di Chàlon-sur-Saòne, m. 652, 8 ott.

Grato e Marcello, preti, sec. IV o V, 20 marzo (Forlì).

Graziano, mart. ad Amiens, 303, 23 ott.

Gregorio, vesc. di Nazianzo, m. 374, 1° genn.

Gregorio I il Grande, papa, dott., m. 604, onor. 12 marzo e 3 sett. (Granata, Petershausen).

Gregorio II, papa, m. 731, 13 febb.

Gregorio III, papa, m. 10 dic. 741, onor. 28 nov.

Gregorio VII, papa, m. 1085, 25 maggio (Bosnia, Salerno).

Gregorio d'Alvernia, vescovo di Tours, m. 595, 17 nov.

Gregorio l'Illuminatore, ap. dell'Armenia, m. v. 325, 30 sett. (Armenia, Napoli, Nardò).

Gregorio Nazianzeno, patriar. di Costantinopoli, dott., m. 390, on. 9 magg. e 11 giu.; dai Greci 25 e 30 genn.

Gregorio il Taumaturgo, vesc. di Neocesarea, m. v. 270, 17 nov.

Gregorio, vesc. di Langres, m. 539, 4 genn.

Gregorio, vesc. di Nissa, padre della chiesa, m. 395, on. 9 marzo; dai Greci 10 genn.

Gualtiero, *Galterius, Gualterius, Walterus*, ab. di Lesterp, m. 1070, 11 maggio.

Gualtiero, ab. di S. Martino di Pontoise, m. 1099, canon. 1153, onor. 8 apr.

Gudila o Gudulla, verg. nel Brabante, m. v. 710, 8 genn. (Bruxelles).

Guglielmo, *Guillelmus*, arciv. di Bourges, m. 1209, onor. 10 gennaio.

Guglielmo, ab. di S. Benigno di Fruttuaria, m. 1031, 1° genn.

Guglielmo, arciv. di York, m.1154, 8 giugno.

Guglielmo di Malavalle presso Siena, er. fondat. de' Guglielmiti, m. 1157, 10 febb. (Toscana)

Guglielmo, duca d'Aquitania, monaco, m. 812 o 813, 28 maggio

Guglielmo, fondat. del monast. di Monte Vergine, m. 1142, 25 giugno (Vercelli).

Guiberto, *Wigbertus*, fondat. dell'abbazia di Gembloux, m. 962 23 maggio.

Guido, vesc. d'Acqui, m. 1070, 1 giu. (Acqui).

Guido, sagrest. a Bruxelles, m. v. 1012, 12 sett.

Guiniforte, mart. a Pavia v. sec VI, 22 agosto.

Ida (B.ª), contessa di Boulogne madre di Goffredo di Buglione, m. 1113, 13 apr. (Boulogne-sur Mer).

Ifigenia, verg., onor. 21 sett.

Igino, *Hyginus*, papa, mart. 1 genn. 158, onor. 11 genn.

Ignazio, vesc. d'Antiochia, mart a Roma 107, onor. 1° febb.; dai Greci 29 febb.

Ignazio, patr. di Costantinopoli m. 877, 23 ott.

Ignazio di Loyola, conf., fonda della Comp. di Gesù, m. 1555 31 luglio (Pamplona, Lanzo Piemonte).

Ilario, *Hilarius, Chilarius*, vesc. Gévaudan, m. 540, 25 ott.

Ilario, vesc. di Pavia, m. 376, magg.

Ilario, vesc. d'Arles, m. 449, magg.

Ilario, vesc. di Poitier, dott., 13 genn. 368, onor. 13 genn fino al 1602, poi 14 genn.; su trasl. 26 giu., 1° ott., 1° no (Parma, Poitiers, Luçon).

Ilario, papa, m. 29 febb. 468, onor 10 sett.

Ilarione, *Hilario*, ab., istitutor della vita monastica in Palestina, m. 372 in Cipro, onor. ott.; dai Greci 28 marzo.

Ildeberto, *Hildebertus, Datleve tus*, vesc. di Meaux, m. v. 690 27 magg.

Ildefonso, V. Alfonso.

Ildegarda, *Hildegardis*, abb.ª di S. Rupert (Magonza), m. 1180, 17 sett. (Bingen).

Ildemanno, *Hildemannus*,ª vesc. di Beauvais, m. 844, 8 dic.

Illuminato, confess., comp. di S. Francesco d'Assisi, m. 1226, 11 magg. (S. Severino Marche).

Innocenti, mart. sotto Erode, 28 dicembre.

Innocenzo I, papa, m. 12 marzo 417, onor. 28 luglio.

Innocenzo, vesc. del Mans, m. 542, 19 giugno.

Ippolito, mart. a Roma nel 259, on. 13 agosto, con S. Cassiano, mart.

Ippolito, vesc. e dott., mart., III sec., 22 agosto.

Irene, mart. a Tessalonica nel 304, onor. 5 apr.; dai Greci 16 apr. (Lecce).

Irene, verg. e mart. in Portogallo, 653, 20 ott. (Santarem).

Ireneo, vesc. di Lione, mart. 202, 28 giu. (Lione).

Ireneo, diacono, mart. a Chiusi (Toscana), 274, 3 luglio (Catanzaro).

Isabella (B.ª), figlia del re Luigi VIII, fond. del mon. di Long-Champ, m. 22 febb. 1270, vener. a Parigi 12 sett., a Long-Champ 31 agosto.

Isaia, profeta, onor. 6 luglio.

Isidoro di Pelusio, padre della chiesa, m. v. 450, 4 febb.

Isidoro, vesc. di Siviglia, dott., m. 636, 4 apr. (Léon, Siviglia).

Isidoro il lavoratore, conf., m. 1130, can. 1622, onor. 15 magg. e 30 nov. (Madrid).

Ivone, *Ivo Carnotensis*, vesc. di Chartres, m. 1116, onor. 23 dic. e 20 magg. (Rennes).

Labre, V. Benedetto G. Labre.

Ladislao o Lancellotto, re d'Ungheria, m. 1095, canon. 1192, on. 27 giu. Sua deposiz. 29 lugl. (Ungheria, Lituania, Transilvania).

Lamberto o Landeberto, vesc. di Lione, m. 690, 14 aprile.

Lamberto, vesc. di Maëstricht, mart. v. 706, 17 sett. (Liegi).

Lancellotto, V. Ladislao.

Landelino, ab. di Lobbes, m. 686, 15 giu.

Landoaldo, mission. dei Paesi Bassi, m. v. 666, 19 marzo.

Landolfo, vesc. d'Asti, m. 1134, 7 giugno.

Landrada, verg., abb.ª di Münster-Bilsen, m. v. 700, 8 lugl. (Gand, Münster-Bilsen).

Lanfranco, arciv. di Cantorbery, m. 1089, 28 magg.

Lanfranco, vesc. di Pavia, m.1198, 23 giugno.

Largo, V. Ciriaco.

Lazzaro, vesc., fratello di Marta e Maria a Betania, risusc. da Gesù Cristò, onor. 17 dic. (Marsiglia).

Lazzaro Boccardi, vesc. di Milano, m. 449, 11 febb.

Lea, ved. romana, m. v. 384, 22 marzo.

Leandro, vesc. di Siviglia, m. 599, onor. 27 febb. e 13 marzo (Siviglia).

Leocadia, verg. e mart. a Toledo, 304, 9 dic. (Toledo).

Leonardo, ab. di Vendeuvre, m. v. 570, onor. 15 ott. (Mans, Corbigny, Morvan).

Leonardo, erem., ab. di Noblat, m. 559, 6 nov.

Leonardo da Porto Maurizio, francescano, m. 26 nov. 1751, onor. 27 nov.

Leone I *il Grande*, papa, m. 10 nov. 461; onor. 11 apr. a Roma (sua trasl.), e 18 febb. in Oriente.

Leone II, papa, m. 683, onor. 3 luglio e 23 maggio fino al sec. XVI, poscia il 28 giugno (Sicilia).

Leone III, papa, m. 816, 12 giugno (Aix-la-Chapelle).

Leone IV, papa, m. 855, 17 giugno.

Leone IX, papa, m. 1054, 19 aprile

Leone, prete, sec. III o IV, 1º ag. (Montefeltro).

Leonida, padre di Origene, mart. ad Alessandria v. 204, 22 aprile.

Leonzio, vesc. di Cesarea in Cappadocia, v. 337, onor. 13 gennaio.

Leonzio, vesc. di Fréjus in Provenza, m. v. 450, 1º dic. (Fréjus, Vicenza).

Leonzio, Iº vesc. di Bordeaux, m. v. 541, 21 agosto.

Leonzio, 11° vesc. di Bordeaux, m. v. 564, 15 nov.

Leopoldo IV, march. d'Austria, m. 1136, 15 nov. (Austria, Carinzia, Stiria).

Leto, *Laetus*, monaco a S. Mesmin, m. 534, 5 nov.

Leucadia, verg. e mart., m. 303, 9 dic.

Liberio, papa, m. 366, 24 settem. (Roma).

Liborio, vesc. del Mans, m. v. 397, 23 luglio (Mans, 9 giugno).

Licerio, vesc. di Conserans, m. v. 548, 27 agosto.

Licinio, vesc. di Angers, m. v. 605, 1° Nov., onor. 13 febbr.

Licinio, mart. a Como, onor. 7 agosto.

Lino, papa, mart. v. 78, 23 settembre.

Livino, vesc. irland., apost. della Fiandra e Brabante, m. 657, 12 nov. (Gand).

Lodovico, V. Luigi.

Longino, centurione, mart. 1° sec. 15 marzo (Mantova, Brunswick).

Lorenzo, *Laurentius*, arcidiac. a Roma, mart. 258, 10 ag. (Alba, Cuneo, Ancona, Chiavenna, Viterbo, Lugano, Norimberga).

Lorenzo, arciv. di Milano, 512, 27 luglio.

Lorenzo, arciv. di Cantorbéry, m. 619, 2 febb.

Lorenzo, arciv. di Dublino, m. 1181, 14 nov. (Dublino).

Lorenzo Giustiniani, vesc. di Venezia, m. 8 genn. 1455, onor. 5 sett. (Venezia).

Lorenzo da Brindisi, conf., cappuccino, m. 11 luglio 1619, onor. 7 luglio (Brindisi, Lisbona).

Luca, *Lucas*, ap. evang., I sec., onor. 18 ott.; sua trasl. 9 magg. (Padova, Reutlingen).

Lucia, verg. e mart. a Siracusa, 304, 13 dic. (Siracusa).

Luciano, vesc. di Beauvais, mart. v. 280, 8 genn. Sua trasl. 1° magg. (Beauvais).

Luciano di Samosata, prete, mart. 312, 7 genn.

Lucio, papa e mart., 5 marzo 257, onor. 4 marzo (Copenagen, Seeland).

Lucio di Coira, re de' Britanni, m. v. 180, 3 dic. (Coira, Baviera).

Lucrezia, verg. e mart. sotto Dioclez. a Merida di Spagna, onor. 23 nov. (Merida).

Luigi IX, *Ludovicus*, re di Francia, m. 1270, canon. 1297, onor. 25 agosto; a Roma 26 ag.; sua trasl. nel 1306, 27 maggio (Blois, Versailles, la Rochelle).

Luigi (B.) alemanno, arciv. di Arles, card., m. 1450, 16 sett.

Luigi d'Anjou, vesc. di Tolosa, m. 1297, canon. 1317, onor. 19 agosto (Marsiglia, Brignoles, Valenza).

Luigi Gonzaga, gesuita, m. 1519, 21 giugno (Castiglione delle Stiviere, Mantova).

Lullo, vesc. di Magonza, m. 786, 16 ottobre.

Luminosa, verg. pavese, sec. V, 9 maggio.

Lupicino, ab. di S. Claude, m. v. 480, 21 marzo.

Lupo, vesc. di Bayeux, m. 465, 25 ottobre.

Lupo, vesc. di Lione, m. v. 542, 25 sett.

Lupo, vesc. di Sens, m. 623, onor. 1° sett.; sua trasl. 23 aprile.

Lutgarda, *Lutgardis*, relig.ª cistercen. nel Brabante, m. 1246, onor. 16 giu. a Roma, 13 giu. a Parigi.

Macario d'Egitto, abb., m. 391 15 genn.

Macario, vesc. di Bordeaux, sec IV o V, 4 magg.

Macario, vesc. di Comminges, sec V, 1° magg. (Comminges).

Macario d'Alessandria, ab. in Egitto, m. v. 394, onor. 2 genn.

Macario, patriar. di Costantinop. m. 1012, 10 aprile.

Maccabei (sette frat.), mart. in Antiochia, onor. 1° agosto.

Macra, verg. e mart. a Fimes, v 287, 6 genn., onor. anche 11 giugno.

Macrina, sorella di S. Basilio, m v. 380, 19 luglio.

Macuto, *Machutus*, *Maclovius* vesc. d'Aleth in Bretagna, m. v 565, 15 nov.

Maddalena, V. Maria Maddalena

Maglorio, vesc. di Dol, mon. a Jersey, m. v. 575, 24 ott.

Magno de' Trincheri, vesc. di Milano, m. 530, 5 nov.

Magno, vesc. d'Avignone, v. 660, 19 agosto (Anagni).

Maiolo, ab. di Cluny, m. 994, 11 maggio (Souvigny).

Malachia, profeta, onor. 14 genn.

Malachia, arciv. d'Armagh in Irlanda, m. 2 nov. 1148, on. 3 nov. (Armagh, Clairvaux).

Mamerto, vesc. di Vienna, m. v. 476, 11 maggio.

Mamiliano, mart. a Roma, III sec., 12 marzo.

Mammete, *Mammas*, mart. a Cesarea in Cappadocia v. 274, onor. 17 agosto (Langres).

Mansueto, vesc. di Toul, m. 375, 3 sett.

Mansueto, vesc. di Milano, m. apr. 680, onor. 19 febb.

Manveo, vesc. di Bayeux, m. v. 480, 28 magg.

Marcella, dama rom., m. 410, 30 agosto, onor. 31 genn.

Marcellina, verg., sorella di S. Ambrogio, m. 398 o 399, 17 luglio.

Marcellino, papa, mart. v. 25 ott. 304, onor. 26 apr.

Marcellino, prete e Pietro, esorcista, mart. a Roma, sec. III o IV, 2 giugno.

Marcellino, vesc. d'Embrun, m. 376, 20 aprile.

Marcello ed Apuleio, mart. a Roma, I sec., 7 ott.

Marcello, vesc., mart. a Chalon-sur-Saône v. 178, 4 sett.

Marcello I, papa, mart. 309, 16 genn.

Marcello, vesc. di Parigi, m. 1° nov. 436, onor. 3 nov.; sua trasl. v. 1200, 26 lugl. (Parigi).

Marcello, Casto, Emilio e Saturnino, mart. a Capua v. 440, 6 ott. (Capua).

Marcia o Rustica, *Marcia, Rusticula*, abb.ª di S. Cesareo d'Arles, m. 632, 11 agosto.

Marco Evangelista, mart. 68, 25 apr., sua trasl. a Venezia, 829, 31 genn. (Venezia, Cortona).

Marco e Marcellino, mart. a Roma v. 287, 18 giu. (Badajoz).

Marco, papa, m. 340, 7 ott. (Toledo).

Margherita, *Margaretha*, verg. e mart. ad Antiochia, fine del III sec.; onor. 20 lugl. dai Latini, 17 lugl. dai Greci. Fu onor. anche 12, 13, 14, 15 e 19 luglio (Parigi).

Margherita, regina di Scozia, m. 16 nov. 1093, can. 1251; già onor. 8 luglio e, dal 1693, 10 giu. Sua trasl. 19 giu. (Scozia).

Margherita (B.ª) di Savoia, f. di Amedeo principe d'Acaja, ved. m. 23 nov. 1464, commem. 27 nov.

Margherita da Cortona, penit., mon. francesc., m. 22 febb. 1297. Can. 1728, onor. 23 febb. (Cortona).

Margherita Maria Alacoque (B.ª), mon. Salesiana a Paray le Monial, dioc. di Autun, m. 1690, 17 ottobre, can. 1924.

Maria Vergine, madre di Gesù Cristo. V. Glossario di date.

Maria (B.ª) degli Angeli, verg. carmelit. a Torino, m. 1717, beatif. 1866, vener. 19 dic.

Maria di Betania, *Maria Bethanitis*, sorella di Marta e Lazzaro, I° sec. onor. dai Greci 18 mar. e 13 genn.; a Parigi 19 genn., in Borgogna 19 marzo.

Maria Egiziaca, penintente, m. 431, 2 apr., onor. in Orien. 1° apr., a Parigi 29 apr.

Maria Cleofe, *Maria Cleophas* o *Jacobe*, madre dell'ap. S. Giacomo il minore, I° sec., 9 apr.; sua trasl. 25 magg.

Maria Maddalena, sorella a Marta e a Lazzaro, m. v. 66, 22 luglio.

Maria Maddalena de' Pazzi di Firenze, carmelitana, m. 25 magg. 1607, onor. 27 magg.

Maria Salome, sposa di Zebedeo, I° sec., 22 ott.

Mariano, diacono, mart. a Roma v. 270, 1° dic.

Marina, verg. in Egitto, m. v. 750, 18 giugno; sua trasl. 17 luglio a Venezia.

Marino, muratore, VII sec., 4 sett. (Rep. di S. Marino).

Mario, Marta, Audiface e Abaco, mart. a Roma v. 270, 19 genn.

Marone, Eutiche e Vittorino, mart. in Italia, sec. I°, 15 apr.

Marta, verg., sorella di Lazzaro e di Maria, sec. I°, 29 luglio (Aix, Tarascona, Castres).

Martina, verg. e mart. a Roma, III sec., 1° e 30 genn. (Roma).

Martiniano e Processo, mart. a Roma, I° sec., 2 lugl.

Martiniano, er., m. sec. V, 13 febb.

Martino, vesc. di Tours, m. v. 397; 11 nov. (festa princ.); sua ordinaz. e trasl., 4 luglio; festa pel rit. delle sue reliquie a Tours, 13 dic. (Lucca, Belluno, Amiens, Braga, Colmar, Magdeburgo, Tours, Uri, Utrecht, Vienna).

Martino, ab. a Saintonge, sec. V, 7 didembre.

Martino, arciv. di Braga in Portogallo, m. 580, 20 marzo.

Martino, ab. di Vertou in Bretagna, m. v. 601, 24 ott.

Martino, papa e mart., 16 sett. 655, onor. 12 nov.

Martiri d'Italia, sotto i Longob. v. 579, 2 marzo.

Martiri d'Otranto, nel 1480, 14 ag.

Martiri Giapponesi, nel 1597, 5 febb. Canon. 9 giu. 1862.

Martiri della Cocincina (1835-40), onor. 24 dicembre.

Marziale, vesc. di Spoleto, m. v. 350, 4 giugno.

Marziale, 1° vesc. di Limoges, III sec., 30 giugno; sua trasl. 10 ottobre.

Marziano, vesc. di Tortona, mart. II sec., 6 marzo (Tortona).

Massenzia, Maxentia, verg. scozzese, mon. in Picardia, V sec. 20 nov.

Massenzio, Maxentius, ab. nel Poitu, m. 515, 26 giugno.

Massimiliano, Maximilianus, mart. in Numidia, m. 295, 12 marzo.

Massimiliano, vesc. di Lorsch in Austria, mart. v. 308, 12 ott.

Massimino, Maximinus, arciv. di Treviri, m. 12 sett. 349, onor. 29 maggio.

Massimino, ab. di Micy presso Orleans, m. 520, 15 dic.

Massimo, Maximus, vesc. di Alessandria, m. 9 apr. 282, on. 27 dic.

Massimo, vesc. di Torino, m. v. 466, 25 giugno.

Massimo, V. Tiburzio, Valer. e Massimo.

Materno, vesc. di Treviri, Tongres e Colonia, m. 315, onor. 14 sett.; sue trasl. a Treviri 18 luglio e 23 ott.; a Liegi 19 o 25 sett.

Matilde, Mathildis, regina di Germania, moglie di Enrico I, m. 968, 14 marzo.

Matrona, verg., serva, sec. V o VI, mart. a Tessalonica, onor. 15 marzo.

Matteo, ap. ed evang., I° sec.; sua festa 21 sett. in Occid., 9 ag. in Oriente.

Mattia, Matthias, ap., I sec.; sua festa 24 febb.; negli anni bisestili 25 febb. (Treves, Goslar).

Maturino, prete nel Gatinais, IV o V sec., già onor. 6 nov., oggi 9 nov.

Maura e Brigida, verg., sec. V, onor. in Turenna e nel Beauvaisis 15 genn. e 3 luglio.

Maurilio, vesc. d'Angers, m. 437, 13 sett.

Maurilio, arciv. di Rouen, m. v. 1067, 9 agosto.

Maurizio, capo della legione tebea e comp., mart. ad Agaune 286, 22 sett. (Pinerolo, Fossombrone, Lucerna, Magdeburgo, Angers, Appenzel, Havre, Savoia).

Mauro, vesc. di Verdun, m. 383, 8 nov.

Mauro, discep., di S. Benedetto, abb. di Glanfeuil, m. 584, 15 genn.

Mauronte, ab. di Bruel, patrono di Douay, m. 702, 5 magg.

Medardo, vesc. di Noyon e di Tournai, m. 545, 8 giugno.

Mederico, ab. di S. Mart. d'Autun, m. v. 700, 29 agosto; 31 agosto a Parigi; altre feste 22 genn. e 2 sett.

Melania, dama romana, m. a Costantinop. v. 411, 7 genn.

Melania, nipote della preced., m. v. 439, 31 dic.

Melanio, vesc. di Rouen, m. v. 311, 22 ott.

Melanio, vesc. di Rennes, m. v. 530, 6 genn.

Melchiade o Milziade, *Milliades*, papa, m. 11 genn. 311, già onor. 10 genn., oggi 10 dic.

Melchiorre, V. *Re Magi*.

Melecio, *Meletius*, patriar. d'Antiochia, m. 381, 12 febb.

Memmio, vesc. di Chalon-sur-Marne, v. 290, 5 agosto.

Menelao, ab. di Menat in Alvernia, m. 720, 22 lugl.

Menno, mart. in Frigia, m. 303 o 304, 11 nov.

Metodio, *Methodius*, patriar. di Costantinopoli, m. 817, 14 giugno.

Metodio, vesc., V. Cirillo e Metodio.

Michele, *archang.*, sua appariz. o rivelaz. nel 493, 8 maggio. Sua festa princip. in Occid., e dedicaz. del tempio sul monte Gargano, 29 sett.; in Orien. 8 giu. e 6 sett. (Albenga, Caltanisetta, Benevento, Salerno, Napoli, Inghilterra, Baviera, Spagna, Bruxelles, Sebenico, Zoug).

Michele de' Sanctis, conf., m. 10 apr. 1625, can. 1862, onor. 5 lug.

Milete, *Miles, Milles, Mellisius*, vesc. di Susa, mart. 11 nov. 331; onor. 22 apr., in Oriente 10 nov.

Mitrio, *Mitrius, Mitrias, Metrius*, mart. ad Aix in Provenza nel 301, 13 nov.

Moderanno, *Moderamnus, Moderandus*, vesc. di Rennes in Bretagna, m. 730, 22 ott. (Parma).

Moderato, mart. ad Auxerre, sec. V, 1° luglio.

Modesto, mart. a Cartagine, onor. 12 genn.

Modesto, mart. con S. Vito, sec. IV, 15 giu.

Modoaldo, vesc. a Treveri, m. 640, 12 magg.

Mommolino, *Mummolenus*, vesc. di Noyon e di Tournai, m. 685, 16 ott.

Monaci di Nonantola, massacrati dagli Ungari verso il 903, 24 sett.

Monegonda, *Monegundis*, religiosa a Tours, sec. VI (?), 2 luglio.

Monica, madre di S. Agostino, m. 387, 4 maggio; sua traslaz. a Roma nel 1430, 9 aprile.

Montano, soldato, mart. a Terracina, sec. II, 17 giugno.

Mosè, legisl. e prof., onor. 4 sett.

Mosè, prete, mart. a Roma v. 251, 25 nov.

Musa, verg. romana, sec. VI, 2 apr.

Mustiola, matrona romana, mart. con S. Ireneo, sotto Aureliano, onor. 3 lugl. (Chiusi).

Nabore e Felice, mart. a Milano v. 304, 12 lugl.; trasl. 23 luglio (Milano).

Narciso, *Narcissus*, vesc. di Girone, ap. di Augsburgo, IV sec., onor. 18 mar. (Girone, Augsbourg).

Narciso, vesc. di Gerusalemme, v. 222, onor. 29 sett. Natalia, mart. onor. 29 ag. e 20 ott. (Lisbona).

Nazario, mart. a Roma v. 304, 12 giugno (Arras).

Nazario e Celso, mart. a Milano, I° sec., 28 luglio (Milano).

Nemesio, mart. in Cipro, onor. 20 febb.

Nemesio, vesc. di Tubuna, mart. 257, 19 dic.

Nereo, V. Achilleo e Nereo.

Nestore, vesc. di Perga, mart. v. 250, 26 febb.

Nicasio, vesc. di Reims, mart. 407, 14 dic. (Reims).

Nicasio, vesc. di Rouen, mart. v. 286, 11 ott. (Rouen, Vaux).

Niceforo, *Nicephorus*, mart. ad Antiochia v. 259; onor. a Roma 9 febb., a Parigi 15 marzo.

Niceto, *Nicetius*, vesc. di Treviri, m. 566, 5 dic.

Nicodemo, *Nicodemus*, discep. di G. C., onor. 27 marzo.

Nicola o Nicolò di Bari, vesc. di Mira, m. IV sec., 6 dicembre. Sua trasl. 9 magg. (Bussia, Bari, Andona, Sassari, Sicilia, Corlù, Amiens, Lorena, Parigi).

Nicola da Tolentino, erem., m. 1309, 10 sett. Can. 1446 (Tolentino).

Nicolò I, papa, m. 867, 13 nov.

Nicomede, prete, mart. sotto Domiziano, onor. 15 sett.

Nilo, er. sul monte Sinai, m. 451, 12 nov.

Nilo il giov., fondat. di Grotta-Ferrata, m. 1005, 26 sett.

Ninfa, V. Trifone.

Nivardo, vesc. di Reims, m. 672, 1° sett.

Nonna, madre di S. Gregorio di Nazianzeno, m. 374, 5 agosto.

Norberto, fond. dell'ordine di Premontre, arciv. di Magdeburgo, m. 1134, can. 1582, onor. 6 giu. (Magdeburgo, Anversa, Praga).

Odemaro, *Audomarus*, vesc. di Thérouanne, m. v. 697, 9 sett.

Odeno, *Dado*, *Audocnus*, *Dadocnus*, vesc. di Rouen, m. 683, 24 ag.

Odilla, *Odilia*, *Ottilia*, abb.ª di Hoenburgo, m. v. 720, 13 dic. (Hoenburgo, Liegi).

Odilone, *Odilo*, ab. di Cluny, m. 31 dic. 1048, onor. 2 genn. e 21 giugno.

Odomaro, *Othmarus*, abb. di S. Gallo, m. 759, 16 nov., sua trasl. 25 ott.

Odone, *Odo*, *Otto*, ab. di Cluny, m. 943, 18 nov.

Odone, vesc. di Cambrai, m. 1113, 19 giu.

Odone, *Odo*, arc. di Cantorbery, m. 958, 4 luglio.

Ognissanti, festa consacrata a tutti i Santi; si celebra, nella chiesa latina, il 1° novembre; nella chiesa greca, la 1ª domenica dopo Pentecoste. – Risale all'anno 608 nel quale Bonifac'o IV, consacrando il Pantheon di Roma a tutti i Santi martiri, ne fissò la festa al 13 di maggio. Nel 737 Gregorio III estese la festa a tutti i Santi, fissandola al 1° nov. Nel 1475 Sisto IV ordinò la celebrazione di questa festa a tutta la Chiesa.

Olao, *Olaus*, *Olavus*, re di Norvegia, m. 31 ag. 1030, onor. 29 luglio (Norvegia, le Orcadi).

Olimpiade, *Olympiadis*, diaconessa a Costantinop., m. 408; onor. 17 dic. in Occid., 25 lugl. in Or.

Omobono, mercante a Cremona, m. 1197, onor. a Roma, 13 nov., a Parigi, 6 lugl. (Cremona, Faenza, Modena, Lione).

Onesimo, vesc. di Efeso, mart. sec. II, 16 febb.

Onesto, prete di Tolosa, mart. v.

270, onor. a Tolosa il 12 luglio, la domen. nell'ottava di S. Dionigi e il 15 febb.

Onofrio, erem. nella Tebaide, sec. IV, 12 giugno.

Onorato, vesc. di Arles, m. 429, onor. 20 genn. e 15 magg. (Tolone).

Onorato, vesc. di Tolosa, m. 270, 21 dic. (Perpignano).

Onorato di Milano, vesc. v. 570, 8 febb.

Onorato, vesc. d'Amiens, m. 600, 16 magg.

Onorato, arciv. di Cantorbery, m. 653, 30 sett.

Onorina, *Honorina*, verg. e mart. v. 300, onor. 27 febb.

Opportuna, abb.ª di Montreuil, m. 770, 22 apr.

Optato, vesc. di Milève v. 370, 4 giugno.

Oriento, *Orientius*, vesc. d'Auch., m. v. 396, 1° magg.

Orseolo (Ven.), V. Pietro Orseolo.

Orsiso, *Orsisius*, abb. di Tabenna (Egitto), m. 381, 15 giu.

Orso, *Ursus*, vesc. d'Auxerre, m. v. 508, 30 luglio.

Orso, ab. di Senneviers in Touraine, m. v. 510, 18 o 28 lugl.

Orsola, *Ursula*,, e comp., mart., IV o V sec., a Colonia, onor. 21 ott. (Colonia, Delft).

Osvaldo, arciv. di Yorck, m. 992, 29 febb.; sua trasl. 15 ott.

Osvaldo, re d'Inghilt., mart. 672, 5 agosto.

Ottone, *Otto*, vesc. di Bamberga, m. 30 giu. 1139, canon. 1189, on. 2 lugl. (Bamberga, Pomerania, Camin).

Paciano, vesc. di Barcellona v. 390, 9 marzo (Barcellona).

Pacifico, d'Ancona, v. 840, 26 ag.

Pacomio, ab. istit. dei Cenobiti, m. 9 magg. 348, onor. 14 magg.

Palemone, *Palemo*, anacoreta nella Tebaide, sec. IV, onor. 11 genn. a Roma, 14 magg. a Parigi.

Palladio, vesc. di Bourges, m. v. 384, 10 maggio.

Palladio, vesc. di Saintes, m. v. 600, 7 ottobre.

Pancrazio, vesc. e mart. in Sicilia, 1° sec., 3 apr. (Taormina).

Pancrazio, mart. a Roma v. 304, 12 magg. (Albano, Bergen, Leyda).

Panfilo, *Pamphilus*, prete, mart. a Cesarea 309, onor. a Roma 1° giu., a Parigi 12 marzo.

Pantaleone, *Pantaleo*, medico e mart. di Nicomedia nel 303, 27 lugl. (Oporto, Crema).

Panteno, *Pantanus*, apost. delle Indie, m. v. 216, 7 luglio.

Paola, dama romana, m. 404 a Betlemme, onor. 26 genn. a Roma, 22 giu. a Parigi.

Paolino, vesc. di Lucca, mart. sotto Nerone, 12 lugl. (Lucca).

Paolino, vesc. di Treveri, m. 358, 31 agosto; sua trasl. 13 magg.

Paolino, vesc. di Nola, m. 431, 22 giu. (Nola, Ratisbona).

Paolino, patriar. d'Aquileja, m. 802, 11 genn.; onor. oggi 28 genn. (Friuli).

Paolino, vesc. di Sinigaglia, sec. IX, onor. 4 magg. (Sinigaglia).

Paolo, ap., mart. a Roma nel 67; sua festa princip., con S. Pietro 29 giu.; sua commem. 30 giu.; sua convers. 25 genn.; sua entrata a Roma, 6 lugl.; sua trasl. 16 apr. (Roma, Bologna, Massa Lomb., Berlino, Avignone, Cluny, Brema, Londra, Saragozza, Valladolid).

Paolo, vesc. di Narbona, sec. III, onor. 22 marzo (Narbona, Tarragona).

Paolo, prima erem. in Tebaide, m. 10 genn. 341, onor. 10 e 15 genn.

Paolo, mart. a Roma col frat. Giovanni, 362 o 363, 26 giu.

Paolo, vesc. di Léon (Bretagna), m. 575, 12 marzo (Saint-Pol-de-Léon).

Paolo, vesc. di Verdun, m. 648, 8 febb. (Verdun).

Paolo I, papa, m. 767, 28 giugno.

Paolo della Croce, conf., fondat. dei Passionisti nel 1721, m. 1775, onor. 28 apr.

Papia, vesc. di Hierapolis, m. v. 156, 22 febb.

Pasquale 1, *Pascalis*, papa, m. febb. 824, onor. 14 magg.

Pasquale Baylon, di Torre Hermosa (Aragona), min. osserv.

rif., m. 1592, 17 maggio (Torre Ermosa).

Paterno, vesc. di Vannes, m. v. 448, 15 apr. (Vannes).

Paterniano o Patrignano, vesc. di Bologna, v. 450, 12 lugl. (Fano).

Patrizio, *Patricius*, vesc. di Bayeux, m. v. 469, 1° nov.

Patrizio, ap. dell'Irlanda, m. 463, 17 mar.; sua trasl. 9 giu. (Irlanda, Murcia).

Patroclo, mart. a Troyes v. 275, 21 genn. (Troyes).

Patroclo, er. nel Berry, m. 577, 19 nov. (Vestfalia).

Paziente, *Patiens*, vesc. di Lione, m. v. 491, 11 sett.

Pelagia, commediante in Antiochia, m. v. 457, onor. a Roma 8 ott., a Parigi 8 mar., sua conv. 12 giu.

Pelagia, ved., m. v. 570 a Limoges, 26 agosto.

Pepino, *Pippinus* (B.), di Landen nel Brabante, m. 640, 21 febb.

Peregrino, mart. a Lione, sec. III, 28 lugl.

Peregrino, vesc. d'Auxerre, mart. 304, 16 magg.

Perfetto, mart. a Cordova 850, 18 apr. (Cordova).

Perpetua, mart. a Roma, sec. I, 4 agosto.

Perpetua e Felicita, mart. a Cartagine 200 o 205, 7 mar.

Perpetuo, vesc. di Tours, m. 497, 8 apr.; sua ordin. 30 dic.

Petronilla, pretesa figlia di S. Pietro, sec. I, 31 magg. (Roma).

Petronio, vesc. di Bologna, m. 450, 4 ott. (Bologna).

Piato, *Piatus, Pyato*, apost. di Tournai, mart. v. 287, 1° e 29 ottobre (Tournai).

Pietro, ap. e papa, martire nel 67; onor. con S. Paolo, 29 giugno; sua trasl. 16 apr.; sua cattedra a Roma 18 genn.; in Antiochia 22 febb.; in Or. 16 genn.; S. Pietro *in Vinculis*, il 1° ag. (Roma, Bologna, Ancona, Faenza, Fano, Fabriano, Fiesole, Genova, Lucca, Napoli, Sicilia, Inghilterra, Baviera, Boemia, Colonia, Amburgo, Lilla, Lovanio, Nantes, Montpellier, Vannes, York).

Pietro, esorcista a Roma, mart. 304, 2 giu.

Pietro, vesc. d'Alessandrina, mart. 311, 26 nov.

Pietro, vesc. di Sebaste, m. 387, 9 genn.

Pietro, vesc. di Policastro, m. 1123, 4 marzo.

Pietro, arciv. di Tarentasia, m. 14 sett. 1174, onor. 8 magg.

Pietro d'Alcantara, istit. dei Francescani scalzi, m. 18 ott. 1562, onor. 19 ott.

Pietro Damiano, card., vesc. d'Ostia, dott., m. 22 febb. 1072, onor. 23 febb.

Pietro Crisologo, vesc. di Ravenna. m. v. 2 dic. 457, onor. 4 dic. (Ravenna, Imola).

Pietro Celestino, *Petrus de Morone*, papa ed istitutore dei Celestini, m. 1296, 19 magg.; canon. 1307 (Aquila).

Pietro Gonzales, domenicano, m. 1240, 15 apr.

Pietro Martire, dell'ord. dei Predicat., m. 1252, onor. 29 apr. (Milano, Como).

Pietro di Nola, *Petrus Nolascus*, fond. dell'ordine della Mercede, m. 29 genn. 1256, can. 1628, onor. 31 genn. (Barcellona).

Pietro Orseolo; doge di Venezia, poi mon. bened., m. 997, 10 genn. (Venezia).

Pietro il Venerabile, ab. di Cluny, m. 1156, 25 dic.

Pietro, Battista, Paolo e comp., mart., V. Martiri giapponesi.

Pinieno (B.), *Pinianus*, sposo di S.ᵃ Melania, m. v. 435, onor. 19 e 31 dic.

Pio I, papa, m. 167, 11 lugl.

Pio V, papa e conf. m. 1572, 5 magg. (Barbastro).

Piono, *Pio, Pionius*, mart. a Smirne 250, onor. 1° febb. in Occid., 11 mar. in Orien.

Pirmino, vesc., m. 753, 3 nov.

Placida, verg. e mart., 460, onor. 11 ott. (Verona).

Placido, discep. di S. Benedetto, mart. a Messina 541, 5 ott. (Messina).

Platone, *Plato*, ab. a Costantinop., m. 19 mar. 813, onor. 4 apr.

Policarpo, *Polycarpus*, discep. di S. Giovanni evang., vesc. di Smirne, mart. 167, 26 genn.

Policarpo, prete a Roma, m. v. 300, 23 febb.

Pompeo, mart., vesc. di Pavia v. 100, 14 dic.

Pompeo, mart. in Africa sotto Decio, onor. 10 apr.

Ponziano, mart. a Spoleto v. 154, 19 genn. (Spoleto).

Ponziano, papa, mart. 238, 19 nov. (Sardegna).

Porfirio, *Porphyrius*, vesc. di Gaza in Palestina, m. 420, 26 febb.

Porziano, *Portianus*, ab. nell'Alvernia, m. v. 540, 24 nov.

Possidonio, vesc., sec. IV-V, onor. 16 magg. (Mirandola).

Potamione, *Potamius*, vesc. e mart. ad Eraclea, 345, 18 magg.

Potenziano, vesc. e mart., IV sec., onor. a Sens 19 ott. e 31 dic.

Potino, vesc. di Lione, mart. 177, 2 giu. (Lione).

Prassede, *Praxedis*, verg. rom., II sec., 21 lugl. (Roma).

Pretestato, vesc. di Rouen, mart. 586, 24 febb.

Primo e Feliciano, frat., mart. Roma v. 287, 9 giu.

Principio, vesc. del Mans, m. 510, 16 sett.

Prisca, verg. e mart. a Roma, I° sec., 18 genn.

Prisco, mart. nell'Auxerrois, 274 26 magg.

Privato, vesc. di Gévaudan, mart. v. 256, 21 agosto.

Probo, vesc. di Verona v. sec. VI, 12 genn. -- V. Taraco.

Processo e Martiniano, mart. a Roma, I° sec., 2 luglio.

Procopio, mart. a Cesarea 303, 8 luglio.

Proietto, vesc. d'Imola, m. 483, 23 sett. (Imola).

Prosdocimo, vesc. di Padova, m. v. 133, 7 nov. (Carrara, Padova).

Prospero d'Aquitania, dott. della Chiesa, m. v. 463, 25 giu. (Reggio Emilia).

Prospero, vesc. d'Orléans, m. v. 464, 29 lugl.

Protasio, vesc. di Milano, m. 352, onor. 19 giu. e 24 nov. (Milano).

Proto e Giacinto, mart. a Roma 257, 11 sett.

Prudenzio, vesc. di Atino (Terra di Lavoro), m. v. 300, 1º apr.

Prudenzio, mart. nel Poitu v. 613, onor. a Bèze 6 ott.

Pulcheria, figlia dell'Imp. Arcadio, m. 453, onor. 7 lugl. e 10 sett.

Quadragesimo, sotto-diacono in Italia, VI sec., 26 ott.

Quadrato, vesc. d'Atene, m. 126, 26 magg.

Quaranta martiri in Cappadocia, 320, 10 marzo.

Quarantasette martiri a Roma, sotto Nerone, onor. 14 marzo.

Quattro martiri coronati, Severo, Severiano, Carpoforo e Vittorino fratelli, III o IV sec., 8 nov.

Quintino, mart. nel Vermandois, 287, 31 ott. (Vermandois).

Quinziano, vesc. d'Alvernia, m. 10 nov. 527, onor. 13 nov. (Rodez, 14 giu.).

Quirino o Cirino, mart. a Roma, v. 309, 12 giugno.

Quirino, Tribuno, mart., sec. II, 30 marzo (Correggio, Colonia, Neuss).

Quirino o Cirino, mart. a Roma sotto Claudio, onor. 25 marzo (Tegernsée).

Rabano (B.) Mauro, arciv. di Magonza, m. 856, 4 febb.

Radbodo, vesc. di Utrecht, m. 918, 29 nov.

Radegonda, *Radegundis, Aregundis*, regina di Francia, m. 13 ag. 587, onor. a Parigi 30 genn. (Poitiers, Peronne, Chinon).

Raffaele, *Raphaël*, Arcangelo, on. 24 ott. (Cordova).

Raimondo di Pennafort, domenicano, m. 6 genn. 1275, già onor. 7 genn., oggi 23 genn. Canon. 1601 (Barcellona, Toledo).

Raimondo Nonnato, dell'ord. della Mercede, m. 1240, 31 ag. (Catalogna).

Raineri o Ranieri, *Ranerius*, conf., m. 1161, 17 giu. (Pisa).

Raingarda (B.ª), religiosa di Marcigny, m. 1135, 24 giu.

Ramberto o Renoberto, *Ragnobertus*, vesc. di Bayeux, m. v.

668, 16 magg. Sue trasl. 23 apr. 13 giu., 2 sett., 24 ott., 28 dic.

Regina, verg. e mart. presso Alise, 251, 7 sett., onor. anche 17 e 22 mar. (Alise in Borgogna).

Regina, di Denain, sec. VIII, 1º luglio.

Regolo, vesc. ed apost. d'Arles e Senlis, mart. sec. III, 30 marzo, onor. anche 7 febb., 23 apr. e 15 luglio (Senlis).

Regolo, mart. in Africa v. 542 (Toscana e Spagna).

Remaclo, vesc. di Maëstricht, m. v. 668, 3 sett.; sua trasl. 25 giu.

Re Magi, Melchiorre, Gasparo e Baldassare, sec. I, 6 genn.

Remedio, *Romedius*, confess. nel Trentino, sec. V, 1º ott. (Trento)

Remigio, vesc. di Reims, m. 533, 13 genn. Sua trasl. e festa princip. 1º ott. (Reims).

Remigio, arc. di Lione, m. 875, 28 ottobre.

Renato, vesc. d'Angers, m. v. 470, 12 nov.; sua traslaz. 20 ag. (Angers, Sorrento).

Reparata, verg. e mart. in Palestina sotto Decio, 8 ott. (Correggio, Nizza).

Respicio, V. Trifone.

Restituta, verg. e mart. con Cirillo v. 272, 27 magg. (Sora di Caserta).

Restituta, mart. in Africa sotto Diocleziano, sec. III, 17 magg.

Reticio, vesc. di Autun, m. 334, 19 lugl., onor. anche 15 magg. e 25 luglio.

Ricario, *Richarius*, ab. di Centule, m. 645, 26 apr., onor. anche 24 ag.; sua trasl. 5 marzo.

Riccardo, re degli Anglosassoni, m. a Lucca nel 722, 7 febb. (Lucca, Eichstädt).

Riccardo, vesc. di Chichester, m. 1253, 3 apr. Can. 1262.

Rigoberto, vesc. di Reims, m. 739, 4 genn.; sua trasl. 14 giu.

Rigomero, vesc. di Meaux, sec. V, 28 magg.

Roberto, ab. e fond. del conv. di Molème e di Citeaux, m. 21 mar. 1110, onor. 29 apr.

Roberto, ab. di New Minster (Inghilterra), m. 1159, 7 luglio.

Roberto d'Arbrissel (B.), fondat. dell'ord. di Fontevrault, m. 1117, 24 febb., onor. 25 febb. negli anni bisestili.

Rocco, *Roch*, confess. a Montpellier, m. 1327, 16 agosto (Parma, Venezia, Montpellier).

Rodingo, ab. di Beaulieu (Champagne), m. v. 680, 17 sett.

Rodrigo, *Rudericus*, prete e mart. a Cordova 857, 13 marzo (Cordova).

Rogaziano, V. Donaziano.

Romano, abb. confess., m. 460, 28 febb.

Romano, vesc. di Metz, m. v. 489, 16 apr.

Romano, vesc. d'Auxerre, m. 564, 6 ott. (Auxerre).

Romano, vesc. di Rouen, m. 639, 23 ott. (Rouen).

Romano e David, mart. 1001, 24 luglio (Russia).

Romano, soldato, mart. a Roma 258, 9 agosto.

Romarico, fondat. dei monast. di Remiremont, m. 653, 8 dic.

Romolo, vesc. di Fiesole, mart., sec. I, 6 luglio (Fiesole).

Romualdo di Ravenna, fondat. dei Camaldolesi, m. 1027, 19 giu.; sua trasl. 7 febb. (Ravenna).

Rosa da Viterbo, verg., m. 1252, 4 sett. (Viterbo).

Rosa di Lima, verg. nel Perù, domenicana, m. 1617, 26 ag.; onor. 30 ag., giorno della sua canon. nel 1671 (Lima, Perù).

Rosalia, verg., m. 1160, 4 sett.; canon. 1625 (Palermo).

Rufino e Valerio, mart. a Soissons v. 287, 14 giu.

Rufino, conf. a Mantova, onor. 19 agosto (Ferrara).

Rufo, vesc. d'Avignone, v. III sec., 12 nov.; a Valenza 14 nov. (Avignone).

Ruggero, *Rogerius, Rugerius*, vesc. di Canne, m. v. 496, onor. 15 ott. e 30 dic. (Barletta).

Rustico, vesc. di Clermont, m. v. 446, 24 sett.

Rustico, vesc. di Narbona, m. 461, 26 ott.

Rustico, vesc. di Lione, m. v. 500, 25 apr.

Rustico, V. Dionigi ap. dei Galli.

Sabba, ab. e fondat. di monasteri in Palestina, m. 532, 5 dic.

Sabina, ved. e mart. a Roma 126, 29 ag.; sua traslaz. 3 sett. (Roma).

Sabina, verg. a Troyes, sec. III, 29 genn. (Troyes).

Sabina, mart. ad Avila in Spagna, 305, 27 ott. (Avila).

Sabiniano, mart. a Troyes, sec. III, 29 genn.

Sabino, vesc. d'Assisi, mart. 303, 30 dic. (Assisi, Castri, Spoleto).

Sabino o Savino, vesc. di Piacenza, IV sec., 17 genn. (Piacenza).

Salvio, vesc. ad Angoulêm, mart. a Valenciennes v. 801, 26 giu.; sua trasl. 7 sett.

Samson, *Samso*, vesc. di Dol in Bretagna, 585, onor. 28 lugl., a Parigi 17 ott. (Dol).

Samuele, profeta, onor. 16 febb. (Migne); 20 ag. (Bollandisti).

Sapore ed Isaac, mart. in Persia 339, 30 nov.

Satiro, mart. in Acaja, onor. 12 genn.

Satiro, fratello di S. Ambrogio, m. 393, onor. 17 sett. (Milano).

Saturnino, vesc. di Tolosa, mart. 257, 29 nov. (Tolosa, Pamplona, Navarra).

Saturnino, prete, mart. a Cartagine 304, 11 febb. V. Marcello.

Savina, matrona di Lodi, sec. IV, 30 genn. (Milano, Lodi).

Savino, V. Sabino.

Scillitani, cristiani di Scillite d'Africa, mart. a Cartagine nel 200, 17 lugl.

Scolastica, sorella di S. Benedetto, m. v. 543, 10 febb. (Montecassino, Le Mans).

Sebastiano, mart. a Roma v. 287, 20 genn.; sua trasl. 9 dic. (Roma, Mannheim, Palma, Soissons, Oetting, Chiemsée).

Sebastiano Valfrè (B.°), conf., m. a Torino, 1710, 30 genn.

Secondo, capitano della legione tebea, mart. presso Ventimiglia v. 286, 26 ag. (Ventimiglia).

Secondo, mart. ad Asti 119, 29 mar. (Asti).

Sempronio ed Aureliano, mart. sec. IV, 5 dic. (Brindisi).

Senatore, vesc. di Milano, m. 480, 28 magg.

Sennen, V. Abdon e Sennen.

Serapia, verg. e mart. a Roma 29 ag. 126; onor. 3 sett.

Serapione, vesc. e mart. a Catania 304, 12 sett. (Catania).

Serapione, mart. ad Algeri sotto Decio, 14 nov. (Barcellona).

Sereno, vesc. di Marsiglia, m. v. 601, 2 ag. (Biandrate).

Sergio e Bacco, nobili romani, mart. in Siria, III o IV sec., 7 ott. (Sergiopolis).

Sergio I, papa, m. 8 sett. 701, on. 9 sett.

Servando e Germano, mart. a Cadice princ. del sec. IV, 23 ott. (Cadice, Léon).

Servazio, vesc. di Tongres, m. 384. 13 magg. (Tongres, Maëstricht, Worms).

Sette Dormienti, mart. in Efeso, sec. III, 27 luglio.

Sette fondatori dell'ordine dei Servi. di M. V., nel 1233, onor. 11 feb. Canon. nel 1717.

Sette fratelli, figli di S. Felicita, mart. v. 164 a Roma, 10 luglio

Settimio, vesc. e mart. a Jesi, sec. IV, 22 sett. (Jesi).

Severiano, vesc. di Gevaudan, m. III sec., 25 genn.

Severiano, vesc. di Scitopoli, m. v. 452, 21 febb.

Severiano, V. Quattro mart. coron.

Severino, vesc. di Colonia, m. v. 403, 23 ott. (Colonia).

Severino, ab. apost. de' Norici (Austria), m. 482, 8 genn. (Austria, Baviera, Vienna, San Severino).

Severino, ab. di Agaune, m. 507 a Château-Landon, 11 febb.

Severo, mart. a Ravenna, 304, 1° genn.

Severo di Ravenna, vesc., v. 390, 22 ott. (Ravenna).

Sidonio Apollinare, vesc. d'Alvernia, m. v. 488, 21 agosto; onor. 23 agosto (Alvernia, Clermont-Ferrand).

Sigeberto, re d'Austrasia, m. 656, 1° febb. (Nancy, Metz).

Sigismondo, Sigismundus, Simundus, re di Borgogna, m. 524,

1° magg. (Cremona, la Boemia).

Sigolena, abb.ª di Troclare, m. v. 700, 24 lugl.

Silverio, papa, mart. v. 538, 20 giu.

Silvestro I, papa, m. 337, onor. 31 dic. in Occid., 2 genn. in Orien.

Silvestro, vesc. di Chàlon-sur-Saône, m. v. 526, 20 nov.

Silvestro Gozzolini, ab. di Osimo, istit. dei Silvestrini, m. 1267, 26 nov.

Silvia, madre di S. Gregorio Magno, sec. VI, 3 nov. (Brescia).

Silvino, vesc. apostolico, m. nell'Artois 720, 17 febb.

Silvio, vesc. di Tolosa, m. v. 400, 31 magg.

Simeone, Simeo, Simo, profeta a Gerusal., sec. I, onor. 8 ott. in Occid., 3 febb. in Orien. (Zara).

Simeone e Giuda Taddeo, apost., sec. I, onor. in Occid. 28 ott. (Goslar).

Simeone o Simone, cugino germ. di Gesù Cristo, vesc. di Gerusal., mart. v. 107, 18 febb.

Simeone, vesc. di Metz, sec. IV, 16 febb.

Simeone Barsabeo, Simeo Barsaboé, vesc. di Selencia, mart. v. 344, 21 apr.

Simeone Stilita l'antico, anacoreta ad Antiochia, m. 460, onor. 5 genn.

Simeone Stilita il giovane, m. 596, 24 magg.

Simone Stock, generale dei Carmelitani, m. 1265, 16 magg.

Simone di Trento, mart. 1475, 24 marzo; onor. a Trento la IV domen. dopo Pasqua.

Simmaco, Symmachus, papa, m. 514, 19 lugl.

Simpliciano, vesc. di Milano, m. 400, 16 ag. (Milano).

Simplicio, vesc., mart. in Sardegna v. 304, 15 magg. (Terranova Pausania in Sardegna).

Simplicio, vesc. d'Autun, m. 418, 24 giu.

Simplicio, papa, m. 10 mar. 483, onor. 2 marzo.

Sindolfo, prete nella dioc. di Reims, sec. VII, 20 ott.

Sindolfo, vesc. di Vienna v. 630, 10 dic.

Sinforiano, *Symphorianus*, mart. ad Autun, v. 180, 22 ag. (Autun, Trevoux).

Sinforosa e i 7 suoi figli, mart. a Tivoli v. 120 o 125, 18 luglio.

Siricio, papa, m. 398, 26 nov.

Siro, vesc. di Pavia, m. 96, 9 dic. (Genova, Pavia).

Sisto I, *Sistus, Xystus*, papa, mart. 142, onor. 6 aprile (Alatri).

Sisto II, papa, mart. 261, 6 agosto.

Sisto III, papa, m. 19 ag. 440, on. 28 marzo.

Smeraldo o Smaragdo, V. Ciriaco.

Sofia, *Sophia, Sapientia*, mart. a Roma colle figlie Fede, Speranza e Carità, sec. I, 1° ag.; loro festa a Roma 30 sett., in Orien. 17 sett. (Sortino in Sicilia).

Sofronio, *Sophronius*, patriar. di Gerusal., m. 638, 11 mar.

Sotero, papa, mart. 182, on. con S. Caio papa, 22 apr.

Spiridione, *Spiridio*, vesc. di Trimidonte in Cipro v. 374, onor. in Orien. 12 dic., in Occid. 14 dic. (Corfù).

Spiro, *Exuperius*, vesc. di Bayeux, m. v. 405, 1° agosto (Corbeil, Bayeux).

Stanislao, *Stanislaus*, vesc. di Cracovia, mart. 1079, onor: 8 magg. fino alla fine del sec. XVI, poi 7 maggio. Sua trasl. 27 sett. (Cracovia, Schweidnitz).

Stanislao Kostka, conf. in Polonia, m. 15 ag. 1568, onor. 13 nov.

Stefania, verg. e mart., onor. 18 sett. (Scala presso Amalfi).

Stefano, diacono, protomart. nel 33; sua festa princip. 26 dic.; presso i Greci 27 dic.; invenz. del suo corpo nel 415, 3 ag. Sua trasl. 7 magg. (Biella, Prato, Rovigo, Capua).

Stefano I, papa, m. 260, 2 agosto (Lesina).

Stefano, vesc. di Lione, m. v. 512, 13 febb.

Stefano, vesc. di Bourges, m. 845, 13 genn.

Stefano, re d'Ungheria, m. 15 ag. 1038, onor. già 20 ag., oggi 2 sett. (Ungheria, Bulgaria, Scutari).

Stefano, fond. dell'ord. di Grandmont, m. 1124, 8 febb.

Sulpizio, *Sulpicius*, vesc. di Bayeux, m. 844, 4 sett.

Sulpizio I Severo, vesc. di Bourges, m. 591, 29 genn.

Sulpizio II il Buono, vescovo di Bourges, m. 644, 17 genn.

Sulpizio Severo, discep. di S. Martino, mon. di Marsiglia, m. v. 410, 29 genn.

Susanna, *Suzanna*, mart. a Roma v. 295, onor. con S. Tiburzio, 11 agosto (Roma).

Susanna, mart. in Palestina sotto Giuliano, onor. 20 settem. (Cadice).

Taraco, Probo e Andronico, mart. in Cilicia, 304, onor. 11 ott. in Occid., 12 ott. in Orien.

Tarba, *Tarba, Tarbula*, mart. in Persia 341, onor. 22 apr. in Occid., 5 magg. in Or.

Tarsilla, verg. a Roma, sec. VI, 24 dic.

Taurino, vesc. d'Eause, mart. v. 320, 5 sett.

Taurino, vesc. d'Évreux, m. v. 412, 11 ag. (Évreux, Fécamp).

Tebaldo, *Theobaldus*, arc. di Vienna, m. v. 1000, 21 magg.

Tebaldo, erem. camaldol. presso Vicenza, m. 1066, 30 giu., sua depos. 1° luglio.

Tecla, *Thecla*, verg. e mart. a Seleucia, I° sec., onor. 23 sett. in Occid., 24 sett. in Orien. (Tarragona).

Telesforo, papa, mart. 2 genn. (?) 154, onor. 5 genn.

Teodardo, vesc. di Maëstricht, mart. 668, 10 sett.

Teodardo, arciv. di Narbona, m. v. 893, 1° magg. (Montauban).

Teodolfo, *Theodulfus*, abb. di S. Thierry di Reims, m. v. 590, 1° magg.

Teodolfo, abb. di Lobbes, m. 776, 24 giu.

Teodorico (Thierry), vesc. d'Orleans, m. 1012, 27 genn.

Teodoro d'Amasea, mart. 306, onor. 9 nov.

Teodoro, vesc. di Milano, m. 490, 26 marzo.

Teodoro d'Eraclea, mart. v. 312,

7 febb. (Costantinop., Ferrara, Venezia).

Teodoro, vesc. di Marsiglia m. v. 594, 2 genn.

Teodoro, I papa, m. 649, 14 magg.

Teodoro, arciv. di Cantorbery, m. 690, 19 sett.

Teodoro Studita, ab. di Costantinop., m. 826, 11 nov.

Teodosio, mart. a Roma v. 269, 25 ottobre.

Teodosio, archimandr. in Palestina, m. 529, 11 genn.

Teodoto, il tavernaio, mart. ad Ancira, 303, onor. a Roma 18 magg.; in altre chiese 25 magg.

Teodulo, mart. a Cesarea, 308, on. 17 febb.

Teofanio, *Theophanus*, ab. di Magalagro, mart. 818, 12 marzo.

Teofilo, vesc. di Brescia; sec. V, 27 aprile.

Teofilo, vesc. di Antiochia, m. v. 181, onor. 13 ott.

Teofilo, vesc. di Cesarea in Palestina, m. v. 200, 5 marzo.

Terenzio, diacono, conf., onor. 30 lugl. (Faenza).

Terenzio, mart. v. 249, 24 sett. (Pesaro).

Teresa, *Therasia*, verg. riform. dei Carmelit. Scalzi, m. 1582, 15 ott.

— Trasverberazione del cuore della santa, 27 agosto. Festa istituita per l'Ordine Carmelitano nel 1726 (Spagna, Avila).

Tetrico, vesc. d'Auxerre, m. 707, onor. 12 apr. e 6 ott.

Tiberio, mart. nella dioc. d'Agde 304, 10 nov.

Tiburzio, mart. a Roma 286, onor. con S.ª Susanna, 11 agosto.

Tiburzio, Valeriano e Massimo, mart. II o III sec. 14 apr.

Tillone, *Tillo, Tillonius, Tilmenus, Hillonius*, monaco a Solignac, m. 703, 7 genn.

Timoteo, *Timotheus*, discep. di S. Paolo e vesc. d'Efeso, mart. 22 genn. 97, onor. a Roma 24 gen., a Parigi 31 mar.; sua traslaz. a Costantinop. 24 febb. 356; festa 9 magg.

Timoteo e Apollinare, mart. a Reims, sec. III o IV, 23 agosto.

Timoteo, Ippolito e Sinforiano,

mart. a Roma, IV sec., 22 ag.

Tito, discep. di S. Paolo, vesc. di Creta m. v. 105, 4 genn., onor. 6 febb. (Candia).

Tito, diac., mart. a Roma, sec. V, 16 agosto.

Tommaso, *Thomas*, apost., mart., onor. 21 dic. in Occid., 6 ott. in Orien.; sua trasl. 3 luglio (Portogallo, Goa, Riga, Méliapor).

Tommaso Becket, arciv. di Cantorbéry, mart. 1170, 29 dic. Sua trasl. 7 lugl. 1222. Can. 1173 (Londra, Cantorbéry, Parigi, Lione, Sens).

Tommaso de' conti d'Aquino, domenicano, dott. della Chiesa, m. 1274, onor. a Roma 7 marzo, a Parigi 18 mar. Canon. 18 luglio 1323; sua trasl. 28 genn. (Napoli).

Tommaso di Villanova, arciv. di Valenza, m. 8 sett. 1555, onor. 18 sett. (Valenza, Thomar).

Torpezio, mart. a Pisa sotto Nerone, 29 apr.; onor. 17 maggio (Provenza).

Torquato, vesc. di S. Paul-Trois-Château, sec. IV, 31 genn. e 1° febb.

Turibio, arc. di Lima, mart. 1606, 23 marzo (Perù).

Trifone, Respicio e Ninfa, mart. IV o V sec., onor. 10 nov. (Cattaro).

Ubaldo, vesc. di Gubbio, m. 1160, 16 magg. (Gubbio).

Uberto, *Hubertus, Hucbertus*, vesc. di Maëstricht e Liegi, conf., m. 727, onor. 3 nov.

Ugo, *Hugo*, arc. di Rouen, m. 730, 9 apr.

Ugo, ab. di Cluny, m. 1109, 28 e 29 apr.

Ugo, vesc. di Grenoble, m. 1132, canon. 1134, onor. 1° apr.; altra festa 11 apr. (Grenoble).

Ugo, vesc. di Lincoln, m. 16 nov. 1200, onor. 17 nov.

Ulrico o Udalrico, vesc. d'Augsbourg, m. 973, 4 lugl. Can. 993 (Augsbourg, Würtemberg).

Umberto, *Humbertus*, abb. di Marolles, m. v. 682, 25 mar.

Umberto III (B.), Conte di Savoia, m. 1189, 4 marzo.

Urbano I, papa, mart. 19 maggio 233, onor. 25 magg. (Valenza, Toledo, Troyes).

Urbano, vesc. di Langres, m. v. 374, 23 genn. e 2 apr. (Langres, Digione).

Urbico, *Urbicius*, vesc. di Clermont nell'Alvernia, m. v. 312, 3 apr.

Urbico, vesc. di Metz, m. v. 420, 20 marzo (Metz).

Ursino, vesc. di Bourges, sec. II o III, 9 nov. e 29 dic. (Bourges, Lisieux).

Valburga, *Valburgis, Walburgis*, abb.ª di Heidenheim, m. 779, 25 febb.; sua trasl. 2 magg. 870.

Valente, diac. mart. sotto Massimino, 16 febb., onor. 1º giu.

Valente o Valenzio, vesc. di Verona, m. 531, 26 lugl.

Valentino, prete e mart. a Terni, v. 273, 14 febb. (Terni).

Valentino, vesc. di Passaw, conf., m. 440, 7 genn. Sua trasl. 4 ag. (Passaw, il Tirolo).

Valeria, verg. e mart. nel Limosino dopo il 250, onor. a Roma 9 dic., a Parigi 10 dic. (Limoges, Parigi).

Valeriano, mart. in Italia V sec., onor. 5 magg. (Forlì).

Valeriano, mart. a Tournus in Borgogna v. 178, 15 sett. (Tournus).

Valeriano, mart. a Roma 229, 14 apr. (Cordova).

Valerio, vesc. di Treviri, v. 290, 29 genn.

Valerio, vesc. di Sorrento v. 453, 16 genn. (Sorrento).

Valerio, mart. a Soissons con S. Rufino, v. 287, 14 giu.

Valerio, *Walarius*, ab., discep. di S. Colombano, m. 622, 12 dic.

Venanzio, ab. a Tours, sec. V, 13 ottobre.

Venanzio, mart. a Camerino, sec. III, onor. 18 maggio (Camerino).

Venanzio, erem. nell'Artois, sec. VIII, 10 ott. (Saint-Venant nell'Artois).

Venceslao, *Wenceslaus*, duca di Boemia, mart. 936, 28 sett. (Boemia, Ungheria, Polonia, Breslau, Olmütz).

Venerando, vesc. d'Alvernia, m. 25 dic. 423, onor. 18 genn.

Ventura, prete, mart. in Umbria v. 1250, 7 sett. (Città di Castello).

Veranio, vesc. di Vence in Provenza, m. v. 467, 10 sett. (Vence).

Verecondo, vesc. di Verona, m. 522, 22 ott.

Veronica, matrona a Gerusal., sec. I, 4 febb.

Veronica di Binasco (Milano), verg. m. 1497, 13 genn.

Veronica Giuliani, monaca clarissa, m. 1727, 9 luglio, can. 1839.

Vigilio, vesc. di Trento, mart. 405, 26 giu. Sua trasl. 31 genn. (Trento).

Vigilio, vesc. di Brescia, m. v. 480, 26 sett.

Vigore, vesc. di Bayeux, m. v. 536, 1º nov., onor. oggi 3 nov. (Bayeux).

Vincenzo, diac. di Saragozza, mart. a Valenza 304, 22 genn. Sua trasl. 27 apr. (Vicenza, Cortona, Lisbona, Oporto, Léon, Valenza, Saragozza, l'Aragona, Berna).

Vincenzo, vesc. nell'Umbria, mart. 303, 6 giu.

Vincenzo, mon. di Lérins, m. 450, on. 24 magg. e 1º giu.

Vincenzo de' Paoli, fond. dei Lazzaristi e delle suore di Carità, m. 27 sett. 1660, onor. 19 luglio Can. 1737.

Vincenzo Ferrer, domenicano, detto il *missionario apostolico*, m. 1419, 5 apr. (canon. 1455); onor. a Piacenza 5 apr., a Napoli la prima domen. di lugl., a Parigi, 13 marzo (Valenza di Spagna, Vannes).

Vindiciano, vesc. d'Arras, m. 706 o 712, 11 marzo.

Virgilio, vesc. d'Arles, m. 10 ott. 610, onor. a Lérins 5 mar., ad Arles 10 ott.

Virgilio, apost. della Carinzia, vesc. di Salisburgo, m. 780, 27 nov.

Vitale, mart. a Roma con S. Felicola, onor. 14 febb. (Toledo).

Vitale, mart. a Ravenna sec. II, 28 apr. (Parma, Ravenna).

Vitale ed Agricola, mart. a Bologna v. 304, 4 nov. (Bologna).

Vitale, ab. di Savigny, m. 1122, 16 sett.

Vitaliano, vesc. di Capua, m. v. 728, 16 lugl. (Catanzaro).

Vito, *Vito*, *Vitonus*, *Videnus*, vesc. di Verdun, m. 529, 9 nov.

Vito o Guido, Modesto e Crescenzia, mart. v. 303, 15 giu.

Vittore I, *Victor*, papa, con S. Nazario, m. 203, 28 lugl.

Vittore, mart. a Marsiglia v. 290, 21 lugl. (Parigi, Marsiglia).

Vittoria, *Victoria*, verg. e mart. a Roma 249, 23 dic.

Vittoria, verg., mart. a Cartagine con S. Saturnino e comp., 304, 11 febb.

Vittorino o Vittoriano, *Victorianus*, procons. di Cartagine, mart. 484, 23 marzo.

Vittorino, V. *Quattro mart. coron.*

Vittorio, *Victoricus*, mart. presso Amiens, III o IV sec., 11 dic.

Vivanzio, *Viventius*, prete e solit. nel Poitu v. 413, 13 genn.

Volfango, *Wolfgangus*, vesc. e conf. a Ratisbona, m. 999, 31 ott. (Ungheria, Baviera, Oettingen, Ratisbona).

Volusiano, vesc. a Tours, m. v. 498, 18 genn.

Walfrido, ab. in Toscana, m. v. 775, 15 febb.

Walfredo, *Waldifredus*, *Vulfilaicus* diac., er. e stilita a Treveri, v. 585, on. 7 lugl. e 21 ott.

Wasnulfo, *Wasnulfus*, mon. Irlandese, apost. dell'Hainaut, m. v. 650, 1° ott.

Wilfrido, vesc. d'York, m. 709, 24 apr.; sua trasl. 940, 12 ott.

Willibrordo, vesc. d'Utrecht, m. 739, 7 nov. (Olanda, Utrecht, Wesel).

Winnoco, ab. di Wormhoudt in Fiandra, m. 717, 6 nov.

Wunebaldo, ab. di Heidenheim in Baviera, m. 761, 18 dic.

Zaccaria, prof. in Giudea, onor. 6 sett.

Zaccaria, prof., padre di S. Giovanni Batt., I° sec., 5 nov. (Venezia).

Zaccaria, vesc. di Lione, sec. III, 28 ott.

Zaccaria, papa, m. 22-23 mar. 752, onor. 15 marzo.

Zama, vesc. di Bologna, m. 320, 24 genn.

Zanobi o Zenobio, vesc. di Firenze, sec. V, 25 magg. (Firenze).

Zefirino, papa, m. 220, 26 agosto.

Zenone, *Zeno*, vesc. di Verona, m. v. 380, 12 apr. (Verona).

Zita, verg., m. 1282, 27 aprile (Lucca).

Zoe, mart. a Roma, sec. III-IV, 5 luglio.

Zosimo, *Zozimus*, papa, m. 418, 26 dicem.

Zosimo, vesc. di Siracusa, m. v. 660, 30 marzo.

Zotico, mart. a Tivoli 137, 12 genn.

Zotico e comp. mart. sotto Decio, 10 febb.

Calendario della Repubblica francese

In Francia, durante la rivoluzione, s'introdusse un nuovo calendario, progettato dietro incarico del comitato d'Istruz. Pubb., da una commissione di dotti, quali Lagrange, Monge, Lalande, Pingré, Guyton, ecc., presieduti da Romme, poscia riveduto e in parte modificato dal Fabre d'Èglantine. Un decreto della Convenzione Nazionale del 5 ottobre 1793, fissò il punto di partenza della nuova Èra al 22 settembre 1792, giorno della proclamazione della Repubblica. Siccome questa data coincideva con l'equinozio d'autunno, fu stabilito (art. III) che ciascun anno dovesse cominciare alla mezzanotte del giorno in cui cadeva l'equinozio vero d'autunno per l'Osservatorio di Parigi. Il principio dell'anno doveva quindi esser fissato dagli astronomi e poteva cadere il 22, il 23 o il 24 settembre, ciò che formava uno dei maggiori inconvenienti del nuovo calendario. Tuttavia esso venne promulgato con un nuovo decreto della Convenzione Nazionale del 4 glaciale anno II (24 nov. 1793). I punti principali di questo decreto furono i seguenti: l'anno repubblicano veniva diviso in 12 mesi di 30 giorni ciascuno. Dopo di questi, per completare l'anno ordinario, seguivano 5 giorni che non appartenevano ad alcun mese e che vennero chiamati *Sans-Culotides*, e più tardi, con decreto del 7 fruttidoro anno III (24 Agosto 1795), furono detti *giorni complementari*. A questi, per completare la durata dell'anno tropico, veniva aggiunto, ogni quattro anni, un sesto giorno detto della Rivoluzione.

Ciascun mese era diviso in tre parti uguali di 10 giorni ciascuna, dette *decadi*. I nomi dei giorni delle decadi erano: *Primidi, Duodi, Tridi, Quartidi, Quintidi, Sextidi, Septidi, Octidi, Nonidi, Decadi.* Quest'ultimo era giorno di riposo.

I nomi dei mesi erano: per l'autunno, *Vendémiaire, Brumaire, Frimaire;* per l'inverno, *Nivôse, Piuviôse, Ventôse;* per la primavera, *Germinal, Floreal, Prairial;* per l'estate, *Messidor, Thermidor, Fructidor.*

Il periodo di quattro anni alla fine dei quali era ordinariamente necessaria, come vedemmo, l'aggiunta di un giorno, era chiamata la *Franciade.*

Il giorno, da una mezzanotte all'altra, era diviso in dieci parti o ore, ciascuna ora in cento minuti decimali, e ciascun minuto in cento secondi decimali.

Il calendario repubblicano fu messo in vigore il 26 novembre 1793 e abolito il 31 dicembre 1805 da Napoleone I.

NB. *Segnammo con asterisco (*) nell'Era volgare i giorni di domenica e nell'Era repubblicana il* **decadi** *o giorno di riposo.*

Anno primo (1792-93).

Complem

Era volgare	Sett. 1793				
Era	17	18	19	20	21
Era rep.	1	2	3	4	5

Fructid.

Era volgare: Agosto 1793 / Settembre 1793

Era	18*	19	20	21	22	23	24	25*	26	27	28	29	30	31	1*	2	3	4	5	6	7*	8	9	10	11	12	13	14	15*	16
Era rep.	1	2	3	4	5	6	7	8	9	10*	11	12	13	14	15	16	17	18	19	20*	21	22	23	24	25	26	27	28	29	30*

Thermid.

Era volgare: Luglio 1793 / Agosto 1793

Era	19	20	21*	22	23	24	25	26	27	28	29	30	31	1	2	3	4*	5	6	7	8	9	10	11*	12	13	14	15	16	17
Era rep.	1	2	3	4	5	6	7	8	9	10*	11	12	13	14	15	16	17	18	19	20*	21	22	23	24	25	26	27	28	29	30*

Messidor

Era volgare: Giugno 1793 / Luglio 1793

Era	19	20	21	22*	23	24	25	26	27	28	29	30	1	2	3	4	5	6	7*	8	9	10	11	12	13	14*	15	16	17	18
Era rep.	1	2	3	4	5	6	7	8	9	10*	11	12	13	14	15	16	17	18	19*	20	21	22	23	24	25	26	27	28	29	30*

Prairial

Era volgare: Maggio 1793 / Giugno 1793

Era	20	21	22	23	24	25	26*	27	28	29	30	31	1	2*	3	4	5	6	7	8	9	10	11	12	13	14	15	16*	17	18
Era rep.	1	2	3	4	5	6	7	8	9	10*	11	12	13	14	15	16	17	18	19	20*	21	22	23	24	25	26	27	28	29	30*

Floréal

Era volgare: Aprile 1793 / Maggio 1793

Era	20	21*	22	23	24	25	26	27	28*	29	30	1	2	3	4	5	6	8	9	10	11	12*	13	14	15	16	17	18	19*	...
Era rep.	1	2	3	4	5	6	7	8	9	10*	11	12	13	14	15	16	17	18	19	20*	21	22	23	24	25	26	27	28	29	30*

Germin.

Era volgare: Marzo 1793 / Aprile 1793

Era	21	22	23	24*	25	26	27	28	29	30	31	1	2	3	4	5	6	7	8	9*	10	11	12	13	14*	15	16	17	18	19
Era rep.	1	2	3	4	5	6	7	8	9	10*	11	12	13	14	15	16	17	18	19	20*	21	22	23	24	25	26	27	28	29	30*

Ventôse

Era volgare: Febbraio 1793 / Marzo 1793

Era	19	20	21	22	23	24*	25	26	27	28	1	2	3	4	5	6	7	8	9	10*	11	12	13	14	15	16*	17	18	19	20
Era rep.	1	2	3	4	5	6	7	8	9	10*	11	12	13	14	15	16	17	18	19	20*	21	22	23	24	25	26	27	28	29	30*

Pluviôse

Era volgare: Gennaio 1793 / Febbraio 1793

Era	20	21	22	23	24	25	26*	27	28	29	30	31	1	2	3	4	5	6	7	8	9*	10	11	12	13	14	15	16	17*	18
Era rep.	1	2	3	4	5	6	7	8	9	10*	11	12	13	14	15	16	17	18	19	20*	21	22	23	24	25	26	27	28	29	30*

Nivôse

Era volgare: Dicembre 1792 / Gennaio 1793

Era	21	22	23*	24	25	26	27	28	29	30	31	1	2	3	4	5	6*	7	8	9	10	11	12	13*	14	15	16	17	18	19
Era rep.	1	2	3	4	5	6	7	8	9	10*	11	12	13	14	15	16	17	18	19	20*	21	22	23	24	25	26	27	28	29	30*

Frimaire

Era volgare: Novembre 1792 / Dicembre 1792

Era	21	22	23	24	25*	26	27	28	29	30	1	2	3	4	5	6	7	8	9	10*	11	12	13	14	15	16*	17	18	19	20
Era rep.	1	2	3	4	5	6	7	8	9	10*	11	12	13	14	15	16	17	18	19	20*	21	22	23	24	25	26	27	28	29	30*

Brumaire

Era volgare: Ottobre 1792 / Novembre 1792

Era	22	23	24	25	26	27*	28	29	30	31	1	2	3*	4	5	6	7	8	9	10*	11	12	13	14	15	16	17*	18	19	20
Era rep.	1	2	3	4	5	6	7	8	9	10*	11	12	13	14	15	16	17	18	19	20*	21	22	23	24	25	26	27	28	29	30*

Vendém.

Era volgare: Settembre 1792 / Ottobre 1792

Era	22	23*	24	25	26	27	28	29*	30	1	2	3	4	5	6	7	8	9	10	11	12	13	14*	15	16	17	18	19	20	21*
Era rep.	1	2	3	4	5	6	7	8	9	10*	11	12	13	14	15	16	17	18	19	20*	21	22	23	24	25	26	27	28	29	30*

Anno secondo (1793-94).

Complem.
- volgare: Sett. 1794
- Era: 17 18 19 20 21*
- Era rep.: 1 2 3 4 5

Fructid.
- volgare: Agosto 1794 — Settembre 1794
- Era: 18 19 20 21 22 23 24* 25 26 27 28 29 30 31* | 1 2 3 4 5 6 7* 8 9 10 11 12 13 14* 15 16
- Era rep.: 1 2 3 4 5 6 7 8 9 10* 11 12 13 14 15 16 17 18 19 20* 21 22 23 24 25 26 27 28 29 30

Thermid.
- volgare: Luglio 1794 — Agosto 1794
- Era: 19 20* 21 22 23 24 25 26 27 28 29 30 31 | 1 2 3* 4 5 6 7 8 9 10* 11 12 13 14 15 16 17*
- Era rep.: 1 2 3 4 5 6 7 8 9 10* 11 12 13 14 15 16 17 18 19 20* 21 22 23 24 25 26 27 28 29 30*

Messidor
- volgare: Giugno 1794 — Luglio 1794
- Era: 19 20 21 22* 23 24 25 26 27 28 29 30 | 1 2 3 4 5* 6 7 8 9 10 11 12* 13 14 15 16 17 18
- Era rep.: 1 2 3 4 5 6 7 8 9 10* 11 12 13 14 15 16 17 18 19 20* 21 22 23 24 25 26 27 28 29 30

Prairial
- volgare: Maggio 1794 — Giugno 1794
- Era: 20 21 22 23 24 25* 26 27 28 29 30 31* | 1 2 3 4 5 6 7* 8 9 10 11 12 13 14* 15 16 17 18
- Era rep.: 1 2 3 4 5 6 7 8 9 10* 11 12 13 14 15 16 17 18 19 20* 21 22 23 24 25 26 27 28 29 30

Floréal
- volgare: Aprile 1794 — Maggio 1794
- Era: 20 21 22 23 24 25 26 27* 28 29 30 | 1 2 3 4* 5 6 7 8 9 10 11* 12 13 14 15 16 17 18* 19
- Era rep.: 1 2 3 4 5 6 7 8 9 10* 11 12 13 14 15 16 17 18 19 20* 21 22 23 24 25 26 27 28 29 30*

Germin.
- volgare: Marzo 1794 — Aprile 1794
- Era: 21 22 23* 24 25 26 27 28 29 30* 31 | 1 2 3 4 5 6* 7 8 9 10 11 12 13* 14 15 16 17 18 19
- Era rep.: 1 2 3 4 5 6 7 8 9 10* 11 12 13 14 15 16 17 18 19 20* 21 22 23 24 25 26 27 28 29 30*

Ventôse
- volgare: Febbraio 1794 — Marzo 1794
- Era: 19 20 21 22 23* 24 25 26 27 28 | 1 2 3 4 5 6 7 8* 9 10 11 12 13 14 15 16* 17 18 19 20
- Era rep.: 1 2 3 4 5 6 7 8 9 10* 11 12 13 14 15 16 17 18 19 20* 21 22 23 24 25 26 27 28 29 30*

Pluviôse
- volgare: Gennaio 1794 — Febbraio 1794
- Era: 20 21 22 23 24 25 26* 27 28 29 30 31 | 1 2* 3 4 5 6 7 8 9 10 11 12 13 14 15* 16 17 18
- Era rep.: 1 2 3 4 5 6 7 8 9 10* 11 12 13 14 15 16 17 18 19 20* 21 22 23 24 25 26 27 28 29 30*

Nivôse
- volgare: Dicembre 1793 — Gennaio 1794
- Era: 21 22* 23 24 25 26 27 28 29* 30 31 | 1 2 3 4 5* 6 7 8 9 10 11 12 13 14 15 16 17 18 19
- Era rep.: 1 2 3 4 5 6 7 8 9 10* 11 12 13 14 15 16 17 18 19 20* 21 22 23 24 25 26 27 28 29 30*

Frimaire
- volgare: Novembre 1793 — Dicembre 1793
- Era: 21 22 23 24* 25 26 27 28 29 30* | 1 2 3 4 5 6 7* 8 9 10 11 12 13 14 15* 16 17 18 19 20
- Era rep.: 1 2 3 4 5 6 7 8 9 10* 11 12 13 14 15 16 17 18 19 20* 21 22 23 24 25 26 27 28 29 30*

Brumaire
- volgare: Ottobre 1793 — Novembre 1793
- Era: 22 23 24 25 26 27* 28 29 30 31* | 1 2 3* 4 5 6 7 8 9 10 11 12 13 14 15 16 17* 18 19 20
- Era rep.: 1 2 3 4 5 6 7 8 9 10* 11 12 13 14 15 16 17 18 19 20* 21 22 23 24 25 26 27 28 29 30*

Vendém.
- volgare: Settembre 1793 — Ottobre 1793
- Era: 22* 23 24 25 26 27 28 29* 30 | 1 2 3 4 5 6* 7 8 9 10 11 12 13* 14 15 16 17 18 19 20* 21
- Era rep.: 1 2 3 4 5 6 7 8 9 10* 11 12 13 14 15 16 17 18 19 20* 21 22 23 24 25 26 27 28 29 30*

Anno terzo, bisestile (1794-95).

Vendémiaire

Era rep.	Era volgare	Mese
1	22	Settembre 1794
2	23	
3	24	
4	25	
5	26	
6	27	
7	28*	
8	29	
9	30	
10*	1	Ottobre 1794
11	2*	
12	3	
13	4	
14	5	
15	6	
16	7	
17	8	
18	9*	
19	10	
20*	11	
21	12*	
22	13	
23	14	
24	15	
25	16	
26	17	
27	18*	
28	19	
29	20	
30*	21	

Brumaire

Era rep.	Era volgare	Mese
1	22	Ottobre 1794
2	23	
3	24	
4	25	
5	26*	
6	27	
7	28	
8	29	
9	30	
10*	31	
11	1	Novembre 1794
12	2*	
13	3	
14	4	
15	5	
16	6	
17	7	
18	8	
19	9*	
20*	10	
21	11	
22	12	
23	13	
24	14	
25	15	
26	16*	
27	17	
28	18	
29	19	
30*	20	

Frimaire

Era rep.	Era volgare	Mese
1	21	Novembre 1794
2	22	
3	23*	
4	24	
5	25	
6	26	
7	27	
8	28	
9	29	
10*	30*	
11	1	Dicembre 1794
12	2	
13	3	
14	4	
15	5	
16	6*	
17	7	
18	8	
19	9	
20*	10	
21	11	
22	12	
23	13*	
24	14	
25	15	
26	16	
27	17	
28	18	
29	19	
30*	20	

Nivôse

Era rep.	Era volgare	Mese
1	21*	Dicembre 1794
2	22	
3	23	
4	24	
5	25	
6	26	
7	27	
8	28*	
9	29	
10*	30	
11	31	
12	1	Gennaio 1795
13	2	
14	3	
15	4*	
16	5	
17	6	
18	7	
19	8	
20*	9	
21	10	
22	11*	
23	12	
24	13	
25	14	
26	15	
27	16	
28	17	
29	18*	
30*	19	

Pluviôse

Era rep.	Era volgare	Mese
1	20	Gennaio 1795
2	21	
3	22	
4	23	
5	24*	
6	25	
7	26	
8	27	
9	28	
10*	29	
11	30	
12	31	
13	1	Febbraio 1795
14	2	
15	3	
16	4	
17	5	
18	6	
19	7*	
20*	8	
21	9	
22	10	
23	11	
24	12	
25	13	
26	14*	
27	15	
28	16	
29	17	
30*	18	

Ventôse

Era rep.	Era volgare	Mese
1	19	Febbraio 1795
2	20	
3	21	
4	22*	
5	23	
6	24	
7	25	
8	26	
9	27	
10*	28	
11	1*	Marzo 1795
12	2	
13	3	
14	4	
15	5	
16	6	
17	7	
18	8*	
19	9	
20*	10	
21	11	
22	12	
23	13	
24	14	
25	15*	
26	16	
27	17	
28	18	
29	19	
30*	20	

Germinal

Era rep.	Era volgare	Mese
1	21	Marzo 1795
2	22*	
3	23	
4	24	
5	25	
6	26	
7	27	
8	28	
9	29	
10*	30*	
11	31	
12	1	Aprile 1795
13	2	
14	3	
15	4	
16	5*	
17	6	
18	7	
19	8	
20*	9	
21	10	
22	11*	
23	12	
24	13	
25	14	
26	15	
27	16	
28	17	
29	18	
30*	19*	

Floréal

Era rep.	Era volgare	Mese
1	20	Aprile 1795
2	21	
3	22	
4	23	
5	24	
6	25	
7	26*	
8	27	
9	28	
10*	29	
11	30	
12	1	Maggio 1795
13	2	
14	3*	
15	4	
16	5	
17	6	
18	7	
19	8	
20*	9	
21	10	
22	11*	
23	12	
24	13	
25	14	
26	15	
27	16	
28	17*	
29	18	
30*	19	

Prairial

Era rep.	Era volgare	Mese
1	20	Maggio 1795
2	21	
3	22	
4	23	
5	24*	
6	25	
7	26	
8	27	
9	28	
10*	29	
11	30*	
12	31	
13	1	Giugno 1795
14	2	
15	3	
16	4	
17	5	
18	6*	
19	7	
20*	8	
21	9	
22	10	
23	11	
24	12	
25	13	
26	14*	
27	15	
28	16	
29	17	
30*	18	

Messidor

Era rep.	Era volgare	Mese
1	19	Giugno 1795
2	20	
3	21*	
4	22	
5	23	
6	24	
7	25	
8	26	
9	27	
10*	28*	
11	29	
12	30	
13	1	Luglio 1795
14	2	
15	3	
16	4*	
17	5	
18	6	
19	7	
20*	8	
21	9	
22	10	
23	11	
24	12*	
25	13	
26	14	
27	15	
28	16	
29	17	
30*	18	

Thermidor

Era rep.	Era volgare	Mese
1	19*	Luglio 1795
2	20	
3	21	
4	22	
5	23	
6	24	
7	25*	
8	26	
9	27	
10*	28	
11	29	
12	30	
13	31	
14	1	Agosto 1795
15	2*	
16	3	
17	4	
18	5	
19	6	
20*	7	
21	8*	
22	9	
23	10	
24	11	
25	12	
26	13	
27	14	
28	15	
29	16*	
30*	17	

Fructidor

Era rep.	Era volgare	Mese
1	18	Agosto 1795
2	19	
3	20	
4	21	
5	22	
6	23*	
7	24	
8	25	
9	26	
10*	27	
11	28	
12	29	
13	30*	
14	31	
15	1	Settembre 1795
16	2	
17	3	
18	4	
19	5	
20*	6*	
21	7	
22	8	
23	9	
24	10	
25	11	
26	12	
27	13*	
28	14	
29	15	
30*	16	

Complém.

Era rep.	Era volgare	Mese
1	17	Settem. 1795
2	18	
3	19	
4	20*	
5	21	
6	22	

Anno quarto (1795-96).

	Complem.	Fructid.	Thermid.	Messidor	Prairial	Floréal	Germin.	Ventôse	Pluviôse	Nivôse	Frimaire	Brumaire	Vendém.
Era volgare	Sett. 1796	Agosto 1796 / Settembre 1796	Luglio 1796 / Agosto 1796	Giugno 1796 / Luglio 1796	Maggio 1796 / Giugno 1796	Aprile 1796 / Maggio 1796	Marzo 1796 / Aprile 1796	Febbraio 1796 / Marzo 1796	Gennaio 1796 / Febbraio 1796	Dicembre 1795 / Gennaio 1796	Novembre 1795 / Dicembre 1795	Ottobre 1795 / Novembre 1795	Settembre 1795 / Ottobre 1795

Calendario di conversione — Anno quarto (1795-96). Colonne per ciascun mese repubblicano (Vendémiaire, Brumaire, Frimaire, Nivôse, Pluviôse, Ventôse, Germinal, Floréal, Prairial, Messidor, Thermidor, Fructidor, Complementari) con «Era volgare» (date del calendario gregoriano) ed «Era rep.» (giorni da 1 a 30).

Anno quinto (1796-97).

Vendém.			Brumaire			Frimaire			Nivôse		
Era rep.	Era volgare		Era rep.	Era volgare		Era rep.	Era volgare		Era rep.	Era volgare	
1	22	Settembre 1796	1	22	Ottobre 1796	1	21	Novembre 1796	1	21	Dicembre 1796
2	23		2	23*		2	22		2	22	
3	24		3	24		3	23		3	23	
4	25*		4	25		4	24		4	24	
5	26		5	26		5	25		5	25*	
6	27		6	27		6	26		6	26	
7	28		7	28		7	27*		7	27	
8	29		8	29		8	28		8	28	
9	30		9	30*		9	29		9	29	
10*	1	Ottobre 1796	10*	31		10*	30		10*	30	
11	2*		11	1	Novembre 1796	11	1	Dicembre 1796	11	31	
12	3		12	2		12	2		12	1*	Gennaio 1797
13	4		13	3		13	3		13	2	
14	5		14	4		14	4*		14	3	
15	6		15	5		15	5		15	4	
16	7		16	6*		16	6		16	5	
17	8		17	7		17	7		17	6	
18	9*		18	8		18	8		18	7	
19	10		19	9		19	9		19	8*	
20*	11		20*	10		20*	10		20*	9	
21	12		21	11		21	11*		21	10	
22	13		22	12		22	12		22	11	
23	14		23	13*		23	13		23	12	
24	15		24	14		24	14		24	13	
25	16*		25	15		25	15		25	14	
26	17		26	16		26	16		26	15*	
27	18		27	17		27	17		27	16	
28	19		28	18		28	18*		28	17	
29	20		29	19		29	19		29	18	
30*	21		30*	20*		30*	20		30*	19	

Pluviôse			Ventôse			Germin.			Floréal		
Era rep.	Era volgare		Era rep.	Era volgare		Era rep.	Era volgare		Era rep.	Era volgare	
1	20	Gennaio 1797	1	19*	Febbraio 1797	1	21	Marzo 1797	1	20	Aprile 1797
2	21		2	20		2	22		2	21	
3	22*		3	21		3	23		3	22	
4	23		4	22		4	24		4	23*	
5	24		5	23		5	25		5	24	
6	25		6	24		6	26*		6	25	
7	26		7	25		7	27		7	26	
8	27		8	26*		8	28		8	27	
9	28		9	27		9	29		9	28	
10*	29*		10*	28		10*	30		10*	29	
11	30		11	1	Marzo 1797	11	31		11	30*	
12	31		12	2		12	1	Aprile 1797	12	1	Maggio 1797
13	1	Febbraio 1797	13	3		13	2*		13	2	
14	2		14	4		14	3		14	3	
15	3		15	5*		15	4		15	4	
16	4		16	6		16	5		16	5	
17	5*		17	7		17	6		17	6	
18	6		18	8		18	7		18	7*	
19	7		19	9		19	8		19	8	
20*	8		20*	10		20*	9*		20*	9	
21	9		21	11		21	10		21	10	
22	10		22	12*		22	11		22	11	
23	11		23	13		23	12		23	12	
24	12*		24	14		24	13		24	13	
25	13		25	15		25	14		25	14*	
26	14		26	16		26	15		26	15	
27	15		27	17		27	16*		27	16	
28	16		28	18		28	17		28	17	
29	17		29	19*		29	18		29	18	
30*	18		30*	20		30*	19		30*	19	

Prairial			Messidor			Thermid.			Fructid.			Complem		
Era rep.	Era volgare		Era rep.	Era volgare		Era rep.	Era volgare		Era rep.	Era volgare		Era rep.	Era volgare	
1	20	Maggio 1797	1	19	Giugno 1797	1	19	Luglio 1797	1	18	Agosto 1797	1	17*	Sett. 1797
2	21*		2	20		2	20		2	19		2	18	
3	22		3	21		3	21		3	20*		3	19	
4	23		4	22		4	22		4	21		4	20	
5	24		5	23		5	23*		5	22		5	21	
6	25		6	24		6	24		6	23				
7	26		7	25*		7	25		7	24				
8	27		8	26		8	26		8	25				
9	28*		9	27		9	27		9	26				
10*	29		10*	28		10*	28		10*	27*				
11	30		11	29		11	29		11	28				
12	31		12	30		12	30*		12	29				
13	1	Giugno 1797	13	1	Luglio 1797	13	31		13	30				
14	2		14	2*		14	1	Agosto 1797	14	31				
15	3		15	3		15	2		15	1	Settembre 1797			
16	4*		16	4		16	3		16	2				
17	5		17	5		17	4		17	3*				
18	6		18	6		18	5		18	4				
19	7		19	7		19	6*		19	5				
20*	8		20*	8		20*	7		20*	6				
21	9		21	9*		21	8		21	7				
22	10		22	10		22	9		22	8				
23	11*		23	11		23	10		23	9				
24	12		24	12		24	11		24	10*				
25	13		25	13		25	12		25	11				
26	14		26	14		26	13*		26	12				
27	15		27	15		27	14		27	13				
28	16		28	16*		28	15		28	14				
29	17		29	17		29	16		29	15				
30*	18*		30*	18		30*	17		30*	16				

Anno sesto (1797-98).

		Sett. 1798	
Complem	Era volgare	17 18 19 20 21	
	Era rep.	1 2 3 4 5	

		Agosto 1798	Settembre 1798
Fructid.	Era volgare / Era	18 19 20 21 22 23 24 25 26 27 28 29 30 31 — 1 2 3 4 5 6 7 8 9 10 11 12 13 14 15 16	
	Era rep.	1 2 3 4 5 6 7 8 9 10 11 12 13 14 15 16 17 18 19 20 21 22 23 24 25 26 27 28 29 30	

		Luglio 1798	Agosto 1798
Thermid.	Era volgare / Era	19 20 21 22 23 24 25 26 27 28 29 30 31 — 1 2 3 4 5 6 7 8 9 10 11 12 13 14 15 16 17	
	Era rep.	1 2 3 4 5 6 7 8 9 10 11 12 13 14 15 16 17 18 19 20 21 22 23 24 25 26 27 28 29 30	

		Giugno 1798	Luglio 1798
Messidor	Era volgare / Era	19 20 21 22 23 24 25 26 27 28 29 30 — 1 2 3 4 5 6 7 8 9 10 11 12 13 14 15 16 17 18	
	Era rep.	1 2 3 4 5 6 7 8 9 10 11 12 13 14 15 16 17 18 19 20 21 22 23 24 25 26 27 28 29 30	

		Maggio 1798	Giugno 1798
Prairial	Era volgare / Era	20 21 22 23 24 25 26 27 28 29 30 31 — 1 2 3 4 5 6 7 8 9 10 11 12 13 14 15 16 17 18	
	Era rep.	1 2 3 4 5 6 7 8 9 10 11 12 13 14 15 16 17 18 19 20 21 22 23 24 25 26 27 28 29 30	

		Aprile 1798	Maggio 1798
Floréal	Era volgare / Era	20 21 22 23 24 25 26 27 28 29 30 — 1 2 3 4 5 6 7 8 9 10 11 12 13 14 15 16 17 18 19	
	Era rep.	1 2 3 4 5 6 7 8 9 10 11 12 13 14 15 16 17 18 19 20 21 22 23 24 25 26 27 28 29 30	

		Marzo 1798	Aprile 1798
Germin.	Era volgare / Era	21 22 23 24 25 26 27 28 29 30 31 — 1 2 3 4 5 6 7 8 9 10 11 12 13 14 15 16 17 18 19	
	Era rep.	1 2 3 4 5 6 7 8 9 10 11 12 13 14 15 16 17 18 19 20 21 22 23 24 25 26 27 28 29 30	

		Febbraio 1798	Marzo 1798
Ventôse	Era volgare / Era	19 20 21 22 23 24 25 26 27 28 — 1 2 3 4 5 6 7 8 9 10 11 12 13 14 15 16 17 18 19 20	
	Era rep.	1 2 3 4 5 6 7 8 9 10 11 12 13 14 15 16 17 18 19 20 21 22 23 24 25 26 27 28 29 30	

		Gennaio 1798	Febbraio 1798
Pluviôse	Era volgare / Era	20 21 22 23 24 25 26 27 28 29 30 31 — 1 2 3 4 5 6 7 8 9 10 11 12 13 14 15 16 17 18	
	Era rep.	1 2 3 4 5 6 7 8 9 10 11 12 13 14 15 16 17 18 19 20 21 22 23 24 25 26 27 28 29 30	

		Dicembre 1797	Gennaio 1797
Nivôse	Era volgare / Era	21 22 23 24 25 26 27 28 29 30 31 — 1 2 3 4 5 6 7 8 9 10 11 12 13 14 15 16 17 18 19	
	Era rep.	1 2 3 4 5 6 7 8 9 10 11 12 13 14 15 16 17 18 19 20 21 22 23 24 25 26 27 28 29 30	

		Novembre 1797	Dicembre 1797
Frimaire	Era volgare / Era	21 22 23 24 25 26 27 28 29 30 — 1 2 3 4 5 6 7 8 9 10 11 12 13 14 15 16 17 18 19 20	
	Era rep.	1 2 3 4 5 6 7 8 9 10 11 12 13 14 15 16 17 18 19 20 21 22 23 24 25 26 27 28 29 30	

		Ottobre 1796	Novembre 1797
Brumaire	Era volgare / Era	22 23 24 25 26 27 28 29 30 31 — 1 2 3 4 5 6 7 8 9 10 11 12 13 14 15 16 17 18 19 20	
	Era rep.	1 2 3 4 5 6 7 8 9 10 11 12 13 14 15 16 17 18 19 20 21 22 23 24 25 26 27 28 29 30	

		Settembre 1797	Ottobre 1797
Vendém.	Era volgare / Era	22 23 24 25 26 27 28 29 30 — 1 2 3 4 5 6 7 8 9 10 11 12 13 14 15 16 17 18 19 20 21	
	Era rep.	1 2 3 4 5 6 7 8 9 10 11 12 13 14 15 16 17 18 19 20 21 22 23 24 25 26 27 28 29 30	

Anno settimo (1798-99).

		Complem	Fructid.	Thermid.	Messidor	Prairial	Floréal	Germin.	Ventôse	Pluviôse	Nivôse	Frimaire	Brumaire	Vendém.

Complem — Settem. 1799

Volgare	Era	Era rep.
17	1	
18	2	
19	3	
20	4	
21	5	
22*	6	

Fructid — Agosto 1799 / Settembre 1799

Volgare	Era	Era rep.
Agosto 1799	18*	1
	19	2
	20	3
	21	4
	22	5
	23	6
	24	7
	25*	8
	26	9
	27	10*
	28	11
	29	12
	30	13
	31	14
Settembre 1799	1*	15
	2	16
	3	17
	4	18
	5	19
	6	20*
	7	21
	8*	22
	9	23
	10	24
	11	25
	12	26
	13	27
	14	28
	15*	29
	16	30*

Thermid — Luglio 1799 / Agosto 1799

Volgare	Era	Era rep.
Luglio 1799	19	1
	20	2
	21*	3
	22	4
	23	5
	24	6
	25	7
	26	8
	27	9
	28*	10*
	29	11
	30	12
	31	13
Agosto 1799	1	14
	2	15
	3	16
	4*	17
	5	18
	6	19
	7	20*
	8	21
	9	22
	10*	23
	11	24
	12	25
	13	26
	14	27
	15	28
	16	29
	17	30*

Messidor — Giugno 1799 / Luglio 1799

Volgare	Era	Era rep.
Giugno 1799	19	1
	20	2
	21	3
	22	4
	23*	5
	24	6
	25	7
	26	8
	27	9
	28	10*
	29	11
	30*	12
Luglio 1799	1	13
	2	14
	3	15
	4	16
	5	17
	6	18
	7*	19
	8	20*
	9	21
	10	22
	11	23
	12	24
	13	25
	14*	26
	15	27
	16	28
	17	29
	18	30*

Prairial — Maggio 1799 / Giugno 1799

Volgare	Era	Era rep.
Maggio 1799	20	1
	21	2
	22	3
	23	4
	24	5
	25	6
	26*	7
	27	8
	28	9
	29*	10*
	30	11
	31	12
Giugno 1799	1	13
	2*	14
	3	15
	4	16
	5	17
	6	18
	7	19
	8	20*
	9	21
	10	22
	11	23
	12	24
	13	25
	14	26
	15	27
	16*	28
	17	29
	18	30*

Floréal — Aprile 1789 / Maggio 1799

Volgare	Era	Era rep.
Aprile 1799	20	1
	21*	2
	22	3
	23	4
	24	5
	25	6
	26	7
	27	8
	28	9
	29*	10*
	30	11
Maggio 1799	1	12
	2	13
	3	14
	4	15
	5*	16
	6	17
	7	18
	8	19
	9	20*
	10	21
	11	22
	12*	23
	13	24
	14	25
	15	26
	16	27
	17	28
	18	29
	19*	30*

Germin — Marzo 1799 / Aprile 1799

Volgare	Era	Era rep.
Marzo 1799	21	1
	22	2
	23	3
	24*	4
	25	5
	26	6
	27	7
	28	8
	29	9
	30	10*
	31*	11
Aprile 1799	1	12
	2	13
	3	14
	4	15
	5	16
	6*	17
	7	18
	8	19
	9	20*
	10	21
	11	22
	12	23
	13*	24
	14	25
	15	26
	16	27
	17	28
	18	29
	19	30*

Ventôse — Febbraio 1799 / Marzo 1799

Volgare	Era	Era rep.
Febbraio 1799	19	1
	20	2
	21	3
	22	4
	23	5
	24*	6
	25	7
	26	8
	27	9
	28	10*
Marzo 1799	1	11
	2	12
	3	13
	4	14
	5	15
	6*	16
	7	17
	8	18
	9	19
	10	20*
	11	21
	12	22
	13	23
	14	24
	15	25
	16	26
	17*	27
	18	28
	19	29
	20	30*

Pluviôse — Gennaio 1799 / Febbraio 1799

Volgare	Era	Era rep.
Gennaio 1799	20	1
	21	2
	22	3
	23	4
	24	5
	25	6
	26	7
	27	8
	28	9
	29	10*
	30	11
	31	12
Febbraio 1799	1	13
	2	14
	3*	15
	4	16
	5	17
	6	18
	7	19
	8	20*
	9	21
	10*	22
	11	23
	12	24
	13	25
	14	26
	15	27
	16	28
	17*	29
	18	30*

Nivôse — Dicembre 1798 / Gennaio 1799

Volgare	Era	Era rep.
Dicembre 1798	21	1
	22	2
	23*	3
	24	4
	25	5
	26	6
	27	7
	28	8
	29	9
	30	10*
	31	11
Gennaio 1799	1	12
	2	13
	3	14
	4	15
	5	16
	6*	17
	7	18
	8	19
	9	20*
	10	21
	11	22
	12	23
	13*	24
	14	25
	15	26
	16	27
	17	28
	18	29
	19*	30*

Frimaire — Novembre 1798 / Dicembre 1798

Volgare	Era	Era rep.
Novembre 1798	21	1
	22	2
	23	3
	24	4
	25*	5
	26	6
	27	7
	28	8
	29	9
	30*	10*
Dicembre 1798	1	11
	2	12
	3	13
	4	14
	5	15
	6*	16
	7	17
	8	18
	9	19
	10	20*
	11	21
	12	22
	13	23
	14	24
	15	25
	16*	26
	17	27
	18	28
	19	29
	20	30*

Brumaire — Ottobre 1798 / Novembre 1798

Volgare	Era	Era rep.
Ottobre 1798	22	1
	23	2
	24	3
	25	4
	26*	5
	27	6
	28*	7
	29	8
	30	9
	31	10*
Novembre 1798	1	11
	2	12
	3	13
	4*	14
	5	15
	6	16
	7	17
	8	18
	9	19
	10	20*
	11*	21
	12	22
	13	23
	14	24
	15	25
	16	26
	17*	27
	18	28
	19	29
	20	30*

Vendém — Settembre 1798 / Ottobre 1798

Volgare	Era	Era rep.
Settembre 1798	22	1
	23*	2
	24	3
	25	4
	26	5
	27	6
	28	7
	29	8
	30*	9
Ottobre 1798	1	10*
	2	11
	3	12
	4	13
	5	14*
	6*	15
	7	16
	8	17
	9	18
	10	19
	11	20*
	12	21
	13*	22
	14	23
	15	24
	16	25
	17	26
	18	27
	19	28
	20	29
	21*	30*

Anno ottavo (1799-1800).

Mese repubblicano	Era rep.	Era volgare
Vendém.	1 – 30*	Settembre 1799 (23–30) · Ottobre 1799 (1–22)
Brumaire	1 – 30*	Ottobre 1799 (23–31) · Novembre 1799 (1–21)
Frimaire	1 – 30*	Novembre 1799 (22–30) · Dicembre 1799 (1–21)
Nivôse	1 – 30*	Dicembre 1799 (22*–31) · Gennaio 1800 (1–20*)
Pluviôse	1 – 30*	Gennaio 1800 (21–31) · Febbraio 1800 (1–19)
Ventôse	1 – 30*	Febbraio 1800 (20–28) · Marzo 1800 (1–21)
Germin.	1 – 30*	Marzo 1800 (22*–31) · Aprile 1800 (1–20*)
Floréal	1 – 30	Aprile 1800 (21–29) · Maggio 1800 (1–20)
Prairial	1 – 30*	Maggio 1800 (21–31) · Giugno 1800 (1–19)
Messidor	1 – 30*	Giugno 1800 (20–29*) · Luglio 1800 (1–19)
Thermid.	1 – 30*	Luglio 1800 (20*–31) · Agosto 1800 (1–18)
Fructid.	1 – 30*	Agosto 1800 (19–31*) · Settembre 1800 (1–17)
Complem.	1 – 5	Sett. 1800 (18–22)

Anno nono (1800–1801).

Mese rep.	Volgare	Era (giorni)	Era rep.
Complem.	Sett. 1801	18 19 20 21 22	1 2 3 4 5
Fructid.	Agosto 1801 / Settembre 1801	19 20 21 22 23 24 25 26 27 28 29 30 31 · 1 2 3 4 5 6 7 8 9 10 11 12 13 14 15 16 17	1 2 3 4 5 6 7 8 9 10 11 12 13 14 15 16 17 18 19 20 21 22 23 24 25 26 27 28 29 30
Thermid.	Luglio 1801 / Agosto 1801	20 21 22 23 24 25 26 27 28 29 30 31 · 1 2 3 4 5 6 7 8 9 10 11 12 13 14 15 16 17 18	1 2 3 4 5 6 7 8 9 10 11 12 13 14 15 16 17 18 19 20 21 22 23 24 25 26 27 28 29 30
Messidor	Giugno 1801 / Luglio 1801	20 21 22 23 24 25 26 27 28 29 30 · 1 2 3 4 5 6 7 8 9 10 11 12 13 14 15 16 17 18 19	1 2 3 4 5 6 7 8 9 10 11 12 13 14 15 16 17 18 19 20 21 22 23 24 25 26 27 28 29 30
Prairial	Maggio 1801 / Giugno 1801	21 22 23 24 25 26 27 28 29 30 31 · 1 2 3 4 5 6 7 8 9 10 11 12 13 14 15 16 17 18 19	1 2 3 4 5 6 7 8 9 10 11 12 13 14 15 16 17 18 19 20 21 22 23 24 25 26 27 28 29 30
Floréal	Aprile 1801 / Maggio 1801	21 22 23 24 25 26 27 28 29 30 · 1 2 3 4 5 6 7 8 9 10 11 12 13 14 15 16 17 18 19 20	1 2 3 4 5 6 7 8 9 10 11 12 13 14 15 16 17 18 19 20 21 22 23 24 25 26 27 28 29 30
Germin.	Marzo 1801 / Aprile 1801	22 23 24 25 26 27 28 29 30 31 · 1 2 3 4 5 6 7 8 9 10 11 12 13 14 15 16 17 18 19 20	1 2 3 4 5 6 7 8 9 10 11 12 13 14 15 16 17 18 19 20 21 22 23 24 25 26 27 28 29 30
Ventôse	Febbraio 1801 / Marzo 1801	20 21 22 23 24 25 26 27 28 · 1 2 3 4 5 6 7 8 9 10 11 12 13 14 15 16 17 18 19 20 21	1 2 3 4 5 6 7 8 9 10 11 12 13 14 15 16 17 18 19 20 21 22 23 24 25 26 27 28 29 30
Pluviose	Gennaio 1801 / Febbraio 1801	21 22 23 24 25 26 27 28 29 30 31 · 1 2 3 4 5 6 7 8 9 10 11 12 13 14 15 16 17 18 19	1 2 3 4 5 6 7 8 9 10 11 12 13 14 15 16 17 18 19 20 21 22 23 24 25 26 27 28 29 30
Nivôse	Dicembre 1800 / Gennaio 1801	22 23 24 25 26 27 28 29 30 31 · 1 2 3 4 5 6 7 8 9 10 11 12 13 14 15 16 17 18 19 20	1 2 3 4 5 6 7 8 9 10 11 12 13 14 15 16 17 18 19 20 21 22 23 24 25 26 27 28 29 30
Frimaire	Novembre 1800 / Dicembre 1800	22 23 24 25 26 27 28 29 30 · 1 2 3 4 5 6 7 8 9 10 11 12 13 14 15 16 17 18 19 20 21	1 2 3 4 5 6 7 8 9 10 11 12 13 14 15 16 17 18 19 20 21 22 23 24 25 26 27 28 29 30
Brumaire	Ottobre 1800 / Novembre 1800	23 24 25 26 27 28 29 30 31 · 1 2 3 4 5 6 7 8 9 10 11 12 13 14 15 16 17 18 19 20 21	1 2 3 4 5 6 7 8 9 10 11 12 13 14 15 16 17 18 19 20 21 22 23 24 25 26 27 28 29 30
Vendém.	Settembre 1800 / Ottobre 1800	23 24 25 26 27 28 29 30 · 1 2 3 4 5 6 7 8 9 10 11 12 13 14 15 16 17 18 19 20 21 22	1 2 3 4 5 6 7 8 9 10 11 12 13 14 15 16 17 18 19 20 21 22 23 24 25 26 27 28 29 30

Anno decimo (1801-02 prima della repubb. italiana).

Vendém. — Settembre 1801 / Ottobre 1801

Era rep.	1	2	3	4	5	6	7	8	9	10	11	12	13	14	15	16	17	18	19	20	21	22	23	24	25	26	27	28	29	30
Era volgare	23	24	25	26	27	28	29	30	1	2	3	4	5	6	7	8	9	10	11	12	13	14	15	16	17	18	19	20	21	22

Brumaire — Ottobre 1801 / Novembre 1801

Era rep.	1	2	3	4	5	6	7	8	9	10	11	12	13	14	15	16	17	18	19	20	21	22	23	24	25	26	27	28	29	30
Era volgare	23	24	25	26	27	28	29	30	31	1	2	3	4	5	6	7	8	9	10	11	12	13	14	15	16	17	18	19	20	21

Frimaire — Novembre 1801 / Dicembre 1801

Era rep.	1	2	3	4	5	6	7	8	9	10	11	12	13	14	15	16	17	18	19	20	21	22	23	24	25	26	27	28	29	30
Era volgare	22	23	24	25	26	27	28	29	30	1	2	3	4	5	6	7	8	9	10	11	12	13	14	15	16	17	18	19	20	21

Nivôse — Dicembre 1801 / Gennaio 1802

Era rep.	1	2	3	4	5	6	7	8	9	10	11	12	13	14	15	16	17	18	19	20	21	22	23	24	25	26	27	28	29	30
Era volgare	22	23	24	25	26	27	28	29	30	31	1	2	3	4	5	6	7	8	9	10	11	12	13	14	15	16	17	18	19	20

Pluviôse — Gennaio 1802 / Febbraio 1802

Era rep.	1	2	3	4	5	6	7	8	9	10	11	12	13	14	15	16	17	18	19	20	21	22	23	24	25	26	27	28	29	30
Era volgare	21	22	23	24	25	26	27	28	29	30	31	1	2	3	4	5	6	7	8	9	10	11	12	13	14	15	16	17	18	19

Ventôse — Febbraio 1802 / Marzo 1802

Era rep.	1	2	3	4	5	6	7	8	9	10	11	12	13	14	15	16	17	18	19	20	21	22	23	24	25	26	27	28	29	30
Era volgare	20	21	22	23	24	25	26	27	28	1	2	3	4	5	6	7	8	9	10	11	12	13	14	15	16	17	18	19	20	21

Germin. — Marzo 1802 / Aprile 1802

Era rep.	1	2	3	4	5	6	7	8	9	10	11	12	13	14	15	16	17	18	19	20	21	22	23	24	25	26	27	28	29	30
Era volgare	22	23	24	25	26	27	28	29	30	31	1	2	3	4	5	6	7	8	9	10	11	12	13	14	15	16	17	18	19	20

Floréal — Aprile 1802 / Maggio 1802

Era rep.	1	2	3	4	5	6	7	8	9	10	11	12	13	14	15	16	17	18	19	20	21	22	23	24	25	26	27	28	29	30
Era volgare	21	22	23	24	25	26	27	28	29	30	1	2	3	4	5	6	7	8	9	10	11	12	13	14	15	16	17	18	19	20

Prairial — Maggio 1802 / Giugno 1802

Era rep.	1	2	3	4	5	6	7	8	9	10	11	12	13	14	15	16	17	18	19	20	21	22	23	24	25	26	27	28	29	30
Era volgare	21	22	23	24	25	26	27	28	29	30	31	1	2	3	4	5	6	7	8	9	10	11	12	13	14	15	16	17	18	19

Messidor — Giugno 1801 / Luglio 1802

Era rep.	1	2	3	4	5	6	7	8	9	10	11	12	13	14	15	16	17	18	19	20	21	22	23	24	25	26	27	28	29	30
Era volgare	20	21	22	23	24	25	26	27	28	29	30	1	2	3	4	5	6	7	8	9	10	11	12	13	14	15	16	17	18	19

Thermid. — Luglio 1802 / Agosto 1802

Era rep.	1	2	3	4	5	6	7	8	9	10	11	12	13	14	15	16	17	18	19	20	21	22	23	24	25	26	27	28	29	30
Era volgare	20	21	22	23	24	25	26	27	28	29	30	31	1	2	3	4	5	6	7	8	9	10	11	12	13	14	15	16	17	18

Fructid. — Agosto 1802 / Settembre 1802

Er. rep.	1	2	3	4	5	6	7	8	9	10	11	12	13	14	15	16	17	18	19	20	21	22	23	24	25	26	27	28	29	30
Era volgare	19	20	21	22	23	24	25	26	27	28	29	30	31	1	2	3	4	5	6	7	8	9	10	11	12	13	14	15	16	17

Complem. — Sett. 1802

Era rep.	1	2	3	4	5
Era volgare	18	19	20	21	22

Anno undecimo (1802-1803).

Mese rep.	Era volgare	Corrispondenze (Era rep. / Era volgare)

Vendém.
Era volgare: Settembre 1802 — Ottobre 1802
Era: 23, 24, 25, 26*, 27, 28, 29, 30 | 1, 2, 3*, 4, 5, 6, 7, 8, 9, 10*, 11, 12, 13, 14, 15, 16, 17*, 18, 19, 20, 21, 22
Era rep.: 1, 2, 3, 4, 5, 6, 7, 8, 9, 10*, 11, 12, 13, 14, 15, 16, 17, 18, 19, 20*, 21, 22, 23, 24, 25, 26, 27, 28, 29, 30

Brumaire
Era volgare: Ottobre 1802 — Novembre 1802
Era: 23, 24*, 25, 26, 27, 28, 29, 30, 31 | 1, 2, 3, 4, 5, 6, 7, 8, 9, 10, 11, 12, 13, 14*, 15, 16, 17, 18, 19, 20, 21*
Era rep.: 1 – 30

Frimaire
Era volgare: Novembre 1802 — Dicembre 1802
Era: 22, 23, 24, 25, 26, 27*, 28, 29, 30 | 1, 2, 3, 4, 5, 6, 7, 8, 9, 10, 11, 12*, 13, 14, 15, 16, 17, 18, 19, 20*, 21
Era rep.: 1 – 30

Nivôse
Era volgare: Dicembre 1802 — Gennaio 1803
Era: 22, 23, 24, 25, 26*, 27, 28, 29, 30, 31 | 1, 2*, 3, 4, 5, 6, 7, 8*, 9, 10, 11, 12, 13, 14, 15, 16*, 17, 18, 19, 20
Era rep.: 1 – 30

Pluviôse
Era volgare: Gennaio 1803 — Febbraio 1803
Era: 21, 22, 23*, 24, 25, 26, 27, 28, 29, 30*, 31 | 1, 2, 3, 4, 5, 6*, 7, 8, 9, 10, 11, 12*, 13, 14, 15, 16, 17, 18, 19
Era rep.: 1 – 30

Ventôse
Era volgare: Febbraio 1803 — Marzo 1803
Era: 20*, 21, 22, 23, 24, 25, 26, 27*, 28 | 1, 2, 3, 4, 5, 6*, 7, 8, 9, 10, 11, 12, 13*, 14, 15, 16, 17, 18, 19, 20*
Era rep.: 1 – 30

Germin.
Era volgare: Marzo 1803 — Aprile 1803
Era: 22, 23, 24, 25, 26*, 27, 28, 29, 30, 31 | 1, 2, 3*, 4, 5, 6, 7, 8, 9, 10*, 11, 12, 13, 14, 15, 16, 17*, 18, 19, 20*
Era rep.: 1 – 30

Floréal
Era volgare: Aprile 1803 — Maggio 1803
Era: 21, 22, 23, 24*, 25, 26, 27, 28, 29, 30 | 1, 2, 3, 4, 5, 6, 7*, 8, 9, 10, 11, 12, 13, 14*, 15, 16, 17, 18, 19, 20
Era rep.: 1 – 30

Prairial
Era volgare: Maggio 1803 — Giugno 1803
Era: 21, 22*, 23, 24, 25, 26, 27, 28, 29, 30 | 1, 2, 3, 4*, 5, 6, 7, 8, 9, 10, 11*, 12, 13, 14, 15, 16, 17, 18*, 19
Era rep.: 1 – 30

Messidor
Era volgare: Giugno 1803 — Luglio 1803
Era: 20, 21, 22, 23, 24, 25*, 26, 27, 28, 29, 30 | 1, 2*, 3, 4, 5, 6, 7, 8, 9, 10*, 11, 12, 13, 14, 15, 16, 17*, 18, 19
Era rep.: 1 – 30

Thermid.
Era volgare: Luglio 1803 — Agosto 1803
Era: 20, 21, 22, 23, 24*, 25, 26, 27, 28, 29, 30, 31* | 1, 2, 3, 4, 5, 6, 7*, 8, 9, 10, 11, 12, 13*, 14, 15, 16, 17, 18
Era rep.: 1 – 30

Fructid.
Era volgare: Agosto 1803 — Settembre 1803
Era: 19, 20, 21*, 22, 23, 24, 25, 26, 27, 28*, 29, 30, 31 | 1, 2, 3, 4*, 5, 6, 7, 8, 9, 10, 11, 12, 13, 14, 15, 16, 17
Era rep.: 1, 2, 3, 4, 5, 6, 7, 8, 9, 10*, 11, 12, 13, 14, 15, 16, 17, 18, 19, 20*, 21, 22, 23, 24, 25, 26, 27, 28, 29, 30*

Complem
Era volgare: Settem. 1803
Era: 18*, 19, 20, 21, 22, 23
Era rep.: 1, 2, 3, 4, 5, 6

Anno duodecimo (1803-1804).

Compién.

volgare	Sett. 1804
Era	18 19 20 21 21
Era rep.	1 2 3 4 5

Fructid.

	Agosto 1804	Settembre 1804
volgare		
Era	19* 20 21 22 23 24 25 26* 27 28 29 30 31	1 2* 3 4 5 6 7 8* 9 10 11 12 13 14 15 16* 17
Era rep.	1 2 3 4 5 6 7 8 9 10* 11 12 13 14	15 16 17 18 19 20* 21 22 23 24 25 26 27 28 29 30*

Thermid.

	Luglio 1804	Agosto 1804
volgare		
Era	20 21 22* 23 24 25 26 27 28 29 30 31	1 2 3 4 5* 6 7 8 9 10 11 12 13 14 15 16 17 18
Era rep.	1 2 3 4 5 6 7 8 9 10* 11 12 13 14	15 16 17 18 19 20* 21 22 23 24 25 26 27 28 29 30*

Messidor.

	Giugno 1804	Luglio 1804
volgare		
Era	20 21 22 23 24* 25 26 27 28 29 30	1* 2 3 4 5 6 7 8* 9 10 11 12 13 14 15* 16 17 18 19
Era rep.	1 2 3 4 5 6 7 8 9 10* 11 12 13 14	15 16 17 18 19 20* 21 22 23 24 25 26 27 28 29 30

Prairial.

	Maggio 1804	Giugno 1804
volgare		
Era	21 22 23 24 25 26 27* 28 29 30 31	1 2 3* 4 5 6 7 8 9 10* 11 12 13 14 15 16* 17* 18 19
Era rep.	1 2 3 4 5 6 7 8 9 10* 11 12 13 14	15 16 17 18 19 20* 21 22 23 24 25 26 27 28 29 30

Floréal.

	Aprile 1804	Maggio 1804
volgare		
Era	21 22 23 24 25 26 27 28* 29 30	1 2 3 4 5 6 7* 8 9 10 11 12 13* 14 15 16 17 18 19 20*
Era rep.	1 2 3 4 5 6 7 8 9 10* 11 12 13 14	15 16 17 18 19 20* 21 22 23 24 25 26 27 28 29* 30

Germin.

	Marzo 1804	Aprile 1804
volgare		
Era	22 23 24* 25 26 27 28 29 30 31	1* 2 3 4 5 6 7 8* 9 10 11 12 13 14 15* 16 17 18 19 20
Era rep.	1 2 3 4 5 6 7 8 9 10* 11 12 13 14	15 16 17 18 19 20* 21 22 23 24 25 26 27 28 29 30

Ventôse.

	Febbraio 1804	Marzo 1804
volgare		
Era	21 22 23 24 25 26* 27 28 29	1 2 3* 4 5 6 7 8 9 10* 11 12 13 14 15 16 17 18* 19 20
Era rep.	1 2 3 4 5 6 7 8 9 10* 11 12 13 14	15 16 17 18 19 20* 21 22 23 24 25 26 27 28 29* 30

Pluviôse.

	Gennaio 1804	Febbraio 1804
volgare		
Era	21 22 23 24 25 26 27 28 29* 30 31	1 2 3 4 5 6 7 8 9 10* 11 12 13 14 15 16 17 18* 19 20
Era rep.	1 2 3 4 5 6 7 8 9 10* 11 12 13 14	15 16 17 18 19 20* 21 22 23 24 25 26 27 28 29 30

Nivôse.

	Dicembre 1803	Gennaio 1804
volgare		
Era	23 24 25* 26 27 28 29 30 31	1 2 3 4 5 6 7* 8 9 10 11 12 13 14 15* 16 17 18 19 20
Era rep.	1 2 3 4 5 6 7 8 9 10* 11 12 13 14	15 16 17 18 19 20* 21 22 23 24 25 26 27 28 29 30

Frimaire.

	Novembre 1803	Dicembre 1803
volgare		
Era	23 24 25 26* 27 28 29 30	1 2 3 4* 5 6 7 8 9 10 11* 12 13 14 15 16 17 18* 19 20 21 22
Era rep.	1 2 3 4 5 6 7 8 9 10* 11 12 13 14	15 16 17 18 19 20* 21 22 23 24 25 26 27 28 29 30

Brumaire.

	Ottobre 1803	Novembre 1803
volgare		
Era	24 25 26 27 28 29 30 31	1 2 3 4 5* 6 7 8 9 10 11 12 13* 14 15 16 17 18 19 20 21 22
Era rep.	1 2 3 4 5 6 7 8 9 10* 11 12 13 14	15 16 17 18 19 20* 21 22 23 24 25 26 27 28 29 30

Vendém.

	Settembre 1803	Ottobre 1803
volgare		
Era	24 25* 26 27 28 29 30	1* 2 3 4 5 6 7 8 9* 10 11 12 13 14 15 16* 17 18 19 20 21 22* 23
Era rep.	1 2 3 4 5 6 7 8 9 10* 11 12 13 14 15 16 17 18 19 20* 21 22 23 24 25 26 27 28 29 30

Anno decimoterzo (1804—1805).

		Sett. 1805	
Complem.	volgare		
	Era		
	Era rep.		

		Agosto 1805	Settembre 1805
Fructid.	volgare		
	Era		
	Era rep.		

		Luglio 1805	Agosto 1805
Thermid.	volgare		
	Era		
	Era rep.		

		Giugno 1805	Luglio 1805
Messidor	volgare		
	Era		
	Era rep.		

		Maggio 1805	Giugno 1805
Prairial	volgare		
	Era		
	Era rep.		

		Aprile 1805	Maggio 1805
Floréal	volgare		
	Era		
	Era rep.		

		Marzo 1805	Aprile 1805
Germin.	volgare		
	Era		
	Era rep.		

		Febbraio 1805	Marzo 1805
Ventose	volgare		
	Era		
	Era rep.		

		Gennaio 1805	Febbraio 1805
Pluviose	volgare		
	Era		
	Era rep.		

		Dicembre 1804	Gennaio 1805
Nivôse	volgare		
	Era		
	Era rep.		

		Novembre 1804	Dicembre 1804
Frimaire	volgare		
	Era		
	Era rep.		

		Ottobre 1804	Novembre 1804
Brumaire	volgare		
	Era		
	Era rep.		

		Settembre 1804	Ottobre 1804
Vendém.	volgare		
	Era		
	Era rep.		

Anno decimoquarto (1805).

Vendém.		Brumaire		Frimaire		Nivose	
Era rep.	Era volgare	Era rep.	Era volgare	Era rep.	Era volgare	Era rep.	Era volgare
1	23	1	23	1	22	1	22*
2	24	2	24	2	23	2	23
3	25	3	25	3	24*	3	24
4	26	4	26	4	25	4	25
5	27	5	27*	5	26	5	26
6	28	6	28	6	27	6	27
7	29*	7	29	7	28	7	28
8	30	8	30	8	29	8	29*
9	1	9	31	9	30	9	30
10*	2	10*	1	10*	1*	10*	31
11	3	11	2	11	2		
12	4	12	3*	12	3		
13	5	13	4	13	4		
14	6*	14	5	14	5		
15	7	15	6	15	6		
16	8	16	7	16	7		
17	9	17	8	17	8*		
18	10	18	9	18	9		
19	11	19	10*	19	10		
20*	12	20*	11	20*	11		
21	13*	21	12	21	12		
22	14	22	13	22	13		
23	15	23	14	23	14		
24	16	24	15	24	15*		
25	17	25	16	25	16		
26	18	26	17*	26	17		
27	19	27	18	27	18		
28	20*	28	19	28	19		
29	21	29	20	29	20		
30*	22	30*	21	30*	21		

Vendém.: Settembre 1805; Ottobre 1805
Brumaire: Ottobre 1805; Novembre 1805
Frimaire: Novembre 1805; Dicembre 1805
Nivose: Dicembre 1805

PARTE TERZA

Egira Maomettana.

Vedi Parte Prima *i*), pag. 22.

Anni dell'Egira	Era Cristiana e princip. d'anno Maomettano		Anni dell'Egira	Era cristiana e princip. d'anno Maomettano		Anni dell'Egira	Era Cristiana e princip. d'anno Maomettano		Anni dell'Egira	Era Cristiana e princip. d'anno Maomettano	
1	622	16/7	36	656	30/6	71	690	15/6	106	724	29/5
2	623	5/7	37	657	19/6	72	691	4/6	107	725	19/5
3	624	24/6	38	658	9/6	73	692	23/5	108	726	8/5
4	625	13/6	39	659	29/5	74	693	13/5	109	727	28/4
5	626	2/6	40	660	17/5	75	694	2/5	110	728	16/4
6	627	23/5	41	661	7/5	76	695	21/4	111	729	5/4
7	628	11/5	42	662	26/4	77	696	10/4	112	730	26/3
8	629	1/5	43	663	15/4	78	697	30/3	113	731	15/3
9	630	20/4	44	664	4/4	79	698	20/3	114	732	3/3
10	631	9/4	45	665	24/3	80	699	9/3	115	733	21/2
11	632	29/3	46	666	13/3	81	700	26/2	116	734	10/2
12	633	18/3	47	667	3/3	82	701	15/2	117	735	31/1
13	634	7/3	48	668	20/2	83	702	4/2	118	736	20/1
14	635	25/2	49	669	9/2	84	703	24/1	119	737	8/1
15	636	14/2	50	670	29/1	85	704	14/1	120	737	29/12
16	637	2/2	51	671	18/1	86	705	2/1	121	738	18/12
17	638	23/1	52	672	8/1	87	705	23/12	122	739	7/12
18	639	12/1	53	672	27/12	88	706	12/12	123	740	26/11
19	640	2/1	54	673	16/12	89	707	1/12	124	741	15/11
20	640	21/12	55	674	6/12	90	708	20/11	125	742	4/11
21	641	10/12	56	675	25/11	91	709	9/11	126	743	25/10
22	642	30/11	57	676	14/11	92	710	29/10	127	744	13/10
23	643	19/11	58	677	3/11	93	711	19/10	128	745	3/10
24	644	7/11	59	678	23/10	94	712	7/10	129	746	22/9
25	645	28/10	60	679	13/10	95	713	26/9	130	747	11/9
26	646	17/10	61	680	1/10	96	714	16/9	131	748	31/8
27	647	7/10	62	681	20/9	97	715	5/9	132	749	20/8
28	648	25/9	63	682	10/9	98	716	25/8	133	750	9/8
29	649	14/9	64	683	30/8	99	717	14/8	134	751	30/7
30	650	4/9	65	684	18/8	100	718	3/8	135	752	18/7
31	651	24/8	66	685	8/8	101	719	24/7	136	753	7/7
32	652	12/8	67	686	28/7	102	720	12/7	137	754	27/6
33	653	2/8	68	687	18/7	103	721	1/7	138	755	16/6
34	654	22/7	69	688	6/7	104	722	21/6	139	756	5/6
35	655	11/7	70	689	25/6	105	723	10/6	140	757	25/5

Anni dell'Egira	Era Cristiana e princip. d'anno Maomettano		Anni dell'Egira	Era cristiana e princip. d'anno Maomettano		Anni dell'Egira	Era Cristiana e princip. d'anno Maomettano		Anni dell'Egira	Era Cristiana e princip. d'anno Maomettano	
141	758	14/5	190	805	27/11	239	853	12/6	288	900	26/12
142	759	4/5	191	806	17/11	240	854	2/6	289	901	16/12
143	760	22/4	192	807	6/11	241	855	22/5	290	902	5/12
144	761	11/4	193	808	25/10	242	856	10/5	291	903	24/11
145	762	1/4	194	809	15/10	243	857	30/4	292	904	13/11
146	763	21/3	195	810	4/10	244	858	19/4	293	905	2/11
147	764	10/3	196	811	23/9	245	859	8/4	294	906	22/10
148	765	27/2	197	812	12/9	246	860	28/3	295	907	12/10
149	766	16/2	198	813	1/9	247	861	17/3	296	908	30/9
150	767	6/2	199	814	22/8	248	862	7/3	297	909	20/9
151	768	26/1	200	815	11/8	249	863	24/2	298	910	9/9
152	769	14/1	201	816	30/7	250	864	13/2	299	911	29/8
153	770	4/1	202	817	20/7	251	865	2/2	300	912	18/8
154	770	24/12	203	818	9/7	252	866	22/1	301	913	7/8
155	771	13/12	204	819	28/6	253	867	11/1	302	914	27/7
156	772	2/12	205	820	17/6	254	868	1/1	303	915	17/7
157	773	21/11	206	821	6/6	255	868	20/12	304	916	5/7
158	774	11/11	207	822	27/5	256	869	9/12	305	917	24/6
159	775	31/10	208	823	16/5	257	870	29/11	306	918	14/6
160	776	19/10	209	824	4/5	258	871	18/11	307	919	3/6
161	777	9/10	210	825	24/4	259	872	7/11	308	920	23/5
162	778	28/9	211	826	13/4	260	873	27/10	309	921	12/5
163	779	17/9	212	827	2/4	261	874	16/10	310	922	1/5
164	780	6/9	213	828	22/3	262	875	6/10	311	923	21/4
165	781	26/8	214	829	11/3	263	876	24/9	312	924	9/4
166	782	15/8	215	830	28/2	264	877	13/9	313	925	29/3
167	783	5/8	216	831	18/2	265	878	3/9	314	926	19/3
168	784	24/7	217	832	7/2	266	879	23/8	315	927	8/3
169	785	14/7	218	833	27/1	267	880	12/8	316	928	25/2
170	786	3/7	219	834	16/1	268	881	1/8	317	929	14/2
171	787	22/6	220	835	5/1	269	882	21/7	318	930	3/2
172	788	11/6	221	835	26/12	270	883	11/7	319	931	24/1
173	789	31/5	222	836	14/12	271	884	29/6	320	932	13/1
174	790	20/5	223	837	3/12	272	885	18/6	321	933	1/1
175	791	10/5	224	838	23/11	273	886	8/6	322	933	22/12
176	792	28/4	225	839	12/11	274	887	28/5	323	934	11/12
177	793	18/4	226	840	31/10	275	888	16/5	324	935	30/11
178	794	7/4	227	841	21/10	276	889	6/5	325	936	19/11
179	795	27/3	228	842	10/10	277	890	25/4	326	937	8/11
180	796	16/3	229	843	30/9	278	891	15/4	327	938	29/10
181	797	5/3	230	844	18/9	279	892	3/4	328	939	16/10
182	798	22/2	231	845	7/9	280	893	23/3	329	940	6/10
183	799	12/2	232	846	28/8	281	894	13/3	330	941	26/9
184	800	1/2	233	847	17/8	282	895	2/3	331	942	15/9
185	801	20/1	234	848	5/8	283	896	19/2	332	943	4/9
186	802	10/1	235	849	26/7	284	897	8/2	333	944	24/8
187	802	30/12	236	850	15/7	285	898	28/1	334	945	13/8
188	803	19/12	237	851	5/7	286	899	17/1	335	946	2/8
189	804	8/12	238	852	23/6	287	900	7/1	336	947	23/7

Anni dell'Egira	Era Cristiana e princip. d'anno Maomettano		Anni dell'Egira	Era Cristiana e princip. d'anno Maomettano		Anni dell'Egira	Era Cristiana e princip. d'anno Maomettano		Anni dell'Egira	Era Cristiana e princip. d'anno Maomettano	
337	948	11/7	386	996	21/1	435	1043	10/8	484	1091	23/2
338	949	1/7	387	997	14/1	436	1044	29/7	485	1092	12/2
339	950	20/6	388	998	3/1	437	1045	19/7	486	1093	1/2
340	951	9/6	389	998	23/12	438	1046	8/7	487	1094	21/1
341	952	29/5	390	999	13/12	439	1047	28/6	488	1095	11/1
342	953	18/5	391	1000	1/12	440	1048	16/6	489	1095	31/12
343	954	7/5	392	1001	20/11	441	1049	5/6	490	1096	19/12
344	955	27/4	393	1002	10/11	442	1050	26/5	491	1097	9/12
345	956	15/4	394	1003	30/10	443	1051	15/5	492	1098	28/11
346	957	4/4	395	1004	18/10	444	1052	3/5	493	1099	17/11
347	958	25/3	396	1005	8/10	445	1053	23/4	494	1100	6/11
348	959	14/3	397	1006	27/9	446	1054	12/4	495	1101	26/10
349	960	3/3	398	1007	17/9	447	1055	2/4	496	1102	15/10
350	961	20/2	399	1008	5/9	448	1056	21/3	497	1103	5/10
351	962	9/2	400	1009	25/8	449	1057	10/3	498	1104	23/9
352	963	30/1	401	1010	15/8	450	1058	28/2	499	1105	13/9
353	964	19/1	402	1011	4/8	451	1059	17/2	500	1106	2/9
354	965	7/1	403	1012	23/7	452	1060	6/2	501	1107	22/8
355	965	28/12	404	1013	13/7	453	1061	21/1	502	1108	11/8
356	966	17/12	405	1014	2/7	454	1062	15/1	503	1109	31/7
357	967	7/12	406	1015	21/6	455	1063	4/1	504	1110	20/7
358	968	25/11	407	1016	10/6	456	1063	25/12	505	1111	10/7
359	969	14/11	408	1017	30/5	457	1064	13/12	506	1112	28/6
360	970	1/11	409	1018	20/5	458	1065	3/12	507	1113	18/6
361	971	24/10	410	1019	9/5	459	1066	22/11	508	1114	7/6
362	972	12/10	411	1020	27/4	460	1067	11/11	509	1115	27/5
363	973	2/10	412	1021	17/4	461	1068	31/10	510	1116	16/5
364	974	21/9	413	1022	6/4	462	1069	20/10	511	1117	5/5
365	975	10/9	414	1023	26/3	463	1070	9/10	512	1118	24/4
366	976	30/8	415	1024	15/3	464	1071	29/9	513	1119	14/4
367	977	19/8	416	1025	4/3	465	1072	17/9	514	1120	2/4
368	978	9/8	417	1026	21/2	466	1073	6/9	515	1121	22/3
369	979	29/7	418	1027	11/2	467	1074	27/8	516	1122	12/3
370	980	17/7	419	1028	31/1	468	1075	16/8	517	1123	1/3
371	981	7/7	420	1029	20/1	469	1076	5/8	518	1124	19/2
372	982	26/6	421	1030	9/1	470	1077	25/7	519	1125	7/2
373	983	15/6	422	1030	29/12	471	1078	14/7	520	1126	27/1
374	984	4/6	423	1031	19/12	472	1079	4/7	521	1127	17/1
375	985	21/5	424	1032	7/12	473	1080	22/6	522	1128	6/1
376	986	13/5	425	1033	26/11	474	1081	11/6	523	1128	25/12
377	987	3/5	426	1034	16/11	475	1082	1/6	524	1129	15/12
378	988	21/4	427	1035	5/11	476	1083	21/5	525	1130	4/12
379	989	11/4	428	1036	25/10	477	1084	10/5	526	1131	23/11
380	990	31/3	429	1037	14/10	478	1085	29/4	527	1132	12/11
381	991	20/3	430	1038	3/10	479	1086	18/4	528	1133	1/11
382	992	9/3	431	1039	23/9	480	1087	8/4	529	1134	22/10
383	993	26/2	432	1040	11/9	481	1088	27/3	530	1135	11/10
384	994	15/2	433	1041	31/8	482	1089	16/3	531	1136	29/9
385	995	4/2	434	1042	21/8	483	1090	6/3	532	1137	19/9

Anni dell'Egira	Era Cristiana e princip. d'anno Maomettano		Anni dell'Egira	Era Cristiana e princip. d'anno Maomettano		Anni dell'Egira	Era Cristiana e princip. d'anno Maomettano		Anni dell'Egira	Era Cristiana e princip. d'anno Maomettano	
533	1138	8/9	582	1186	24/3	631	1233	7/10	680	1281	22/4
534	1139	28/8	583	1187	13/3	632	1234	26/9	681	1282	11/4
535	1140	17/8	584	1188	2/3	633	1235	16/9	682	1283	1/4
536	1141	6/8	585	1189	19/2	634	1236	4/9	683	1284	20/3
537	1142	27/7	586	1190	8/2	635	1237	24/8	684	1285	9/3
538	1143	16/7	587	1191	29/1	636	1238	14/8	685	1286	27/2
539	1144	4/7	588	1192	18/1	637	1239	3/8	686	1287	16/2
540	1145	24/6	589	1193	7/1	638	1240	23/7	687	1288	6/2
541	1146	13/6	590	1193	27/12	639	1241	12/7	688	1289	25/1
542	1147	2/6	591	1194	16/12	640	1242	1/7	689	1290	14/1
543	1148	22/5	592	1195	6/12	641	1243	21/6	690	1291	4/1
544	1149	11/5	593	1196	24/11	642	1244	9/6	691	1291	24/12
545	1150	30/4	594	1197	13/11	643	1245	29/5	692	1292	12/12
546	1151	20/4	595	1198	3/11	644	1246	10/5	693	1293	2/12
547	1152	8/4	596	1199	23/10	645	1247	8/5	694	1294	21/11
548	1153	29/3	597	1200	12/10	646	1248	26/4	695	1295	10/11
549	1154	18/3	598	1201	1/10	647	1249	16/4	696	1296	30/10
550	1155	7/3	599	1202	20/9	648	1250	5/4	697	1297	19/10
551	1156	25/2	600	1203	10/9	649	1251	26/3	698	1298	9/10
552	1157	13/2	601	1204	29/8	650	1252	14/3	699	1299	28/9
553	1158	2/2	602	1205	18/8	651	1253	3/3	700	1300	16/9
554	1159	23/1	603	1206	8/8	652	1254	21/2	701	1301	6/9
555	1160	12/1	604	1207	28/7	653	1255	10/2	702	1302	26/8
556	1160	31/12	605	1208	16/7	654	1256	30/1	703	1303	15/8
557	1161	21/12	606	1209	6/7	655	1257	9/1	704	1304	4/8
558	1162	10/12	607	1210	25/6	656	1258	8/1	705	1305	24/7
559	1163	30/11	608	1211	15/6	657	1258	29/12	706	1306	13/7
560	1164	18/11	609	1212	3/6	658	1259	18/12	707	1307	3/7
561	1165	7/11	610	1213	23/5	659	1260	6/12	708	1308	21/6
562	1166	28/10	611	1214	13/5	660	1261	26/11	709	1309	11/6
563	1167	17/10	612	1215	2/5	661	1262	15/11	710	1310	31/5
564	1168	5/10	613	1216	20/4	662	1263	4/11	711	1311	20/5
565	1169	25/9	614	1217	10/4	663	1264	24/10	712	1312	9/5
566	1170	14/9	615	1218	30/3	664	1265	13/10	713	1313	28/4
567	1171	4/9	616	1219	19/3	665	1266	2/10	714	1314	17/4
568	1172	23/8	617	1220	8/3	666	1267	22/9	715	1315	7/4
569	1173	12/8	618	1221	25/2	667	1268	10/9	716	1316	26/3
570	1174	2/8	619	1222	15/2	668	1269	31/8	717	1317	16/3
571	1175	22/7	620	1223	4/2	669	1270	20/8	718	1318	5/3
572	1176	10/7	621	1224	24/1	670	1271	9/8	719	1219	22/2
573	1177	30/6	622	1225	3/1	671	1272	29/7	720	1320	12/2
574	1178	19/6	623	1226	2/1	672	1273	18/7	721	1321	31/1
575	1179	8/6	624	1226	22/12	673	1274	7/7	722	1322	20/1
576	1180	28/5	625	1227	12/12	674	1275	27/6	723	1323	10/1
577	1181	17/5	626	1228	30/11	675	1276	15/6	724	1323	30/12
578	1182	7/5	627	1229	20/11	676	1277	4/6	725	1324	18/12
579	1183	26/4	628	1230	9/11	677	1278	25/5	726	1325	8/12
580	1184	14/4	629	1231	29/10	678	1279	14/5	727	1326	27/11
581	1185	4/4	630	1232	18/10	679	1280	3/5	728	1327	17/11

Anni dell'Egira	Era Cristiana e princip. d'anno Maomettano		Anni dell'Egira	Era Cristiana e princip. d'anno Maomettano		Anni dell'Egira	Era Cristiana e princip. d'anno Maomettano		Anni dell'Egira	Era Cristiana e princip. d'anno Maomettano	
729	1328	5/11	778	1376	21/5	827	1423	5/12	876	1471	20/6
730	1329	25/10	779	1377	10/5	828	1424	23/11	877	1472	8/6
731	1330	15/10	780	1378	30/4	829	1425	13/11	878	1473	29/5
732	1331	4/10	781	1379	19/4	830	1426	2/11	879	1474	18/5
733	1332	22/9	782	1380	7/4	831	1427	21/10	880	1475	7/5
734	1333	12/9	783	1381	28/3	832	1428	11/10	881	1476	26/4
735	1334	1/9	784	1382	17/3	833	1429	30/9	882	1477	15/4
736	1335	21/8	785	1383	6/3	834	1430	19/9	883	1478	4/4
737	1336	10/8	786	1384	24/2	835	1431	9/9	884	1479	25/3
738	1337	30/7	787	1385	12/2	836	1432	28/8	885	1480	13/3
739	1338	20/7	788	1386	2/2	837	1433	18/8	886	1481	2/3
740	1339	9/7	789	1387	22/1	838	1434	7/8	887	1482	20/2
741	1340	27/6	790	1388	11/1	839	1435	27/7	888	1483	9/2
742	1341	17/6	791	1388	31/12	840	1436	16/7	889	1484	30/1
743	1342	6/6	792	1389	20/12	841	1437	5/7	890	1485	18/1
744	1343	26/5	793	1390	9/12	842	1438	24/6	891	1486	7/1
745	1344	15/5	794	1391	29/11	843	1439	14/6	892	1486	28/12
746	1345	4/5	795	1392	17/11	844	1440	2/6	893	1487	17/12
747	1346	24/4	796	1393	6/11	845	1441	22/5	894	1488	5/12
748	1347	13/4	797	1394	27/10	846	1442	12/5	895	1489	25/11
749	1348	1/4	798	1395	16/10	847	1443	1/5	896	1490	14/11
750	1349	22/3	799	1396	5/10	848	1444	20/4	897	1491	4/11
751	1350	11/3	800	1397	24/9	849	1445	9/4	898	1492	23/10
752	1351	28/2	801	1398	13/9	850	1446	29/3	899	1493	12/10
753	1352	18/2	802	1399	3/9	851	1447	19/3	900	1494	2/10
754	1353	6/2	803	1400	22/8	852	1448	7/3	901	1495	21/9
755	1354	26/1	804	1401	11/8	853	1449	24/2	902	1496	9/9
756	1355	16/1	805	1402	1/8	854	1450	14/2	903	1497	30/8
757	1356	5/1	806	1403	21/7	855	1451	3/2	904	1498	19/8
758	1356	25/12	807	1404	10/7	856	1452	23/1	905	1499	8/8
759	1357	14/12	808	1405	29/6	857	1453	12/1	906	1500	28/7
760	1358	3/11	809	1406	18/6	858	1454	1/1	907	1501	17/7
761	1359	23/11	810	1407	8/6	859	1454	22/12	908	1502	7/7
762	1360	11/11	811	1408	27/5	860	1455	11/12	909	1503	26/6
763	1361	31/10	812	1409	16/5	861	1456	29/11	910	1504	14/6
764	1362	21/10	813	1410	6/5	862	1457	19/11	911	1505	4/6
765	1363	10/10	814	1411	25/4	863	1458	8/11	912	1506	24/5
766	1364	28/9	815	1412	13/4	864	1459	28/10	913	1507	13/5
767	1365	18/9	816	1413	3/4	865	1460	17/10	914	1508	2/5
768	1366	7/9	817	1414	23/3	866	1461	6/10	915	1509	21/4
769	1367	28/8	818	1415	13/3	867	1462	26/9	916	1510	10/4
770	1368	16/8	819	1416	1/3	868	1463	15/9	917	1511	31/3
771	1369	5/8	820	1417	18/2	869	1464	3/9	918	1512	10/3
772	1370	26/7	821	1418	8/2	870	1465	24/8	919	1513	9/3
773	1371	15/7	822	1419	28/1	871	1466	13/8	920	1514	26/2
774	1372	3/7	823	1420	17/1	872	1467	2/8	921	1515	15/2
775	1373	23/6	824	1421	6/1	873	1468	22/7	922	1516	5/2
776	1374	12/6	825	1421	26/12	874	1469	11/7	923	1517	24/1
777	1375	2/6	826	1422	15/12	875	1470	30/6	924	1518	13/1

Anni dell'Egira	Era Cristiana e princip. d'anno Maomettano		Anni dell'Egira	Era Cristiana e princip. d'anno Maomettano		Anni dell'Egira	Era Cristiana e princip. d'anno Maomettano		Anni dell'Egira	Era Cristiana e princip. d'anno Maomettano	
925	1519	3/1	972	1564	9/8	1019	1610	26/3	1066	1655	31/10
926	1519	23/12	973	1565	29/7	1020	1611	16/3	1067	1656	20/10
927	1520	12/12	974	1566	19/7	1021	1612	4/3	1068	1657	9/10
928	1521	1/12	975	1567	8/7	1022	1613	21/2	1069	1658	29/9
929	1522	20/11	976	1568	26/6	1023	1614	11/2	1070	1659	18/9
930	1523	10/11	977	1569	16/6	1024	1615	31/1	1071	1660	6/9
931	1524	29/10	978	1570	5/6	1025	1616	21/1	1072	1661	27/8
932	1525	18/10	979	1571	26/5	1026	1617	9/1	1073	1662	16/8
933	1526	8/10	980	1572	14/5	1027	1617	29/12	1074	1663	5/8
934	1527	27/9	981	1573	3/5	1028	1618	19/12	1075	1664	25/7
935	1528	15/9	982	1574	23/4	1029	1619	8/12	1076	1665	14/7
936	1529	5/9	983	1575	12/4	030	1620	26/11	1077	1666	4/7
937	1530	25/8	984	1576	31/3	1031	1621	16/11	1078	1667	23/6
938	1531	15/8	985	1577	21/3	1032	1622	5/11	1079	1668	11/6
939	1532	3/8	986	1578	10/3	1033	1623	25/10	1080	1669	1/6
940	1533	23/7	987	1579	28/2	1034	1624	14/10	1081	1670	21/5
941	1534	13/7	988	1580	17/2	1035	1625	3/10	1082	1671	10/5
942	1535	2/7	989	1581	5/2	1036	1626	22/9	1083	1672	29/4
943	1536	20/6	990	1582	26/1	1037	1627	12/9	1084	1673	18/4
944	1537	10/6	991	1583	25/1 [1]	1038	1628	31/8	1085	1674	7/4
945	1538	30/5	992	1584	14/1	1039	1629	21/8	1086	1675	28/3
946	1539	19/5	993	1585	3/1	1040	1630	10/8	1087	1676	16/3
947	1540	8/5	994	1585	23/12	1041	1631	30/7	1088	1677	6/3
948	1541	27/4	995	1586	12/12	1042	1632	19/7	1089	1678	23/2
949	1542	17/4	996	1587	2/12	1043	1633	8/7	1090	1679	12/2
950	1543	6/4	997	1588	20/11	1044	1634	27/6	1091	1680	2/2
951	1544	25/3	998	1589	10/11	1045	1635	17/6	1092	1681	21/1
952	1545	15/3	999	1590	30/10	1046	1636	5/6	1093	1682	10/1
953	1546	4/3	1000	1591	19/10	1047	1637	26/5	1094	1682	31/12
954	1547	21/2	1001	1592	8/10	1048	1638	15/5	1095	1683	20/12
955	1548	11/2	1002	1593	27/9	1049	1639	4/5	1096	1684	8/12
956	1549	30/1	1003	1594	16/9	1050	1640	23/4	1097	1685	28/11
957	1550	20/1	1004	1595	6/9	1051	1641	12/4	1098	1686	17/11
958	1551	9/1	1005	1596	25/8	1052	1642	1/4	1099	1687	7/11
959	1551	20/12	1006	1597	14/8	1053	1643	22/3	1100	1688	26/10
960	1552	18/12	1007	1598	4/8	1054	1644	10/3	1101	1689	15/10
961	1553	7/12	1008	1599	24/7	1055	1645	27/2	1102	1690	5/10
962	1554	26/11	1009	1600	13/7	1056	1646	17/2	1103	1691	24/9
963	1555	16/11	1010	1601	2/7	1057	1647	6/2	1104	1692	12/9
964	1556	4/11	1011	1602	21/6	1058	1648	27/1	1105	1693	2/9
965	1557	24/10	1012	1603	11/6	1059	1649	15/1	1106	1694	22/8
966	1558	14/10	1013	1604	30/5	1060	1650	4/1	1107	1695	12/8
967	1559	3/10	1014	1605	19/5	1061	1650	25/12	1108	1696	31/7
968	1560	22/9	1015	1606	9/5	1062	1651	14/12	1109	1697	20/7
969	1561	11/9	1016	1607	28/4	1063	1652	2/12	1110	1698	10/7
970	1562	31/8	1017	1608	17/4	1064	1653	22/11	1111	1699	29/6
971	1563	21/8	1018	1609	6/4	1065	1654	11/11	1112	1700	18/6

Secondo il calendario gregoriano. Così le date che seguono.

Anni dell'Egira	Era Cristiana e princip. d'anno Maomettano		Anni dell'Egira	Era Cristiana e princip. d'anno Maomettano		Anni dell'Egira	Era Cristiana e princip. d'anno Maomettano		Anni dell'Egira	Era Cristiana e princip. d'anno Maomettano	
1113	1701	8/6	1162	1748	22/12	1211	1796	7/7	1260	1844	22/1
1114	1702	28/5	1163	1749	11/12	1212	1797	26/6	1261	1845	10/1
1115	1703	17/5	1164	1750	30/11	1213	1798	15/6	1262	1845	30/12
1116	1704	6/5	1165	1751	20/11	1214	1799	5/6	1263	1846	20/12
1117	1705	25/4	1166	1752	8/11	1215	1800	25/5	1264	1847	9/12
1118	1706	15/4	1167	1753	29/10	1216	1801	14/5	1265	1848	27/11
1119	1707	4/4	1168	1754	17/10	1217	1802	4/5	1266	1849	17/11
1120	1708	23/3	1169	1755	7/10	1218	1803	23/4	1267	1850	6/11
1121	1709	13/3	1170	1756	26/9	1219	1804	12/4	1268	1851	27/10
1122	1710	2/3	1171	1757	15/9	1220	1805	1/4	1269	1852	15/10
1123	1711	19/2	1172	1758	4/9	1221	1806	21/3	1270	1853	4/10
1124	1712	9/2	1173	1759	25/8	1222	1807	11/3	1271	1854	24/9
1125	1713	28/1	1174	1760	13/8	1223	1808	28/2	1272	1855	13/9
1126	1714	17/1	1175	1761	2/8	1224	1809	16/2	1273	1856	1/9
1127	1715	7/1	1176	1762	23/7	1225	1810	6/2	1274	1857	22/8
1128	1715	27/12	1177	1763	12/7	1226	1811	26/1	1275	1858	11/8
1129	1716	16/12	1178	1764	1/7	1227	1812	16/1	1276	1859	31/7
1130	1717	5/12	1179	1765	20/6	1228	1813	4/1	1277	1860	20/7
1131	1718	24/11	1180	1766	9/6	1229	1813	24/12	1278	1861	9/7
1132	1719	14/11	1181	1767	30/5	1230	1814	14/12	1279	1862	29/6
1133	1720	2/11	1182	1768	18/5	1231	1815	3/12	1280	1863	18/6
1134	1721	22/10	1183	1769	7/5	1232	1816	21/11	1281	1864	6/6
1135	1722	12/10	1184	1770	27/4	1233	1817	11/11	1282	1865	27/5
1136	1723	1/10	1185	1771	16/4	1234	1818	31/10	1283	1866	16/5
1137	1724	20/9	1186	1772	4/4	1235	1819	20/10	1284	1867	5/5
1138	1725	9/9	1187	1773	25/3	1236	1820	9/10	1285	1868	24/4
1139	1726	29/8	1188	1774	14/3	1237	1821	28/9	1286	1869	13/4
1140	1727	19/8	1189	1775	4/3	1238	1822	18/9	1287	1870	3/4
1141	1728	7/8	1190	1776	21/2	1239	1823	7/9	1288	1871	23/3
1142	1729	27/7	1191	1777	9/2	1240	1824	26/8	1289	1872	11/3
1143	1730	17/7	1192	1778	30/1	1241	1825	16/8	1290	1873	1/3
1144	1731	6/7	1193	1779	19/1	1242	1826	5/8	1291	1874	18/2
1145	1732	24/6	1194	1780	8/1	1243	1827	25/7	1292	1875	7/2
1146	1733	14/6	1195	1780	28/12	1244	1828	14/7	1293	1876	28/1
1147	1734	3/6	1196	1781	17/12	1245	1829	3/7	1294	1877	16/1
1148	1735	24/5	1197	1782	7/12	1246	1830	22/6	1295	1878	5/1
1149	1736	12/5	1198	1783	26/11	1247	1831	12/6	1296	1878	26/12
1150	1737	1/5	1199	1784	14/11	1248	1832	31/5	1297	1879	15/12
1151	1738	21/4	1200	1785	4/11	1249	1833	21/5	1298	1880	4/12
1152	1739	10/4	1201	1786	24/10	1250	1834	10/5	1299	1881	23/11
1153	1740	29/3	1202	1787	13/10	1251	1835	29/4	1300	1882	12/11
1154	1741	19/3	1203	1788	2/10	1252	1836	18/4	1301	1883	2/11
1155	1742	8/3	1204	1789	21/9	1253	1837	7/4	1302	1884	21/10
1156	1743	25/2	1205	1790	10/9	1254	1838	27/3	1303	1885	10/10
1157	1744	13/2	1206	1791	31/8	1255	1839	17/3	1304	1886	30/9
1158	1745	3/2	1207	1792	19/8	1256	1840	5/3	1305	1887	19/9
1159	1746	24/1	1208	1793	9/8	1257	1841	23/2	1306	1888	7/9
1160	1747	13/1	1209	1794	29/7	1258	1842	12/2	1307	1889	28/8
1161	1748	2/1	1210	1795	18/7	1259	1843	1/2	1308	1890	17/8

Anni dell'Egira	Era Cristiana e princip. d'anno Maomettano		Anni dell'Egira	Era Cristiana e princip. d'anno Maomettano		Anni dell'Egira	Era Cristiana e princip. d'anno Maomettano		Anni dell'Egira	Era Cristiana e princip. d'anno Maomettano	
1309	1891	7/8	1338	1919	26/9	1367	1947	15/11	1396	1976	3/1
1310	1892	26/7	1339	1920	15/9	1368	1948	3/11	1397	1976	23/12
1311	1893	15/7	1340	1921	4/9	1369	1949	24/10	1398	1977	12/12
1312	1894	5/7	1341	1922	24/8	1370	1950	13/10	1399	1978	2/12
1313	1895	24/6	1342	1923	14/8	1371	1951	2/10	1400	1979	21/11
1314	1896	12/6	1343	1924	2/8	1372	1952	21/9	1401	1980	9/11
1315	1897	2/6	1344	1925	22/7	1373	1953	10/9	1402	1981	30/10
1316	1898	22/5	1345	1926	12/7	1374	1954	30/8	1403	1982	19/10
1317	1899	12/5	1346	1927	1/7	1375	1955	20/8	1404	1983	8/10
1318	1900	1/5	1347	1928	20/6	1376	1956	8/8	1405	1984	27/9
1319	1901	20/4	1348	1929	9/6	1377	1957	29/7	1406	1985	16/9
1320	1902	10/4	1349	1930	29/5	1378	1958	18/7	1407	1986	6/9
1321	1903	30/3	1350	1931	19/5	1379	1959	7/7	1408	1987	26/8
1322	1904	18/3	1351	1932	7/5	1380	1960	26/6	1409	1988	14/8
1323	1905	8/3	1352	1933	26/4	1381	1961	15/6	1410	1989	4/8
1324	1906	23/2	1353	1934	16/4	1382	1962	4/6	1411	1990	24/7
1325	1907	14/2	1354	1935	5/4	1383	1963	25/5	1412	1991	13/7
1326	1908	4/2	1355	1936	24/3	1384	1964	13/5	1413	1992	2/7
1327	1909	23/1	1356	1937	14/3	1385	1965	2/5	1414	1993	21/6
1328	1910	13/1	1357	1938	3/3	1386	1966	22/4	1415	1994	10/6
1329	1911	2/1	1358	1939	21/2	1387	1967	11/4	1416	1995	31/5
1330	1911	22/12	1359	1940	10/2	1388	1968	31/3	1417	1996	19/5
1331	1912	11/12	1360	1941	29/1	1389	1969	20/3	1418	1997	9/5
1332	1913	30/11	1361	1942	19/1	1390	1970	9/3	1419	1998	28/4
1333	1914	19/11	1362	1943	8/1	1391	1971	27/2	1420	1999	17/4
1334	1915	9/11	1363	1943	28/12	1392	1972	16/2	1421	2000	6/4
1335	1916	28/10	1364	1944	17/12	1393	1973	4/2			
1336	1917	17/10	1365	1945	6/12	1394	1974	25/1			
1337	1918	7/10	1366	1946	25/11	1395	1975	14/1			

PARTE QUARTA

Tavole cronistoriche

I.

SERIE CRONOLOGICA DEI CONSOLI ROMANI

dall'anno 1° al 566 dell' Era Cristiana (1).

Era cristiana	Anni di Roma	Olimpiadi	CONSOLI
1	754	195	Caius Caesar. – Lucius Aemilius Paullus. – M. Herennius Picens, s. 1/7.
2	755	II	P. Vinicius. – P. Alfenus Varus. – P. Cornelius Lentulus Scipio. s. 1/7. – T. Quinctius Crispinus Valerianus, s. 1/9.
3	756	III	L. Aelius Lamia. – M. Servilius Nonianus. – P. Silius, s. 1/7. – L. Volusius Saturninus, s. 1/7.
4	757	IV	Sex. Aelius Catus. – C. Sentius Saturninus. – Cn. Sentius Saturninus, s. 1/7. – C. Clodius Licinius, s. 1/7.
5	758	196	L. Valerius Messalla Volesus. – Cn. Cornelius Cinna Magnus. – C. Vibus Postumus, s. 1/7. – C. Ateius Capito, s. 1/7.
6	759	II	M. Aemilius Lepidus. – L. Arruntius. – L. Nonius Asprenas, s. 1/7. – M. Aemilius Lepidus, s. 1/7.
7	760	III	Q. Caecilius Metellus Creticus Silanus. – A. Licinius Nerva Silianus – Lucilius Longus, s. 1/7. – Q. Caecil. Metell. Cret. s. 1 7.
8	761	IV	M. Furius Camillus. – Sex. Nonius Quinctilianus. – L. Apronius, s. 1/7. – A. Vibius Habitus, s. 1/7.
9	762	197	C. Poppaeus Sabinus. – Q. Sulpicius Camerinus. – M. Papius Mutilus, s. 1/7. – Q. Poppaeus Secundus, s. 1/7.
10	763	II	P. Cornelius Dolabella. – C. Junius Silanus. – Ser. Cornelius Lentulus Maluginensis, s. 1/7. – Q. Junius Blaesus, s. 23/8.
11	764	III	M.' Aemilius Lepidus - T. Statilius Taurus. – L. Cassius Longinus, s. 1/7.
12	765	IV	Germanicus Caesar. – C. Fonteius Capito. – C. Visellius Varro, s. 1/7.
13	766	198	C. Silius Caecina Largus. – L. Munatius Plancus. – .... cus. s. 1/7.

(1) Abbreviazioni : A(ulus), Ap(pius Aug(ustus), Aur(elius), Caes(ar), C(aius), Cn(aeus), D(ecimus), f(ilius) Fl(avius), G(aius), J(ulius), Jul(ius), jun(ior), L(ucius), M(arcus), M.'(Manius), N(umerius), P(ublius), p(ost). c(on)s(ulatum). Q(uintus), S(ergius), Ser(vius), s(uffectus),Sex(tus), St(atius). T(itus), Ter(tius). Ti(berius). V(ibius). In carattere grassetto poniamo i nomi degli imperatori.

Era cristiana	Anni di Roma	Olimpiadi	CONSOLI
14	767	II	Sex. P. Sex. f. Pompeius. - Sex. Appuleius.
15	768	III	Drusus Julius Caesar. - C. Norbanus Flaccus. - Dec. Drusus Julius Caesar, s. 13/8. - M. Junius Silanus, s. 1/12.
16	769	IV	T. Statilius Sisenna Taurus. - L. Scribonius Libo. - C. Vibius Libo, s. - C. Pomponius Graecinus, s. 1/7.
17	770	199	L. Pomponius Flaccus. - C. Caelius Rufus. - C. Vibius Marsus, s. - L. Voluseius Proculus, s.
18	771	II	**Tiberius** Caes. Aug. III. - Germanicus Caesar II. - L. Seius Tubero, s. 19/4. - Memmius Regulus, s. 29/4. - Q. Marcius Barea, s. 1/8. - T. Rustius Nummius Gallus, s. 1/8.
19	772	III	M. Junius Silanus. - L. Norbanus Balbus. - P. Petronius, s.
20	773	IV	M. Valerius Messala. - M. Aurelius Cotta. - Maxim. Messalin.
21	774	200	**Tiberius** Caes. Aug. IV. - Drusus Julius Caesar II.
22	775	II	D. Haterius Agrippa. - C. Sulpitius Galba.
23	776	III	C. Asinius Pollio. - C. Antistius Vetus. - [Sanquinius M]aximus. **s.**
24	777	IV	Serv. Cornelius Cethegus. - L. Visellius Varro. - C. Calpurnius Aviola, s. - P. Cornel. Lentulus Scipio, s.
25	778	201	Cossus Cornelius Lentulus. - M. Asinius Agrippa. - C. Petronius, s. 5/9.
26	779	II	Cn. Cornelius Lentulus Gaetulicus. - C. Calvisius Sabinus. - L. Junius Silanus (?), s. 4/12. - C. Vellaeus Tutor (?), s. 5/12.
27	780	III	M. Licinius Crassus Frugi. - L. Calpurnius Piso. - P. [Cornelius] Le[ntulus], s. - C. Sall[ustius], s.
28	781	IV	C. Appius Junius Silanus. - P. Silius Nerva. - Q. Junius Blaesus (?), s. 23/12. - L. Antistius Vetus (?), s. 23/12.
29	782	202	L. Rubellius Geminus. - C. Fufius Geminus. - A. Plautius, s. 6/7. - L. Nonius Asprenas, s. 7/10.
30	783	II	M. Vinicius. - L. Cassius Longinus. - L. Naevius Surdinus, s. 6/7. - C. Cassius Longinus, s. 7/10.
31	784	III	**Tiberius** Caes. Aug. V. - L. Aelius Seianus. - Faustus Cornelius Sulla, s. 9/5. - Sex. Teidius Val. Catullus, s. 9/5. - L. Fulcinius Trio, s. 1/7. - Pub. Memmius Regulus, 1/10.
32	785	IV	Cn. Domitius Ahenobarbus. - M. Furius Camillus Arruntius Scribonianus. - A. Vitellius, s. 1/7.
33	786	203	Ser. Sulpicius **Galba**. - L. Corn. Sulla Felix. - L. Salvius Otho, s. 1/7.
34	787	II	Paulus Fabius Persicus. - L. Vitellius.
35	788	III	C. Cestius Gallus. - M. Servilius Nonianus.
36	789	IV	Sex Papinius Allenius. - Q. Plautius.
37	790	204	Cn. Acerronius Proculus. - Caius Petronius Pontius Nigrinus. - C. Caesar Germanicus (**Caligula**), s. 1/7. - Tiberius **Claudius** Nero Germanicus, s. 1/7.
38	791	II	M. Aquilia Julianus. - P. Nonius Asprenas. - Ser. Asinius Celer, s. - .... tonius Quinctilianus, s.
39	792	III	C. Caesar German. (**Caligula**) II. - L. Apronius Caesianus. - M. Sanquinius Maximus II, s. 1/2. - Cn. Domitius Corbulo, s. 1/7 (?). - Cn. Domitius Afer, s. 1/7 (?).
40	793	IV	Caius Caesar Germanicus (**Caligula**) III. - Laecanius Bassus, s. 29/5. - Q. Terentius Culleo, s. 29/5. - Gellius Publicola, s. 1/7 (?). - M. Cocceius Nerva, s. 1/7 (?).

Era cristiana	Anni di Roma	Olimpiadi	CONSOLI
41	794	205	C. Caesar Germ. (**Caligula**) IV. – Cn. Sentius Saturninus. – Q. Pomponius Secundus, s. 15/5.
42	795	II	Tib. **Claudius** Aug. II. – Caius Cecina Largus. – C. Cestius Gallus, s. 1/3. – Cornelius Lupus, s. – C. Svetonius Paullinus (?), s.
43	796	III	Tib. **Claudius** German. Aug. III. – L. Vitellius II. – L. Pedanius Secundus, s. 1/3. – Sex. Palpellius Hister, s. 1/3.
44	797	IV	L. Passienus Crispus II. – T. Statilius Taurus. – L. Pomponius Secundus, s. 4/5.
45	798	206	M. Vinicius II. – T. Statilius Taurus Corvinus. – Ti. Plautius Silvanus Aelianus, s. 1/4. – Rufus, s. 28/6. – M. Pompeus Silvanus, s. 28/6.
46	799	II	Valerius Asiaticus, II. – M. Junius Silanus. – .... Vellaeus Tutor (?), s. – Q. Sulpicius Camerinus Peticus, s. 15/3. – D. Laelius Balbus, s. 1/7. – C. Terentius, s. 1/10. – Tullius Geminus, s. 1/10.
47	800	III	Tib. **Claudius** Aug. German. IV. – L. Vitellius III.
48	801	IV	Aulus Vitellius – L. Vipstanus Publicola. – L. Vitellius, s. 1/7
49	802	207	C. Pompeius Longus Gallus. – Q. Veranius. – L. Memmius Pollio, s. 23/5. – Q. Allius Maximus, s. 23/5.
50	803	II	C. Antistius Vetus. – M. Suillius Nerullinus.
51	804	III	Tib. **Claudius** Aug. German. V. – Serv. Corn. Orfitus. – L. Cal[i- dius]? Vet[us], s. 27/9. – Titus Flavius **Vespasianus** I, s. ?/11-12.
52	805	IV	Faustus Corn. Sulla Felix. – Lucius Salvius Otho Titianus. – .... Barea Soranus, s. – L. Salvidienus Rufus Salvianus, s. 11/12.
53	806	208	D. Junius Silanus Torquatus. – Q. Haterius Antoninus.
54	807	II	M. Asinius Marcellus. – Manius Acilius Aviola.
55	808	III	**Nero** Aug. I. – L. Antistius Vetus. – Cn. Corn. Lentulus Gaetulicus, s. 6/12. – T. Curtilius Mancia, s. 30/12.
56	809	IV	Q. Volusius Saturninus. – P. Cornelius Scipio. – L. Annaeus Seneca, s. 25/8. – L. Trebellius Maximus (?), s. 3/9. – L. Duvius Avitus, s. 5/11. – P. Clodius, Thrasea Paetus, s.18/12.
57	810	209	**Nero** Caes. Aug. II. – L. Calpurnius Piso. – L. Caesius Martialis, s. 28/7.
58	811	II	**Nero** Aug. III. – M. Valerius Messala Corvinus. – C. Fontius Agrippa, s. ?/7. – A. Paconius Sabinus, s. 14/8. – A. Petronius Lurco, s. 15/12.
59	812	III	C. Vipstanus Apronianus. – C. Fonteius Capito. – T. Sextius Africanus, s. 10/7. – M. Ostorius Scapula, s. 15/12.
60	813	IV	**Nero** Aug. IV. – Cossus Cornelius Lentulus. – Cn. Pedanius Salinator, s. 2/7. – L. Velleius Paterculus, s. 1/8. – .... Vopiscus, s.
61	814	210	L. Caesennius Paetus. – P. Petronius Turpilianus.
62	815	II	P. Marius Celsus. – L. Afinius Gallus. – Q. Junius Marullus, s. 27/10.
63	816	III	C. Memmius Regulus. – L. Verginius Rufus I.
64	817	IV	C. Lecanius Bassus. – M. Licinius Crassus Frugi.
65	818	211	A. Licinius Nerva Silianus. – M. (Jul.?) Vestinius Atticus. – C. Pomponius, s. 13/8. – C. Anicius Cerealis, s. 13/8.

Era cristiana	Anni di Roma	Olimpiadi	CONSOLI
66	819	II	C. Lucius Telesinus. - C. Suetonius Paullinus II (?).- Annius Vicinianus (?), s. - M. Arruntius Aquila, s. 25/9.
67	820	III	Fonteius Capito. - C. Julius Rufus.
68	821	IV	Ti. Catius Silius Italicus. - P. Galerius Trachalus. - **Nero** Aug. V. - M. Ulpius Traianus (?), s. - C. Bellicus Natalis, s. 15/10. - P. Corn. Scipio Asiat., s. 2/12.
69	822	212	Ser. Sulp. **Galba** Aug. II. - T. Vinius Rufinus. - Salvius **Otho** Caes. Aug., s. 30/1. - L. Salv. Otho Titianus II, s. 28/2. - L. Verginius Rufus II, s. 1/3. - L. Pompeius, Vopiscus s. 14/3. - Ti Fl. Sabinus, s. 30/4. - Cn. Arulenus Celius Sabinus, s. 1/5. - Arrius Antoninus, s. 2/7. - Marius Celsus, s. 2/9. - Fabius Valens, s. 31/10 - Aulus Caecina Alienus, s. 30/10. - Roscius Regulus, s. 31/10. - Cn. Caecilius Simplex, s. 1/11. - C. Quintius Atticus, s. 1/11.
70	823	II	Flavius **Vespasianus** Aug. II. - **Titus** Caesar Vespasianus. - C. Licinius Mucianus II, s. - Q. Petillius Cerialis Caesius Rufus I, s. - L. Annius Bassus, s. 17/11. - C. Caecina Paetus, s. 17/11.
71	824	III	Flav. **Vespasianus** Aug. III. - M. Cocceius **Nerva** I. - Domitianus Caesar I, s. 5/4. - Cn. Paedius Caseus, s. 30/5. - C. Calpetanus Rantius Quirinalis Valer. Festus, s. 25/6. - L. Flavius Fimbria, s. 20/7. - C. Atilius Barbarus, s. 20/7. - L. Acilius Strabo, s. ?/9.- Sex. Neranius Capito (?),s. ?/9.
72	825	IV	**Vespasianus** Aug. IV. - **Titus** Caesar Vespasianus II. - C. Licinius Mucianus III. - T. Flav. Sabinus II, s. 29/5.
73	826	213	**Domitianus** Caesar II. - L. Valeriuš Catullus Messalinus. - M. Arrecinus Clemens (?), s.
74	827	II	**Vespasianus** Aug. V. - **Titus** Caesar Vespasianus III. - T. Plautius Silvanus Aelianus II, s. 13/1. - Q. Petillius Cerialis Caesius Rufus II, s. 21/5. - T. Clod. Eprins Marcellus II s. 21/5. - Sex. Julius Frontinus (?), s.
75	828	III	**Vespasianus** Aug. VI. - **Titus** Caesar Vespasianus IV.
76	829	IV	**Vespasianus** Aug. VII. - **Titus** Caesar Vespasianus V. - Domitianus Caesar IV. s. 2/12. - Galeo Tettienus Petronianus, s. 2'12 - M. Fulvius Gillo, s. 2/12.
77	830	214	**Vespasianus** Caes. Aug. VIII. - **Titus** Caesar Vespasianus V. - **Domitianus** Caesar V, s. - Cn. Jul. Agricola, s.
78	831	II	L. Ceionius Commodus. - Decimus Novius Priscus. - Sex. Vitulasius Nepos, s. ?/4. - .... us Paetus, s.
79	832	III	**Vespasianus** Aug. IX. - **Titus** Caesar Vespasianus VII. - Caesar Domitianus VI, s.
80	833	IV	**Titus** Aug. VIII. - **Domitaianus** Caesar VII. - L. Aelius Plautius, s. 13/6. - C. Marius Marcellus Octavius, s. 13/6. - Q. Pactumeius Fronto, s. - M. Tittius Frugi, s. 7/12. - T. Vinicius Julianus, s. 7/12.
81	834	215	Lucius Flavius Silva Nonius Bassus. - Asinius Pollio Verrucosus. - M. Roscius Coelius, s. 29/3. - C. Julius Juvenalis, s. 29/3. - T. Jun. Montanus, s. 1/5. - L. Vettius Paullus, s. 29/6. - M. Petron. Umbrinus, s. 14/9. - L. Carmin. Lusitanicus, s. 30/10.

Era cristiana	Anni di Roma	Olimpiadi	CONSOLI
82	835	II	**Domitianus** Aug. VIII. - L. Flavius Sabinus. - P. Valerius Patruinus, s. 20/7. - L. Anton. Saturnin, s. 20/7.
83	836	III	**Domitianus** Aug. IX. - Q. Petillius Rufus II. - C. Scoedius Natta Pinarianus, s. 18/7. - Tettius Julianus, s. - T. Tettienus Serenus, s. 18/7.
84	837	IV	**Domitianus** Aug. X. - C. Oppius Sabinus. - Flav. (?) Ursus, s. - C. Tullius Capito, s. 3/9. - C. Cornel. Galicanus, s. 3/9.
85	838	216	**Domitianus** Aug. XI. - T. Aurelius Fulvus. - Cornel. Gallicanus, s. - D. Aburius Bassus, s. 5/9. - Q. Julius Balbus, s. 5/9.
86	839	II	**Domitianus** Aug. XII. - Ser. Corn. Dolabella Petronianus. - C. Secius Campanus, s. 22/1. - Sex. Octavius Fronto, s. 6/5. - Ti. Jul. Candidus Marius Celsus, s. 13/5.
87	840	III	**Domitianus** Aug. XIII. - L. Volusius Saturninus. - C. Calpurnius, s. 22/1. - C. Bellicus Natalis Tebanianus, s. 19/5. - C. Ducenius Proculus, s. 20/5. - Priscus, s. 22/9.
88	841	IV	**Domitianus** Aug. XIV. - L. Minucius Rufus. - L. Plotius Grypus, s. 15/4.
89	842	217	Aurelius Fulvus. - .... Atratinus. - ... Blaesus, s. 19/5. - Paeducaeus Saenianus, s. 25/8.
90	843	II	**Domitianus** Aug. XV. - M. Cocceius **Nerva** II. - Albius Pullaienus Pollio, s. 27/6. - Cn. Pompeius Longinus, s. 27/10.
91	844	III	M. Ulpius **Traianus** I. - M.' Acilius Glabrio. - Q. Valerius Vegetus, s. 5/11.
92	845	IV	**Domitianus** Aug. XVI. - Q. Volusius Saturninus. - L. Volusius Saturninus, s. 13/1. - L. Venuleius Apronianus, s. 25/4.
93	846	218	Pompeius Collega. - .... Priscinus. - M. Lollius Paullinus Valerius Saturninus, s. 13/7. - C. Antius A. Jul. Quadratus, s. 13/7.
94	847	II	Lucius Nonius Torquat. Asprenas. - T. Sextus Lateranus. - T. Pompon. Bassus, s. 16/9. - L. Silius Decianus, s. 16/9.
95	848	III	**Domitianus** Aug. XVII. - T. Flavius Clemens.
96	849	IV	C. Antistius Vetus. - T. Manlius Valens. - Q. Asinius Marcellus, s. - A. Caepio Crispus. s. - Ti. Catius Caesius Fronto, s. 10/10. - M. Calpurnius, s.
97	850	219	**Nerva** Aug. III. - L. Verginius Rufus III. - Domitius Apollinaris, s. - .... Cornelius Tacitus, s.
98	851	II	**Nerva** Aug. IV. - M. Ulpius **Traianus** Caesar II. - Sex. Jul. Frontinus II, s. 20/2.
99	852	III	A. Cornelius Palma I. - Q. Sosius Senecio. - Q. Fabius Barbarus. - A. Caecilius Faustinus, s. 14/8.
100	853	IV	Caes. **Nerva Traianus** Aug. III. - Sex. Julius Frontinus III. - Q. Acutius Nerva. - C. Plinius Caecilius Secundus, s. ?/9. - C. Julius Cornutus Tertullus, s. ?/9. - L. Roscius Aelianus Maecius Celer, s. 29/12. - T. Claudius Sacerdos Julianus, s. 29/12.
101	854	220	Caes. **Nerva Traianus** Aug. IV. - Q. Articuleius Paetus. - Sex. Attius Suburranus, s.
102	855	II	C. Julius Ursus Servianus II. - L. Licinius Sura II. - L. Fabius Justus, s. 1/3. - Sulpic. Lucret. Barba (?), s. 28/6.
103	856	III	Caes. **Nerva Traianus** Aug. V. - M.' Laberius Maximus II. - Q. Glitius Atilius Agricola II, s. 19/1. - Pompeius Saturninus, s.

Era cristiana	Anni di Roma	Olimpiadi	CONSOLI
104	857	IV	Sex. Attius Suburanus II. – M. Asinius Marcellus. – C. Julius Proculus, s.
105	858	221	Tib. Julius Candidus II. – C. Antius Julius Quadratus II. – C. Julius Bassus, s. 13/5. – Cn. Afranius Dexter, s. ?/6.
106	859	II	L. Ceionius Commodus Verus. – .... Cerealis.
107	860	III	L. Licinius Sura III. – Q. Sosius Senecio, II. – C. Minicius Fundanus, s. 30/6. – C. Vettenius Severus, s. 12/8. – C. Jul. Longinus. – C. Valer. Paullinus, s. 24/11.
108	861	IV	App. Annius Trebonius Gallus. – M. Atilius Metellus Bradua. – P. Aelius Hadrianus I, s. 22/6. – M. Trebatius Priscus, s. 22/6.
109	862	222	A. Cornelius Palma II. – Q. Baebius (?) Tullus. – P. Calvisius Tullus, s. – L. Annius Largus, s.
110	863	II	Servius Scipio Salvidienus Orfitus. – M. Paeducaeus Priscinus.
111	864	III	C. Calpurnius Piso. – M. Vettius Bolanus.
112	865	IV	**Traianus** Caes. Aug. VI. – T. Sextius Africanus.
113	866	223	L. Publicius Celsus II. – C. Clodius Crispinus.
114	867	II	Q. Ninnius Hasta. – P. Manilius Vopiscus Vicinilianus.
115	868	III	L. Vipsanius Messala. – M. Vergilianus Paedo. – Lusius Quietus, s.
116	869	IV	L. Lumia Aelianus. – Sex. Carmin. Vetus.
117	870	224	Quinctius Aquilius Niger. – M. Rebilus Apronianus.
118	871	II	**Hadrianus** Aug. II. – Cn. Pedanius Fuscus Salinator.
119	872	III	**Hadrianus** Aug. III. – [Q. Junius]? Rusticus. – C. Herennius Dolabella, s. 23/12.
120	873	IV	L. Catilius Severus II. – T. Aurelius Fulvus Boionius Arrius **Antoninus**. – C. Poblicius Marcellus, s. 27/5. – T. Rutilius Propinquus, s.
121	874	225	L. Annius Verus II. – Arrius Augur Faustus, s. 7/4. – Q. Pompon. Marcellus, s. 7/4.
122	875	II	Acilius Aviola. – Corn. Pansa.
123	876	III	Q. Articuleius Paetinus. – L. Venuleius Apronianus.
124	877	IV	Manius Acilius Glabrio. – C. Bellicius Flaccus Torquatus Tebanianus.
125	878	226	M. Coll. Paullin. Valer. Asiaticus II. – L. Elpidius Titius Aquilinus.
126	879	II	M. Annius Verus III. – Eggius Ambibulus Pomponius.
127	880	III	T. Atilius Rufus Titianus. – M. Gavius Squilla Gallicanus. – L. Aemilius Juncus, s. 11/10.
128	881	IV	Nonius Torquatus Asprenas II. – M. Annius Libo.
129	882	227	P. Iuventius Celsus II. – L. Neratius Marcellus. – P. Iuventius Celsus, s. ?/5. – Q. Jul. Balbus, s. ?/5.
130	883	II	Q. Fabius Catullinus. – M. Flavius Aper. – .... Claud. Quartinus, s. 19/3.
131	884	III	Ser. Octavius Laenas Pontianus. – M. Antonius Rufinus.
132	885	IV	Serius Augurinus. – C. Trebius Sergianus.
133	886	228	C. Ant. Hiberus. – Mummius Sisenna. – Q. Flav. Tertullus, s. 1/7.
134	887	II	C. Jul. Ursus Servianus III. – T. Vibius Varus. – T. Haterius Nepos, s. 2/1.
135	888	III	L. Tutilius Lupercus Pontianus. – P. Calpur. Atilianus o Atelanus.
136	889	IV	L. Ceionius Commodus Verus. (L. Aelius Verus Caes.) – Sex. Vetulenus Civica Pompeianus.

Era cristiana	Anni di Roma	Olimpiadi	CONSOLI
137	890	229	Lucius Aelius Verus Caesar II. – L. Coelius Balbinus Vibullius Pius.
138	891	II	C. Pomponius Camerinus. – Kanus Junius Niger. – M. Vindius Vero, s. 16/5.
139	892	III	**Antoninus** Pius Aug. II. – C. Bruttius Praesens II. – C. Julius Bassus, s. 22/11. – M. Ceccius Justinus, s. 22/11.
140	893	IV	T. Ael. **Antoninus** Pius Aug. III. – **Marcus** Aelius **Aurelius** Verus Caesar I.
141	894	230	M. Paeducaeus Stloga Priscinus. – T. Hoenius Severus.
142	895	II	L. Cuspius Rufinus – L. Statius Quadratus.
143	896	III	C. Bellicus Torquatus. – T. Claudius Atticus Herodes.
144	897	IV	L. Lollianus Avitus. – T. Statilius Maximus.
145	898	231	**Antoninus** Pius Aug. IV. – **Marcus Aelius Aurelius** Verus Caesar II. – Cn. Arrius Cornelius Proculus, s. 17/5.
146	899	II	Sex. Erucius Clarus II. – Cn. Claudius Severus Arabianus.
147	900	III	L. Annius Largus. – C. Prastina Pacatus Messalinus.
148	901	IV	C. Bellicius Torquatus. – P. Salvius Julianus.
149	902	232	Serv. Scipio Orfitus. – Q. Nonius Sosius Priscus.
150	903	II	M. Gavius Squilla Gallicanus. – Sex. Carmin. Vetus.
151	904	III	Sex. Quintilius Condianus. – Sex. Quintilus Valerius Maximus.
152	905	IV	M.' Acilius Glabrio. – M. Valerius Homullus.
153	906	233	C. Bruttius Praesens. – A. Junius Rufinus.
154	907	II	**Lucius** Aelius **Verus**. – Titus Sextius Lateranus.
155	908	III	C. Julius Severus. – M. Junius Rufinus Sabinianus.
156	909	IV	M. Ceionius Silvanus. – C. Serius Augurinus.
157	910	234	M. Ceionius Civica Barbarus. – M. Metilius Aquilius Regulus.
158	911	II	Ser. Sulpicius Tertullus. – Q. Tineius Sacerdos Clemens.
159	912	III	Plautius Quintillius. – M. Statius Priscus Licinius Italicus.
160	913	IV	Appius Annius Atilius Bradua. – T.' Clodius Vibius Varus.
161	914	235	**Marcus Aurelius** Verus Caesar III. – **Lucius** Aurel. **Verus** Aug. II.
162	915	II	Q. Junius Rusticus II. – L. Plautius Aquilinus. – M. Justeius Bithinicus.
163	916	III	M. Pntius Laelianus. – Pastor.
164	917	IV	M. Pompeius Macrinus. – P. Juventius Celsus.
165	918	236	L. Arrius Pudens. – M. Gavius Orfitus.
166	919	II	Q. Servilius Pudens. – L. Fufidius Pollio.
167	920	III	**Lucius Verus** Aug. III. – M. Ummidius Quadratus.
168	921	IV	L. Venuleius Apronianus II. – L. Sergius Paullus II.
169	922	237	Q. Pompeius Senecio. – P. Caelius Apollinaris.
170	923	II	M. Cornelius Cethegus. – C. Erucius Clarus.
171	924	III	T. Statilius Severus. – L. Aufidius Herennianus.
172	925	IV	Quintilius Maximus. – Ser. Calpurnius Scipio Orfitus.
173	926	238	M. Aurelius Severus II. – Tib. Claudius Pompeianus II.
174	927	II	L. Aurelius Gallus. – Q. Volusius Flaccus Cornelianus.
175	928	III	L. Calpurnius Piso. – P. Salvius Julianus. – P. Helvius **Pertinax** I, s. 27/3. – M. Didius Severus **Julianus**, s. 27/3.
176	929	IV	T. Pompon. Proc. Vitrasius Pollio II. – M. Flavius. Aper II.
177	930	239	L. Aurelius **Commodus** Aug. – M. Plautius. Quintillus.
178	931	II	Sergius Scipio Orfitus. – P. Velius. Rufus.
179	932	III	L. Aurelius **Commodus** Aug. II. – P. Martius Verus.

Era cristiana	Anni di Roma	Olimpiadi	CONSOLI
180	933	IV	C. Bruttius Praesens II. – Sex. Quintillius Condianus.
181	934	240	M. Aurelius Anton. **Commodus** Aug. III. – L. Antistius Burrhus Adventus.
182	935	II	Pomponius Sura Mamertinus. – (Q. Tineius ?) Rufus.
183	936	III	M. Aurelius Auton. **Commodus** Aug. IV. – C. Aufidius Victorinus II.
184	937	IV	L. Cossonius Eggius Marullus. – Cn. Papirius Aelianus.
185	938	241	M. Corn. Nigrinus Curatius Maternus. – M. Attilius Bradua.
186	939	II	**Commodus** Aug. V. – M.' Acilius Glabrio II.
187	940	III	L. Bruttius Q. Crispinus. – L. Roscius Aelianus.
188	941	IV	Seius Fuscianus II. – M. Servilius Silanus II.
189	942	242	[Duil]ius Silanus. – Q. Servilius Silanus.
190	943	II	M. Aur. **Commodus** Aug. VI. – M. Petronius Sura Septimianus.
191	944	III	[Cass]ius Pedo Apronianus. – M. Val. Bradua Mauricus.
192	945	IV	**Commodus** Aug. VII. – P. Helvius **Pertinax** II.
193	946	243	Q. Sosius Falco. – C. Julius Erucius Clarus.
194	947	II	L. **Septimius Severus** Aug. II. – Decimus **Clodius** Septimius **Albinus** Caesar II.
195	948	III	Scapula Tertullus Priscus. – .... Tineius Clemens.
196	949	IV	C. Domitius Dexter II. – L. Valerius Messalla Thrasea Priscus. – P. Fuscus, s. – C. Domit. Dexter II.
197	950	241	T. Sextius Lateranus. – L. Cuspius Rufinus.
198	951	II	Saturninus. – Gallus. – Q. Anicius Faustus, s.
199	952	III	P. Cornelius Anullinus II. – M. Aufidius Fronto.
200	953	IV	Tib. Claudius Severus. – C. Aufidius Victorinus.
201	954	245	L. Annius Fabianus. – M. Nonius Arrius Mucianus.
202	955	II	**Septimius Severus** Aug. III. – M. Aurelius Severus Antoninus (**Caracalla**)
203	956	III	C. Fulvius Plautianus II. – P. Septimius **Geta** Caesar II.
204	957	IV	L. Fabius Septimius II. – M. Annius Flavius Libo.
205	958	246	M. Aurel. Antoninus (**Caracalla**) II. – P. Septimius **Geta** Caesar.
206	959	II	Fulvius Aemilianus. – M. Nummius primus Senecio Albinus.
207	960	III	.... Aper. –? .... Maximus.
208	961	IV	M. Aurel. Antoninus (**Caracalla**) III. – P. Septimius **Geta** Caesar II.
209	962	247	.... Pompeianus. – .... Avitus.
210	963	II	M.' Acilius Faustinus. – A. Triarius Rufinus.
211	964	III	.... Gentianus. – .... Bassus.
212	965	IV	C. Julius Asper II. – C. Julius Galerius Asper. – .... Helvius Pertinax, s.
213	966	248	M. Aurel. Antoninus (**Caracalla**) Caes. Aug. IV. – D. Caelius Calvinus Balbinus II.
214	967	II	L. Valer. Messalla. – C. Octav. Appius Suetrius Sabinus.
215	968	III	M. Maecius Laetus II. – .... Sulla Cerealis.
216	969	IV	P. Catius Sabinus II. – P. Cornelius Anullinus.
217	970	249	C. Bruttius Praesens. – T. Messius Extricatus II.
218	971	II	**Macrinus** Aug. – .... Oclatinus Adventus. – M. Aurel. Antoninus Caes. Aug. (**Elagabalus**) I.
219	972	III	**Elagabalus** Aug. II. – Q. Tineius Sacerdos II.
220	973	IV	**Elagabalus** Aug. III. – P. V. Euthychianus Comazon.

Era cristiana	Anni di Roma	Olimpiadi	CONSOLI
221	974	250	C. V. Gratus Atticus Sabinianus. – M. Flavius Vitellius Seleucus.
222	975	II	**Elagabalus** Aug. IV. – M. Aurel. **Severus Alexander** Caesar Augustus I.
223	976	III	L. Marius Maximus II. – L. Roscius Paculus Papirius Aelianus.
224	977	IV	Ap. Cl. Julianus II. – C. Bruttius Crispinus.
225	978	251	T. Manlius Fuscus II. – Sex. Calp. Domitius Dexter.
226	979	II	**Severus Alexander** Aug. II. – L. Aufidius Marcellus II.
227	980	III	M. Nummius Senecio Albinus. – M. Laelius Maximus Emilianus.
228	981	IV	Modestus II. – Probus.
229	982	252	**Severus** Alexander Aug. III. – Dio Cassius Cocceianus II.
230	983	II	L. Virius Agricola. – Sex. Catius Clementinus Priscillianus.
231	984	III	Cl. Pompeianus. – T. Fl. Sallustius Praelignianus.
232	985	IV	Lupus. – Maximus I.
233	986	253	Maximus II. – Paternus.
234	987	II	**Maximus** II. – Agricola (?) Urbanus.
235	988	III	Cn. Cl. Severus. – L. Ti. Cl. Aurel. Quintianus.
236	989	IV	C. Jul. **Maximinus** Aug. – M. Pupienus Africanus.
237	990	254	Marius Perpetuus. – L. Mummius Felix Cornelianus.
238	991	II	.... Fulvius Pius. – Pontius Proculus Pontianus. – Junius Silanus. s. 26/6. – Claud. Julianus (?), s. – Celsus Elianus (?), s.
239	992	III	M. Ant. **Gordianus** Aug. I. – Man. Acilius Aviola.
240	993	IV	.... Vettius (?) Sabinus II. – .... Venustus.
241	994	255	**Gordianus** Aug. II. – Claudius (?) Pompeianus.
242	995	II	C. Vettius Atticus. – C. Asinius Lepidus Praetextatus.
243	996	III	L. Annius Arrianus. – C. Cervonius Papus.
244	997	IV	Ti. Armen. Peregrinus. – .... Ful. Aemilianus I.
245	998	256	**Philippus** Aug. I. – .... Titianus.
246	999	II	C. Bruttius Praesens. – C. All. .... Albinus.
247	1000	III	**Philippus** Aug. II. – M. Julius **Philippus** Caesar I.
248	1001	IV	**Philippus** Aug. III. – M. Julius **Philippus** Caesar II.
249	1002	257	Fulv. Aemilianus II. – L. Nevius Aquilinus.
250	1003	II	**Decius** Aug. II. – Vettius Gratus.
251	1004	III	**Decius** Aug. III. – Q. Herennius Etruscus Caesar.
252	1005	IV	**Trebonianus Gallus** Aug. II. – C. Vibius **Volusianus** Caesar I.
253	1006	258	**Volusianus** Aug. II. – [L. Valer.] Maximus.
254	1007	II	**Valerianus** Aug. II. – **Gallienus** Aug. I.
255	1008	III	**Valerianus** Aug. III. – **Gallienus** Aug. II.
256	1009	IV	L. Val. Maximus II. – M. Acilius Glabrio.
257	1010	259	**Valerianus** Aug. IV. – **Gallienus** Aug. III.
258	1011	II	M. Nummius Tuscus. – Pompon. Bassus.
259	1012	III	.... Aemilianus. – .... Bassus.
260	1013	IV	P. Cornelius Secularis II. – C. Junius Donatus II.
261	1014	260	**Gallienus** Aug. V. – L. Petronius Taurus Volusianus.
262	1015	II	**Gallienus** Aug. V. – .... Faustinianus.
263	1016	III	.... Albinus II. – Maximus Dexter.
264	1017	IV	**Gallienus** Aug. VI. – .... Saturninus.
265	1018	261	P. Licinius Corn. Valerianus II. – .... Lucillus.
266	1019	II	**Gallienus** Aug. VII. – .... Sabinillus.
267	1020	III	.... Paternus I. – .... Arcesilaus.
268	1021	IV	.... Paternus II. – .... Marinianus.

Era cristiana	Anni di Roma	Olimpiadi	CONSOLI
269	1022	262	M. Aurel. **Claudius** Aug. – .... Paternus.
270	1023	II	.... Fl. Antiochianus II. – .... Virius Orfitus.
271	1024	III	L. Domitius **Aurelianus** Aug. I. – .... Pomponius Bassus II.
272	1025	IV	.... Quietus. – .... Veldumnianus.
273	1026	263	M. Claudius **Tacitus** I. – .... Placidianus.
274	1027	II	L. Domitius **Aurelianus** Aug. II. – C. Julius (?) Capitolinus.
275	1028	III	L. Domitius **Aurelianus** Aug. III. – .... Marcellinus. – Aurelius Gordianus, s. 3/2. – Velius Cornif. Gordianus?, s. 25/9.
276	1029	IV	M. Claudius **Tacitus** Aug. II. – .... Aemilianus.
277	1030	264	M. Aurelius **Probus** Aug. I. – .... Paulinus.
278	1031	II	M. Aurelius **Probus** Aug. II. – Virius Lupus.
279	1032	III	M. Aurelius **Probus** Aug. III. – .... Nonius Paternus II.
280	1033	IV	.... Messala. – .... Gratus.
281	1034	265	M. Aurelius **Probus** Aug. IV. – C. Junius Tiberianus.
282	1035	II	M. Aurelius **Probus** Aug. V. – .... Victorinus.
283	1036	III	M. Aurelius **Carus** Aug. II. – M. Aurelius **Carinus** Caesar I.
284	1037	IV	M. Aurelius **Carinus** Aug. II. – M. Aurelius **Numerianus** Aug. – C. Aurel. Val. **Diocletianus** I, s. 1/5. – Annius Bassus I, s. 1/5. – M. Aur. Valer. **Maximianus** I, s. 1/9. – M. Junius Maximus I, s. 1/9.
285	1038	266	C. Aurel. Valerius **Diocletianus** Aug. II. – Aurelius Aristobulus.
286	1039	II	M. Junius Maximus II. – .... Vettius Aquilinus.
287	1040	III	C. Aurel. Valer. **Diocletianus** Aug. III. – M. Aur. Val. **Maximianus** Aug. III.
288	1041	IV	M. Aur. Val. **Maximianus** Aug. II. – Pomponius Januarius.
289	1042	267	M. Magrius Bassus. – L. Ragonius Quintianus. – M. Umbrius Primus, s. 1/2. - T. Fl. Coelianus, s. 1/2. - Caionius Proculus, s. 1 3. – Helvius Clemens s. 1/4. - Fl. Decinus, s. 1/5.
290	1043	II	C. Aur. Val. **Diocletianus** Aug. IV. – M. Aur. Val. **Maximianus** Aug. III.
291	1044	III	C. Junius Tiberianus II. – Cassius Dio.
292	1045	IV	Afran. Annibalianus. – Asclepiodotus.
293	1046	268	C. Aur. Valer. **Diocletianus** Aug. V. – M. Aur. Val. **Maximianus** Aug. IV.
294	1047	II	C. Fl. Valer. **Constantius Chlorus** Caesar I. – C. Galerius Valerius Maximianus Caesar I.
295	1048	III	Nummius Tuscus. – Annius Anullinus.
296	1049	IV	C. Aur. Val. **Diocletianus** Aug. VI. – Flavius Val. **Constantius Chlorus** Caesar II.
297	1050	269	M. Aurel. Val. **Maximianus** Aug. V. – C. **Galerius** Valer. Maximianus Caesar II.
298	1051	II	Anicius Faustus II. – Virius Gallus.
299	1052	III	C. Aur. Valer. **Diocletianus** Aug. VII. – M. Aur. Valer. **Maximianus** Aug. VI.
300	1053	IV	Fl. Val. **Constantius Chlorus** Caesar III. – C. **Galerius** Valer. Maximianus Caesar III.
301	1054	270	Post. Titianus II. – Popilius Nepotianus.
302	1055	II	Fl. Val. **Constantius Chlorus** Caesar IV. – C. **Galerius** Valer. Maximianus Caesar IV.
303	1056	III	**Diocletianus** Aug. VIII. – M. Aurel. Valer. **Maxiffianus** Aug. VII.

Era cristiana	Anni di Roma	Olimpiadi	CONSOLI
304	1057	IV	**Maximianus** Aug. VII. – M. Aurel. Val. **Maximianus** Aug. VIII.
305	1058	271	**Constantius Chlorus** Aug. V. – C. **Galerius** Valerius Masim.Caes. V.
306	1059	II	**Galerius** Valer. Maximianus Aug. VI. – C. Flav. Valer. Constantius VI.
307	1060	III	M. Aur. Val. **Maximianus** Aug. IX. – Fl. Valer. **Constantinus** Caesar I.
308	1061	IV	M. Aur. Valer. **Maximianus** Aug. X. – C. **Galerius** Valer. Maximianus Aug. VII. – M. Aurel. Val. **Maxentius** Aug., *s.* 20/4. – M. Aur. Romul. Caes. I, *s.*
309	1062	272	M. Aur. Val. **Maxentius** Aug. II, *a Roma.* – M. Aurelius Romulus Caesar II, *a Roma.* – Post cons. Maximiani X et Galerii VII, *in Occ.* – Val. Licinian. **Licinius** Caes., *in Or.*
310	1063	II	**Maxentius** Aug. III, *a Roma.* – Anno II post Cons. Maximiani et Galerii, *in Occ.* – Ardonicus – Sicorius Probus, *in Or.*
311	1064	III	C. **Galerius** Val. Maximianus Aug. VIII. – Maximianus Aug. II. – C. Caeionius Rufius Volusianus I, *a Roma.* – Eusebius, *a Roma, dal sett.*
312	1065	IV	Flav. Valer. **Constantinus** Aug. II, *in Occ.* – Publ. Valer. Licinianus **Licinius** Aug. II, *in Occ.* – M. Aur. Maxentius Aug. IV, *a Roma.* – C. Galer. Val. Maximinus Aug. III, *in Or.* – Picentius, *in Or.*
313	1066	273	Flav. Valer. Constantinus Aug. III. – C. Flav. Val. Licinianus **Licinius** Aug. III.
314	1067	II	C. Caeionius Rufius Volusianus II. – Petronius Annianus.
315	1068	III	Flav. Valer. **Constantinus** Aug. IV. – C. Flav. Valer. Licinianus **Licinius** Aug. IV.
316	1069	IV	Fl. Ruf. Ceionius Sabinus. – Q. A. Rufinus.
317	1070	274	Ovinius Gallicanus, *dal 17 febb.* – Junius Bassus, *dal 17 febb.*
318	1071	II	**Licinius** Aug. V. – Flav. Julius Crispus Caesar I.
319	1072	III	Fl. Val. **Constantinus** Aug. V. – Valer. Licinianus Licinius Caesar.
320	1073	IV	Fl. Val. **Constantinus** Aug. VI. – Fl. Claud. **Constantinus** Caesar I.
321	1074	275	Fl. Jul. Crispus Caesar II. – II. Claud. **Constantinus** Caesar II.
322	1075	II	Petronius Probianus. – Amnius Anicius Julianus.
323	1076	III	Val. **Licinius** Aug. VI. – Val. Licinius nob. Caes. II – Acilius Severus. – C. Vettius Cossin. Rufinus.
324	1077	IV	Flav. Julius Crispus Caesar III. – Flav. Claud. **Constantinus** Caesar III.
325	1078	276	Anicius Faustus Paulinus. – P. Ceionius Julianus.
326	1079	II	Fl. Val. **Constantinus** Aug. VII. – Flav. Jul. **Constantinus** Caesar I.
327	1080	III	Flav. Caesarius Constantinus Maximus.
328	1081	IV	Januarius. – Justus.
329	1082	277	Fl. Val. **Constantinus** Aug. VIII. – Fl. Val. **Constantinus** nob. Caesar IV.
330	1083	II	Fl. O[vinius ?] Gallicanus. – Aurelius Tullianus Symmachus.
331	1084	III	Annius Bassus. – Ablabius.
332	1085	IV	Papinius Pacatianus. – Maecil. Hilarianus.
333	1086	278	Fl. Jul. Delmatius. – Zenophilus.
334	1087	II	Proculus Optatus. – Amnius M? Caeson. Nicomach. - Anicius Paulinus.

Era cristiana	Anni di Roma	Olimpiadi	CONSOLI
335	1088	III	Fl. Julius Constantius. – Ceionius Rufius Albinus.
336	1089	IV	Flavius Popilius **Nepotianus**. – Facundus.
337	1090	279	Flav. Felicianus. – Fabius Titianus.
338	1091	II	Ursus, *in Occ.* – Polemius, *in Or.*
339	1092	III	Fl. Jul. **Constantius** Aug. II. – Flavius Jul. **Constans** Aug. I.
340	1093	IV	Sept. Acyndinus, *in Or.* – L. Aradius Valerius Proculus, *in Occ.*
341	1094	280	Anton. Marcellinus, *in Or.* – Petronius Probinus, *in Occ.*
342	1095	II	Fl. Jul. **Constantius** Aug. III. – Fl. Jul. **Constans** Aug. II.
343	1096	III	M. Memmius Metius Furius Baburius Caecilianus Placidus. – Fl. Pisid. Romulus.
344	1097	IV	Fl. Dometius Leontius. – Fl. Salustius Bonosus.
345	1098	281	Julius Amantius, *in Or.* – Rufius Albinus, *in Occ.*
346	1099	II	Fl. Jul. **Constantius** Aug. IV. – F. Jul. **Constans** Aug. III.
347	1100	III	Vulcacius Rufinus, *in Occ.* – Fl. Eusebius, *in Or.*
348	1101	IV	Fl. Philippus, *in Or.* – Fl. Salia.
349	1102	282	Ulpius Limenius. – Fab. Aco Catullinus Philomatius.
350	1103	II	Fl. Sergius. – Fl. Nigrinianus.
351	1104	III	*Post Consul.* Sergii et Nigriniani (1). – Fl. Magnus **Magnentius** Aug. – Gaiso (2).
352	1105	IV	**Constantius** Aug. V. – Flavius Constantius Gallus Caesar I. – Magnus Decentius Caes. – Paullus (3).
353	1106	283	Fl.Jul.**Constantius** Aug.VI. – Fl. Claud. Constantius Gallus Caes.II.
354	1107	II	Fl.Jul.**Constantius** Aug.VII. – Fl. Claud. Constant. Gallus Caes.III.
355	1108	III	Flav. Arbitio. – Q. Flav. M. Egnatius Lollianus.
356	1109	IV	Fl. Jul. **Constantius** Aug. VIII. – Fl. Claud. **Julianus** Caes. I.
357	1110	284	Fl. Jul. **Constantius** Aug. IX. – Fl. Claud. **Julianus** Caes. II.
358	1111	II	Neratius Cerealis. – Datianus.
359	1112	III	Flav. Eusebius. – Flav. Hypatius.
360	1113	IV	Fl. Jul. **Constantius** Aug. X. – Fl. Cl. **Julianus** Caesar III.
361	1114	285	Flav. Pallad. Rutil. Taurus. – Flav. Florentius.
362	1115	II	Cl. Mamertinus. – Fl. Nevitta.
363	1116	III	Fl. Cl. **Julianus** Aug. IV. – Flav. Salustius.
364	1117	IV	Fl. **Jovianus** Aug. – Flav. Varronianus.
365	1118	286	Flav. **Valentinianus** Aug. – Flav. Valens Aug. I.
366	1119	II	Fl. **Gratianus** I. – Dagalaiphus.
367	1120	III	Fl. Lupicinus, *in Or.* – Fl. Valens Jovinus, *in Occ.*
368	1121	IV	Fl. **Valentinianus** Aug. II. – Fl. **Valens** Aug. II.
369	1222	287	Fl. Valentinianus. – Flav. Victor, *in Or.*
370	1123	II	Fl. **Valentinianus** Aug. III. – Fl. **Valens** Aug. III, *in Or.*
371	1124	III	Flav. **Gratianus** Aug. II. – Sextus Anicius Petronius Probus.
372	1125	IV	Fl. Domitius Modestus. – Fl. Aryntheus, *in Or.*
373	1126	288	Fl. **Valentinianus** Aug. IV. – Fl. **Valens** Aug. IV.
374	1127	II	Fl. Gratianus Aug. III. – Fl. Equitius, *in Occ.*
375	1128	III	Post Consulatum Gratiani et Equitii.
376	1129	IV	Fl. **Valens** Aug. V, *inOr.* – Fl. **Valentinianus** junior Aug. I, *in Occ.*
377	1130	289	Fl. **Gratianus** Aug. IV. – Flavius Merobaudes I.
378	1131	II	Fl.**Valens** Aug.VI, *in Or.* – Fl.**Valentinianus** junior Aug. II, *in Occ.*

(1) Nella parte dell'impero non soggetta a Magnenzio.
(2) Nella parte dell'impero soggetta a Magnenzio.
(3) Gli ultimi due nella parte dell'impero soggetta a Magnenzio.

Era cristiana	Anni di Roma	Olimpiadi	CONSOLI
379	1132	III	Decimus Magnus Ausonius. - Q. Clodius Hermogenianus Olybrius.
380	1133	IV	Fl. **Gratianus** Aug. V, *in Occ.* - Flav. **Theodosius** Aug. I, *in Or.*
381	1134	290	Flavius Eucherius, *in Or.* - Flavius Syagrius, *in Occ.*
382	1135	II	Fl. Cl. Antonius, *in Or.* - Fl. Afranius Syagrius, *in Occ.*
383	1136	III	Fl. Merobaudes II, *in Occ.* - Flav. Saturninus, *in Or.*
384	1137	IV	Fl. Clearchus, *in Or.* - Flav. Richomer, *in Occ.*
385	1138	291	Flav. **Arcadius** Aug. I, *in Or.* - Fl. Bauto, *in Occ.*
386	1139	II	Flav. Honorius I, *in Or.* - Fl. Evodius, *in Occ.*
387	1140	III	Fl. **Valentinianus** Aug. III, *in Occ.* - Eutropius, *in Or.*
388	1141	IV	Fl. **Theodosius** Aug. II. - Maternus Cynegius, *in Or.*
389	1142	292	Fl. Timasius. - Fl. Promotus.
390	1143	II	Fl. **Valentinianus** Aug. IV. - Neoterius, *in Or.*
391	1144	III	Flav. Tatianus, *in Or.* - Aurel. Tullian. Symmachus, *in Occ.*
392	1145	IV	Fl. **Arcadius** Aug. II. - Fl. Rufinus.
393	1146	293	Fl. **Theodosius** Aug. III. - Fl. Abundantius, *in Or.* - Caesar Fl. **Eugenius**, *in Occ.*
394	1147	II	Fl. **Arcadius** Aug. III. - Fl. **Honorius** Aug. II, *in Or.*
395	1148	III	Anicius Hermogenianus Olybrius. - Anicius Probinus.
396	1149		Fl. **Arcadius** Aug. IV. - Fl. **Honorius** Aug. III.
397	1150		Fl. Caesarius, *in Or.* - Nonius Atticus Maximus, *in Occ.*
398	1151		Fl. **Honorius** Aug. IV, *in Occ.* - Fl. Euthychianus, *in Or.*
399	1152		Fl. Mallius Theodorus, *in Occ.* - Eutropius, *in Or.*
400	1153		Fl. Stilicho, *in Occ.* - Aurelianus, *in Or.*
401	1154		Flavius Vincentius, *in Occ.* - Fl. Fravita, *in Or.*
402	1155		Fl. **Arcadius** Aug. V. - Fl. **Honorius** Aug. V.
403	1156		Fl. **Theodosius** junior Aug. I. - Fl. Rumorides, *in Occ.*
404	1157		Fl. **Honorius** Aug. VI. - Aristaenetus, *in Or.*
405	1158		Fl. Stilicho II, *in Occ.* - Anthemius, *in Or.*
406	1159		Fl. **Arcadius** Aug. VI. - Anicius Petronius Probus, *in Or.*
407	1160		Fl. **Honorius** Aug. VII. - Flav. **Theodosius** junior Aug. II.
408	1161		Anicius Auchenius Bassus, *in Or.* - Fl. Philippus, *in Occ.*
409	1162		Fl. **Honorius** Aug. VIII. - Fl. **Theodosius** junior Aug. III. *in Or.* - Fl. Cl. **Constantinus** Aug. *in Gallia, Spagna, Brett.*
410	1163		Varanes, *in Or.* - Tertullus, *in Occ.*
411	1164		Fl. **Theodosius** junior Aug. IV, *solo.*
412	1165		Fl. **Honorius** Aug. IX. - Fl. **Theodosius** junior Aug. V.
413	1166		Lucius, *in Or.* - Heraclianus, *in Occ.*
414	1167		Fl. Constantius, *in Occ.* - Fl. Constans, *in Or.* (?).
415	1168		Fl. **Honorius** Aug. X. - Fl. **Theodosius** junior Aug. VI.
416	1169		**Theodosius** Aug. VII. - Junius Quartus Palladius, *in Or.*
417	1170		Fl. **Honorius** Aug. XI. - Fl. Constantius II.
418	1171		Fl. **Honorius** Aug. XII. - Fl. **Theodosius** junior Aug. VIII.
419	1172		Fl. Monaxius, *in Or.* - Plinta, *in Occ.*
420	1173		**Theodosius** junior Aug. IX, *in Or.* - Fl. Constantius Aug. III, *in Occ.*
421	1174		Eustathius, *in Or.* - Agricola, *in Occ.*
422	1175		**Honorius** Aug. XIII. - Fl. **Theodosius** junior Aug. X.
423	1176		Asclepiodotus, *in Or.* - Fl. Avitus Marinianus, *in Occ.*
424	1177		Fl. Castinus, *in Occ.* (?). - Fl. Victor, *in Or.* (?).
425	1178		Fl. **Theodosius** junior Aug. XI.- Fl. Placid. **Valentinianus** Caesar (Aug.) I
426	1179		Fl. **Theodosius** junior Aug. XII. - Fl. **Valentinianus** Aug. II.

Era cristiana	Anni di Roma	CONSOLI
427	1180	Hierius, *in Or.* – Fl. Ardabur.
428	1181	Flavius Constantius Felix, *in Occ.* – Fl. Taurus, *in Or.*
429	1182	Florentius. – Dyonisius, *in Or.*
430	1183	Fl. **Theodosius** Aug. XIII, *in Or.* – Fl. **Valentinianus** Aug. III, *in Occ.*
431	1184	Anicius Auchen. Bassus, *in Occ.* – Fl. Antiochus, *in Or.*
432	1185	Fl. Aetius I, *in Occ.* – Valerius, *in Or.*
433	1186	Fl. **Theodosius** junior Aug. XIV, *in Or.* – Petronius Maximus I, *in Or.*
434	1187	Fl. Areobindus, *in Occ.* – Fl. Ardabur Aspar, *in Or.*
435	1188	Fl. **Theodosius** junior Aug. XV. – **Valentinianus** Aug. IV.
436	1189	Flavius Anthemius Isidorus, *in Or.* – Flavius Senator, *in Or.*
437	1190	Fl. Aetius II, *in Occ.* – Fl. Sigisvultus, *in Occ.*
438	1191	Fl. **Theodosius** Aug. XVI. – Anicius Acil. Glabrio Faustus.
439	1192	Fl. **Theodosius** junior Aug. XVII, *in Or.* – Rufius Postum. Festus, *in Occ.*
440	1193	Fl. **Valentinianus** Aug. V, *in Occ.* – Anatolius, *in Or.*
441	1194	Constantius Cyrus, *solo in Or.*
442	1195	Eudoxius, *in Or.* (?). – Fl. Discorus, *in Or.*
443	1196	Petronius Maximus II, *in Occ.* – Paterius, *in Occ.*
444	1197	Fl. **Theodosius** junior Aug. XVIII, *in Or.* – Albinus, *in Occ.*
445	1198	Fl. **Valentinianus** Aug. VI. – Nomus.
446	1199	Fl. Aetius III, *in Occ.* – Symmachus, *in Occ.*
447	1200	Calepius, *in Occ.* – Ardabur, *in Or.*
448	1201	Fl. Zeno. – Ruffius Praetextatus Postumianus.
449	1202	Fl. Asturius. – Protogenes.
450	1203	Fl. **Valentinianus** Aug. VII, *in Or.* – Gennadius Avienus, *in Or.*
451	1204	Fl. **Marcianus** Aug., *in Or.* – Fl. Adelphius, *in Occ.*
452	1205	Sporachius. – Fl. Bassus Herculanus, *in Occ.*
453	1206	Johannes Vincomalus. – Fl. Opilio, *in Occ.*
454	1207	Studius, *in Occ.* – Aetius, *in Or.*
455	1208	Fl. **Valentinianus** Aug. VIII. – Procopius **Anthemius** I.
456	1209	Varanes, *in Or.* – Joannes, *in Or.* – Fl. Eparchus **Avitus** Aug., *in Occ.*
457	1210	Fl. Constantinus, *in Or.* – Rufus, *in Or.*
458	1211	Flav. **Leo** Aug. I. – Fl. Jul. Valer. **Majorianus** Aug.
459	1212	Fl. Ricimer, *in Occ.* – Fl. Patricius, *in Or.*
460	1213	Magnus, *in Occ.* – Apollonius, *in Or.*
461	1214	Fl. Severinus, *in Occ.* – Dagalaiphus, *in Or.*
462	1215	Fl. **Leo** Aug. II. – Libius **Severus** Aug.
463	1216	Fl. Caecina Dec. Basilius, *in Occ.* – Vivianus.
464	1217	Rusticus, *in Or.* – Olybrius.
465	1218	Fl. Basiliscus, *in Or.* – Herminericus, *in Occ.*(?).
466	1219	Fl. **Leo** Aug. III, *in Or.* – Tatianus, *in Occ.* (?).
467	1220	Pusaeus, *in Or.* – Johannes.
468	1221	Procopius **Anthemius** Aug. II, *solo in Occ.*
469	1222	Marcianus. – **Zeno** I.
470	1223	Jordanes, *in Or.* – Fl. Messius Phoebus Severus, *in Occ.*
471	1224	Fl. **Leo** Aug. IV. – Coelius Aeonius Probianus.
472	1225	Fl. Festus, *in Occ.* – Marcianus, *in Or.*
473	1226	Fl. **Leo** Aug. V, *solo.*
474	1227	Fl. **Leo** junior Aug., *solo.*
475	1228	Fl. **Zeno** Aug. II, *solo.*
476	1229	Basiliscus II, Aug. *in Or.* – Armatus, *in Or.*

Era cristiana	Anni di Roma	CONSOLI
477	1230	Post. Cons. Basilisci et Armati.
478	1231	Illus, *solo*, *in Or.*
479	1232	Fl. **Zeno** Aug. III, *in Occ.* – Post. Cons. Armati, *in Or.*
480	1233	Caecina Decius Maxim. Basilius junior, *solo.*
481	1234	Fl. Rufius Placidus, *solo.*
482	1235	Trocondus. – Severinus junior.
483	1236	Anicius Acilius Aginatius Faustus, *in Occ.*
484	1237	Theodoricus. – Venantius.
485	1238	Q. Aurel. Memmius Symmachus, *solo.*
486	1239	Caec. Mavortius Basilius Decius, *in Occ.* (?). – Longinus I, *in Or.*
487	1240	Anic. Manl. Severinus Boethius, *in Occ.*
488	1241	Cl. Jul. Ecles. Dynamius, *in Occ.* – Rufius Acilius Sividius, *in Occ.*
489	1242	Probinus, *in Occ.* – Eusebius I, *in Or.*
490	1243	Fl. Probus Faustus junior, *in Occ.* – Longinus II, *in Or.*
491	1244	Olybrius junior, *solo in Or.*
492	1245	**Anastasius** Aug. I. *in Or.* – Rufus.
493	1246	Eusebius II, *in Or.* – Faustus Albinus, *in Occ.*
494	1247	Turcius Rufius Apronianus Asterius, *in Occ.* – Fl. Praesidius, *in Or.*
495	1248	Fl. Viator, *solo in Occ.*
496	1249	Paulus, *solo in Or.*
497	1250	**Anastasius** Aug. II, *solo in Or.*
498	1251	Johannes Scytha, *in Or.* – Fl. Paulinus, *in Occ.*
499	1252	Johannes (Gibbus), *solo*, *in Or.*
500	1253	Hypatius, *in Or.* – Patricius, *in Or.*
501	1254	Rufius Magn. Faustus Avienus, *in Occ.* – Pompeius, *in Or.*
502	1255	Fl. Avienus junior, *in Occ.* – Probus, *in Or.*
503	1256	Dexicrates, *in Or.* – Volusianus, *in Occ.*
504	1257	Fl. Rufius Petron. Cethegus, *solo in Or.*
505	1258	Sabinianus, *in Or.* – Fl. Theodorus, *in Occ.*
506	1259	Fl. Areobindus, Dagalaiphus *in Or.* – Fl. Ennodius Messalla, *in Occ.*
507	1260	Fl. **Anastasius** Aug. III. – Venantius.
508	1261	Celer. – Decius Marius Basil. Venantius junior.
509	1262	Importunus, *solo in Occ.*
510	1263	Manlius Anicius Severinus Boetius, *solo.*
511	1264	Secundinus, *in Or.* – Fl. Felix, *in Occ.*
512	1265	Paulus, *in Or.* – Muschianus. – p. c. Felicis, *in Occ.*
513	1266	Probus. – Fl. Taurus Clementinus, *in Or.*
514	1267	Fl. Magnus Aurel. Cassiodorus Senator, *solo in Occ.*
515	1268	Anthemius, *in Or.* – Florentius, *in Occ.*
516	1269	Fl. Petrus, *solo in Occ.*
517	1270	Fl. Anastasius Paulus Probus, *in Or.* – Fl. Agapitus, *in Occ.*
518	1271	Fl. Anastasius Paulus Probus, *in Or.* – Moschianus Prob. Magnus.
519	1272	Fl. **Justinus** Aug. I. – Fl. Eutharicus Cillica, *in Occ.*
520	1273	Vitalianus, *in Or.* – Rusticus, *in Occ.*
521	1274	Fl. Justinianus, *in Or.* – Valerius, *in Occ.*
522	1275	Fl. Symmacus, *in Occ.* – Anic. Manl. Severinus Boetius, *in Occ.*
523	1276	Fl. Anicius Maximus, *solo in Occ.*
524	1277	Fl. **Justinus** Aug. II. – Opilio, *in Occ.*
525	1278	Fl. Theodorus Philoxenus, *in Or.* – Fl. Probus junior, *in Occ.*
526	1279	Fl. Anic. Olybrius junior, *solo in Occ.*

Era cristiana	Anni di Roma	CONSOLI
527	1280	Vettius Agorius Basilius Mavortius, *solo in Occ.*
528	1281	Fl. **Justinianus** Aug. II, *solo.*
529	1282	Fl. Decius junior, *solo in Occ.*
530	1283	Fl. Postumus Lampadius, *in Occ.* – Ruflus Gennadius Probus Orestes, *in Occ.*
531	1284	*Post Cons.* Lampadii et Orestis *anno I.*
532	1285	*Post Cons.* Lampadii et Orestis *anno II.*
533	1286	Fl. **Justinianus** Aug. III, *solo.*
534	1287	Fl. **Justinianus** Aug. IV. – Dec. Fl. Theod. Paulinus jun.
535	1288	Fl. Belisarius, *in Or.* – *P. c.* Paulini jun. *anno I, in Occ.*
536	1289	*Post Cons.* Fl. Belisarii, *anno I, in Or.* – *P. c.* Paulini jun., *anno II, in Occ.*
537	1290	*Post Cons.* Fl. Belisarii *anno II, in Or.* – *P. c.* Paulini *anno III, in Occ.*
538	1291	Fl. Johannes, *in Or.* – *Post Cons.* Paulini *anno IV, in Occ.*
539	1292	Fl. Appion, *solo in Or.* – *P. c.* Paulini jun. *anno V, in Occ.*
540	1293	Fl. Justinus junior. – *P. c.* Paulini jun. *anno VI.*
541	1294	Fl. Basilius junior, *solo.* – *Post Cons.* Paulini junior. *anno VII.* – *Post Cons.* Justini *anno I.*
542	1295	*Post Cons.* Basilii *anno I.* – *Post Cons.* Paulini junior *anno VIII.* – *Post Cons.* Justini *anno II.*
543	1296	*Post Cons.* Basilii *anno II.* – *Post Cons.* Paulini. junior *anno IX.* – *Post Cons.* Justini *anno III.*
544	1297	*Post Cons.* Basilii *anno III.* – *Post Cons.* Paulini junior. *anno X.* – *Post Cons.* Justini *anno IV.*
545	1298	*Post Cons.* Basilii *anno IV.* – *Post Cons.* Paulini junior. *anno XI.* – *Post Cons.* Justini *anno V.*
546	1299	*Post Cons.* Basilii *anno V.* – *Post Cons.* Paulini junior. *anno XII.* – *Post Cons.* Justini *anno VI.*
547	1300	*Post Cons.* Basilii *anno VI.* – *Post Cons.* Paulini junior. *anno XIII.* – *Post Cons.* Justini *anno VII.*
548	1301	*Post Cons.* Basilii *anno VII.* – *Post Cons.* Justini *anno VIII.*
549	1302	» » » » *VIII.* – » » » » *IX.*
550	1303	» » » » *IX.* – » » » » *X.*
551	1304	» » » » *X.* – » » » » *XI.*
552	1305	» » » » *XI.* – » » » » *XII.*
553	1306	» » » » *XII.* – » » » » *XIII.*
554	1307	» » » » *XIII.* – » » » » *XIV*
555	1308	» » » » *XIV.* – » » » » *XV.*
556	1309	» » » » *XV.* – » » » » *XVI.*
557	1310	» » » » *XVI.* – » » » » *XVII.*
558	1311	» » » » *XVII.* – » » » » *XVIII.*
559	1312	» » » » *XVIII.* – » » » » *XIX.*
560	1313	» » » » *XIX.* – » » » » *XX.*
561	1314	» » » » *XX.* – » » » » *XXI.*
562	1315	» » » » *XXI.* – » » » » *XXII.*
563	1316	» » » » *XXII.* – » » » » *XXIII.*
564	1317	» » » » *XXIII.* – » » » » *XXIV.*
565	1318	» » » » *XXIV.* – » » » » *XXV.*
566	1319	**Justinus** II, *Imp. d'Oriente e Console.*

Indice alfabetico dei Consoli Romani

N.B. – I numeri arabici indicano gli anni dell'èra volgare; i romani le diverse volte che un personaggio fu Console.

Ablabius, 331.
Abundantius, (Fl) 393.
Aburius (D.) Bassus, (s.) 85.
Acerronius (Cn.) Proculus, 37.
Acilius (M.') Aviola, 54, 122, 239; – Faustinus, 210; – Glabrio, 91, 124, 152, 256; – Glabrio II, 186; – Severus, 323.
Adelphius (Fl.), 451.
Adventus (Oclatinus), 218; – (L. Antistius Burrus), 181.
Aelianus (L. Roscius), 187; – (Paculus Papir.), 223.
Aelius (Sex.) Cato, 4; – (L.) Lamia, 3; – (L.) Seianus, 31; – (L.) Verus Caes. 136; II, 137; - (L.) Plautius Lamia Ael. - (s.) 80.
Aemilianus, 259, 276; – (Fulv.), 206, 244; – II, 249.
Aemilius Paullus (L.), 1; – Lepidus (M.), (s.) 6; – Lepidus (M.'), 11; – (M.) Macer Saturnin, (s.) 174. – (Mam.) Scaurus, (s.) 21. - Juncus (s.), 127.
Aetius (Fl.), 432; – II, 437; – III, 446; – IV, 454.
Afinius (L.) Gallus, 62.
Afranius (Fl.) Syagrius, 382; – Hannibalianus, 292; – (Cn.) Dexter, (s.) 105.
Africanus (Pupienus), 236; - (T. Sextius), 112.
Agapitus (Fl.), 517.

Aginatius (Faustus), 483.
Agricola, 421; – (L. Virius), 230; (Cn. Jul.) (s.) 77.
Agrippa (M. Asin.), 25; – (Haterius), 22; – (C. Fontius), (s.) 58.
Ahenobarbus (Cn. Domit.), 32.
Albinus, 444; – Junior, 493; – (C. All.), 246; – Rufius, 345; – Pullaienus Pollio, (s.) 90.
Alfenus (P.). Varus, 2.
Alfidius (L.) Herennianus, 171.
Allenius (Sex. Papinius), 36.
Allius (Q.) Bassus, (s.) 158; - Maximus (Q.) (s.) 49.
Amantius (Julius), 345.
Ambibulus (C. Eggius), 126.
Amnius Anicius Julianus, 322 ; M' Caeson. Nicom. 334.
Anastasius Augustus, 492; – II, 497; – III, 507; – Paulus (Fl.), 517.
Anatolius, 440.
Andronicus, 310.
Anicius (Fl.), 350; – Cerialis, (s.) 65; – (Q.) Faustus, (s.) 198; – Faustus II, 298; - Hermogenianus Olibrius, 395; – Julianus, 322; – 'Paulinus jun., 334; – Probinus, 395; Acilius Agin. Faustus, 483.
Annaeus (L.) Seneca, (s.) 56.
Annius Verus II, 121; – III, 126; – Anullinus, 295; – (L.) Largus, 147; – (L.) Fabianus, 201; – Arrianus, 243; – (Appius) Attilius Bradua,160;

Barea (Q. Marcius), (s.) 18; - Soria-
nus, (s.) 52.

Basilius (Fl. Caecina Decius Maxim.),
463; - junior, 480.

Basilius (Fl. Anic. Faust. Albin. jun.),
541 - 565.

Bassus, 259; - (Junius), 317; - (L. Annius), (s.) 70, 331; - (C. Lecanius),
64; - (Anicius), 431; - (L. Fl. Silva
Nonius), 81; - (Fl. Anic. Anche-
nius), 408; - (M. Magrius), 280.

Bauto (Fl.), 385.

Belisarius (Fl.), 535.

Bellicius (C.) Torquatus, 124, 143,
148.

Bellicus (C.) Natalis, 87.

Blaesus (Q. Julius), (s.) 10.

Boetius, 522; - (Fl.), 487; - (Manlius
Anic. Sever.), 510.

Bolanus (M. Vettius), 111.

Bonosus (Fl. Sallustius), 344.

Bradua (M. Atilius Metilius), 108; -
(T. Cl. Attil.), 185; - (M. Mauricus
Valer.), 191

Bruttius (C.) Crispinus, 224; - Praesens II (C.), 139; - Praesens (C.),
153, 257, 246; - Quintius Crispinus
(L.), 187.

Caecilius (Q.) Metellus Cretic. Silanus,
7; (Cn.) Simplex (s.), 69; - Faustinus (s.) 99.

Caecina (C.) Largus, 42. - Paetus, (s.)
70 - (Aulus Alienus) (s.) 69.

Cacionius (C.) Rufius Volusianus, 311;
- II, 314.

Caelius (D.) Calvinus Balbinus II, 213;
- Rufus (C.), 17; - Aeonius Pro-
bianus, 471.

Cacpius Crispus (s.) 96.

Caesar (C.) 1; - Germanicus, 12; -
German., (s.) 37; - II, 39; - III,
40; - IV, 41.

Caesarius, 397; - Constantinus, 327.

Caesennius (L.) Paetus, 61.

Caesianus (L. Apronius), 39.

Caestius (C.) Gallus, 35; - (s.), 42.

Calepius, 447.

Calidius Vetus (L.), (s.) 51.

Calpetanus (C.) Rantius Quir. (s.) 71.

Calpurnius (Ser.) Scipio Orfitus, 172.

Calpurnius (Sex.) Domit. Dexter, 225;
- (C.) Aviola, (s.) 24. - (M.) ....icus,
96.

Calpurnius (L.) Piso, 27, 57, 175; -
(C.), 111. - (s.), 87; (M) (s.) 96.

Calvisius (C.) Sabinus, 26; - (P.) Ruso,
(s.) 61.

Camerinus (C. Pompon.), 138.

Candidus II (Ti. Jul.), 105.

Capito (C. Fonteius), 12.

Capitolinus (C. Julius ?), 274.

Carinus (Imp.), 283; - II, 284; - III,
285.

Carminius Vetus (Sex.), 116, 150.

Carus (Imp.), 283.

Cassiodorus (Fl. Magn. Aurel.) Sena-
tor, 514.

Cassius Dio, V. Dio (Cassius).

Cassius (L.) Longinus, 11, 30. - (C.),
(s.) 30.

Castinus (Fl.), 424.

Catilius (L.) Severus II, 120.

Catius (Sex.) Clementin. Priscillian.
230. - (Ti.) Caesius Fronto, (s.) 96.

Catius (P.) Sabinus II, 216; - T. Si-
lius Italicus, 68.

Catullinus (Sex. Teidius), (s.) 31.

Catus (Sex. Aelius), 4.

Caeionius (M.) Civica Barbarus, 157;
- Silvanus, 156; - Proculus, (s.) 289.

Celer, 508.

Celsus (P. Juventius), 164.

Celsus (Marius), 62; - II (L. Publil.),113.

Celsus II (Ti. Jul. Candid. Marius), 105.

Cerealis, 106; - (Neratius), 358; -
Sulla, 215.

Cervonius (C.) Papus, 243.

Cethegus (Ser. Cornel.), 24; - (M.), 170.

Cilo (Fabius) Septimius II, 204.

Clarus (Sex. Erucius) II, 146; - (C.
Jul. Erucius), 192.

Claudius II, 42; - III, 43; - IV, 47;
- V, 51.

Claudius (Imp.), 269.

Claudius (Ti.) Atticus Herodes, 143;
- Severus, 200; - (Tiberius) German. I, (s.) 37.

Claudius Aurel. Quintianus (L. Ti.),
235; - Antonius, 382; - Julian. II
(Appius), 224; - Mamertinus, 362;
- Pompeianus II (Ti.), 173, 231.

Claudius (Cn.) Severus II, 173, 235;
- Arabianus, 146.

Clemens (T. Fl.), 95.

Clementinus (Sex. Catius), 230; - (Fl.
Armenius Taurus), 513.

Clodius (C.) Crispinus, 113; - Hermo-
genian. Olybius (Q.), 379; - (C.) Li-
cinius, (s.) 4; - Septimius Albinus
Caesar II (D.), 194; Vibius Varus
(Ti.), 160.

TAVOLE CRONOLOGICO-SINCRONE

per la storia d'ITALIA, dal principio dell'Èra Cristiana ai nostri giorni (¹).

Èra cristiana	Pasqua e rinvio al calend.	IMPERATORI ROMANI	PAPI
1	27 M.	**Augusto**, C. G. Ces. Ottaviano, nip. del ditt. G. Cesare; imp. dal 29 a. C.; Sp. Livia († 29), f. di L. Druso.	
2	16 A.	—	
3	8 A.	—	
4 *b*	25 M.	— adotta Tiberio suo figliastro.	
5	12 A.	—	
6	4 A.	— doma Pannonia e Dalmazia insorte.	
7	24 A.	— Samaria e Idumea unite all'Imp.	
8 *b*	8 A.	— assoggetta la Pannonia.	
9	31 M.	— Sconfitta di Q. Varo in Westfalia.	
10	20 A.	—	
11	5 A.	—	
12 *b*	27 M.	—	
13	16 A.	— associasi Tiberio, figliastro, nella pot. tribun.	
14	8 A.	Augusto muore 19 ag. a Nola. **Tiberio** pred. el. imp. in ag. - Sp., nel 2, Giulia, f. di Augusto.	
15	24 M.		
16 *b*	12 A.	— Batt. di Idistaviso e vittor. del nip. Germanico in Germ. - La Cappadocia prov. rom.	
17	4 A.	—	
18	24 A.	— L'Alta Cilicia prov. rom.	
19	9 A.	— Germanico pred., † in Antioch.	
20 *b*	31 M.	—	
21	20 A.	—	

(1) Princip. abbreviaz.: Nella colonna dell'èra Cristiana *b* = bisestile. Nella colonna della p squa A. = Aprile ed M. = Marzo e rimanda al *Calendario perpetuo* a pag. 36 e. seg. - Usamm inoltre le abbreviaz.: accl., acclamato; Aug., **Augusto**; av., avanti: C., Conte; c., circa; cap., c pitale; coll., collega; cogn., cognato; conf., confermato; cons., consacrato; cor., coronato; Cost Costantino; CP., Costantinopoli; cug., cugino; d., dopo; D., Duca; detr., detronizzato; dep., d posto; ditt., dittatore; duc., ducato; el., eletto; f., figlio; fr., fratello; gen., generale; gen.°, gener gov., governatore; leg., legioni; Max., Maximus; nip., nipote; Occ., Occidente; Or., Oriente; p papa; regg., reggente; sor., sorella; sp., sposa, sposato; succ., succede; sup., superiore; tit., titol tut., tutore; †, muore. - Fra parentesi quadre ponemmo i nomi degli usurpatori e certe date dubbi

Era cristiana	Pasqua e rinvio al calend.	IMPERATORI ROMANI	PAPI
22	5 A.	**(Tiberio imp.)**	
23	28 M.	— Muore Druso suo figlio.	
24 b	16 A.	—	
25	1 A.	—	
26	21 A.	— lascia il gov. ad El. Seiano e si ritira a Capua.	
27	13 A.	—	
28 b	28 M.	—	
29	17 A.	— esiglia la moglie Agrippina († 33).	
30	9 A.	—	**S. Pietro**, Simone Bar-Jona di Betsaida, princ. degli Apostoli.
31	25 M.	— fa uccid. Elio Seiano, ribelle.	—
32 b	13 A.	—.	—
33	5 A.	—	—
34	28 M.	—	—
35	10 A.	—	—
36 b	1 A.	—	—
37	21 A.	Tiberio è ucciso 16 marzo. **Caligola**, pronip., imp. 16 marzo.	
38	6 A.		
39	29 M.	— Spediz. contro i Germani.	—
40 b	17 A.	— Spediz. in Britannia.	—
41	9 A.	Caligola è ucciso 24 genn. a Roma. **Claudio I**, nip. di Tiber., el. 25/1. - Sp. Messalina sor. di Aug.	
42	25 M.	— La Mauretania prov. rom.	— è imprig. a Gerusalemme.
43	14 A.	— La parte merid. della Britann. e la Licia prov. rom.	— si reca a Roma (?).
44 b	5 A.	— La Giudea unita alla Siria rom.	
45	25 A.	—	
46	10 A.	— La Numidia e la Tracia prov. rom.	
47	2 A.	—	
48 b	21 A.	— uccisa Messalina, sp. Agrippina, f.	
49	6 A.	— [di Germanico.	
50	29 M.	— adotta Nerone, f. di Agrippina.	— [Iº Concilio crist. a Gerus.]
51	18 A.	—	
52 b	2 A.	—	
53	25 M.	—	
54	14 A.	Claudio è ucciso 13 ott. **Nerone** pred., imp. 13 ott.	
55	30 M.	— ha tit. di « *pater patriae* ».	—
56 b	18 A.	— Muore Agrippina.	—
57	10 A.	—	—
58	26 M.	—	—
59	15 A.	—	—
60 b	6 A.	—	—
61	29 M.	—	—
62	11 A.	— sp. Poppea Sabina († 65).	—

Era cristiana	Pasqua e rinvio al calend.	IMPERATORI ROMANI	PAPI
63	3 A.	**(Nerone)** - Il Ponto ridotto a prov. rom.	**(S. Pietro)**
64 *b*	22 A.	— Incend. di Roma. - Iª persec. dei Cristiani.	—
65	14 A.	— Congiura di Pisone.- Ucc. di Seneca.	—
66	30 M.	— Sollevaz. degli Ebrei contro Roma.	—
67	19 A.	-- si reca in Grecia.	S. Pietro, martire 29 giugno. S. Lino, di Volterra, el....
68 *b*	10 A.	Nerone si uccide 9 giu. a Roma. **Galba**, imp. 11 giu., el. dalle legioni.	
69	26 M.	Galba è ucciso 15 gennaio. **Otone**, imp. 15/1, el. dai pretori. - Si uccide 16/4. **Vitellio**, imp. in genn. È ucciso 20 dic. **Vespasiano**, el. 1/7, riconosc. 24/12. Fa guerra coi Batavi. - Sp. Flavia Domitilla.	
70	15 A.	— suo f. Tito term. la guerra giudaica. Distrugge Gerusal. in sett.	....
71	7 A.	—	......
72 *b*	22 M.	—	......
73	11 A.	—	......
74	3 A.	— Acaia, Licia, Rodi unite all'Imp.	....
75	23 A.	—	......
76 *b*	7 A.	—	......
77	30 M.	—	......
78	19 A.	—	S. Lino, martire (78 o 79) 23/9 S. Cleto, di Roma, cons....
79	4 A.	Vespasiano muore 23 giu. **Tito**, f., imp. 23 giu.	....
80 *b*	26 M.		......
81	15 A.	Tito muore 13 settembre. **Domiziano**, fr., imp. in dic. - Sp. Domi-	....
82	31 M.	— [zia Longina, f. di Corbulone.	
83	20 A.	-- Sua spedizione in Germania.	
84 *b*	11 A.	-- ha tit. di « *Germanicus* ».	
85	3 A.	-- fa guerra contro i Daci (85-89).	
86	16 A.	—	
87	8 A.	—	
88 *b*	30 M.	—	
89	19 A.	— fa pace con Decebalo re dei Daci.	
90	4 A.		S. Cleto, martire (90 o 91) 26 apr. (?). S. Clemente I, di Roma, cons
91	27 M.	—	
92 *b*	15 A.	—	
93	31 M.	—	
94	20 A.	—	
95	12 A.	—	
96 *b*	27 M.	Domiziano ucciso 18 sett.	—

Era cristiana	Pasqua e rinvio al calend.	IMPERATORI ROMANI	PAPI
(96)		**Nerva**, imp. 18 sett., el. dal Senato.	(**S. Clemente I**)
97	16 A.	— assoc. con Traiano, da lui addott.	—
98	8 A.	Nerva muore 27 genn. [27 ott.	—
		Traiano, spagn., solo imp. 27/1.	— [23 nov.
99	24 M.	— ha tit. di « *pater patriae* ». - Sp. Do-	S. Clemente I rom., martire
100 b	12 A.	— [mizia Paolima.	**S. Anacleto**, di Atene, cons....
101	4 A.	— sua spediz. vittor. contro i Daci.	—
102	24 A.	— ha tit. di « *Dac.cus* ».	—
103	9 A.	—	—
104 b	31 M.	— Altra guerra contro i Daci.	—
105	20 A.	—	—
106	5 A.	— I Daci sconfitti.	—
107	28 M.	— La Dacia ridotta a prov. rom.	—
108 b	16 A.	—	—
109	8 A.	—	—
110	24 M.	—	—
111	13 A.	—	S. Anacleto, † ....
112 b	4 A.	—	**S. Evaristo**, Siro, cons....
113	24 A.	— [prov. rom.	—
114	9 A.	— fa guerra ai Parti. - L'Armenia	—
115	1 A.	— Mesopotamia ed Assiria prov. rom.	—
116 b	20 A.	— occupa il regno dei Parti. - Sollev.	—
		degli Ebrei.	—
117	5 A.	Traiano muore 11 ag. a Selinunte.	—
		Adriano, cug., f. del Sen. E. Afro, el. in	—
118	28 M.	— [ag. Sp. Sabina nip. di Traiano.	—
119	17 A.	—	— [tobre (?).
120 b	1 A.	— visita le prov. dell'Impero.	S. Evaristo † a Roma 26 ot-
121	21 A.	— visita le Gallie.	**S. Alessandro I**, rom., cons.
			[ott. (?).
122	13 A.	—	
123	29 M.	—	
124 b	17 A.	—	
125	9 A.	—	
126	25 M.	—	
127	14 A.	—	
128 b	5 A.	— ha titolo di « *pater patriae* ».	
129	28 M.	—	
130	10 A.	—	
131	2 A.	— visita l'Egitto, fonda Antinoe. -	— [gio (?).
		Emana l' « *Editto perpetuo* ».	S. Alessandro I, mart. 3 mag-
132 b	21 A.	— Grande sollev. degli Ebrei in Palest.	**S. Sisto I**, romano, cons....
133	6 A.	— doma la sollev. degli Ebrei a Bar	—
134	29 M.	— [Cochba.	—
135	18 A.	— vince complet. e disperde gli Ebrei.	—
136 b	9 A.	— adotta Elio Vero († 138).	—

Era cristiana	Pasqua e rinvio al calend.	IMPERATORI ROMANI	PAPI
137	25 M.	(Adriano imp.)	(S. Sisto I)
138	14 A.	Adriano adott. Antonino e †10/7 a Baia.	
		Antonino. Pio, gen.°, imp. - Sp. (138)	—
		Annia Galer. Faustina I († 141), f.	—
139	6 A.	[di Annio Vero.	—
140 b	25 A.	—	—
141	10 A.	—	—
142	2 A.	—	
			S. Sisto I, martire 6 apr.
143	22 A.	—	S. Telesforo, greco, cons...
144 b	6 A.	—	—
145	29 M.	—	—
146	18 A.	—	—
147	3 A.	—	—
148 b	25 A.	—	—
149	14 A.	—	—
150	30 M.	—	—
151	19 A.	—	—
152 b	10 A.	—	—
153	26 M.	—	—
154	15 A.	—	
			S. Telesforo, martire in genn.
155	7 A.	—	S. Igino, greco, cons. in gen-
156 b	29 M.	—	[naio (?).
157	11 A.	—	
158	3 A.	—	
			S. Igino, martire in genn.
			S. Pio I, di Aquileia, cons.
159	23 A.	—	in genn. (?).
160 b	14 A.	—	
161	30 M.	Antonino muore 7 marzo, in Etruria.	—
		Marco Aurelio, f. di Annio Vero, imp.	
		7/3. - Sp. (v. 140) Annia Faustina II	
		(† 175), f. di Anton. Pio.	
		Lucio Vero, fr. adott.; imp. in mar.,	
		assoc. - Sp. Lucilla....	
162	19 A.	— Guerra contro i Parti.	—
163	11 A.	— Tit. di « Armeniacus » ai due imp.	—
164 b	26 M.		—
165	15 A.	— Vittoria sui Parti in Siria.	—
166	7 A.	— Tit. di « Particus Maximus » ai	—
		due imp.	
167	23 M.	— Vittoria sui Marcomanni. - Tit. di	S. Pio I martire 11 lugl.
		« pater patriae » ai due imp.	
168 b	11 A.		S. Aniceto, di Siria, cons....
169	3 A.	Lucio Vero muore ad Attino 1° genn.	—
		Marco Aurelio solo imp. dal 1 genn.	
170	23 A.	—	—
171	8 A.	—	—

Era cristiana	Pasqua e rinvio al calend.	IMPERATORI ROMANI	PAPI
172 b	30 M.	M. Aurelio ha titolo di « *Germanicus* ».	(S. Aniceto)
173	19 A.	—	—
174	4 A.	— vince i Marcom. e i Quadi.	—
175	27 M.	— ha titolo di « *Sarmaticus* ». [Avidio Cassio usurp. in Siria ed in [Egitto; ucciso].	S. Aniceto, martire 17 apr. S. Sotero, della Campania,
176 b	15 A.		cons....
177	31 M.	—	—
178	20 A.	— si reca in Pannonia.	—
179	12 A.	—	—
180 b	3 A.	M. Aurelio muore a Vindobona 17 mar. Commodo, f., imp. 17/3. - Sp. Bruzzia [Crispina.	—
181	16 A.	—	S. Sotero martire 27 aprile.
182	8 A.	— ha titolo di « *Pius* ».	S. Eleuterio, di Nicopoli, cons..
183	31 M.	—	—
184 b	19 A.	— ha tit. di « *Britannicus* ». - Fa uccid. la moglie Crispina.	—
185	4 A.	— ha tit. di « *Felix* ».	—
186	27 M.	—	—
187	16 A.	—	—
188 b	31 M.	—	—
189	20 A.	—	—
190	12 A.	—	—
191	28 M.	—	—
192 b	16 A.	Commodo è ucciso 31 dic.	—
193	8 A.	Pertinace, imp. 1 genn., ucc. 28/3. Didio Giuliano, imp. 30/3 (?), ucc. 1/6. Settim. Severo, imp. in Pannon. - Sp. Giulia Domna († 217), f. di Bassiano. — [Pescennio Negro usurp. in Siria e Albino usurp. in Britann.].	S. Eleuterio, martire 26 magg. S. Vittore I, africano, cons....
194	24 M.	— ha tit. di « *pater patriae* ». - Fa guerra a Pescennio e l'uccide.	—
195	13 A.	— ha tit. di « *Pius, Arab., Adiaben.* ».	—
196 b	4 A.	— Presa di Bisanzio.	— Concilio in Roma sulla ce-
197	24 A.	— [Albino vinto e ucciso a Lugduno 19/2].	lebraz. della Pasqua. Scomun. i Quartodecim.
198	9 A.	— fa guerr. ai Parti. - Si assoc. il f. Bassiano (Caracalla).	—
199	1 A.	— ha tit. di « *Particus Maximus* ».	—
200 b	20 A.	—	—
201	5 A.	—	[e lugl.
202	28 M.	— persecuz. contro i Cristiani.	S. Vittore I, martire fra apr.
203	17 A.	—	S. Zeffirino, romano, cons....
204 b	8 A.	—	—
205	24 M.	—	—
206	13 A.	—	—
207	5 A.	—	—

Era cristiana	Pasqua e rinvio al calend.	IMPERATORI ROMANI	PAPI
208 b	24 A.	**Settimio Severo** in Britannia coi figli Caracalla e Geta	(S. Zeffirino)
209	9 A.	—	—
210	1 A.	—	—
211	14 A.[1]	Severo muore 4 febb. ad Eboraco. **Caracalla**, f. el. imp. - Sp. Plautilla.	—
212 b	5 A.	**Geta Settimio**, fr., imp. in febb., assoc. Geta è ucciso 27 febb. (?).	—
213	28 M.	**Caracalla** solo imp. — ha tit. di « *German. Felix* ».	—
214	17 A.	—	—
215	2 A.	— si reca ad Alessandria.	—
216 b	21 A.[2]	— sua spediz. contro i Parti.	—
217	13 A.	Caracalla ucciso 8 aprile. **Macrino**, pref. del pretorio, imp. 8/4.	—
218	29 M.	Macrino è ucciso 8 giugno. **Elagabalo**, imp. 8 giu. - Sp. Annia	—
219	18 A.	— [Faustina.	—
220 b	9 A.	—	S. Zeffirino, martire in agosto.
221	25 M.		**S. Calisto**, della gente Domizia, romano, cons....
222	14 A.	Elagabalo è ucciso 11 mar. dai pretor. **Severo Aless.**, cugino, f. di Giulia Mammea; imp. 11/3, regg. la madre e	
233	6 A.	— [l'avola Maja.	—
224 b	28 M.	—	—
225	10 A.	—	—
226	2 A.	—	—
227	22 A.	— assogg. il regno dei Parti.	S. Calisto, I martire in ottobr.
228 b	6 A.[3]		**S. Urbano I**, di Roma, cons....
229	29 M.	—	—
230	18 A.	—	—
231	3 A.[4]	—	— Concilio Aless. e Concil. Iconiense.
232 b	25 M.	— sua infel. spediz. contro i Persiani	
233	14 A.	— [232-34.	S. Urbano I, martire 25 magg.
234	6 A.	— compra la pace dai Germ. insorti.	**S. Ponziano**, di Roma, el. 21/7
235	19 A.[5]	Severo è ucciso 19/3 a Magonza. **Massimino I**, imp. 19 mar. - Sp. Paolina.	— Concilio Alessandrino.
236 b	10 A.	— ha tit. di « *German. Maximus* ».	—
237	2 A.	— ha tit. di « *Sarmatic.* e di *Dacicus* ».	—
238	22 A.	**Gordiano I**, imp. 15 febb., si uccide 7/3.	S. Ponziano, martire 28/9 (?)

(1) Pasqua 21 apr. in alcune chiese d'Occid.
(2) » 24 mar. » » »
(3) » 13 apr. » » »
(4) » 10 apr. » » »
(5) » 22 mar. » » »

Era cristiana	Pasqua e rinvio al calend.	IMPERATORI ROMANI	PAPI
(238)		Gordiano II, imp. 15 febb., ucc. in mar.	S. Antero, di Grecia, el. 21/11.
		Balbino e Massimo Pupieno, imp. el. in mar., uccisi in lugl.	
		Gordiano III, f. di Gord. II, imp. in mar. - Sp. Tranquillina...	
		Massimino I, ucciso ad Aquileia 1/5.	S. Antero, martire 3 genn.(?).
239	7 A.	Gordiano III solo imp.	S. Fabiano, di Roma, cons.
240 b	29 M.		in genn. (?).
			— Conc. contro l'eret. Privato.
241	18 A.	— I Franchi vinti in Gallia.	— Concil. di Filadefia (Palestina) contro Berillo.
242	3 A.		
243	26 M.		
244 b	14 A.	Gordiano ucciso da Filippo I (febb.).	
		Filippo I, l'*Arabo*, imp. in febb. - Sp.	— Conc. Efesino contro Noet.
245	30 M.	[Otacilia.	
246	19 A.	Filippo I e suo f. Filippo II, assoc.	
247	11 A.	[Filippo I.	
248 b	26 M.	— tit. di «*German.* e di *Carpicus*» a	
249	15 A.	Filippo I ucciso a Verona, contro Decio, fra 1/9 e 16/10.	
		Filippo II ucciso a Roma, in autun.	
250	7 A.	Decio, imp. in sett. - Sp. Etruscilla.	— Concil. d'Acaia contro i
		— marcia contro i Goti in Tracia.	Valesiani.
251	23 M.[1]	Decio ucciso in Tracia dai Goti (ott.).	— [Novaziano antip. dal 251 al 268.]
		Treboniano Gallo, imp. in ottobre.	Concil. Cartagin. I. - Concil. rom. in ott.
		Ostiliano, f. di Decio, collega di Gallo, († 252).	
		Volusiano, f. di Gallo, imp. in nov.,	— Concil. Antioch.[a] contro
252 b	11 A.[2]	[co-regg.	Novaz. - Concil. Cartag. II.
253	3 A.	Volusiano muore 4 sett.	S. Fabiano muore in genn.
		Emiliano e Valeriano imp. in magg.	S. Cornelio, di Roma, cons....
		Gallo ucciso in maggio.	— Concil. Cartag. III.
254	23 A.[3]	Emiliano ucc. a Spoleto fra ag. e ott.	— Concil. Cartagin. IV.
		Valeriano, col f. Gallieno, el. in giu.,	
255	8 A.	[associati.	S. Cornelio, martire 14 sett.
			S. Lucio, di Roma, cons....
256 b	30 M.	— tit. di «*German. Maxim.*» a Valer.	— Concil. rom. - e Cart. III.
		- Gli Alamanni devast. l'Ital. sup.	
			S. Lucio, martire 5 marzo.
257	19 A.	[ad Edessa].	S. Stefano I, cons. in mar. (?).
258	11 A.	— [Ingenuo, usurp. in Pannon., vinto	— Concil. contro l'eret. Noet.

(1) Pasqua 30 mar. in alcune chiese d'Occid.
(2) » 18 apr. » » »
(3) » 26 mar. » » »

Era cristiana	Pasqua e rinvio al calend.	IMPERATORI ROMANI	PAPI
259	27 M.	**Valeriano** imprig. a Edessa da Sapore re pers., muore in prigione.	(S. Stefano I)
260 *b*	15 A.	**Gallieno** solo imp.	S. Stefano I, mar. 2/8.
		— [Postumo, usurp. in Gallia 260-267)	S. Sisto II, di Atene, cons. 30 agosto.
261	7 A.	— [Macriano I, usurp. in Asia e in Egitto, e Macriano II, f., co-regg.].	— Concil. romano.
		— [Gaio Quieto co-reggente].	S. Sisto II, martire 6 agosto.
		— [Valente I, usurp. in Acaia].	S. Dionigi I, di Turio (Magna Grecia), el....
262	23 M.	— [Calpurnio Pisone, usurp. in Tess.].	—
263	12 A.	— [Emiliano II, usurp. in Egitto	—
264 *b*	3 A.	[262-65].	—
		Gallieno ed Odenato (re di Palmira) suo luogoten., assoc. in Or.	— Concil. Antiocheno I.
		— [Regaliano usurp. in Pannonia].	
265	23 A.	— [Trebelliano usurp. in Cilicia].	
		— [Vittorino co-regg. di Postumo 265-67].	
266	8 A.	— [Eliano usurp. in Gallia 266-67].	—
267	31 M.	— Odenato ucciso ad Eraclea (?).	—
268 *b*	19 A.	Gallieno ucciso 20 (?) marzo, a Milano.	—
		— [Mario usurp. in Gallia 267].	
		— [Aureolo usurp. in Illiria 267-68].	
		— [Tetrico usurp. in Gallia 268-74].	
269	4 A.	**Claudio II**, dalmata, imp. in marzo.	— Concil. Antioch. II.
		— respinge gli Alamanni sesii Italia e vince i Goti (batt. di Naisso). Ha tit. di « Gotico ».	
270	27 M.	Claudio muore a Sirmio, in apr.	—
		Quintillo, fr. imp. in magg., si uccide in giu. (?).	
		Aureliano, el. dalle leg. in Pannonia, in ag., solo imp.	
271	16 A.	— Gli Alamanni in Italia respinti.	—
272 *b*	31 M.	— ha tit. di « German. Maxim. Go-	—
		— ha tit. di « Particus ». [ticus ».	S. Dionigi I, martire 27 12(?).
273	20 A.[1]	— [Fermo I Marco, di Seleucia, usurp.	S. Felice I, romano, el....
274	12 A.	in Egitto, ucciso].	
275	28 M.	Aureliano ucc. in marzo, in Bitinia, contro i Persiani.	S. Felice I, martire genn. (?).
		Tacito, sen.*e*, el. imp. in sett.	S. Eutichiano, di Luni, el. 5/1.
276 *b*	16 A.	Tacito muore 12 apr. [a Tarso.	—
		Floriano, fr., imp. in apr., ucciso 15/7	
		Probo M. Aurel., imp. in apr.	
277	8 A.	—	—
278	31 M.	—	—

(1) l'asqua 31 marzo in alcune chiese d'Occid.

Era cristiana	Pasqua e rinvio ai calend.	IMPERATORI ROMANI	PAPI
			(S. Eutichiano)
279	13 A.	**Probo,** imper. [Saturnino, usurp. in Egitto e in Sicilia; ucc. ad Apaméa]	
280 b	4 A.	— [vince Procolo, usurp. in Gallia].	—
281	27 M.	— vince Bonoso, usurp. in Colonia.	—
282	16 A.	Probo è ucciso, in ag., a Sirmio.	
		Caro, pref. del pret., imp. in ag. o sett.	S. Eutichiano, martire 8 dic.
283	1 A.	Caro muore 25 dic.	**S. Caio,** di Salona, nip. di
		Carino suo f., imp. per le Gallie, in dic.	Dioclez., cons. 17 dic. (?)
		Numeriano, altro f., imp. in Or.	
284 b	20 A	Numeriano è ucciso 12 sett.	
		Carino imp. - [Giuliano usurp. in Pannonia, ucciso da Carino].	
		Diocleziano, imp. 17 sett. Sp. Prisca....	—
285	12 A.	Carino ucciso da Dioclez. a Calcedon. in magg.	—
		Diocleziano solo. Ha tit. di « *Britann. Max.* » e di « *Germ. Max.* ».	
286	28 M.	**Diocleziano** in Oriente.	
		Massimiano, di Pannon., assoc., in Occ.	
287	17 A.	— [Carausio, usurp. in Bret. 287-293].	--
288 b	8 A.	— Tit. di « *Persicus Max.* » e « *Germ. Max.* » ai due imp.	—
289	24 M.	—	—
290	13 A.	—	—
291	5 A.	— Tit. di « *Sarmat. II* » e « *Sarmat. III* » ai due imp.	—
292 b	24 A.	— [Giuliano usurp. scacc. dall'Italia].	—
293	9 A.	— [**Galerio** gen.° di Diocl.]\ nominati	—
		— [**Costanzo I** Cloro / Cesari 1/3.	
		— [Alletto usurp. in Bret. 293-96].	
294	1 A.	— [**Costanzo I** ha tit. di « *Germ. Max.* »]	—
295	21 A.	— [**Costanzo I** ha tit. di « *Carpicus Max.* »].	—
296 b	5 A.	**Massimiano** in Oc. e **Dioclez.** in Or. imp.	S. Caio, martire 22 aprile.
		— — [**Galerio** sconf. dai Persiani].	**S. Marcellino,** di Roma, cons.
		— — [**Costanzo I** sottom. la Brit.].	30 giugno.
297	28 M.	— — [**Galerio** vince i Persiani].	
298	17 A.	— — [*Max. II*».	
299	2 A.	— — [**Costanzo I** ha tit. di « *Sarmat.*	—
300 b	24 M.[1]	—	— Concil. Eliberitano.
301	13 A.	—	— Concil. Alessandrino.
302	5 A.	—	
303	18 A.	**Dioclez.** in Or. decr. la persec. dei [Cristani 23/2.	S. Marcellino, mart. 25 ott.
304 b	9 A.	—	*Sede vacante dal 26 ottobre.*
305	1 A.	Dioclez. abdica 1 magg. († 313). Massimiano abd. a Milano 1/5.	» »

(1) Pasqua 21 apr. in alcune chiese d'Occid.

Era cristiana	Indizione	Pasqua e rinvio al calend.	IMPERATORI ROMANI	PAPI
(305)			**Costanzo I** *Cloro*, imp. coll. in Occ. 1/5. **Galerio**, da Diocl., nom. Augusto in Or.	*(Sede vacante)*
306		14 A.[1]	Costanzo I muore 25/7 ad Eboraco. **Galerio** imp. [28/10] [**Massenzio**, f. di Massim. accl. Augusto **Massimiano** pred. come Cesare di Massenz. 20/10. **Severo II**, illiro, nom. *Cesare* da Galer. (305) poi *Aug.* col gov. d'Ital. e d'Africa 25/7. [28/10.	—
307		6 A.	**Galerio** e **Massenzio** acclam. *Augusti* **Costantino I**, f. di Costanzo Cl. e di S. Elena; imp. in Gallia. - Sp. Fausta f. di Massimiano. [in apr.. Severo II dep. ed ucciso a Ravenna. **Licinio**, della Dacia, cogn. di Cost. I, nom. *Aug.* 11/11.	**S. Marcello I**, di Roma, cons. 25 magg.
308 b		28 M.	**Galerio** e **Massimino II**, *Daza*, imp. d'Or. (genn.). **Licinio, Costantino I** e **Massenzio** in Oc. **Massimiano** imprig. da Costant. I. — [Alessandro usurp. in Afr. 308-12].	
309		17 A.	**Costantino I** e **Licinio**. - **Massenzio** fa guerra a Massimiano, che muore febb. 310.	S. Marcello I. mart. 16 genn. **S. Eusebio**, di Cassano (Calabria), el. 18 apr.
310		2 A.	**Costantino I** ha tit. di «*German. Max.*».	
311		22 A.[2]	Galerio muore 30 apr. a Nicomedia. **Massimino II** e **Licinio** in Or. **Costantino I** e **Massenzio** in Occ. — [Alessandro usurp. ucciso da Massenzio 27/10].	S. Eusebio muore.... **S. Melchiade**, afric., cons...
312 b	1	13 A.	Massenzio muore 28 ottobre. **Costantino I, Licinio** e **Massim. II** in Or.	— Concil. Cartaginese.
313	1	29 M.	**Licinio** fa guerra a Massim. II, che si uccide a Tarso 30/4. **Costantino I** e **Licinio**, soli. Cessa la persecuz. dei Cristiani.	— Concil. romano, sui Donatisti.
314	2	18 A.	- Tit. di «*Sarmaticus*» a Costant. I. - Fa guerra a Licinio e lo vince.	S. Melchiade muore 11 gen. **S. Silvestro I**, di Roma, cons. 31 genn. — Concil. Arelatense, contro i Donatisti 1 ag.
315	3	10 A.	— ha tit. di «*Gallicus*».	
316 b	4	25 M.		
317	5	14 A.	— [Liciniano, f. di **Licinio** creato *Ce-*	
318	6	6 A.	[*sare* 1/3].	—

(1) Pasqua 21 apr. In alcune chiese d'Occid.
(2)   »   25 mar.   »   »   »

Era cristiana	Indizione	Pasqua e rinvio al calend.	IMPERATORI E RE	PAPI
319	7	22 M.[1]	(Costantino I e Licinio imp.)	(S. Silvestro I)
320 b	8	10 A.	—	—
321	9	2 A.	[che è dep..	— Concil. Alessandr. I e II
322	10	22 A.[2]	Costantino I fa guerra contro Licinio,	—
323	11	7 A.	— vince Licinio ad Adrianop. 3/7, e a Calced. 18/9.	—
324 b	12	29 M.	— Licinio ucciso a Tessalonica.	— Concil. Aless. tenuto da Osio. Condan. gli Ariani.
325	13	18 A.	—	— manda leg. al Concil. di Nicea, contro Ario, 19/6 a 25/8.
326	14	3 A.[3]	— fa uccid. Liciniano predetto	—
327	15	26 M.	—	—
328 b	1	14 A.	—	—
329	2	6 A.	—	—
330	3	19 A.	— fonda Bisanzio e la consac. 11/5.	— Concil. Alessan. 27 dic.
331	4	11 A.	— e vi trasfer. la cap. dell'Impero.	—
332 b	5	2 A.	— Sua spediz. fortun. contro i Goti.	—
333	6	22 A.[4]	—	—
334	7	7 A.	—	—
335	8	30 M.	—	— Concil. Tiriense in ag. e sett.
336 b	9	18 A.	—	—
337	10	3 A.	Costantino I muore a Nicomedia 22/5. Costantino II (Gallia, Spagn., Brit.), Costante I (Illirico, Ital. e Afric.), Costanzo II (Asia ed Egitto), fi. e succ. di Cost. I., cl. imp. 9 sett.	S. Silvestro I muore 31 dic. S. Marco, di Roma, el....
338	11	26 M.	Costanzo II ha tit. di « Adiabenicus ».	—
339	12	15 A.	— [ad Aquileia (apr.).	—
340 b	13	30 M.	Costantino II ucciso contro Costante I Costante I e Costanzo II soli imp.	S. Marco muore 7 ottobre.
341	14	19 A.	— —	S. Giulio I, di Roma, cons...
342	15	11 A.	— —	— Concil. romano in giu. e.
343	1	27 M.[5]	— —	—
344 b	2	15 A.	— —	—
345	3	7 A.		—
346	4	23 M.[6]		— Concil. Milanese.
347	5	12 A.		— Concil. di Sardica (Illiria) in magg.
348 b	6	3 A.	— —	

(1) Pasqua 29 mar. in alcune chiese d'Occid.
(2) » 25 mar. » » »
(3) » 10 apr. » » »
(4) » 15 apr. » » »
(5) » 3 apr. » » »
(6) » 30 mar. » » "

Era cristiana	Indizione	Pasqua e rinvio al calend.	IMPERATORI E RE	PAPI
				(S. Giulio I)
349	7	23 A.[1]	**(Costante I** e **Costanzo II** imp.)	— Concil. rom. contro Fotino, in genn.
350	8	8 A.[2]	Costante I ucciso 18 genn.	—
			Costanzo II imp.	
			— [Magnenzio, usurp. In Gallia 18/1].	
			— **[Vetranione** usurp. in Pannon, da	
			mar. a 24/12]. [† 1/7].	
			— **[Nepoziano** usurp. in Roma 3/6,	
351	9	31 M.	— vince Magnenzio 28 sett.	— Concil. Sirmiense.
352 b	10	19 A.	—	S. Giulio muore 13 apr.
				S. Liberio, della gente Savella di Roma, el. 17/5.
353	11	11 A.[3]	— [Magnenzio si uccide 11 ag.].	Concil. di Roma per S. Atanasio.
			Costanzo II solo imp.	
354	12	27 M.	—	— Concil. d'Arles.
355	13	16 A.	— [Silvano usurp. in Gallia].	— Concil. a Milano sugli Ariani.
			— Giuliano, cug. di Costanzo II, nom.	S. Liberio esil. dal partito Ariano, a Berea (Tracia).
			Cesare, in Gallia.	**S. Felice II** governa durante l'esilio di S. Liberio.
356 b	14	7 A.	— Vittor. di Giuliano sugli Alamanni.	—
357	15	23 M.[4]	—	[(† 365).
358	1	12 A.	—	S. Felice rinun. 29 luglio
				S. Liberio è richiamato.
359	2	4 A.[5]	—	—
360 b	3	23 A.[6]	**Costanzo II** imp.	—
			Giuliano I l'*Apostata* pred. accl. imp.	
361	4	8 A.	Costanzo II muore 3 nov.	—
362	5	31 M.	**Giuliano I** l'*Apost.*, confer. imp., entra	—
			in CP.	
363	6	20 A.[7]	Giuliano fa guerra contro la Persia e	—
			Gioviano, el. imp. 27 giu. [† 26/6.	
364 b	7	4 A.	Gioviano muore 17 febb. a Dadastana.	—
			Valentiniano I, f. del Pref. Graziano,	
			imp. d'Occ. in febb., el. a Nicea.	
			Valente, fr., imp. dal lugl. in Or., assoc.	
365	8	27 M.	— [Procopio usurp. in Or. 365-66].	—
366	9	16 A.		S. Liberio muore 24 sett.

(1) **Pasqua** 26 mar. in alcune chiese d'Occid.,
(2)   »   15 apr.   »   »   »
(3)   »   4 apr.   »   »   »
(4)   »   30 mar.   »   »   »
(5)   »   28 mar.   »   »   »
(6)   »   26 mar. in alcune chiese d'Occid., 16 apr. in altre.
(7)   »   13 apr. in alcune chiese d'Occid.

Era cristiana	Indizione	Pasqua e rinvio al calend.	IMPERATORI E RE	PAPI
(366)			(**Valentiniano I** e **Valente** imp.)	**S. Damaso**, della penis. Iberica, cons. 1 ott.
				— [Ursino antip. dal sett. 366 al 16/11 367].
367	10	1 A.	— **Graziano** f. di Valentin. I nomin. [*Augusto* 24/4.	—
368 b	11	20 A.[1]	**Valentiniano I** imp. sp. Giustina († 368)	—
369	12	12 A.	[ved. di Magnenzio	—
370	13	28 M.	—	—
371	14	17 A.	—	
372 b	15	8 A.	—	—
373	1	31 M.[2]	—	
374	2	13 A.	—	—
375	3	5 A.	Valentiniano I muore a Bregilio 17/11. **Valente**, in Or., permette ai Visig. di stab. in Mesia. **Graziano**, pred., e suo fr. **Valentiniano II**, imp. in Occ. (regg. la madre Giustina), assoc. 22/11. - Graz.° sp. (374) Massima Costanza, f. di [Costanzo II.	—
376 b	4	27 M.	— —	—
377	5	16 A.	— —	
378	6	1 A.	Valente ucciso dai Visig. (batt. d'Adrianopoli) 19/8.	
379	7	21 A.	**Graziano** e **Valentin. II** in Occ. **Teodosio I** il *Grande*, gen.° di **Valent. I**, nom. *Aug.* per l'Or. 19/1. - Sp. Flacilla († sett. 385), f. del cons. Antonio	
380 b	8	12 A.[3]	—	— I° concil. di CP. da magg. a 30/7.
381	9	28 M.	—	
382	10	17 A.		—
283	11	9 A.	Graziano ucciso a Lione 25/8 dal gen.° di Massimo (II), usurp. in Gallia. **Valentiniano II** in Occ., minacc. da Massimo II si rifugia presso **Teodosio I** in Or.	
384 b	12	24 M.	— [Vittore, f. di Massimo II, Aug.; usurp. in Gallia].	**S. Damaso** muore 11 dic. **S. Siricio**, di Roma, cons. 15 a 29 dic.
385	13	13 A.	— [Massimo II si procl. imp. in Gallia]	— Concil. rom., sul celib. dei preti.
386	14	5 A.	—	

(1) Pasqua 23 mar. in alcune chiese d'Occid.
(2)   »   24 mar.   »   »   » 21 apr. in altre.
(3)   »   9 apr.   »   »   »

Era cristiana	Indizione	Pasqua o rinvio al calend.	IMPERATORI E RE	PAPI
387	15	25 A.[1]	Valentiniano II imp. in Occ. Teodosio I in Or. - Sp. Galla († 394) sor. di Valentin. II.	(S. Siricio)
388 *b*	1	9 A.	— .[Massimo II ucciso da Teodos. I in ag. ad Aquil.]. Valentiniano II rimesso sul trono da Teodosio I.	—
389	2	1 A.	—	
390	3	21 A.	—	— Concil. rom. e milan contro l'eret. Gioviniano
391	4	6 A.	—	—
392 *b*	5	28 M.	Valentiniano II ucciso 15 magg. Teodosio I in Or., solo. [Eugenio, re-tore, usurp. in Gallia].	—
393	6	17 A.	—	—
394	7	2 A.	— fa guerra ad Eugenio, che è ucc. 6/9.	—
395	8	25 M.	Teodosio I, diviso l'Imp. in Or. e Occid. tra i f.i, † 17/1. [Rufino. Arcadio, f., in Or., imp. 17/1; tut. Onorio, fr., imp. in Occ., regg. Stili- [cone, 17/1.	—
396 *b*	9	13 A.		
397	10	5 A.[2]		
398	11	18 A.	Arcadio, imp. in Or.	S. Siricio muore 26 novem.
399	12	10 A.	Onorio, imp. d'Occ., sp. Maria († 404), f. di Stilicone.	S. Anastasio, Massimi, el....
400 *b*	13	1 A.	—	—
401	14	14 A[3]	—	—
402	15	6 A.[4]	— [Alarico, re Visig., invade l'It. sup.] Onorio trasf. a Ravenna la sede del-l'Imp. - Stilicone vince Alarico a Arcadio imp. in Or. [Pollenzo 6/4.	S. Anastasio muore 19 dic. S. Innocenzo I, di Albano, cons....
403	1	29 M.	Onorio e Stilicone entr. in Roma trionf.	—
404 *b*	2	17 A.[5]	— Invas. di Svevi, Alani, Vandali, cond. da Radagasio; sconf. a Fiésole [ed ucciso da Stilicone.	—
405	3	2 A.		
406	4	22 A.[6]	—	—
407	5	14 A.	— [Costantino III usurp. in Gallia 407-11].	—
408 *b*	6	29 M.	Arcadio muore 1° maggio. Onorio in Occ. - [Alarico, Visig., invade ancora l'Italia. - Stilicone † 23/8].	— a Roma.

(1) Pasqua 21 mar. in alcune chiese d'Occid. e 18 apr. in altre.
(2)   »   29 mar.   »   »   »
(3)   »   21 apr.   »   »   »
(4)   »   30 mar.   »   »   »
(5)   »   10 apr.   »   »   »
(6)   »   25 mar.   .   ·   »

Era cristiana	Indizione	Pasqua e rinvio al calend.	IMPERATORI E RE	PAPI
(408)			Teodosio II, f. di Arcadio, in Or., 1/5; tut. (408-14) Antemio. [409-10].	(S. Innocenzo I)
409	7	18 A.	— [Attalo Prisco usurp. a Roma,	— a Ravenna.
410	8	10 A.	— [Alarico sacch. Roma 24/8; † a Cosenza in aut.].	— » »
			— [Massimo III usurp. in Spagna 410-11 († 422)].	
411	9	26 M.	— [Giovino, col fr. Sebast., usurp. in	— » »
412 b	10	14 A.	[Gallia].	— » »
413	11	6 A.	—	— » »
414	12	22 M.[1]	Teodosio II, in Or., Pulcheria, sua sor., Onorio, in Occidente. [tutr..	— » »
415	13	11 A.	—	— « »
416 b	14	2 A.	—	— » » [a Roma.
417	15	22 A.[2]	—	S. Innocenzo I muore 12/3
				S. Zosimo, di Mesuraca, cons. 18/3.
418	1	7 A.	—	S. Zosimo muore 26 dic.
				S. Bonifacio I, rom. el. 28 dic., cons. 29 dic. a Roma
				— [Eulalio antip. el. 27/12 cons. 29/12].
				— [Eulalio dep. 3/4 [† 423]
419	2	30 M.	—	— a Ravenna pel Sinodo febb.-marzo.
420 b	3	18 A.	—	— a Roma.
421	4	3 A.[3]	Costanzo III, imp. 8/2, collega di Onorio, † 22/9 a Rav. - Sp. (417) Galla Placidia († 27,11 450), f. di Teodos. I. Onorio in Occidente.	— » »
			Teodosio II sp. Atenaide († 460), f.	
422	5	26 M.	[del filos. Leonzio.	— » »
423	6	15 A.	Onorio muore 27 ag. [Giovanni, segr. d'Onor., usurp. in Occ. d. 27/8]	S. Bonifacio I muore 4/9 a Roma.
			Teodosio II imp. d'Or. e d'Occ.	S. Celestino I cons. 10 settembre (?).
424 b	7	6 A.[4]	[Giovanni pred. ucciso in apr. a Rav.].	—
425	8	19 A.[5]	Teodosio II imp. d'Or.	
			Valentiniano III, f. di Costanzo III, imp. d'Occ., 23/10, regg. la madre	
426	9	11 A.	[Galla Placidia.	—
427	10	3 A.	—	

(1) Pasqua 29 mar. in Egitto.
(2) » 25 mar. in alcune chiese d'Occid.
(3) » 10 apr. in tutte le chiese fuorché in Egitto.
(4) » 23 mar. nelle chiese d'Africa.
(5) » 22 mar. in alcune chiese d'Occid.

— 222 —

Era cristiana	Indizione	Pasqua e rinvio al calend.	IMPERATORI ROMANI	PAPI
428 *b*	11	22 A.	**(Valentiniano III** imp.)	**(S. Celestino I)**
429	12	7 A.	—	
430	13	30 M.	—	— a Roma in ag. (Sinodo)
431	14	19 A.	—	— Concil. di Efeso contro l'eresia di Nestorio.
432 *b*	15	3 A.	—	S. Celestino I muore 27 lug S. Sisto III rom., cons 31/7
433	1	26 M.	—	
434	2	15 A.	— G. Plac. nom. *Patrizio* il gen. Ezio.	—
435	3	31 M.	—	—
436 *b*	4	19 A.	—	—
437	5	11 A.	— sp. Licinia Eudossia, f. di Teod. II.	—
438	6	27 M.	**Teodosio II** in Or., promul. il « *Codice* ». **Valentiniano III** in Occ. - Genserico occupa Cartagine.	
439	7	16 A.	—	
440 *b*	8	7 A.	—	S. Sisto III muore 19 ag **S. Leone I**, il *Grande*, tosca no, el. in ag., cons. 29/ a Roma.
441	9	23 M.[1]	— [Attila, re Unno, invade la Mesia].	
442	10	12 A.	**Valentiniano III** esce di minor. e gov. Ravenna sotto dip. del gen.[e] Ezio. **Teodosio II** in Or.	—
443	11	4 A.	—	—
444 *b*	12	23 A.	—	—
445	13	8 A.	—	— a Roma (Concilio).
446	14	31 M.	**Valentiniano III** compra la pace da **Teodosio II** in Or. [Attila	—
447	15	20 A.	—	— a Roma (Sinodo, in sett.)
448 *b*	1	11 A.	—	—
449	2	27 M.	[succ. in Or.	— a Roma (Sinodo, in ott.)
450	3	16 A.	Teodosio II, † 28/7; la sor. **Pulcheria Marciano**, mar. di Pulcher., in Or.da ag. **Valentiniano III** in Occ.	— a Roma (Sinodo 22/2)
451	4	8 A.		— convoca il IV. Concilio Ecum. a Calcedon. - Condanna di Eutiche.
452 *b*	5	23 M.	— [Attila, pred., invade l'Italia; distrugge Aquileia, Altino, Concordia	— fa retroced. Attila Peschiera, in estate.
453	6	12 A.	— [Attila muore]. [e Padova].	—
454	7	4 A.	**Valentiniano III** ucc. il gen.[e] Ezio, in dic.	—
455	8	24 A.[2]	Valentiniano III ucciso 16/3 a Roma. **Marciano** imp. in Or. **Petronio Massimo**, procl. Aug. 27/3 in Occ. [Sp. Eudossia ved. di Valen-	—

(1) Pasqua 30 mar. in alcune chiese d'Occid
(2)   » 17 apr. »   »   »   »

éra cristiana	Indizione	Pasqua e rinvio al calend.	IMPERATORI ROMANI	PAPI
455)			**(Petronio Mass. Aug.** e **Marciano** imp.)	**(S. Leone I)**
			tin. III]. È ucc. 12/6.[Genserico, coi Vandali, in Italia; sacch. Roma (giu.)]	
			Avito, imp. d'Occ. 10/7, ad Arles.	
456 b	9	8 A.	Avito detron. 6/10 a Piacenza.	—
			Marciano in Or. [I Vandali vinti da	
457	10	31 M.	Marciano ucciso 7 febb. [Ricimero]	—
			Leone I imp. d'Or. dal 7 febb.	
			Maioriano imp. d'Occ. dal 1/4. gen.e Aspar gov.	
458	11	20 A.	— Ricimero sconf. i Vand. in Camp.	— a Roma (Sinodo).
459	12	5 A.	—	—
460 b	13	27 M.	[da Ricimero.	—
461	14	16 A.	Maioriano dep. e fatto uccid. 2 ag.	S. Leone I muore 10 nov.
			Leone I in Or. fatto el. da Aspar.	a Roma.
			Libio Severo III in Occ. 19 nov.; fatto accl. patrizio da Ricimero.	**S. Ilario**, di Cagliari, cons. 19 nov.
462	15	1 A.	—	— a Roma (Concil. in nov.)
463	1	21 A.[1]	—	—
464 b	2	12 A.	—	—
465	3	28 M.	L. Severo III ucciso da Ricim. 15/8.	— a Roma (Sinodo).
			Leone I in Or.	
466	4	17 A.	*Imp. vacante in Occ. per 20 mesi.*	—
467	5	9 A.	**Leone I** in Or. [di Ricimero	—
			Antemio imp. d'Occ. 12/4, per vol.	
468 b	6	31 M.	— sua spediz. contro i Vandali, fallita.	S. Ilario muore 29 febb. **S. Simplicio**, di Tivoli, cons. 3/3.
469	7	13 A.	—	—
470	8	5 A.	—	—
471	9	28 M.	Il gen. Aspar fatto uccid. da Leone I.	—
472 b	10	16 A.	Antemio ucciso 11/7 da Ricimero.	—
			Leone I in Or. [el. 17/7, † 23/10.	
			Olibrio gen.e di Valentin. III in Occ.	
			— Ricimero sacch. Roma e † 18/8.	
473	11	1 A.	**Leone I** in Or.	—
			Glicerio imp. d'Occ. el. 5/3.	
474	12	21 A.	Leone I muore in genn.	—
			Glicerio dep. 24/6, poi vesc. di Salona.	
			Leone II, nip. di Leone I, in Or., da genn. (regg. il padre Zenone), † in novembre.	
			Zenone, pred. imp. d'Or. dal febb. - Sp. Ariadne, f. di Leone I.	
			Giulio Nepote, già gov. di Dalmazia, imp. d'Occ. 24/6.	

(1) Pasqua 24 mar. in alcune chiese d'Occid.

Era cristiana	Indizione	Pasqua e rinvio al calend.	IMPERATORI ROMANI E RE ERULI IN ITALIA	PAPI
(474)			(Giulio Nepote e Zenone imp.)	(S. Simplicio)
475	13	6 A.[1]	Giulio Nepote detr. in ag. da Oreste († 1/5 480). [di Leone I. Zenone in Or., scacc. da Basilisco Cogn. Romolo M. Augustolo, f. del patriz. Oreste el. a Raven. imp. d'Occ. 31/10	—
476 b	14	28 M.	Romolo Aug. detr. 5/9 da Odoacre. Oreste ucciso a Pavia. Zenone in Or., dep. in genn. da Basilisco, pred. usurp. Odoacre, re Erulo, inv. l'Italia 23 ag.	—
477	15	17 A.	Zenone ristab. in ag. coll'aiuto di Teodorico. Basilisco imprig. e ucc. in Cappadocia. Odoacre ottiene dai Vandali gran parte	—
478	1	9 A.	— [della Sicilia.	—
479	2	25 M.	—	—
480 b	3	13 A.	— assume il gov. d'Italia come Patrizio, ma da princ. indip.	—
481	4	5 A.	— occupa la Dalmazia.	
482	5	25 A.[2]	—	
483	6	10 A.	—	S. Simplicio muore 10 mar S. Felice III, della gente Anicia di Roma, cons. 13/3
484 b	7	1 A.	—	
485	8	21 A.	—	— a Roma (Sinodo).
486	9	6 A.	—	
487	10	29 M.	— riconq. il Norico ed occupa il paese	—
488 b	11	17 A.	— [dei Rugi.	—
489	12	2 A.	Teodorico il Grande (re Ostrog. 475), f. di Teodomiro, occupa Verona, Milano e Pavia. Odoacre sconf. da Teodorico sull'Isonzo, poi a Verona.	—
490	13	25 M.	— I Burgundi in Ital. cond. da Guidobaldo. - Odoac. sconf. sull'Adda 15 8.	—
491	14	14 A.	Zenone, imp. d'Or., ucciso 9 apr. Anastasio I Dikoro, gen.º di Leone I, imp. d'Or. in aprile. Odoacre assed. in Ravenna.	—
492 b	15	5 A.	—	S. Felice III muore 25/2(?) S. Gelasio I, africano, cons. 1 marzo (?).
493	1	18 A.	Odoacre spod. 27/2, ucc. 5/3 a Rav. Anastasio I imp. d'Or.	

(1) Pasqua 13 apr. nelle chiese delle Gallie.
(2)   18 apr. nella magg. parte delle chiese d'Occid.. 21 marzo in altre.

Era cristiana	Indizione	Pasqua e rinvio al calend.	IMPERATORI ROMANI E RE ERULI IN ITALIA	PAPI
(493)			**Teodorico**, Ostrog., re d'Italia 5/3. Occupa Rav. e Sicil. - **Anastas.** imp.	(**S. Gelasio I**)
494	2	10 A.	— Guidobaldo pred. restit. i prig. ital.	— a Roma (Sinodo).
495	3	26 M.[1]	—	— a Roma (Sinodo 13/3).
496 b	4	14 A.	—	S. Gelasio I muore 21 nov. **S. Anastasio II**, di Roma, cons. 24/11.
497	5	6 A.	—	
498	6	29 M.	—	S. Anastasio muore 19/11. **S. Simmaco**, sardo, cons. 22 nov. a Roma. — [Lorenzo antip. da nov. 498 al 505 c.].
499	7	11 A.[2]	—	— a Ravenna genn. a mar. poi a Roma (Concil.).
500 b	8	2 A.	— suo ingresso solenne in Roma.	— a Ravenna genn. a mar. poi a Roma (Concil.).
501	9	22 A.[3]	—	— a Rimini poi a Roma in lugl. (Concil. e Sinodo).
502	10	14 A.	—	— a Roma (Sinodo).
503	11	30 M.	—	— a Roma (Sinodo).
504 b	12	18 A.	—	—
505	13	10 A.	—	—
506	14	26 M.	—	—
507	15	15 A.	—	—
508 b	1	6 A.	— stende la sua sign. sino al Rodano.	—
509	2	22 M.	—	—
510	3	11 A.	—	—
511	4	3 A.	—	—
512 b	5	22 A.	—	—
513	6	7 A.	—	—
514	7	30 M.	—	S. Simmaco muore 19 lugl. a Roma. **S. Ormisdra**, di Frosinone cons. 20 lugl. a Roma.
515	8	19 A.	—	—
516 b	9	3 A.[4]	—	—
517	10	26 M.	—	—
518	11	15 A.	Anastasio I, imp. d'Or., muore 1 lugl. **Giustino I**, zio di Giust.°, imp. d'Or. (lugl.), lascia il gov. al quest. Procolo e al nip. Giustiniano. **Teodorico** re.	— a Ravenna febb. a 1 ag.
519	12	31 M.	—	—

(1) Pasqua 2 apr. nelle chiese delle Gallie.
(2)   »   18 apr.   »   »   »   »
(3)   »   25 mar. in alcune chiese d'Occid.
(4)   »   10 apr. nelle chiese delle Gallie.

Era cristiana	Indizione	Pasqua e rinvio al calend.	IMPERATORI ROMANI E RE ERULI IN ITALIA	PAPI
520 b	13	19 A.[1]	**(Teodorico** re e **Giustino I** imp.)	**(S. Ormisda)**
521	14	11 A.	—	—
522	15	3 A.	—	—
523	1	16 A.	—	S. Ormisdra muore 7 ag.. a Roma. **S. Giovanni I**, di Populonia, cons. 13/8 a Roma.
524 b	2	7 A.	—	— a Ravenna genn. a mar. poi a CP. (mar.).
525	3	30 M.	—	—
526	4	19 A.	**Giustino I** imp. d'Or. Teodorico muore 30/8 a Ravenna. **Atalarico**, nip., re 30/8. Amalasunta sua madre regg. dal 26/8.	S. Giovanni I imprig. a Ravenna da Teodorico, vi muore mart. 18 magg. **S. Felice IV**, di Beneyento, cons. 24 lugl.
527	5	4 A.	**Giustino I**, assoc. col nip. Giustiniano I da lui addott. 4/4 e muore 1 ag. **Giustiniano I** nip. e coll. dell'imp. d'Or. succ. 4/4. - Sp. Teodora f. di Acacio († 548). **Atalarico** re, Amalasunta regg.	—
528 b	6	26 M.	—	—
529	7	15 A.	**Giustiniano I** pubb. il «*Corpus Juris*». Fa guerra a Cosroe re Pers. (529-32). **Atalarico** re ed Amalasunta regg.	—
530	8	31 M.	—	S. Felice IV muore in sett **Bonifacio II**, rom., el. 17 sett., cons. 22 sett. — [Dioscoro antip. dal 17 sett.].
531	9	20 A.	—	—
532 b	10	11 A.	— [Ipazio, nip. di Anastasio I imp., el. imp. dai ribelli, in Or., ucciso da Belisario].	Bonifacio II muore 17 ott. **S. Giovanni II**, «*Mercurio*», di Roma, el. 31 dic.
533	11	27 M.	**Giustiniano I** vince i Vandali ed unisce all'Imp. l'Afr. (gen.° Belisario) 15/9.	— cons. 2 genn. (?).
534	12	16 A.	Atalarico muore 2 ottobre. **Teodato**, nip. di Teodorico, re 3 ott., assoc. con Amalasunta pred., sua cugina. **Giustiniano I** fa guerra a Teodato. - Toglie Sardegna, Corsica e le Baleari ai Vandali (gen.° Belisario).	—
535	13	8 A.	— **Belisario**, gen.° pred., occ. la Sicilia. **Giustiniano I** imp. - Belisario predetto nomin. Console in Or., senza collega.	S. Giovanni II muore avanti 27/5. **S. Agapito I**, rom. cons. 13/5

(1) Pasqua 22 mar. in alcune chiese d'Occid.

Era cristiana	Indizione	Pasqua e rinvio al calend.	IMPERATORI ROMANI E RE OSTROGOTI IN ITALIA	PAPI
(535)			**Teodato** re, solo. Amalasunta uccisa in primav., nell'isola Martana.	(**S. Agapito I**)
536 b	14	23 M.[1]	**Giustiniano I** imp. Teodato ucciso in ag. (?).	S. Agapito muore 22 apr. a CP.
			Vitige re, succ. in ag.; assed. da Belisario in Ravenna. - Belisario prende Napoli. Entra in Roma 9/12.	S. Silverio, Celio di Frosinone, cons. 8 giu. (?).
537	15	12 A.	**Vitige** assedia invano Belisar. in Roma. - Sp. Matasunta f. di Amalasunta.	S. Silverio esil. 11 mar. a Palmaria, † 20 giu. 538.
538	1	4 A.	— lascia Roma. - Belisar. assed. Ravenna. - Narsete, mandato in aiuto di Belisario.	Vigilio, di Roma, cons. 29 marzo.
				— scomun. i vescovi eret.
539	2	24 A.	**Giustiniano I** imp. **Vitige** occupa la Liguria. È dep. in dic. († 542). - Narsete richiam. a CP. I Franchi invad. l'Italia condotti da Teudiberto re d'Austrasia.	—
540 b	3	8 A.	**Giustiniano I** imp. in guerra contro Cosroe, re persiano, che è vinto. **Ildibaldo** el. re a Pavia. - Belisar. entra in Ravenna (primav.). È richiam. a CP.	—
541	4	31 M.	**Giustiniano I** imp. abolisce il Consolato. **Ildibaldo** ucciso in primavera. **Erarico**, re per 5 mesi, ucciso.... **Totila** (*Baduilla*) nip. di Ildibaldo, re	—
542	5	20 A.	— [dall'ag.; riconq. d'Italia.	—
543	6	5 A.	— ricupera Napoli.	—
544 b	7	27 M.	— Belisario ritorna in Italia.	— in Sicilia nov.-dic.
545	8	16 A.	**Giustiniano I** imp., codif. il diritto rom. **Totila** invade il duc. di Spoleto. - As-	— in Sicilia in magg.
546	9	8 A.	— entra in Roma. [sedia Roma.	— va a CP. (Concil.); a Patrasso, ott.
547	10	24 M.	— Belisario ricup. Roma per Giustin.º	— a CP. in genn. (Concil.).
548 b	11	12 A.	— Muore Teodora, moglie di Giust. I. 12 giu.	— a CP. poi a Tessalon, 548-49.
549	12	4 A.	— Belisario ritorna a CP.	
550	13	24 A.[2]	—	— a CP.
551	14	9 A.[3]	— Narsete mand. ancora in Italia.	— a CP. (Concil. gen.) fino al 23/12, poi a Calcedonia.
552 b	15	31 M.[4]	**Giustiniano I** imp. - Narsete sconf. **Totila** in lugl. **Totila** ucciso in lugl.	— a Calcedonia.

(1) Pasqua 30 mar. nelle chiese delle Gallie e in Bretagna.
(2) » 17 apr. » » » »
(3) » 2 apr. in Bretagna.
(4) » 21 apr. » »

Era cristiana	Indizione	Pasqua e rinvio al calend.	IMPERATORI ROMANI E RE OSTROG. E LONGOB. IN ITALIA	PAPI
(552)			**Teia,** suo gen.e, re dal lugl., el. a Pavia.	(Vigilio)
553	1	20 A.[1]	**Giustiniano I** imp. d'Or.	— II° Concil. di CP. contro Teodoro ed Origene.
			Teia ucciso in ott. (?). - Narsete assogg. il resto d'Italia all'Imp.	
554	2	5 A.	**Giustiniano I.** Sua «*prammat. sanz.*» per l'ordin.° d'Italia.	— a CP.
			— I Franco-Aleman. cond. da Leutari e da Buccell. invad. l'Italia. - Scon-	
555	3	28 M.[2]	— [fitti da Narsete.	Vigilio muore 7 giu. a Siracusa.
556 b	4	16 A.[3]	—	**Pelagio I,** dei Vicariani, di Roma, el. 6 apr., cons....
557	5	1 A.	—	—
558	6	21 A.[4]	—	—
559	7	13 A.[5]	—	—
560 b	8	28 M.	—	Pelagio muore 4 mar. a Roma.
				Giovanni III, rom., el. 18/7.
561	9	17 A.	—	—
562	10	9 A.[6]	— fa pace con Cosroe re persiano.	—
563	11	25 M.	—	—
564 b	12	13 A.	—	—
565	13	5 A.[7]	**Giustiniano I** muore 13 nov.	—
			Giustino II, nip., imp. d'Or. 13 nov.	
566	14	28 M.[8]	**Narsete,** patrizio, gov. l'Italia.	—
467	15	10 A.	**Narsete,** richiam. a CP.; si ritira a Napoli († 573). [rale a Ravenna.	—
568 b	1	1 A.[9]	**Giustino II** imp. - Longino suo gene-	—
			Alboino, re longob., occupa Aquileia, Treviso, Vicenza, Verona. [Milano.	
569	2	21 A[10]	— occupa Trento, Bergamo, Brescia,	—
570	3	6 A[11]	— occupa Parma, Modena, Bologna,	—
571	4	29 M[12]	— [Imola, ecc.	—
572 b	5	17 A.	— occupa Pavia, che fu cap. del regno.	—
573	6	9 A.	**Giustino II** imp. - È supplito da Tiberio, cap. delle guardie.	—

(1) Pasqua 13 apr. in Bretagna
(2) » 18 apr. » »
(3) » 9 apr. » »
(4) » 24 mar. in alcune chiese d'Occ., 14 apr. in Bretagna.
(5) » 6 apr. nelle chiese di Bretagna.
(6) » 2 apr. » »
(7) » 29 mar. » » »
(8) » 18 apr. » » »
(9) » 25 mar. » »
(10) » 14 apr. » »
(11) » 13 apr. » » delle Gallie.
(12) » 10 apr. nelle chiese della Gran Bretagna.

Era cristiana	Indizione	Pasqua e rinvio al calend.	IMPERATORI ROMANI E RE LONGOBARDI IN ITALIA	PAPI
(573)			**Alboino** ucciso a Verona in primav.	**(Giovanni III)**
			Clefi re, dopo 31 agosto.	
574	7	25 M.	**Giustino II** assume a collega il gen.°	Giovanni III muore 13 lugl.
			Tiberio. - Sp. Sofia nip. di Teodora.	**Benedetto I** «*Bonoso*», di
			Clefi re.	Roma, cons....
575	8	14 A.[1]	**Giustino II** e **Tiberio II** imp. d'Or.	
			Baduario Esarca (?) 575-76.	
			Clefi re, ucciso in ag. (?). [fino al 584.	
576 b	9	5 A.[2]	Governo dei 36 Duchi Longob. in Italia	—
577	10	25 A.[3]	Decio, Esarca dell'Imp. in Italia.	—
578	11	10 A.[4]	Giustino II imp. muore 5 ottobre.	—
			Tiberio |II solo imp. succ. 5 ottobre	Benedetto I muore 30 lugl.
			in Oriente.	**Pelagio II**, rom., cons....
579	12	2 A.[5]	— Faroald, D. long. di Spoleto occupa	— [26 11 (?).
			Classe, porto di Ravenna.	
580 b	13	21 A.[6]	— Perugia occup. dai Longobardi.	—
581	14	6 A.	—	—
582	15	29 M.[7]	Tiberio II imp. muore 14 ag.	—
			Maurizio di Cappadoc. gen.°, imp.	
583	1	18 A.[8]	— Invas. di Franchi in Ital. [d'Oriente.	—
584 b	2	2 A.	**Maurizio** imp. d'Or. [genn. 585.	—
			Autari, f. di Clefi, re long. in dic.. o	
			- Sottom. l'Istria e resp. i Franchi.	
585	3	25 M.	— Smeraldo, Esarca dell'Imp. d'Or.	—
586	4	14 A.[9]	[a Ravenna.	—
587	5	30 M.	—	—
588 b	6	18 A.	— toglie ai Bizant. l'isola Comacina.	—
			L'Esarca ricupera Classe.	
589	7	10 A[10]	— sp. (5/5) Teodolinda f. di Garib. I.	—
			D. di Baviera. [a Ravenna.	
590	8	26 M[11]	**Maurizio** imp. d'Or. - Romano Esarca	Pelagio II muore 7 febb.
			Autari muore 5/9 in Pavia. - Teodo-	a Roma.
			linda sp. Agilufo D. di Torino.	**S. Gregorio I**, *Magno*, della
				gente Anicia, cons. 3/9.
591	9	15 A.	**Maurizio** imp. d'Or.	
			Agilulfo re longob. in magg., cor. a Mil.	

(1) Pasqua 7 apr. nella Gran Bretagna.
(2)   »   29 mar.   »   »   »
(3)   »   18 apr. nelle Gallie e in Bret., 21 mar. in Spagna.
(4)   »   3 apr. nelle chiese bretone.
(5)   »   26 mar.   »   »   »
(6)   »   14 apr.   »   »   »
(7)   »   19 apr.   »   »   »
(8)   »   11 apr.   »   »   »
(9)   »   7 apr.   »   »   »
(10)   »   3 apr. in alcune chiese d'Occid.
(11)   »   2 apr.   »   »   »

Era cristiana	Indizione	Pasqua e rinvio al calend.	IMPERATORI ROMANI E RE LONGOBARDI IN ITALIA	PAPI
			(Agilulfo re - Maurizio imp.)	(S. Gregorio I)
592 b	10	6 A.[1]	— L'Esarca toglie ai Long. Perugia, Todi, Orte, Sutri.	—
593	11	29 M.[2]	— ricup. Perugia e assedia Roma.	—
594	12	11 A.[3]	—	—
595	13	3 A.[4]	—	—
596 b	14	22 A.[5]	—	—
597	15	14 A.[6]	—	—
598	1	30 M.[7]	— Callinico, Esarca in Rav. (dep. 603).	—
599	2	19 A.[8]	— fa pace coll'Imp. d'Or.	—
600 b	3	10 A.[9]	— si converte ai cattolices. (?).	—
601	4	26 M.	— prende e distr. Padova.	—
602	5	15 A[10]	Foca imp. d'Or. 23/11. Maurizio ucciso 27 nov. Agilulfo re, occupa Monselice, Cremona, Mantova.	—
603	6	7 A[11]	— fa battezz. il f. Adaloaldo 7 apr.	—
604 b	7	22 A[12]	— fa erede del trono il f. Adaloaldo.	S. Gregorio I muore 1: marzo a Roma. Sabiniano, di Volterra, cons 13 sett.
605	8	11 A[13]	— fa pace coll'Esarca di Ravenna.	—
606	9	3 A[14]	— [Smeraldo, el. Esarca 603.	Sabiniano muore 22 febb
607	10	23 A[15]	—	Bonifacio III, de' Catadioc di Roma, cons. 19 febb. muore 20 ott.
608 b	11	7 A.	—	S. Bonifacio IV, di Valeri: nei Marsi, el. 15/8, cons 25/8
609	12	30 M[16]	—	—
610	13	19 A[17]	Foca imp. ucciso 5 ottobre.	—

(1) Pasqua 30 mar. nelle chiese bretone.
(2)   »   19 apr.   »   »
(3)   »   18 apr.   »   »   delle Gallie.
(4)   »   27 mar.   »   »   bretone.
(5)   »   25 mar. in alcune chiese d'Occid., 15 apr. in chiese bretone
(6)   »   7 apr. in chiese bretone.
(7)   »   20 apr.   »   »   »
(8)   »   12 apr.   »   »   »
(9)   »   3 apr.   »   »   »
(10)   »   8 apr.   »   »   »
(11)   »   31 mar.   »   »   »
(12)   »   19 apr.   »   »   »
(13)   »   4 apr.   »   »   »
(14)   »   27 mar.   »   »   »
(15)   »   16 apr.   »   »   »
(16)   »   20 apr.   »   »   »
(17)   »   12 apr.   »   »   »

Era cristiana	Indizione	Pasqua e rinvio al calend.	IMPERATORI ROMANI E RE LONGOBARDI IN ITALIA	PAPI
(610)			**Eraclio** imp. d'Or. 5/10. **Agilulfo** re longob.	(S. Bonifacio IV)
611	14	4 A.[1]	—Invas. degli Avari in Istria e Friuli.	—
612 b	15	26 M.[2]	— —	—
613	1	15 A.	— —	—
614	2	31 M.	— — [(611-16).	— [mag.
615	3	20 A.[3]	**Eraclio** imp. d'Or. Giov. - I Esarca Agilulfo muore tra il 615 e 616 a Milano **Adaloaldo** f., re, già assoc. al padre. - Teodolinda regg. fino al 625.	S. Bonifacio IV muore 7 **S. Adeodato I**, rom., cons. 19 ottobre (?).
616 b	4	11 A.[4]	— Eleuterio, Esarca († 619) dell' imp.	—
617	5	3 A.[5]	— — [d'Or.	—
618	6	16 A.	— —	S. Adeodato I muore 8/11.
619	7	8 A.[6]	— —	**Bonifacio V**, dei Fummini di Napoli, cons. 23 dic.
620 b	8	30 M.[7]	— Isacco, Esarca († 637) dell' imp.	—
621	9	19 A.[8]	— — [d'Or.	—
622	10	4 A.[9]	— —	—
623	11	27 M[10]	— —	—
624 b	12	15 A[11]	— —	—
625	13	31 M[12]	**Eraclio I** imp. d'Or. [(†628). **Adaloaldo** re, fugge a Raven.; è dep. **Ariovaldo** re, marito di Gundeberga, f. di Teodolinda.	Bonifacio I muore 25 ott. **Onorio I**, della Campania, cons. 27 ottobre. - Istit. la festa dell'Esalt. della
626	14	20 A[13]	— —	— [S. Croce.
627	15	12 A[14]	— Vittoria di **Eraclio** sui Persiani.	—
628 b	1	27 M.	— Muore Teodolinda pred.	—
629	2	16 A[15]	— —	—
630	3	8 A[16]	— —	—
631	4	24 M[17]	— —	—

(1) Pasqua 28 mar. in chiese bretone.
(2) » 16 apr. »   »   »
(3) » 13 apr. »   »   »
(4) »   4 apr. »   »   »
(5) » 27 mar. »   »   »
(6) »   8 apr. »   »   »
(7) » 20 apr. »   »   »
(8) » 12 apr. »   »   »
(9) » 28 mar. »   »   »
(10) » 17 apr. »   »   »
(11) »   8 apr. »   »   »
(12) » 21 apr. »   »   »
(13) » 13 apr. »   »   »
(14) »   5 apr. »   »   »
(15) »   9 apr. »   »   »
(16) »   1 apr. »   »   »
(17) » 21 apr. »   »   »

Era cristiana	Indizione	Pasqua e rinvio al calend.	IMPERATORI ROMANI E RE LONGOBARDI IN ITALIA	PAPI
			(Ariovaldo re - Eraclio I imp.)	**(Onorio I)**
632 b	5	12 A.[1]	— —	—
633	6	4 |A.[2]	— —	—
634	7	24 A.[3]	— —	—
635	8	9 A.[4]	— —	—
636 b	9	31 M.[5]	**Eraclio I** imp. - Ariovaldo re, †	—
			Rotari, D. di Brescia, re, el. .... - Sp.	
637	10	20 A.	— — [Gundeberga pred.	
638	11	5 A.	— Platone Esarca (638-48) dell'imp.	Onorio I muore 12 ottobre.
			[d'Or.	**Severino**, di Roma, el. 638 o 639.
639	12	28 M.[6]	— —	
640 b	13	16 A.[7]	— —	Severino cons. 25 maggio, muore 2 ag.
				Giovanni IV, di Salona, cons. 24 dic.
641	14	8 A.[8]	**Eraclio I** imp., muore 10 febb.	
			Costantino III, f., imp. † 28/6, ed **Eracleona** suo fr. imp. da mar. a giu. (esil. in ott.). [dal luglio.	
			Costante II, f. di Costantino III, imp.	
			Rotari re, conq. Liguria e Lunigiana.	
642	15	24 M.[9]		Giovanni IV muore 12 ott.
				Teodoro I, greco, cons. 24 novembre.
643	1	13 A[10]	**Rotari** promulga l' « *Editto* ».	—
644 b	2	4 A[11]	— —	—
645	3	24 A[12]	— —	—
646	4	9 A[13]	— —	—
647	5	1 A[14]	— — [d'Or.	—
648 b	6	20 A[15]	— Teodoro I Esarca (648-49) dell'imp.	—

(1) Pasqua   5 apr.   in chiese bretone.
(2)   »   28 mar. »   »   »
(3)   »   17 apr. »   »   »
(4)   »   2 apr. »   »   »
(5)   »   21 apr. »   »   »
(6)   »   18 apr. »   »   »
(7)   »   9 apr. »   »   »
(8)   »   1 apr. »   »   »
(9)   »   14 apr. »   »   »
(10)   »   6 apr. »   »   »
(11)   »   28 mar. »   »   »
(12)   »   17 apr. »   »   »   e nella maggior parte delle chiese d'Occ.
(13)   »   2 apr. »   »   »
(14)   »   25 mar. »   »   »
(15)   »   13 apr. »   »   »

Era cristiana	Indizione	Pasqua e rinvio al calend.	IMPERATORI ROMANI E RE LONGOBARDI IN ITALIA	PAPI
649	7	5 A.[1]	**(Rotari re - Costante II** imp.)	Teodoro I muore 14 magg. **S. Martino I**, di Todi, cons. giu. o lugl. — Concil. later. 5 a 31/10.
650	8	28 M.[2]	— —	
651	9	17 A.[3]	— —	
652 b	10	1 A.[4]	**Costante II** imp. - Rotari re, †.... **Rodoaldo** f., re per sei mesi. [ucciso.	
653	11	21 A.[5]	**Costante II** imp. d'Or. - Rodoaldo re, **Ariperto I**, f. di Gundoaldo D. d'Asti,	— a CP.; carcerato 17 giu. S. Martino I † 16 sett.
654	12	13 A.[6]	— — [el. re....	
655	13	29 M.	— —	**S. Eugenio I**, di Roma, cons. 10 ag.
656 b	14	17 A.[7]	— —	
657	15	9 A.[8]	— —	S. Eugenio I muore 2 giu. **S. Vitaliano**, di Segni, cons 30 lugl. - Condanna il monotelismo.
658	1	25 M.	— —	
659	2	14 A.[9]	— —	—
660 b	3	5 A[10]	— —	—
661	4	28 M[11]	**Costante II** imp. d'Or. Ariperto I re, divide il regno tra i figli e muore.... [f.i, el. re. **Bertarido** (Milano) e **Godeberto** (Pavia)	—
662	5	10 A[12]	**Costante II** imp. d'Or. [Grimoaldo. **Bertarido** dep.; Godeberto ucciso da [Grimoaldo, D. di Benev., gen.º di Arib. I, usurp.].	—
663	6	2 A[13]	**Costante II** imp. visita Roma 5 lugl.	—
664 b	7	21 A[14]	**Grimoaldo** re.	—
665	7	6 A[15]	— —	—

(1) Pasqua 29 mar. in chiese bretone.
(2) » 18 apr. » » »
(3) » 10 apr. » » »
(4) » 25 mar. » » »
(5) » 14 apr. » » » e 24 mar. in alcune chiese d'Occid.
(6) » 6 apr. » » »
(7) » 10 apr. » » »
(8) » 2 apr. » • »
(9) » 7 apr. » » »
(10) » 29 mar. » » »
(11) » 18 apr. » » »
(12) » 3 apr. » » »
(13) » 26 mar. » » »
(14) » 14 apr. » • »
(15) » 13 apr. nelle chiese delle Galile.

Era cristiana	Indizione	Pasqua e rinvio al calend.	IMPERATORI ROMANI E RE LONGOBARDI IN ITALIA	PAPI
666	9	29 M.[1]	(Grimoaldo re - Costante II imp.)	(S. Vitaliano)
667	10	18 A.[2]	— —	—
668 b	11	9 A.[3]	Costante II ucciso 16/7 a Siracusa.	←
			Costantino IV Pogonato f., imp. in sett.	
			Grimoaldo re, pubb. agg. all'editto di	
669	12	25 M.[4]	[Rotari.	—
670	13	14 A.	— —	—
671	14	6 A.[5]	Costantino IV imp. - Grimolado re, †....	—
			Garibaldo f., re (regg. la madre, sor.	
			di Bertarido) scacc.	
			Bertarido re, ristab.	
672 o	15	25 A.[6]	— —	S. Vitaliano muore 27 genn.
				Adeodato II, cons. 11 apr.
673	1	10 A.[7]	— —	—
674	2	2 A.[8]	— —	—
675	3	22 A.[9]	— —	—
676 b	4	6 A.[10]	— —	Adeodato II muore 17 giu.
				Dono I, di Roma, cons 2/11.
677	5	29 M.[11]	— —	Dono I muore 11 apr.
678	6	18 A.[12]	Costantino IV imp. - Bertarido re, e	S. Agatone, di Palermo,
			Cuniberto il Pio, suo f., assoc.	cons. 27 giu.
			Cuniberto sp. Ermelinda, anglosass.	
679	7	3 A.[13]	— —	—
680 b	8	25 M.[14]	— —	VI° Concil. Ecumen. a
				CP., 7/11 680 al 16/9 684
681	9	14 A.[15]	— —	—
682	10	30 M.[16]	— —	S. Agatone muore 10 genn.
				S. Leone II, di Piana d
				Martino (Magna Grecia)
				cons....

(1) Pasqua 19 apr. nelle chiese della Gran Bretagna e Irlanda.
(2) » 11 apr. » » » » » »
(3) » 2 apr. » » » » » »
(4) » 15 apr. » » » » » »
(5) » 30 mar. » » » » » »
(6) » 18 apr. » » » » » » e nella maggior parte dell
chiese d'Occid.; 21 mar. i
altre.
(7) » 3 apr. » » » » »
(8) » 26 mar. » » » » » »
(9) » 15 apr. » » » » » »
(10) » 30 mar. » » » » » »
(11) » 19 apr. » » » » » »
(12) » 11 apr. » » » » » »
(13) » 27 mar. » » » » » »
(14) » 15 apr. » » » » » »
(15) » 7 apr. » » » » » »
(16) » 20 apr. » » » » » »

Era cristiana	Indizione	Pasqua e rinvio al calend.	IMPERATORI ROMANI E RE LONGOBARDI IN ITALIA	PAPI
683	11	19 A.[1]	**Cuniberto** il **Pio** re - **Costantino IV** imp.	S. Leone II muore 3 luglio.
684 b	12	10 A.[2]	— ,—	**S. Benedetto II**, dei Savelli, cons. 26 giu.
685	13	26 M.[3]	Costantino IV muore, princ. sett.	S. Benedetto II muore 8/5.
			Giustiniano II f., imp. da sett.	**S. Giovanni V**, d'Antiochia, el. magg. o giu, cons. 23/7
			Bertarido e **Cuniberto** re.	
686	14	15 A.[4]	— —	S. Giovanni V muore 2 ag.
				Conone, della Tracia, el. ag. o ott., cons. 21 ott.
687	15	7 A.[5]		— muore 21 settembre.
				S. Sergio I, di Palermo, el. ott. a dic., cons. 15 nov.
				— [Pasquale antip. 22 settembre fino al 692].
				— [Teodoro antip. 22 sett. ad ott. o dic.].
688 b	1	29 M.[6]	**Giustiniano I** imp. - Bertarido re †...	
			Cuniberto f., solo re. [da Cunib.].	
689	2	11 A.[7]	— [Alachi, D. di Trento usurp. vinto	—
690	3	3 A.[8]	— [Alachi ritor., occup. Pavia; è uc-	—
691	4	23 A.[9]	— — [ciso a Como].	— Concil. a CP. detto trullano sulla disciplina del costume.
692 b	5	14 A.	—	
693	6	30 M[10]	—	
694	7	19 A.	— —	
695	8	11 A.	**Giustiniano II** imp., esil. a Cherson.	—
			Leonzio acclam. imp. d'Or.	
			Cuniberto re.	
696 b	9	26 M[11]	— —	—
697	10	15 A[12]	— —	
698	11	7 A[13]	**Leonzio** imp., detron., e mutil. da	—
			[**Tiberio III** Absimaro imp., usurp].	
			Cuniberto re.	

(1) Pasqua 12 apr. nelle chiese della Gran Bretagna e Irlanda.
(2)   »   3 apr.   »   »   »   »   »   »
(3)   »   2 apr.   »   »   delle Gallie.
(4)   »   8 apr.   »   »   della Gran Bretagna e Irlanda.
(5)   »   31 mar.   »   »   »   »   »   »
(6)   »   19 apr.   »   »   »   »   »   »
(7)   »   4 apr.   »   »   »   »   »   e 18 apr. nelle chiese delle Gallie.
(8)   »   27 mar. in chiese bretone.
(9)   »   18 apr.   »   »   »
(10)   »   20 apr.   »   »   »
(11)   »   12 apr.   »   »   »
(12)   »   28 mar.   »   »   »
(13)   »   16 apr.   »   »   »

Era cristiana	Indizione	Pasqua e riluvio al calend.	IMPERATORI ROMANI E RE LONGOBARDI IN ITALIA	PAPI
699	12	23 M.[1]	(Cuniberto re - Tiberio III imp.)	(S. Sergio I)
700 b	13	11 A.[2]	Tiberio III imp. - Cuniberto re, †.... Liutberto f., el. re, tutore (Ansprando, D. d'Asti), dep. d. 8 mesi dal cug. Ragimberto f. di Godeberto pred., D. di Torino, el. re.	
701	14	3 A.[3]	Tiberio III imp. - Ragimberto ucciso.... Ariberto II, f., el. re in dic. [el. re.... Liutberto di nuovo, (tutore Ansprando)	S. Sergio I muore 8 sett Giovanni VI, greco, cons 30 ott.
702	15	23 A.[4]	Liutberto re, detron.... († 705).	—
703	1	8 A.[5]	Ariberto II re, solo.	—
704 b	2	30 M.[6]	Tiberio III imp., detron. Giustiniano II pred. imp. - (Leonzio e Tiber. III uccisi). Ariberto II re.	—
705	3	19 A.[7]	— —	Giovanni VI muore 11 gen Giovanni VII, di Rossano cons. 1 mar.
706	4	4 A.[8]	— —	—
707	5	27 M.[9]	— —	Giovanni VII muore 18 ott
708 b	6	15 A[10]	— —	Sisinio, della Siria, cons. 1 genn. (?), muore 4 febb Costantino I, della Siri cons. 25 mar.
709	7	31 M[11]	— —	— si reca a CP. 5 ott., pa a Napoli in ott.
710	8	20 A[12]	— —	— in Grecia.
711	9	12 A[13]	Giustiniano II muore in dic. Filippico imp. d'Or., el. in dic. Ariberto II re.	— a Nicomedia, poi, i ott., a Gaeta e a Roma
712 b	10	3 A[14]	Filippico imp. d'Or Ariberto II muore in marzo. Ansprando, D. d'Asti, re in mar., † 13/6 Liutprando f., el. re, 13 giu.	—

(1) Pasqua 13 apr. in chiese bretone.
(2) » 4 apr. »
(3) » 27 mar. »
(4) » 16 apr. »
(5) » 1 apr. »
(6) » 20 apr. »
(7) » 12 apr. »
(8) » 28 mar. »
(9) » 17 apr. »
(10) » 8 apr. »
(11) » 21 apr. in chiese bretone e 21 marzo in alcune chiese d'Occid.
(12) » 13 apr. » » » e 21 mar. in alcune chiese d'Occid.
(13) » 5 apr. » » »
(14) » 27 mar. » » »

Era cristiana	Indizione	Pasqua e rinvio al calend.	IMPERATORI ROMANI E RE LONGOBARDI IN ITALIA	PAPI
			(**Liutprando** re - **Filippico** imp.)	(**Costantino I**)
713	11	16 A.[1]	Filippico dep. 4/6. - **Anastasio II** imp.	— a Roma.
			Liutprando re. [4/6.	
714	12	8 A.[2]	— —	— a Roma.
715	13	31 M.[3]	— —	Costantino I muore a Roma 8 apr.
				S. Gregorio II, Savelli, rom., cons. 19/5.
716 b	14	19 A.[4]	Anastasio II dep. (ucciso 719).	—
			Teodosio II imp. d'Or. da genn. o febb.	
			Leone III *Isaurico*, el. imp. d'Or.	
			Liutprando re. [(† ad Efeso 722).	
717	15	4 A.[5]	Teodosio III scacc. 25/3 da Leone III	—
			Leone III, imp. - **Liutprando**, re.	
718	1	27 M.	— — [Basilio, usurp., muore....].	—
719	2	16 A.	— —	—
720 b	3	31 M.	**Leone III** *Isaurico*, imp. d'Oriente e	—
			Costantino V *Copron.*, f., 31/3, assoc.	
			Liutprando re.	
721	4	20 A.	—	—
722	5	12 A.	— —	—
723	6	28 M.	— —	—
724 b	7	16 A.	— —	—
725	8	8 A.	— — [tro le imagini.	—
726	9	24 M.	**Leone III** e **Costantino V**. - *Editto con-*	— lotta contro Leone III
			Liutprando re, occup. Esarc. e Pentap.	per le imagini.
727	10	13 A.	—	— ottiene Sutri da Liutprando.
728 b	11	4 A.	— —	—
729	12	24 A.	— —	—
730	13	9 A.	— —	—
731	14	1 A.	— —	Gregorio II muore 11 febb.
				S. Gregorio III, della Siria, el. 11/2, cons. 18/3.
732 b	15	20 A.	— —	—
733	1	5 A.	— —	—
734	2	28 M.	— —	—
735	3	17 A.	— —	—
736 b	4	8 A.	**Leone III** imp. e **Costantino** Augusto.	—
			Liutprando ed **Ildeprando** suo nip.,	
737	5	24 M.	— — [re assoc. in genn.	—
738	6	13 A.	— — [al pp.	—
739	7	5 A.	— — invad. il duc. Rom.; si arrend.	—

(1) Pasqua 9 apr. in chiese bretone.
(2) » 1 apr. » » »
(3) » 21 apr. » » «
(4) « 5 apr. » » »
(5) 28 mar. » » »

Era cristiana	Indizione	Pasqua e rinvio al calend.	IMPERATORI ROMANI E RE LONGOBARDI IN ITALIA	PAPI
740 b	8	24 A.[1]	(Liutprando ed Ildeprando re, Leone III	(S. Gregorio III)
741	9	9 A.	Leone III *Isaurico* muore 18/6. [imp.)	S. Gregorio III muore 10/12.
			Costantino V imp., solo dal 18/6.	S. Zaccaria, di S. Severina,
			Liutprando ed Ildeprando re.	cons. 10/12 (?).
742	10	1 A.	Costantino V imp. - [Artavasde usurp.	— si reca a Terni presso
			in Or. 742-43].	re Liutpr.- Ottiene Orta,
			Liutprando assale l'Esarc. di Ravenna.	Amelia, Bomarzo e Bieda.
743	11	14 A.[2]	—	— ritor. a Roma, ad Aqui-
				leia, a Raven. poi a Pavia
				28/6. A Roma dal 31/7.
744 b	12	5 A.	Costantino V imp.	— Sinodo in S. Pietro a
			Liutprando muore in genn. [in ag.	Roma.
			Ildeprando re, nip., el. in genn., dep.	
			Rachi (D. del Friuli) re, el. in ag.	
745	13	28 M.	—	— a Roma.
746	14	17 A.	—	— » »
747	15	2 A.	—	— » »
748 b	1	21 A.[3]	—	— » »
749	2	13 A.	Costantino V imp.	— ottiene il duc. di Perug.
			Rachi dep. in lugl. († a Montecass.).	
			Astolfo fr. (D. del Friuli), re in lugl.	
750	3	29 M.	— [assoc. 23/9.	— a Roma.
751	4	18 A.	Costantino V e suo f. Leone IV, imp.	— » »
			Astolfo re, toglie Ravenna ai Greci.	
752 b	5	9 A.	— occupa l'Istria, l'Esarc. e la Pentap.	S. Zaccaria muore 23 mar.
				a Roma.
				S. Stefano II, rom., el. 23
				mar.,†25 mar. (non cons.)
				Stefano III (II), rom., cons.
				23 mar.
753	6	25 M.	—	
754	7	14 A.	— Pipino il *Breve*, re Franco, f. di	— Minacc. da re Astolfo,
			Carlo Martello, invade l'Ital. in sett.	va in Francia. A Roma
			Assed. Astolfo in Pavia. È cor. dal	in dic.
			pp. a St. Denis.	
			— assedia Roma. [cato al pp.	
755	8	6 A.	— Pipino pred. in Ital., dona l'Esar-	— a Roma.
756 b	9	28 M.	Costantino V e Leone IV imp.	— » »
			Astolfo re, muore....	
			Desiderio (D. di Tuscia) el. re. - Pipino	
			torna in Ital., dona al pp. la Pentap.,	
			tolta ad Astolfo.	
757	10	10 A.	Costantino V sconf. i Bulgari. - Leone IV	Stefano III (II) muore 26
			Desiderio re. [imp.	apr. a Roma.
				S. Paolo I, fr., rom., el. in
				apr., cons. 29 magg.

(1) Pasqua 17 apr. nelle chiese delle Gallie.
(2) » 21 apr. » » »
(3) » 24 mar. in alcune chiese d'Occid.

Era cristiana	Indizione	Pasqua e rinvio al calend.	IMPERATORI ROMANI E RE DI GERMANIA E D'ITALIA	PAPI
			(Desiderio re - Constant. V e Leone IV	(S. Paolo I)
758	11	2 A.	— — [imp.)	— a Roma.
759	12	22 A.	Costantino V e Leone IV imp. d'Or. Desiderio ed Adelchi suo f., re assoc.	— » »
760 b	13	6 A.[1]	Desiderio accetta la mediaz. di Pipino.	— » »
761	14	29 M.	Desiderio ed Adelchi, re.	— » »
762	15	18 A.	— —	— » »
763	1	3 A.[2]	— —	— » »
764 b	2	25 M.	— —	— » »
765	3	14 A.	— —	— » »
766	4	6 A.	— —	— » »
767	5	19 A.[3]	— —	S. Paolo I muore 28 giu. a Roma. *Sede vacante dal 29 giugno.* — [Costantino II antip. 28/6 (dep. 31/7 768)].
768 b	6	10 A.	— — Pipino il *Breve* muore 24/9.	Stefano IV (III), siracus., el. 1 ag., cons 7 ag. — [Filippo, antipapa 31/7, dep. 6/8].
769	7	2 A.	— —	— Sinodo in Roma sulla elez. dei pp.
770	8	22 A.	— Desiderata (Ermengar.), f. di Desider. re, sp. Carlo M. (ripud. 771).	—
771	9	7 A.	— Carlo M. pred. sp. Ildegarda sveva.	Stefano IV (III) muore 3 febb. a Roma. Adriano I, rom., f. del Cons. Teodulo, cons. 9 febb. a Roma.
772 b	10	29 M.	— sua sped. contro i Sassoni (772-804).	—
773	11	18 A.	— Carlo M. pred., re dei Franchi, f. di Pipino il *Breve*, vince, in Ital., Desiderio, in primav.	— invoca il soccor. di Carlo M. contro Desiderio.
774	12	3 A.	Costantino V e Leone IV imp. d'Or. Desiderio ed Adelchi spod. da Carlo M. Carlo M. pred., cor. re di Lombard. e Patriz. de' Rom., fine magg. (?).	— a Roma. Riceve Carlo M. - Ottiene Perugia e il duc. di Spoleto.
775	13	26 M.	Costantino V muore 14 sett. Leone IV solo imp. in Or. [e Franco. Carlo M. re, unisce i regni Longob.	—
776 b	14	14 A.	Leone IV e Costantino VI suo fr., assoc. 14/4, in Or. Cospiraz. contro i Franchi in Italia.	—
777	15	30 M.	Carlo M. scende in Italia in apr.; soffoca — — [la cospiraz.	—

(1) Pasqua 13 apr. nelle chiese delle Gallie.
(2) » 10 apr. » » »
(3) » 22 mar. » » »

Era cristiana	Indizione	Pasqua e rinvio al calend.	IMPERATORI ROMANI E RE DI GERMANIA E D'ITALIA	PAPI
			(Carlo M. re - **Leone IV** e **Costantino VI** [imp.)	(**Adriano I**)
778	1	19 A.	— sua spediz. contr. i Baschi in Spagna.' Batt. di Roncisvalle.	—
779	2	11 A.		—
780 b	3	26 M.[1]	Leone IV muore 8 sett. **Costantino VI** solo imp. d'Or. ed Irene, sua madre, tutrice. **Carlo M.** re ritor. in Italia in dic.	—
781	4	15 A.	**Costantino VI** imp. ed Irene tutr. **Carlo M.** va a Roma con la mogl. Ildegarda e col f. Pipino. **Pipino** f., cor. re d'Italia 15/4 dal pp.; regg. l'ab. di Corbeia Adalardo poi il C. Angilberto fino a 792.	— a Roma incor. Pipino f. di Carlo M.
782	5	7 A.		—
783	6	23 M.[2]	— Muore Ildegarda moglie di Carlo M. — Muore Berta mogl. di Pipino, 13/7. **Carlo M.** sp. Fastrada, f. del C. Rodolfo.	—
784 b	7	11 A.[3]		—
785	8	3 A.	— —	—
786	9	23 A.[4]		—
787	10	8 A.		— È convoc. il II° Concil. di Nicea, contro gli Iconoclasti.
788 b	11	30 M.	**Carlo M.** occupa la Baviera. **Pipino** re.	—
789	12	19 A.	**Costantino VI** imp.; Irene confinata. **Carlo M.** e **Pipino** re.	—
790	13	11 A.		—
791	14	27 M.	— pone fine al regno d. Avari (791-99).	—
792 b	15	15 A.	— **Pipino** guida una spediz. contro Grimoaldo D. di Benev.	—
793	1	7 A.		—
794	2	23 M.	— —	—
795	3	12 A.	— —	Adriano I † 25/12 a Roma. **S. Leone III**, rom., el. 26 dic., cons. 27 dic.
796 b	4	3 A.	— —	—
797	5	23 A.	**Costantino VI** spod. 15/6; muore.... **Irene** pred. imp. dal 15/6 (dep. 802). **Carlo M.** e **Pipino** re.	— a Roma. Concilio in S. Pietro.
798	6	8 A.		— condanna la dottrina di Felice d'Urgel.

(1) Pasqua 2 apr. nelle chiese delle Gallie.
(2)   »   30 mar.   »   »   »   »
(3)   »   18 apr.   »   »   »   »
(4)   »   26 mar.   »   »   »   »

Era cristiana	Indizione	Pasqua e rinvio al calend.	IMPERATORI ROMANI E RE DI GERMANIA E D'ITALIA	PAPI
			(Carlo M. e **Pipino** re)	**(S. Leone III)**
799	7	31 M.	— ripone sul trono Leone III pp.	— imprig. dai nip. di Adriano I 25/4, poi liberato.
800 b	8	19 A.	**Carlo M.** Gli muore la mogl. Liutgarda 4/6. - È cor. Imp. Romano dal pp. **Pipino** re. [25/12.	— suo incontro con Carlo M. a Mentana 23/11.
801	9	4 A.	**Carlo M.** a Pavia in apr. - Sostit. ai Duchi Long. i *Conti.* **Pipino** re.	—
802	10	27 M.	— —	—
803	11	16 A.	— —	— a Mantova.
804 b	12	31 M.	— —	— ad Aix la Chapelle, poi
805	13	20 A.	— —	a Colonia e a Roma.
806	14	12 A.	— Assemblea di Thionville. Divis. dell'Imp.° tra i f.i Carlo, Pipino e Lod.	— a Roma.
807	15	28 M.	— Invas. dei Franchi nelle lagune	— —
808 b	1	16 A.	— — [venete.	— —
809	2	8 A.	—. I Franchi occup. Mantova.	— —
810	3	31 M.	**Carlo M.** imp. **Pipino** re, fa guerra *contro Venezia.* È sconf. e † 8 lugl. **Bernardo**, f., (succ. come vassallo di **Lodovico I** suo zio) regg. Adalardo, [ab. di Corbie.	
811	4	13 A.	—	— —
812 b	5	4 A.	— viene in Italia col C. Wala, fr. di Adalardo, che gov. per lui.	— —
813	6	27 M.	**Carlo M.** e il f. **Lodovico I** il *Pio* (re d'Aquit., 781) assoc. in sett. — fa conferm. **Bernardo** re d'Italia in sett., ad Aquisgrana, e Lod. I imper.	— —
814	7	16 A.	Carlo M. muore 28 genn. ad Aquisgrana. **Lodovico I.**, imp., divide lo Stato tra i f.i Lotar. (imp.), Pipino e Lodovico. **Bernardo**, re, in lotta con Lotario.	
815	8	1 A.	—	—
816 b	9	20 A.	— **Lodovico I** è cor. imp. a Reims da Stef. V.	S. Leone III muore 11 giu. a Roma. **S. Stefano V (IV)**, rom., el. in giu., cons. 22/6 a Roma.
817	10	12 A.	— **Lodovico I** divide ancora l'imp. tra i f.i (dieta d'Aquisgrana).	S. Stefano V muore 24/1 a Roma. **S. Pasquale I**, dei Massimi, rom., cons. 25/1.
818	11	28 M.	**Bernardo** re, ribelle, è accec. e muore 17 genn. **Lodovico I** il *Pio*, e **Lotario I** suo f. imp., assoc.	—

Era cristiana	Indizione	Pasqua e rinvio al calend.	IMPERATORI ROMANI E RE DI GERMANIA E D'ITALIA	PAPI
819	12	17 A.	Lodovico I sp. Giuditta (†843), f. di Guelfo duca di Baviera.	(S. Pasquale I)
820 b	13	8 M.	— dà tit. di re d'Italia a Lotario suo f.	—
821	14	24 A.	Lotario I sp. Ermengarda f. del C.	—
			Lodovico I imp. [Ugo di Tours.	—
822	15	13 A.	—	—
823	1	5 A.	— Lotario I cor. imp. dal pp. a Roma	—
824 b	2	24 A.	— [5 apr.	S. Pasquale I muore 17/5 a Roma.
				Eugenio II, el. in magg. o giugno.
825	3	9 A.	— —	
826	4	1 A.	— —	
827	5	21 A.	— — Invas. dei Saraceni in Sicilia.	Eugenio II muore in ag.
				Valentino, Leonzi, el. in ag., muore in sett. (?).
				Gregorio IV, Savelli, rom., el.... a Roma.
828 b	6	5 A.	— —	
829	7	28 M.	[Lodovico I; sua spartiz. dell'Imp.].	—
			Lotario I re d'Italia. [È in lotta coi f.i ribelli].	
830	8	17 A.	Lotario assume il gov. dell'Imp.	—
			Lodovico I ricup. autor. (Assem. di	
831	9	2 A.	— — [Nimega, in dic.)	—
832 b	10	24 M.	— —	—
833	11	13 A.	— vinto e imprig. dai f.i ribelli; abdica.	—
834	12	5 A.	— rimesso sul trono da Pipino e Lo-	—
835	13	18 A.	— [dovico (II) 1/3.	—
836 b	14	9 A.	— I Saraceni invad. l'Ital. contin.	—
837	15	1 A.	— [pred. muore.	—
838	1	14 A.	— I Saraceni invad. la Sicilia. - Pipino	—
839	2	6 A.	— nuova spartiz. dell'Imp.	—
840 b	3	28 M.	Lodovico I muore 20/6 a Ingelheim.	—
			Lotario I f., succ. 20/6. Guerra coi fr. Lodov. e Carlo.	
841	4	17 A.	— è vinto a Fontenay dai fr. Lodov.	—
842	5	2 A.	— [e Carlo 25/6.	—
843	6	22 A.	Lotario I è riconosc. imp. (tratt. di Verdun) in ag.	—
844 b	7	13 A.	— Suo f. Lodovico II è cor. re dal pp. 15/6.	Gregorio IV muore 25 genn.
				Sergio II, rom., el. e cons. in genn.
				— [Giovanni antip. dal
845	8	29 M.	— —	— a Roma. [genn.].
846	9	18 A.	— Invas. di Musulm. in Ital. Sac-	
847	10	10 A.	— [chegg. Roma.	Sergio II m.e 27/1 a Roma.
				S. Leone IV, rom., el. 27 genn., cons. 10 apr.

Era cristiana	Indizione	Pasqua e riavio al calend.	IMPERATORI ROMANI E RE DI GERMANIA E D'ITALIA	PAPI
			(**Lotario I** imp., - **Lodovico II** re)	(**S. Leone IV**)
848 b	11	25 M.	— —	— sconf. i Musulmani ad Ostia.
849	12	14 A.	**Lotario I** imp. - Batt. nav. d'Ostia contro i Musulm. **Lodovico II** f., assoc. all'Imp.	—
850	13	6 A.	**Lotario I.- Lodovico II** è cor. imp. d. pp.	—
851	14	22 M.	— **Lodovico II** sp. Engelberga longob.	— inaug. a Roma la *città Leonina*.
852 b	15	10 A.	— — [† 890.	
853	1	2 A.	— —	— a Ravenna con Lodovico II in magg., a Roma 19/6.
854	2	22 A.	—	
855	3	7 A.	Lotario I divide i possed. tra i figli Lodov. Lotar. e Carlo; † 29/9. **Lodovico II** imp. e re d'Ital. 29/9.	Leone IV muore 17 lugl. a Roma. **Benedetto III**, rom., el. in lugl., cons. 29/9. — [Anastasio antip. da ag. a 26/9].
856 b	4	29 M.	— sua spediz. nell'Ital. merid.	— è cacc. dal Later. dal-l'antip. 21/9.
857	5	18 A.	—	
858	6	3 A.	— Angelberga cor. imp. da Niccolò I.	Benedetto III muore 7 a-prile a Roma. **S. Niccolò I** il *Grande*, rom., cons. 24 apr.
859	7	26 M.	—	
860 b	8	14 A.	— sua spediz. contro i Saraceni.	
861	8	6 A.	—	— scomun. Giov. arciv. di Ravenna.
862	10	19 A.	—	
863	11	11 A.	— ottiene parte della Borgogna.	— Concilio a Roma. - Sco-mun. Fozio patriarca di CP., Lotario II di Lorena e Waldrada, in apr.
864 b	12	2 A.	— si reca a Roma con Engelberga.	
865	13	22 A.	—	
866	14	7 A.	— sua spediz. nel mezz. d'Ital. con-	
867	15	30 M.	— [tro i Sarac.	S. Niccolò I muore 13 nov. a Roma. **Adriano II**, rom., el. in nov., cons. 14/12.
868 b	1	18 A.	—	
869	2	3 A.	—	— Concil. a Roma contro Fozio, patr. di CP.
870	3	26 M.	—	
871	4	15 A.	— prigion. a Benev. dal princ. Adelchi, aprile maggio.	—

Era cristiana	Indizione	Pasqua e rinvio al calend.	IMPERATORI ROMANI E RE DI GERMANIA E D'ITALIA	PAPI
872 b	5	30 M.	**(Lodovico II** imp.) — è cor. a Roma dal pp.	Adriano II muore 14/12 (? a Roma. **Giovanni VIII**, rom., cons 14/12.
873	6	19 A.	—	
874	7	11 A.	— ricon. l'indip. del princ. di Benev.	— al Concil. di Raven. co 70 Vesc.
875	8	27 M.	Lodovico II muore 12 ag. a Brescia. **Carlo II** il *Calvo*, f. di Lodov. I., in lotta col fr. Carlo il Germ., cor. imp. 25/12.	—
876 b	9	15 A.	— è cor. re d'Ital. a Milano, in genn.	—
877	10	7 A.	— è scacc. dall'Ital. da **Carlomanno**; † 6 ott. a Brides.	— al Concil. di Raven. 22/7, con 49 Vesc.
878	11	23 M.	**Carlomanno**, f. di Lodov. Germ., el. re [d'Italia in ott.	—
879	12	12 A.	— cede al fr. Carlo III il gov. d'Ital. in estate († 23/9 880). [in dic. (?).	—
880 b	13	3 A.	**Carlo III** il *Grosso*, fr., cor. re d'Ital. — è cor. re a Ravenna 6/1.	—
881	14	23 A.	— è cor. imp. 12/12.	
882	15	8 A.	— in Ital. in febb. per l'Assemblea di Ravenna, apr.-nov.	Giovanni VIII è ucciso 15 dic. a Roma. **Marino I**, di Gallese, e. 16/12, cons. 23 dic.
883	1	31 M.	— in Ital. contro **Guido** di Spoleto.	— scomun. Fozio.
884 b	2	19 A.	— riunisce sotto di sè tutto l'Imp. [Carolingio.	Marino I muore 15/5. **Adriano III**, Agapito, rom., el. 17/5, cons. fine magg.
885	3	11 A.	— viene in Italia a riconcil. con **Guido** pred. 6/1.	Adriano III † metà sett. **Stefano VI** (V), rom. el. e cons. in sett.
886	4	27 M.	— ritor. in Ital. invit. dal pp.	
887	5	16 A.	— è dep. (dieta di Magonza), in nov.	
888 b	6	7 A.	Carlo III muore 13 genn. a Nimega. **Berengario I**, f. di Eberardo C. del Friuli, re vass. di **Arnolfo**, di Carinz. (re de' Franc. Or.), cor. a Pavia 16/1.	
889	7	23 M.	**Berengario I** è vinto alla Trebbia (febb.). **Guido** di Spoleto, re, cor. dal pp. (febb.) a Pavia. Fa guerra a Bereng. I	
890	8	12 A.	**Guido** di Spoleto sp. Angeltruda di Ben.	
891	9	4 A.	**Guido** cor. imp. dal pp. 21/2 a Roma.	Stefano VI (V) muore fine sett. **Formoso**, di Ostia, el. fine sett., cons. 6 ott. a Roma.
892 b	1	23 A.	**Lamberto**, suo f., cor. imp. a Raven. dal pp.: assoc. col padre 30/4.	

Era cristiana	Indizione	Pasqua e rinvio al calend.	IMPERATORI ROMANI E RE DI GERMANIA E D'ITALIA	PAPI
(892)			(Berengario 1 re - Guido e Lamberto	(Formoso)
893	11	8 M.	— [imp.)	—
894	12	31 M.	Arnolfo pred. (re di Germ.) bast. di Carloman., cor. re a Roma dal pp. (febb.) Guido imp. muore in dic. Lamberto solo imp. dal dic. Berengario I re, dep. in dic.	—
895	13	20 A.	—	—
896 b	14	4 A.	Arnolfo, di Carinz. (re di Germ.ª) cor. imp. rom. a Roma dal pp. 22/2. Lamberto imp. lotta con Berengario I. Berengario I re, divide il territ. lomb. con Lamberto.	Formoso muore 4 apr. a Roma. — [Bonifacio VI antip., el. 11/4, † 26/4].
897	15	27 M.	Lamberto imp. va a Roma colla madre Ageltrude.	Stefano VII (VI), rom., cons. in magg., carcer. in ag., ucciso in ott. Romano, di Gallese, cons. in ag., † fine nov. Teodoro II, rom., el. in dic., † 20 giu.
898	1	16 A.	Lamberto ucciso a Marengo, 15/10. Arnolfo imp. Berengario I re, restaurato.	Giovanni IX, di Tivoli, el. in genn., cons. in apr. Al Concil. di Roma coll'imp. Lamb.
899	2	1 A.	Arnolfo muore 8 dic. a Ratisbona. Berengario I re è sconfitto dagli Ungari (24/10) alla Trebbia.	
900 b	3	20 A.	Lodovico III il Cieco (C. di Provenza), f. di Bosone I, cor. re 12/10 a Pavia. — Ritirata degli Ungari in lugl.	Giovanni IX muore 26 mar. Benedetto IV, rom., el. in maggio.
901	4	12 A.	Lodovico III, sconf. Bereng., è cor. imp., metà febb. Berengario I dep. in febb., si ritira in	
902	5	28 M.	Berengario I restaur. [Baviera. Lodovico III dep. da Bereng., riparte	
903	6	17 A.	Berengario I solo re. [in estate.	Benedetto IV muore fine lugl. Leone V, di Ardea, cons. c. 28 10; scacc.; † 6 12. — [Cristoforo, rom., cons. in ott. (?), antip.].
904 b	7	8 A.	Lodovico III viene in Italia ed è restaurato. Berengario I di nuovo in esilio. [rato.	— [Cristoforo scacc. e prig. in genn. († 904)]. Sergio III, dei C. di Tuscolo, rom., cons. 29/1.
905	8	31 M.	Lodovico III ritor. in Italia, lugl., è fatto accec. da Bereng. e dep. († 928). Berengario I re, restaurato.	
906	9	13 A.	—	—

Era cristiana	Indizione	Pasqua e rinvio al calend.	IMPERATORI ROMANI E RE DI GERMANIA E D'ITALIA	PAPI
			(Berengario re)	**(Sergio III)**
907	10	5 A.	—	—
908 *b*	11	27 M.	—	—
909	12	16 A.	—	—
910	13	1 A.	—	—
911	14	21 A.	—	Sergio III muore 14 apr. **Anastasio III**, rom., cons. in apr.
912 *b*	15	12 A.	—	
913	1	28 M.	—	Anastasio III muore in ag. **Landone**, della Sabina, el. e cons. in ag.
914	2	17 A.	—	Landone muore in marzo. **Giovanni X**, Cencio Cenci, di Roma, cons. in marzo.
915	3	9 A.	**Berengario I** cor. imp. a Roma dal pp. 5/12. - Guerra contro Ungh. e Sarac.	
916 *b*	4	24 M.	— Batt. del Garigliano. Sconf. dei Saraceni.	— sua spediz. contro i Saraceni.
917	5	15 A.	—	
918	6	5 A.	—	
919	7	25 A.	—	
920 *b*	8	9 A.	—	
921	9	1 A.	—	
922	10	21 A.	**Berengario I** imp. - **Rodolfo II** di Borgogna trans. marito di Berta di Svevia, cor. re d'Ital. a Pavia.	—
923	11	6 A.	**Berengario I** è vinto a Fiorenzola da **Rodolfo II** 29/7. - **Ugo** di **Provenza**, f. di Teobaldo, scende in Ital. fra ag. e dic.	—
924 *b*	12	28 M.	**Berengario I** è ucciso 7 apr. a Verona. **Rodolfo II** di Borg., solo re. - Nuova discesa in Ital. degli Ungari. Sacch. Pavia. *Impero d'Occ. vac. fino a 962.*	
925	13	17 A.		
926	14	2 A.	**Rodolfo II**, scacc., ritor. in Borg. († 11/7 937).	—
927	15	25 M.	**Ugo** di **Provenza** pred. re d'Italia, cor. [6/7 a Pavia.	—
928 *b*	1	13 A.		Giovanni X, carcer., è fatto uccid. da Marozia in giu. **Leone VI**, rom., el. in giu., cons. in giu., † dic. 928 o febb. 929.
929	2	5 A.		**Stefano VIII** (VII), rom., cons. in genn. (?)
930	3	18 A.	—	

Era cristiana	Indizione	Pasqua e rinvio al calend.	IMPERATORI ROMANI E RE DI GERMANIA E D'ITALIA	PAPI
931	4	10 A.	Ugo re, col f. **Lotario II**, assoc. 15/5.	Stefano VIII (VII) muore in marzo. **Giovanni XI**, f. di Marozia (?), cons. circa in marzo.
932 b	5	1 A.	**Ugo** re, sp. Marozia, sen. e patriz. di Roma, in mar. — è scacc. da Roma ove voleva domin.	—
933	6	14 A.	— cede la Provenza a Rodolfo II pred.	—
934	7	6 A.	—	—
935	8	29 M.	— caccia dall'Ital. Arnoldo D. di Bav.	Giovanni XI carc., †in genn.
936 b	9	17 A.	—	**Leone VII**, rom., cons. in genn.
			[dolfo II pred., 12/12.	—
937	10	2 A.	— **Lotario II** sp. Adelaide, f. di Ro-	—
938	11	22 A.	**Ugo** sp. Berta di Svevia, ved. di Ro-	Leone VII muore 13 lugl.
939	12	14 A.	— [dolfo II pred.	**Stefano IX** (VIII), rom., cons. av. 19 lugl.
940 b	13	29 M.	— [Berengario (II), march. d'Ivrea, assale **Ugo**; sconf., ritor. in Germ.].	
941	14	18 A.	—	Stefano IX (VIII) muore fine ott.
942	15	10 A.	—	**Marino II**, rom., cons. 30/10
943	1	26 M.	— (Congiura contro **Ugo**).	
944 b	2	14 A.	—	—
945	3	6 A.	**Berengario II** scende in Ital. (genn.). **Ugo** re; **Lotario II** f., ricon. re di nuovo.	—
946	4	22 M.	**Berengario II** ritor. in Ital. e scaccia **Ugo** in magg., che † 10/4 947 ad Arles. **Lotario** solo re, sotto guida di Berengario II, in magg.	Marino II muore in magg. **Agapito II**, rom., cons. 10 maggio.
947	5	11 A.	—	
948 b	6	2 A.	—	
949	7	22 A.	—	
950	8	7 A.	Lotario II è ucciso 22 nov. **Berengario II**, (assoc. col f. Adalberto), cor. re, 15/12; sp. (934) Willa, f. di Bosone D. di Toscana.	
951	9	30 M.	**Berengario II** e **Adalberto** vinti da Ottone II. **Ottone I**, il *Grande*, di **Sassonia**, f. di Enrico I (re di Germ. 936) cor. re a Pavia 23/9. - Sp. Adelaide (S.), ved. di Lotario II († 999), f. di Rodolfo II di Borg.	—

Era cristiana	Indizione	Pasqua e rinvio al calend.	IMPERATORI ROMANI E RE DI GERMANIA E D'ITALIA	PAPI
952 b	10	18 A.	**Berengario II** e **Adalberto** re, vassalli del re di Germ. in ag.	**(Agapito II)**
953	11	3 A.	—	—
954	12	26 M.	—	—
955	13	15 A.	— Incurs. di Saraceni in Italia.	—
956 b	14	6 A.	—	Agapito II muore in dic. **Giovanni XII**, Ottavio, el. cons. 16/12.
957	15	19 A.	—	—
958	1	11 A.	—	— a Subiago.
959	2	3 A.	—	— lotta contro il princ. di Benev.
960 b	3	22 A.	—	
961	4	7 A.	**Ottone I** di **Sassonia** in Ital. in ag., cor. re in nov. - Ristaura il *Sac. Imp. Rom. German.* **Berengario II** e **Adalberto** battuti da Ottone I.	—
962	5	30 M.	**Ottone I** a Roma 31/1, cor. imp. con Adelaide, dal pp. 2/2.	
963	6	19 A.	**Ottone I** imp. torna a Roma 1/11. **Berengario II** prig. di **Ottone**, fine dic.	Giovanni XII, dep. da Ottone I 4/12; lascia Roma. — [Leone VIII, rom., antip. el. 4/12, cons. 6/12, dep. giu. 964 († 965)].
964 b	7	3 A.	*Rivoluz. in Roma contro Ottone I (3/1), che lascia Roma (29/6) e va in Germ.* **Berengario II** e **Willa**, sua moglie, cond. prig. in Germania. (Bereng. II † 966 a Bamberga).	**Giovanni XII** ritor. a Roma in genn. o febb. - Sinodo contro Ottone I 26-28/2. — è ucciso 14 magg. **Benedetto V** rom. cons. in magg., esil. 23 giu († 5/7 965 ad Amburgo).
965	8	26 M.	— Adalberto in guerra contro Burcardo di Svevia. È vinto in giu. Fugge a C P., († d. 968).	**Giovanni XIII**, rom., el. in sett., cons. 1/10, esil. 12/10.
966	9	15 A.	**Ottone I** torna in Ital. in autunno.	— è ricond. a Roma 12/11.
967	10	31 M.	**Ottone I** f., cor. imp. col padre (25/12) dal pp.	— Concil. a Ravenna, in aprile.
968 b	11	19 A.	**Ottone I** e **Ottone II** assoc.	— Concil. a Ravenna.
969	12	11 M.	—	
970	13	27 M.	— —	
971	14	16 A.	—	
972 b	15	7 A.	**Ottone II** sp. (12/4) Teòfano, f. di Romano II imp. d'Or. - Teòfano è cor. imperatrice.	Giovanni XIII muore 6/9. **Benedetto VI**, el. in dic. dal partito imp.
973	1	23 M.	Ottone I imp. muore 7/5 a Memleben. **Ottone II**, solo imp. rom. e re di Germ.	**Benedetto VI** cons. 19 genn.

Era cristiana	Indizione	Pasqua e rinvio al calend.	IMPERATORI ROMANI E RE DI GERMANIA E D'ITALIA	PAPI
973)			(Ottone II imp.)	Benedetto VI prigion. in Cast. S. Ang.; ucc. in giu. Dono II, rom., el. in lugl., † in ott.
974	2	12 A.	—	— [Bonifacio VII, antip. cons. in giu., dep. in lugl.; ritor. in ag. († lugl. 985)].
975	3	4 A.	—	Benedetto VII, Conti di Tuscolo, cons. in ott.; è dep.
976 b	4	23 A.	—	Benedetto VII di nuovo pp.
977	5	8 A.	—	—
978	6	31 M.	—	—
979	7	20 A.	—	—
980 b	8	11 A.	— viene in Italia, con la madre Adelaide in ottobre.	— in lotta col popolo rom., si reca a Ravenna 22/8.
981	9	27 M.	— va a Benevento e a Napoli.	— ricond. a Roma fine mag. dall'imp.- Concil. in marzo; scomun. Atanasio.
982	10	16 A.	— fa guerra ai Greco-Sarac. dell'Ital. sett.; è sconfitto, 13/7, a Stila.	—
983	11	3 A.	Ottone II muore a Roma 7 dic. Ottone III f., cor. re (25/12); regg. Teòfano, sua madre e Adelaide ava.	—
984 b	12	23 A.	—	Benedetto VII muore 10/7. Giovanni XIV, el. in dic. (?). — impr. in apr. dall'antip.
985	13	12 A.	—	Giovanni XIV muore a Roma 20 ag. Giovanni XV, Gio. di Gallina Alba, rom., cons. ag.
986	14	4 A.	—	È scacciato dal tribuno Crescenzio.
987	15	24 A.	—	—
988	1	8 A.	—	—
989	2	31 M.	—	—
990	3	20 A.	[(† 5/6 991).	—
991	4	5 A.	— L'Imp. Teòfano va in Germania Ottone III, regg. Adelaide ved. di Ott. I e il vesc. Willigi di Magonza, dal giu.	— va in Toscana presso il March. Ugo.
992 b	5	27 M.	—	— Sinodo in Laterano 31/1
993	6	16 A.	—	— a Rieti dal 31/5.
994	7	1 A.	—	—
995	8	21 A.	— esce di minorità. Cessa la reggenza.	— a Sutri 4 aprile.
996 b	9	12 A.	— scende in Ital. in febb., cor. imp. 21/5 dal pp.	Giovanni XV m.e primi apr. Gregorio V, Bruno di Carinz. el. a Rav. in apr., cons. 5/5. Scacc. da Cescenzio.

Era cristiana	Indizione	Pasqua e rinvio al calend.	IMPERATORI ROMANI E RE DI GERMANIA E D'ITALIA	PAPI
997	10	28 M.	(**Ottone III** imp.) — IIª discesa in Ital. in dic.	(**Gregorio V**) — Da Pavia è ricond. i Roma dall'Imp. 29/9. — [Filagato (Gio. XVI) greco-calab., antip. in magg., ucciso mar. 998)]
998	11	17 A.	— IIIª disc. in Italia. - Prende Roma e doma la ribell. di Crescenzio.	— Concil. a Ravenna 1/5 Supplizio di Crescenzio.
999	12	9 A.	— ritorna in Germania in dic.	Gregorio V muore 18 febb **Silvestro II**, Gerberto de Cesi, franc., cons. 2/4.
1000 b	13	31 M.	— IVª discesa in Italia. A Pavia primi di lugl., poi ad Aquisgrana.	— a Benev. 9/7, a Roma 23/10.
1001	14	13 A.	— è assediato a Roma (16/2) dal pop. rivolt.	— a Tivoli 16/2, a Perugia 7/5, a Rav. 4/4, a Tod in dic.
1002	15	5 A.	Ottone III fugg. a Castel Paterno; vi muore 23/1. **Enrico II di Sassonia** (D. di Bav.), cug., re di Germ. e d'Italia 7/6, a Magonza. **Arduino d' Ivrea**, cor. re d'Italia 5/2, a Pavia. [Chiuse di Verona.	—
1003	1	28 M.	**Arduino** re, lotta con Enrico II alle **Enrico II** pred., sp. Cunegonda (S.) di Lussemb., († 3/2 1038).	Silvestro II muore 12 mag. **Giovanni XVII**, Sicco, rom., cons. 13/6, † in dic. **Giovanni XVIII**, Fasano, rom., el. 26 dic. (?).
1004 b	2	16 A.	**Enrico II** scende in Ital. 9/4, acclam. re a Pavia 14/5, cor. 15/5. - Tumulti a Pavia contro Enrico II 15/5. - Ritorna in Germania.	
1005	3	1 A.	**Enrico II** .e **Arduino** re.	—
1006	4	21 A.	»	—
1007	5	6 A.	»	—
1008 b	6	28 M.	»	—
1009	7	17 A.	»	Giovanni XVIII † 18 lugl. **Sergio IV**, Pietro Boccadip. rom., cons. 31/7.
1010	8	9 A.	»	—
1011	9	25 M.	»	—
1012 b	10	13 A.		Sergio IV muore 12/5. **Benedetto VIII**, Gio. de' Conti di Tuscolo, cons. 8/5.
1013	11	5 A.	— ridiscende in Italia in ott. **Arduino** re, spod, in dic.	— [Gregorio antip. dal giu. al 25/12].
1014	12	25 A.	**Enrico II** cor. imp. a Roma con la mogl. Cunegonda 14/2. — [Arduino si fa monaco a Fruttuar. in sett., ove † 14 dic.].	— a Raven. (Concil. 30/4), a Roma 14/2.

Era cristiana	Indizione	Pasqua e rinvio al calend.	IMPERATORI ROMANI E RE DI GERMANIA E D'ITALIA	PAPI
			(Enrico II imp.)	**(Benedetto VIII)**
015	13	10 A.	— [Arduino † 14/12 a Fruttuaria].	— Concilio in Lateran 3/1
016 b	14	1 A.	—	—
017	15	21 A.	—	—
018	1	6 A.	—	—
019	2	29 M.	—	—
020 b	3	17 A.	—	— in Germania, in genn., presso l'imp. a Bamberga 14/4.
021	4	2 A.	— viene in Italia. A Ravenna in dic.	— a Bamberga.
022	5	25 M.	— sua spediz. nell'Italia merid.	— a Benev., a Troia e a Montecass. - Sinodo a Pavia.
023	6	14 A.	[a Grona.	— a Roma.
024 b	7	5 A.	Enrico II ritor. in Germ. - † 12 lugl. **Corrado II** il *Salico*, f. di Enrico, D. di Franconia, re di Germ. 4/9. - Sp. (1016) Gisela († 1043) f. di Erman. di Svev.	Benedetto VIII † in giu. (?). **Giovanni XIX**, de' Conti Tuscolani, rom., fr. del preced., el. in giu., cons. fra 24/6 e 15/7.
025	8	18 A.	—	—
026	9	10 A.	— a Milano, cor. re d'Ital. 23/2.	—
027	10	26 M.	— a Roma è cor. dal pp. imp. rom. 26/3.	— a Roma; incoron. di Corrado II 26/3.
028 b	11	14 A.	—	— Sinodo a Roma 6/4. - Concil. a Rav.
029	12	6 A.	—	— Concilio a Roma in dic.
030	13	29 M.	— (I Normanni in It.-Otteng. Aversa).	—
031	14	11 A.	—	—
032 b	15	2 A.	— con aiuto ital. occupa il R.º d'Arles.	—
033	1	22 A.	— cor. re di Borgogna 2 febb.	Giovanni XIX muore 9/11. **Benedetto IX**, Teofilatto dei C. di Tuscolo, rom., el. e cons. in genn.
034	2	14 A.	—	—
035	3	30 M.	—	—
036 b	4	18 A.	—	—
037	5	10 A.	— scende in Ital. a combatt. le fazioni. È resp. da Milano.	—
038	6	26 M.	—	—
039	7	15 A.	Corrado II muore 4/6 a Utrecht. **Enrico III** di **Franconia** il *Nero*, f., re di Germ.-Ital. 4/6.-Sp. (1036) Gunhilda († 1038), f. di Canuto il Grande.	—
040 b	8	6 A.	—	—
041	9	22 A.	— (Invas. dei Normanni in Italia).	—
042	10	11 A.	— sue spediz. contro i Boemi in Ungheria (1042-44).	—
043	11	3 A.	— sp. Agnese di Poitou, f. di Gugl. V di Guienna.	—

Era cristiana	Indizione	Pasqua e rinvio al calend.	IMPERATORI ROMANI E RE DI GERMANIA E D'ITALIA	PAPI
1044 b	12	22 A.	(Enrico III re)	Benedetto IX rinunz. 1/ a Roma († 1046 a Grott ferrata).
1045	13	7 A.	—	Gregorio VI, Gio. de' Gr ziani, rom., cons. 5/5. — [Giovanni (Silvestr. II vesc. di Sabina, anti 20/1, scacc. 10/3).
1046	14	30 M.	— è cor. imp. rom. 25 dic., con la moglie Agnese, a Roma. — fa deporre i pp. Silvestro III, Greg. VI e Bened. IX (Concil. di Sutri).	Gregorio VI abdica 20/1 al Concil. di Sutri († 1047 Clemente II, Suidgero di Hornbourg, sassone, e 24/12, cons. 25/12.
1047	15	19 A.	— ritorna in Germania.	Clemente II muore 9 ott Damaso II, Poppone, d Brixen, el. 25/12.
1048 b	1	3 A.	—	Damaso II, cons. 17 lugl muore 9 ag. S. Leone IX, Brunone, te desco, el. in dic. a Worms
1049	2	26 M.	—	Leone IX, cons. 12 febb. Roma. Attende a riform la Chiesa.
1050	3	15 A.	—	—
1051	4	31 M.	—	—
1052	5	19 A.	—	—
1053	6	11 A.	—	—
1054	7	3 A.	—	Leone IX † 19 apr. a Roma Vittore II, Ghebardo dei C di Kiew, el. in sett.
1055	8	16 A.	[mune Milan. — Pace di Roncagl., 5/5; appr. il Co-	Vittore II, cons. 16 (?) apr
1056 b	9	7 A.	Enrico III imp. muore 5/10 a Bodfeld. Enrico IV di Francon, f. (re di Germ. 1053), succ. 5/10; regg. Agnese sua madre ed Annone arc. di Colonia.	
1057	10	30 M.	—	Vittore II † 28/7 ad Arezzo Stefano X (IX), Feder. d Lorena, el. 2/8, cons. 3/8
1058	11	19 A.	—	Stefano X muore a Firenze 29/3. - Concil. di Sutri — [Benedetto X, rom. (de Conti di Tuscolo), el. 5/4 antip., dep. 24 1 1059 († s. a.)].
1059	12	4 A.	—	Niccolò II, Gherardo di Ta rantas, el. a Siena, cons. 24/1. — Concil. Later. Regole per l'elez. dei pp.

Era cristiana	Indizione	Pasqua e rinvio al calend.	IMPERATORI ROMANI E RE DI GERMANIA E D'ITALIA	PAPI
1060 b	13	26 M.	(Enrico IV re ed Agnese regg.)	(Niccolò II) Niccolò II muore 17/7 a Firenze.
1061	14	15 A.	—	Alessandro II, Anselmo da Baggio, el. e cons. 1/10 a Roma e 28/10 62 in Augu. — [Cadalo. (Onor. II) el. a Basilea 28/10, antip., dep. 31/5 '64 († 1072)].
1062	15	31 M.	— sotto regg. di Annone e di Adalberto di Brema. (Agnese pred.	— a Roma in apr., a Lucca ott.-dic. (Concil.).
1063	1	20 A.	— [† 14/12 1077).	— a Siena in genn., poi a Roma.
1064 b	2	11 A.	—	— a Mantova 31/5, a Lucca 31/8.
1065	3	27 M.	—	— a Roma.
1066	4	16 A.	— esce di minor. - Sp. Berta († 1088), f. di Oddone di Savoia.	— a Roma.
1067	5	8 A.	—	— a Roma, poi a Melfi (Concil.) 1/8; a Capua 12/10.
1068 b	6	23 M.	—	— a Roma, Lucca, poi Perugia mar. a dic.
1069	7	12 A.	—	— a Perugia e a Narni in genn., poi a Roma.
1070	8	4 A.	—	— a Siena (genn.), poi a Roma ed Arezzo.
1071	9	24 A.	—	— a Roma, poi a Lucca 21/6.
1072 b	10	8 A.	—	— a Rieti in genn., poi a Roma e a Lucca.
1073	11	31 M.	— reprime una sollevaz. di Sassoni (1073 - 9/7 1075).	Alessandro II muore 21/4 a Roma. S. Gregorio VII, Ildebrando Aldobrandeschi, di Soana, el. 22/4, cons. 29 giugno.
1074	12	20 A.	—	— a Roma in genn.; a Tivoli, poi a Roma.
1075	13	5 A.	— tenta far dep. il pp. nella dieta di Worms.	— arrest. da Cencio Frangip. 25/12, liber. dal pop. 26/12. Scom. Enrico IV.
1076 b	14	27 M.	— lotta col pp. per le invest. dal 24/1. — [Rodolfo di Svevia, compet. di Enrico IV, el. re 15/3].	— a Roma, poi a Firenze e a Lucca.
1077	15	16 A.	— sua sottomiss. al pp. a Canossa 25-27/1.	— a Canossa da 25/1, assolve l'imp.; a Firenze e a Siena.

Era cristiana	Indizione	Pasqua e rinvio al calend.	IMPERATORI ROMANI E RE DI GERMANIA E D'ITALIA	PAPI
1078	1	8 A.	**(Enrico IV** re)	**(S. Gregorio VII)**
				— a Roma, poi a Capu a Sutri e a Roma.
1079	2	24 M.		— a Roma (Sinodo 7/3
1080 *b*	3	12 A.	— convoca un Concil. a Brixen per dep. il pp. - Vince Rodolfo pred., che † 15/10.	— [Ghiberto (Clem. II antip. 25/6, cons. 24/ 1084] muore 1100.
1081	4	4 A.	— viene a Pavia ed è cor. re d'Italia, assed. Roma in giugno.	— a Roma (Sinodo in feb.
			— [Ermanno C. di Lussemb., compet., el. re dai ribelli 26/12].	
1082	5	24 A.	— assed. ancora Roma e vi entra in dic.	— a Roma.
1083	6	9 A.	— fa dichiar. decad. il pp. e riconosciuto l'antipapa Ghiberto	— a Benev. 6/1, a Rom febbraio.
1084 *b*	7	31 M.	— è cor. imp. rom., con Berta sua moglie, dall'antip. 31/3.	— Rober. Guiscardo scac cia l'antip. da Roma.
1085	8	20 A.	— è vinto dal compet. Ermanno a Pleichfeld, 11 ag.	S. Gregorio VII muore 25/ a Salerno. L'antip. ritor
1086	9	5 A.		**B. Vittore III**, Desider. Benevento, el. 24/5.
1087	10	28 M.	— [Corrado, D. di Lorena, f. di Enrico IV, el. re di Germ. in nov. ribelle al padre.	— è cons. a Roma 9/5, 16/9 a Montecass.
1088 *b*	11	16 A.	— [Ermanno, compet., rinunzia].	**B. Urbano II**, Oddone d Chatillon, el. e cons. Terracina 12/3.
1089	12	1 A.	**Enrico IV** sp. Adelaide, f. di Usevold princ. russo.	— al Concil. di Melfi 10/9 a Venosa, a Bari.
1090	13	21 A.	— viene in Ital. contro la C. Matilde e a Corrado.	— al Concilio di Roma L'antip. è cacc. da Roma
1091	14	13 A.		— al Concil. di Benevento. L'antip. ritorna.
1092 *b*	15	28 M.	— è vinto presso Canossa.	— ad Anagni, a Salerno, a Mantova.
1093	1	17 A.	**Corrado** pred. cor. re d'Ital., ribelle al padre. Enrico IV imp., abband. da Adelaide, viene in Italia contro il figlio.	— al Concil. di Troia (Puglie).
1094	2	9 A.	**— Corrado** sp. Matilde, f. di Ruggero	— a Roma, poi a Pisa.
1095	3	25 M.	[d'Altavilla.	— al Concil. di Piac. band. la Iª crociata 1/3. Scomun. il re di Francia.
1096 *b*	4	13 A.		— a Limoges e a Poitiers.
1097	5	5 A.	—.	— l'antip. è scacc. (†1100).
1098	6	28 M.		— al Concil. di Bari in ott., poi a Roma.
1099	7	10 A.	— [Enrico V, f. di Enrico IV, compet. el. re 6/1].	Urbano II † 29/7 a Roma. **Pasquale II**, Raineri di Bieda, el. 13/8, cons. 14/8.

Era cristiana	Indizione	Pasqua e rinvio al calend.	IMPERATORI ROMANI E RE DI GERMANIA E D'ITALIA	PAPI
			(Enrico IV)	**(Pasquale II)**
1100 b	8	1 A.	— [Corrado dep. dal fr. Enrico (V)].	— [Teodorico antip. da sett. a dic.].
1101	9	21 A.	— [Corrado † a Firenze in lugl.].	— a Roma, poi a Benev. e a Capua.
1102	10	6 A.	—	— [Alberto antip. da febb. a marzo].
				— a Roma, poi a Benev.
1103	11	29 M.	—	— a Roma, poi a Pisa e a Pistoia.
1104 b	12	17 A.	— [Enrico (V) pred. fa guerra al padre].	»
1105	13	9 A.	Enrico IV, costr. ad abd., fugge a Liegi 31/12.	— [Maginolfo (Silvestro IV) antip. 18 11 al 12/4 1111]
1106	14	25 M.	— (muore 7 ag. a Liegi).	— Concil. di Troyes, per le crociate.
			Enrico V, f. (re di Germ. 1105) cor. re 6/1	
1107	15	14 A.	—	— a Casale, poi in Francia genn.-ag., a Modena e Firenze.
1108 b	1	5 A.	—	— a Benev. 25/10 (Sinodo), a Troia, in nov., e a Capua.
1109	2	25 A.	—	— a Segni, a Benev., a Subiaco.
1110	3	10 A.	— sua sped. in Ital. - Recasi al Concilio di Sutri.	— Concil. a Roma (invest. eccles.) 7/3; al Congr. di Sutri.
1111	4	2 A.	— cor. imp. 13/4 a Roma dal pp. -	— è imprig. dall'imp. 16/2.
1112 b	5	21 A.	— [È cacc. da Roma.	— Concil. Later, sulle invest. eccles.
1113	6	6 A.	—	— a Benev.; a Roma, Anagni e Tivoli, ott.-nov.
1114	7	29 M.	— sp. Matilde, f. di Enrico I d'Inghilt.	— a Ceprano e Veroli, ag.; a Benev. in ag.
1115	8	18 A.	—	— a Troia (Concil.), a Benev. in sett.; ad Anagni
1116 b	9	2 A.	— ritorna in Italia.	— si ritira da Roma in apr.
1117	10	25 M.	—	—
1118	11	14 A.	—	Pasquale II muore 13 dic. **Gelasio II,** Gio. Caetani, di Gaeta, el. 24/1, cons 10/3.
				— è fatto prigion. [Il card. Maurizio Burdino (Greg. VIII) antip. el. 8/3, dep. apr. 1121, † 1122].
1119	12	30 M.	—	Gelasio II muore 29/1 nel chiostro di Cluny. **Calisto II,** Gui di Borgogna, el. 2/2, cons. 9/2 a Vienna.
1120 b	13	18 A.	—	

Era cristiana	Indizione	Pasqua e rinvio al calend.	IMPERATORI ROMANI E RE DI GERMANIA E D'ITALIA	PAPI
1121	14	10 A.	**(Enrico V** imp.)	**(Calisto II)**
1122	15	26 M.	— Concord. di Worms 23 9 (lotta in-	
1123	1	15 A.	— [vest.)	— I° Concil. Lat. - abol delle invest.
1124 b	2	6 A.	—	Calisto II muore 13/12.
				Onorio II, Lamb. Fagnar el. 15/12, cons. 21/12.
				— [Tebal. Buccapecus (C lestino) antip. el 15/1. abd. 16/12].
1125	3	29 M.	Enrico V muore 23/5 ad Utrecht.	— a Benev. dal lugl., p
			Lotario II il *Sassone*, f. del C. di Sup-	a Roma dal nov.
			plimb.; imp. 30/8, cor. 13/9 a Ma-	
			gonza.	
1126	4	11 A.	— [Federico di Svevia, nip. di En-	—
1127	5	3 A.	— [rico V, compet.].	—
1128 b	6	22 A.	— [Corrado (III), f. di Feder. di Svev.,	— Concil. a Ravenna.
			el. re d'Ital. a Milano 13/3].	
1129	7	14 A.	—	—
1130	8	30 M.	—	Onorio II † 13/2 a Roma
				Innocenzo II, Greg. Papa reschi, el. 14/2, cons.23/2
				— [Pietro Leonis (Anacle to III) antip. el. 14/2 cons. 23/2, † 25/1 1137
1131	9	19 A.	—	— in Francia, Concil. Liegi 22/3-1/4.
1132 b	10	10 A.	**Lotario II** viene in Ital. favor. al pp.	— in Francia fino a 30/3 al Concil. di Piac. 20/3
1133	11	26 M.	— è cor. imp. dal pp. 4 giu.	— a Pisa genn. a mar.; Grosseto, Viterbo, Roma
1134	12	15 A.	— [18/3].	— a Pisa.
1135	13	7 A.	— [Federico pred. sottom. a Lotario II	»
1136 b	14	22 M.	— [Corrado pred. rinunz. al tit. di	»
			re d'Ital. 30/9].	
1137	15	11 A.	— sua spediz. contro i Normanni.	— a Pisa, poi a Grosset e Viterbo.
1138	1	3 A.	**Lotario II** muore 13/12 in Tirolo.	— a Roma. [Gregorio (Vi tore IV) antip. 15/3, dep
			Corrado III pred., nip. di Enrico IV,	29/5.
			cor. re di Germ. e imp. rom. 7/3.	
1139	2	23 A.	—	— -- È vinto dai Nor manni. - II° Concil. Lat
1140 b	3	7 A.	—	— a Roma.
1141	4	30 M.	—	— »
1142	5	19 A.	—	— »
1143	6	4 A.	—	Innocenzo II † 24 sett. Roma.
				Celestino II, Guido di Ca stello, el. e cons. (?) 26/9

Era cristiana	Indizione	Pasqua e rinvio al calend.	IMPERATORI ROMANI E RE DI GERMANIA E D'ITALIA	PAPI
144 b	7	26 M.	**(Corrado III di Svevia, re)** — Sp. Gertrude († 1166) f. di Berengario C. di Sulzbach.	Celestino II muore 8 mar. **Lucio II**, Gerar. Caccianem. di Bologna, cons. 12/3.
145	8	15 A.	—	Lucio II † 15/2 a Roma. **B. Eugenio III**, Bern. Pagnanelli, el. 15/2, cons. 18/2. — [Arnaldo da Brescia a Roma].
146	9	31 M.	— parte per la IIª crociata; è sconfitto.	— a Roma, poi a Sutri e a Viterbo.
147	10	20 A.	[Enrico suo f. el. re de' Rom. 30/3].	— a Lucca, a Pontem., a Vercelli, a Susa. - IIª crociata.
148 b	11	11 A.	—	— in Francia fino a magg., a Losanna, Vercelli, ecc.
149	12	3 A.	—	— a Viterbo, a Tusculano, a Roma.
150	13	16 A.	[Enrico pred. † fra giu. e ott.].	— a Roma, ad Albano, Segni, ecc.
151	14	8 A.	—	— a Ferentino e a Segni.
152 b	15	30 M.	Corrado III re muore 15/2 a Bamberg. **Federico I** *Barbarossa*, f. di Feder. II d'Hohenstaufen, re de' rom. e di [Germ. 9/3.	— a Segni, ad Albano poi a Roma 6/9.
153	1	19 A.	—	Eugenio III muore 8 lugl. a Tivoli. **B. Anastasio IV**, el. 9/7, cons. 12/7.
154	2	4 A.	— viene in Ital. a sottom. i comuni. - Iª dieta di Roncaglia 5/12.	B. Anastasio IV muore 3/12 Roma. **Adriano IV**, Nicola Breakspear, inglese, el. 4/12, cons. 5/12.
155	3	27 M.	— cor. re d'Ital. a Monza 17/4 e Imp. rom. 18/6 a Roma.	— a Roma (suppl. di Arnaldo da Bresc., in giu.).
156 b	4	15 A.	— sp. Beatrice di Borgogna († 1185) f. del C. Rinaldo III.	— a Benev., a Montecassino e Narni.
157	5	31 M.	— fa guerra alle città lombarde.	— a Roma, Anagni e Orvieto.
158	6	20 A.	— torna in Ital. in luglio. - Capitol. di Milano 7/9. [11 nov. — IIª discesa e dieta di Roncaglia	— a Roma, a Sutri, a Narni ed Albano.
159	7	12 A.	**Federico I** lotta col pp. Alessandro III. - Assedio di Crema, in luglio.	Adriano IV † ad Anagn. 1/9. **Alessandro III**, Rolando Baldinelli, di Siena, el. 7/9, cons. 20/9 a Ninfa. — [Ottaviano (Vittore V) antip. dal 7/9, cons. 4/10, muore 20/4 1164].

Era cristiana	Indizione	Pasqua e rinvio al calend.	IMPERATORI ROMANI E RE DI GERMANIA E D'ITALIA	PAPI
			(Federico I di Svevia Imp.)	**(Alessandro III)**
1160 b	8	27 M.	— presa e distruz. di Crema 26/1.	— ad Anagni da genn. 21/12 e 29/11 a 25/12.
1161	9	16 A.	— assedia Milano in primav.	— ad Anagni 4 genn. a 8/ a Roma 6 a 14/6, a Fe rentino 2/7 a 20/9, a Te racina 30/9.
1162	10	8 A.	— Milano si arrende in mar. ed è distr. 26-31/3. Federico parte dall'Italia in luglio.	— a Piombino, Vado, L vorno in genn., a Genov 21/1 a 25/3, in Franci 11/4 a 25/12.
1163	11	24 M.	— IIIª discesa di Federico in Italia, in ottobre.	— in Francia.
1164 b	12	12 A.	— Lega Veronese. - Federico ritorna in Germania in ott.	[Guido di Crema (Pa squale III) antip. da 22/4, cons. 26/4, muor 20/9 1168].
				— in Francia.
1165	13	4 A.	—	— in Francia 1/1 a nov. Messina e Saler. in nov Roma 23/11 a dic.
1166	14	24 A.	— IVª discesa in Italia da ott. 1166, a mar. 1168.	— a Roma 18/1 a 20/12
1167	15	9 A.	— è di nuovo cor. dall'antip., in Roma — Lega Lombarda ratif. a Pontida 7/4. - Si fa cor. a Roma dall'antip.	— a Roma 5/1 a 27/6, Pisa in lugl., a Benev 22/8 a 29/12.
1168 b	1	31 M.	— Parte dall'Italia in marzo. - Unione delle due Leghe.	— a Benev. 4/1 a 30/12 — [Giov. di Sirmio (Cali sto III) antip. el. in sett. abd. 29/8 1178].
1169	2	20 A.	—	— a Benev. 4/1 a 11/4.
1170	3	5 A.	—	— a Benev. 10/1 a 24/2 a Veroli 18/3 a 10/9, ad Alatri e a Ferentino 12/9 a 10/10, ad Anagni e a Segni in ott., a Tuscu lano 17/10 a 29/12.
1171	4	28 M.	—	— a Tusculano.
1172 b	5	16 A.	—	
1173	6	8 A.	—	— a Segni 27/1 a 25/3, a Anagni 28/3 a 23/12.
1174	7	24 M.	— Vª discesa in Italia, fine sett. - As sedia Ancona 1/4 ad ott. ed Alessan dria fine ott.	— ad Anagni 12/1 a 8/10 a Ferent. 25/10 a 30/12
1175	8	13 A.	— continua l'assedio d'Alessandria; l'imperat. si ritira ai primi d'apr.; pace di Montebello 16/4. — suo convegno infrutt. a Chiavenna con Enrico D. di Baviera.	— a Ferentino 1/2 a 9/8. ad Anagni 19/10 a 16/12.

Era cristiana	Indizione	Pasqua e rinvio al calend.	IMPERATORI ROMANI E RE DI GERMANIA E D'ITALIA	PAPI
			(Federico I di Svevia Imp.)	**(Alessandro III)**
176 *b*	9	4 A.	— è sconfitto alla battaglia di Legnano 29/5.	— ad Anagni 14/1 a 15/11. Trattato di pace conchiuso ad Anagni coll'Imperatore in nov.
177	10	24 A.	— fa pace col papa a Venezia e coi comuni Lombardi, in ag.	— a Benev. 6/1, a Troia, Foggia, Siponto in genn. Al Congresso di Venezia fino ad ott. - Tregua di 6 anni coi Comuni. L'imperatore è ribened. dal pp. 24/1.
178	11	9 A.	— è cor. re delle due Borgogne ad Arles e a Vienna in lugl. Ritorna in Germ. in ott., lasciando suo vic.	— ad Anagni 4/1 a 7/2, a Roma 12/3 e 15/8, a Tusculano agosto-dicembre.
179	12	1 A.	— [Cristiano di Magonza.	— a Tusculano 2/1 a 7/2, a Roma 16/2 a 4/7, a Palestrina 13/7, a Segni luglio-ott., ad Anagni17/10 — [Lando di Sezza (Innocen. III) antip. 29/3, dep. genn. 1180]. — a Velletri in dic. - III° Concil. Lateran. (XI° Ecumen).
180 *b*	13	20 A.	— spoglia de' suoi feudi Enrico di Baviera 13/1.	— a Velletri 10/1 a 14/4, a Tusculano 13/6 a 31/12.
181	14	5 A.	—	— a Tusculano 4/1 a 1/6, a Viterbo 24/6 a 16/8. Aless. III † 30/8 a Città di Castello. **Lucio III**, el. 1/9, cons. 6/9 a Velletri.
182	15	28 M.	—	— a Roma 30/1 a 11/3, a Velletri 13/3 a 23/12.
183	1	17 A.	— Pace di Costanza, 25/6.	— a Velletri 12/1 a 5/6, a Segni 24/6 a 5/9, ad Anagni 22/9 a 9/12.
184 *b*	2	1 A.	— VIª discesa dell'imper. in Italia fino al 1186.	— ad Anagni 3/1 a 5/3, a Veroli 8/4 a 28/5, a Castro 13/6, ad Ancona 17/6, a Rimini 22/6, a Faenza 28/6, a Bologna 7/7, a Modena 12/7, a Verona, presso l'imp., 22/7.
185	3	21 A.	— muore l'imperat. Adelaide, f. di Tebaldo M. di Vohburg, sp. 1149, ripud. '53.	Lucio III † 25/11 a Verona. **Urbano III**, el. 25/11, cons. 1/12 a Verona.

Era cristiana	Indizione	Pasqua e rinvio al calend.	IMPERATORI ROMANI E RE DI GERMANIA E D'ITALIA	PAPI
			(**Federico I** di **Svevia** Imp.)	(**Urbano III**)
1186	4	13 A.	— Arrigo (VI), suo f., sp. (27/1) Costanza figlia di Ruggero II d'Al-	— a Verona.
1187	5	29 M.	— [tavilla.	Urbano III † 20/10 a Fer Gregorio VIII, el. 21/1 cons. 25/10 a Ferrara.
1188 b	6	17 A.	— Dieta di Magonza.	Gregorio VIII muore 17/1 a Pisa.
				Clemente III, Paolo Scolar rom., el. 19/12 a Pisa.
				— bandisce la IIIa crociat
1189	7	9 A.	— parte per la IIIa crociata in magg.	— cons. a Pisa, in gen
1190	8	25 M.	Federico I muore 10/6 in Cilicia.	—
			Arrigo (VI) pred. re de' Rom. 18/8 1169, re di Germ. 10/6.	
1191	9	14 A.	**Arrigo VI** cor. imp. rom., con la regina Costanza, 15/4. - Assedia Napoli apr.-ag.	Clemente III † 20 marz **Celestino III**, Giac. Bobon
1192 b	10	5 A.		rom., el. 21/3, cons. 14/
1193	11	28 M.	[lermo, ott. o nov.	—
1194	12	10 A.	— è cor. re di Napoli e Sicilia a Pa-	—
1195	13	2 A.	[il f. Federico.	—
1196 b	14	21 A.	— ritorna in Germ. e fa el. re de' Rom.	— scomun. Enrico VI.
1197	15	6 A.	— muore a Messina 28 settembre.	—
			Federico II, f., il re di Sicilia, regg. (28/9)	
			Costanza pred. († 1198), poi il pp.	
1198	1	29 M.	— [Filippo D. di Svevia, fr. di Arrigo VI, (re di Germ. 6/3) compet.].	Celestino III muore 8/1 Roma.
			Ottone IV di **Brunswick**, f. di Enrico re di Baviera: re di Germ., el. dal partito guelfo 19/7.	**Innocenzo III**, Lotario Con ti di Segni, rom., el. 8/ cons. 22/2. - Tutore Federico II.
				— sua crociata contro Valdesi.
1199	2	18 A.	—	— a Roma.
1200 b	3	9 A.	—	"
1201	4	25 M.	—	"
1202	5	14 A.	—	— predica la IVa crociat
1203	6	6 A.	—	— a Roma.
1204 b	7	25 A.	—	— ad Anagni, poi a Rom 12/3. - I Crociati espug CP.
1205	8	10 A.	—	— a Roma.
1206	9	2 A.	— profugo in Inghilterra.	"
1207	10	22 A.	—	"
1208 b	11	6 A.	— [Filippo di Svevia ucciso a Bam-	"
			Ottone IV è riconosc. re de' rom. a Francoforte 11-11.	

Era cristiana	Indizione	Pasqua e rinvio al calend.	IMPERATORI ROMANI E RE DI GERMANIA E D'ITALIA	PAPI
			(Ottone IV di Brunswick re)	**(Innocenzo III)**
1209	12	29 M.	— è cor. imp. a Roma dal pp. 27/9.	— Crociata contro gli Albigesi.
1210	13	18 A.	—	— scom. Ottone IV in nov.
1211	14	3 A.	— [Germ. 9/12].	—
1212 b	15	25 M.	— [Federico (II) pred. cor. re di	—
1213	1	14 A.	— Sp. (1212) Beatrice di Svev. († s. a.)	—
1214	2	30 M.	— è vinto da Filippo Aug. re di Fr. a Bouvines 27/7. Sp. Maria di Brabante († 1260).	—
1215	3	19 A.	— è cor. re di Germ. ad Aquisgrana.	
1216 b	4	10 A.	—	Innocenzo III muore 16/7 a Perugia.
				Onorio III, Cencio Savelli, rom., el. 18/7, cons. 24/7 a Perugia.
1217	5	26 M.	—	
1218	6	15 A.	Ottone IV muore 19/5 ad Harzburg. — [Federico (II) pred., re].	
1219	7	7 A.	*Impero vacante.*	
1220 b	8	29 M.	**Federico II** pred. cor. imp. rom. dal pp., a Roma 22/11. Sp. Costanza d'Aragona († 1222) f. di Alfonso II. Enrico suo f. el. re de' Rom. 20/4.	— a Viterbo 16/1-2/6 e 22/9-10/10; a Orvieto 3/6-21/9, poi a Roma.
1221	9	11 A.	—	— a Roma.
1222	10	3 A.	— [Enrico pred. cor. re 8/5, ribelle	»
1223	11	23 A.	— [al padre].	»
1224 b	12	14 A.	—	»
1225	13	30 M.	— sp. (9/11) Jolanda († 1228), f. di Gio. di Brienne, re tit. di Gerusalemme.	— costretto a partire da [Roma, primav.
1226	14	19 A.	—	— ritorna a Roma.
1227	15	11 A.	—	Onorio III muore 18 mar. a Roma.
				Gregorio IX, Ugolino Conti di Segni, el. 19/3, cons. 21/3.
				— scomun. Feder. II 29/9.
1228 b	1	26 M.	— parte per la VIª crociata 28/6.	— a Roma, poi a Rieti, poi ad Assisi e Perugia.
1229	2	15 A.	— entra in Gerusal. 17/3; e s'incor. re.	— a Perugia.
1230	3	7 A.	— fa pace col pp. 23 lugl.	— a Perugia, poi a Roma 17/2, ad Anagni 6/8, a Roma (nov.).
1231	4	23 M.	— pubb. le «*Constit. Melphitanae*», [a Melfi.	— a Roma, poi a Rieti 1/6.
1232 b	5	11 A.	— Dieta di Ravenna per sottom. i Comuni lomb.	— a Rieti, poi a Terni (magg.) e ad Alatri, Narni, ecc.
1233	6	3 A.	—	— ad Anagni, poi a Roma 16/3.

Fra cristiana	Indizione	Pasqua e rinvio al calend.	IMPERATORI ROMANI E RE DI GERMANIA E D'ITALIA	PAPI
			(Federico II di **Svevia** Imp.)	**(Gregorio IX)**
1234	7	23 A.	—	— a Roma, poi a Rieti e ad Arona.
1235	8	8 A.	— [Enrico pred. è vinto e prig. in lugl. († 12/2 '42)]. Sp. Isabella († '41) f. di Gio. *Senza'erra.*	— a Perugia, poi ad Assisi, Foligno e Viterbo.
1236 *b*	9	30 M.	— ·Sua venuta in Italia.	[e Rieti] — a Viterbo, poi a Terni
1237	19	19 A.	— sconfigge i Comuni lomb. a Cortenuova 27/11.	— a Terni, poi a Viterbo
1238	11	4 A.	— nomina Enzo, f. nat., a re di Sard.	— a Roma, poi ad Anagni
1239	12	27 M.	—	— scomun. ancora Federico II 15/4.
1240 *b*	13	15 A.	— invade le terre del Papa. È costr. a ritirarsi.	— convoca un Concilio in Roma.
1241	14	31 M.	—	Gregorio IX † 22/8 a Roma. **Celestino IV**, Goffredo Castiglioni, el. 25 ott., cons. 28 ott., muore 10/11.
1242	15	20 A.	—	*Sede vacante.*
1343	1	12 A.	—	**Innocenzo IV**, Sinibal. Fieschi de' C. di Lavagna gen., el. 25/6, cons. 28/6
1244 *b*	2	3 A.	—	— a Roma, poi a Sutri 27/6; a Genova 27/7; a Asti, a Lione (ott.-dic.).
1245	3	16 A.	— è scomun. e dep. dal pp. 17/7.	— al Concil. di Lione. Nuova scomun. di Federico II 17/7.
1246	8	8 A.	— [Enrico Raspe, landgrav. di Turingia, fr. di Luigi il *Pio*, antirè di Germ. 22/5].	— a Lione.
1247	5	31 M.	— [Enrico Raspe contro Corrado, f. di Feder. II, è sconf. e † 17/2]. — assedia Parma in lugl. [Guglielmo d'Olanda, re de' Rom. 29/9, compet. contro Corrado IV].	—
1248 *b*	6	19 A.	— è sconf. alla batt. di Parma 18/2. [Gugliel. pred. cor. re ad Aquisgr.].	— a Lione. - VI.ª crociat. (Luigi IX) 1248-50.
1249	7	4 A.	— re Enzo è vinto e prig. dai Bolognesi a Fossalta 26/5 († 15/3 1272).	
1250	8	27 M.	Federico II muore 13/12 a Ferentino. **Corrado IV**, f. (re de' Rom. 1237), f. di Germ., di Sicilia e Imp. rom. 13/12. [Gugliel. pred. re, compet.].	—
1251	9	16 A.	—	— a Lione, poi a Vienna, Marsiglia, Ventim., Milano
1252 *b*	10	31 M.	—	— a Roma, poi a Perugia
1253	11	20 A.	— entra trionf. in Napoli in ott.	— a Perugia, poi a Roma 12/10. Scom. Corrado IV

Fra cristiana	Indizione	Pasqua e rinvio al calend.	IMPERATORI ROMANI E RE DI GERMANIA E D'ITALIA	PAPI
254	12	12 A.	Corrado IV muore presso Lavello 21/5. [Gugliel. pred. compet.].	Innocenzo IV muore 7/12 a Napoli. **Alessandro IV**, Rainal. de' Conti di Segni, el. 15/12, cons. 20/12 a Napoli.
255	13	28 M.	*Gran'e nterregno, fino al 1273.*	— a Napoli, poi a Roma; scomun. Manfredi (mar.).
256	14	16 A.	— [Gugliel. d'Olanda ucciso 28/1].	— a Roma, p. a Anagni 1/6.
257	15	8 A.	— [Riccar. di Cornovaglia, f. di Gio. *Senzaterra*, re di Germ. 17,5]. [Alfonso, f. di Ferdinando il *Santo*, re di Castiglia, el. re di Germ. 1/4, [compet.]	— a Roma, poi a Viterbo 23/5.
258	1	24 M.	—	— a Viterbo, poi ad Anagni.
259	2	13 A.	—	— ad Anagni. [gni 31/10.
260	3	3 A.	—	— ad Anagni, a Subiago a Gen. 24/9, a Roma, apr.
261	4	24 A.	—	Alessandro IV muore 27/5 a Viterbo. **Urbano IV**, Giac. Pantaleon, e. 29/8, cons. 4/9 a Vite bo.
262	5	9 A.	—	— a Montefiasc. poi Orvieto
263	6	1 A.	—	— a Orvieto.
264 *b*	7	20 A.	—	Urbano IV muore 2 ott. a Perugia.
265	8	5 A.	— Carlo d'Anjou ricev. dal pp. (giugno). [via † 26/2.	**Clemente IV**, Guido Foulquois, di S. Gilles, (el.8/10 64) cons. 15/2 a Perugia.
266	9	28 M.	— Batt. di Benev. Manfredi di **Svevia**-Carlo pred. cor. re di Sicilia 6/6.	— a Perugia, poi, 30/4, a Orvieto.
267	10	17 A.	[Corradino di **Svevia**, f. di Corrado IV, in Italia contro re Carlo 21/4].	— a Viterbo.
268 *b*	11	8 A.	[Corradino a Roma 24/7 acclam. Imp. Sconf. a Scurcola 23/8; decapitato [29/10].	Clemente IV muore 29 nov. a Viterbo.
269	12	24 M.	—	*Sede vacante.*
270	13	13 A.	—	»
271	14	5 A.	—	**B. Gregorio X**, Tebaldo Visconti, piacent., el 1/12 a Viterbo.
272 *b*	15	11 A.	[Riccardo di Cornovaglia morto 2/4. - Alfonso di Castiglia, pred. re].	— è cons. 27 mar. a Roma.
273	1	9 A.	**Rodolfo I (IV) d'Absburgo**, f. del C. Alberto IV, el. re di Germ. a Francof. 1/10, re de' Rom. 28/10 ad Aquisgr.; - Sp. (1245) Geltrude di Hohenberg († 1281), f. di Burcardo III. [Alfonso di Cast. re, dep. 21/8 '84].	— ad Orvieto, gennaio 5/6. a Firenze 20/6-4/9. a Modena, a Piacenza, a Reggio, settem.; a Milano, ottobre. a Lione, Nov. Dic.
274	2	1 A.	**Rodolfo I** cede al pp. l'Esarcato, la M.a d'Ancona e il D.o di Spoleto.	— ricon. re de' Rom. Rodolfo I. - Concil. **Lion. II.**

Era cristiana	Indizione	Pasqua e rinvio al calend.	IMPERATORI ROMANI E RE DI GERMANIA E D'ITALIA	PAPI
(1274) 1275	3	14 A.	(**Rodolfo I d'Absburgo** re de' Romani) — a Losanna, rinunz. alla Sicilia in ott. e conferma al pp. i priv. concessi [da Ottone IV e Feder. II.	(**B. Gregorio X**) — a Lione 5/1-13/4. Conc. Ecum.
1276 *b*	4	5 A.	—	B. Gregorio X muore : Arezzo 10 genn. **Innocenzo V**, Piet. di Chan pigny, el. 11/7, in Arezz † 22/6 a Roma **Adriano V**, Ottob. Fiesch genov., el. 11/7, † 16 a Viterbo. **Giovanni XXI**, Pier Gi liani, di Lisbona, el. 8. a Viterbo, cons. 20/9.
1277	5	28 M.	— toglie Austria e Stiria ad Otto- caro II, re di Boemia e M. di Moravia.	Giovanni XXI muore 2 magg. a Viterbo. **Niccolò III**, G. Gaetano O sini, rom., el. 25/11 a V terbo, cons. 26/12 Roma.
1278	6	17 A.	— vince a Markfeld, Ottocaro II († 26/8) ed occupa Carinzia e Stiria, in agosto.	-- a Viterbo. Ottiene i d ritti imp. su Romagn e Marche.
1279	7	2 A.	—	-- a Roma.
1280 *b*	8	21 A.	—	Niccolò III muore 22 a a Soriano (Viterbo).
1281	9	13 A.	—	**Martino IV**, Simone (Brie, franc., el. 22/2 Viterbo, cons. 23/3 a Orvieto.
1282	10	29 M.	—	-- ad Orvieto poi Montefia
1283	11	18 A.	—	-- ad Orvieto.
1284 *b*	12	9 A.	— sp. Elisabetta, († 1316) f. di Ugo IV, D. di Borgogna.	-- ad Orvieto poi a C.º Piev e a Perugia.
1285	13	25 M.	—	Martino IV muore 28 ma a Perugia. **Onorio IV**, Giac. Savell rom., el. 2/4 a Perugi cons. 20/5 a Roma.
1286	14	14 A.	---	-- a Roma, poi a Tivol
1287	15	6 A.	---	Onorio IV † 3/4 a Rom:
1288 *b*	1	28 M.	---	**Niccolò IV**, Girol. Mas d'Ascoli, el. 15/2, con 22/2 a Roma.
1289	2	10 A.	---	-- a Roma, poi a Rie 18/5.
1290	3	2 A.	---	-- a Roma, poi ad Or (magg.), ad Orvieto (giu dic.).

Era cristiana	Indizione	Pasqua e rinvio al calend.	IMPERATORI ROMANI E RE DI GERMANIA E D'ITALIA	PAPI
(1290)			(Rodolfo I, re de' Romani)	(Niccolò IV)
1291	4	22 A.	Rodolfo I muore 15/7, a Germesheim.	— ad Orvieto, poi a Roma dal nov.
1292 b	5	6 A.	Adolfo di Nassau, f. del C. di Walram, el. re de' Rom. 5/5, re di Germania 10 maggio.	Niccolò IV muore 4/4 a Roma.
1293	6	29 M.	—	Sede vacante.
1294	7	18 A.	—	S. Celestino V, Pier Morone, d'Isernia, el. 5/7 a Perugia.
				— cons. 29/8 ad Aquila, rinun. 13/12 († 19/5 1296)
				Bonifacio VIII, Benedetto Caetani di Anagni, el. 24/12 a Napoli.
1295	8	3 A.	—	— è cons. 23 genn. a Roma
1296 b	9	25 M.	—	— sua bolla contro Filippo il Bello.
1297	10	14 A.	—	— a Roma; a Orvieto, 6/6-31/10 a Bolsena (nov.).
1298	11	6 A.	Adolfo di Nassau compra la Turingia; è dep. 23/6, ucciso 2/7 a Göllheim. Alberto I d'Absburgo f. di Rodolfo I el. re di Germ. e re de' Rom. 27/7, cor. 24/8. Sp. (1276) Elisabetta († 1313), f. di Mainardo V di Gorizia, [Tirolo e Carinzia.	— a Roma, 5 genn.-18/7. a Rieti 28/8-5/12. a Roma 20-9/12.
1299	12	19 A.	—	— a Roma, poi ad Anagni 12/5 a 27/9, poi a Roma.
1300 b	13	10 A.	—	— a Roma (Giubileo), poi ad Anagni 7/3-3/10.
1301	14	2 A.	—	— ad Anagni 1/5-2/10.
1302	15	22 A.	— Pace di Caltabellotta, 31 ag.	— a Roma, poi ad Anagni 12/5-14/9. - Concil. Later.
1303	1	7 A.	—	— è imprig. da Fil. il Bello. Bonifacio VIII muore 11 ottobre a Roma.
				B. Benedetto XI, Nicola Boccasini, di Treviso, el. 12/10, cons. 27/10-Roma.
1304 b	2	29 M.	—	B. Benedetto XI muore 7/7 a Perugia.
1305	3	18 A.	—	Clemente V, Bertr. de Got, guasc., el. 5/6 a Perugia cons. 14/11 a Lione.
1306	4	3 A.	—	— in Francia.
1307	5	26 M.	—	— » »
1308 b	6	14 A.	Alberto I ucciso presso alla Reuss, 1/5. Arrigo VII, f. di Enrico III di Lussemb. el. re di Germ. 27/11 a Francof.	— » »

Era cristiana	Indizione	Pasqua e rinvio al calend.	IMPERATORI ROMANI E RE DI GERMANIA E D'ITALIA	PAPI
(1308)			**Arrigo VII** sp. (1292) Margh. († 1311) f. di Giov. I di Brabante.	**(Clemente V)**
1309	7	30 M.	— cor. re dei Rom. 6/1 ad Aquisgr. - Invest. del regno in ag. dal pp.	— trasfer. la sede pont in Avignone 21/3.
1310	8	19 A.	— cor. re a Milano 6/1.	— ad Avignone.
	9	11 A.	— investe il f. Giovanni a re di Boemia. Viene a Roma 7/5.	— ad Avign., poi al Conc. Vienna (Delfinato) in o
1311				
1312	10	26 M.	— a Pisa in mar., poi a Roma. È cor. Imp. Rom. 29/6 a Roma.	— a Vienna.
1313	11	15 A.	Arrigo VII in Toscana 28/8; muore a Buonconvento 24/8.	— ad Avignone.
1314	12	7 A.	**Lodovico IV** il *Bavaro*, f. di Lodov. II D. di Baviera; re de' Rom. e di Germ. 20/10.-Sp. Beatrice di Glogau †'22'. [**Federico III** d'**Absburgo**, f. di Alberto I; el. re dai Tedeschi, compet.].	Clemente V muore 20/4 Roccamora.
1315	13	23 M.	[Feder. III sp. Isab. d'Aragona († 1330), f. di Giacomo I].	*Sede vacante.*
1316 *b*	14	11 A.	—	**Giovanni XXII**, Giac. d'E se, di Cahors, el. 7, cons. 5/9 a Lione. - Avign. dal 14/10.
1317	15	3 A.	—	— ad Avignone.
1318	1	23 A.	—	— ″
1319	2	8 A.	—	— a Vienna.
1320 *b*	3	30 M.	—	— ad Avignone.
1321	4	19 A.	—	— ″
1322	5	11 A.	[Federico III è vinto da Lodov. IV a Muhldorf 28/9]. **Lodovico IV** solo.	—
1323	6	27 M.	— Sp. Margh. (†'56) f. di Gugl. III di	—
1324 *b*	7	15 A.	— [Olanda.	— scom. Lodovico IV 23
1325	8	7 A.	**Federico III** pred. scarc. 13/3, ricon. collega di **Lodovico IV**, 5/9.	— ad Avignone.
1326	9	23 M.	**Federico III** e Lodovico IV re.	— ″
1327	10	12 A.	**Lodovico IV** cor. re a Milano 31/5. **Federico III** re.	— ″
1328 *b*	11	3 A.	**Lodovico IV** cor. imp. a Roma da Sciarra Colonna 17/1.	— [Pietro Rainaluci da C vara (Niccolò V) ant. 12 a Roma].
1329	12	23 A.	**Lodovico IV** parte dall'Italia.	— ad Avignone.
1330	13	8 A.	Federico III muore 16/1 a Gutenstein. **Lodovico IV** imp. solo. [Giovanni di Lussemb., re di Boemia, f. di Arrigo IV, viene in Italia].	— [Niccolò V antip. a dica 25/8].
1331	14	31 M.	[vanni 8/8].	— ad Avignone.
1332 *b*	15	19 A.	— [Lega di Castelbaldo contro re Gio-	—
1333	1	4 A.	— [re Giovanni firma la tregua di Peschiera]14/8; lascia l'Ital.(†26/8 '46)]	

Era cristiana	Indizione	Pasqua e riuvio al calend.	IMPERATORI ROMANI E RE DI GERMANIA E D'ITALIA	PAPI
334	2	27 M.	**(Lodovico IV** di **Baviera** Imp.)	Giovanni XXII muore 4 dic. ad Avign.
				Benedetto XII, Giac. Fournier, el. 20/12 ad Avign., cons. 26/12.
335	3	16 A.	—	— ad Avignone.
336 b	4	31 M.	—	»
337	5	20 A.	—	»
338	6	12 A.	—	»
339	7	28 M.	—	»
340 b	8	16 A.	—	»
341	9	8 A.	—	»
342	10	31 M.	—	Benedetto XII muore 25/4 ad Avignone.
				Clemente VI, Pietro Rogier, el. 7/5, con. 19/5 ad Avignone.
343	11	13 A.	— [Cola di Rienzo oratore al papa].	— a Lione 1/1, ad Avign. 19/2, a Villeneuve 13/3.
344 b	12	4 A.	—	— ad Avignone.
345	13	27 M.	[11/7.	— »
346	14	16 A.	— è dep. dagli Elettori uniti a Rhense	— »
347	15	1 A.	Lodovico IV † 11/10 a Fürstenfeld.	— [Rivol. a Roma, Cola di Rienzo trib. 19/5 a 15/12].
			Carlo IV di **Lussemburgo,** f. di Giovanni re di Boemia (re di Germ. 11/7),	
348 b	1	20 A.	[succ. 10/8.	— compra Avignone da Giov.ª C.ª di Prov. in giugno.
349	2	12 A.	(sp. Anna (†'53) f. di Rodolfo el. Palat. [Gontero di Schwarzburg compet., (re 30/1, rin. 26/5, † 14/6 a Francof.]	— ad Avignone.
350	3	28 M.	—	»
351	4	17 A.	— fa imprig. Cola di Rienzo.	»
352 b	5	8 A.	—	Clemente VI muore 6 dic. a Villeneuve.
				Innocenzo VI, Stef. Aubert. di Mont, el. 18/12, cons 30/12 ad Avign.
353	6	21 M.	[di Schweldnitz. — sp. Anna († '64) f. di Enrico II D.	— ad Avign. - Riprist. lo Stato della Chiesa.
354	7	13 A.	— scende in Italia.	— nomina Cola di Rienzo senat. di Roma 5/8 (muore 10/8).
355	8	5 A.	— è cor. re d'Italia a Milano 6/1. cor. imp. 5/4 a Roma.	— ad Avignone.
356 b	9	24 A.	— promulga (dieta di Metz) la **Bolla**	—-
357	10	9 A.	[d'oro.	—-
358	11	1 A.	—	—-
359	12	21 A.	— « Bolla Carolina », 13/10, che promette protez. imp. al clero.	—-

Era cristiana	Indizione	Pasqua e rinvio al calend.	IMPERATORI ROMANI E RE DI GERMANIA E D'ITALIA	PAPI
1360 b	13	5 A.	(Carlo IV di Lussemburgo Imp.)	(Innocenzo VI) — il card. Albornoz ac quista Bologna pel p[(ott.).
1361	14	28 M.	—	— ad Avignone.
1362	15	17 A.	—	Innocenzo VI muore 12/ ad Avign. Urbano V, Gugliel. di Gr moard, el. 28/9, con. 6/1 ad Avignone
1363	1	2 A.	—	— ad Avignone.
1364 b	2	24 M.	—	»
1365	3	13 A.	— sp. Elisab. († '93) f. di Bogislao V	— »
1366	4	5 A.	[di Pomerania.	— »
1367	5	18 A.	—	— si stabilisce a Rom. 21/1 appr.ª l'ord. dei Gesnati
1368 b	6	9 A.	— Sig. di Lucca 25/8, occup. Pisa 3/10 Siena 12/10. Va a Roma (ott.)	— a Roma fino al 4/5; Montefiasc. 30/5 a 15/9
1369	7	1 A.	— scacc. da Siena 18/1, libera Lucca	— a Roma.
1370	8	14 A.	[dal dom. di Pisa. Ritor. in Germ.	Urbano V ritor. ad Avign 17 apr., †19/12 ad Avign Gregorio XI, Pietro Roge di Franc., el. 30/12 i Avign.
1371	9	6 A.	—	— cons. 5/1 ad Avign.
1372 b	10	28 M.	—	— ad Avign., genn.-22/4, Villeneuve az.-sett., a Avign. 14/11.
1373	11	17 A.	—	— ad Avignone.
1374	12	2 A.	—	»
1375	13	22 A.	— [Jobst f. di Gio. Enrico di Lus- semb. Vicar. in Ital. per Venceslao].	»
1376 b	14	13 A.	—	— scomun. Firenze. - A Avign. poi (sett.) a Rom
1377	15	29 M.	—	— a Roma 17/1, ad Avign 23/9.
1378	1	18 A.	Carlo IV muore 29/11 a Praga. Venceslao (IV) di Lussemburgo, f. (cor. re di Boemia 1363, re de' Rom. 1/6 '76), Imp. 29/11. Sp. (1370) Giovanna († '86) f. di Alberto D. di Baviera Straubing.	Gregorio XI muore 27/3 Roma. Urbano VI, Bart. Prignan di Napoli, el. 8/4, con 18/4 a Roma. [Robert d Genevois (Clemente VI) antip. el. 20/9 1378, 16/9 '94 ad Avign.]. Incom. lo scisma d'Occi che dura 39 anni.
1379	2	10 A.	—	— a Roma.
1380 b	3	25 M.	—	»
1381	4	14 A.	—	»

Era cristiana	Indizione	Pasqua e rinvio al calend.	IMPERATORI ROMANI E RE DI GERMANIA E D'ITALIA	PAPI
				(Urbano IV)
382	5	6 A.	**(Venceslao di Lussemburgo, re)**	— a Roma.
383	6	22 M.	—	— »
384 b	7	10 A.	—	— »
385	8	2 A.	— perde gran parte dei suoi dominii.	— »
386	9	22 A.	— [suo fr. Sigismondo sp. Maria f. di	— »
387	10	7 A.	[Luigi II re d'Ungheria]	— »
388 b	11	29 M.	—	— »
389	12	18 A.	—	Urbano VI muore 15 ott. a Roma.
				Bonifacio IX, Pietro Tomacelli, napol., el. 2/11, cons. 3/11 a Roma.
390	13	3 A.	—	— a Perug. 18/1 poi a Rom.
391	14	26 M.	—	— a Roma 22/7.
392 b	15	14 A.	—	—
393	1	6 A.	—	— a Perugia 18/1.
394	2	19 A.	— imprig. a Praga, perde il trono di Boemia.	— [Pietro de Luna (Bened. XIII) antip. ad Avign. el. 28/9, cons. 11/10 dep. 15/6 1409 († sett. (1424)].
395	3	11 A.	— è spod. e imprig. dal pop. di Praga. Fugge e ritor. sul trono. [da Bajazet.	—
396 b	4	2 A.	— Il suo Stato invaso dai Turchi cond.	— a Roma 26/7.
397	5	22 A.	— imprig. di nuovo a Vienna, poi liber.	— a Roma 2/12.
398	6	7 A.	— visita il re di Francia a Reims.	—
399	7	30 M.	— sp. Sofia, f. di Giov. D. di Baviera. Ritorna in Boemia.	—
400 b	8	18 A.	Venceslao dep. 22/8 († 16/8 1419). **Roberto di Baviera**, il *piccolo*, f. del C. Palat. del Reno Roberto il *Tenace*: re de' Rom. 21/8.	—
401	9	3 A.	— è cor. re di Germ. a Colonia 6/1. Tenta conquist. il Milanese; è sconf. presso Brescia.	—
402	10	26 M.	—	—
403	11	15 A.	—	Bonifacio IX muore 1/10 a Roma.
404 b	12	30 A.	—	**Innocenzo VII**, Cosma Migliorati, di Sulmona, el. 17/10, cor. 11/11 a Roma.
405	13	19 A.	—	Innocenzo VII muore 6/11.
406	14	11 A.	—	**Gregorio XII**, Angelo Correr, veneto, el. 30/11, cons. 19/12 a Roma.
407	15	27 M.	—	

Era cristiana	Indizione	Pasqua e rinvio al calend.	IMPERATORI ROMANI E RE DI GERMANIA E D'ITALIA	PAPI
(1407)			**(Roberto di Baviera** *il piccolo,* **re)**	**(Gregorio XII)**
1408 *b*	1	15 A.	—	
1409	2	7 A.	—	Gregorio XII dep. a Pisa 5/ († 18/10 '17 a Rimin Alessandro V, Pietro Fila go, di Candia, el. dal co cil. di Pisa 17/6, cons. 7/
1410	3	23 M.	Roberto muore 18/5 a Landskron. **Sigismondo** di **Lussemburgo**, f. di Carlo IV; (re d'Ungh. 1386) re de' Rom. 30/9. Sp. Barbara di Cilli († 11/7 51) — [**Giodoco** (Josse) di **Lussemb.**, f. di Gio. Enrico, margr. di Moravia; re de' Rom. 1/10, compet.].	Alessandro V muore 3/5 Bologna. **Giovanni XXIII**, Baldas Cossa, napol. el. 17/5 Bologna, cons. ivi, 25/
1411	4	12 A.	— è cor. re di Germ. e re de' Rom. 21/7. — [Giodoco pred., muore 18/10, non	— a Roma.
1412 *b*	5	3 A.	[cor.]	— »
1413	6	23 A.	— muove guerra ai Veneziani.	— »
1414	7	8 A.	— cor. re di Germ. ad Aquisgr. 9/11, sua spediz. infel. in Lombar. Convoca col pop. il Concilio di Costanza 8/11.	— Convoc. (2/11) il concil a Costanza (1414-18).
1415	8	31 M.	— rinunzia al Brandeburgo 30/4. (Suppliz. di Gio. Huss. a Costanza 6/7.) — suoi viaggi in Francia, Inghilterra e Spagna (1415-17).	**Giovanni XXIII** abdica 2/ a Costanza (†22/12 141 a Firenze). *Sede vacante dal 30/5.*
1416 *b*	9	19 A.	—	
1417	10	11 A.	—	**Martino V**, Otto Colonn rom., el. a Costanza 11/1 cons. 21/11 a Roma.
1418	11	27 M.	—	— a Roma p. a Costan. 22,
1419	12	16 A.	— el. re di Boemia 16/8. - È vinto dagli Ussiti.	— a Ferrara, Forlì, poi Firenze 21/12.
1420 *b*	13	7 A.	—	
1421	14	23 M.	—	— a Roma, 19/10-17/12.
1422	15	12 A.	—	— a Roma 12/6-Tivoli 17/
1423	1	4 A.	—	— a Roma. - Concil. a Pa via trasfer. a Siena.
1424 *b*	2	23 A.	—	— a Roma.-Egid. Sanch Muñoz (Clem. VIII, an tipapa 17/6.
1425	3	8 M.	—	— a Roma 2/2 - 13/2.
1426	4	31 M.	—	— »
1427	5	20 A.	—	— »
1428 *b*	6	4 A.	—	— »
1429	7	27 M.	—	— [L'Antip. Clem. VII abd. 26/7, († 26/12 '46)
1430	8	16 A.	—	— a Roma 23/1.

Era cristiana	Indizione	Pasqua e rinvio al calend.	IMPERATORI ROMANI E RE DI GERMANIA E D'ITALIA	PAPI
(1430)			(Sigismondo di Lussemb. re de' Rom.)	
1431	9	1 A.	— è cor. re di Lombardia a Mil. 25/11.	Martino V muore 20/2 a Roma.
				Eugenio IV, Gabr. Condulmer, veneto, el. 3/3, cons. 17/3. - Concil. di Firenze, aperto a Basilea.
1432 b	10	20 A.	—	— a Roma.
1433	11	12 A.	— a Roma è cor. Imperat. Rom. dal	» [sett.-dic.
1434	12	28 M.	— [pp. 31/5.	— a Roma 10/5, a Firenze
1435	13	17 A.	—	— a Firenze 22/4-24/11.
1436 b	14	8 A.	— è riconosc. re nom. dai Boemi 5/6.	—
1437	15	31 M.	Sigismondo imperat. muore a Znaim (Austria) 9/12.	— a Basilea sciogl. il Conc. di Firen., a Bolog. 5/10.
1438	1	13 A.	Alberto II (V), f. di Alberto IV d'Absburgo; re de' Rom. 18/3, cor. 30/5.	— a Ferrara 5/4 a 28/12. - Concil. trasf. a Firenze.
1439	2	5 A.	— † 27 ott., comb. contro i Turchi.	— è dep. dal Concilio 25/6. - [Amedeo VIII di Savoia (Felice V) antip. 5/11].
1440 b	3	27 M.	Federico III (V) d'Absburgo, f. del D. Ernesto di Stiria; re di Germ. 2/2,	Eugenio IV, a Firenze. [Felice V antipapa cons.
1441	4	16 A.	— [re de' Rom. 6/4.	[24/7.]
1442	5	1 A.	—	
1443	6	21 A.	—	— a Roma 10/12. Si chiude il Concil. di Firenze.
1444 b	7	12 A.	—	— a Roma.
1445	8	28 M.	—	— a Roma 1/1 e 3/9.
1446	9	17 A.	—	—
1447	10	9 A.	—	Eugenio IV muore 23/2 a Firenze.
				Niccolò V, Tomaso Parentucelli, di Sarzana, el. 6/3, cons. 19/3.
1448 b	11	24 M.	—	— a Roma.
1449	12	13 A.	—	— [L'antip. Felice V abd. 9/4 († 7/1 1451)].
1450	13	5 A.	—	— a Roma.
1451	14	25 A.	—	
1452 b	15	9 A.	— è cor. Imp. Rom. 15/3 a Roma. - Sp. Eleonora di Portogallo († 1467) f. di re Edoardo, 15/3. Promuove una lega contro lo Sforza.	—
1453	1	1 A.	— erige l'Austria in Arciducato, 6/1. (CP. presa dai Turchi 29/5. Fine	»
1454	2	26 A.	— [dell' Imp. Rom. d'Or.)	»
1455	3	6 A.	—	Niccolò V muore 24/3 a Roma.
				Calisto III, Alf. Borgia, el. 8/4, cons. 20/4.

Era cristiana	Indizione	Pasqua e rinvio al calend.	IMPERATORI ROMANI E RE DI GERMANIA E D'ITALIA	PAPI
				(Calisto III)
1456 b	4	28 M.	(Federico III (V) d'Absburgo, Imp.)	---
1457	5	17 A.	— in guerra col fr. Alberto IV per l'eredità d'Austria.	— a Roma 20/3.
1458	6	2 A.		Calisto III † 8/8 a Roma. Pio II, Enea Silvio Piccolomini, di Corsignano, el. 27/8, cons. 3/9.
1459	7	25 M.	—	— a Siena.
1460 b	8	13 A.	—	— a Siena.
1461	9	5 A.	—	— a Roma.
1462	10	18 A.	—	— a Viterbo.
1463	11	10 A.	—	— a Roma.
1464 b	12	1 A.		Pio II muore 15/8 ad Ancona. Paolo II, Pietro Barbo, veneto, el. 31/8, cons. 16/9
1465	13	14 A.	—	— a Roma, 19/2.
1466	14	6 A.	—	
1467	15	29 M.	—	
1468 b	1	17 A.	sua nuova calata in Italia, 10/12;	— a Roma 20/5-13/6.
1469	2	2 A.	— ritor. in Germ. 9/1. [a Roma 24/12.	
1470	3	22 A.	—	
1471	4	14 A.	—	Paolo II muore 28/7. Sisto IV, Franc. Della Rovere, di Savona, el. 9/8. cons. 25/8.
1472 b	5	29 M.	—	— a Roma.
1473	6	18 A.	—	— — istituisce la festa della Concezione.
1474	7	10 A.	—	— a Roma.
1475	8	26 M.	—	»
1476 b	9	14 A.	—	»
1477	10	6 A.	— suo f. Massimil. sp., a Nancy, Maria di Borgogna († 1483) f. di Carlo il [Temerario.	»
1478	11	22 A.	---	— a Roma 28/2 a dic.
1479	12	11 A.	—	
1480 b	13	2 A.	—	— a Roma 9/5-1/9.
1481	14	22 A.		
1482	15	7 A.		
1483	1	30 M.	---	— a Roma 22/4.
1484 b	2	18 A.		Sisto IV muore 12/8 a Roma Innocenzo VIII, G. Batt. Cybo, genov., el. 29/8, cons. 12/9, a Roma. Emana la bolla contro le streghe.
1485	3	3 A.		— a Roma. - Favor. la congiur. dei Baroni nap.

Era cristiana	Indizione	Pasqua e rinvio al calend.	IMPERATORI ROMANI E RE DI GERMANIA E D'ITALIA	PAPI
(1485)			**(Federico III (V) d'Absburgo,** Imp.)	**(Innocenzo VIII)**
1486	4	26 M.	— fa elegg. il f. Massimil. re de' Rom.	— a Roma. - Scomunica Ferdin. I re di Napoli.
1487	5	15 A.	—	— a Roma.
1488 b	6	6 A.	—	— si oppone all'eresia degli Ussiti.
1489	7	19 A.	—	— a Roma, 28/3.
1490	8	11 A.	—	— a Roma 16/2-magg.
1491	9	3 A.	—	
1492 b	10	22 A.	—	Innocenzo VIII muore 25/7 **Alessandro VI,** Rodrigo Lenzol-Borgia, di Jativa, el. 11/8, cons. 26/8 a Roma.
1493	11	7 A.	Federico III muore 19/8 a Lenz. **Massimiliano I** f., (Arc. d'Austr. 1459 re di Germ. 1493), succ. 19/8.	— a Roma. Spartisce le terre scoperte fra Spagna e Portog.
1494	12	30 M.	— sp. (16/3) Bianca Maria († 1510) f. di Galeazzo M. Sforza. [Carlo VIII.	— a Roma - I Colon. occup. Ostia. - Carlo VIII a Roma.
1495	13	19 A.	— entra nella lega di Venezia contro	— a Roma.
1496 b	14	3 A.	— Filippo il *Bello*, suo f., sp. Giovanna la *Pazza* f. di Ferd. il *Cattolico*.	— Consalvo ricup. Ostia pel pp.
1497	15	26 M.	—	— a Roma 13/5.
1498	1	15 A.	—	— a Roma 15-17/9.
1499	2	31 M.	— riconosce l'indip. degli Svizzeri (tratt. di Basilea).	— Cesare Borgia el. D. di Valentinois.
1500 b	3	19 A.	—	— a Roma, 13/6.
1501	4	11 A.	—	— a Roma, 5/4.
1502	5	27 M.	—	
1503	6	16 A.	— acquista l'Alsazia.	Alessandro VI muore 18/8. **Pio III,** Franc. Todeschini-Piccolom., di Siena, el. 22/9, cons. 8/10, † 18/10. **Giulio II,** Giuliano Della Rovere, di Savona, el. 1° nov., cons. 26/11.
1504 b	7	7 A.	—	— a Roma.
1505	8	23 M.	—	— »
1506	9	12 A.	—	— »
1507	10	4 A.	—	— »
1508 b	11	23 A.	— s'intit. Imp. Eletto 10/2; entra nella lega di Cambrai; è sconf. dai Veneti, [che acquist. Trieste.	— prende parte alla lega di Cambrai.
1509	12	8 A.	—	— a Roma.
1510	13	31 M.	—	— assedia la Mirandola 21/1. - Si unisce ai Venez. per cacciare i Francesi (febbr.). - Annulla il tratt. di Blois 3/8 a Roma 23/1

Era cristiana	Indizione	Pasqua e rinvio al calend.	IMPERATORI ROMANI E RE DI GERMANIA E D'ITALIA	P A P I
(1510)			**(Massimiliano I**, Imp. Eletto)	**(Giulio II)**
1511	14	20 A.	— Entra nella Lega Santa contro	— Forma la Lega Santa.
1512 b	15	11 A.	— Batt. di Ravenna 11/4. [Francia.	— Apertura del Concil. di Pisa, 1/11, trasferito poi a Milano, dich. decad. il pp. 21/4. - IV Concilio later.
1513	1	27 M.	— Seconda lega tra Venezia e Francia, 13/3.	Giulio II muore 21 febb. **Leone X**, Gio. de' Medici, di Firenze, el. 11/3, cons. 11/4. - Lega di Malines.
1514	2	16 A.	—	— Occu. Parma e Piac. 2/5.
1515	3	8 A.	—	
1516 b	4	23 M.	—	— Scaccia i Della Rovere da Urbino (5/6) e ne investe Loren. de' Medici.
1517	5	12 A.	—	— al Concil. Later. per la guerra contro i Turchi.
1518	6	4 A.	—	— Dieta d'Augusta. Lutero condann. dal pp.
1519	7	24 A.	Massimiliano I muore. 12/1 a Wels. **Carlo V** d'**Absburgo** (re di Spagna 1516), f. di Filippo il *Bello* d'Austria: re di Germ. e de' Rom. 28/6.	— a Roma. [9/12.
1520 b	8	8 A.	— è cor. Imp. Rom. 26/10 ad Aix la Chapelle.	— scomunica Lutero.
1521	9	31 M.	— editto di Worms contro Lutero. — Cede al fr. Ferdin. i paesi absburg.-tedeschi 28/4.	Leone X muore 1º dic.
1522	10	20 A.	— divide l'Imp. in 10 circoli.	**Adriano VI**, Adriano Florent. di Utrecht, el. 9/1, cons. 31 ag.
1523	11	5 A.	—	Adriano VI muore 14/9. **Clemente VII**, Giulio de' Medici, di Firenze, el. 18/11, cons. 26/11.
1524 b	12	27 M.		— a Roma.
1525	13	16 A.	— duca di Milano 1525-29.	— » [Teatini.
1526	14	1 A.	— sp. Isabella († 1539) f. di Eman. re di Portogallo, in genn. - Iª dieta	— approva l'ordine dei — Lega santa contro l'Imp.
1527	15	21 A.	— [di Spira.	— Sacco di Roma, dal 6/5. Il pp. rifug. in Castel S. Ang. - Ritir. ad Orv. 8/12.
1528 b	1	12 A.	—	— Concil. Bituricense sugli errori di Lutero 21/3.
1529	2	28 M.	— IIª dieta di Spira (apr.). Pace di	— si riconcil. con Carlo V. [Cambrai 3/8.
1530	3	17 A.	— è cor. re di Lombardia 22/2 e Imp. Rom. 24/2 a Bologna. - Dieta d'Au-	— Congresso di Bologna.
1531	4	9 A.	— [gusta 13/6.	— a Roma.

Era cristiana	Indizione	Pasqua e rinvio al calend.	IMPERATORI ROMANI E RE DI GERMANIA E D'ITALIA	PAPI
(1531)			**(Carlo V d'Absburgo,** Imp.)	**(Clemente VII)**
1532 b	5	31 M.	— Pace relig. di Norimberga coi pro-	— a Roma.
1533	6	13 A.	— [test. 23/7.	»
1534	7	5 A.	—	Clemente VII muore 26/9.
				Paolo III, Aless. Farnese, rom., el. 13/10, cons. 1/11
1535	8	28 M.	— prende poss. del Duc. di Mil. 1/11.	— a Roma.
1536 b	9	16 A.	— assegna il Monferrato al M.e di Mantova (genn.).	— sua bolla « In coena Domini ».
1537	10	1 A.	—	— scomun. Enrico VIII d'Inghilt. 17/12.
1538	11	21 A.	—	— approva la Compagnia di Gesù. - a Piacenza 1/5.
1539	12	6 A.	—	—
1540 b	13	28 M.	—	—
1541	14	17 A.	—	—
1542	15	9 A.	—	— bolla di convocaz. del Concil. di Trento, 22/5.
1543	1	25 A.	— [cesco I e Carlo V, 17/9.	— a Bologna.
1544 b	2	13 A.	— firma la pace di Crespy tra Fran-	— a Roma.
1545	3	5 A.	— sua lotta con la lega protestante.	— erige il ducato di Parma-Piac. - Apre il Concilio di Trento, 13/12.
1546	4	25 A.	—	—
1547	5	10 A.	— vince a Muhlberg i principi protest., [24/4.	— il Concil. pred. trasfer. a Bologna in marzo.
1548 b	6	1 A.	— pubbl. l'interim ad Augusta, 15/5.	
1549	7	21 A.	—	Paolo III muore 10 nov.
1550	8	6 A.	—	**Giulio III,** Gio. M. Ciocchi Dal Monte, di Monte S. Savino, el. 7/2, cons. 22/2. - Concil. in Trento 14/11.
1551	9	29 M.	—	— a Roma.
1552 b	10	17 A.	— firma la convenz. di Passau, (abol.	— sospende il Concil.
1553	11	2 A.	— [dell' nterim) 15/8.	— a Roma.
1554	12	25 M.	—	
1555	13	14 A.	— rinunzia le Fiandre al f. Filippo II, 25/10. - IIa dieta di Augusta, ag.-set.	Giulio III muore 23/3. **Marcello II,** Marc. Cervini, di Montepulc., el. 9/4, cons. 10/1, † 30/4. **Paolo IV,** Gio. Pietro Carafa, di Napoli, el. 23/5. cons. 26/5.
1556 b	14	5 A.	— rinunz. a Spagna, 15/1, a Milano e Napoli, 16/1, a Germ. 23/8, abd.23/8. **Ferdinando I,** fr.,(re de' Rom. 5/1 1531), Imp. Rom. 24/2 1556. - Sp. (1521) Anna († 1547) sor. di Luigi II re	— a Roma.
1557	15	18 A.	— [d'Ungheria.	— a Roma.

Era cristiana	Indizione	Pasqua e rinvio al calend.	IMPERATORI ROMANI E RE DI GERMANIA E D'ITALIA	PAPI
1558	1	10 A.	**Ferdinando I** riconosciuto Imperat. dalla dieta d'Augusta.	(**Paolo IV**)
			— [Carlo V muore nel mon. di S. Geronimo a Yuste 21/9].	—
1559	2	26 A.	— Pace di Castel Cambresis 2/4.	Paolo IV muore 18/8.
				Pio IV, Gio. Angelo Medici, di Mil. el. 25, 12, cons. 6/1.
1560 b	3	14 A.	—	— a Roma.
1561	4	6 A.	—	»
1562	5	29 M.	—	»
1563	6	11 A.	—	— riapre il Concil. di Tren.
1564 b	7	2 A.	Ferdinando I muore 25 lugl. a Vienna.	— term. il C.lio di Tren.4/12
			Massimiliano II d'Absburgo f. (el. re de' Rom. e di Boemia 30 nov. 1562). Imp. rom. e re di Germ. 25 lugl. - Sp. (1548) Maria († 1603) figlia di [Carlo V d'Austr. 12/10.	— sua bolla (26/1) di conferma sulla conclus. del Concil. di Trento, 26/1.
1565	8	22 A.		Pio IV muore 9 dicembre.
1566	9	14 A.		**S. Pio V**, Michele Ghislieri, di Boscomarengo, el. 7/1, cons. 17/1.
1567	10	30 M.	—	
1568 b	11	18 A.	—	— pubbl. la bolla « In coena Domini ».
1569	12	10 A.	—	—
1570	13	26 M.	—	—
1571	14	15 A.	—	—
1572 b	15	6 A.	—	S. Pio V muore 1/5.
				Gregorio XIII, Ugo Buoncompagni, di Bologna, el. 13/5, cons. 26/5.
1573	1	22 M.	—	— a Roma.
1574	2	11 A.	—	»
1575	3	3 A.	[Ratisbona.	»
1576 b	4	22 A.	Massimiliano II muore 12 ottobre a **Rodolfo II** (V) **d'Absburgo** f. (re di Ger.a 27/10 1575); Imp.Rom. e Arcid. [d'Austria, 12/10.	»
1577	5	7 A.		»
1578	6	30 M.	—	»
1579	7	19 A.	—	»
1580 b	8	3 A.	—	»
1581	9	26 M.	—	»
1582	10	15 A.	—	— rifor. il calend. giul. 24/2.
1583	11	10 A.[1]	—	— a Roma
1584 b	12	1 A.	— rinn. la tregua coi Turchi, conchiusa dal padre.	»

(1) Questa e le altre pasque che seguono sono modificate secondo la riforma gregor. del calendario. Veggasi a pag. 106 le ricorr. pasquali secondo il calend. giuliano.

Era cristiana	Indizione	Pasqua e rinvio al calend.	IMPERATORI ROMANI E RE DI GERMANIA E D'ITALIA	PAPI
1585	13	21 A.	(Rodolfo II (V) d'Absburgo, Imp.)	Gregorio XIII muore 10/4. Sisto V, Felice Peretti, di Grottammare, el. 24/4, cons. 1/5. — Scomun. Enrico di Navarra e il Condé. — Reprime il brigantaggio.
1586	14	6 A.	—	— Scomun. Elisabetta di Inghilterra.
1587	15	29 M.	—	—
1588 b	1	17 A.	—	—
1589	2	2 A.	—	— Scomun. Enrico III per l'assas. del Card. di Guisa.
1590	3	22 A.	—	Sisto V muore 27 agosto. Urbano VII, G. Batt. Castagna, di Roma, el. 15 sett., muore 27/9. Gregorio XIV, Niccolò Sfondrati di Milano, el. 5/12, cons. 8/12.
1591	4	14 A.	— rinnova ancora la tregua coi Turchi.	Gregorio XIV muore 15/10. Innocenzo IX, Gian Ant. Facchinetti, di Bologna, el. 29/10, cons. 2/11, muore 30/12.
1592 b	5	29 M.	—	Clemente VIII, Ippol. Aldobrandini, di Fano, el. 30/1, cons. 2/2.
1593	6	18 A.	— affida a suo fr. Mattia il gov. [dell'Austria.	— Enrico IV di Francia [abiura il calvinismo.
1594	7	10 A.	—	
1595	8	26 M.	—	
1596 b	9	14 A.	— gli è ceduta la Transilvania dal [Voivoda Sigismondo.	—
1597	10	6 A.	—	
1598	11	22 M.	—	— riprende possesso di [Ferrara 30/1.
1599	12	11 A.	—	
1600 b	13	2 A.	—	— condanna e morte di [Giord. Bruno, febb.
1601	14	22 A.	—	
1602	15	7 A.	—	
1603	1	30 M.	—	
1604 b	2	18 A.	—	Clemente VIII † 5 marzo.
1605	3	10 A.	—	Leone XI, Aless. De' Medici, fior., el. 1/4, cons. 10/4. muore 27/4. Paolo V, Camillo Borgh., di Roma, el.16/5, cons.29/5.
1606	4	26 M.	—	— a Roma.
1607	5	15 A.	—	— lotta contro Venez. per offese alla giurisd. eccles.

Era cristiana	Indizione	Pasqua e rinvio al calend.	IMPERATORI ROMANI E RE DI GERMANIA E D'ITALIA	PAPI
(1607)			(Rodolfo II (V) d'Absburgo, Imp.)	(Paolo V)
1608 b	6	6 A.	— cede al fr. Mattia Austria, Un-	—
1609	7	19 A.	— [gheria e Moravia	—
1610	8	11 A.	— [e Lusazia.	—
1611	9	3 A.	— cede al fr. Mattia Boemia, Slesia	—
1612 b	10	22 A.	Rodolfo II muore 20 genn.	—
			Mattia d'Absb., fr. (re di Germ. 13/6), cor. Imp. Rom. 14 giu. - Sp. (1611) Anna d'Austria-Tirolo († 1619).	
1613	11	7 A.	—	—
1614	12	30 M.	—	
1615	13	19 A.	—	—
1616 b	14	3 A.	—	
1617	15	26 M.	— fa cor. re di Boemia il cug. Ferd. (II)	
1618	1	15 A.	— [d'Abs. f. di Carlo D. di Stiria, 29/6.	
1619	2	31 M.	Mattia muore 20 marzo.	
			Ferdinando II d'Absb. pred. D. di Stiria f. di Carlo arcid. d'Austr. Imp. Rom. 28/8 - Sp. (1600) Maria Anna di Bav.	
1620	3	19 A.	— [(† 1614).	
1621	4	11 A.	—	Paolo V muore 28 genn.
				Gregorio XV, A. Ludovisi, di Bol., el. 9/2, cons. 12/2.
1622	5	27 M.	— sp. Eleonora († 1655) f. di Vin-	— fonda il collegio De
			cenzo duca di Mantova.	propagan a fide.
1623	6	16 A.		Gregorio XV muore 8 lug.
				Urbano VIII, Maffeo Bar-
				berini, di Firenze, el.
1624 b	7	7 A.	—	6 ag., cons. 29 sett.
1625	8	30 M.	—	
1626	9	12 A.	—	—
1627	10	4 A.	—	—
1628 b	11	23 A.	—	—
1629	12	15 A.	—	—
1630	13	31 M.	—	—
1631	14	20 A.	— suo f. Ferd. III. sp. Maria († 46) f. di	—
1632	15	11 A.	— [Filippo III di Spagna.	—
1633	1	27 M.	—	—
1634	2	16 A.	—	—
1635	3	8 A.	—	—
1636 b	4	23 M.	—	—
1637	5	12 A.	Ferdinando II muore 15 febbraio.	—
			Ferdinando III d'Absburgo, f. (el. re de' Rom. 22/12 1636). Imp. 15/2.	
1638	6	4 A.	— [sp. (1600) Maria Anna d'Austr. f. di	—
1639	7	24 A.	— [Filippo III.	—
1640 b	8	8 A.	—	
1641	9	31 M.	—	— comin. la guer. per Castr.

Era cristiana	Indizione	Pasqua e rinvio al calend.	IMPERATORI ROMANI E RE DI GERMANIA E D'ITALIA	PAPI
1642	10	20 A.	(Ferdinando III d'Absburgo, Imp.)	(Urbano VIII)
1643	11	5 A.	—	Urbano VIII muore 29 lug.
1644 b	12	27 M.	—	Innocenzo X, G.B. Panfili di Roma, el. 15/9, cons. 4/10
1645	13	16 A.	—	— a Roma.
1646	14	1 A.	—	»
1647	15	21 A.	—	»
1648 b	1	12 A.	— sp. Maria Leopold. († 1649), f. di Leopol. V, C. del Tirolo.	»
			— Trattato di Westfalia, 24 ott.	
1649	2	4 A.	—	— demoliz. di Castro già dei Farnesi.
1650	3	17 A.	—	— sua bolla che combatte
1651	4	9 A.	— sp. Eleonora di Mantova († 1686), f. di Carlo II di Rethel.	la pace di Westfalia.
1652 b	5	31 M.	—	— condanna le 5 proposte
1653	6	13 A.	—	di Giansenio.
1654	7	5 A.	—	Innocenzo X muore 7/1.
1655	8	28 M.	— suo f. Leopoldo el. re d'Ungheria.	Alessandro VII, Fabio Chigi, di Siena, el. 7/4, cons. 28/4.
1656 b	9	16 A.	—	— a Roma 4/4.
1657	10	1 A.	Ferdinando III muore 2 aprile. Leopoldo I d'Absb. f., Arcid. d'Austria 2/4 57, re di Germ. Imp. Rom. e re di [Boemia (18/7).	—
1658	11	21 A.	—	—
1659	12	13 A.	—	»
1660 b	13	28 M.	—	— a Roma.
1661	14	17 A.	—	»
1662	15	9 A.	—	»
1663	1	25 M.	—	»
1664 b	2	13 A.	— I Turchi sconfitti a S. Gottardo.	—
1665	3	5 A.	—	Alessandro VII † 22 magg.
1666	4	25 A.	— sp. Margh. Teresa d'Austria (†1673)	Clemente IX, Giulio Rospigliosi, di Pistoia, el. 20/6,
1667	5	10 A.	[f. del re Filippo IV.	cons. 27/6. [6/12.
				— soppr. l'ord. dei Gesuiti
1668 b	6	1 A.	—	Clemente IX muore 9 dic.
1669	7	21 A.	—	Clemente X, Emilio Altieri,
1670	8	6 A.	—	rom., el. 29/4.
				— a Roma 26/11.
1671	9	29 M.	—	»
1672 b	10	17 A.	—	»
1673	11	2 A.	— sp. Claudia Felicita d'Austria-Tirolo († 1676) f. di Ferd. Carlo d'Au- [stria-Tirolo.	—
1674	12	25 M.	—	
1675	13	14 A.	—	

Era cristiana	Indizione	Pasqua e rinvio al calend.	IMPERATORI ROMANI E RE DI GERMANIA E D'ITALIA	PAPI
(1675)			**(Leopoldo I d'Absburgo,** Imp.)	**(Clemente X)**
1676 b	14	5 A.	— sp. Eleon. Maddal. di Pfalz-Neu-	Clemente X muore 22 lug.
			burg († 1720), f. di Filippo Gugl.	**Innocenzo XI,** Bened. Ode-
			Elettor. Palatino.	scalchi, di Como, el. 21/9.
1677	15	18 A.		— a Roma.
1678	1	10 A.		
1679	2	2 A.	— Pace di Nimega con Luigi XIV,	
1680	3	21 A.	— [5/2.	
1681	4	6 A.		
1682	5	29 M.		— condanna le 4 propos.
				de' Galicani e il quietismo
1683	6	18 A.		di Molina.
1684 b	7	2 A.		
1685	8	22 A.		
1686	9	14 A.	— aderisce alla lega d'Augusta contro	
			il re di Francia, promossa da Gu-	
			glielmo d'Orange.	
1687	10	30 M.		
1688 b	11	18 A.	— sua vittoria sui Turchi. - Presa di	—
1689	12	10 A.	— [Belgrado.	Innocenzo XI † 12 agosto.
				Alessandro VIII, Pietro
				Vito Ottoboni, veneto,
				el. 6/10.
1690	13	26 M.		— condanna 31 propos.
				di Giansenio.
1691	14	15 A.		Alessandro VIII † 1º febb.
				Innocenzo XII Ant. Pigna-
				telli, di Spinazzola, el.
1692 b	15	6 A.		12/7, cons. 15/7.
				— sua bolla contro il ne-
1693	1	22 M.		potis. dei pp. 28/6.
				— pone fine alle vertenze
1694	2	11 A.		con Luigi XIV.
1695	3	3 A.		
1696 b	4	22 A.		
1697	5	7 A.	— ottiene Ungher. e Transilv. - Pace	
1698	6	30 M.	— [di Carlowitz.	
1699	7	19 A.	— suo f. Giuseppe (I) sp. Gugl. Amalia	
1700 b	8	11 A.	— [di Brunswig. Luneburg.	Innocenzo XII muore 27
				settembre.
				Clemente XI, Gian Franc.
				Albani, di Pesaro, el.
1701	9	17 A.	— Scoppia in Austria la guerra per	23/11, cons. 18/12.
1702	10	16 A.	— [la success. di Spagna.	
1703	11	8 A.		
1704 b	12	23 M.		

Era cristiana	Indizione	Pasqua e rinvio al calend.	IMPERATORI ROMANI E RE DI GERMANIA E D'ITALIA	PAPI
				(Clemente XI)
1705	13	12 A.	Leopoldo I muore 5 maggio. **Giuseppe I** d'**Absburgo**, f. (el. re d'Ungheria 9/12 1687) cor. re de' Rom. 26/1 1690, Imp. Rom., re di Germ.	— sua bolla contro il Giansenismo.
1706	14	4 A.	— [e arcid. d'Austria 5/5.	— a Roma.
1707	15	24 A.	—	— »
1708 b	1	8 A.	—	— »
1709	2	31 M.	—	— »
1710	3	20 A.	—	— »
1711	4	5 A.	Giuseppe I muore 17 apr., a Vienna. **Carlo VI** (II) d'**Absburgo**, fr., regg. la madre, succ. 17/4, cor. Imp. 12/10. Sp. (1708) Elisab. Cristina di Braunswick († 1780), f. di Luigi Rodol.	— a Castel Gandolfo.
1712 b	5	27 M.	—	— a Roma.
1713	6	16 A.	— Trattato d'Utrecht, 11/4. Milano confer. a casa d'Austria. Fine della guerra di success. di Spagna.	— »
1714	7	1 A.	— Pace di Rastadt, 6 mar.	— »
1715	8	21 A.	—	— »
1716 b	9	12 A.	—	— »
1717	10	28 M.	—	— »
1718	11	17 A.	— Pace di Passarowitz fra l'Austria, Venezia e Turchia, 21/7.	— »
1719	12	9 A.	—	— »
1720 b	13	31 M.	Pace dell'Aia; Carlo VI cede la Sardegna a Vittor. Amedeo di Savoia in cambio di Savoia e Sicilia 25/1.	— »
1721	14	13 A.	—	Clemente XI muore 19/3. **Innocenzo XIII**, Michelang. Conti, dei D. di Poli, rom., el. 8/5, cons. 18/5.
1722	15	5 A.	—	— a Roma.
1723	1	28 M.	— fa accett. dai Paesi B. la *Pram. Sanz.* a fav. della f. Maria Teresa, 7/4.	— »
1724	2	16 A.	— rende Comacchio alla Chiesa.	Innocenzo XIII muore 7/3. **Benedetto XIII**, Vincenzo Orsini, rom., el. 29/5, cons. 4/6.
1725	3	1 A.	—	— a Roma.
1726	4	21 A.	—	— »
1727	5	13 A.	—	— »
1728 b	6	28 M.	—	— »
1729	7	17 A.	—	— »
1730	8	9 A.	—	Benedetto XIII muore 21/2 **Clemente XII**, Lorenz. Corsini, romano, el. 12/7, cons. 16/7.

Era cristiana	Indizione	Pasqua e rinvio al calend.	IMPERATORI ROMANI E RE DI GERMANIA E D'ITALIA	PAPI
1731	9	25 M.	(Carlo VI (II) d'Absburgo, Imp.)	(Clemente XII)
1732 b	10	13 A.	—	— a Roma.
1733	11	5 A.	— guerra per la succ. di Polonia tra Francia ed Austria. Carlo VI sconfitto, 12/10. Perde Milano 11/12.	»
1734	12	25 A.	— perde Napoli e la Sicilia, in marzo.	»
1735	13	10 A.	— Pace di Vienna, prelim. 3 ott.	— abolisce gli asili pei malfattori.
1736 b	14	1 A.	— rioccupa Milano, 7/9.	— condanna i Franchi Muratori.
1737	15	21 A.	— sua guerra sfortun. contro i Turchi.	— a Roma.
1738	1	6 A.	— Pace di Vienna, 18 nov.	— Condann. la Massoneria.
1739	2	29 M.	— rende Serbia e Valacchia al Turco. Tratt. di Belgrado 22/9.	— a Roma.
1740 b	3	17 A.	Carlo VI muore 20 ottobre. Maria Teresa, f., duch. di Milano 1740-45. Impero vacante dal 20/10.	Clemente XII muore 6/2. Benedetto XIV, Prosp.Lambertini, bologn., el. 17/8, cons. 25/8.
1741	4	2 A.	— » »	— a Roma.
1742	5	25 M.	Carlo VII (Alberto), Elett. di Baviera, f. di Massimil. II d'Absburgo; Imp. 24/1, cor. a Francof. 12/2.	— riforma la discipl. del Clero.
1743	6	14 A.	— Tratt. di Worms, tra Maria Teresa, l'Inghilt. e il re di Sardegna.	— a Roma.
1744 b	7	5 A.	—	— »
1745	8	18 A.	Carlo VII muore 20 genn. Francesco Stefano I di Absburgo-Lorena, gen.º di Carlo VI (granduca di Toscana 1737), Imp. 13/9, cor. 4/10. Sp. (1736) Maria Teresa ¡ red., f. di Carlo VI, la quale gov. di fatto.	— »
1746	9	10 A.	—	— »
1747	10	2 A.	—	— »
1748 b	11	14 A.	— Trattato di Acquisgrana, 18 ott.	— »
1749	12	6 A.	—	— »
1750	13	29 M.	—	— a Castel Gandolfo.
1751	14	11 A.	—	— a Roma.
1752 b	15	2 A.	—	— »
1753	1	22 A.	—	— »
1754	2	14 A.	—	— »
1755	3	30 M.	—	— »
1756 b	4	18 A.	—	— »
1757	5	10 A.	—	— »
1758	6	26 M.	—	Benedetto XIV muore 2/5. Clemente XIII, Carlo Rezzonico, veneto, el. 6/7, cons. 16/7.
1759	7	15 A.	— [Isab. di Parma, † 27/11 63.	— a Roma.
1760 b	8	6 A.	— suo f. Giuseppe (II) sp. (6/10) Maria	— »

Era cristiana	Indizione	Pasqua e rinvio al calend.	IMPERATORI ROMANI E RE DI GERMANIA E D'ITALIA	PAPI
1761	9	22 M.	(Francesco Stefano I d'Absb. Lor. Imp.)	(Clemente XIII)
1762	10	11 A.	—	— a Roma.
1763	11	3 A.	— assic. la Toscana al f. Pietro Leop.	— »
1764 *b*	12	22 A.	— [Innsbruck.	— »
1765	13	7 A.	Francesco Stef. I muore 18 ag. ad Giuseppe II di Absburgo-Lorena, f. (re de' Rom. 27/3, cor. 3/4 '64), re di Germ. e Imp. Rom. 18/8. - Sp. (2/1 '65). Maria Gioseffa (†1767), f. dell'imp. Carlo VII di Baviera. Maria Teresa sua madre, gov. gli Stati ereditati. Giuseppe II co-regg.	
1766	14	30 M.	—	— a Roma.
1767	15	19 A.	—	— perde Avignone, toltagli da Luigi XV 11/6 e il territ. di Benev. toltogli dal re di Napoli.
1768 *b*	1	3 A.	—	
1769	2	26 M.	—	Clemente XIII muore 2/2. Clemente XIV, Lorenzo Ganganelli, di S. Arcang. el. 19/5, cons. 4/6.
1770	3	15 A.	— si accorda con Federico II per la	— a Roma.
1771	4	3 A.	— [spartiz. della Polonia.	— »
1772 *b*	5	19 A.	—	— »
1773	6	11 A.	—	— abolisce la Comp. di Gesù 21/7.
1774	7	3 A.	—	Clemente XIV muore 22 settembre.
1775	8	16 A.	—	Pio VI, Gio. Angelo Braschi, di Cesena, el. 15/2, cons. 22/2.
1776 *b*	9	7 A.	—	— a Roma.
1777	10	30 M.	—	— »
1778	11	19 A.	—	— » [l'Imperat. 13/4
1779	12	4 A.	— conchiu. la pace di Teschen (magg.).	— va a Vienna d'Au. presso
1780 *b*	13	26 M.	— Arcid. d'Austria dal 29/11 (morte di Maria Teresa) e D. di Milano.	— a Roma.
1781	14	15 A.	— suo editto contro la libertà di stampa, altro di *tolleranza eccles.* 13/10.	— »
1782	15	31 M.	—	— si reca ancora a Vienna presso l'Imp.
1783	1	20 A.	—	— a Roma.
1784 *b*	2	11 A.	—	— »
1785	3	27 M.	—	— »
1786	4	16 A.	—	— »
1787	5	8 A.	—	— »
1788 *b*	6	23 M.	— inizia la guerra ai Turchi.	— »

Era cristiana	Indizione	Pasqua e rinvio al calend.	IMPERATORI ROMANI E RE DI GERMANIA E D'ITALIA	PAPI
(1788)			(Giuseppe II d'Absburgo-Lorena Imp.)	(Pio VI)
1789	7	12 A.	— perde il Belgio. Bruxelles, in potere dei ribelli (dic.), si dich. indip. 4/1 '90.	— condanna il Sinodo di Pistoia.
1790	8	4 A.	Giuseppe II muore 20 febb.	— a Roma.
			Leopoldo II d'Abs.-Lor. fr., succ. 20/2, cor. Imp. Rom. e re di Germ. 30/9. Granduca di Toscana (1765). Sposa	
1791	9	24 A.	Maria Luisa (†15/5 '92) f. di Carlo III [di Spagna.	— si dichiar contro la rivoluzione francese.
1792 b	10	8 A.	Leopoldo II muore 1 marzo.	— a Roma.
			Francesco II, f., è cor. Imp. Rom. 14/7 e, dal 1/2, alleato col re di Prussia. Duca di Lombar. 1 marzo 1792. - Sp. (1790) Maria Teresa di Borb. (†1807)	
1793	11	31 M.	— I Francesi occup. Savoia e Nizza [24-28/9.	— Ugo Basseville ucciso a Roma della plebe 13/1
1794	12	20 A.	—	—
1795	13	5 A.	—	
1796 b	14	27 M.	— perde la Lombardia 14/5, occup., con altri Stati, dalla Francia.	—
1797	15	16 A.	— Creazione della repubb. cisalpina, luglio. - Firma la pace di Campofor., tra Austria e Francia. 17/10.	— Napoleone toglie al pp le Legazioni di Bologna Ferrara e Ravenna e co de Avignone alla Francia Tratt. di Tolentino 19/2
1798	1	8 A.		Pio VI è dep. 15/2, suo ar resto e prigionia 20/2, Valenza. Proclam. della Repubblic Romana 15/2-27/11.
1799	2	24 M.		Pio VI muore 29/8 a Va lenza (Delfinato).
1800	3	13 A.		Pio VII, Barnaba Chiara monti, di Cesena, el. 14/ a Ven. cons. 21/3 a Roma
1801	4	5 A.	— Pace di Luneville nella guerra tra Austria e Francia 9/2.	— a Roma.
1802	5	18 A.	— Proclam. della Repubb. Italiana.	— Concordato tra Napo
1803	6	10 A	Napoleone I Presid., Franc. Melzi, [Vice-Presid., 25/1.	leone e il papa, 15/7. — Concordato tra il pap e la Repubbl. Ital. 7/9
1804 b	7	1 A.	—	— incor. Napoleone I, Parigi, 2/12.
1805	8	14 A.	Napoleone I Bonaparte (Imp. dei Fran cesi 18/5 1804) re d'Italia 19/3, cor. 26/5. Princ. Eugenio di Beauharnais vice-re dal 7/6. Francesco II pred. è vinto da Napo leone I ad Austerlitz., 2 dic.	—

Era cristiana	Indizione	Pasqua e rinvio al calend.	IMPERATORI ROMANI E RE DI GERMANIA E D'ITALIA	PAPI
1806	9	6 A.	**Napoleone I** Imp. e re d'Italia. - (Ha fine il **Sac. Rom. Imp.**, per rinun. di [**Francesco II** pred., 6/8).	(**Pio VII**)
1807	13	29 M.	—	
1808 b	11	17 A.	— fa occupare Roma 2 febbraio.	— perde le Marche 2/4.
1809	12		— suo divorzio con Giusepp. Beau-harnais 15/12, (spos. 9/3 1796, † 29/5 1814) ved. del vicerè Eugenio e f. di Giuseppe Tascher della Pagerie.	**Pio VII** perde il potere temporale. Scom. Napol. I. - Esule e prig. in Francia 6/7.
			— Il Lazio e Roma uniti alla Fran. 17/5.	— Roma aggreg. alla Francia 17/5.
1810	13	22 A.	— Sp. (2/4) Maria Luigia d'**Austria** († 1847), f. di Francesco II imp.	
1811	14	14 A.	— Nascita del re di Roma 20/3.	
1812 b	15	29 M.	— spediz. contro la Russia e ritir. disastrosa.	— a Fontainebleau 20/6.
1813	1	18 A.	— guerra contro gli alleati. Sconfitta a Lipsia 18/10. Capitol. di Parigi 21/3.	—
1814	2	10 A.	— sua caduta e abdic. 11/4. - Sovrano dell'is. d'Elba dal 5/5. - Caduta del R.o Italico 6/4.	— rimesso sul trono 24/5. — Ripristina la Comp. di Gesù. 1/8.
1815	3	26 M.	— suo ritor. in Francia 26/2. Sconf. a Waterloo 18/6, abd. 22/6. († a S. Elena 5/5 '21). - Ritorno dei principi spodestati. (**Francesco II** pred., re d'Illiria, del Lomb.-Ven. (10/6), princ. di Trento)	— rientra in Roma definit. rioccupa Ferrara 18/7.
1816 b	4	14 A.		— sopprime la tortura e i [diritti feudali.
1817	5	6 A.	— Moti della Carboneria nelle Marche.	—
1818	6	22 M.	—	
1819	7	11 A.	— Rivoluz. in Piemonte e abdic. di Vittor. Em. II, 2/3. - Rivoluz. a Napoli (magg.).	—
1820 b	8	2 A.	— Moti insurrez. in Sicilia. - Rivoluz. a Palermo 15/7.	— condanna le sette.
1821	9	22 A.	— Sconfitta dei liberali a Novara. Rivoluz. a Messina 26/3.	
1822	10	7 A.	— Congresso di Verona.	—
1823	11	30 M.		Pio VII muore 20 ag. a Roma. **Leone XII**, Annib. Della Genga, di Spoleto, el. 27/9, cons. 5/10.
1824 b	12	18 A.	—	— giubileo gen. 19o a Roma
1825	13	3 A.	—	— Amnistia ai settari, in luglio. [Paesi Bassi.
1826	14	26 M.	—	— concordati con Svizz. e
1827	15	15 A.	—	i carbonari sconfitti.
1828 b	1	6 A.	Moti del Cilento, e a Salerno ove proclam. la costit. franc. 28/6	

Era cristiana	Indizione	Pasqua e rinvio al calend.	IMPERATORI ROMANI E RE DI GERMANIA E D'ITALIA	PAPI
1829	2	19 A.	—	Leone XII muore 10 feb braio a Roma. Pio VIII Franc. Sav. C stiglioni, di Cingoli 31/3, cons. 5/4.
1830	3	11 A.	—	Pio VIII muore 1° dicem bre a Roma.
1831	4	3 A.	— Rivoluz. delle Romagne, Marche ed Uumbria 4/2-26/3. - Mazzini fonda a Marsiglia la « Giov. Italia » (primav.).	Gregorio XVI Mauro Ca pellari, di Belluno, el. 2 cons. 6/2.
1832 b	5	22 A.	— Occup. Austr. in Romagna 28/1.	
1833	6	7 A.	— Moti dei Mazziniani in Piemonte.	—
1834	7	20 M.	— Spediz. mazziniana in Savoia.	—
1835	8	19 A.	—	—
1836 b	9	3 A.	—	—
1837	10	26 M.	—	—
1838	11	15 A.	— Gli Austr. abband. le Legaz. 20/11.	—
1839	12	31 M.	—	—
1840 b	13	19 A.	—	—
1841	14	11 A.	—	—
1842	15	27 M.	—	—
1843	1	16 A.	— Rivoluz. Mazzin. a Bologna 15/8.	—
1844 b	2	7 A.	— Moti di Calabr. - I frat. Bandiera 16/6. - Insurr. a Rimini 23/9.	—
1845	3	23 M.	— Altri moti in Romagna.	—
1846	4	12 A.	—	Gregorio XVI muore 1° gi a Roma. Pio IX Gio. Maria Masta Ferretti di Senigal. e 6/6, cons 21/6.
1847	5	4 A.	— Ferrara occup. dagli Austriaci.	— concede la costit. 13/2 si ritira dalla guerra ne zion. 29/4; esule a Gaet 24/11.
1848 b	6	23 A.	— Iª guerra per l'indip. Italiana. - Tumulti a Milano e rivoluz. a Pa lermo (genn.); a Napoli 27/1; a Messina 28/1. - Le cinque giorn. a Milano 18-22/3; rivol. a Venezia 23/3; a Padova 24/3. - Sollevaz. di Napoli 15/5; batt. di Curt. e Mon tan. 29/5; di Governolo 18/7; di Ri voli 22/7; di Custoza 25/7; capitolaz. di Milano 5/8; di Messina 7/9.	— Ferrara è occupata dag austriaci 14/7.
1849	7	8 A.	— Rivoluz. a Brescia 23/3-2/4; batt. di Novara, abdic. di Carlo Alberto 23/3; gli Austr. a Ferrara 1/5; e a Lucca 5/5; a Bologna 16/5; e in Toscana (magg.); resa di Roma 2/7; Leopol. II rientra in Firenze 20/7; capitol. di Venezia 24/8.	— Proclam. della Republ Rom. e decad. del pp. 9/2 Ferrara resa al pp. 18/2 — Roma occup. dai Fran cesi 3/7.

Era cristiana	Indizione	Pasqua e rinvio al calend.	RE D' ITALIA	PAPI
1850	8	31 M.	—	**Pio IX** ritorna a Roma 12/4
1851	9	20 A.	—	—
1852 b	10	11 A.	— Aboliz. della costituz. in Toscana.	—
1853	11	27 M.	— Martiri di Belfiore 3/3.	—
1854	12	16 A.	—	— defin. il dogma dell'Immac. Concezione.
1855	13	8 A.	— Spediz. Sarda in Crimea 12/3;	—
1856 b	14	23 M.	— [batt. della Cernaia 16/8.	—
1857	15	12 A.	— Spediz. di Sapri 29/6; fallita.	— visita Bologna, Modena, Firenze, Pisa.
1858	1	4 A.	—	—
1859	2	24 A.	— IIª guerra dell'Indip. Italiana. - Batt. di Montebello 20/5, di Palestro 30-31/5, di Magenta 4/5, di Melegnano 8/6, di Solferino e S. Martino 24/6. Convenz. di Villafr. 8/7.	- si dichiara neutr. nella guerra fra Piemonte ed Austria. - Perde le legazioni.
1860 b	3	8 A.	— Nizza e Savoia cedute alla Francia 24/3. - Moti di Palermo 4/4.	— perde le Marche e l'Umbria.
1861	4	31 M.	— Proclamaz. del Regno d'Italia 17/3. **Vittorio Emanuele II di Savoia-Carignano**, figlio di Carlo Alberto, re. - Sp. (1842) Maria Adelaide († 20/1 1855) f. dell'Arcid. Ranieri.	
1862	5	20 A.	— Tentativi garibald. di Sarnico e di	—
1863	6	5 A.	— [Aspromonte 29/8.	—
1864 b	7	27 M.	— Convenzioni tra Francia e Ital. 15/9.	— emana il « Sillabo », condan. degli errori moderni.
1865	8	16 A.	—	—
1866	9	1 A.	— IIIª guerra dell'Indip. Ital. - Dichiaraz. di guerra all'Austr. 19/6. - Batt. di Custoza 24/6, di Lissa 21/7. Armist. dell'Austr. 24/7 e 7/8. - Rivol. a Palermo 16-22/9. Pace di Vienna; il Veneto al R.° d'Ital. 3/10.	
1867	10	21 A.	— Batt. di Monterotondo 27/10, di	—
1868 b	11	12 A.	— [Mentana 3/11	— convoca il Concil. Vatic.
1869	12	28 M.	— [- Plobiscito 2/10.	— apre il Concil. 8/12.
1870	13	17 A.	— Le truppe Ital. entr. in Roma 20/9.	— perde la sovran. temp.
1871	14	9 A.	— Roma proclam. cap. d'Ital. 1/1.	[20/9. - Il Lazio unito
1872	15	31 M.	—	[al Regno d'Italia.
1873	1	13 A.	— suo viaggio a Vienna e a Berlino.	—
1874	2	5 A.	—	—
1875	3	28 M.	—	—
1876 b	4	16 A.	—	—
1877	5	1 A.	—	— Giubileo episcopale.
1878	6	21 A.	Vittor. Eman. II muore 9/1, a Roma. **Umberto I** f., re, succ. 9/1. - Sp. (22/4 '68) Margherita († 1926) f. di Ferdin. di Savoia D. di Genova.	Pio IX muore 7 febbraio. **Leone XIII**, Gioacchino Pecci, di Carpineto, el. 20/2, cons. 3/3.

Era cristiana	Indizione	Pasqua e rinvio al calend.	RE D' ITALIA	PAPI
(1878)	7		(**Umberto I**, di **Savoia-Carignano** re)	(**Leone XIII**)
1879	7	13 A.	— Primo presidio italiano ad Assab.	—
1880 b	8	28 M.	—	—
1881	9	17 A.	—	—
1882	10	9 A.	— Colonia italiana ad Assab 5/7. - Tratt. della triplice alleanza tra [Germ. Austr. Ital.	—
1883	11	25 M.	—	—
1884 b	12	13 A.	— Presa di Cassala (Gen. Barattieri) 17 lug.	—
1885	13	5 A.	— Massaua occup. dagli Italiani (Gen. [Saletta) 9/1.	—
1886	14	25 A.	—	
1887	15	10 A.	— Spediz. Ital. in Abissinia.	
1888 b	1	1 A.	—	— Giubileo a Roma.
1889	2	21 A.	— Protett. Ital. in Abissinia e in Somalia, notif. alle potenze.	
1890	3	6 A.	— I possed. Ital. del Mar Rosso prend. nome di Colonia Eritrea 1/4.	
1891	4	29 M.	—	
1892 b	5	17 A.	— [Barattieri] 17/7.	
1893	6	2 A.	— Occup. italiana di Cassala (Gen. [25/3.	—
1894	7	25 M.	—	
1895	8	14 A.	— Occup. ital. di Adigrat (Agamà)	
1896 b	9	5 A.	— Gli Ital. sopraff. dagli Abissini ad Abba Garima 1/3.	
1897	10	18 A.	— Cassala ceduta all'Inghilterra 25/12	
1898	11	10 A.		
1899	12	2 A.		— Giubileo a Roma d» [24 dicembre
1900	13	15 A.	Umberto I, re, ucciso 29/7 a Monza. **Vittorio Emanuele III** f., re, 29/7. - Sp. (1896) Elena del Montenegro, f. di Nicola I Petrovitch.	
1901	14	7 A.	—	
1902	15	30 M.	—	
1903	1	12 A.	—	Leone XIII muore 20 lug **Pio X**, Giuseppe Sarto, d Riese, el. 4/8, cons. 9/8
1904 b	2	3 A.	—	
1905	3	23 A.	—	
1906	4	15 A.	—	
1907	5	31 M.	—	
1908 b	6	19 A.	—	
1909	7	11 A.	—	
1910	8	27 M.	—	
1911	9	16 A.	— Guerra italo-turca in Libia iniz. 30/9. - Occup. di Rodi e delle isole del Dodec. (magg.). Pace colla Turchia 18/10.	
1912 b	10	7 A.		
1913	11	23 M.	— Occup. Ital. della Sirte in Libia, 1/1	

Era cristiana	Indizione	Pasqua e rinvio al calend.	RE D'ITALIA	PAPI
1914	12	12 A.	**(Vittorio Emanuele III**, re) — Missione sanitaria italiana a Valona 29 ott., seguita poi dall'occupazione stessa, con forza armata, il 29 dic.	Pio X muore 20 agosto a Roma. **Benedetto XV**, Giac. Della Chiesa, el. 3 sett., cons. 6 sett.
1915	13	4 A.	— IVᵃ guerra d. Indip. Italiana, iniz. 24/5 contro gl'Imp. centrali.	— »
1916 b	14	23 A.	— L'Italia dichiara guerra alla Germania 27/8. · Impicc. di C. Battisti a Trento 12/7.	— »
1917	15	8 A.	— Offensiva di Caporetto, ottobre.	— »
1918	1	31 M.	— Term. la guerra contro l'Austria. Armist. 3/11. 10/9	— »
1919	2	20 A.	— Trattato di S. Germain en Laye	— »
1920 b	3	4 A.	— Tratt. di Rapallo; anness. all'Italia di Trieste, Istria, Venezie Giul. e Trident., Zara ed isole 12/11. Ratifica 27/11.	— »
1921	4	27 M.	— Castellorosso ceduta all'Italia 3/3.	— »
1922	5	16 A.	— Marcia dei Fasci su Roma 24-29/10 Il Re incarica Benito Mussolini, Duce del Partito Fascista di formare il Ministero 30 ott.	Benedetto XV muore 22 genn. a Roma. **Pio XI**, Achille Ratti, di Desio, el. 6/2, cons. 12/2.
1923	6	1 A.	—	— »
1924 b	7	20 A.	— Anness. di Fiume all'Italia 16/3.	— »
1925	8	12 A.	- Cessione defin. dell'Oltregiuba al-	— »
1926	9	4 A.	[l'Italia, 29 giu.	— »
1927	10	17 A.	—	— »
1928 b	11	8 A.	—	— »
1929	12	31 M.	— Cessa il dissidio fra la Chiesa e lo Stato 11/2. Umberto, princ. ered. fidanz. a Maria José del Belgio 24/10.	— »

(Segue a pag. 563)

Elenco Alfabetico
degl' Imperatori, Re d' Italia e Papi

NB. *Ai nomi di ciascun regnante facciamo seguire i prenomi, il casato e le date estreme del regno.*

Fra parentesi quadre e in corsivo ponemmo i nomi degli usurpatori del trono degli antipapi.

PRINCIPALI ABBREV.: A(ulo), – ant(ipapa), – Ap(pio), – Aug(usto), – Aur(elio), bol(ognese), – C(aio), – Cl(audio), – comp(etitore), – C(onte), – D(ecimo), – d(opo) – El(io), – el(etto), – F(elice), – Fl(avio), – G(aio), – gen(ovese), – L(ucio), – M(arco) – Man(lio), – M(agna) Gr(ecia), – N(umerio), – Or(iente), – Occ(idente), – P(ublio) – Po(rimo), – Q(uinto), – rom(ano), – S(ergio), – Ser(rio), – T(ito), – Ti(berio) – Tér(zo), – Tosc(olo), – us(urpatore), – V(ibio), · Ven(eto).

I. – Imperatori e Re.

[*Achilleo Lucio Elp., us. in Egitto*	*285-295*]
Adalberto d'Ivrea, re	950-961
Adaloaldo, re Longob.	615-627
Adelchi, re Longob.	759-774
Adolfo di Nassau, re di Germ.	1292-1298
Adriano Publ. Elio, imp.	117-138
Agilulfo, re Longob.	591-615
[*Alarico, re Visigoto*	*407-410*]
Alberto I d'Absbur.-Austr., re	1298-1308
Alberto II d'Absb.-Austr., re	1438-1439
[*Albino D. Clodio, us.*	*193-197*]
Alboino, re Longob.	568-572
Alessandro Severo. V. Severo.	
[*Alessandro, us. in Africa*	*308-311*]
Alfonso di Castiglia, re de' R.	1257-1272
[*Alletto, us. in Brettagna*	*293-296*]
Anastasio I, *Dicoro*, imp. Or.	491-518
Anastasio II, imp. Or.	713-716
Ansprando, re Longob.	712
Antemio Procopio, imp.	467-472
Antonino Pio T. El. Adr., imp.	138-161
Arcadio Flavio, imp. d'Or	395-408
Arduino d'Ivrea, re	1002 1013
Ariberto I, re Longob.	653-661
Ariberto II, re Longob.	627-636

Arnolfo di Carinzia, re (imp. 896)	894-89
Arrigo VII di Lussemb. (imp. 1312)	1308-131
[*Artavasde, us. in Or.*	*742-743*
Astolfo, re Longob.	749-75
Atalarico, re Goto	526-53
[*Attalo Prisco, us. a Roma*	*409-410*
Augusto C. Giul. Ces. Ottaviano, imp. 29 a. E. C.	- 14 E. C
Augustolo. V. Romolo.	
Aureliano Cl. L. Domiz., imp.	270-27
[*Aureolo G. M., us. in Illiria*	*267-268*
Autari, re Longob.	584-59
[*Avidio Cassio, us. in Siria*	*17*
Avito M. Mecilio, imp.	455-45
Balbino Decimo Celio, imp.	23
Bardane. V. Filippico Bardane.	
[*Basilisco, us. in Or.*	*476-477*
Berengario I del Friuli, re (imp. 913)	888-92
Berengario II d'Ivrea, re	950-96
Bernardo, re Carolingio	810-81
Bertarido, re Longob.	661 e 671-68
[*Bonoso, us. a Colonia*	*28*
«Caligola», C. Giul. Ces., imp.	37-4

Romolo Momilio Aug., imp.	475-476	Traiano M. Ulpio, imp.	98-117
Rotari, re Longob.	636-652	[Trebelliano G. A., us. in Cil.	265]
[Saturnino, us. in Egitto e Sir.	279]	Treboniano Gallo. V. Gallo.	
[Sebastiano, co-regg. di Giov.	411-412]	Ugo di Provenza, re	926-945
Settimio Geta. V. Geta.		Umberto I di Savoia-Car., re	1878-1900
Severo Settim. L. Pertin., imp.	193-211	[Valente I P. Valer., us. ir	
Severo II Fl. Valer, imp.	306-307	Acaja	261]
Severo III Libio, imp.	461-465	Valente [II] Fl., imp.	361-378
Severo Alessandro, imp.	222-235	Valentiniano I Fl., imp.	364-375
Sigismondo di Lussemb., re		Valeriano G. Pub. Licin., imp.	253-259
(imp. 1433)	1410-1437	Venceslao di Lussemb., re	1378-1400
[Silvano, us. in Gallia	355]	Vero. V. Lucio Vero.	
Tacito G. M. Claudio, imp.	275-276	Vespasiano Tito Fl. Sab., imp.	69-79
Teia, re dei Goti	552-553	[Vetranione, us. in Pannon.	350]
Teodato, re dei Goti	534-536	[Vitaliano, us. in Or.	514]
Teodorico, re dei Goti	493-526	Vitelio Aulo Germ., imp.	69-70
Teodosio I Fl., imp. d'Or.	379-395	Vitige, re dei Goti	536-539
Teodosio II, imp. d'Or.	716-717	[Vittore Fl., us. in Gallia	384-388]
[Tetrico G. Pio, us. in Gallia	268-274]	Vittorio Eman. II di Savoia-	
Tiberio Cl. Nerone, imp.	14-37	Carignano, re	1861-1878
Tiberio II Costante, imp.	578-582	Vittorio Eman. III di Savoia-	
Tiberio III, imp. d'Or.	698-704	Carignano, re	1900-
Tito Fl. Vespas., imp.	79-81	Volusiano G. Vib. Gallo, imp.	251-253
Totila, re dei Goti	541-552	Zenone, Isaurico, imp. d'Or.	474-491

II. – Papi ed Antipapi.

S. Adeodato I (Deusdedit), rom.	615-619	Anastasio III, rom	911-913
Adeodato II, di Roma	672-673	Anastasio IV, Corrado, rom.	1153-1154
Adriano I, Colonna, rom.	772-795	S. Aniceto, di Ancisa (Siria)	167-175
Adriano II, dei Sergi, rom.	867-872	S. Antero, di Policastro	238-239
S. Adriano III, rom.	884-885	Benedetto I, Bonoso, rom.	574-578
Adriano IV, Nic. Breakspear	1154-1159	S. Benedetto II, Savelli, rom.	684-685
Adriano V, Ott. Fieschi, gen.	1276	Benedetto III, rom.	855-858
Adriano VI, Adriano Florent	1522-1523	Benedetto IV, rom.	900-903
S. Agapeto I. Rustico, rom. ·	135-136	Benedetto V, Grammat., rom.	964-965
Agapito II, rom.	946-956	Benedetto VI, rom.	972-974
S. Agatone, di Reggio (M. Gr.)	678-682	Benedetto VII, Conti di Tosc.	974-984
[Alberto, antipapa	1102]	Benedetto VIII, Gio. Teofi-	
S. Alessandro I, rom.	121-132	latto, rom.	1012-1024
Alessandro II, Ansel. da Bagg.	1061-1073	Benedetto IX, Gio. di To-	
Alessandro III, Rol. Bandin.	1159-1181	scolo, rom.	1033-1044
Alessandro IV, Rinaldo de'		Benedetto X, Conti di Toscolo	1058-1059
Conti di Segni	1254-1261	Benedetto XI, Nic. Boccasini,	1303-1304
Alessandro V, P. Fil., Candia	1409-1410	Benedetto XII, Giac. Fournier	1334-1342
Alessandro VI, Rodr. Borgia,		[Benedetto XIII. V. Pietro de	
di Valenza	1492-1503	Luna]	
Alessandro VII, Fab. Chigi	1655-1667	Benedetto XIII, Vinc. Orsini	1724-1730
Alessandro VIII, P. Ottoboni	1689-1691	Benedetto XIV, Prosp. Lamb.	1740-1758
[Amedeo di Sav. (Felice V)	1439-1449]	Benedetto XV, Giacomo Della	
S. Anacleto, di Atene	100-112	Chiesa genovese	1914-1922
[Anacleto II. V. Pietro Leon.]		S. Bonifacio I, rom.	418-423
S. Anastasio I, Massimi, rom.	399-402	Bonifacio II, rom.	530-532
S. Anastasio II, rom.	496-498	Bonifacio III, de' Catadioci	607

PARTE QUINTA

Tavole cronologiche dei Sovrani e Governi dei principali Stati d'Europa

I. - ITALIA

(V. Tavole cronolog.-sincrone, pag. 296 e seg.)

A – Savoia e Piemonte (1)
Regno di Sardegna, poi Regno d'Italia.

Conti, poi Duchi dal 1416, re di Sardegna 1720, d'Italia 1861.

.... Umberto I «*Biancamano*», f. di Ottone-Guglielmo
    (C.e e Duca di Borgogna 1001), nato v. 980, [sp. An-
    sana (?), f. del C. Manasse e sor. della regina Er-
    mengarda]; Conte di Savoia 1003, d'Aosta 1025, di
    Moriana 1034 . . . . 1003 (?) - † d. 1056
Amedeo I «*Coda*», f. [sp. Adelgilda (?)], succ. d. 1056 - † d. 1057
Oddone, fr., n. v. 1021, C.e di Savoia, Torino e Susa, [sp.
    (1016) Adelaide († 1091), f. di Older. Manfredi II,
    C.e di Torino e «*March. in Italia*»], succ. . 1057 - † v. 1060
Pietro I, f., n. fra 1048 e 1050, regg. la madre, [sp. Agnese
    di Poitier], succ. col fr. Amedeo II . . . v. 1060 - † 1078
Amedeo II, fr. [sp. Giovanna di Ginevra, f. di Geroldo I
    (?), March. d'Ital. assoc. col fr. Pietro, regg. la madre
    Adelaide, succ. . . . . v. 1060 - † 1080
Umberto II «*il Rinforzato*», f., C.e di Moriana e di Bellay,
    regg. l'avola Adelaide fino al 1091, [sp. Gisla, f. di
    Gugliel. II di Borgogna], succ. . . . . . v. 1080 - † 1103

---

(1) M. PAROLETTI, I secoli della R. Casa di Savoia, Torino, 1827 v. 2. – L. CIBRARIO, Storia
della Monarchia di Savoia, Torino, 1840-44, e Origini e progressi della Monarchia di Savoia,
Firenze, 1869. – D. CARUTTI, Storia della diplomazia della Corte di Savoia, Torino, 1875-80,
v. 4. – N. BIANCHI, Storia della Monarchia Piemontese, Roma, 1877-85, v. 4. – A. GERBAIX
DE SONNAZ, Studi sul contado di Savoia e marchesato in Italia, Torino, 1883-88, v. 2. –
F. GABOTTO, Il Piemonte e la Casa di Savoia fino al 1492, Firenze, 1896; e Lo Stato Sabaudo
da Amedeo VIII ad Eman. Filiberto, Torino, 1892-95, v. 3. – E. CALVI Tavole storiche dei
Comuni Italiani, Roma, 1903. – Corpus Numm. Italicor., del Re, Roma, 1910, v. 1. – B. BAUDI
DI VESME, Sulle orig. della Casa Savoia in Bollett. stor. subalp., 1916.

Amedeo III, f., n. 1094 (?), [sp. Matilde d'Albon, f. di
  Guido II delfino di Vienna] . . 19 ott. 1103 - † 30/3 (?) 1148
Umberto III *il Santo*, f., n. 1136, [sp.: I. Faidiva, f. di Alfonso di Tolosa; II. (1157) Anna, f. di Corrado o Bertoldo di Zeringen; III. (1172) Beatrice, f. di Gerardo I, C. di Vienna; IV. (1174) Geltrude, f. di
  Thierry II di Fiandra], succ. . . . . . 1148 - † marzo 1188
Tommaso I, , f., n. 1177 (o 78); tutore Bonifazio (Aleramico) di Monferrato, fino al 1191. – Vic. imp. 1226.
  [sp.: I. (1195) Beatrice († 1257), f. di Gugliel. I di
  Ginevra; II. Margherita, f. di Gugliel. Sig. del Fau-
  cigny], succ. . . . . mar. 1188 - † 1232 (o genn. 33) (1)
Amedeo IV, f., n. 1197, vicar. imp. 1241, [sp. (1222) Anna
  f. di Ugo II di Borgogna; II. Cecilia, f. di Baral
  del Balzo, Visc. di Marsiglia] . . 1232 (o 33) - † 13/7 1253
Bonifacio *l'Orlando*, f., n. 1244, tutr. la madre Cecilia
  fino al febb. 1259 . . . . lug'. 1253 - † giu. 1263
Pietro II *il Piccolo Carlo M.*, n. 1203, f. di Tommaso I
  pred., [sp. Agnese († 1268) f. di Aimone di Fau-
  cigny] . . . . giu. 1263 - † 28 magg. 1268
Filippo I, fr. [sp. (1267) Alice († 1279) f. del C. Ottone II
  di Borgogna e Meran], succ. 28 magg. 1268 - † v. 16 ag. 1285
Amedeo V *il Grande*, nip., n. v. 1253, f. di Tommaso II
  di Piemonte, [sp. (1272) Sibilla († 1294), f. di Guido
  di Bauge e Bresse; II. (1297) Maria, f. di Gio. I del
  Brabante], succ. . . . . v. 16 ag. 1285 - † 16 ott. 1323
Edoardo *il Liberale*, n. 1284, f. [sp. (1307) Bianca († 1348),
  f. del D. Roberto II di Borg.], succ. 16/10 1323 - † 4 nov. 1329

----

(1) Morto Tomm. I, i suoi possed. furon divisi fra i 4 figli: Amedeo IV, che ebbe la Savoia,
Aosta e il Chiablese (ramo estinto 1263); Tomm. II, che ebbe la Moriana e il Piemonte; Aimone
(† 1242), che ebbe il Basso Vallese; Pietro II, che ebbe parte del paese di Vaud, in feudo
nel 1263, assieme alla Savoia.

Ramo dei principi di Piemonte:

Tommaso II, fr. di Tommaso I (Conte di Fiandra e d'Hainaut 1237-45, vic.
  imp. 1242, princ. di Capua 1252) ottiene in dono dal fr. il Piemonte 1233
  [sp. Giovanna C.ª di Fiandra] . . . . 1233, conferm. 1245 - † febb. 1259
Tommaso III, f., stipite del ramo d'Acaja, succ. . . . . febb. 1259 - † 16 mag. 1282
Filippo I, f., princ. di Acaja e di Morea, riceve in feudo il Piemonte dallo zio,
  regg. la madre Guya di Borgogna; principe di Piemonte [sp. (1301) Isabella
  di Villehardouin; II, Caterina, f. di Umberto I Delfino di Vienna], succede . . . . 16 magg. 1282 (princ. d'Acaja 1301) - † 25 sett. 1334
Giacomo di **Savoia-Acaja**, f. tutrice la madre Caterina [sp. (1339) Beatrice,
  f. di Rinaldo III d'Este]; 25 sett. 1334, dep. 1360, ristab. autunno 1363 - † 17 magg. 1367
Amedeo VI di **Savoia**. *C. Verde*, f., ottiene il Piemonte 1360-1363
Filippo II di **Savoia-Acaja**, f. di Giacomo pred. . . . . . . 17 magg. 1367 - † dic. 1368
Amedeo di **Savoia-Acaja**, fr. [sp. (1380) Caterina f. di Amedeo III di Gine-
  vra], succ. sotto tutela (1368-77) di Amedeo VI pred. 1367-77; solo 1377 - † 7 magg. 1402
Lodovico di **Savoia-Acaja**, fr. (dal 1412 vic. imp.) [sp. (1403) Bona f. di
  Amedeo VII], succ. . . . . 7 magg. 1402 - † 11 dic. 1418
I Duchi di **Savoia** dànno in seguito il Piemonte ai loro primogeniti.

Aimone *il Pacifico*, n. 1291, fr. [sp. (1330) Jolanda
   († 1342) f. di Teodoro' I di Monf.], succ. 4 nov. 1329 - † 22 giu. 1343
Amedeo VI *il C.ᵉ Verde*, f., n. 1334, tutore Lodovico di
   Savoia, fino al 1348. (Unisce il Piemonte (1360-63),
   [sp. (1355) Bona († 1402) f. di Pietro I di Borbone],
   succ. . . . . 24 magg. 1343 - † 1° mar. 1383
Amedeo VII *il C.ᵉ Rosso*, [sp. (1377) Bona († 1435) f. di
   Giovanni I di Berry], succ. . . . 1° mar. 1383 - † 1° nov. 1391
Amedeo VIII *il Pacifico*, n. 1383, f. regg. Bona di Borb.
   sua nonna, poi Oddone di Villars e Ibleto di Chal-
   lant fino al 1398; creato dall'imp. Sigism. Duca di
   Savoia 19/2 1416, di Piemonte dic. 1418; [sp. (1401)
   Maria († 1422), f. di Filippo II di Borgogna], suc-
   cede . . . . . . 1° nov. 1391 - 7 nov. 1434 († 7/1 1451) (1)
Ludovico, f., n. 1402, princ. di Piemonte, luogot. dello
   Stato [sp. (1432) Anna († 1462), f. di Gio. II re di
   Cipro], succ. . . 7 nov. 1434, Duca 6/1 1440, † 29 genn. 1465
Amedeo IX *il Beato*, n. 1435, e Iolanda sua mogl. dal 1452,
   († 30/8 78) f. di Carlo VII di Francia, la quale go-
   verna per lui (1466-69), succ. 29/1 . . . . 1465 - † 16/4 1472
Reggenza ducale di Savoia, presied. da Iolanda pred.   1469-1472
Filiberto I *il Cacciatore*, f. di Amedeo IX, n. 1465, regg.
   la madre Iolanda pred. [prom. (1474) [sp. Bianca
   M. († 1510) f. di Galeazzo M. Sforza] 30 mar. 1472 - † 22 apr. 1482
Carlo I *il Guerriero*, fr., n. 1468, tutore Luigi XI re di
   Francia, † 30/8 1483; (re di Cipro 1487) [sp. (1485)
   Bianca († 1509), f. di Guglielmo VII march. del
   Monferr.], succ. . . . . 22 apr. 1482 - † 14 mar. 1490
Carlo II Giovanni Amedeo, f., n. 1489, regg. la madre,
   succ. . . . . 14 mar. 1490 - † 16 apr. 1496
Filippo II *Senza Terra*, C. della Bressa, Sire di Bugey,
   f. di Ludovico pred. [sp. I. (1472) Margherita di Bor-
   bone († 1483), f. di Carlo I di Borb.; II. Claudia, f.
   di Gio. di Bretagna]. succ. . . . 16 apr. 1496 - † 7 nov. 1497
Filiberto II *il Bello*, f., n. 1480, [sp. (1496) Iolanda († 1499),
   f. di Carlo I pred.; II. (1501) Margherita († 1530),
   f. di Massimil. I d'Austria], succ. 7 nov. 1497 - † 10 sett. 1504
Carlo III *il Buono*, fr., n. 1486, [sp. (1521) Beatrice
   († 1538), f. di Eman. di Portog.], succ. 10 sett. 1504 - dep. mar. 1536
                                    († 17/8 53)
I Francesi occup. in gran parte il Piem. (2) mar. 1536 - 3 apr. 1559

---

(1) Si ritira eremita a Ripaglia, conservando la suprema direzione degli affari più importanti e lasciando la luogotenenza dello Stato al figlio Lodovico. Fu antipapa, con nome di
Felice V, dal 5 nov. 1439 al 7 apr. 1449.

(2) Cioè: Torino, Chieri, Villanova, Chivasso, Pinerolo, Savigliano, Susa nel 1536, Cherasco
nel 1542, Ivrea nel 1554. Gli Spagnuoli presero Asti e Santhià, gli Svizzeri, parte del Chiablese, le baronie di Gex e di Vaud. Al duca rimasero: il Nizzardo, la Savoia, la Bressa e
alcune parti del Piemonte.

Emanuele Filiberto di **Savoia**, *Testa di Ferro*, f. di
Carlo III pred.(C.d'Asti 1538)[sp.(1559) Margherita
(† 1574), f. di Franc. I re di Francia]; succ. 1531, ne
prende possesso . . . . 3 apr. 1559 - † 30 ag. 1580
Carlo Emanuele I *il Grande*, f., n. 1562 [sp. (1585) Caterina († 1597), f. di Filippo II di Spagna], succede
al padre . . . . 30 ag. 1580 - † 24 lug. 1630
Vittorio Amedeo I, f., n. 1587 [sp. (1618), Cristina
f. di Enrico IV di Francia], succ. 24 lug. 1630 - † 7 ott. 1637
Francesco Giacinto, f., n. 1632, succ., regg. la madre
Cristina, ... 7 ott. 1637 - † 4 ott. 1638
Carlo Emanuele II, *l'Adriano del Piem.*, fr., regg. la ma-
dre. Cristina fino al 1648, [sp. (1663) Francesca
(† 1664), f. di Gastone d'Orléans; II. (1665) Maria
Giov. († 1724), f. di Carlo Amedeo di Savoia Ne-
mours], succ. . . . . 4 ott. 1638 - † 12 giu. 1675
Vittorio Amedeo II, n. 1666, f. di Carlo Eman. II, regg.
la madre Maria Giovanna fino al 1680, [sp. (1684)
Anna († 1728), f. di Filippo I d'Orléans], (re di Sicilia 1713, di Sardegna 1720), succede al padre
Carlo Em. II. . 12 giu. 1685 - abd. 3 sett. 1730 († 30/10 32)
Carlo Emanuele III, f., n. 1701, re di Sardegna 1730 [sp.
(1722) Cristina Luigia († 1723), f. di Teodoro palat.
di Sulzbach; II. (1724) Polissena († 1735), f. di Ern.
Leopoldo d'Assia-Rheinfels; III. Elisabetta († 1741).
f. di Leopoldo Giuseppe di Lor.], succ. 3 sett. 1730 - † 21/2 1773
Vittorio Amedeo III, f., n. 1726 (re di Sardegna 1773),
[sp. (1750) Maria Anton. († 1785), f. di Filippo V,
re di Spagna], succ. . . . . . . 21 febb. 1773 - † 16 ott. 1796
Carlo Emanuele IV, f., n. 1751, (re di Sardegna 1796-
1802) [sp. (1775) Maria Anna Clotilde, f. di Luigi
XVI di Francia] (Consiglio di reggenza di 6 membri
da ag. 1797 a 9/12 98), succ. . . 16 ott. 1796 - 9 dic. 1798(1)
La Savoia e il Piemonte uniti alla Francia. Governo
provvisorio francese di 15 poi di 25 membri, presid.
C.e Galli . . . . 9 dic. 1798 - 22 giu. 1799
Gli Austro-Russi occup. il Piemonte (gen. Suvarow, poi
gen. Zach dal 26/6 99. Consigl. supremo di regg.
austriaca) . . . . 22 giu. 1799 - 25 giu. 1800
I Francesi occup. il Piemonte . . . 25 giu. 1800 - 20 magg. 1814
Vittorio Emanuele I, f. di Vittorio Amedeo III (re di Sardegna 1802-21) . 20 magg. 1814 - abd. a favore del
fratello . . . . 13 mar. 1821 († 10/1 24)

---

(1) Rinunzia agli Stati continentali e si ritira in Sardegna (19/12 98). Là pure abdica il 4
giugno 1802 a favore del fratello Vittorio Emanuele I; muore il 6 ottobre 1819.

Carlo Felice, fr., n. 1765 (re di Sard. 1821-31), [sp. (1807)
   Cristina († 1849), f. di Ferd. I re di Napoli], per lui
   ha la regg. il cug. Carlo Alberto . . . . 13 mar. 1821
Carlo Alberto di **Savoia**, princ. di **Carignano**, *il Magnanimo*, n. 1798, cug., f. di Carlo Eman. IV di **Carignano** e di Maria di Sassonia [sp. (30/9 1817) Teresa
   d'Austria († 1855), f. di Ferd. III di Toscana] regg.
   per Carlo Felice pred. . . . . . 13 mar. - rin. 21 mar. 1821
Insurrezione in Torino e in Alessandria e governo provvisorio . . . . 23 mar. - 10 apr. 1821
Governo militare per Carlo Felice pred. (Generale De
   la Tour) . . . . 10 apr. - 18 ott. 1821
Carlo Felice pred., re di Sardegna . . 18 ott. 1821 - † 27 apr. 1831
Carlo Alberto pred., re di Sardegna 27 apr. 1831 - abd. 23 mar. 1849
                                                       († 28/7 49)

Vittorio Emanuele II, f., n. 1820 [sp. (1842) M. Adelaide
   († 20/1 55), f. di Ranieri Arcid. d'Austria], succ. 23
   mar. 1849 (1), Re d'Italia . . 17 mar. 1861 - † 9 genn. 1878
Umberto I, f., n. 1844 [sp. (1868) Margherita, f. di Ferdin. di Savoia, Duca di Genova]. 9 genn. 1878 - † 29 lugl. 1900
Vittorio Emanuele III, f., n. 1869, [sp. (1897) Elena, f.
   di Nicola del Montenegro], succ. . . . . . 29 lugl. 1900-....

B - Torino (2).

Ducato Longobardo. -- Duchi: Amone v. 576; -- Agilulfo
   (re 591) v. 589; -- Arioaldo (re 627) v. 590; -- Gari-
   baldo (re 671) v. 660-671; -- Ragimberto (re 700),
   671-701 568-774
Ai Re Carolingi (C.e Suppone e figli 878-888). 774-888
Ai Re d'Italia Berengario I e Guido di Spoleto. . . . 888-892
Ai March. d'Ivrea (V. Ivrea) 892-942
Arduino Glabrione, march. d'Italia dal 950, f. di Rug-
   gero I-C.e d'Auriate e di Torino dal 945. 942-975
Manfredi I, f., marchese 975-1001
Olderico **Manfredi** II, f., C.e d'Auriate, Torino, Ivrea
   (march. d'Italia d. 1015) 1001-1034
Adelaide, f.a ed il marito Ermanno, Duca di **Svevia**
   († 1038) figliastro di Corrado II *il Salico*, poi s la 1034-1042
Adelaide pred., sposa ad Enrico di **Monferrato** († v.1045),
   poi ad Oddone († 1060), f. di Umberto I di **Savoia** 1042-1060

---

(1) Cede Savoia e Nizza alla Francia il 24 marzo 1860.
   (2) E. TESAURO, Historia dell'Augusta città di Torino. Torino, 1679-1712. - A. MILANESIO, Cenni storici sulla città e cittadella di Torino dal 1418 al 1826. Torino, 1826. - L. CIBRARIO, Storia di Torino, Torino, 1846. - C. DE SIMONI, 8 lle Marche dell'alta It lia e sulle loro diram. in marchesati, Genova, 1869. - E. CALVI, Tavole stor. dei comuni italiani, Roma, 1902.

Pietro, C.ᵉ di Savoia, f. di Oddone, e Adelaide pred., sua
  madre, tutrice fino al 1064 . . . . 1060 - † 1078

Adelaide C.ᵃ, poi Agnese, f.ᵃ di Pietro e Federico di
  Montbéliard . . . . dic. 1078 - 19 dic. 1091

Comune indipendente . . . . 1091-1130, 1136-1238 e 1255-1270

Amedeo III, f. di Umberto II, C.ᵉ di Savoia 1130-1136 († 1/4 48)

Comune indip., retto da Consoli, poi, dal 1171, da Podestà (infl. dei C.ⁱ di Savoia; Arduino di Valperga
  vesc. e sig. di Torino 1194) 1136-1238

Comune dipendente dall'Imperatore, poi guelfo dal 1248   1238-1252

Tommaso II di **Savoia**, fr. di Amedeo IV 1252-1255

Comune indipendente . . . . 1255-1266 c.

Carlo I d'**Angiò**, re di Napoli 1270-1277

Guglielmo VII, March. di **Monferrato** . . . . 1266-70 e 1274-80

Tommaso III, f. di Tommaso II di **Savoia** [sp. Guya
  di Borgogna] . . . . 1280 - † 16 magg. 1282

Guya di Borgogna, vedova, tutrice pel f. Filippo, 16 magg. 1282-1285

Amedeo V, C.ᵉ di **Savoia**, tutore di Fil. I 1285-1295 († 16/10 1323)

Filippo I di **Savoia-Acaja**, f. di Tommaso III 1295 - † 25 sett. 1334

Giacomo di **Savoia-Acaja**, f. (regg. Aimone di Savoia e
  Caterina di Vienna sua madre fino al 1357, poi solo,
  succede . . . . 1334-1360 e 1363 - † 1367

Amedeo VI, C.ᵉ di **Savoia**, f. di Giacomo 1360-1363

Amedeo di **Savoia-Acaja** (regg. Amedeo VI fino al 1377) 1368 - † 1402

Lodovico di **Savoia-Acaja**, fr. . . . . 1402 - † 1418

Ai Duchi di **Savoia** . . . . 1418-1536 e 1562-1639

Alla Francia 1536-1562

Tommaso princ. di **Savoia** 1639-1640

Ai Duchi di **Savoia**, poi Re di Sardegna . . . 1640 - 19 dic. 1798

Alla Francia . . . . 19 dic. 1798 - 22 magg. 1799 e 1800 - apr. 1814

Agli Austro-Russi . . . . 22 magg. 1799 - 25 giu. 1800

Al R.º di Sardegna . . . . 27 apr. 1814 - 14/3 1821

(Rivoluz. Gov. provv. . . . . 14/3 - 10 apr. 1821)

Al R.º di Sardegna (poi R.º d'Italia 1861) . . . . dall'apr. 1821

C − Asti (1).

... Ai Longobardi, poi (774) ai Franchi, dipend., dall'800,
  dall'Imp. (Conti 860-980) 568-888

Al Regno d'Italia 888-961

Comune con infl. del Vescovo, poi indip. fino al 1901 . 961-1002

Al March. d'Ivrea, **Ardoino I** (Re d'Italia 1002) . . 1002-1015

---

(1) SUBRA, Vicende della lotta tra il Comune Astigiano e la Casa d'Angiò, Torino 1893.
- G, GORINI, Il Comune Astigiano e la sua storiografia, Firenze 1884. – E. CALVI, Tavole
toriche dei Comuni italiani, Roma 1903.

Al March. di Torino e d'Ivrea Olderico **Manfredi II** [sp.
    Berta di Oberto II d'Este] . . . . 1015 - 1034
Ai March. di Torino (infl. dei Vescovi) . . . . 1034 - 1091
Comune con prepond. dei Vescovi (Consoli fino dal 1095
    c.; Podestà 1190 - 1206). . . . . 1091 - 1155
Comune dipend. dall'Imp. (infl. del Vescovo) 1155 - 1162, 1164 - 67,
                                    1174 - 83, 1238 - 44
Comune guelfo, con infl. del Vescovo (partec. alla Lega
    Lomb. 1167). . 1162 e - 1164, 1167 - 74, 1183 - 90 e 1244 - 45
Comune guelfo indip., retto da Podestà, poi dal 6/11
    1244 ghibellino . . . . 1490 - 1303
Manfredo IV (March. di Saluzzo 1296) e Giov. I (March.
    di Monferr. 1292) . . . . 1303 - 1304
Comune indip., poi ghibell. con infl. dei Castelli 1304
Comune guelfo (infl. dei Solaro) 1304-05, poi indipend.
    1306-09 e 1312. . . . . 1304 - 1312
Al princ. di **Savoia-Acaja**, Filippo I (1282), f. di Tom-
    maso III . . . . 1305 - 1306
Ad Amedeo V di **Savoia** e a Filippo I di **Savoia-Acaja** 1309 - 1310
Si sottomette ad Enrico VII imp. . . . . 1310 - apr. 1312
A Roberto d'**Anjou**, (re di Napoli 1309) con infl. dei So-
    laro [a Filippo di Sav.-Acaja 1317] 17 apr. 1312 - 1317 e 1317 - 39
A Giovanni II **Paleologo**, (march. di Monferr. 1338) poi
    (1372) al f. Secondotto . . 1339 - 1340 e 1356 - 60 e 1361 - 78
Ai **Visconti**, Sig. di Milano (Luchino, poi Giovanni 1349,
    e Galeazzo II 1354, Gian Galeazzo Sig. assoluto
    1382-87). . . . . 1340 - 1356 e 1378 - apr. 1387
A Valentina **Visconti**, f. di Gian Galeazzo, [sp. Luigi I
    d'Orléans fr. di Carlo († 23/10 1407)] . . . . apr. 1387 - 1406
A Carlo d'**Orléans**, f., tutr. la madre 1406-22, poi gov.
    dal (1422), da Fil. M. Visconti e (1438) da Francesco
    Sforza procur. . . . . 1406 - 1447
Alla Francia, che cede Asti a Carlo d'**Orléans** . . 1447 - 1465
A Luigi II (XII) d'**Orléans** (re di Francia, 1498), f. di
    Carlo, pred., tutr. la madre . . . . 1465 - 1498
Alla Francia . . . . 1498 - 1507 e 1515 - 21
A Massimiliano **Sforza** (D. di Milano 1512-15) . . . 1507 - 1515
A Francesco II **Sforza**, fr. (D. di Milano 1521-24). . 1521 - 1525
Carlo V, (imp. 1519) dà in feudo Asti a Carlo di Lamoy,
    vicerè di Napoli († 1531) . . . . 1526 - 1531
Carlo V imp., dona (1530) la Contea d'Asti a Carlo III,
    Duca di **Savoia** e Beatrice di Portogallo sua moglie
    (presidio imp. 1536-53) . . . . 3 apr. 1531 - 1553
Emanuele Filiberto, (D. di **Savoia** 1559) occupa Asti,
    sotto presidio spagnuolo 1536-75 . . . . 1553 - 1575
Ai Duchi di **Savoia** [il Vandomo occupa Asti novembre
    1703-1706]. . . . . 1575 - 1706, 1706 - 45 e 1716 - 97

Occupata dai Gallispani, comandati dal maresciallo
De Chevert . . . . 1706 e nov. 1745 - 1746
Rivoluzione - Gov. provvis., capo C. Gabuti di Be-
stagno, poi (28/7) Repubb. Astese, presid. avv. Se-
condo Arò. . . . . 27 - 30 lugl. 1797
Unione al Piemonte . . . . 1797 - 1798
Alla Francia (dipart. del Tanaro) − [Occup. Austro-
Russa 1799-800] −'Carlo Eman. IV abd. . v. dic. 1798 - 1814
Unione definitiva al Piemonte (R.° d'Italia 1861) . . 27 apr. 1814

D - Ivrea (1)

Duchi, poi Conti dal 774, Marchesi dall'876.

.... Ducato Longobardo . . . . 568 - 774
Eretto in Contea sotto la domin. franca in Italia (dal-
l'800 dipend. dall'Imp. Carolingio). Unita alla con-
tea d'Aosta, diviene Marchesato nell'876. . . . . 774 - 888
Ai Re d'Italia Berengario I e Guido di Spoleto . . . 888 - 892
Anscario, fr. di Guido re d'Italia, da questi creato mar-
chese d'Ivrea . . . . 892 - 896
Adalberto, I., march. [sp. I. Gisela, f. di Berengar. I,
re d'Italia; II. Ermengarda di Toscana] . . . . 896 - † 925
Berengario II, f. (re d'Italia 950) e Anscario II suo fr.
(Duca di Spoleto), marchesi . . . . 925 - 938 c.
Lotario, f. di Ugo, re di Provenza. . . . . 938 .c - 945
Lotario e Berengario II associati . . . . 945 - 950
Guido, f. di Berengario II . . . . 950 - 962
Corrado (o Dadone) fr., conte . . . . 962 - 989
Arduino I, f. di Dadone C. di Pombia, poi (1000) Ar-
duino II assoc. col pred., (re d'Italia 1002). . . 989 - 1000
All'Impero . . . . 1000 - 1001 e 1004
Ad Olderico Manfredi (march. di Torino 1001) . . 1001 1002
Arduino I pred. (1002-04), poi coi figli: C.i Ottone,
Arduino II e Ghiberto; con Olderico Manfredi della
Marca d'Ivrea . . . . 1002 - 1015
Comune autonomo con infl. dei C.i Ottone, Arduino II
e Ghiberto . . . . 1015 - 1027
Comune sotto l'autorità del Vescovo e dei Marchesi
di Torino . . . . 1027 - 1046
Comune sotto l'autor. del Vescovo e dei C.i di Savoia 1046 - 1091
poi dip. dall'Imp. . . . . 1091 - 95 e 1152 - 67

(1) BALBI G., Ricordi d'Ivrea, Ivrea, 1889. − CLERICO, Stor. relig. civilei porediense, Ivrea, 1897. − GABOTTO F., Un millennio di storia iporediense, Pinerolo 1900. − DURANDO, Vita citta-dina e privata nel M. E. in Ivrea. In Bibl. Soc. stor. subalp., VII. Calvi E. Op. cit., parte I.

Comune retto da Conti, I^a metà sec. XII, sotto l'autor.
   del Vescovo. Podestà dal 1171, 1095-1152, 1167-76, 1183-1218

Comune ghibell. sotto l'autor. del Vescovo 1176-83, 1218-26,
   1238-43 e 1248-66

Comune guelfo, sotto autor. del Vescovo . . 1226 - 38 e 1243 - 48

Al March. del Monferrato Guglielmo VI († 6/2 1292) 1266 - 1267

Comune, sotto l'autorità del Vescovo . . . . 1267 - 1278

Ai March. del Monferrato . . . . 1278 - 1310

All'Impero (nel 1313, concess. imp. al March. del Monferrato) . . . . 1310 - 1313

Ai Conti, poi Duchi (1416) di Savoia e ai principi di Savoia-Acaja. . . . . 1313 - 1349

Ai Conti di Savoia e ai march. di Monferrato . . . 1349 - 1356

Ai Conti poi duchi di Savoia . . . . 1356 - 1536

Alla Francia . . . . 1536 - 37, 1544 e 1554 - 59

Ai Duchi di Savoia e all'Impero. . . . . 1537 - 1544

Ai Duchi di Savoia. eccetto (1638-48) al princ. Tommaso
   di Savoia . . . . 1559 - 1704 e 1713 - 96

Alla Francia . . . . 1704 - 06

Ai Duchi di Savoia e all'Impero. . . . . 1706 - 1713

Ai duchi di Savoia, dal 1720 re di Sardegna,. . . . 1713 - 1798

Alla Francia. (Capoluogo del dipart.° della Dora) . . 1798 - 1814

Sua unione definitiva al R.° di Sardegna (Regno d'I-
   talia 1861). . . . . 11 maggio 1814

E – Monferrato (1)

Conti dal 948, Marchesi dal 954, Duchi dal 1574.

Aleramo, f. di Guglielmo (?) ed Oddone I suo f. († 991),
   Conti (948), March. (954). Donaz. (23/3 967) del-
   l'Imp. Ottone I [Aleramo sp. Gilberga, f. di re Berengario II] . . . . 948 - 991 c.

Guglielmo I (o III), f. di Oddone I . . . . . . 991 - † 1031 c.

Enrico, f. . . . . v. 1032 - † 1045

Oddone II, fr., che porta pel primo il tit. di March. del
   Monferrato . . . . v. 1040 - † 20 nov. 1084

Guglielmo II (o IV), f. . . . . 1084 - 1025 c.

Ranieri, f. . . . . 1100 c. - † 1140

Guglielmo IV (o V) *il Vecchio*, f. [sp. Sofia di Svevia,
   f. del Barbarossa; II. Giuditta di Leopol. Duca
   d'Austria] . . . . 1140 - † 1188

---

(1) Litta, Famiglie cel. italiane, Monferrato, Paleologo. – Benvenuti Sangiorgii, Chronicon Montisferati, nel Monum. histor. patriae Script. vol. III. – Stokvis, op. cit., vol. III.
– E. Calvi, Tavole storiche dei Comuni Italiani, Roma, 1903, pag. 55. – Savio Fed., Studi
stor. sul march. Guglielmo III di Monferr., Torino 1885.

Corrado, f. († 24/4 92) Sig. di Tiro, [che sp. Amury, f. del re di Gerusal.] e Bonifacio I († 1207), suo fr. 1188 - 1192

Bonifazio I pred. re di Tessalonica (1204), solo 28 apr. 1192 - † 1207

Guglielmo V (o VI), f. [sp. (1211) Berta, f. del M.e Bonif.° di Clavesana] . . . . 1207 - † sett. 1225

Bonifazio II *il Gigante*, f. [sp. (1197) Eleonora († av. 1204), f. di Umberto III di Savoia] . . . sett. 1225 - † 1253

Guglielmo VI (o VII) *il Grande*), f., regg. Tommaso II di Savoia, dur. min., [sp. Isabella del C.e Riccardo di Glocester; II. (1271) Beatr. di Castiglia († 1280), f. del re Alfonso X] . . . . 1253 - † 6 febb. 1292

Giovanni I *il Giusto*, f. [sp. (1297) Margherita († 1359), f. di Amedeo V di Savoia] . 6 fevv. 1292 - † 9 genn. (?) 1305

Violante, sor. [sp. Andronico II **Paleologo**, imp. di CP. 1282-86], regg. Manfredo IV M.° di Saluzzo; genn. 1305 - rin. 1306

Teodoro I **Paleologo**, f. [sp. Argentina di Opicino Spinola] . . . . 16 sett. 1306 - † 21 apr. 1338

Giovanni II, f., vic. imp. 1355 . . 21 apr. 1338 - † 20 mar. 1372

Secondo Ottone (Secondotto), f., tutore Ottone di Brunswick, suo zio, (vic. imp. 1374) 20 mar. 1372 - † 16 dic. 1378

Giovanni III, fr., tutore Ottone pred. fino al 1379, succede . . . . 16 dic. 1378 - † 25 ag. 1381

Teodoro II, fr.. . . . . 25 ag. 1331 - † 2 dic. (?) 1418

Giangiacomo, f. [sp. (1411) Giovanna di Amedeo VII di Savoia] . . . . 2 dic. 1418 - † 13 mar. 1445

Giovanni IV, f. . . . . 13 mar. 1445 † 29 genn.1464

Guglielmo VII (o VIII), **Paleologo** fr. (princ. dell'Impero) [sp. (1465) Maria di Gastone di Foix, † 67; II. (1469) Elisabetta († 73), f. di Francesco Sforza; III. Giovanna Bernarda († 85), f. di Jean de Bresse] . . . . . . 29/1 1464 - † 28 febb. 1483

Bonifazio III, fr. [sp. (1483) Elena, f. di Gio di Brosse. II. Maria, f. di Giorgio di Scanderbeg] . . . . . . 28 febb. 1483 - rin. 1493 († 31/1 94)

Guglielmo VII (o VIII), f., regg.¹ Maria di Servia 1493-94; Costantino Comneno 1494-99; Benven. Sangiorgio 1494-1512, [Gugl. sp. (1508) Anna, († 1562) f. di Renato D. d'Alençon] succ. . . . . . 1493 - † 4 ott. 1518

Bonifazio IV, f., regg. Anna d'Alençon sua madre († 18/10 62), succ. . . . . 4/10 1518 - † 17 ott. 1530

Giangiorgio, f. di Bonifazio III [sp. Giulia, f. di Federico d'Aragona] succede . . . . 17 ott. 1530 - † 30 apr. 1533

Sequestro posto dall'Imp. al territ. del Monf. magg. 1533 - 5 gen. 1536

Margherita, sor. di Bonifazio IV e Federico II **Gonzaga** D. di Mantova, († 1540) suo marito, 5 genn. 1536 - † 28 dic. 1566

Il Monferrato rimane unito al Duc. di Mantova (V. Mantova) . . . . 28 dic. 1566 - giu. 1708

I Duchi di Savoia ricuperano il Monferrato, Alessan-
    dria, Valenza e Val di Sesia [occup. dei Gallospani
    1745-46] V. Savoia e Piem. . . . . giu. 1708 - 1798
Alla Francia (dip. del Tanaro) - [occup. dagli Austrorussi
    1799-800] . . . . 1798 - magg. 1814
Unione definitiva al R.º di Sardegna, poi d'Italia, dal 20 magg. 1814

F — Novara (1).

Governo dei Conti (ep. franca) poi dei Vescovi; sop-
    presso (1100) dall'Imperatore . . . . - 1100 c.
Repubblica libera, quantunque sotto l'influenza dei
    Conti di Biandrate, v. 1100. Retta da Consoli
    dal 1137 . . . . princ. sec. XII - 1154
Lotte coi Conti di Biandrate e vittoria dei Novaresi sec. XII - 1168
Comune ghibellino, retto dal Vescovo; 1168 nella Lega
    Lombarda . . . . 1154 - 1183
Comune autonomo dal 1183, con reggimento podestarile
    dal 1184, poi guelfo indip., retto da Consoli 1185-88 1183 - 1188
Comune con reggim. consolare-podestarile, 1188 - princ. sec. XIII
Comune guelfo indipend., (compreso nella IIª e IIIª
    Lega Lombarda) . . . . 1226 - 1261
Oberto **Pelavicino**, (Sig. di Cremona, Piacenza, ecc.)
    vic. imp. . . . . 1261 - 1263
Ai **Torriani** di Milano . . . . 1263 - 1277
Ottone **Visconti**, (arciv. e sign. di Milano) . 1277 - 78 e 1282 - 89
Al March. Gugliel. del Monferrato (Matteo Visconti suo
    vicar. dal 1293) . . . . 1278 - 82 e 1289 - 98
Galeazzo **Visconti**, vic. di Matteo suo padre 1298 - 99 e 1299 - 1301
Giovanni I **Aleramico** (march. di Monferrato 1292) . . 1299 - 1301
Comune indip. . . . . 1301 - 1302
Comune guelfo; Guglielmotto Brusati, Podestà e Sign. 1302 - 1310
Si sottom. all'Imp. Enrico VII. Suoi Vicari: Simone
    Crivelli, Alb. Malocello, Franc. Malaspina, Filippo
    di Savoia-Acaja (1311) e Luchino Visconti . . . 1310 - 1313
Comune, con influenza di Matteo poi (1322) di Galeazzo
    Visconti . . . . 1313 - 1328
All'Imp. Lodovico IV *il Bavaro*, (Robaldone e Tor-
    nielli vicari, poi Giovanni di Boemia (1331-32) . 1328 - 1332
Si sottom. a Giovanni **Visconti** vescovo di Novara, poi
    (1354) a Galeazzo **Visconti** . . . . 1332 - 56 e 1358 - 78
Giovanni II **Paleologo**, (march. di Monferrato 1338) . 1356 - 1358

---

(1) Bianchini F. A., Le cose rimarchev. di Novara, ivi 1828. – Morbio C., Storia della
città e diocesi di Novara, ivi 1841. – Rusconi A., Le origini novaresi, Novara, 1875-77. –
Calvi E., op. cit., p. I.

Ritorna in potere dei **Visconti** di Milano 1358 - 1402 e 1412 - 47
Facino (Bonifacio) **Cane, cap.** di vent., s'impadr. di No-
     vara, Alessandria e Tortona (gov. di Milano 1410)   1403 - 1412
Alla Repubblica Ambrosiana di Milano. . . . . .   1447 - 1448
Agli **Sforza** (Duchi di Milano 1450) 1448 - 1500, 1512 - 15 e 1521 - 35
Alla Francia, poi, dal 1535, alla Spagna, 1500 - 12, 1515 - 21 e 1535 -
                                             febb. 1538
A Pier Luigi **Farnese** (Duca di Castro e Ronc. 1537.
     di Parma 1545), march., poi (1547) ad Ottavio,
     suo f., duca di Parma; marchese . . .   27 febb. 1538 - 1551
Gio. Battista **Del Monte,** marchese, poi (1552-56) all'Imp. 1551 - 1556
Ai **Farnesi,** *di nuovo* (Ottavio e poi Ranuccio) . . .   1556 - 1602
Al Ducato di Milano (dominaz. spagn.), poi (1706) al-
     l'Impero. . . . .   1602 - 1734
Al Piemonte (Repubb. d'infl. francese dal 1797) . .   1734 - 1798
Alla Francia [occup. Austro-Russa 1799-800] 1798 - 99 e 1800 - 1814
Al Regno di Sardegna, poi d'Italia, dal   1814

G – Saluzzo (1).

[Bonifazio, f. di Teuttone (Ottone) della stirpe **Alera-
     mica;** march. di Savona († 1130) [sp. Alice, f. di
     Pietro C.e di Savoia; II. Agnese del Maine, f. di
     Ugo fr. di Filippo I re di Francia] . . . . sec. XI - . . . .]
Manfredo, f., primo march. di **Saluzzo,** [sp. Eleonora di
     Gonnario Giud.e d'Arborea] gov. coi fr. Gugl.,
     Ugo, Anselmo, Enrico, Ottone e Bonifacio di
     Cortemiglia . . . .   1125 - 1175
Manfredo II, f., [sp. Alasia di Monferrato († 1252), f.
     del march. Gugliel. *il Vecchio*] . . . . .   1175 - † 1215
Manfredo III, nip. (da Bonifazio, f. del prec.), sotto tu-
     tela della nonna Alasia, [sp. (1233) Beatrice di
     Amedeo IV C.e di Savoia] . . . .   1215 - † 1244
Tommaso I, f., [sp. (1258) Luisa di Ceva († 22/8 91)
     f. del march. Giorgio] succ. tutr. la madre Beatr.;
     solo dal 54; [Gugliel. V del Monferr. 1262-63] 1244 - † 3 dic. 1296
Manfredo IV, f., [sp. Isabella († 1353), f. di Bernabò
     Doria]. . . . . 3 dic. 1296 - abd. 1334 († 16/9 1340)
Federico I, f., [sp. (1303) Margherita de La Tour du Pin,
     f. di Umberto delf. di Vienna] . . . . 1334 - † 29 giu. 1336
Tommaso II, f., [sp. Ricciarda, f. di Galeazzo Visconti
     Sig. di Milano] succ. . . 1336 - dep. apr. 1341 e 27/3 - 13/5 44
                                  e 6/9 46 - † 15/8 57

---

(1) D. Carutti, Il marchesato di Saluzzo, in Bibl. della soc. stor. subalp., v. X. – Litta, Famiglie cel. italiane, March. di Saluzzo. – Stokvis, op. cit., vol. III. – Gabotto, I marchesi di Saluzzo, ivi, 1901. – E. Calvi, Tavole storiche dei Comuni Italiani, Roma, 1903.

Manfredo V, zio, occupa Saluzzo   apr. 1341 - dep. 27 mar. 1344
                                              e 13/5 44 - 6/9 46
Federico II, f., [sp. Beatrice, f. di Ugo C.e di Ginevra] 15/8 1357 -
                      dep. 11/11 75 e 9/5 76 - 1396 († 1396)
Tommaso III, f., [sp. (27/7 1403) Margherita († 1419),
       f. del C.e Ugo di Roncy e Braine] . . . . .   1396 - † 1416
Lodovico I, f , regg. la madre [sp. (1436) Isabella, f. di
       Giangiac. del Monferr.] . . . . . .   ott. 1416 - † 8 apr. 1475
Lodovico II, f. (C.e di Carmagnola) [sp. (1481) Giovanna
       di Monferrato († 1490); II. Margherita di Foix
       († 1536)] . . . .   8 apr. 1475 - dep. 3 apr. 1487
Carlo I (Duca di **Savoia** dal 22/4 1482) apr. 1487 - † 14 mar. 1490
Lodovico II di **Saluzzo**, *di nuovo* . . apr. 1490 - † 27 genn. 1504
Michele Antonio, fr.; regg. la madre Margh. di Foix fino
       al 1526, succ. . . . .   27 genn. 1504 - † 18 ott. 1528
Gianlodovico, fr. . . . .   18 ott. 1528 - dep. giu. 1529
Francesco Lodovico, fr., nom. March. dal re di Fran-
       cia . . . .   29 giu. 1529 - dep. 1537 († 28/3 37)
Anness. all'Impero . . . .   1537 e giu. 1543 - febb. 1544
Gabriele, fr. di Francesco Lodov. pred., 21 lugl. 1537 - dep. 29 giu.
                      1543 e 1544 - dep. 23/2 1548 († 29/7 48)
Alla Francia . . . . . .   febb. 1544, febb. 1548-79 e 1581-88
Ai Duchi di Savoia, dal 1720 re di Sardegna; dic. 1588 - 9 dic. 1798
Alla Francia, *di nuovo* . . . . . .   9 dic. 179° - magg. 1814
Annessione definitiva al regno di Sardegna . . . . 11 magg. 1814

H – Sardegna (1).

I Romani tolgono ai Saraceni la Sardegna e la Cor-
       sica . . . .   a. C. 238 - 456 d. C.
I Vandali, condotti da Genserico, occupano l'isola. . . 456 - 534
I Bizantini [breve occup. di Totila re Ostrogoto,
       551-53] . . . .   534 - 551 e 553 - 687
Gialeto di Cagliari, cacciati i Bizantini (687), è creato
       re di Sardegna e divide l'isola coi suoi fratelli: Ni-
       cola, Inerio e Torcotore, formando i quattro giu-
       dicati di Cagliari, Torres, Gallura ed Arborea, go-
       vernati da proprii Giudici, dapprima indip. poi,
       dopo il 1050, invest. dalla repubb. di Pisa v. 687 - 1478
Giudici di Cagliari: Gialeto 687-722; – Teoto, f., 722-740;
       – Gufrido . . . .; – Ausone v. 778-. . . .; – Nicola,
       f., v. 807-. . .; – Gublino, f., 864-870; – Felice, f.,
       870-. . .; – Barisone I, fr., v. 900; – Bono, f., v. 940;

---

(1) MANNO G., Storia ant. e mod. della Sardegna, Firenze, 1860. - STOKVIS, Manuel d'Histoire, etc., Leida, 1890, vol. III.

– Ugo v. 950; – Orlando, f., v. 960; – Barisone II, f., 998-1022; – Barisone III, f., 1038-59; – Torgodorio I 1059-66; – Onroco 1073-...; – Arzone v. 1080-...; – Costantino I, f., 1089-1102; – Turbino, fr., 1103-08; – Torgodorio II, f., 1108-29; – Costantino II, f., 1129-63; – Salucio (?), f. ...; – Pietro, f. di Gonario II di Torres, 1163-93; – Guglielmo I (March. di Massa) 1193-1215; – Benedetta, f., 1215-31; – Barisone IV, f. di Pietro I d'Arborea, 1215-18; – Ubaldo Visconti, di Gallura, 1231-33; – Agnese, f. di Cost. II, 1233-39; – Guglielmo II, f. di Barisone IV, 1239-53; – Chiano, f., 1253-56; – Guglielmo III Cepola, nip. di Guglielmo II, 1256-58.

Il Giudicato viene diviso fra i **Visconti** di Gallura, i **Capraia** d'Arborea e i **Gherardeschi**, Signori di Pisa, nel . . . . 1258 - 1355

Giudici di Torres (Logudoro): Nicola 687 ...; – Mariano I v. 740-...; – Pietro v. 800-...; – Comita I v. 1000-...; – Guglielmo ...; – Gonario I 1022-...; – Comita II ...-1038; – Barisone I, re, 1038-73 (1); – Mariano II, f. di Andrea giud. di Gallura, 1073-1112; – Costantino I, f., 1112-1127; – Gunnario II, f., 1127-47; – Barisone II, (cor. re di Sardegna da Feder. I a Pavia nel 1164) 1150-86; – Costantino II (Gantino), f., 1186-91; – Comita III, fr. di Barisone II, 1191-1216; – Mariano III, f. di Comita II giud. di Gallura, 1216-24; – Barisone III, f. di Mariano giud. di Gallura, 1224-† 33; – Adelasia, sorella [sp. Enzo, f. di Feder. I], 1233-38; – Ubaldo, f. di Lamberto Visconti, marito di Adelasia, 1233-† 38; – Enzo, f. nat. di Feder. II imp.; re di Sardegna (1241-57), sp. Adelasia (1241), ved. di Ubaldo, 1238-72; – Bianca Lancia d'Agliano, madre, col marito Michele Zanche (regg. dal 1239, † 1275), 1272-80.

Il Giudicato di Torres viene unito a quello di Gallura, sotto re Enzo. Ritorna indip. sotto Chiano Visconti di Pisa 1257; . . . . 1238 - 1257
Passa alla repubb. di Genova che ne divide il territ. tra le famiglie **Doria** e **Malaspina** . . . . . . d. 1284 - 1323
Le due famiglie si sottomettono a casa d'Aragona 1323

Giudici di Gallura: Inerio 687-...; – Giovanni v. 740-...; – Simeone ...; – Dertone v. 800-...; –

---

(1) Barisone I unisce, per qualche tempo, i 4 Giudicati sotto il suo potere, con titolo di Re nel 1038.

Lirco ...; – Manfredo v. 1022-...; – Baldo... 1038;
Barisone I (G. di Torres) 1038-...; – Andrea ...; –
Costantino I 1054-73; – Saltaro, fr., 1080-...; –
Tergodorio, fr., ...; – Ottocorre di Gunale 1112-20;
– Comita I, f. di Saltaro, 1120-...; – Costantino II,
f., 1160-73; – Barisone II, f., 1173-1200; – Lam-
berto Visconti, gen.°, 1202-08; – Comita II 1211-16;
– Mariano (G. di Torres 1266) 1216-18; – Lamberto
Visconti pred. 1218-...; – Ubaldo Visconti, f. di
Lamberto (G. di Torres 1233, di Cagliari 1231),
... † 1238; – Enzo, f. nat. di Federico II imp.
(G. di Torres 1238), re di Sardegna, 1238 57; Chiano
Visconti 1257-75 – Giovanni Visconti, di Pisa (1),
1257-† 74; – Nino Visconti, f., 1276-† 96; – Giovanna Visconti, f. di Nino, 1298-1300 o 1308.

Il Giudicato di Gallura è unito a quello di Torres, sotto
re Enzo e succ., nel 1238-57; ritorna indip. 1257-
1300 o 1308, poi se ne impadroniscono i Doria di
Genova v. 1308.

Giudiei d'Arborea: Torcotore I 687-...; – Agatone v.
740-...; – Galasio ...; – Ugone v. 800-.,.; – Gunalis v. 990-...; – Mariano I de' Zori 1022-38; –
Barisone I (G. di Gallura, di Torres e Cagliari
1038) 1038-54; – Torcotore II Gunalis 1054-70; –
Orzocorre I 1070-80; – Torbeno ...; – Orzocorre II,
f., ...; – Comita I Orvu ...; – Gonario (o Gunnario) ...; – Costantino I, f., 1090-...; – Comita II,
fr., 1131-47; – Barisone II, f., [re di Sardegna 1164],
1147-86; – Pietro I, f., 1186-1207; – Ugo I di Baux
1186-91; – Ugo II di Baux 1191-1207; – Guglielmo I di Massa (G. di Cagliari 1193) 1207-15; –
Costantino II di Baux 1215-30; – Pietro II di Baux
1230-37; – Azzone di Lacon 1237-38; – Comita III
1238-53; – Guglielmo II **Capraia,** 1253-† 64; – Nicolò, f., 1265-† 73; – Anselmo, fr., ...; – Mariano II,
fr., 1277-† 99; – Chiano, f., 1299-1301; – Andrea,
f., 1301; – Mariano III, fr., 1301-21; – Ugo III,
f., 1321-† 36; – Pietro III, f., 1336-† 46; – Mariano IV, fr., 1346-76; – Ugo IV, f., 1376-† 83; –
Eleonora, sor., 1383-† 1403; – Federigo **Doria,** f.,
1383-† 87; – Mariano V, fr., 1387-† 1407; – Brancaleone **Doria,** padre, 1407-08 († 1409); – Guglielmo III di **Narbona,** pronip. di Eleonora, 1408-
1409; – Leonardo I **Cubello** (March. d'Oristano

---

(1) Capo della fazione Guelfa di Pisa e genero del C. Ugolino della Gherardesca. Nino suo
figlio fu pure capo di parte guelfa a Pisa.

1409-† 27; — Antonio, f., 1427-† 57; — Salvatore,
   fr., 1457-† 70; — Leonardo II d'Alagon, nip.,
   1470-† 78.

I Saraceni occupano in parte la Sardegna 720 - 880; 990 c. - 1017;
                                   1021 - 1022; 1050 - 1052
I Pisani, poi alleati coi Genovesi, occupano la Sardegna
   cacciandone i Saraceni . 1017 - 1021; 1022 - 1050; 1052 - 1324
L'imp. Federico I concede l'isola al proprio zio Guelfo,
   il quale (1164) la vende a Barisone III giudice
   d'Arborea . . . . metà sec. XII - 1164
Barisone II pred. nominato re di Sardegna, ma per poco
   tempo . . . . 1164 - . . . .
L'imp. Federico I concede l'isola in feudo alla repubb.
   di Pisa . . . . v. fine sec. XII
L'imp. Federico II sp. il proprio f. nat. **Enzo** con Adelasia, erede di Gallura e di Torres, con tit. di re di
   Sardegna . . . . 1241 - 1257 (1)
La città di Sassari si regge a repubb., poi (1323) si sot-
   tomette agli Aragonesi di Sicilia . . . . 1280 - 1708
I re d'**Aragona**, già infeud. dell'isola da pp. Bonifa-
   cio VIII (1297) s'impadronisc. in diverse riprese
   (1322-1478) di tutta l'isola, che diviene poi prov.
   spagnuola con un proprio Vicerè e parlamento . 1322 - 1708
Carlo II (VI) d'**Absburgo**, f. di Leopoldo, imper. di
   Germ. e arciduca d'Austria 1711, conquista la
   Sardegna . . . . v. 15 ag. 1708 - ag. 1717
Il Card. Alberoni, d'accordo colla regina **Isabella di**
   Spagna, fa occupare la Sardegna . . . . agosto 1717
Filippo V di Borbone, **nipote** di Luigi XIV **re** di Fran-
   cia (re di Spagna e di Sicilia 1710-13) re di
   Sardegna . . . . sett. 1717 - ag. 1720 († 9/7 1746)
La Sardegna (tratt. di Londra) è restituita all'Austria,
   e ceduta, lo stesso giorno, in cambio della Sicilia a
   Vittorio Amedeo I (II), Duca di **Savoia**, re di
   Sardegna . . . . 24 ag. 1720 - abd. 3 sett. 1730 († 1732)
Carlo Emanuele I (III), f., re . . . 3 sett. 1730 - † 21 febb. 1773
Vittorio Amedeo II (III), f., re . . . 21 febb. 1773 - † 16 ott. 1796
Carlo Eman. II (IV), f., re 16 ott. 1796 - abd. 4 giu. 1802 († 6/10 19)
Vittorio Emanuele I, fr., re 4 giu. 1802 - abd. 13 mar. 1821 († 10/1 24)
Carlo Alberto di **Savoia-Carignano**, cug., regg. il Regno
   Sardo, re . . . . 13 mar. - rin. 23 mar. 1821
Carlo Felice di **Savoia**, fr. di Vittorio Eman. I, re
   (V. Savoia e Piem.) . . . . . . 30 apr. 1821 - † 27 apr. 1831

---

(1) Fu fatto prigioniero dai Bolognesi alla battaglia della Fossalta presso Modena il 26 maggio 1249 e vi morì il 14 marzo 1272. Sua madre, Bianca Lancia d'Agliano ebbe il Giudicato
di Torres e sposò Michele Zanche († 1275).

II. - LIGURIA

A - Genova (1).

.... Agli Ostrogoti . . . . 493 - 553

Ai Bizantini, che vi tengono un « *Vicarius Italiae* » . 553 - 641

I Longobardi conquistano e devastano Genova, Savona,
    Albenga, Luni, ecc.. . . . . 641 (o 642) - 774

I Franchi. – Carlo M. ne fa una Contea, comprend. an-
    che Corsica e Sardegna . . . . v. 774 - 888

Comune libero v. 888. – I nobili minori e la borghesia
    si uniscono a comune difesa nella » *Compagna* », che
    elegge più tardi i suoi Consoli . . . . metà sec. XI

Comune libero retto da Consoli e da Podestà altern.
    Consoli: . . . . 1098 - 1194, 1202, 1207 - 11, 1212 - 17

Comune retto da Podestà: . . 1191, 1195 - 1201, 1202 - 07, 1211

Comune libero. – Magistrat. podestarile ininterrotta   1217 - 58

Comune retto da Capitani del popolo e da Podestà 1258 - 1310

Guglielmo Boccanegra, cap. del pop. . . . . . . 1258 - 1262

Uberto Spinola e Oberto Doria, poi Corrado Doria
    cap. del pop. . . . . 28 ott. 1270 - 28 ott. 1291

Lanfranco de' Suardi, Beltrame de' Ficini e Simone
    de' Gromelli cap. del pop. . . . . 28 ott. 1291 - genn. 1296

Corrado Doria, *di nuovo* e Corrado Spinola f. di Oberto,
    cap. del pop. . . . . genn. 1296 - 1299

Opicino Spinola e Barnaba Doria, poi (1309) lo Spi-
    nola solo, cap. del pop. . . . . 7 genn. 1306 - 1310

Consiglio di 13 cittadini, 6 nobili, 6 popolari e un Ab-
    bate del pop. . . . . 1º lugl. 1310 - 1311

Enrico VII imp., sign. di Genova. – Uguccione della
    Faggiuola (16 febb. 1312) vic. imp. . 1º nov. 1311 - ag. 1313

Genova ritorna a libertà; crea un Consiglio di 12 no-
    bili e 12 popolari . . . . ag. 1313 - 1314

Podestà annuali e forestieri, poi (1317) da cap. del pop. 1314 - 1317

Carlo de' Fieschi e Gasp. Grimaldi, cap. del pop. sett. 1317 - lugl. 1318

Papa Giovanni XXII e Roberto d'**Anjou** re di Napoli,
    sign. di Genova . . . . 27 lugl. 1318 - 4 febb. 1335

Comune retto da due cap. del pop., Raff. Doria e Ga-
    leotto Spinola, un Podestà e un Abbate del
    polo . . . . 1335 - 23 sett. 1339

---

(1) BELORANO, Annali Genovesi di Caffaro e dei suoi continuatori, Roma, 1901. – GIUSTI-
NIANO, Annali di Genova, ivi, 1537. – CANALE, Nuova istoria della repubblica di Genova,
Firenze, 1858-64. – SERRA, Storia dell'Antica Liguria e di Genova, Torino, 1834. – VARESE,
Storia della Repubbl. di Genova. Genova, 1835-39. – STOKVIS, op. cit., vol. III. – E. CALVI,
Tavole stor. dei Comuni Ital., Roma, 1903.

Repubblica popolare – Simone Boccanegra doge, e-
letto . . . . 23 sett. 1339 - rin. 23 dic. 1344
Giovanni De-Murta doge pop. . . . . 23 dic. 1344 - † genn. 1350
Giovanni De' Valenti, doge pop. . . 9 genn. 1350 - dep. 9 ott. 1353
Il popolo si divide in due partiti: *mediano* e *basso*. ott. 1353
I **Visconti** (sign. di Milano). – March. Guglielmo Pe-
lavicino gov. . . . . 10 ott. 1353 - 14 nov. 1356
Repubblica democratica – Simone Boccanegra, di nuovo
doge, eletto . . . . 15 nov. 1356 - † 14 mar. 1363
Gabriele Adorno, doge (vic. imp. 1368) 14 mar. 1363 - dep. v. ag. 1370
Domenico Campofregoso, doge. . . 13 ag. 1370 - dep. v. giu. 1378
Antoniotto Adorno, doge per poche ore . . . . . . 17 giu. 1378
Niccolò Guarco, doge . . . . 17 giu. 1378 - dep. princ. apr. 1383
Leonardo da Montaldo, doge . . . . . apr. 1383 - † 11 giu. 1384
Antoniotto Adorno, di nuovo doge, eletto dal popolo
basso . . . . 12 giu. 1384 - rin. 3 ag. 1390
Giacomo Campofregoso, doge . . . . 3 ag. 1390 - dep. apr. 1391
Antoniotto Adorno, di nuovo doge. 9 apr. 1391 - dep. 15 giu. 1392
Antonio da Montaldo, f. di Leonardo predetto, eletto
doge . . . . 16 giu. 1392 - dep. v. lugl. 1393
Clemente Promontorio, doge . . . . 13 - 14 lugl. 1393
Francesco Giustiniani da Garibaldo, doge . 14 lugl. - abd. ag. 1393
Antonio da Montaldo, di nuovo doge, ag. 1393 - dep. 24 magg. 1394
Niccolò Zoalio, doge . . . . 24 magg. - rin. 18 ag. 1394
Antonio Guarco, doge . . . . 19 ag. - 3 sett. 1394
Antoniotto Adorno, di nuovo doge . . . 3 sett. 1394 - 25 ott. 1396
Genova è ceduta a Carlo VI re di Francia 4 nov. 1396 - 3 sett. 1409
Antoniotto Adorno pred., gov. 27 nov. 1396 - rin. 18 mar. 1397 († 1398)
Valerando di Lussemburgo, C.e di S. Paolo e di Ligny,
govern. . . . . magg. 1397 - 1398
Collardo di Colleville, gov. . . . . . fine sett. 1398 - 17 genn. 1400
Battista Boccanegra, capitano di custodia (17 genn. - 26
mar.) poi *Battista Franchi, rettore* 26 mar. 1400 - fine sett. 1401
Giovanni Le Maingre, detto Bouciquault, governa-
tore . . . . 31 ott. 1401 - dep. 3 sett. 1409
Teodoro II (march. di Monferrato 1381), sign. con tit.
di capitano . . . . 6 sett. 1400 - dep. 22 mar. 1413
Repubblica. – Gov. di **8 Rettori**; Giorgio Adorno, frat.
di Antoniotto pred., doge pop. 27 mar. 1413 - abd. 23 mar. 1415
Gov. di **2 Priori (1415)** Tommaso Campofregoso e
Giacomo Giustiniani, priori . . . . 24 - 29 mar. 1415
Barnaba Giano, doge . . . . 29 mar. - 3 lugl. 1415
Tommaso Campofregoso, doge . . . 4 lug. 1415 - abd. 2 nov. 1421
Il Carmagnola occupa Genova per Filippo M. **Visconti**
(D. di Milano 1412) sig. . . . 2 nov. 1421 - dep. 27 dic. 1435
Repubb. (**8 Capi di Libertà**) - Isnardo Guarco, doge 28/3 - dep. 3/4 1436
Tommaso Campofregoso, *di nuovo*, doge 3 apr. 1436 - dep. 24 mar. 1437
Battista Campofregoso, fr., doge per poche ore, poi

Tomm. Campofregoso, *di nuovo*, 24 mar. 1437 - dep. genn. 1443
Raffaele Adorno, doge   28 genn. 1443 - abd. 4 genn. 1447 († 1458)
Barnaba Adorno, id. . . . . 4 - 30 genn. 1447
Giovanni o Giano Campofregoso, doge 30 genn. 1447 - † dic. 1448
Lodovico Campofregoso, fr.,   id. . . 16 dic. 1448 - dep. 1450
Pietro Campofregoso, id. 8 dic. 1450-rin. 11 magg. 1458 († 14/9 1459)
I Campofregoso cedono Genova a Carlo VII re di Fran-
    cia. Giovanni duca di Lorena, *govern.* 11 mag. 1458 - 12 mar. 1461
Repubb. (8 Capi degli Artefici) – Prosp. Adorno, doge 12/3 - 3/7 1461
Spinetta Campofregoso, doge   . 3 - 14 lug. 1461 († 17 genn. 1471)
Lodovico Campofregoso, *di nuovo*, id. 24 lug. 1461 - dep. 14 mag. 1462
Paolo Campofregoso (arciv. 1453), id. . . . 14 mag. - 8 giu. 1462
Lodovico Campofregoso, *di nuovo*, id. 8 giu. 1462-genn. 1463 († 1490)
Paolo Campofregoso, *di nuovo*, id. gen. 1463-19 ap. 1464 († 22 ap. 1498)
Gli Sforza, duchi di Milano, sign. di Genova 19 apr. 1464 - 8 ag. 1478
Repubblica. – Prospero Adorno, *di nuovo* doge 17 ag. - nov. 1478
Battista Campofregoso, nip. di Paolo 25 nov. 1478 - dep. 25 nov. 1483
Paolo da Campofregoso, arcivescovo, *di nuovo* do-
    ge . . . . 25 nov. 1483 - dep. ag. 1487 († 2 mar. 1498)
Gli Sforza, duchi di Milano, sign. di Genova 23 ag. 1487-26 ott. 1499
Luigi XII re di Francia. – Filippo di Cleves, sign. di
    Ravenstein, gov. . . . . 26 ott. 1499 - apr. 1507
Repubblica. – *Paolo da Novi, doge pop.* 10-28 apr. 1507 († 15 giu.1507)
Luigi XII, re di Francia, *di nuovo* . . . 28 apr. 1507 - giu. 1512
Repubblica. – Giovanni da Campofregoso eletto do-
    ge . . . . 29 giu. 1512 - mag. 1513 († 1529)
Dominaz. francese. – Antoniotto Adorno gov. 25 mag. - 16 giu. 1513
Repubblica. – Ottaviano Campofregoso, doge 18 giu. 1513-nov. 1515
Dominaz. francese. – Ottaviano Campofregoso, gover-
    natore . . . . 1515 - à giu. 1522
Repubblica. – Antoniotto Adorno, *di nuovo* eletto
    doge . . . . 2 giu. 1522 - dep. 1527 († 1530)
Dominaz. francese. – Teodoro Trivulzio, governa-
    tore . . . . fine ag. 1527 - 12 sett. 1528
Repubblica aristocratica sotto la protezione spagnuola,
    govern. da dogi biennali con 8 gov. ed un Con-
    siglio di 400 membri . . . . sett. 1528 - magg. 1797

Dogi biennali.

Uberto Cattaneo el. 12 dic. 1528
Battista Spinola el. 4 genn. 1531
Giambattista Lomellino eletto
    doge . . . . . 4 genn. 1533
Cristoforo Grimaldi-Rosso elet-
    to . . . . . 4 genn. 1535
Giambattista Doria el. 4/1 1537
Andrea Giustiniani el. 4/1 1539

Leonardo Cattaneo el. 4/1 1541
Andrea Centurione-Pietrasanta
    eletto . . . . 4 genn. 1543
Giambatt. Fornari el. 4 gen.1545
Benedetto Gentile el. 4 gen. 1547
Gaspare Bracelli-Grimaldi, elet-
    to . . . . . 4 genn. 1549
Luca Spinola eletto 4 genn. 1551

Giac. Promontorio el. 4 gen.1553
Agostino Pinelli el. 4 genn. 1555
Pier Giovanni Cybo-Ciarega eletto . . . . . 4 genn. 1557
Gerolamo Vivaldi el. 4 gen. 1559
Paolo Battista Calvi eletto doge . genn. 1561 - † sett. 1561
Battista Cicala-Zoagli eletto doge . . . . 4 ott. 1561
Giambattista Lercaro eletto doge . . . . 7 ott. 1563
Ottavio Gentile Oderico eletto doge . . . . . 11 ott. 1565
Simone Spinola el. 15 ott. 1567
Paolo Moneglia Giustiniani eletto . . . . . . 6 ott. 1569
Giannotto Lomellini eletto doge . . . . . . 10 ott. 1571
Giacomo Durazzo-Grimaldi eletto . . . . . 16 ott. 1573
Prospero Fatinanti-Centurione eletto . . . . 17 ott. 1575
Giambattista Gentile eletto doge . . . . . . 19 ott. 1577
Nicola Doria eletto 20 ott. 1579
Girolamo De' Franchi eletto doge . . . . . 21 ott. 1581
Girol. Chiavari el. 4 nov. 1583
Ambr. di Negro el. 8 nov. 1585
Davide Vacca eletto 14 nov.1587
Battista Negrone el. 20 nov.1589
Gio. Agostino Giustiniani eletto doge . . . . . 27 nov. 1591
Antonio Grimaldi-Ceva eletto doge . . . . . 27 nov. 1593
Matteo Senarega el. 5 dic. 1595
Lazzaro Grimaldi-Ceva eletto doge . . . . . 10 dic. 1597
Lorenzo Sauli el. 22 febb. 1599
Agostino Doria el. 24 febb. 1601
Pietro De-Franchi già Sacco eletto . . . . . 26 febb. 1603
Luca Grimaldi eletto 1 mar. 1605
Silvestro Invrea el. 3 mar. 1607
Girol. Assereto el. 22 mar. 1607
Agostino Pinelli el. 1 apr. 1609
Alessandro Giustiniani eletto doge . . . . . . 6 apr. 1611

Tommaso Spinola el. 21 ap. 1613
Bernardo Claravezza eletto doge . . . . . 23 apr. 1615
Giangiacomo Imperiali eletto doge . . . . . 29 apr. 1617
Pietro Durazzo el. 2 mag. 1619
Ambrogio Doria el. 4 mag. 1621
Giorgio Centurione eletto doge . . . . 25 giu. 1623, rin.
Federico de' Franchi eletto doge . . . . . 25 giu. 1623
Giac. Lomellini el. 16 giu. 1625
Gian Luca Chiavari f. di Girolamo pred. eletto 28 giu. 1627
Andrea Spinola el. 28 giu. 1629
Leonardo Torre el. 30 giu. 1631
Giovanni Stefano Doria eletto doge . . . . . . 9 lug. 1633
Gian Francesco Brignole eletto doge . . . . . 11 lug. 1635
Agost. Pallavicino el. 13/7 1637
Giambatt. Durazzo el. 28/7 1639
Giovanni Agostino Marini eletto . . . . . . 4 ag. 1641
Giambatt. Lercari el. 4 lug. 1643
Luca Giustiniani, f. di Alessandro pred., el. 21 al 22 lug. 1645
Giambattista Lomellini, eletto doge . . . . . 24 lug. 1646
Giacomo De' Franchi di Federigo, eletto . . 2 ag. 1648
Agostino Centurione di Stefano, eletto . . . . 23 ag. 1650
Girol. De' Franchi el. 8 nov. 1652
Alessandro Spinola el. 9 ott. 1654
Giulio Sauli eletto 12 ott. 1656
Giambattista Centurione eletto doge . . . . 15 ott. 1658
Giambernardo Frugoni eletto doge . . 28 ott. 1660 - † 1661
Antoniotto Invrea el. 29/3 1661
Stefano Mari eletto 12 apr. 1663
Cesare Durazzo el. 18 apr. 1665
Cesare Gentile el. 10 mag. 1667
Franc. Garbarino el. 18 giu. 1669
Alessandro Grimaldi di Pietro eletto . . . . 27 giu. 1671
Agostino Saluzzo el. 5 lug. 1673

Antonio Passano el. 11 lug. 1675

Giannettino Odone el. 16/7 1677

Agostino Spinola el. 29 lug. 1679

Luca Maria Invrea el. 13 ag.1681

Francesco Imperiali-Lercari e-
letto . . . . . 18 ag. 1683

Pietro Durazzo eletto 23 ag. 1685

Luca Spinola eletto 27 ag. 1687

Oberto Torre eletto 31 ag. 1689

Giamb. Cattaneo el 4 sett 1691

Francesco Maria Invrea eletto
doge . . . . . 9 sett 1693

Bandinelli Negrone di Battista
eletto . . . . 16 sett 1695

Francesco Maria Sauli eletto
doge . . . . . 17 sett. 1697

Girolamo Mari eletto 3 giu. 1699

Federico De' Franchi 7 giu. 1701

Antonio Grimaldi Ceva eletto
doge . . . . . 7 ag. 1703

Stefano Onorato Feretto eletto
doge . . . . . 12 ag. 1705

Domenico Maria Mari di Stefano eletto . . . 9 sett. 1707

Vincenzo Durazzo el. 9 sett.1709

Francesco Maria Imperiali e-
letto . . . . . 17 sett. 1711

Gianantonio Giustiniani eletto
doge . . . . . 22 sett. 1713

Lorenzo Centurione di Giorgio,
eletto . . . . 26 sett. 1715

Benedetto Viale el. 30 sett. 1717

Ambrogio Imperiali el. 4 ot. 1719

Cesare De' Franchi el. 8 ott. 1721

Domen. Negrone el. 13 ott. 1723

Girol. Veneroso el 18 genn. 1726

Luca Grimaldi el. 22 genn. 1728

Francesco Maria Balbi eletto
doge . . . . 25 genn. 1730

Domenico Maria Spinola eletto
doge . . . . 29 genn. 1732

Stefano Durazzo el. 3 febb. 1734

Nicolò Cattaneo el. 7 febb. 1736

Costantino Balbi el. 11 feb. 1738

Nicolò Spinola el. 16 febb. 1740

Domenico Maria Canevaro eletto . . . . . 20 febb. 1742

Lorenzo Mari el. 27 febb. 1744

Gian Francesco Maria Brignole
eletto 3 mar. - dep. 4 sett. 1746

Governo degli Austriaci e dei
March. Botta 4/9-5/12 1746

Gian Francesco Maria Brignole,
di nuovo doge dic. 1746 - 1748

Cesare Cattaneo el. 6 mar. 1748

Agostino Viale el. 10 mar. 1750

Stefano Lomellini eletto doge 29 mar. - abd. 3 giu. 1752

Giambattista Grimaldi eletto
doge . . . . . 7 giu. 1752

Gian Giacomo Stefano Veneroso eletto . . 11 giu. 1754

Giacomo Grimaldi el. 22/6 1756

Matteo Franzoni el. 22 ag. 1758

Agostino Lomellini di Bartolomeo eletto . . 10 sett. 1760

Rodolfo Emilio Brignole-Sale
eletto . . . . 25 nov. 1762

Mario Gaetano Della Rovere
eletto . . . 29 genn. 1765

Marcello Durazzo el. 3 febb. 1767

Giambattista Negrone eletto doge . . . . . 16 febb. 1769

Giambatt. Cambiaso di Giam-
maria el. 16/4 1771-† 21d.1772

Ferdinando Spinola di Gherardo
el. 7 gen.-abd. 12 genn. 1773

Pier Francesco Grimaldi eletto
doge . . . . 26 genn. 1773

Brizio Giustiniani el. 31 gen.1775

Giuseppe Lomellini el. 4/2 1777

Giacomo Maria Brignole eletto
doge . . . . . 4 mar. 1779

Marcantonio Gentile di Filippo
eletto . . . . 8 mar. 1781

Giambatt. Airoli el. 6 mag. 1783

Gian Carlo Pallavicini eletto
doge . . . . . 6 giu. 1785

Raffaele De Ferrari el. 4 lug.1787

Aleramo Pallavicini eletto doge . . . . . 30 lugl. 1789

Michelangelo Cambiaso eletto
doge . . . . . 3 sett. 1791

Giuseppe M. Doria el. 16 sett.1793

Giacomo Maria Brignole, *di
nuovo* 17 nov. 1793-mag. 1797

Caduta della Repubbl. aristocr. per opera dei Francesi magg. 1797
Governo provvisorio, presieduto da Giacomo Maria
    Brignole, ultimo doge . . . . . 14 giu. 1797 - 17 genn. 1798
Repubblica ligure, democratica, con un direttorio di 5,
    poi 7 membri . . . . 1º - 17 genn. 1798 - 4 giu. 1800
Genova è occupata dalle truppe anglo-austriache . 4 - 24 giu 1800
Ricade di nuovo sotto ai Francesi. – Governo prov-
    visorio; presid. G. F. Amato Dejan, 24 giu. 1800 - 30 lug. 1802
Repubb. Ligure (francese), Girol. Durazzo, doge 10/8 1802 - 6/6 1805
Genova è annessa alla Francia . . . . 6 giu. 1805 - 18 apr. 1814
Gli alleati conquistano Genova. – Ristabilimento della
    repubb. sotto la protez. dell'Inghilterra . . . . 18 apr. 1814
Girolamo Serra, presid. del governo provvis., 26 apr. - 26 dic. 1814
Il Genovesato è unito al Regno di Sardegna . . . 7 genn. 1815

B – Finale Borgo (1)

Marchesi, pòi (1564) Principi.

A Giacomo **Del Carretto**, f. di Enrico II, M.e di Savona   1251 - 1268
Antonio I, f. . . . . 1268 - 1297
Enrico e Giorgio, f.i . . . . 1297 - 1336
Emanuele ed Aleramo, f.i di Enrico e Giorgio pred. . 1336 - 1359
Emanuele ed Aleramo, pred., con Lazzarino I e Carlo,
    f.i di Giorgio . . . . 1359 - 1367
Emanuele, Antonio II f. di Aleramo, Lazzarino I e
    Carlo . . . . 1367 - 1385
Emanuele ed Antonio II cedono la loro metà del march.
    alla repubb. di Genova 1385
Lazzarino I (dal 1390 solo) e Carlo **Del Carretto**, f.i di
    Giorgio pred., investiti di tutto il march. dalla re-
    pubb. di Genova . . . . 1385 - 1392
Lazzarino II, f. di Lazzarino I . . . . 1392 - 1402
Galeotto I, f. (a Genova 1448) . . . . 1402 - 1450
Giovanni I, fr. 1450 - 1466
Galeotto II († 1466) e Alfonso I, f.i, poi (1466) Al-
    fonso I solo . . . . 1466 - † 1528
Giovanni II, f. di Alfonso I . . . . 1528 - † 1535
Alfonso II, f. (Principe dell'Imp. 1564), dep. 1566. Oc-
    cupaz. spagn. 1571-1573, succ.. . . . . 1535 - † 1583
Alessandro, fr. . . . . 1583 - 1596 († 1602)
Sforza Andrea, fr. . . . . 1596 - 1598
Il marchesato è venduto al re di Spagna . . . . . 1598 - 1701

(1) P. GIOFREDO, Storia delle Alpi Marittime, in Monum. histor: patr. Script. II. – CE-
LESIA E. Del Finale Ligustico, Genova, 1876. – CASALIS, Dizion. geograf. stor. degli Stati
del Re di Sardegna, vol. VI, Torino, 1855.

Occupazione francese . . . .   1701 - 1709
Carlo VI d'**Absburgo**, f. di Leopoldo I (imp. 12/10 1711)
   riceve in dono il march. e lo unisce al duc. di Milano 1709 - 1713
Carlo VI vende il Finale alla repubb. di Genova (tratt.
   di Worms 1743) . . . .   1713 - 1746
Al R.° di Sardegna . . . .   1746 - 1748
Unito a Genova, di cui segue le sorti . . . . dal 1748

C – Savona (1).

....Governo dei Vescovi, per concess. imperiale. . . . . 961 - 981
Agli **Aleramidi** (V. Monferrato): Aleramo 981-91; Ansel-
   mo, f., 995-1010 c.; Anselmo II, f., 1010 c. - 27;
   Ottone I., f., 1027 c. - † l'84 . . . .   981 - 1084 c.
Bonifacio (march. del Vasto), figlio di Ottone I, Mar-
   chese . . . . 1084 c. - 1125 c. († 30)
Enrico I **Del Carretto**, f. di Bonifacio . . . .   1125 - 1182 c.
Enrico II e Ottone **Del Carretto**, f.i . . . .   1182 c. - 1191
Comune indip. (1215 sotto protez. di Genova, poi di
   Tommaso I di Savoia 1226). . . . .   1191 - 1227
Comune dipend. da Genova, poi (dal 1238) indip. . .   1227 - 1332
Comune dipendente da Genova, [eccetto 1335-50, indi-
   pendente] . . . .   1332 - 53 e 1356 - 94
Ai **Visconti** di Milano. . . . .   1353 - 56 e 1421 - 35
Al Duca d'**Orléans**, Luigi I (Sig. d'Asti 1387-1406), poi
   (dal 1397) alla Francia . . . .   1394 - 1409
Teodoro II **Paleologo** (March. di Monferr. e Sig. di
   Genova) . . . .   1409 - 1413
Comune, sotto protez. di Genova . . . . .   1413 - 1421 e 1435 - 58
Alla Francia . . . .   1458 - 1464
Agli **Sforza** di Milano, poi (1478) Comune dip. da Genova 1464 - 1487
Agli **Sforza**, *di nuovo*, poi (1499) alla Francia . . .   1487 - 1512
Comune indip. . . . .   1512 - 13, 1525 - 27 e 1528 - 1798
Alla Francia . . . .   1513 - 25, 1527 - 28 e 1798 - 1815
Anness. definit. al regno di Sardegna . . . . . .   7 genn. 1815

D – Corsica (2).

Dominio dei Vandali . . . .   457 - 534
Occupata, con la Sardegna, da Belisario e compresa
   nell'Esarcato d'Africa . . . .   534 - 551
Totila, re Ostrogoto, s'impadronisce dell'isola . . . .   551 - 552

---

(1) FED. SAVIO, I Conti di Ventimiglia nel sec. XI, XII e XIII, Genova, 1894. – GOFFREDO P.,
Storia delle Alpi Marittime, in Monum. hist. patr. script. II.

(2) GREGOROVIUS, Corsica, trad. ital. dell'Ing. Marchi, Roma, 1912. - IACOBI - Histoire gé-
nérale de la Corse. Paris, 1835 - IAMSIN - Memoire histor. sur... la Corse. Losanne, 1758.

Attilio d'**Attala** diviene Sign. di quasi tutta l'isola . . 1336 - 1340

Guglielmo **Della Rocca** (dei Cinarca di Corsica), aiutato dai Genovesi, s'impadronisce del potere nella regione ultramont. dell'isola con titolo di Giudice 1340 - † 1358

La Repubb. di Pisa cede la Corsica ai Genovesi nel 1342, occup. la *Terra del Comune*. I° govern. genovese Boccanera (1358), poi Tridano Della Torre († 1369), Gio. da Magnera (1369), Leon. Lomellino, Luigi Tortorino (1370-71) . . . . 1347 - 1394 c.

Arrigo **Della Rocca**, f. di Guglielmo, occupa parte dell'isola con titolo di Conte (eccetto Calvi, Bonifazio e S. Colomb.). Riconosce la supremazia aragonese sull'isola (1393) . . . . 1392 - dep. 1396

La Repubb. di Genova dà in feudo parte della Corsica ad una società detta « *Maona* », di 5 nobili, i Sig.: Gio. Magnera, Luigi Tortorino, Andr. Fiscone, Cristof. Taruffo e Leon. Lomellino, ma sono scacc. da Arrigo . . . . 1393 - scacc. 1394

Nuove spediz. genovesi nell'isola contro Arrigo, che riesce vincitore, ma poi, credesi, avvelanto nel 1401, 1394 - 1401

Carlo VI re di Francia, occupa (1396) Genova e Corsica; nomina conte feudale dell'isola Lomellino pred. . 1401 - 1409

Francesco della Rocca, f. nat. di Arrigo, gli succ. ma si sottom. a Genova. È nom. luogot. della *Terra di Comune* . . . . 1401 - † 1406

Vincentello d'Istria, f. di una sor. di Arrigo e di Ghilfuccio nobile côrso, sbarca a Sagona e si fa proclam. C.e di Corsica e Vice-re aragonese, ma è, dopo due anni, scacc. dall'isola. — Vi ritorna poi con soldati arag. ed occupa gran parte dell'isola 1406 c. - 1420 († 1434)

Alfonso V *il Magnanimo* (re d'Aragona e di Sicilia 1416), entra in guerra, ma è respinto dai genovesi dopo pochi mesi . . . . 1420 - . . . .

Paolo **della Rocca** e (1437) Simone **da Mare**, f. di Raffaele da Montalto, Signori della metà orientale di Corsica . . . . 1434 - 1443 c.

Parte dei Côrsi rassegnano al Papa Eugenio IV il gov. dell'isola. Gov.ri pont.: Menaldo Paradisi 1444, Giac. da Gaeta 1445, Franc. Angelo 1446, Mariano da Norcia 1447, Giac. da Gaeta 1448. — Il popolo nom. suo capitano Mariano da Gaggio . . 1443 - 1448

Il Papa Niccolò V, nomina Commissario e Sign. di Corsica Lodovico da Campofregoso, fr. del Doge di Genova . . . . 1448 - 1453

I Côrsi si sottomettono al Banco di S. Giorgio di Genova, con approvaz. del Papa e dei Campofreg. 1453 - 1460

Tommasino **Campofregoso** di Genova, f. di Giano I, tenta di farsi Signore di Corsica. È nomin. Conte 1460 - 1464

Francesco **Sforza** D. di Milano, fattosi Sig. di Genova,
occupa l'isola, meno **S.** Bonifacio e Calvi. Eugenio
Cotta, poi Battista di Amelia, e suoi capitani. – Filippo Maria **Sforza**, f. di Francesco, Conte di Corsica, poi (1° genn. 1472) Galeazzo Maria, suo fr.,
Conte . . . . 4 lugl 1464 - 1481

La Corsica ritorna in potere di Tommasino da Campofregoso . . . . 1481 - 1483

Gherardo di **Montagnana**, fr. di Jacopo IV Sig. di Piombino, è acclamato Conte di Corsica. Rinuccio di
Leca († 1511) suo cap. . . . . 1483 - dep. 1485

Il Banco di S. Giorgio di Genova ritorna, per acquisto,
in potere dell'isola. Gherardo fugge, Rinuccio è
sconfitto . . . . 1485 - 1488 e 1499 - 1553

Ritorna in possesso dei Duchi di Milano . . . . . . 1488 - 1499

Sampiero di **Bastelica** (d'Ornano) s'impadronisce della
Corsica, eccetto Calvi. . . . . nov. 1553 - 1559 († 17/1 1567)

Al Banco di S. Giorgio, *di nuovo*. (Tratt. di Château
Chambresis) . . . . 1559 - 1561

La Repubb. di Genova toglie la Corsica al Banco di
S. Giorgio: govern. Giorgio Doria dal 1561. – Viene
divisa l'isola (1724) in due governi ed eletto a govern. il luogoten. di Aiaccio. Altro govern. Felice
Pinelli, ecc. . . . . 1561 - ott. 1729

Sollevaz. dei Còrsi condotti da Pompiliani, poi da Andrea Colonna-Ceccaldi e da D. Luigi Giafferi contro
il domin. di Genova . . . . ott. 1729 - giu. 1733

Nuova sottomissione dei Còrsi a Genova . . . . giu. 1733 - 1734

Altra sollevaz. dei Còrsi contro Genova, condotti da
Giacinto Paoli, Giafferi e Ceccaldi, che riescono
vittoriosi nel. 1734

La Corsica si regge a Repubblica. Paoli, Giafferi e Ceccaldi el. primati, con tit. di Alt. Reali . genn. 1735 - apr. 1736

Il Barone Teodoro di **Neuhoff**, di Westfalia, con l'aiuto
dell'Inghilterra, è creato re di Corsica . apr. 1736 - nov. 1738

La Repubb. di Genova, con l'aiuto de' Francesi, ricupera l'isola . . . . 1739 - 1743

Si stringe con Genova una pace per due anni . . . 1743 - 1745

Nuova rivolta dei Còrsi con aiuti del re di Sardegna,
condotti da Gio. Pietro Gaffori, Alessio Matra e
Venturini, nomin. *protettori dell'isola*, ove si rendono indipendenti . . . . 10 ag. 1746 - 1751

Nuovo interv. francese (gen. Cursay) cheriesce a pacif.
Genova coi Còrsi con un tratt. a questi favorev.
Gio. Pietro Gaffori, solo gen.e e governatore còrso.
(È ucciso 3 ott. 1753) . . . . lug. 1751 - ott. 1753

I Còrsi si sollev. ancora contro Genova. Nominano 5
reggenti: Clem. Paoli f. di Giacinto, Tom. Santucci,

Simon P. Frediani e Grimaldi, gen.^e supr. Pasquale
Paoli, fr. di Clemente, che gli succ. nel gov. . . 1753 - 1769
I Genovesi vendono alla Francia i loro pretesi diritti
sull'isola (trattato 15/8, 1768) . . . . . 15 ag. 1768 - 1769
Il partito per l'indip. côrsa si solleva, ma è sottomesso
dal Me de Chauvelin da Marboeuf e dal conte de
Vaux per la Francia (9 maggio 1769) - Fine dell'in-
dipendenza côrsa (giugno 1769) . . 12 giu. 1769 - febb. 1794
Gli Inglesi occup. la Corsica in nome del re Giorgio III.
Il gen.^e Eliot è nom. vicerè (giu. 1795), febb. 1794 - 21 ott. 1796
La Corsica ritorna alla Francia . . . . . . 21 ott. 1796 - 1814
Gli Inglesi rioccup. ancora l'isola nel 1814, ma il tratt.
di Parigi l'assicura alla Francia . . . . 30 magg. 1814 - . . . .

E – Monaco (1)
Principato.

Monaco, terra provenzale . . . . - 1191 c.
Dominazione genovese . . . . 1191 - 1297
Occupazione guelfa, poi di Francesco **Grimaldi** 1297 - 4 magg. 1301
Occupaz. ghibell. (gov. genovese) 1301-17, poi guelfa
1317-27, poi ancora ghibellina **1327-31** . . . . . 1301 - 1331
Carlo I **Grimaldi** occupa Monaco a nome del governo
genovese, poi per sè . . . . 1331 - 15 ag. 1357
Carlo I **Grimaldi** è assistito nel gov. dai parenti:
Antonio e Gabriele **Grimaldi**, che si qualificano con-
signori, dal . . . . 15 agosto 1342
Antonio e Carlo I **Grimaldi** sono designati consi-
gnori . . . . 8 apr. 1343 - 29 giu. 1352
Carlo I pred., muore fra . . . . .8 apr. e 5 sett. 1357
Dominazione genovese . . . . 1357 - 1395
Giovanni I e Luigi **Grimaldi** di Beglio . . . . . 1395 - 1401
Governo franco-genovese . . . . 1401 - 1410
Occupazione guelfa 1410-12, poi del re di Sicilia,
dopo 8 marzo **1412** . . . . 1410 - 1419
Ambrogio, Antonio e Giovanni **Grimaldi** occup. Monaco
avanti il . . . . 5 giu. 1419
(Antonio muore avanti il 16 febb., lasciando eredi
i figli Carlo ed Antonio: Carlo muore avanti 13
magg. 1427 ed Antonio dopo il 13 lugl. 1435. Ambrogio muore fra il 7 mar. e il 13 ottobre 1433).
Giovanni I **Grimaldi** pred., unico Signore di Monaco,
per la convenz. 13/5 1427 . . . . magg. 1427 - 1428

---

(1) Debbo alla gentilezza del Dott. O. F. Tencaioli, che qui ringrazio, le notizie che seguono
sul principato di Monaco.

Filippo Maria **Visconti**, duca di Milano (Sig. di Genova
1421-35), occupa Monaco in virtù della convenz.
6 ott. 1428 . . . . dic. 1428 - ott. 1436
Monaco continua ad essere occup. da F. M. **Visconti**,
quantunque espulso dal domin. di Genova dal 27/12
1435, poi ne dà l'investitura a Biagio **Assereto**
(3/10 (?) 36) e il 18/11 succes. a Giovanni **Grimaldi**,
sotto la « *suzeraineté* » di lui, che però non fu ef-
tiva, ... 18 nov. 1436 - imprig. princ. genn. 1438
Pomellina **Fregoso**, moglie di Giovanni, reggente genn. **1438** - **1454**
Giovanni († 8 magg. 1454) e suo f. sono liberati
dal carcere fra il . . . . 17 sett. e 3 ott. 1440
Catalano, f. di Giovanni, Sig. di Monaco. . . . 1454 - lugl. 1457
Claudina, figlia, sotto reggenza di Pomellina sua avola,
dal luglio '57, poi Lamberto di Nicola **Grimaldi**
d'Antibo, suo futuro consorte dal 20/10'57; lugl. 1457 a mar. 1458
Lamberto **Grimaldi**, Sign. di Monaco, come tut. di Clau-
dina (spos. 29/8 65) ed anche in nome proprio,
succede . . . . marzo 1458 - † 15 mar. 1494
Giovanni II, figlio di Lamberto . . . . . mar. 1494 - † 10 ott. 1505
Luciano, fr. . . . . ott. 1505 - † 22 ag. 1523
Agostino, fr., vesc. di Grasse (mette Monaco sotto pro-
tettorato spagnuolo) . . . . . . ag. 1523 - † 14 apr. 1532
Onorato I, f. di Luciano, sotto tut. di Stefano **Grimaldi**
di Genova († 1561), padre adott., poi solo, av. 11
giugno 1561 . . . . 1532 - † 7 ott. 1581
Carlo II f. . . . . ott. 1581 - † 17 magg. 1589
Ercole, fr. . . . . magg. 1589 - † 21 nov. 1604
Onorato II, f., sotto tut. dello zio, Feder. Landi
princ. di Val di Taro, ... nov. 1604 - 1616
Onorato II solo; prende tit. di Principe (1619) e si mette
sotto protett. francese (1641) . . . . 1616 - † 10 genn. 1662
Luigi I, f. . . . . genn. 1662 - † 3 genn. 1701
Antonio I, f. . . . . genn. 1701 - † 21 febb. 1731
Luisa Ippolita, f.ª [sp. (1715) Giacomo di Goyon-Ma-
tignon, che assume il nome e le armi dei **Gri-
maldi**] . . . . febb. 1731 - † 29 dic. 1731
Giacomo I, marito di Luisa Ippolita, dic. 1731 - abd. nov. 1731
(† 22 apr. 51)
Onorato III, f., tutore il padre fino al 1740 (fine del protett. francese) [sp. Maria Cristina Brignole († 1813);
divisa dal marito nel 1770] nov. 1731 - dep. 15/2 1793 († 12/5 95)
Occupazione francese . . . . febb. 1793 - magg. 1814
Onorato IV, f. di Onorato III (protettorato Sardo
1815-61) . . . . magg. 1814 - abd. 1815 († 16/2 19)
Amministraz. del Princ. Giuseppe **Grimaldi** dal 3 giu.
1814, poi del Princ. eredit. Onorato, Duca di Va-
lentinese, dal 18 genn. 1815 . . . . . 13 giu. 1814-1819

Onorato V, f. . . . . 1819 - † 2 ott. 1841
Florestano I, fr. (Mentone e Roccabruna si proclam.
    città libere 1848). . . . . 1841 - 26 giu. 1856
Occupazione Sarda di Mentone e Roccabruna, unite
    poi alla Francia per la rinunzia di Carlo III il
    2 febb. 1861 . . . . 1848 - 18 lugl. 1860
Carlo III, f. di Florestano I [sp. (28/9 46) la C.ª Anto-
    nietta de Merode, † 10/2 84] . 18 lug. 1856 - † 10 sett. 1889
Alberto I, f. [sp. (1889) Alice Heine, vedova Duchessa
    di Richelieu], succ. . . . . 10 sett. 1894 - † 26 giu. 1922
Luigi II, f., succ. . . . . 26 giu. 1922-

(Segue a pag. 574)

III. - LOMBARDIA

A – Milano (1).
Signori, poi Duchi dal 1395.

Odoacre 476-493; – Ostrogoti 493-553; – Imp. d'Or.
    553-569; – Longobardi (ducato indip. dal 575)
    3/9 569-774.
Carlo Magno re dei Franchi. - Sostituisce (801) ai Duchi
    Longob. i Conti . . . . 774 - † 28/1 814
Ai successivi re Carolingi d'Italia 814-887, poi ai re na-
    zion., borgogn., sassoni, ecc. 888-1055.
Conti: **Leone**, vic. imp., prime notizie 840-...; – **Alberico**
    vic. imp., genn. 865-...; – **Ansperto** da Biassono,
    arciv., gov. in parte v. 868-† 7 dic. 881; – **Anselmo**,
    arciv. incor. Bereng. I a re d'Italia, 888); – **Magin-
    fredo**, conte ag. 892-...; – **Sigifredo**, conte di pa-
    lazzo, nom. genn. 901-...; – **Berengario**, nip. di
    Berengar. I (march. d'Ivrea 928, re d'Ital. 950)
    conte 918-962; – **Oberto**, march. di Milano, el. dal
    re Ottone conte di palazzo 962-† nov. 975.
Milano è gov., pel re, da un conte e da un arcivesc.-conte
    (*Dominus*), con un *Vicedominus* . . . . v. 964-1042
    Landolfo II da Carcano, arciv.-conte 980-† 14/9 '98;
    Arnolfo II, arciv.-conte 998-† 23/6 1018; – **Ariberto**
    da Intimiano, el. arciv.-conte dal giu. 1018.

---

(1) GIULINI, Memorie etc. della città di Milano, ivi, 1855. - CORIO, Storia di Milano, ivi,
1855-57. - C. ROSMINI, Storia di Milano, ivi, 1821, voll. 4. - GAMS, Series Episcop., Ratisb.,
1873. - CUSANI, Storia di Milano, ivi, 1879-81. - FORMENTINI, Il Duc. di Milano, ivi, 1877.
- GARGANTINI, Cronologia di Milano, ivi, 1874. - D. MUONI, Govern., Luogotenenti e Capitani gen. di Milano, Milano, 1858. - Archivio storico lombardo, Milano, 1874-1928. - STOKVIS,
op. cit., vol. III.

Sollevaz. della plebe, comand. da **Ariberto** pred. Cacciata dei Capitani e dei Valvassori (1041). – **Lanzone**, cap. del pop., lotta contro i nobili, che sono espulsi da Milano (1042). Egli conclude la pace (1044) e i nobili ritorn. a Milano, assoggett. ai popol. 13 lugl. 1045

Muore Ariberto, 16/1 1045. – **Guido** da Velate, el. arciv. -conte, del partito dei nobili, . 18 lugl. 1045 - abd. 1069 (†'71)

Gli statuti del **Comune autonomo** (pubbl. nel 1065) sono approv. da Enrico II imp. nella Dieta del 5 maggio 1055. – Milano si costituisce a repubbl. quasi indipendente 1056

Il partito popol., «*Pataria*», promosso dal card. **Anselmo** da Baggio (pp. Aless. II, 1062) in lotta coi nobili e con **Guido** da Velate per la riforma religiosa, capitanata dai diac. Arialdo († 1066) e da Landolfo di Cotta († 1055) . . . . 1063 - 1066

Il diac. e gonfal. della Chiesa, Erlembaldo, fr. di Landolfo pred., gov.ª Milano con un Consiglio di 30 cittad., succ. a Landolfo . . . . 1055 - † 1075

|*Golifredo da Castiglione* arciv.-conte (*intruso*), 1070-*dep.* 75].; *Attone* arciv., 1070, conferm. 1073, † 1075; *Tedaldo da Castigl.* arciv.-conte, el. dall'imp. (non riconosc.), 1075-dep. 1080 c. († s. a.).

Anselmo I da Rho arciv.-conte, lugl. 1086-† 4 dic. 1093; – **Arnolfo III** arciv.-conte, 6/12 1093-† 24/9 1097; – **Anselmo II** da Bovisio, 31 ott. 1097-† 30/9 1101.

Governo dei Consoli dal 1097, dei Podestà annuali altern. coi Consoli dal 1186 fino al princ. del sec. XIII, poi soli Podestà 1206-1310.

Milano si sottom. all'Imp. Feder. I. – Gov. dei Podestà imp., 7/9 1158 gen. '59 - Nuova sott.all'imp. - 1/3 1162 - 24/5 1176

Battaglia di Legnano 24/5 1176. – Milano si libera dal dominio imperiale . . . . magg. 1176 - 25 giu. 1183

Comune tripartito, cioè «*Credenza di S. Ambrogio*»: (pop. contro i nobili), «*la Motta*» (nobili min.), e «*Credenza dei Consoli*» (nob. magg.) . . . . 1183 - 1240

Pagano Della Torre (C.ᵉ di Valsass.) Console 1197, el. dalla Cred. di S. Ambrogio cap. e difens. del pop., poi Pagano Della Torre suo nip., Anziano della Credenza di S. Ambr. (1247-57) . . . . 1240 - 41 e 1247 - 57

Manfredo Lancia, march. d'Incisa, Signore di Milano 1253 - 1256

Martino Della Torre, pred., acclam. Sign.ᵉ 1257, poi Anziano del pop. . . . . 24 apr. - 11 nov. 1259 († 20/1163)

Oberto Pelavicino capitano generale . . 11 nov. 1259 - 11/11 1264

Filippo Della Torre, fr. di Martino, el. Sig. perpetuo del popolo . . . . 18 dic. 1263 - † 24 sett. 1265

Napoleone Della Torre, cug., el. anziano e Sig. perpetuo del popolo . . . . ag. 1265, vicario imp. 1273 - 20/1 1277 († 78)

Ottone **Visconti**, f. di Uberto (arciv. di Milano 1261),
 Sig. perpet. . . . . 21 genn. 1277 - 16 ag. 1278
Guglielmo VII di **Monferrato**, alleato dei **Visconti**, Sig.
 di Milano. . . . . 16 ag. 1278 - 27 dic. 1282 († 6/1 92)
Ottone **Visconti**, pred., Sig. assoluto . . 27 dic. 1282 - † ag. 1295
Matteo I **Visconti**, *il Grande*, pronip. di Ottone, cap.
 del pop. dic. 1287, podestà 1288, vic. imp. 1294 - dep. 12/7 1302
Ritornano in Milano i **Della Torre**, fine giu. 1302. –
 Guido cap. del pop. . . . dic. 1307 - dep. febb. 1311 († 1312)
Matteo I, pred., ritorna a Milano 17 apr., vic. imp. 13
 luglio 1311 - apr. 1317; nom. Signore generale di
 Milano . . . . apr. 1317 - † 26/6 1322
Galeazzo I, f., [sp. (24/6 **1300**) Beatrice d'Este († '34), f.
 di Obizzo II] (vic. imp. a Piacenza 1312) Signore,
 primi di lugl. - dep. 8/11 1322, poi 29/12 1322 - dep. 5 lugl. 1327
 († 6/8 1328)
Giovanni **Della Torre**, savoiardo, capitano dei Mila-
 nesi. . . . . 8 nov. - 29 dic. 1322
L'imp. Lodovico IV, *il Bavaro*, invitato dai ghibellini
 viene a Milano (cor. re 31/5), fa prig. **Galeazzo I** e
 suoi parenti . . . . lugl. 1327 - riparte 1329
Guglielmo, C.ᵉ di Monforte, vic. imp. lugl. 1327 - dep. febb. 1329
Azzone **Visconti**, f. di Galeazzo I [sp. (1330) Caterina di
 Savoia († 18/6 1388), f. di Lodov. II), vic. imp.
 15/1-3/2 1329; vic. pap., poi Sig. di Mil. apr. 1329 - † 16/8 1339
Luchino, f. di Matteo I [sp. (1316) Isabella, f. di Carlo
 Fieschi; II. Violante f. di Tommaso M.ᵉ di Sa-
 luzzo; III. (1318) Caterina, di Oberto Spinola], (Sig.
 di Pavia 1315, vic. pontif. 1341), Sig. di Milano,
 assoc. col fr. Giovanni . . . . . 17 ag. 1339 - † 24/1 1349 (1)
Giovanni, fr., vic. imp. 1319, arciv. 17/7 1342 (Sig. di
 Novara 22/5 1332, di Bologna 1350, di Genova
 1353), Sig. fine apr. 1349, assoc. c. s., solo 24/1 49 - † 5/10 1354
Matteo II **Visconti**, nip., f. di Stefano [sp. Ziliola († 56),
 f. di Filippino Gonzaga], vic. pont. (Sig. di Bobbio,
 Bologna, Monza, Parma, Piac?, Vigevano) (1), vic.
 imp. dic. 54), succ. coi fr. . . . . 6/10 1354 - † 26/9 1355
Galeazzo II, fr. [sp. (1335) Bianca († 37), f. di Aimone
 C.ᵉ di Savoia](Sig. di Alba, Aless., Asti, Como, No-
 vara, Pavia, Tortona, Vercelli e, dal 1355, di Bob-
 bio, Monza, Vigev. e Piac.), Sig. . . 6/11 1354 - † 4/8 1378
Bernabò, fr. [sp. (1350) Beatrice, f. di Mastino II Della
 Scala](Sig. di Bergamo, Brescia, Soncino, Cremona,
 Valcamon., Guast., Lonate), vicario imp. dic. 1354,
 Signore . . . . . . 6/10 1354 - dep. 6/5 1385 († 18/12 s. a.)

---

(1) Milano e Genova furono dominate in comune dai tre fratelli. Morto Matteo II, Bobbio,
Monza, Vigevano e Piacenza toccarono a Galeazzo II. Lodi, Parma e Bologna a Bernabò

Gian Galeazzo, *Conte di Virtù*, f. di Galeazzo II, assoc.
col padre 1375, gli succ. 4 ag. 1378, vic. imp. '80,
Sig. di tutto il domin. 6/5 85, creato Duca 1/5 1395 - † 3/9 1402
[sp. I. (1360) Isabella († 72), f. di Gio. II re di
Francia; II. (1380) Caterina († 1409), f. di Bernabò Visconti].

Giovanni Maria, f., Duca, regg., fino al 14/10 1404, la
madre Caterina Visconti, poi l'arciv. Pietro di Candia, Ant. da Urbino, Giac. dal Verme e Fr. Bar-
bavara, **(1)** succ. . . . . 3 sett. 1402 - † 16 magg. 1412

[Facino Cane, cap. di vent. (diviene Sig. di Aless.[a], Novara, Tortona 1403), gov. di Milano . 1410 - † 16 magg. 1412]

Estore (f. nat. di Bernabò) e Gian Carlo Visconti, nip.
dello stesso, acclam. Sig. 16 magg. - dep. 12 giu. 1412 **(2)**

Filippo Maria, fr. di Gio. Maria **Visconti**, Duca [sp.
(1412) I. Maria Lascaris, ved. di F. Cane; II. (1427)
Maria († 79), f. di Amedeo VIII di Savoia]
succ. . . . . 12. giu. 1412 - † 13 ag. 1447

Repubbl. Ambrosiana, procl. per iniziativa di Trivulzio,
Cotta, Bossi, Lampugnani. . . . . 14/8 1447 - 24 febb. 1450

Governo provvis. 14-18/8 1447. – Gov. dei 24 capit. e
difens. della libertà. . . . . 18/8 1447 - 1/3 1448

Gov. dei 12 cap. e difens. 1/3-1/10 1448. – Gov. dei 24
cap. e difensori . . . . 1/10 1448 - 24/2 1450

Carlo Gonzaga, capitano gener. del pop. 14 nov. 1448 - 1 sett. 1449

Biagio Assereto podestà; Ambrogio da Trivulzio e G.
Annone, luogoten. di C. Gonzaga . 8 sett. 1449 - 26 febb. 1450

Francesco I **Sforza** (3), f. di Iac. Muzio **Attendoli**, genero di Filippo M. **Visconti**, entra in Milano ed è
acclamato Duca dal popolo [sp. I. (1418) Polissena
Ruffo di Calabria († 27); II. (1441) Bianca Maria
(† 68), f. di Fil. Maria Visconti pred.]. Egli assegna
il gov. di Milano a Carlo Gonzaga e ritirasi a Vi-
mercate (26 febbraio). Sua entrata solenne in
Milano . . . . 25 mar.1450 (4) - † 8 mar. 1466

Bianca Maria, pred., ved., gov. pel figlio Galeazzo
Maria . . . . 8 - 20 mar. 1466

---

(1) Giovanni Maria ebbe oltre Milano le città di Como, Bergamo, Brescia, Lodi, Cremona, Piacenza, Parma, Reggio, Bologna, Siena, Perugia, Assisi. – Filippo Maria suo fr. ebbe: Pavia Tortona, Alessandria, Novara, Vercelli, Casale, Valenza, Verona, Vicenza Feltre, Belluno Cividale, Bassano, però come feudi del fr. magg. – Gabriele Maria altro fr. di Agnese Man-tegazza ebbe Pisa e Crema.

(2) Estore morì nel 1413 a Monza e Gian Carlo Visconti fu ucciso nel 1418 a Parigi.

(3) Conte di Cotignola, March. e vic. pont. nella Marca d'Ancona 1434-47, sign. di Cre-mona 1442, di Piacenza e Conte di Pavia 1447.

(4) L'atto di dedizione della città a Francesco Sforza è in data 3 mar. 1450. Non fu ri-conosc. dall'imp.

Galeazzo Mariâ **Sforza**, f. [sp. (1468) Bona († 1503), f.
   di Luigi Duca di Savoia), assoc. alla madre Bianca
   M. fino al genn. 1468, succ.. .   20 mar. 1466 - † 26 dic. 1476
Gian Galeazzo Maria, f. [sp. (1489) Isabella († 1524), f.
   di Alfonso II re di Napoli], regg. la madre Bona e
   Cicco Simonetta fino al 7 ott. 1480, poi lo zio Lo-
   dovico . . . . 26 dic. 1476 - † 22 ott. 1494
Lodovico Maria **Sforza**, *il Moro*, zio [sp. (1491) Beatrice
   d'Este († 1497), f. di Ercole I, Duca di Ferrara]
   (Duca di Bari 1479, (1) V. Bari) - 22 ott. 1494 - dep. 2 sett. 1499
Luigi XII d'Orléans (re di Francia 1498). – Gian Giac.
   Trivulzio, suo cap., occupa Milano 6/9, nom. luogo-
   ten. 3/11, viceré 7/11. . . . . . 6 sett. 1499 - 5 febb. 1500
Lodovico M. **Sforza**, *di nuovo*, e per lui il fr. Cardinale
   Ascanio . . . . 3/2 - dep. 10/4 1500 († 17/5 18)
Luigi XII, *di nuovo* (15 apr.); Rohan, Card. d'Amboise,
   suo luogoten. e gov. (17 apr.), il sig. di Benin, luo-
   goten. (1500-1507); il Card. d'Amboise, pred., luo-
   goten. poi govern. (1507-1511); Gastone di Foix,
   Duca di Nemours, govern. (1512), 17 apr. 1500 - 16 giu. 1512
Massimiliano **Sforza**, f. di Lodovico-Maria, Duca. – Ot-
   taviano **Sforza**, suo cug., luogoten., 16 giu. 1512 - dep. 8 ott. 1515
Francesco I **d'Angoulème** (re di Francia 1515). Il duca
   di Borbone suo luogot. e gov. (3 dic. 1515-17); Odetto
   di Foix, Sign. di Lautrec, governatore (1517-21)
   succede . . . . 11 ott. 1515 - 19 nov. 1521
Francesco II **Sforza**, fr. di Massimiliano [sp. (1534) Cri-
   stina († 1590), f. di Cristiano II di Danimarca], duca.
   – Girol. Morone gov. . . . . 19 nov. 1521 - 3 ott. 1524
Francesco I, pred., *di nuovo*. . . . . 23 ott. 1524 - 24 febb. 1525
Francesco II **Sforza**, pred. – Girol. Morone gover. fino
   al 15 ott. (March. di Pescara, luogot. per Carlo V
   imp.) . . . . 26 febb. - 12 nov. 1525
Carlo V d'Absburgo, imp. (re di Spagna 1516). – March.
   Pescara († 3/12 1525), poi Antonio de Leyva e
   March. d'Avalos gov. . . . . . 7 nov. 1525 - † 29 nov. 1529
Francesco II **Sforza**, pred., duca, invest. da Carlo V. –
   Aless. Bentivoglio govern. . . . . 29 nov. 1529 - † 1 nov. 1535
Carlo V, pred., occupa Milano. . . . . 2 nov. 1535 - 11 ott. 1540
Don Antonio de Leyva principe d'Ascoli, gov. 27/11
   1535 - † 15/9 36; Card. Marino Caracciolo 15/9 1536-
   febb. 38, gov.; Alfonso d'Avalos d'Aquino, march.
   del Vasto, gov. febb. 1538-31/3 46.
Filippo II **d'Austria**, f. di Carlo V (re di Spagna e Sicilia
   1556), duca di Milano . . . . . 11 ott. 1540 - † 13 sett. 1598
D. Alvaro de Luna, castellano di Milano, governatore
   interinale . . . . apr. - 1° ott. 1546

---

(1) V. L. **Pepe**, Storia della success. degli Sforzeschi negli Stati di Puglia e Calab., Bari, 1900.

D. Ferrante Gonzaga (princ. di Molfetta, C.e di Guastalla 1539), gov. e luogot. dal 21 giu.,   ott. 1546 - mar. 1555
D. Ferdinando-Alvarez de Toledo, duca d'Alba, gov. e
luogot. (el. apr.) . . . .   12 giu. 1555 - 31/12 1556
Card. Cristofoio Madruzzo (vesc. e princ. di Trento
1539-67, di Brixen 1542-78), gov. e luogotenente
interinale . . . . 31/1 1556 - sett. 1557
D. Giovanni de Figueroa, govern. interin.   7 ag. 1557 - lugl. 1558
D. Consalvo-Fernando di Cordova, duca di Sessa (el.
in mar.) . . . .   20 lugl. 1558 - 1560
D. Francesco Ferdinando d'Avalos, march. di Pescara,
gov. interin. . . . .   febb. 1560 - mar. 1563
D. Consalvo-Fern. di Cordova, *di nuovo* gov. mar. 1563 - apr. 1564
D. Gabriele della Cueva, duca d'Albuquerque, gover-
natore. . . . . 16 apr. 1564 - 20 (?) ag. 1571
D. Alfonso Pimentel, gov. coi Consiglieri dei Consiglio
segreto . . . . 21 ag. - metà sett. 1571
D. Alvaro de Sande, march. di Piovera, castellano di
Milano, gov. interin. . . . . . . metà sett. 1571 - apr. 1572
D. Luigi de Zuniga y Requesens, gov. 7 apr. 1572 - 8 (?) ott. 1573
D. Antonio de Guzman y Zuniga, march. d'Ayamonte,
governatore . . . . 17 sett. 1573 - 20 apr. 1580
D. Sancho de Guevara e Padillia, castellano e gov. in-
terinale . . . . lugl. 1580 - 21 mar. 1583
D. Carlo d'Aragona, duca di Terranova, gov. (el. 13
nov. 1582). . . . . 21 mar. 1583 - 18 nov. 1592
D. Ivan-Fernández de Velasco, contest. di Castiglia e
Léon, duca di Frias, gov.. . . . . . 4 dic. 1592 - mar. 1595
D. Pedro de Padilla, castell., govern. inter.   11 mar. - nov. 1595
D. Ivan-Fernández de Velasco, pred., gov. nov.(?) 1595 - sett.(?) 1600
Filippo III d'Austria, f. di Filippo II (re di Spagna
1598), duca di Milano . . . . . 13 sett. 1598 - † 31 mar. 1621
D. Pedro Enriquez de Açevedo, C.e di Fuentes, gov.
(el. 19 sett.) . . . . 16 ott. 1600 - 22 lugl. 1610
Il Consiglio Segreto, governa . . . . . . 22 - 28 lugl. 1610
D. Diego de Portugal, C.e de Jelues, gov. interin. e capit.
generale . . . . 28 lugl. - 9 dic. 1610
D. Ivan-Fernández de Velasco, *di nuovo* governat.
(el. 26 sett.) . . . . 9 dic. 1610 - rin. 1612
D. Giovanni Hurtado de Mendoza, march. della Hy-
noiosa, gov. (el. 4 mag.) . . . . . 30 lugl. 1612 - genn. 1616
D. Sancho de Luna e Rojas, castell. di Milano e mem. del
Consigl. Gen., gov. inter., el. 14 ag. - nov. 1614, e ott. - nov. 1616
D. Pedro Alvarez de Toledo Osorco, march. di Villafranca, duca di Fernandina e Montalbano, gover-
natore . . . . 19 gen. 1616 - ag 1618
D. Gomez-Suarez de Figueróa e Córdova, duca di Feria,
gov. . . . . 22 ag. 1618 - 20 apr. 1625

Filippo IV d'**Austria**, f. di Filippo III (re di Spagna e
    Sicilia 1621), duca di Milano . 31 mar. 1621 - † 17 sett 1665
I consiglieri regi ducali dei Cons. segr., gov. 20 apr. 1625 - giu. 1626
D. Gonzalo Fernández de Cordova, princ. di Maratra,
    gov. el. . . . . 31 mar. 1626 - lugl. 1629
D. Ambrogio Spinola-Doria, march. de los Balbases,
    gov. (el. 16 lugl.) . . . . 29 ag. 1629 - † 25 ott. 1630
D. Alvaro de Bazán, march. di Santa Croce, gover-
    natore. . . . . 3 dic. 1630 - mar. 1631
D. Gomez-Suarez de Figueróa, duca di Feria, *di nuovo*
    governatore . . . . 30 mar. 1631 - magg. 1633
D. Fernando, Card., Infante di Spagna, gov. (el. 12
    dic. 1632) . . . . 24 mag. 1633 - lugl. 1634
D. Gil de Albornoz, Card. di S. Maria in Via, gover-
    natore. . . . . 14 lugl. 1634 - ott. 1635
D. Diego Felippez de Guzmán, marcn. di Legenes, go-
    vernatore . . . . 17 nov. 1635 - apr. 1636
D. Ferdinando Affan de Riviera, duca d'Alcalà, gov. apr. - 2 giu. 1636
D. Diego Felippez de Guzmán, *di nuovo* gov. . 12 giu. 1636 - 1641
D. Giovanni Velasco Della Cueva, C.e di Sirvela, gov.
    (el. 19 dic. 1640). . . . . 12 febb. 1641 - ag. 1643
D. Antonio Sancho Dávila-Toledo-Colonna, march. di
    Velada, gov. (el. 20 giu.) . . . . . . 29 giu. 1643 - 1646
D. Bernardino-Fernández de Velasco e Tovar, Contest.
    di Castiglia, gov. (el. 18 sett. 1645) 24 febb. 1646 - 15 nov. 1647
D. Iñigo Fernández de Velasco e Tovar. C.e di Aro
    f. gov. . . . . . . 15 (?) nov. 1647 - 15 (?) mar. 1648
D. Luigi de Benavidez de Carillo e Toledo, march. di
    Fromista e Caracena governatore (el. 20 sett.
    1647) . . . . 25 giu. 1648 - mar. (?) 1656
Principe Teodoro Trivulzio, card. (viceré di Sicil. 1647,
    di Sard. 1649), gov. . . . . 2 apr. - 5 sett. 1656
D. Alonso-Pérez de Vivero, C.e de Fuensaldagna, gover-
    natore. . . . . 5 sett. 1656 - apr. 1660
D. Giovanni di Borgia, governa coi Consiglieri del Con-
    siglio segreto. . . . . apr. - magg. 1660
D. Francesco Caetani, duca di Sermoneta e di S. Marco,
    princ. di Caserta gov. . . . . . . 13 mag. 1660 - 1 magg. 1662
D. Luigi de Guzmán Ponze de Leon, gov. 5 giu. 1662 - 29 mar. 1668
Carlo II d'**Austria**, f. di Filippo IV (re di Spagna e Si-
    cilia 1665), duca di Milano . 17 sett. 1665 - † † 1° nov. 1700
D. Paolo Spinola-Doria, march. de los Balbases, go-
    vernatore . . . . 14 apr. - 10 sett. 1668
D. Francesco de Orozco, march. di Olias, Mortara e
    S. Reale, gov. . . . . 10 sett. - 24 dic. 1668
Il Consiglio Segreto governa. . . . . . . 1° genn. - 1° febb. 1669
D. Paolo Spinola-Doria, *di nuovo* gov. . . . mar. 1669 - magg. 1670

D. Gaspare-Tellez Giron Gomez de Sandoval, duca
d'Ossuna, gov. . . . . 21 mag. **1670** - giu. 1674
D. Claudio-Lamoraldo, principe di Ligne de Amblice,
governatore . . . . 7 lugl. 1674 - nov. 1678
D. Giovanni Tommaso Henriquez de Cabrera e To-
ledo, C.e di Melgar, gov. . . . . 6 nov. 1678 - apr. 1686
D. Antonio Lopez de Ayala Velasco e Cárdenas, C.e di
Fuensalida e di Colmonar, gov... . . 8 apr. 1686 - mag. 1691
D. Diego Felippez de Guzman, duca di Lucar, march.
di Leganés (el. 1o apr.), gov. . . . 26 mag. 1691 - mag. 1698
D. Carlo Enrico di Lorena, princ. di Vaudemont, go-
vernatore . . . . 17 mag. 1698 - 7 sett. 1706
Filippo V di **Borbone** (re di Spagna e Sicilia 1700), duca
di Milano . . . . 10 genn. 1701 - 24 sett. 1706
Giuseppe I d'**Austria** (imp. di Germ. 1705). Il princ.
Eugenio di Savoia entra in Milano con gli Austro-
Savoiardi . . . . 24 sett. 1706 - 12 genn. 1707
Carlo VI d'**Austria**, fr. di Giuseppe I (re di Napoli 1707,
imp. di Germ. 1711) duca di Milano 12 genn. 1707 - 11 dic. 1733
Milano è confermata alla càsa d'**Austria** (pace d'U-
trecht 11 apr. **1713** e trattato di Rastadt) . . 6 mar. 1714
Governò la **Real Giunta** di governo . . . . 13 lug. 1716
Massimiliano Carlo, princ. di Löwenstein e Werteim,
C.e di Rochefort, gov. . . . . . 2 genn. 1717 - 26 dic. 1718
Il Consiglio Segreto assume il governo . 26 dic. 1718 - 4 mar. 1719
C.e Girolamo di Colloredo, gov . . . 18 genn 1719 - dic. 1725
C.e Wirico Filippo Lorenzo di Daun (vicerè di Napoli
1707), gov. . . . . 24 dic. 1725 - 21 ott. 1733
I Gallo-Sardi occup. Milano (3 nov.). Entrata in Milano
di Carlo Eman. III, re di Sardegna. 11 dic. 1733 - ag. 1736
R. Giunta provvisoria di governo, nominata da Carlo
Emanuele III . . . . 25 genn. 1734 - 15 dic. 1736
Carlo VI d'**Austria** rioccupa Milano (Trattato di Vienna
1735) . . . . 7 sett. 1736 - † 20 ott. 1740
Ottone Ferdinando, C.e d'Hebenspergh e Traun, go-
vernatore . . . . 15 dic. 1736 - 18 mar. 1742
Maria Teresa arcid. d'**Austria**, f. di Carlo VI, duch. di
Milano . . . . 20 ott. 1740 - 16 dic. 1745
R. Giunta interinale di governo . . . 18 mar. 1742 - 12 sett. 1743
Giorgio Cristiano, princ. di Lobkowitz, gov. . 12 - 15 sett. 1743
R. Giunta interinale di governo . . . 15 sett. 1743 - 16 giu. 1745
C.e Gian Luca Pallavicini, ministro plenip. e comand.
gener. . . . . 16 giu. - 22 sett. 1745
R. Giunta interinale di governo . . . . 22 sett. - 16 dic. 1745
Filippo di **Borbone**, Inf. di Spagna. – R. Giunta interin.
di gov. . . . . 16 dic. 1745 - genn. 1746
D. Giov. Gregorio Muniain e D. Gius. de Fosdeviela
march. della Torre, gov. . . . . genn. 1746

Ritornano gli Austriaci a nome di **Maria Teresa** pred. –
  La Giunta interin. ritorna al gov. . . . . . 20 mar. 1746
C.^e Gian Luca Pallavicini, min. plen. austriaco, *di nuovo*
  gov. . . . . 25 ag. 1746 - 16 sett. 1747
R. Giunta di governo . . . . 16 - 19 sett. 1747
Ferdinando Bonaventura, C.^e d'Harrach, governa-
  tore. . . . . 17 sett. 1747 - 18 sett. 1750
R. Giunta di governo . . . . 19 - 26 sett. 1750
C.^e Gian Luca Pallavicini, pred., gov. 26 sett. 1750 - 23 sett. 1753
R. Giunta di governo . . . . . 23 set^t. 1753 - 14 genn. 1754
Pietro Leopol. d'**Austria** gov., e per esso Francesco III
  d'**Este**, D. di Modena, come amministr., eletto
  1°/1117 53 ed entra in Miiano) . . . . . 14/1 1754 - rin. 1765
C.^e Beltrame Cristiani, ministro plenip. , nov. 1754 - † 3 lugl. 1758
Carlo C.^e di Firmian ministro plenipotenz. 29 lugl. 1758 - † 20 giu. 1782
Giuseppe II d'**Austria**, f. di Maria Teresa, pred., co-regg.
  della madre . . . 23 sett. 1765 - 29/11 1780, poi solo, † 20/2 90
Ferdinando, arcid. d'**Austria**, fr. di Pietro Leopoldo,
  gov. . . . . 15 ott. 1771 - 9 magg. 1796
Giuseppe C.^e di Wilczek, commiss. imp. e ministro
  plenip. . . . . 29 lugl. 1782 - 9 mag. 1796
Leopoldo II d'**Austria**, fr. di Giuseppe II, (imp. 1790),
  Duca di Milano . . . . . . 20 febb. 1790 - † 1° mar. 1792
Francesco II d'**Austria - Lorena** (imperatore 1792)
  succede . . . . 1° mar. 1792 - dep. 9 magg. 1796
Giunta interinale di governo, nominata da France-
  sco II. . . . . 9 magg. - 19 magg. 1796
È abolita la Giunta di gov. del 9 magg. e nomin. un'A-
  genzia militare (comp. di Maurin, Reboul e Pa-
  trand) e la Congregaz. di Stato detta Amm. gen.
  di Lombardia . . . . 19 magg. 1796
Municipalità composta di 30 cittadini, Galeazzo Serbel-
  loni presid. . . . . 21 magg. 1796
Bonaparte, coi Francesi, entra in Milano. – Unione alla
  Republ. francese . . . . 15 magg. - 15 nov. 1796
Preliminari di pace a Léoben (conferm. 17/10 97) pei
  quali la Lombardia è ceduta dall'Austria alla
  Francia . . . . 18 apr. 1797
Inauguraz. della Repubblica Cisalpina ed istituz. del
  Direttorio esecutivo . . . . 9 lugl. 1797 - 24 magg. 1799
Il governo di Milano, avvicin. gli Austro-Russi, è affid.
  all'Ammin. centrale del dipartim. . . . . . 26 - 29 apr. 1799
Gli Austro-Russi entrano in Milano condotti dal maresc.
  Melas (28 apr.). – Amministraz. provvisoria di 21
  cittadini (30 apr.-9 giu. 1800). – Cade la Repubb.
  Cisalp. 24 maggio . . . . 28 apr. 1799 - 2 giu. 1800
Melas istituisce il gov. civile, presid. Luigi Coccastelli
  (29 apr.). – Reggenza provvisoria . . . 29 apr. - 9 giu. 1800

I Francesi rientrano in Milano comandati da **Napoleone**
  Bonaparte . . . . 2 giu. 1800
È riprist. da Napoleone la Rep. Cisalpina 4 giu. 1800 - 26 genn. 1802
Napoleone nomina una Municipalità in luogo della
  Reggenza . . . . 9 giu. 1800
Batt. di Marengo. Vittoria dei Francesi sugli Austriaci 14 giu. 1800
Commissione di governo di 9 membri (ridotti poi a 3)
  in Comitato di governo . . . . 15 giu. 1800
Costituz. della Repubb. Italiana in luogo della Cisalp.-
  Napoleone **Bonaparte** presid., Francesco Melzi
  vice-presid. . . . . 26 genn. 1802 - 19 mar. 1805
Napoleone I **Bonaparte**, imperatore dei Francesi, re
  d'Italia . . . . 19 mar., cor. 26 magg. 1805 - rin. 11 apr. 1814
Princ. Eug. di **Beauharnais**, vicerè d'Ital. 7 giu. 1805 - 20 apr. 1814
Reggenza di Governo nom. dal Consigl. Comun. nelle
  persone del C.e C. Verri, C.e G. Borromeo, C.e A.
  Litta, C.e G. Giulini, G. Bazzetta, C.e G. Mellerio,
  C.e gen. D. Pino . . . . 21 apr. 1814 - 7 apr. 1815
Gli Austriaci entrano in Milano a nome di Francesco I
  d'**Austria** . . . . 28 apr. 1814 - 2 mar. 1835
Il C.e di Bellegarde, commiss. plenip. austriaco, presid.
  della Reggenza di gov. . . . . . . 25 magg. 1814 - 7 apr. 1815
È costituito il **Regno Lombardo-Veneto** sotto l'Au-
  stria . . . . 7 apr. 1815 - 5 giu. 1850
C.e Francesco di Saurau, govern. . . 21 apr. 1815 - 24 febb. 1818
L'Arciduca **Ranieri**, el. vicerè del Lombardo Ve-
  neto . . . . 3 genn. 1818 - rin. mar. 1848
C.e Giulio di Strassoldo, presid. di gov. 24 febb. 1818 - † 3 magg. 1830
C.e Francesco Hartig, governatore . . . 10 magg. 1830 - dic. 1840
Ferdinando I d'**Austria**, succ. al padre Francesco I
  2/3 1835, cor. re del R. Lomb. Ven. 6 sett. 1838 - abd. 2 dic. 1848
C.e Algravio Roberto di Salm-Reifferscheid, vice pre-
  sid. di gov. . . . . dic. 1840 - mag. 1841
C.e di Spaur, govern. . . . . magg. 1841 - mar. 1848
C.e Enrico O.Donell, vice presid. di gov. . . . . . marzo 1848
Gli Austriaci si ritirano da Milano. — Governo provvis.
  di Lombardia, Gabrio Casati presid. 22 mar. - 31 lugl. 1848
Il Governo provvisorio si muta in *Consulta Lombarda* 2 - 6 ag. 1848
Carlo Alberto vinto a Milano . . . . 4 ag. 1848
Gli Austriaci ritornano in Milano. — Felice princ. di
  Schwarzenberg, gov. milit. . . . . . . 6 ag. - 1o sett. 1848
C.e Francesco di Wimpfen, govern. milit.. . . . 1 - 24 sett. 1848
C.e Alberto Montecuccoli-Laderchi, min. plenip. 25 sett. 1848 - 1849
Francesco Giuseppe I d'**Austria**, nip. di Ferdinando I,
  re del Lombardo-Veneto . . . . . 2 dic. 1848 - 4 giu. 1859
Maresc. C.e Giuseppe Radetsky, govern. gen. civile e
  militare . . . . . . 25 ott. 1849 - 28 mar. 1857 († 5 genn. 1858)

Arcid. Ferdinando Massimiliano d'**Austria** (imp. del Messico 1864-67) gener., entra in Milano 6 sett. 1857 - 4 apr. 1859
C.e Francesco Gyulai, govern. gener. . . . . 4 apr. - 5 giu. 1859
È proclamata l'annessione della Lombardia al Piemonte. . . . . 5 giu. 1859
Paolo Onorato Vigliani, luogoten. gen. del re in Lombardia. . . . . 8 giu. - 30 nov. 1859
Atto di cessione della Lombardia al re di Sardegna (Convenzione di Villafranca 12 lugl. e Trattato di Zurigo 10/11) . . . . 10 nov. 1859

B – Pavia (1).

....I Longobardi occup. Pavia, che diviene capitale del loro regno, 572-774. – Lo stesso accade sotto i re Franchi, Nazionali, Sassoni ed Arduino d'Ivrea, 774-1004.
Repubblica, retta da Consoli, dal 1110, da Podestà dal 1180. – Consoli: 1110-55, 1164-90, 1191-1207, 1208-09 e 1217-18. – Podestà: 1180, 1911, 1207, 1210-13, 1220-1359.
Si sottom. all'Imp. Federico I. *Oberto Pelavicino ghibell., Sign. di Pavia* 1255-57 e 1260-65 . . . . 1154 - 1268
Lotte tra i **Langosco**, sostenuti dai nobili ed i **Beccaria**, ghibell., pel pop. . . . . 1268 - 1289
Manfredo **Beccaria** podestà del popolo, poi, dal 1290, cap. del pop. . . . . 1287 - 89 e 1289 - 1300
Guglielmo (march. del Monferrato 1253) con l'aiuto dei **Langosco** occupa Pavia, con tit. di *capitano* . 1289 - dep. 1290
Filippone, C.e di **Langosco**, cap. del pop. 1302-07 e, dal 1308, Signore . . . . 1302 - 1311
I **Beccaria** ritorn. al potere e si sottomettono all'Imp.e . . 1311
Filippo I di **Savoia-Acaja**, f. di Tomm.o II, vic. imp. di Pavia, Novara, Vercelli . . . . 1311 - 1312
Roberto d'**Anjou** (re di Napoli 1312). – Bartol. da Cortesio vicar. regio . . . . 1312 - 1315
Ai **Visconti** di Milano (Matteo, poi, 1322-27, Galeazzo), Signori . . . . 1315 - 27 e 1332 - 55
All'Imperatore Lodovico IV. – Enrico di Gruenenstein, vic. imp. . . . . 1327 - 1331
Al re Giovanni di Boemia, Signore . . . . 1331 - 1332
Musso **Beccaria**, principe di Pavia . . . . 1332 - 1343

---

(1) MAGENTA, I Visconti e gli Sforza nel castello di Pavia, Milano, 1883. – ROBOLINI G., Notizie stor. di Pavia, Pavia, 1823-38, voll. 6. – SACCHI C., Il Comune ed il contado di Pavia nell'acquisto del ducato di Milano, Pavia, 1898. – Memorie e docum. per la storia di Pavia e suo Principato, Pavia, 18...

Castellino Beccaria, principe di Pavia . . . . 1343 - 1357
A Giovanni march. di Monferrato, vic. imp. . . . . 1357 - 1359
Ai **Visconti** di Milano, *di nuovo*, con vicariato imp. ere-
   dit. dal 1360 . . . . 1359 - 3 sett. 1402
Venceslao di **Lussemburgo**, imp., creando il ducato di
   Milano, erige in contea Pavia pei figli primog. dei
   Duchi di Milano . . . . maggio 1295
Giovanni Maria **Visconti** (D.ª di Milano 1412), Conte
   di Pavia . . . . 1402 - 12 giu. 1412
Filippo Maria, f. (D.ª di Milano 1412), Conte di
   Pavia . . . . giu. 1412 - dep. 16 ag. 1447
Repubblica Ambrosiana . . . . 17 ag. - 17 sett. 1447
Francesco I Attendolo **Sforza** (Duca di Milano 1450)
   entra vittor. in Pavia . . . . 17 sett. 1447 - † 8 marzo 1466
Rimane unita a Milano (conti i f.ⁱ primogeniti dei
   Duchi) . . . . 8 mar. 1466 - lugl. 1499
Massimiliano, f. di Lodovico M. **Sforza** (D.ª di Milano),
   creato principe di Pavia . . . . lugl. 1499 - † 25 magg. 1530
Francesco II, fr. (D.ª di Milano), princ. di Pavia 1530 - † 1º nov. 1535
Don Antonio de Leyva (gov. di Milano 1525), principe
   di Pavia . . . . . . 2 nov. 1535 - † 15 sett. 1536 (V. Milano)

C — Lodi (1).

Occup. da Attila e sacchegg. 452; – Odoacre 476-493; –
   Ostrogoti 493-572; – Longobardi 572-774; – Fran-
   chi 774-887; – Re nazion. borgogn. e Sassoni 888-971.
Governo dei *Vescovi-Conti*: Andrea 971-1002; – No-
   cherio 1002-27; – Olderico de' Gossalenghi 1027; –
   Ambrogio Arluno 1027-51; – Opizzone 1056-75; –
   Fredenzone ...; – Rinaldo ...; – Arderico I Vignati 1103-1128; – Allone 1128-30; – Guido 1130-..;
   Giovanni 1135-43; – Lanfranco Cassini 1143-58; –
   Alberico I Merlino 1158-68; – Alberto Quadrelli
   1168-73; – Alberico II del Corno 1174-89; – Arderico II del Corno 1189-1217.
Nel sec. XII Lodi si sottrae man mano al governo dei
   Vescovi, diventando una repubblica libera, retta,
   dal 1142, da Consoli, poi, dal 1159, da Podestà,
   prima cittad., poi forestieri; poi da Podestà alternati da Consoli fino al princ. del sec. XIII. sec. XIII - 1251
Sozo **Vistarini**, podestà, viene nominato Gov. di Lodi,
   poi Signore . . . . 1251 - 59 e 1269 - 70

(1) Vignati, Codice diplomatico laudense. - De Angeli F. e A. Timolati, Lodi, monogr. stor. artistica, Milano, 1878. – Villanova G. B., Storia della città di Lodi, 1657, ms. – Ciseri A., Giardino istor. lodigiano, o stor. di Lodi etc., Milano, 1732. – Stokvis, op. cit., vol. III. – Cronichetta di Lodi del sec. XV, pubbl. da C. Casati, Milano 1884.

I **Torriani** (Sig. di Milano 1257), cacciati i nobili dalla
    città, si fanno Signori . . . . 1259 - 69, 1270 - 77, 1278 - 82
Giacomo da **Sommariva**, Signore per 10 anni . . 1275 - 1285 c.
I **Visconti** di Milano . . . . 1277 - 78 e 1282 - 1302
Antonio da **Fissiraga**, el. Sig. per 9 anni . . . . . 1285 - 1294 c.
Repubblica libera. − Antonio **Fissiraga** gov. 1307-11 1302 - 1311
Lodi si sottomette ad Arrigo VII imp. − (Enrico di
    Fiandra-Ninove, Conte) . . . . 1311 - 1322
Bassiano **Vistarini** (Vicario di Arrigo VII), Signore . 1322 - 1327
Giacomo, fr., con Sozo II . . . . 1327 - 1328
Pietro **Temaeoldo**, f. di un mugnaio di Castione e can-
    cell. dei Vistarini, Signore . . . . 1328 - 1335
I **Visconti** di Milano (Bruzio f. nat. di Luchino Visconti
    1336-48 e Ludovico Visconti 1379-85, govern.) 31/8 1335 - 1403
Antonio II **Fissiraga**, Signore . . . . . . 1403 - † 23 nov. s. a.
Giovanni **Vignati** (Sign. di Piacenza 1409-13), Sign.,
    poi (1413) Conte, 23 nov. 1403 - prig. 27 ag. 1416 († 28 ag. s. a.)
Lodi è unita ancora al Ducato di Milano 27 ag. 1416 - 13 ag. 1447
La repubb. di Venezia occupa Lodi . . . . 17 ag. 1447 - ott. 1448
Unita alla repubb. ambrosiana di Milano 18 ott. 1448 - 11 sett. 1449
Occupata da Francesco **Sforza** e successori, rimane
    unita a Milano, di cui segue le sorti dall'11 sett. 1449 (V. Milano)

D − Cremona (1).

.... Ai Longobardi. − Re Agilulfo l'occupa nel 602 . . 602 - 774
Ai re Franchi, poi ai re nazionali, Borgognoni e Sassoni 774 - 951
Governo dei *Vescovi-Conti*: Walfredo 816-18; − Ottone
    818-21; − Simperto 823-27; − Pancoardo 840-42; −
    Benedetto 851-78; − Lando 880-91; − Gualberto ...;
    913; − Giovanni 913-24; − Darimberto 924-61; −
    Liutprando 962-72; − Olderico 973-1004; − Lan-
    dolfo 1004-30; − Ubaldo 1031-73; − Arnolfo 1074-78;
    − Usberto 1087-95; − Gualtiero 1096-...; − Ugo
    1117-...; − Uberto 1118-1162.
Repubblica, − Consoli fra il 1120 e 1127, Podestà dal
    1182, poi Podestà altern. da Consoli fino al 1216 . 1106 - 1252
Comune guelfo dal princ. del sec. XIII, poi ghibellino
    dal 1234 . . . . princ. sec. XIII - 1250
Oberto **Pelavicino** (capo del partito ghib.). Podestà,
    poi Sign. di Cremona . . . . 1252 - 1266
Buoso da **Dovara**, ghib., Signore . . . . . . 1266 - dep. 1275 c.
Comune guelfo . . . . 1275 - 1307
Guglielmo **Cavaleabò**, f. di Ugolino, guelfo, Signore
    dal . . . . 1307 - dep. 1311, e 21/1 1312 († 14/6)

---

(1) Wüstenfeld, Serie dei Rettori di Cremona. :Repert. diplom. Cremon., 1878;. − Stokvis,
op. cit., vol. III. − Due cronache Cremonesi ined. dei sec. XV-XVI, Milano, 1876.

Enrico VII, Imp., Sig. di Cremona . . . . . 26 apr. 1311 - 1312
Giberto da **Correggio** (Sig. di Parma 1303, di Guastalla
    1307), Sig. . . . . 1312 - 1313 e 1316
Roberto (Re di Napoli 1309-43) . . . . 1313 - 1315
Giacomo **Cavaleabò** (Pod. di Milano 1307, di Parma
    1308), fu. di Gugliel. pred., Sig. 1315 - 1316, 1317 - 18, 1319 -
                                 † 30/11 1322
Rinaldo, Passerino de' **Bonaeolsi** (Sig. di Mantova 1308,
    di Modena 1312), Sig. . . . . 1316 - 1317 († 1328)
Galeazzo I **Visconti** (Duca di Milano 1322-27), Sig. . 1322 - 1323
Lodovico IV di Baviera, imp. . . . . 1328 - 1330
Marsiglio **Rossi**, f. di Marsiglio Sig. di Padova (vic. imp.
    in Lombardia 1330), Sig. . . . . 1330 - 1331 († 1336)
Giovanni re di Boemia, Signore . . . . 1331 - 1333
Ai Visconti di Milano . . . . 1334 - 1402
Ugolino **Cavaleabò**, pronip. di Giacomo, guelfo (dal 1404
    capo dei Guelfi di Lombardia) 1403 - dep. 13 dic. 1404 († 1406)
Carlo **Cavaleabò**, cugino, Signore. . . . . 13 dic. 1404 - † 1406
Gabrino **Fondulo**, [sp. Pomina Cavazzi della Somaglia]
    Sig. (cede Cremona ai Visconti 1420) . 1406 - 1420 († 11/2 25)
Ai **Visconti**, poi (1442) agli **Sforza** D. di Milano, dal
    1450. Signori . . . . 1420 - 99 a 1512 - 14
Alla Repub. di Venez.,cedut. da Luigi XII re di Francia 1499 - 1509
I Francesi la ritolgono ai Veneti (Lega di Cambray) 1509 - 1512
Massimiliano II **Sforza** (duca di Milano) entra vittor.
    in Cremona . . . . 16 nov. 1512 - 1514
Alla Francia, *di nuovo* . . . . 1514 - 15 e 1515 - 22
All'Imp. Carlo V, che la restituisce (1524) a Francesco
    II **Sforza** . . . . 1522 - 1524
Di nuovo agli **Sforza**, di Milano, al cui Stato rimane
    unita . . . . 1524 - 1535
Alla Spagna. - Segue le sorti di Milano dal 2 nov. 1535 (V.Milano)
Annessione al Regno di Sardegna . . . . 14 giu. 1859

E – **Brescia** (1).

.... Ai Longobardi. – Re Alboino occupa Brescia e suo
    territorio. . . . . 569 - 774
Duchi Longob.: Alachi I 575; – Rotari (poi re 636)
    ...-636; – Gaidoaldo, sec. VII fine (duca di
    Trento 690-692); – Marcuardo ...; – Potho 774.
Ai re Franchi d'Italia 774-887, poi ai re Nazionali e
    Borgognoni 888-926 c.
Governo dei Vescovi-Conti . . . . sec. IX - XI

---

(1) Barchi Alamanno, Annotaz. alla cronol. bresciana civile ed eccles., Brescia, 1832. – Biemmi G., Istoria di Brescia, ivi, 1748. – Odorici F., Storia bresciana etc., Brescia, 1853-68, – Stokvis, op. cit., vol. III

Tedaldo, avo della Contessa Matilde di Toscana sig. 980 c. - † d. 1012
Bonifacio, f., Signore . . . . v. 1012 - 1052
Matilde di **Canossa**, la *Gran Contessa*, 7 magg. 1052 - † 24 lugl. 1115
Si regge a Comune nel sec. XI; retta da Consoli dal 1121,
   da Podestà imp. 1162-76, da Podestà indip. dal
   1176; poi Consoli alternati da Podestà fino al 1228
   circa, poi Podestà soli . . . . lugl. 1115 - 1330
Comune guelfo . . . . magg. 1176 - 1195
L'Imp. Enrico VI di **Svevia** occupa Brescia 1195; gli
   succ. il f. Feder. II 27/9 1197 . . . 1195 - † 27 sett. 1257
Ezzelino da **Romano** libera Brescia con l'aiuto di Ob.
   Pelavicino; Sig. . . . . 1257 - 1259
Oberto **Pelavicino**, pred., capo della Republi. . . . 1259 - 1265
Ai **Torriani** di Milano . . . . 1266 - 1269
Carlo d'**Anjou** (re di Napoli 1266), Signore . . . . 1269 - 1281
Ritorna Repubb. libera . . . . 1281 - 1298
Viene occupata da Bernardo de' **Maggi**, poi (1308) da
   Matteo suo f., Sigg. . . . . 1298 - 1311
L'imp. Arrigo VII di Lussemburgo, occ. Brescia 1311 - † 24 ag.1313
Breve occup. di Tebaldo **Brusato** nel 1312, ma ripresa
   dall'imp. . . . . sett. 1312 - 1313
Di nuovo Repubb. libera . . . . 1313 - 1319
Roberto d'Anjou (re di Napoli 1309), Sig. di Brescia 1319 - dic. 1330
Giovanni di **Lussemb.** (re di Boemia), è accl. Signore dic. 1330 - 1332
Se ne impadroniscono gli **Scaligeri** di Verona . . . 1332 - 1337
Ai **Visconti** di Milano . . . . 1337 - 1403 e 1421 - 1426
A Giovanni **Rozzone**, poi (1404) a Pandolfo **Malatesta**
   (Sig. di Fano e Bergamo 1408-19) . . . . . 1403 - 1404
Si dà spontaneam. alla Rep. di Venezia 1426 - 1509 e 1516 - mar. 1797
Dominaz. francese (Gastone di Foix) . . . . . 1509 - 1516
Governo provvisor. mar.-nov. 1797, poi Repubb. Ci-
   salpina 1797-1802. – Repubb. Romana 1802-05. 1797 - mar. 1805
Regno d'Italia napoleonico . . . . mar. 1805 - 1815
Dominaz. austriaca [gov. provv. 22 mar.-15 ag. 1848] 1815 - giu. 1859
Annessione al regno di Sardegna . . . . 12 giu. 1859

F – Bergamo (1).

....Ducato Longobardo. – Duchi: Clefi (re 573) 572 c.-573;
   Vallari 575-...; – Gaidolfo ...; – Rotari † 702; –
   Rotari II v. 727; – Lupo 774.
Ai Franchi. Governata dai Conti: Anteramo 816-...;–
   Mario 833-...; – Rotocario 843-...; – Ottone

(1) Lupo M., Codex diplomaticus civtatis et ecclesiae Bergomatis, Bergomi, 1784-99. - Angelini G. B. Catalogo cronol. de' Rettori di Bergamo, cioè de' podestà, capitani, assessori ecc., dal 1173-1742, in-12°, Bergamo, 1742. – Stokvis, op. cit., vol. III. - Ronchetti, Memorie stor. della città e chiesa di Bergamo, ivi, 1805-39.

870-...; – Ambrogio 894;–Lintolfo 918; – Suppone
919-...; – Giselberto I 921-...; – Lanfranco I
930-...; – Giselberto II 962-...; – Lanfranco II
1018-...; – Ardoino I 1026-...; – Arduino II 1068;
– Raineri 1064; – Arialdo 1066; – Giselberto III
1079; – Alberto 1103; – Reginero 1101.

Repubblica retta da Consoli dal 1110, da Podestà imp. 1162-64, poi da Podestà comun. dal 1164	1110 - 1164
Repubblica govern. ora da Podestà ed ora da Consoli	1163 - 1264
Passa ai **Della Torre** di Milano (Filippo, poi, 1265, Napoleone), Podestà	1264 - 1277
Comune retto ora da Podestà ed ora da Consoli	1277-magg. 1301
I **Suardi** e i **Colleoni** di Bergamo invitano Matteo Visconti di Milano a impossessarsi di Bergamo. Viene ed è acclam. cap. del pop.	magg. 1301 - giu. 1302
Alberto **Scoto** di Piacenza, Signore. . . .	giu. 1302 - magg. 1304
Manfredo Della Scala, detto « *Sig. di Bergamo* » .	1315 - ...
Federico Della Scala, podestà, detto « *Sig. di Bergamo* »	1321 - ...
A **Giovanni** di **Lussemburgo** re di Boemia .	1331 - 20 sett. 1332
Ai **Visconti** di Milano (Azzone e success.). .	20 sett. 1332 - 1405
Ai **Visconti** *di nuovo*	1419 - lugl. 1428
Periodo di anarchia militare.	1406 - 1407
Giovanni-Ruggero **Soardi**, Signore	1407 - 1408
Bergamo è venduta a Pandolfo **Malatesta** (Sig. di Fano e Brescia 1403-04), Sig.	1408 - 1419
È ceduta alla Repubblica di Venezia . . 9 lugl.	1428 - 1510
Alla Francia	1510 - 1513
Repubblica indipendente	1513 - 1515
Alla repubb. di Venezia, *di nuovo*	1515 - 1798
Governo provvisorio d'influenza francese . . .	1798 - 1805
Al regno d'Italia napoleonico	1805 - 1815
Al Regno Lombardo-Veneto, sotto il governo austriaco . . . . 7 apr. 1815 -	5 giu. 1859
Unione definitiva al Regno di Sardegna	8 giu. 1859

G – **Mantova** (1).

Signori, poi Marchesi dal 1433,, Duchi dal 1530.

.... Agli Ostrogoti 493-552. – Ai Bizantini (Esarc. di Ravenna) 552-603. – Ai Longobardi 569-774. – Ai Franchi. Governo dei Conti 809-859; dei Vescovi-Conti 859-1186, cioè: Egilulfo 859-894; – Ambrogio 918-926; – Pietro 945-...; – Guglielmo 961-...; –

---

(1) S. **Maffei**, Annali di M., Tortona, 1865. – C. **D'Arco**, Studi intorno al municipio di Mantova, ivi, 1871-74. – P. **Litta**, Famiglie celebri (Bonacolsi e Gonzaga). – Cronichetta di Mantova, in Arch. Sotr. Ital., N. S. I., 2. – **Visi** G. B., Storia di Mantova, ivi, 1780.

Martino 967-...; – Gumbaldo 981-...; – Giovanni 985-1006. = [Grasciuvinus, « *potestas Mantuae* » 1184 - † 1186].

Gov. dei Conti: Tedaldo, C.ᵉ di Canossa, avo della Cont.ᵃ Matilde, creato sig. di Mantova dall'Imp. Ottone II . . . . - 1012

Bonifacio, f. (March. di Canossa, poi di Toscana 1027), C.ᵉ . . . . 1012 - 7 magg. 1052

Matilde, *la Gran Cont.*ᵃ, f. (March. di Toscana, Ferrara, Modena, ecc., dal 1077) . . . . 1052 - apr. 1091

All'imp. Enrico IV, poi (1106) ad Enrico V suo f. apr. 1091 - 1114

Matilde di Canossa, *di nuovo* . . . . . . 1114 - † 24 lug. 1115

Comune guelfo, retto forse da Consoli (1116 c.-1187), poi da Podestà forestieri (1187-89 (?), fin dopo il primo decennio del sec. XIII) . . . . 1116 (?) - sec. XIII

Alberto Casaloldi, Conte . . . . - dep. 1272

Pinamonte **Bonacolsi** (Bonacossa) si fa elegg. Rettore (col C.ᵉ Federico di Marcaria, fino al 1274, poi escluso); indi Capitano generale (con Ottonello Zanecalli per un mese); poi Capit. gen. perpetuo 15 febb. 1276 . . . . 1272 - abd. 1291 († 7/10 93)

Bardellone, f., rettore, poi Cap. gen. 1291 - rin. 2 lugl. 1299 († 1300)

Guido, detto *Botticella*, nip., capitano generale, poi Signore . . . . 29 lugl. 1299 - † 24 genn. 1309

Rinaldo, detto *Passerino*, fr. (Signore di Modena e Carpi 1312, di Cremona 1316), vicario imperiale 1312 . . . . 24 genn. 1309 - † 16 ag. 1328

Luigi I **Gonzaga**, podestà; proclam. dal pop. Signore, con tit. di Capit. gener. 26 ag. 1328; creato vicar. imp. da Lodovico il Bavaro [sp. I. Richilda Ramberti di Brescia († 1319); II. Caterina Malatesta di Rimini; III. (1340) Novella Malaspina] 26/8 1328 - † 18/1 1360

Guido, f., con titolo di Capit. gen. [sp. I. Agnese, f. di Franc. Pico della Mirand.; II. (1340) Camilla Beccaria; III. Beatrice, f. del C.ᵉ Edoardo I di Bar.] . . . . 18 genn. 1360 - † 22 sett. 1369

Luigi II, f., Sign. [sp. (1356) Alda († 1381), f. di Obizzo III d'Este] . . . . 22 sett. 1369 - † ott. 1382

Francesco I, f., Conte [sp. I. (1380) Agnese († 1391), f. di Bernabò Visconti; II. (1293) Margherita († 1399), f. di Galeotto Malatesta di Rimini] . ott. 1382 - † 8 mar. 1407

Gian Francesco, f., regg. Carlo Malatesta e la protez. di Venezia [sp. (1419) Paola († 1449), f. di Galeotto Malatesta di Rimini]; creato Marchese (1433) dall'imp. Sigismondo, succ. . . . 20 mar. 1407 - † 23 sett. 1444

Luigi III *il Turco*, f., March. [sp. (1433) Barbara († 1481), f. di Giovanni degli Hohenzollern del Brandeburgo] . . . . 23 sett. 1444 - † 11 giu. 1478

Federico I, f., March. [sp. (1463) Margherita († 1479), f.
di Alberto II D.ª di Baviera . . 11 giu. 1478 - † 14 lugl. 1484
Gian Francesco II, f., March. [sp. (1490) Isabella († 1539)
f. di Ercole I d'Este] . . . . . 15 lugl. 1484 - † 29 mar. 1519
Reggenza di Isabella d'Este durante la prigionia del
marito . . . . 1509 - 1510
Federico II, f. (March. del Monferrato 1536), [sp. (1531)
Margher. di Monferr. († 1566), f. di Gugliel. V Pa-
leologo] creato Duca di Mantova (8 apr. 1530) da
Carlo V imp. . . . . 29 mar. 1519 - † 28 giu. 1540
Francesco III, f., sotto tutela del Card. Ercole, suo zio
e della madre [sp. (1549) Caterina († 1572), f. di
Ferdin. I d'Austria] . . . . . 28 giu. 1540 - † 22 febb. 1550
Guglielmo, fr. (Duca del Monferr. 1574) [sp. (1561) Eleo-
nora († 1594), f. di Ferd. I d'Austria] 22 febb. 1550 - 14 ag. 1587
Vincenzo I, f. (Duca del Monferr.) [sp. I. (1581) Margherita, f. di Aless. Farnese, divorz.; II. (1584) Eleo-
nora († 1611), f. di Francesco I de' Medici], Duca,
succede . . . . 14 ag. 1587 - † 18 febb. 1612
Francesco IV, f. (D.ª del Monferr.) [sp. (1608) Margherita
(† 1655), f. di Carlo Em. I di Sav.], Duca 18 febb. - 22 dic. 1612
Ferdinando, fr., Card. 1607-12 (D.ª del Monf.) [sp. I.
(1615) Camilla († 1662), f. di Ardizzino Faa; II.
(1617) Cater. Medici († 1629)], Duca 22 dic. 1612 - † 29 ott. 1626
Vincenzo II, fr. (D.ª del Monf.) [sp. (1617) Isabella, f. di
Ferdin. Gonzaga di Bozzolo], Duca 29 ott. 1626 - † 26 dic. 1627
Carlo I di **Gonzaga Nevers**, nip. di Guglielmo pred. [sp.
(1518) Caterina, f. di Carlo di Lorena] 26 dic. 1627 - † 20 sett. 1637
Carlo II, nip., regg. la madre Maria Gonzaga fino al
1647, Duca . . . . 20 sett. 1637 - † 14 ag. 1665
Ferdinando Carlo, f., dapprima sotto regg. (C.e di Gua-
stalla 1678), Duca . . . . 14 ag. 1665 - † 5 lugl. 1708
Mantova viene unita all'Austria [aggreg. al Duc. di
Milano 13/4 1745] . . . . lugl. 1708 - lugl. 1797
Repubb. Cisalpina, poi Ital. (28/1 1802) 9 lugl. 1797 - 18 mar. 1805
Unione al Regno napoleonico. — Mantova capol. del
dipart. del Mincio . . . . mar. 1805 - apr. 1814
All'Austria, di nuovo . . . . 30 magg. 1814 - 22 ott. 1866
Unione al Regno d'Italia, con plebiscito 21-22 ott. e
con decreto . . . . 4 nov. 1866

IV. - VENETO

A — Venezia (1).

(1) V. Romanin, Storia documentata di Venezia, ivi, 1853-61, voll. 10. – A. Sagredo
Venezia e le sue lagune. – P. Daru, Storia della Repubb. di Venezia, Capolago, 1832-34,
voll. 11. – R. Fulin, Guida artist. e storica di Venezia. – E. Musatti, Storia di un lembo
di terra, Padova, 1888, voll. 4. – G. Bistort, La repubb. di Venezia, etc., in Ateneo Veneto, 1916, vol. III. – Stokvis, op. cit., vol. III. – Ercole Franc., Comuni e Signorie nel
Veneto, Venezia, 1910. – Villari P., Invasioni barbar. in Italia, Milano, 1905.

(2) Pare che anche l'elezione del doge fosse allora confermata dall'Imperatore d'Oriente.

Giovanni II Participazio, f., doge . . . . 881 - abd. 887
Pietro I Candiano, doge . . . . 17 apr. (?) - † sett. 887
Pietro Tribuno, doge . . . . . . magg. (?) 888 - † fine magg. (?) 912
Orso II Participazio, *Paureta* . . . . 912 - abd. 931
Pietro II Candiano, *protospatario*, f. di Pietro I Candiano, doge . . . . 932 - abd. 939
Pietro Participazio, f. di Orso I, doge . . . . 939 - † 942
Pietro III Candiano, doge . . . . 942 - † 959
Pietro IV Candiano, f., tenta dar forma assoluta al gov., doge . . . . 959 - ucciso 11/8 976
Pietro (B.) Orseolo I, doge 12 ag. (?) 976 - abd. 1° sett. 978 († 997)
Vitale Candiano, fr. di Pietro Cand. IV, doge . 978 - † dic. 979
Tribuno Menio (o Memo), doge . . . . . . dic. (?) 979 - † 991
Pietro Orseolo II, f. di Orseolo I (doge dell'Istria e Dalmazia, conquistata nel **999**). . mar. 991 - † metà sett. 1008
Ottone Orseolo, f., collega del padre dal 1006; dep. 1023, poi richiamato doge. . . . . 1008 - dep. 1026 († 1030)
Pietro *Barbolano* Centranico, doge . . . . . . 1026 - dep. 1032
Domenico Orseolo, usurp. . . . . giu. (?) 1032 (1)
Domenico Fabiano o Flabanico, doge . . . . . . 1032 - 1042
Domenico Contarini (duca di Dalmazia 1052), doge . 1043 - † 1070
Domenico Selvo, doge . . . . 1070 - dep. 1084
Vitale Falier, doge . . . . 1084 o 1085 - 1096
Vitale I Michiel, doge . . . . 1096 - † 1102
Ordelaffo Falier, doge . . . . 1102 - † 1118
Domenico Michiel, doge. . . . . . 1118 - abd. 1129 († v. 1130)
Pietro Polani, doge. . . . . 1130 - 1148
Domenico Morosini, doge . . . . 1148 - febb. 1156
Vitale II Michiel, doge . . . . . febb. 1156 - † 28 magg. 1172
L'aristocrazia commerciale diviene padrona della Repubb., formando il **Maggior Consiglio** di 480 Consigl. 1172 (2)
Sebastiano Ziani, doge . . . . . . 29 sett. 1172 - † 13 apr. 1178
Orio Malipiero, (*Mastropiero*) doge . . 17 apr. 1178 - † 14 giu. 1192
Enrico Dandolo (occupazione di Trieste 1202), doge dal . . . . 21 giu. 1192 - † a CP. 14 giu. 1205
Pietro Ziani, f. di Sebastiano pred., doge 5 ag. 1205 - † mar. 1229
Jacopo Tiepolo, doge 6 mar. 1229 - abd. 7 giu. 1249 († 19/7 s. a.)
Marino Morosini (duca di Candia), doge 13 giu. 1249 - † 1° genn. 1253
Ranieri Zen, doge . . . . 25 genn. 1253 - † 7 lugl. 1268
Lorenzo Tiepolo, f. di Jacopo pred., doge 15 lugl. 1268 - † 15 ag. 1275
Jacopo Contarini, doge . . . . 6 sett. 1275 - † 6 mar. 1280
Giovanni Dandolo, doge . . . . . . 25 mar. 1280 - † 2 nov. 1289
[Il popolo el. doge Giacomo Tiepolo 1289, che fugge a Treviso s. a.]

---

(1) Si crede fosse doge per un sol giorno, e secondo il Cecchetti, nel giugno 1036 (?).

(2) Assieme a questo comandava a Venezia un *Consiglio Minore* (o *Senato*), detto dei *Pregadi* che il Doge doveva consult. prima di proporre al Maggior Consiglio qualsiasi provvedimento importante.

Pietro Gradenigo, eletto doge dal Maggior Consiglio . . . . 25 nov. **1289** (1) - † 13 ag. 1311
Marino Zorzi, doge . . . . 23 ag. 1311 - † 3 lugl. 1312
Giovanni Soranzo, doge. . . . . . 13 lugl. 1312 - † 31 dic.1328
Francesco Dandolo, *Cane* (occupazione di Treviso 1339), doge . . . . 4 genn. 1329 - † 31 ott.1339
Bartolomeo Gradenigo, doge . . 7 nov. 1339 - † 28 dic. 1342
Andrea Dandolo, doge . . . . . . 4 genn. 1343 - † 7 sett. 1354
Marino Falier, doge 11 sett., assume il dog. 15 ott. 1354 - † 17 apr1355
Giovanni Gradenigo, *Nasone*, doge . 21 apr. 1355 - † 8 ag. 1356
Giovanni Dolfin, doge . . . . . . 13 ag. 1356 - † 12 lugl. 1361
Lorenzo Celsi, doge . . . . **16 lugl. 1361** - † 18 lugl. **1365**
Marco Corner, doge . . . . . . 21 lugl. 1365 - † 13 genn. 1368
Andrea Contarini, doge . . . . . 20 genn. 1368 - † 5 giu. 1382
Michele Morosini, doge . . . . 10 giu. - † 15 ott. 1382
Antonio Venier, doge . . . . . . 21 ott. 1382 - † 23 nov. 1400
Michele Steno, doge 1º dic., ass. il dog. 19 dic. 1400 - † 25 dic. 1413
Occupaz. (**1404**) di Cividale, Vicenza, Feltre, Belluno, Bassano, e (**1405**) di Padova, Verona, Antivari ecc. 1404 - **1405**
Tommaso Mocenigo, doge 7 genn. 1414, assume il dogato . . . . 28 genn. 1414 - † 4 apr. 1423
Occupaz. dei possed. del patriarc. d'Aquileia (cioè Friuli ed Istria) 1420
Francesco Foscari, eletto doge 15 aprile, assume il dogato . . . . 16 apr. 1423 - dep. 23 ott. 1457, † 1º nov. s. a)
Pasquale Malipiero, doge . . . . 30 ott. 1457 - † 5 magg. 1462
Cristoforo Moro, doge . . . . . 12 magg. 1462 - † 9 nov. 1471
Nicolò Tron, doge . . . . 23 nov. 1471 - † 28 lugl. 1473
Nicolò Marcello, doge. . . . . . 13 ag. 1473 - † 1º dic. 1474
Pietro Mocenigo, nipote di Tommaso Mocenigo predetto, doge . . . . . . 14 dic. 1474 - † 23 febb. 1476
Andrea Vendramin, doge . . . . 5 mar. 1476 - † 6 magg. 1478
Giov. Mocenigo, fr. di Pietro pred., doge 18 magg. 1478 - † 4 nov. 1485
Marco Barbarigo, doge . . . . . 19 nov. 1485 - † 14 ag. 1486
Agostino Barbarigo, doge . . . . 30 ag. 1486 - † 20 sett. 1501
Leonardo Loredan, doge (2) . . . 2 ott. 1501 - † 22 giu. 1521
Antonio Grimani, doge . . . . . 6 lugl. 1521 - † 7 magg. 1523
Andrea Gritti, doge . . . . . 20 magg. 1523 - † 28 dic. 1538
Pietro Lando, doge. . . . . . . 19 genn. 1539 - † 9 nov. 1545
Francesco Donà, doge . . . . . 24 nov. 1545 - † 23 magg. 1553
Marc'Antonio Trevisan, doge . . 4 giu. 1553 - † 31 magg. 1554
Francesco Venier, doge . . . . . 11 giu. 1554 - † 2 giu. 1556
Lorenzo Priuli, doge . . . . . . 14 giu. 1556 - † 17 ag. 1559

---

(1) Serrata del *Gran Consiglio* e origine del governo aristocratico nel 1297. Creazione del Consiglio dei Dieci nel 1310

(2) Istituzione dei tre Inquisitori di Stato nel 1501.

Girolamo Priuli, doge . . . . 1° sett. 1559 - † 4 nov. 1567
Pietro Loredan, doge . . . . . 26 nov. 1567 - † 3 magg. 1570
Alvise I Mocenigo, doge . . . . . 11 magg. 1570 - † 4 giu. 1577
Sebastiano Venier, doge . . . . . 11 giu. 1577 - † 3 mar. 1578
Nicolò da Ponte, doge . . . . . 11 mar. 1578 - † 30 lugl. 1585
Pasquale Cicogna, doge . . . . . 18 ag. 1585 - † 2 apr. 1595
Marino Grimani, doge . . . . . 26 apr. 1595 - † 25 dic. 1605
Leonardo Donà, doge. . . . . . . 10 genn. 1606 - † 16 lugl. 1612
Marc'Antonio Memmo, doge. . . . 24 lugl. 1612 - † 29 ott. 1615
Giovanni Bembo, doge . . . . . 2 dic. 1615 - † 16 mar. 1618
Nicolò Donà, doge . . . . 5 (?) apr. - † 9 magg. 1618
Antonio Priuli ,doge . . . . . . 17 magg. 1618 - † 12 ag. 1623
Francesco Contarini, doge . . . . 8 sett. 1623 - † 6 dic. 1624
Giovanni I Corner, doge . . . . 4 genn. 1625 - † 23 dic. 1629
Nicolò Contarini, doge . . . . . 18 genn. 1630 - † 2 apr. 1631
Francesco Erizzo, doge . . . . . 10 apr. 1631 - † 3 genn. 1646
Francesco da Molin, doge . . . 20 genn. 1646 - † 27 febb. 1655
Carlo Contarini, doge . . . . . 27 mar. 1655 - † 1° magg. 1656
Francesco Corner, doge . . . . . . 17 magg. - † 5 giu. 1656
Bertucci Valier, doge . . 15 giu., cor. 10 lugl. 1656 - † 29 mar. 1658
Giovanni Pesaro, doge . . . . . 8 apr. 1658 - † 30 sett. 1659
Domenico Contarini, doge. . . . 16 ott. 1659 - † 26 genn. 1675
Nicolò Sagredo, doge . . . . . . 6 febb. 1675 - † 14 ag. 1676
Alvise Contarini, doge . . . . 26 ag. 1676 - † 15 genn. 1684
Marc'Antonio Giustinian, doge. . . 26 genn. 1684 - † 23 mar. 1688
Francesco Morosini, doge . . . 3 apr. 1688 - † 6 genn. 1694
Silvestro Valier, doge . . . . 25 febb. 1694 - † 5 lugl. 1700
Alvise II Mocenigo, doge. . . . 16 lugl. 1700 - † 6 magg. 1709
Giovanni II Corner, doge . . . . 22 magg. 1709 - † 12 ag. 1722
Alvise III Mocenigo, doge° . . . . 24 ag. 1722 - † 21 magg. 1732
Carlo Ruzzini, doge . . . . . . 2 giu. 1732 - † 5 genn. 1735
Alvise Pisani, doge . . . . . . 17 genn. 1735 - † 17 giu. 1741
Pietro Grimani, doge . . . . . . 30 giu. 1741 - † 7 mar. 1752
Francesco Loredan, doge . . . 18 mar. 1752 - † 20 magg. 1762
Marco Foscarini, doge . . . . 31 magg. 1762 - † 31 mar. 1763
Alvise IV Mocenigo, doge. . . . 19 apr. 1763 - † 31 dic. 1778
Paolo Renier, doge 14 genn., cor. 15 genn. 1779 - † 14 febb. 1789
Lodovico Manin, doge 9 mar., cor. 10 mar. 1797 - abdica 12/5 1797
(† 23 ott. 1802)

Governo democratico provvisorio di 60 membri presie-
    duti da Lodovico Manin e da Andrea Spada. Occu-
    pazione francese . . . . 16 magg. - 17 ott. 1797
Il territorio Veneto viene diviso (pace di Campoformio)
    fra la Repubblica Cisalpina e l'Austria . . . . 17 ott. 1797
Gli Austriaci entrano in Venezia. . . 19 genn. 1798 - 26 dic. 1805
Il Veneto è unito al regno d'Italia (pace di Presburgo
    26 dic. 1805). Il gen. Miollis prende possesso di Ve-
    nezia in nome di Napoleone I . 19 genn. 1806 - 30 mag. 1814

Venezia è aggregata di nuovo all'impero d'Austria
(tratt. di Parigi) dal . . . . 30 magg. 1814
Formazione del regno Lombardo-Veneto, sotto la domi-
nazione austriaca. . . . . 7 apr. 1815 - 23 mar.1848
Rivoluzione. – Governo provvisorio; Daniele Manin,
presid. . . . . 23 mar. - 3 lugl. 1848
Castelli ministro presid.. . . . . 3 lugl. - 13 ag. 1848
Proclamazione della Repubblica. Daniele Manin, dit-
tatore, con G. B Cavedalis e Leone Graziani col-
leghi. . . . . 10 - 13 ag. 1848 - 5 mar. 1849
Daniele Manin, presid. del gov. provvis.. . 5 marzo - 24 ag. 1849
L'Austria ritorna in possesso di Venezia. Gen. Gorz-
kowski gov. . . . . 27 ag. 1849 - 24 ag. 1866
L'Austria cede Venezia alla Francia per l'Italia . . 24 ag. 1866
Venezia passa a far parte del Regno d'Italia (tratt. di
Vienna) . . . . 3 ott. 1866
Decreto di annessione . . . . 4 nov. 1866

B – Friuli (1).

Ducato Long., poi Marchesato dall' 820, Conti dall' 827.

...Ai Longobardi. – Re Alboino forma del Friuli un Ducato, con Gorizia e Gradisca . . . . magg. 568
Duchi: Gisulfo I, cug. di Alboino, D. long. di Cividale,
magg. 570-590; – Arichi (D. di Benev. 594-641) 590-
594 († 644); – Gisulfo II 594-† 611; – Taso e Kakko,
f.¹ di Gisulfo II, 611 e 621-631; – Grasulfo, fr. di
Gisulfo II, 612-621 e 631-† 651; – Ago 651-663; –
Lupo 663-666; – Arnefrit 666; – Wechtari 666-678;
– Landari 678-...; – Rodoaldo ...-694; – Ado
694; – Ferdulf 694-706; – Korvulus 706; – Pen-
none, di Belluno, 705, destit. da re Liutprando 739;
– Rachi (Ratchis), f. (re dei Longob. 744-49)
739-714; – Astolfo, fr. (re Longob. 749-56) 744-749
(† 756); – Anselmo (S.), cogn. di re Astolfo, 749-751;
– Pietro 751-...; – Rotgaldo (Urothgaud) 774-775.   570 - 575
Carlo Magno toglie il Friuli al D.ª Rotgaldo . . . .   775 - 776
Marcario, duca long., 776-787; – Unroc I (occupa l'I-
stria, dell'Imp. Bizant. 789, Carinzia, Stiria, Carniola e parte del Tirolo nel 796) 787-789; – Cadolao
799-819; – Balderico (Il Friuli innalz. a Marchesato 820) 819-828. . . . .   776 - 827
Il Marchesato è diviso in 4 Contee: Friuli o Cividale,
Istria-Carniola, Carinzia e Bassa Pannonia   827

(1) STOKVIS, Manuel d'histoire, etc., Leida, 1890-92. - STRASSOLDO, Cronaca (1469-1509)
per cura di V. JOPPI, Udine, 1876.

Conti: Unroc II. f. di Unroc I, 828-...; – Eberardo, fr.
(C.e della Marca di Treviso) 846-863; – Unroc III,
f., 863-† 874; – Berengario, fr. (re d'Italia 888,
imp. 915) 874-888; – Walfredo (C.e della Marca
di Treviso 895) 891-924 († 896). . . . . 828 - 924
Corrado II imp. cede gran parte del Friuli Veneto a
Poppo (patriar. d'Aquileia 1019-42) nel 1028. –
I Patriarchi lo conservarono fino al 1420. 1028 - 7 giu. 1420
Il Friuli, dopo 3 anni di guerra passa alla Repubb. di
Venezia, la quale ne cede parte (1509) all'imp. Mas-
simil. I d'Austria e successori . . . . . 7 giu. 1420 - 1797
L'Austria occupa anche il Friuli Veneto . . . .1797 - 26/12 1805
Al R.º d'Italia napoleon. (dipart. Passariano), per la
pace di Presburgo . . . . 26 dic. 1805 - 1814
Ritorna all'Austria . . . . 1814 - 24 ag. 1866
Viene restituito, col Veneto, all'Italia, meno una por-
zione lungo l'Isonzo (prov. d'Udine) . 24 ag. 1866 - nov. 1918
Il Friuli Austriaco (che fece parte delle prov. illiriche
1809-14), compreso nei circoli di Gorizia e Trieste,
passa definitivamente al R.º d'Italia . . . . . 3 nov. 1918

C – Aquileia (1).

Vescovi, poi Arcivescovi dal 369, Patriarchi dal 557,
Principi dell'Imp. dal 1209 al 1420.

Ilario, di Pannonia,
vescovo . . . . 276 - 285
Crisogono I, Bizant. 286 - 295
Crisogono II, di Dalm. 295 - 308
Teodoro . . . . . 308 - 319
Agapito . . . . . 319 - 332
Benedetto (?), Rom. 332 - 337 (?)
Fortunaziano . . 343 - 355
S. Valeriano, arcivesco-
vo . . 369 -† 27 nov. v. 388
S. Cromazio . v. 388 - † v. 407
Agostino . . . . 407 † v. 434
Adelfo (Delfino) . . 434 - ...
Massimo . . . 442 o 443 - ...
Gennaro 443 o 444 - † 30 dic. 447
Secondo . . . . 451 - 452
S. Niceta . . . . 454 - † 485
Marcelliano, *patriarca*
a Grado . . v. 485 - ...
Marcellino . . . 500 - 503 (?)

Stefano . . . . . v. 515 - ...
Macedonio . . . . 539 - ...
Paolo (Paolino) I, *patr.*
si ritira a Grado 557 - † 569
Probino . . . . . 569 - 570
Elia, **a Grado** . . 571 - † v. 586
Severo (vescovo di
Trieste, **patriarca** 586 - † 606
Candidiano, a Grado 606 -† v.612
Giovanni I, ad Aquileia 606 - ...
Epifanio, a Grado . 612 - 613
Cipriano, a Grado 613 - † v. 627
Marciano, ad Aquileia,
patriarca .v. 623 - † v. 628
Fortunato, ad Aquileia 628 - ...
Primogenio, *a Grado* 630 - 648
Massimo, *a Grado* . 649 - ...
Felice, ad Aquileia . 649 - ...
Giovanni II, ad Aquileia, † 663
Stefano II, a Grado . 670 - ...

(1) GAMS, Series Episcoporum, Ratisbonae, 1873. – Series anti-tium Aquileiensium et Go-
ritiensium, Gorizia, 1841. - STOKVIS, op. cit., vol. 11.

Agatone . . . . . . 679 - . . .
Giovanni III, ad Aquil. 680 - . . .
Cristoforo, *a Grado* . 685 - . . .
Pietro I, *ad Aquileia*. 698 - 700
Sereno . . . . 711 - 723
Calisto . . . . . v. 726 - 734
Sigwaldo . . . 762 - † v. 776
S. Paolino II, 776 - † 11/1 802
Orso I . . . . v. 802 - † 811
Manenzio . . . . . . 811 - 833
Andrea . . . . . v. 834 - 844
Venanzio . . . . . . 850 - . . .
Teodemaro . . febb. 855 - . . .
Lupo I . . . 855 o 856 - . . .
Valperto . . . 875 - † v. 899

Federico v. 901 - † 23/2 v. 922
Leone . . . . 922 - † v. 927
Orso II . . . . 928 - † v. 931
Lupo II v. 932 - † 13 mar. 944
Engelfredo v. 944 - † nov. 963
Rodoaldo av. 13 dicem-
    bre. . . . 963- † 983 o 984
Giov. IV, di Raven. 984 - † 1017
Poppo 1017 o 1019 - † 1042 o 45
I Patriarchi acquist. il
    Friuli con Gradisca . . 1028
Eberardo, longobar. 1045 - 1049
Goteboldo . . . . 1049 - 1063
Ravengero . . v. 1063 - † 1068

Sigeardo (Singifredo) **patriarca** [acquista la Carniola
    1077] succ. . . . . 1068 - † 12 ag. 1077
Enrico, **patriarca** . . . . av. 17 sett. 1077 - † 1084
Federico II (Swatobor) . . . . 1084 - † 1085
Ulrico (Vodalricus) d'Eppenstein, (ab. di S. Gallo) 1085-†11 dic. 1121
Gerardo Primiero . . . . av. 21 magg. 1122 - dep. 1128
Pellegrino I d'Ortenbourg . . . . v. 1130 - † 8 ag. 1161
Ulrico II, alemanno . . . . . . 24 sett. 1161 - † 1° apr. 1181
Gotifredo, ab. di Sesto . . . . 1182 - † v. 1194
Pellegrino II [acq. i'Istria 1203] av. 8 febb. 1195 - † v. 15 magg. 1204
Wolfgaro, alemanno, **princ. d. imp.** 1209, av. 22/5 1204-† 10 febb. 1218
Bertoldo di Meran . . . . . . 27 mar. 1218 - † 23 magg. 1251
Gregorio di Montelongo . . . . . 29 nov. 1251 - † 8 sett. 1269
Filippo I (duca di Carinzia, 1269) . . . . 23 sett. 1269 - † 1279
Raimondo della Torre, milanese . . 21 dic. 1273 - † 23 febb. 1299
Pietro Gerra, di Ferentino . . . 18 ott. 1299 - † 19 febb. 1301
Ottobuono de' Razzi . . . . . 30 marzo 1302 - † 13 genn. 1315
Gastone della Torre, (arciv. di Milano) 31 dic. 1316 - † 20 ag. 1318
Pagano della Torre, (vesc. di Padova) 24 luglio 1319 - † 19 dic. 1331
Bertrando di S. Genesio . . . . . 4 lugl. 1334 - † 6 giu. 1350
Nicola I di Lussemb., **fr. di Carlo IV** imp., 22 ott. 1350 - † 29 lugl. 1358
Lodovico I della Torre, (vesc. di Trieste) 10 mar. 1359 - † 30 lugl. 1365
Marquardo di Randek . . . . . . 23 ag. 1365 - † 3 genn. 1381
Filippo II d'Alencon, card., amministr. . . 11 febb. 1381 - 1387
Giovanni V Sobieslaw di Moravia . . 27 nov. 1387 - † 12 ott. 1394
Antonio I de' Gaetani, Romano, 27 genn. 1395 - dep. 2 febb. 1402
Antonio II Panciera . . . . . . 8 apr. 1402 - dep. 13 giu. 1408
Antonio III da Ponte . . . . . . av. 16 mar. 1409 - 1412
Lodovico II di Teck . . . . 6 luglio 1412 - 1435
I Venez. privano il Patriarc. del potere tempor. **e gli**
    tolgono l'Istria e il Friuli con Gradisca e Aquileia 7 giu. 1420
Lodovico III Scarampi-Mezzarota . 18 dic. 1439 - † 27 mar. 1465

La sola città di Aquileia è resa al Patriarcato nel **1445**
Marco I Barbò *patriarca* . . . . . . 27 apr. 1465 - † 6 mar. 1491
Ermolao I Barbaro » . . . . 7 mar. 1491 - † 14 giu. 1493
Nicolò Donati » . . . . 4 nov.'1493 - † 3 sett. 1497
Domenico Grimani » . . . . 13 febb. 1498 - 1517
Marino Grimani » . . . . . 1517 - dep. 16 apr. 1529
Marco II Grimani » . . . . 16 apr. 1529 - dep. 1533 († 1544)
Marino Grimani, *di nuovo patriarca* 1533 - dep. 1545 († 28 sett. 1546)
L'Austria occupa parte del Friuli, con Aquileia 1509 e 1545 - 1797
Il Patriarcato sussiste ad Udine, privo del poter tem-
    porale, fino al 1750, nel quale fu soppresso dal papa.
Parte dell'Istria con Aquileia passa all'Austria . 1797 - nov. 1918
Aquileia è unita definitivam. al R. d'Italia. . . . . 3 nov. 1918

D - **Padova** (1).

.... Agli Ostrogoti 493-540; − ai Bizantini 540-541; −
    agli Ostrogoti di nuovo 541-563; − ai Bizantini an-
    cora 563-601.
Presa e distrutta da Agilulfo re dei Longobardi, ai quali
    rimane soggetta . . . . 601 - 774 c.
Domin. dei Franchi (Governata dai Conti, poi, dall'897,
    dai Vescovi-Conti) . . . . d. 774 - 1124
Vescovi-Conti: Pietro I 897-...; − Ebone 904-...; −
    Sibicone 911-917; − Turigario 919-...; − Valto
    923-...; − Pietro II 931-...; − Pietro III ...-938; −
    Ardemanno 940-...; − Idelberto 942-952; − Zeno
    964-967; − Gauslino 967-992; − Orso 992-1015; -
    Aistulfo 1031-....; − Brocardo 1034-37; − Arnoldo
    1046-....; − Bernardo Maltraversi 1047-53; −
    Verculfo 1057-64; − Olderico 1064-83; − Milone
    1083-91; − Pietro IV Cisorcella 1096-1119; − Sini-
    baldo 1106-1124.
Comune, retto da Consoli dal 1138-1188, poi da Po-
    destà, dal 1175, che divengono, dal 1195, capi
    della repubblica (guelfi dal 1227) . . . . . av. 1138 - 1237
Ezzelino da Romano (Sig. di Romano 1235, di Verona
    e Trento 1250, di Brescia 1258) protetto dall'Imp.
    si fa Sig. di Padova 25 febb. 1237 - dep. 20/6 1256 (†27/9 '59)
Il Papa e gli Estensi liberano Padova da **Ezzelino**. − I
    guelfi tornano al potere 20 giu. 1256 - 1311 e 1312 - 15/7 1318
Riconosce la sovranità di Arrigo VII di **Lussemburgo** . 1311 - 1312

---

(1) ORSATO, Storia di Padova, Padova, 1878. − G. GENNARI, Annali della città di Padova,
Bassano, 1804. − G. B. VERCI, Storia degli Ezelini, Bassano, 1879. − CITTADELLA, Storia
della domin. carrarese in Padova, Padova, 1842. − CAPPELLETTI, Storia di Padova, Padova,
1875-76. − STOKVIS, op. cit., vol. III.

Giacomo I da **Carrara**, capit. generale, « principe del
  popolo » . . . . . 15 lug. 1318 - rin. 5 genn. 1320 († 22/11 24)
Federico III d'**Absburgo**, re de' Romani; Enrico C.e di
  Gorizia († 1323) poi Enrico C.e di Carinzia, suoi
  vic. . . . . 5 genn. 1320 - sett. 1328
Marsilio I da **Carrara**, nip. di Giacomo I, Signore e
  Cap. gen. . . . . 3 sett. - rin. 10 sett. 1328
Can Grande **Della Scala** (Signore di Verona 1311), Si-
  gnore . . . . 10 sett. 1328 - † 22 lugl. 1329
Alberto e Mastino **Della Scala**, nip., Sig. 22 lugl. 1329 - dep. 3 ag. 1337
Marsilio I da **Carrara**, *di nuovo* Signore 3 ag. 1337 - †.21 mar. 1338
Ubertino, f. di Jacopino da **Carrara** (occupa Bassano ed
  Este 1339), Signore . . . . . 21 mar. 1338 - † 25 mar. 1345
Marsilio II Papafava, f. di Albertino . . 27 mar. - 6 magg. 1345
Jacopo II, f. di Ubertino pred., Signore 7 magg. 1345 - † 21/12 1350
Jacopino, fr. Sig. (assoc. col nip. Francesco f. di Ja-
  copo II) . . . . 22 dic. 1350 - dep. 18 lugl. 1355 († 1372)
Francesco I *il Vecchio*, pred., solo (Sig. di Feltre, Bel-
  luno, Treviso, Ceneda 1384) 22 dic. 1350 - abd. 29 giu. 1388
                                        [(† 6/10 93)
Francesco Novello, f., Signore 29/6 - dep. 23/11 1388 e 20/6 1390 -
                                        dep. 22/11 1405 († 06)
Giovanni Galeazzo **Visconti** (Sig. di Milano 13/8) oc-
  cupa Padova . . . . . . 23 nov. 1388 - dep. 20 giu. 1390
Unita alla Repubb. di Venezia . . . 22 nov. 1405 - 28 apr. 1797
I Francesi s'impadron. di Padova . 28 apr. 1797 - 20 genn. 1798
All'Austria (Trattato di Campoformio 17 ottobre
  1797) . . . . 20 genn. 1798 - 16 genn. 1801
È rioccupata dai Francesi (armist. di Treviso) 16/1 1801 - sett. 1805
All'Aust., *di nuovo* sett. 1805-nov. s. a.; 25 apr.-3/5 1809, e 1813-1848
Il generale franc. Giov. Ogniss. Arrighi, cugino di Nap. I
  creato D. di Pad. nov. 1805 - magg. 1809 e 3/5 09 - 1813 († 22/3 63)
Rivoluz. – Annessione al R. di Sardegna. 14/6 1848
All'Austria *di nuovo* . . . . 15/6 1848 - 14/7 1866
Annessione definit. al Regno d'Italia. . . . . . 11 luglio 1866

E – Polesine di Rovigo (1).

Alberto Azzo I, f. di Oberto II Sig. d'Este, ottiene dal-
  l'imp. Ottone I il Polesine di Rovigo [sp. Gualdrada, f. di P. Candiano IV D.e di Venezia] . . 970 - † 1029
Alberto II, f. (march. d'Italia, C.e di Lunigiana), Sig.
  [sp. I. Cunegonda († 1057), f. di Guelfo II d'Alt-
  dorf; II. Garzenda, di Ugo II C. del Maine; III.
  Matilde, f. di Adalberto Pallavicino] . . . . . 1029 - † 1097

(1) Durazzo G., Serie dei Visconti, dei Marchesi e Duchi d'Este in Rovigo, Rovigo, 1864
Litta, Famiglie celebri, Estensi.

Folco I, f. (march. d'Italia), Signore . . . 1097 - † 15 dic. 1128
Obizzo I, f. **Sig.** . . . . 15 dic. 1128 - † 25 dic. 1193
Azzo III (VI), nip. dal f. Azzo V (march. d'Ancona e
    Sig. di Ferrara 1208), Sig. . . . 25 dic. 1193 - † 18 nov. 1212
Aldobrandino I, f., Sign. . . . . . . 18 nov. 1212 - † 10 ott. 1215
Azzo IV (VII) *Novello*, fr.; (march. della Marca d'Anco-
    na 14/8 17) con Rinaldo suo f. † 1335, - 10 ott. 1215 † 16/2 1264
Obizzo II, nip., dal f. Rinaldo . . . . . 1222 - † 13 febb. 1293
Azzo V (VIII), f. (Sig. di Ferrara, Modena e Reggio
    1293) . . . . 13 febb. 1293 - 1 febb. 1308
Aldobrandino II, fr. . . . . 1º febb. 1308 - † 27 lugl. 1326
Rinaldo II, f. . . . . 27 lugl. 1326 - † 31 dic. 1335
Obizzo III, fr. (Sig. di Ferrara 1317, di Modena 1336,
    di Parma 1344) . . . . 31 dic. 1335 - † 20 mar. 1352
Aldobrandino III, f. . . . . . . 20 mar. 1352 - † 2 dic. 1361
Niccolò II, fr. (vic. imp. di Modena 1354, Sig. di Fer-
    rara 1361), Sig. . . . . 2 dic. 1361 - † 26 mar. 1388
Alberto, fr. . . . . 26 mar. 1388 - † 30 lugl. 1393
Francesco *Novello*, da **Carrara** . . . . 1391 - 1393
Niccolò III, f. di Alberto d'Este, ritorna in possesso del
    Polesine . . . . 1393 - 14 mar. 1395
Niccolò III cede il Polesine alla **Repubb. di Venezia**, in
    pegno per un prestito di denaro . . 3 apr. 1395 - 1438 († 1441)
Agli **Estensi**, *di nuovo* (Leonello, Borso, Ercole I), V.
    Ferrara . . . . 1438 - 7 ag. 1484
L'imp. Federico III d'**Austria** concede al Polesine il
    tit. di Contea 1452
Il Polesine è aggreg. di nuovo (pace di Bagnolo) alla
    Repubb. di Venezia . . . . 7 ag. 1484 - magg. 1797
All'Austria . . . . . . magg. 1797 - 1806 e nov. 1813 - 10 lugl. 1866
Passa, col Veneto, al R.º d'Italia (pace di Presburgo) 1806 - nov. 1813
Unione definit. al R.º d'Italia . . . . 10 lugl. 1866

F – Treviso, Feltre e Belluno (1).

.... Ai Longobardi (Duchi) 568-774; — Franchi 774-887;
    Treviso govern. da Vescovi-Conti sec. VIII-XII —
    Re Nazion. e Borgogn. 888-951.
Enrico I, fr. dell'imp. Ottone I, creato margravio di
    Treviso e Verona. . . . . 952 - † 1 nov. 955
Enrico II f., margravio, regg. la madre Giuditta di
    Baviera . . . . nov. 955 - dep. 975
Treviso si regge a Comune. Consoli dal 1164, Podestà
    dal 1173 . . . . v. metà sec. XII-1237

---

(1) LITTA, Fam. cel. ital.. Da Camino. – STOKVIS, op. cit., vol. III. – G. B. PICOTTI, I Caminesi e la loro signoria in Treviso dal 1283 al 1312, Livorno, 1905.

Ezzelino I, discendente da Ecelo, Sig. di Onara e Romano el. podestà di Treviso . . . . 1173 - dep. 1183
Ai Da Camino . . . . 1183 - 1185 e 1186 - 1191
Ezzelino II il *Monaco*, f. ghibell. (sig. di Verona 1226, di Bassano 1232 ecc.) Sig. . . . . . v. 1191 - 1192 († 1235)
Comune a Treviso, retto da Consoli (dal 1200 noti) . 1192 - 1235
Treviso passa al partito dei guelfi . . . . 1234 - 1237
Ezzelino III da Romano, poi Alberico suo fr.
                          1237 - dep. 16/9 1259 († 27/9 s. a.)
Comune libero a Treviso e Feltre (a Belluno fino al 1266)
                          sett. 1259 - 15 nov. 1283
Gherardo da **Camino**, Sign. di Treviso, Feltre, Belluno . . . . 15 nov. 1283 - † 26 mar. 1307
Rizzardo, f. (C.° di Céneda dal 1274) vic. imp. a Treviso, Feltre e Belluno, dal 10/5 1311 26/3 1307 - † 12/12 1312
Guecello, fr., Sig. di Camino, Colfosso e Ceneda)
    Signore . . . . apr. - dep. 6 dic. 1312 († 1324)
Comune libero a Feltre e a Belluno . . . . . . 1313 - nov. 1318
Federico d'**Absburgo** (re de' Romani 1314), Enrico C.°
    di Gorizia († 24 apr. 1323), poi Enrico di Carinzia,
    vicari . . . . nov. 1318 - 1328
Feltre e Belluno passano agli **Scaligeri** . . . . . . 1322 - 1339
Guecello **Tempesta**, cap. gen. a Treviso . . . 1328 - 18 lugl. 1329
Cangrande **della Scala** (Sign. di Verona 1308) 18 lugl. - † 22 lugl. 1329
Mastino II ed Alberto, figli di Alboino **della Scala**, Signori . . . . 22 lugl. 1329 - 24 genn. 1339
La Repubblica di Venezia occupa Treviso 24 genn. 1339 - magg. 1381
Carlo IV imp. occupa Belluno; suo vic. Niccolò patr.
    di Aquileia . . . . 1347 - 1358
Carlo IV cede Belluno a Lodovico re d'Ungheria . . 1358 - 1360
Leopoldo III d'**Absburgo** (duca d'Austria 1379), Sig. di
    Belluno in apr., di Treviso . . princ. magg. 1381 - genn. 1384
Francesco da **Carrara** il *Vecchio* (Sig. di Padova 1350)
    Sig. di Treviso genn. 1384, di Feltre e Bell. 1386 - dep. dic. 1388
Giovanni Galeazzo **Visconti** occupa Treviso dic. 1388 - 24 genn. 1389
La Repubbl. di Venezia occupa Treviso e Céneda dal 24 genn. 1389
    »   »   occupa pure Feltre e Belluno. . . . . 28 apr. 1404 - 1411
Gli Ungheri, cond. da Pippo Spano per l'imp. Sigismondo invadono il Friuli e il Trevigiano. Belluno si arrende. . . . . 1411 - 1420
Belluno passa ancora alla Repubb. Veneta . . 1420 - 6 lug. 1509
Belluno si sottom. all'imp. Massimiliano . . 6/7 1509 - 13/12 1511
La Repubb. Veneta occupa ancora Belluno, che le rimane unita seguendone le sorti dal . 13 dic. 1511 (V. **Venezia**)
Annessione di Treviso, Feltre e Belluno al Regno d'Italia . . . . nov. 1866

G – Verona (1).

Odoacre ed Eruli 476-489; – Ostrogoti 489-553; – Bizantini 553-68; — Longobardi 568-774.; — Franchi 774-888 (gov. dei Conti); – Re Nazionali e Borgognoni 888-951.

La Marca di Verona è unita alla Germania. – Enrico I, fr. dell'imp. Ottone I di **Sassonia** (D.ª di Baviera 947) nom. Margravio di Verona e di Treviso 952 - † 1 nov. 955

Enrico II fª. (sotto tutela, da prima, della madre Giuditta, f. di Arnolfo di Baviera . . 955 - dep. 975 († 28/8 995)

Lotte fra i Montecchi (ghib.) pei nobili e i **San Bonifazio** (guelfi) pel popolo; questi hanno la Sig. di Verona 1000 - 1120 c.

Alla Contessa Matilde di **Canossa** . . fine sec. XII - † 24 lugl. 1115

Gov. a comune dal 1120, retto da Consoli dal 1136 c. – 1187, poi da Podestà dal 1169, poi periodo consolare-podestarile fino alla fine del sec. XII . . . . 1120 - 1197 c.

I guelfi sono cacciati da Verona nel 1204, i ghibellini nel 1206; questi ritornano al potere lo stesso anno ma sono ancora vinti dai guelfi nel 1207, 1204 - 1207 e 1230 - 32

Rizzardo **San Bonifazio**, Conte, capo dei guelfi [sp. Cunizza da **Romano**] . . . . 1247 - † 1253

Lodovico **San Bonifazio**, discend. dai Conti di Verona, capo dei guelfi, Conte . . . . sec. XIII - dep. 14 sett. 1263

Ezzelino III da **Romano**, ghibell. (Sig. di Bassano 1232, di Padova 1237, di Trento 1250), podestà . . . . 1226 - 33

Giovanni da **Schio**, monaco domenicano, guelfo, Sig. 1233 - 1236 c.

Ezzelino pred., Signore *di nuovo*, poi vicar. imp. e rettore della Marca di Verona 1236 - dep. 16 sett. 1259 († 1/10 s. a.)

Mastino I **Della Scala**, ghibell., podestà 1260, capit. perpet. del pop., poi (1263) Sig. assoluto 1260 - † 17 ott. 1277

Alberto I, fr. (podestà di Mantova 1272 e 1275) ott. 1277-†3 sett. 1301

Bartolomeo I, f., cap. del pop. . . . 3 sett. 1301 - † 27 mar. 1304

Alboino, fr., assoc. a Cangrande I dal 1308, vic. imp. 1311, succ. . . . . 27 mar. 1304 - † 28 ott. 1311

Cangrande I, fr., assoc. ad Alboino dal 1308, vic. imp. e principe dell'Impero 1311 . . . 28 ott. 1311 - † 22 lugl. 1329

Mastino II, f. di Alboino, associato al fr. Alberto, succede . . . . 22 lugl. 1329 - † 3 giu. 1351

Alberto II, fr., assoc. a Cangrande I dal 1311 poi a Mastino II, solo . . . . 3 giu. 1351 - † 13 sett. 1352

Cangrande II, f. di Mastino II . . . 13 sett. 1352 - † 13 dic. 1359

(1) PARISIUS, Annales Vet. Veron., in Rer. ital. script. del Muratori, vol. VIII. – TORELLO SARAYNA, Delle historie e fatti dei Veronesi, etc., Verona, 1542. – C. D'ARCO, Studii sul Municipio di Mantova, Mantova, 1874. – STOKVIS, op. cit., vol. III. – BIANCOLINI, Serie cronol. dei vesc. e gov. di Verona. – C. CIPOLLA, Documenti per la stor. delle relaz. diplom. fra Verona e Mantova, Milano, 1901.

Paolo Alboino, fr. .   dic. 1359 - dep. 20 genn. 1365 († 16 ott. 1375)
Cansignorio, fr.   . . . dic. 1359, solo 20 genn. 1365 - † 19 ott. 1375
Bartolomeo II, f. nat. . . . . 19 ott. 1375 - † 12 lugl. 1381
Antonio I, fr. . . 12 lugl. 1381 - dep. 18 ott. 1387 († 3 nov. 1388)
Gian Galeazzo **Visconti** di Milano, Sig. 18 ott. 1387 - † 3 sett. 1402
Filippo Maria, f., Sign. . . . . 3 sett. 1402 - 10 apr. 1404 († 1412)
Guglielmo **della Scala**, figlio nat. di Cangrande II, Si-
    gnore . . . . 17 apr. - † 18 apr. 1404
Brunoro ed Antonio II, figli di Guglielmo, Signori per
    pochi giorni . . . . apr. - magg. 1404
Francesco Novello da **Carrara** (Sign. di Padova 1388)
    e per lui il f. Giacomo, 25 mag. 1404 - dep. 23 giu. 1405 († gen. 06)
La Repubbl. di Venezia occupa Verona   23 giu. 1405 - genn. 1509
È occupata dai collegati di Cambray e data a Massi-
    miliano I imp. . . . . genn. 1509 - dic. 1516
È restituita alla Repubblica di Venezia . dic. 1516 - 3 giu. 1796
Occup. dai Francesi com. dal gen. Massena 3 giu. 1796 - 21 gen. 1798
Gli Austriaci prendono Verona . . . 21 gen. 1798 - 9 febb. 1801
Verona è divisa in due parti (pace di Luneville); quella
    a destra dell'Adige è data ai Francesi, quella a si-
    nistra all'Austria . . . . 9 gebb. 1801 - 19 mar. 1805
Regno d'Italia napoleonico . . . . 19 mar. 1805 - 4 febb. 1814
Gli Austriaci occupano Verona . . . . 4 febb. 1814 - 16 ott. 1866
Annessione al Regno d'Italia . . . . 16 ott. 1866

H – Venezia Tridentina

Trento (1).

....Agli Ostrogoti 493-553; – ai Bizantini 553-568.
Ai Longobardi. Re Alboino occupa Trento e vi pone
    come duca Errico suo gen.ᵉ. – Seguono altri duchi
    fino al 774 . . . . 568 - 774
Ai Franchi. – Il ducato di Trento è trasform. in Mar-
    chesato feudale . . . . 774 - 888
Corrado II *il Salico* trasforma il Marchesato in Princi-
    pato ecclesiastico 1027
Governo dei Vescovi-Princ.: Udalrico II (vesc.-princ.
    1027) 1022-† 1055; – Attone 1055-65; – Enrico I
    1068-82; – Adalberone 1084-1106; – Gebardo I
    1106-20; – Alberto I 1120-1124; – Altmanno 1124-
    49; – Arnoldo II 1149-54; – Eberardo 1154-56; –
    S. Alberto II 1156-77; – Salomone 1177-83; – Al-
    berto III di Madruzzo 1184-88; – Corrado II di

(1) Stokvis, op. cit., vol. II. – F. F. Degli Alberti, Annali del principato ecclesiastico
di Trento dal 1022 al 1540 compil. sui documenti, reintegr. e annot. da T. Gar, Trento,
1860. – Gar Tomm., Biblioteca trentina, ossia raccolta di documenti ined. o rari relativi alla
storia di Trento, Trento, 1858-60.

Biseno 1188-1205; – Federico di Wangen 1207-18;
– Alberto IV di Ravenstein 1219-23; – Gerardo I
Oscasali 1223-32; – Aldrighetto di Castelcampo
1232-47; – Egino d'Eppan 1248-73; – Enrico II
1273-89; – Filippo Buonacolsi 1289-1303; – Bartolomeo Quirini 1304-07; – Enrico III 1310-36; –
Nicola Abrein 1338-47; – Gerardo II di Magnoco
1347-48; – Giovanni III di Pistoja 1348-49; – Mei-
nardo di Neuhaus 1349-62; – Alberto V d'Orten-
burgo 1363-90; – Giorgio I di Lichtenstein 1390-
1419; – Ermanno di Cilly 1421; – Enrico IV
Flechtel 1422-23; – Alessandro di Mazovia 1424-44;
– Benedetto I 1444-46; – Giorgio II Hak di The-
meswald 1446-65; – Giovanni IV Hinderbach
1465-86; – Udalrico III di Frundesberg 1486-93;
– Udalrico IV di Lichtenstein 1493-1505; – Gior-
gio III di Neideck 1505-14; – Bernardo III di
Glöss 1514-39; – Cristoforo di Madruzzo 5/8 1539-67;
– Lodovico di Madruzzo 1567-20/4 1600; – Carlo
Gaudenzio di Madruzzo 1600-rin. 1629 († 14/8 29);
– Carlo Eman. di Madruzzo 4/1 1629-15/12 58; –
Sigismondo Franc. d'Austria 1659-65; – Ernesto
Alberto d'Harrach 1665-67; – Sigism.-Alfonso di
Thun 1668-77; – Francesco d'Alberti di Pola
1677-89; – Gius. Vittorio Alberti di Enno 1689-95;
– Gio. Michele di Spaur 1696-1725; – Gio. Bene-
detto Gentilotti 1725; – Anton-Domenico di Wol-
ckenstein 1725-30; – Domen. Antonio di Thun
1738-58; – Leopoldo Ernesto di Firmian 1748-55;
– Franc. Felice Alberti di Enno 1758-62; – Cristof.
Franc. Sizzo di Noris 1763-76; – Pietro Vigilio di
Thun-Hohenstein 1776-1800; – Emanuele Maria
Peter di Thun-Hohenstein 1800-1801 († 1818).

Cessa il governo vescovile di Trento, al quale succede
la domin. austriaca. . . . .   1801 - 1805
Alla Baviera. . . . .   1805 - 1810
Al Regno d'Italia napoleonico . . . .   1810 - 1814
Ritorna sotto il governo austriaco . . . . . .   1814 - 3 nov. 1918
Al Regno d'Italia definitivamente . . . .   3 nov. 1918

I   Vicenza (1).

.... Ai Longobardi, gov. dei Duchi 568-774. – Ai Franchi, gov. dei Conti poi dei Vesc.-conti 774-1179 c.
Vescovi-conti: Aicardo (o Sicardo) 872-882; – Vitale
901-...; – Manasse (intruso) 926-...; – Giraldo

---

(1) PAGLIARINO B., Croniche di Vicenza, ivi, 1663. – BERTI G. B., Nuova guida per Vicenza
ossia memor. storiche, critiche e descrittive di questa regia città, Padova, 1830.

965-...; – Rodolfo 967-968; – Ambrogio ...-974;
– Lamberto 995-...; – Girolamo 1000-04; – Lin-
digerio I 1004-....; – Teobaldo 1013-27; – Astolfo
1033-46; – Liudigerio II 1053-66; – Ezzelino 1080-
1104; – Toringo (o Loringo) 1108-17; – Enrico II
1124-31; – Lotario 1134-46; – Uberto I 1153-58;
– Ariberto 1164-79.

Governo a comune. – Ezzelino I da **Romano** podestà 1179 (?) - 1193
Comune guelfo fino al 1227. Ezzelino II, f. di Ezze-
   lino I, podestà dal 1194 . . . . . . 1193 - 1194 e 1213 - 14
Comune ghibellino, poi, dal 1236, guelfo . . . . . 1227 - 1236
È conquistata dagli imperiali per Federico II. . . . 1236 - 1259
Repubblica indipendente . . . . 1259 - 1266
Si sottomette a Padova. . . . . 1266 - 1311
A Cane Francesco **Della Scala** Sig. di Verona e suoi
   successori (V. Verona), vicari imp.   17 sett. 1312 - dep. 1387
Ai **Visconti** di Milano (Gian Galeazzo e Gio. **Maria**) 1387 - apr. 1404
Ceduta alla. repubb. di Venezia, di cui segue le sorti
   (V. Venezia) . . . . 25 apr. 1404

K - Venezia Giulia

A. *Trieste* (1).

Belisario, poi (552) Narsete riconquistano Trieste per
   l'imp. d'Oriente . . . . 539 - 752
Occupata dai Longobardi che la erigono in ducato; poi
   (789) da Carlo Magno . . . . 752 - 790 c.
Comincia (850) il poter temporale dei Vescovi, con titolo
   di *baroni*, con signoria politica e spirituale, cioè:
   Teodoro 814-...; – Taurino 911-...; – Radaldo
   929-....
Unita al Marchesato d'Istria; Winther marchese . . v. 933 - 948
Ai Vescovi di Trieste, con tit. di *Principi dell'Impero*,
   quasi autonomi . . . . 948 - 1295
Vescovi-principi: Giovanni III 948-967; – Pietro I
   991-...; – Ricolfo 1006-15; – Adalgaro 1031-71; –
   Enrico I 1106-....; – Hartwig 1115-....; – Diet-
   maro 1135-45; – Bernardo I 1149-86; – Enrico II
   1186-....; – Leutoldo 1188-....; – Volfango
   1190-92; – Enrico III Ravizza 1200-....; – Gebardo I 1203-09; – Corrado Bojani della Pertica
   1212-30; – Leonardo I 1232-....; – Bernardo II,

---

(1) MAINATI, Cronache ossia memor. storiche, sacre e profane di Trieste, Venezia, 1817-18
voll. 7. – DELLA CROCE, Storia di Trieste, ivi, 1879. – SCUSSA, Storia cronografica di Trieste,
ivi, 1885-86. – Nuova guida di Trieste e del suo territorio, Trieste, 1883.

di Cucagna, 1233-34; – Gebardo II, Arangone,
1234-36; – Giovanni IV 1236-37; – Olderico de
Portis 1237-53; – Leonardo II 1253-55; – Gregorio I
Guerrerio 1255-59; – Leonardo III 1259-63; – Ar-
longo de' Visgoni 1262-82; – Volkwin de' Portis
1282-86; – Brissa di Toppo 1286-† 1299.

B – *Istria* (1).

(1) CAPRIN G., L'Istria nobilissima, Trieste, 1900-07, voll. 2. – KOHL I. G., Reise nach
Istrien, Dresden, 1856, voll. 2. – LUCIANI T., Il R. Archivio generale di Venezia, ivi, 1876.
– Fonti per la storia dell'Istria in « La stella dell'Esule », Roma, 1880, pag. 149-163. – E.
SILVESTRI, L'Istria, Vicenza, 1904. – Italiani e Slavi oltre il confine orientale. In Rivista
d'Italia, anno I, fasc. 4 (1898).

Nel 997 i porti d'Istria passano sotto il protettorato di
   Venezia; l'interno appart. alla casa di Meran,
   poi all'Austria . . . . 997 - ....
Margravi, poi Conti: Winther 933 (?); – Werihent
   990-1028; – Ulrico di Weimar margrav. di Carniola
   1060) . . .; – Enrico d'Eppenstein 1076-90; – Poppo
   di Weimar 1090-1108; – Engelberto II, fr. di Enrico pred. d'Ortemburgo (D. di Carinzia 1124)
   1108-30 . . . . 933 c. - 1112
L'Istria è dichiar. *Contea di confine* per Engelberto d'Eppenstein 1112-1302; – Engelberto III, f., C.°
   1130-69; – Bertoldo I d'Andechs (D. di Merania
   1150) 1170-88; – Bertoldo II, f., 1188-1204; – Enrico, f., 1204-09 († 1228); – Lodovico I di Baviera
   1209-15; – Ottone VII di Andechs, fr. di Enrico,
   1215- rin. 1230 pel fr. Bertoldo, patr. d'Aquileia. 1112 - 1230
I Patriarchi d'Aquileia ricev. il titolo di Conti d'Istria
   (1093) e otteng. in feudo (1209) parte dell'Istria,
   con tit. di Marchesi con potere laico ed ecclesiast. 1209 - 1420
La repubb. di Venezia occupa in parte l'Istria. Parenzo
   nel 1267, Umago 1269, Citttanova 1270, S. Lorenzo 1271, Capodistria 1279, Isola 1280. Pírano
   a Rovigno 1283, Pola 1331, poi Albona. Fianone,
   Pinguento. . . . . 1267 - 1420
La Contea passa ai Conti di Gorizia (estinti 1374). 1302 (?) - 1374
All'Austria, in parte. (Trieste nel 1382 restando città libera) 1374 - 1420
La repubb. Veneta occupa tutta la penisola   7/6 1420 - 17 ag. 1797
All'Austria, *di nuovo* (pace di Campoformio), che pos-
   siede per qualche tempo tutta l'Istria, formand. un
   capitanato circolare sottoposto a Trieste . 17 ott. 1797 - 1809
L'Austria cede a Napoleone I l'Istria (cioè l'alta Carinz.,
   Carniola e Gradisca) nel 1805 (pace di Presburgo)
   e il resto nel 1809 per la pace di Vienna, cioè il
   Goriziano, Trieste e la Contea d'Istria . . . . 1805 - 1814
All'Austria, *di nuovo*, con tutto il territorio delle Prov.°
   Illiriche, formandone la *prov. del littorale*, col go-
   verno a Trieste e divisa nei circoli di Gorizia,
   Trieste e Fiume . . . . 1814 - 9 nov. 1918
Al Regno d'Italia definitivamente . . . . 9 nov. 1918

V. EMILIA

A – Parma (1).

Signori poi Duchi dal 1545.

....Agli Ostrogoti 492 c. - 539 c. e 541-554.–Belisario, poi
    dal 554, Narsete per l'Imp. d'Or., 539-541, 554 - 569 e 590 - 599
Ai Longobardi; gov. da duchi, poi, dal 670, da ga-
    staldi regi . . . . 569 - 590 e 599 - 773
Ai Franchi; gov. da conti destituibili. . . . . 773 - 807
Carlo Magno concede al Vescovo di Parma la *Curtis
    Regia* (parte della città con diritto di dazio),
    diploma . . . . 28 giu. 807 - 1081
Governo dei Vescovi *pro tempore*: Guibodo (Wigbodo)
    I, 28 giu. 877-† 29/11 895; – Elbungo, v. 896-
    † 11/4 964; – Aicardo I, v. 916 (o 920)-† 927 (o
    926); – Sigefredo I 927-945 (o 946);   Adeodato I
    v. 19/1 947-952 (o 960); – Uberto, C. di Palazzo,
    Sig. di Parma v. 960-† dic. 980; – Sigefredo II,
    ag. 981-† mar. a sett. 1015; – Enrico v. 1015-
    † 1027; – Vesc.-conti: Ugo 1027-† 1045; – Cadalo
    (antip. 1061) 1045-1071 (o 72); – Everardo 1072-
    † 1085.
Conti: Suppone I ...; – Adalgiso I, v. 835-...; –
    Suppone II f. ...-882; – Adalgiso II fr., |Conte
    di Parma e Piacenza, magg. 882 c. - 911 c.; –
    Adalberto, v. 921; – Radaldo ...; – Manfredo f.
    di Ugo re d'Italia, già Conte 931-† av. 967; – Ber-
    nardo f., 967 c....; – Guido (?)...; – Bernardo,
    suo f., 998 c. - rin. 1037; – Arduino, f. di Attone,
    C.ᵉ 1051-† 1073 c.; – Uberto, f., v. 1073-1095 c.:
      Uberto II f., v. 1095 (?); – Alberto de' Giberti
    1094 c. - 1101; Ghiberto de' Ghiberti (?) (antip.
    1080) 1101-....

---

(1) J. Affò, Storia della città di Parma, ivi, 1792-95, voll. 4. - A. Pezzana, Storia di Parma ivi, 1837-59, voll. 5. – U. Benassi, Storia di Parma, ivi, 1899-1906, voll. 5. – E. Casa, Memor, stor. di Parma, ivi, 1895. – C. Fano, I primi Borboni a Parma. – L. Montagna, Il dominio francese in Parma Piace,nza, 1906. – G. Dalla Rosa, Alcune pagine di storia parmense, Parma 1878. – E. Casa, Parma da Maria Luigia imper. a Vittorio Em. II, Parma, 1901. – Archivio storico parmense, Parma, 1874-1928. – T. Bazzi e U. Benazzi, Stor. di Parma, Parma, 1903.

Bonifacio, march. di Toscana, riceve Parma in feudo
con tit. di conte . . . . 1037 - 1051
Matilde di **Canossa**, f., Sig. di Parma. . . . 1111 - † 14 lug. 1115
Comune, con influenza del vescovo di Parma, (retto
da consoli dal 1149) . . . . 1115 - nov. 1158
Comune libero, retto da consoli imp. dal 1158, da po-
destà imp. dal 1175; poi da consoli, altern. da
podestà, fino al sec. XIII. . . . . 1158 - 1244
Bernardo **Rossi** di Parma, solleva la città contro il
Card. legato Gregor. Montelongo nom. dall'Imp.
- Il partito imper. è posto in fuga. . . . . . . 1244 - 1248
Comune libero, retto da Consoli . . . . febb. 1248 - 24 lug. 1303
Giberto da **Correggio**, difensore del Comune e del po-
polo. . . . . 24 lugl. 1303 - dep. 28 mar. 1308
Comune, con prepond. dei **Rossi** e dei **Lupi** di So-
ragna . . . . 28 mar. - sett. 1308
Giberto da **Correggio**, *di nuovo* (potestas mercato-
rum 1309). . . . . sett. 1308 - 27 genn. 1311
Guido da **Cocconato** C. di Radicati, vic. imp. per En-
rico VII. . . . . 27 genn. - apr. 1311
Franceschino **Malaspina**, cogn. di Giberto da Corr.
vic. imp. . . . . 14 apr. - sett. 1311
Falcone degli **Enrici**, di Roma, vic. imp. . . 27 sett. - 6 dic. 1311
Giberto da **Correggio**, *di nuovo* signore 6 dic. 1311 - magg. 1313
Roberto d'**Anjou** (re di Napoli 1309) Sig. — Pietro
Spino vic. regio, e Giberto da **Correggio** capit.
generale. . . . . magg. 1313 - sett. 1314
Giberto da **Correggio** di nuovo Sig.
sett. 1314 - dep. 25/7 1316 († 25/7 1321)
Comune libero, con prepond. dal 1317 di Gianquirico
Sanvitale. . . . . 25 lug. 1316 - 19 sett. 1322
Comune libero, con prepond. di Rolando e Marsilio
de' **Rossi** . . . . dic. 1322 - 30 sett. 1326
Parma si sottomette al Papa. Passerino **Della Torre**,
rettore. . . . . 1 ott. 1326 - sett. 1328
Rolando de' **Rossi**, Signore . . . . . . 25 sett. 1328 - giu. 1329
Parma in lega con Lodovico il *Bavaro*, 5/11, che è ac-
clam. Sig. di Parma; — Marsilio de' **Rossi**, vic.
imper.. . . . . 18 nov. 1329 - 5 mar. 1331
Giovanni di **Lussemburgo** (re di Boemia 1311), signore.
Ponzone de' Ponzoni, poi Selvaggio Moro e Ca-
stellino Beccaria vic. regi e podestà . 5 mar. 1331 - ott. 1333
Maffeo da **Sommo**, poi (18 ott. 1333) Rolando de'
Rossi († 10/5 1345) vic. regi. . . . . 18 ott. 1333 - 21 giu. 1335
Alberto e Mastino **Della Scala** (Sig. di Verona 1329)
Signore . . . . 21 giu. 1335 - 21 magg. 1341
Azzo († 1364), Simone e Guido da **Correggio** f. di
Giberto . . . . 22 magg. 1341 - 23 ott. 1344

Obizzo III d'Este (Sig. di Ferrara 1317) compra
Parma. . . . . 24 ott. 1344 - 22 sett. 1346
Ai Visconti (Sig. di Milano 1339) Sign. . . 22 sett. 1346 - 7 mar. 1404
Pietro Maria de' Rossi e Ottobuono de' Terzi Sign. 8-22 mar. 1404
Ottobuono Terzi, solo Sign. . . . . 22 mar. 1404 - 27 magg. 1409
Niccolò Terzi, f. di Ottobuono e per esso Jacopo
Terzi . . . . 28 magg. - 26 giu. 1409
Niccolò III d'Este (march. di Ferrara 1393) Signore
27 giu. 1409 - 23 sett. 1420
Filippo Maria Visconti (duca di Milano 1412) Si-
gnore . . . . 23 sett. 1420 - † 15 ag. 1447
Repubblica libera. . . . . 15 ag. 1447 - 16 febb. 1449
Gli Sforza (duchi di Milano 1450)
28 febb. 1449 - 17 sett. 1499 e 4 febb. - 11 apr. 1500
Luigi XII d'Orléans (re di Francia 1498) Luigi Trivul-
zio gov. 2 sett. 1499 - 4 febb. 1500 e 11 apr. 1500 - 15 giu. 1512
Dominaz. pontificia (Leone X). . . . . 15 giu. 1512 - 26 ott. 1515
Franc. I d'Angoulême (re di Francia 1515) 26 ott. 1515 - 8 sett. 1521
Dominaz. pontificia *di nuovo.* Francesco Guicciardini
(† 1540) gov. . . . . 1 dic. 1521 - 24 ag. 1545
Pier Luigi Farnese, f. di Alessandro (Paolo III pp. 1534,
Duca di Castro e C.^e di Ronciglione 1537 (1),
march. di Novara 1538) Duca di Parma e Pia-
cenza 24 ag.; assume il gov. . 29 sett. 1545 - † 10 sett. 1547
Sp. (6/8 1569) Girolama (†1570) f. di Lod. Orsini
sig. di Pitigliano
Ottavio f. (duca di Camerino 1540-45, march. di Novara 1547 ecc.) duca . . . . . . 16 sett. 1547 - 23 ott. 1549
Sp. (1538) Margherita d'Austria († 1586) f. nat.
di Carlo V imp., ved. di Aless. de' Medici
Il generale Camillo Orsini governa Parma a nome
del Papa. . . . . ott. 1549 - 24 febb. 1550
Ottavio, di nuovo duca di Parma e, dal 1556, di Pia-
cenza . . . . 24 febb. 1550 - † 18 sett. 1586
Alessandro il *gran Capitano,* f. (gov. de' Paesi Bassi
1578-92) duca . . . . 18 sett. 1586 - 2 dic. 1592
Sp. (11/11 1565) Maria († 8/7 77) f. di Edoardo
Duca di Guimaraens di Portogallo.
Ranuccio I, f. (sig. di Montechiarugolo, Colorno e Sala
1612) duca. . . . . 3 dic. 1592 - † 5 mar. 1622
Sp. (7/5 1600) Margher. Aldobrandini († 9/8 '46)
nip. di Clemente VIII.
Odoardo f., regg. la madre pred. ed il Card. Odoardo
suo zio † 1626, in cui finì la regg. 5 mar. 1622 - † 12 sett. 1646
Sp. (11/10 1628) Margherita Medici († 6/2 1679)
f. di Cosimo II di Toscana.

---

(1) Castro e Ronciglione appartennero ai Farnesi fino al 1649, poi passarono alla Chiesa.
Però, nello stesso anno, Castro fu demolita per ordine di Papa Innocenzo X,

Ranuccio II f., regg. la madre pred. e il Card. Franc.
  Maria Farnese suo zio, fino al 1649. 12 sett. 1646 - † 12 dic. 1694
  Sp. 1° (29/4 1660) Margherita Jolanda († 29/4 '63), f.
  di Vittorio Amedeo I di Savoia; – 2° (11/1 1664)
  Isabella d'Este († 22/8 '66); – 3° (16/1 '68) Maria
  d'Este sorella d'Isabella († 21/8 '84).
Francesco Maria f., |sp. (7/9 1696) Dorotea Sofia
  († 15/9 1748), f. di Filippo Gugliel., elett. palat.
  di Neoburgo, ved. (1693) del princ. Odoardo
  Farnese]. . . . .   12 dic. 1694 - † 26 febb. 1727
Antonio, fr. [sp. (5/2 1728) Enrichetta d'Este († febb.
  1777), f. di Rinaldo III D. di Modena] 27/2 1727 - † 20/1 1731
Reggenza: Enrichetta duchessa ved.; Camillo Maraz-
  zani, vesc. di Parma; – C. Federigo dal Verme; –
  C. Artaserse Bajardi; – C. Giac. Sanvitale; –
  C. Odoardo Anvidi. . . . .   20 genn. - 29 dic. 1731
Carlo I di **Borbone** (re di Napoli 1731, di Spagna 1759),
  f. di Filippo V re di Spagna e di Elisabetta Far-
  nese, f. di Odoardo; regg. Dorotea Sofia Palatina
  di Neoburgo († 15/9 1748) madre di Elisab. pred.
  fino al 14 dic. 1733; succ. 29 dic. 1731, entra in
  Parma. . . . . 7 ott. 1732 - dep. 26 mar. 1736 († 14/12 1788)
R. Giunta di governo, in nome di Carlo I 25 febb. 1734 - 28 apr. 1736
Gli Austriaci, condotti dal princ. di Lobkowitz, oc-
  cup. il ducato a nome di Carlo VI imp. 28 apr. 1736-20 ott. 1740
R. Giunta provvisionale di gov. v. 15 ott. 1740 - primi mesi del 1741
Maria Teresa d'**Austria** f. di Carlo VI (arcid. d'Austria),
  duchessa [unisce al ducato Guastalla 7/4 1746]
                             20 ott. 1740 - 16 sett. 1745
Le truppe spagnuole occupano Parma a nome di Eli-
  sabetta Farnese regina di Spagna 16 sett. 1745 - 20 apr. 1746
Gli Austriaci rioccupano Parma . . . 20 apr. 1746 - 18 ott. 1748
Filippo di **Borbone,** fr. di Carlo I pred. D.ª di Parma,
  Piac. e Guastalla 18 ott. 1748, ne prende possesso
  per mezzo del Gen. Agost. de Ahumada 3 febb.,
  entra in Parma . . . . 9 mar. 1749 - † 18 lugl. 1765
  sp. (26/8 1739) Luisa Elisab. di Borbone († 6/12
  1759) f. del re di Francia.
Ferdinando, f., sotto regg. del min. (dep. 1771) G.
  Du Tillot fino al 19/8 1765 . . . . 18 lugl. 1765 - † 9 ott. 1802
  Sp. (27/7 1769) Maria Amalia († 18/7 1804) f. del-
  l'imp. Franc. I di Lorena.
Il ducato è ceduto alla Francia 21 mar. 1801, di fatto 23 ott. 1802
Reggenza di: Maria Amalia, ved. di Ferd., march. Ce-
  sare Ventura, plenipot. del re d'Etruria e cons.
  C. Franc. Schizzati . . . . 9-23 ott. 1802
Il ducato viene unito alla Repubb. poi Impero fran-
  cese (tratt. d'Aranjuez). Mederico Moreau de

Saint Méry, cons. di Stato ed amministr. generale . . . . 23 ott. 1802 - 25 genn. 1806
Gen. Andoche Junot, governatore generale militare
19 genn. - 7 giu. e nominalm. fino al 18 sett. 1806
Ugo Eugenio Nardon, amm.-prefetto. 28 genn. 1806 - 14 sett. 1810
Domenico Pérignon gov. . . . . . 18 sett. 1806 - mag. 1808
Gli Stati di Parma e Piac., sogg. alla Francia, sono eretti
in *dipart. franc.* detto *del Taro* 24 e 30 magg. 1808 - 14 febb. 1814
[Il princ. Gio. Cambacérès, arcicanc. dell'impero, ha
titolo di duca di Parma. . . . . 19 lug. 1808 - 14 febb. 1814]
Ugo E. Nardon *pred.*, nom. Caval. Prefetto del dipart.
del Taro. . . . . 28 genn. 1808 - 14 sett. 1810
Barone Dupont Delporte. Prefetto del dipart. del
Taro . . . . 29 sett. 1810 - 11 febb. 1814
Entrano in Parma gli Austriaci col gen. Nugent (13
febb.). Governo provv. comp.: del march. Ces.
Ventura, C.e Fil. Magawly-Cerati e march. Casi-
miro Meli-Lupi di Soragna . . . . 14 febb. - 2 mar. 1814
Viene ristab. il gov. imperiale francese. . . . . 2-9 marzo 1814
Gli Austriaci rioccup. Parma (9 mar.). Il gen. Nugent
ristab. il gov. provv. del 14 febb. . . . 13 mar. - 6 giu. 1814
Reggenza provv. in nome di Maria Luigia d'**Austria**,
Amministr. Francesco I d'Austria. Suo commiss.
plenip. C.e Ferd. Marescalchi . . . . . 30 giu. - 27 lug. 1814
Maria Luigia d'**Austria**, moglie di Napol. I, duchessa
di Parma, Piac. e Guastalla (tratt. di Fontaine-
bleau 11 apr. 1814) entra in Parma 20/4 1816 - rin. 14 febb. 1831
Sp.: 1° (1810) Napoleone I imp., † 1821; 2° C.e
Adamo di Neipperg, † 1829; 3° (17/2 '34) Carlo
Renato di Bombelles † 30/5 1856.
Rivoluzione (11 febb. 1831). — Gov. provv.: C.e Fil.
Linati, Ant. Casa, C.e Greg. Ferd. di Castagnola,
C.e Jac. Sanvitale, Franc. Melegari. . 14 febb. - 13 mar. 1831
Maria Luigia *di nuovo* (commiss. di gover. 18/5 '38-
17 dic. 1847). . . . . 13 mar. 1831 - † 17 dic. 1847
Carlo Lodovico (Carlo II) di Borbone, nip. del duca
Ferd. pred. (re di Etruria 1803-07, duca di Lucca
1824-47), succede. . . . . 18 dic. 1847 - dep. 20 mar. 1848
Sp. (15/8 1820) *Maria Teresa* († 15/7 '79) f. di Vitt.
Emanuele I di Savoia.
Rivoluzione. — Reggenza composta dei: C.e Luigi San-
vitale, C.e Girol. Cantelli, Ferd. Maestri, Pietro
Gioja, Piet. Pellegrini. . . . . . . 20 mar. - 10 apr. 1848
Gover. provvis.: C.e Ferd. De Castagnola, C.e Girol.
Cantelli, Pietro Pellegrini, C.e Luigi Sanvitale,
Gius. Bandini, Mons. Gio. Carletti, Ferdinando
Maestri . . . . 10 apr. - 30 giu. 1848
Parma è unita allo Stato Sardo (10/6 1848). Il Sen.

Feder. Colla è nom. Commiss. straord. di S. M.
Carlo Alberto . . . . 30 giu. - 18 ag. 1848
Governo provvis. milit. - C.e Degenfeld-Schonburg gov.
milit. – Le truppe austriache entrano in Parma
in nome di Carlo II pred. . 18 ag. 1848 - abd. 14 mar. 1849
Gli Austriaci lasciano Parma. Commiss. govern.: Salvat.
Riva, Guido Dalla Rosa, Aless. Cavagnari . . 16-22 mar. 1849
Entrano in Parma i Piemontesi col gen. Alf. La Mar-
mora. – Sen. Plezza Commiss. di re Carlo Al-
berto . . . . 22 mar. - 4 apr. 1849
Le truppe austriache, a nome di Carlo III di Borbone,
occup. Parma (5/4). – Gen. D'Aspre, poi (27/4),
gen. Stürmer, gov. mil. . . . . 5 apr. - 27 ag. 1849
Carlo III di Borbone, f. di Carlo II pred., entra in
Parma. . . . . 18 magg. 1849 - † 27 mar. 1854
Sp. (10/11 1845) *Luisa Maria Teresa di Berry,* † 1/2 1864.
Roberto, f., regg. la madre Luisa Maria predetta
27 mar. 1854 - dep. 9 giu. 1859 († 17 nov. 1907)
sp. 1º (5/4 1869) *Maria Pia* († 29/9 1882) *f. di
Ferd. II re delle due Sicilie.* 2º Maria Antonia princ.
di Braganza, Portogallo, † 1862.
Giunta provvis. di gov. in nome di Vittorio Em. II di
Savoia, composta del Prof. Salvat. Riva, Avv.
Leonzio Armelonghi, Avv. Gior. Maini e Ing. An-
gelo Garbarini . . . . 1-2 magg. 1859
Commiss. di gov creata da Luisa Maria di Borb. 3 magg. - 9 giu. 1859
Luisa Maria regg. pel f. Roberto pred., ritorna a Parma
4 - dep. 9 giu. 1859 († 11/2 1864)
Il Municipio nom. una Commiss. di Governo, comp. di:
Cantelli C.e Gerol., Bruni dott. Pietro, Armani Ing.
Evaristo . . . . 9-17 giu. 1859
Il C.e Diodato Pallieri assume il gov. a nome di Vit-
torio Emanuele II . . . . 17 giu. - 8 ag. 1859
L'Avv. Gius. Manfredi assume provvis. il governo. . 8-18 ag. 1859
Carlo Luigi Farini Dittatore delle prov. Modenesi e
Parmensi . . . . 18 ag. 1859 - 16 mar. 1860
Plebisciti per l'anness. di Parma allo Stato Sardo:|
5 sett. 1859 e 11 mar. 1860. Decreto di anness. 18 mar. s. a.

B – Piacenza (1).

.... Agli Ostrogoti 493-553; – all'Imp. d'Oriente 553-
570; – ai Longobardi 570-774.
Dominaz. Franca. – Governo dei Conti. . . . . 774 - 888

---

(1) AGAZZARI e VILLA, Chronica civitatis Placentiae, Parma, 1862. C. POGGIALI, Memorie
storiche di Piacenza, ivi, 1857-66, voll. 12; e Addizioni alle memorie stesse, Piacenza, 1911. –
BOSELLI, Storie piacentine, Piacenza, 1793-1805, voll. 3. – ROSSI, Storia patria...., Piacenza
1829 33, voll. 5. – F. GIARELLI, Storia di Piacenza, ivi, 1889, voll. 2.

Ai re d'Italia nazionali e Borgognoni (gov. dei Conti,
poi dei Vescovi-Conti). . . . . 774 - 888
Conti: Wiffrid, gov. di Piacenza, prime notizie 843,
viv. 855; – Suppone gov. 874-...; – Sigifredo
895- viv. 903; – Lanfranco 1014-...; – Rinaldo 1055-....
Vescovi-Conti: Sigifredo Adalberto di Cremona Vesc.
997-† 1031; – Pietro, Milanese 1032-38; – Aicardo
o Riccardo, Capuano 1038-† 1041; – Ivone 1041 -
dic. 1045; – Guido' 1045-9/8 '48; – Dionigi 1048-
† 21 sett. 1077; – Maurizio 1077-1089 c.; – Boniz-
zone (vesc. di Sutri 1078) v. 1089-14/7 '90; –
Winrico intruso 1091-95; – Aldo Gabrielli (?)
1096-1122; – Arduino (abb. di S. Savino 1122-46).
Piacenza si regge a repubblica. – Si nom. 5 Consoli che
la govern. v. 1130; – poi gov. da Podestà imp.
1158, poi nel 1162 e da Podestà forestieri dal 1188.
Oberto **Pelavicino** (sig. di Cremona ecc.) Podestà 1253,
Sig. e Rettore . . . . dal 1254 - dep. 24 lugl. 1257
Alberto da **Fontana**, podestà e rettore di parte
Guelfa . . . . 26 lugl. 1257 - scacc. 1260
Tornano a prevalere i Ghibellini. . . . . 1260 - 1261
Oberto **Pelavicino** di nuovo sign. apr. 1261, rin. 1266 († 8 magg. 1269)
Comune, sotto protez. del Papa, poi (1268) di Roberto
d'Anjou . . . . 1266 - 1271
Carlo I d'**Anjou** (re di Sicilia 1266) sign. . . 1271 - rin. 16 giu. 1281
Comune indipendente. . . . . giu. 1281 - giu. 1290
Alberto **Scoto**, capitano del popolo e signore per-
petuo . . . . giu. 1290 - spod. 4 dic. 1304
Comune indipendente. . . . . 4 dic. 1204 - 24 lugl. 1307
Alberto **Scoto** di nuovo, anz. e rett. 24 lugl. 1307 - scacc. genn. 1308
Guido **Della Torre** (capit. del pop. a Milano 1307)
sign. e difens. di Piacenza . genn. 1308 - 6 mag. 1309 († 1312)
Alberto **Scoto** di nuovo sign. . . . . 6 magg. 1309 - dep. ag. 1310
Comune indip. . . . . ag. 1310 - ott. (?) 1311
L'Imp. Enrico VII di **Lussemburgo** sign.;(Lamberto
de' Cipriani poi Pietro Dal Menso, vicari im-
periali) . . . . ott. 1311 - 12 febb. 1312
Alberto **Scoto** di nuovo sign. 18 mar. 1312 - dep. 1313 († 23 genn. 1318)
Galeazzo **Visconti** f. di Matteo (Sign. di Milano 1322),
vic. imp. 18 magg. 1313, sign. perpet. 10 sett. 1313 - 9 ott. 1322
Dominaz. pontif. – Bertrando del Poggetto, legato
pont. Versuzio Lando rettore . . . 9 ott. 1322 - 25 lug. 1335
Francesco **Scoto** f. di Alberto pred., sig. 25/7 1335 - dep. 15/12 1336
I **Visconti** (Sign. di Milano) . . . . . 15 dic. 1336 - 16 mar. 1404
Facino **Cane** (sign. di Alessandria, Tortona, Novara
1403) sig. . . . . giu.-ott. 1404
Ottobono **Terzi** pred. ott. 1404 - dep. magg. 1406 († 27 magg. 1409)

Facino **Cane** pred., poi Jacopo **Dal Verme** gov. pei
Visconti . . . . magg. 1406 - 22 ag. 1409
Occupaz. francese. - Giov. Le Maingre detto Buccicaldo,
poi Anton. di Hostendun govern. . . 22 ag. 1409 - 10 nov. 1410
Giovanni **Vignati**, (sig. di Lodi 1403) sign. 10 nov. 1410 - genn. 1411
Sigismondo di **Lussemburgo** (re de' Rom. 1411) si-
gnore . . . . genn. - 22 mar. 1414
I **Visconti** (duchi di Milano 1412) . . 22 mar. 1411 - 21 ott. 1415
Filippo **Arcelli** († 1121) e Bartolomeo suo fr.(† 1418)
Signori . . . . 21 ott. 1415 - 13 giu. 1418
I **Visconti** di nuovo. . . . . 13 giu. 1418 - 13 ag. 1447
Repubbl. retta da Lazzaro Della Porta, Lodov. Bola,
Bartol. Malvicini da Fontana, Franc. Rossi e
Tommaso Beraldi. . . . . 16 ag. - 15 sett. 1447
La repub. di Venezia occupa Piacenza. — Gherardo
Dandolo provved. . . . . 15 sett. - 16 nov. 1447
Piacenza viene unita alla Repubb. Milanese 16 nov. 1447 - ott. 1448
Francesco **Sforza** entra in Piacenza ed è acclam.
Signore . . . . 23 ott. 1448 - † 8 mar. 1466
Rimane unita al Ducato di Milano, sotto gli **Sforza**,
V. Milano . . . . 8 mar. 1466 - ott. 1499
Occupazione francese . . . . nov. 1499 - 24 giu. 1512
Dominaz. pontificia (Mons. Gozzadini govern.) e segue
le sorti di Parma. . . . . 24 giu. 1512 - 11 sett. 1547
È occupata, in nome di **Carlo V** imp. da Don Ferrante
Gonzaga, govern. di Milano, ed annessa a questo
ducato. . . . . 12 sett. 1547 - 15 sett. 1556
Ottavio **Farnese** (duca di Parma 1547) ottiene Piacenza
ma sotto la sovran. dell'Imp. . . 15 sett. 1556 - † 18 sett. 1586
Segue le sorti di Parma. . . . . . 15 sett. 1556 - 4 febb. 1744
Piacenza, con parte del suo territ. al di qua del Po,
sino al Nure, viene in possesso (Trattato di Worms)
di **Carlo Eman. III** re di Sardegna . 4 febb. 1744 - 3 sett. 1745
Occupaz. Spagnuola, a nome di Elisabetta **Farnese**,
regina di Spagna . . . . 5 sett. 1745 - 12 ag. 1746
Gli Austriaci occupano Piacenza a nome del re di
Sardegna pred. . . . . 12 ag. 1716 - 5 febb. 1749
Le truppe spagnuole entrano in Piacenza in nome di
Filippo di **Borbone** Inf. di Spagna († 1765), cui suc-
cede il f. Ferdinando, dal 18/7 65 . 5 febb. 1749 - 7 magg. 1796
Occupaz. francese. . . . . 7 magg. 1796 - 16 apr. 1814
Gli Austriaci entrano in Piacenza col gen. Nugent in
nome di Maria Luigia d'**Austria** . . . . . . 27 apr. 1814
Maria Luigia d'**Austria**, moglie poi ved. di Napoleone
I, duchessa . . . . 11 apr. 1814 - † 17 dic. 1817
Carlo II di **Borbone**, nip. di Ferdinando (duca di Lucca
1824-47), duca di Piacenza . 17 dic. 1847 - dep. 26 mar. 1848

Governo provvis., composto di Pietro Gioia, Antonio
    Anguissola, Camillo Piatti, Corrado Marazzani,
    Antonio Emmanueli . . . . 26 mar. - 31 magg. 1848
Plebiscito per l'unione· di Piacenza al R. Sardo 10
    magg. – Un Commiss. Piemont. (Sen. Feder. Colla,
    poi (11/7) bar. Sappa), assume il potere a nome di
    re Carlo Alberto. . . . . 2 giu. - 13 ag. 1848
Ritorno degli Austr. in Piac. col ten. maresc. C.e di
    Thurn, a nome di Carlo III di **Borbone** 13 ag. 1848 - magg. 1849
Carlo III di **Borbone**, f. di Carlo II, duca 14 mar., en-
    tra in Piacenza . . 16 magg. 1849 - † 27 mar. 1854. V. Parma

C – Colorno (1).

....Ai Vescovi di Parma, per concess. imperiale . . . 1230 - 1240
Al Comune di Parma, per cessione spontan. del Vesc. 1240 - 1334
Occupato da Mastino **della Scala**. . . . . 25 ott. 1334
Azzo da **Correggio** ottiene Colorno da Mastino pred. 1334 - dep. 1346
Al **Visconti** di Milano (Luchino f. di Matteo I). . . . . 1346 - ....
Ritorna in potere dei **Correggesi**, fino alla morte di
    Giberto f. di Azzo . . . . - 19 apr. 1402
Gian Galeazzo **Visconti** investe di Colorno Ottobuono,
    Giacomo e Giovanni **Terzi**, f. del suo consigl.
    Niccolò . . . . 29 lugl. 1402 - 1 lugl. 1415
Occupato dal condott. Uguccione Contrari pel March.
    Niccolò III **D'Este** (V. Ferrara) . . . . 1 lugl. 1415 - 1431
Niccolò **Guerriero**, f. nat. di Ottobuono Terzi. . . 1431- 1449
Alessandro **Sforza**, condott., toglie Colorno ad Ottob.
    Terzi. . . . . 1449 - 1458
Roberto **Sanseverino**, poi (10/8 1483) al f. Gian-
    Franc. 15/4 1458 - 23/3 1477; 1479 - 17/2 '82 e 10/8 '83 - † 1501
Agli **Sforza** di Milano . . . . . . 1477-1479 e 7/2 1482 - 10/8 '83
Roberto Ambrogio, figlio di Gian Francesco pred. reg-
    gente la madre Ippolita Cybo . . . . . 1501 - † mar. 1532
Ippolita **Cybo**, ved. di Roberto Ambrogio, colle figlie
    Maddalena e Lavinia, investite dal papa Clemente
    VII . . . . . . 4 magg. 1532 - 7 lugl. 1539 e 19 ag. 1539-1544
Giulio **Rossi**, fr. di Pier Maria C.e di S. Secondo, ma-
    rito di Maddalena, occupa Colorno . . . 7 lugl. - 19 ag. 1539
Lavinia **Sanseverino**, f. di Ippolita **Cybo**, (sposa a
    Gian Franc. **Sanseverino**) . . . . 1544 - 1565
Gian Francesco **Sanseverino** . . . . . . 1565 - † 21 magg. 1570
Gian Galeazzo **Sanseverino** d'Aragona. 21 magg. 1570 - genn. 1577
Girolamo **Sanvitale**, nip. di Gian Francesco **Sanseve-
rino**, marchese; usufruttuarie la madre **Barbara**
    e la nonna Lavinia . . . . 15 apr. 1577 - dep. ott. 1611

---

(1) Debbo in gran parte le notizie che seguono al prof. Glauco Lombardi di Colorno
che qui ringrazio.

Lavinia Iª march. di Colorno . . . . . muore primi di nov. 1578
Barbara Sanseverino-Sanvitale, 2ª march. di Colorno † 19 mag. 1612
Colorno viene incamerato da Ranuccio I **Farnese** D.
   di Parma il 4 maggio 1612 (Erasene impadronito
   nell'ott. 1611 mettendovi un presidio). Rimane
   unito agli Stati di Parma e Piacenza (V. Parma).

D – Fidenza (1).

(Borgo San Donnino).

....Elevato a contea da Carlomagno . . . . 774 - XII sec.
Agli Arcivescovi di Milano . . . . princ. sec. XI - 1029
Ugo Vescovo di Parma compra Fidenza da un Gherardo
   diacono di B. S. Donnino. . . . . 1029 - ....
Alla fam. **Pelavicino** (Bertoldo f. di Adalb. ecc.). . v. 1047 - 1077 c.
Concesso da Re Arrigo IV ad Ugo e Folco f. di Alberto
   Azzo d'Este (V. Polesine) . . . . 1077 c. - 1092
Dominaz. imperiale. . . . . 1092 - 1102
Comincia il governo repubblicano, poi sotto protez.
   dei Piacentini . . . . 1102 - (5/5 1109) e 1136
È unito a Parma . . . . 1136 - 15 ott. 1138
È ripreso dai Piacentini. . . . . . 15 ott. 1138 - 20 sett. 1152
Federico Barbarossa lo dà in feudo al march. Oberto
   Pelavicino . . . . v. 1163 ('62) - 1177 c.
Si regge a repubblica . . . . v. 1177 - 9/5 1199
Ai Parmigiani di nuovo. . . . . 19 magg. 1199 - 1221
L'Imp. **Federico II** libera Fidenza dalle dipend. di
   Parma-Piacenza e dandogli facoltà di eleggere i
   Consoli. Si regge a repubblica. . . . . 1221 - 1249
Assieme con Busseto e Bargone è data in feudo ad
   Oberto II Pallavicino. . . . . . 1249 - 1268 († 8/5 1269)
Ritorna in possesso dei Parmigiani che la demoliscono
   in parte. . . . . 1268 - 1275
Si regge di nuovo a repubblica indip. . . . . 1275 - 1308
Passa in possesso dei Da Correggio Sig. di Parma, poi
   dei Rossi di S Secondo. . . . . 1308 - 1311
Ritorna repubbl. libera per opera di Arrigo VII, (1311),
   poi ancora a Giberto da Correggio. . . 1311 - 26 lugl. 1315
Ritorna a reggersi a repubblica . . . . . . 26 lugl. 1315 - 1322
Si dà in potere di papa Giovanni XXII . . . 1322 - 16 mar. 1325
Azzo Visconti occupa Fidenza . . . . . 16 mar. 1325 - fine 1327
Ritorna al Papa . . . . fine 1327 - 1335
I **Rossi** di S. Secondo occupano Fidenza e la cedono
   ad Azzo **Visconti**. . . . . 1335 - dic. 1385

---

(1) V. Arcip. GUGLIELMO LAURINI, S. Donnino e la sua città, memorie stor. B. S Donnino 1924.

Ottobono **Terzi** ottiene dai. **Visconti** il dominio di
Fidenza . . . . v. 1386 - magg. 1405 († 27 magg. 1409)
Pietro **Rossi** ottiene Fidenza . . . . 1405 - 1409
Orlando **Pallavicino**, detto il Magnifico, occupa Fi-
denza . . . . 28 lug. 1409 - 1413
Passa a Niccolò III d'**Este** (V. Ferrara) . . . . 1413 - 1418
Ritorna in possesso di Orlando **Pallavicino** . 1418 - 1425 (†5/2 '57)
A Filippo Maria **Visconti**, Duca di Milano . . . . . 1425 - 1437
Il **Visconti** cede Fidenza a Catellano ed Innocenzo
Cotta nob. di Milano . . . . 1437 - 16 ag. 1447
Repubbl. indip., poi alleanza con Milano 16 ag. 1447 - 14 febb. 1449
Si sottomette a Francesco **Sforza**, Duca di Milano. . 1449 - 1499
Luigi XII, rè di Francia occupa Fidenza e ne investe i
fratelli **Pallavicino** di Busseto, cioè: Antonio, Maria,
Girol., Galeazzo, Ottaviano e Cristoforo . 1499 - 21 ott. 1512
Papa Giulio II ottiene, con Parma e Piacenza, anche
Fidenza . . . . 1512 - 1515
Passa ancora in dominio dei **Pallavicino** di Busseto . 1515 - 1549
Passa ai **Farnesi**, poi (1731) ai **Borboni** di Parma del-
la quale segue le sorti (V. Parma). . . . . 1549 - 9 giu. 1859
Al R. di Sardegna, poi d'Italia . . . . dal giu. 1859

E – Reggio nell'Emilia (1).

.... Ai Longobardi 569-590 e 599-773; all'Impero
d'Or. 590-599.
Dominaz. dei re Franchi. – Reggio govern. da Conti v. 773 - 888 c.
Il comitato di Reggio fa parte della Marca settentrionale o Attoniana, tenuta, pare, da Suppone II
(dei **Supponidi** † v..882), che reggeva i comitati
di Reggio, Parma e Piacenza . . . . . v. 880 - † fra 882-887
La Marca passa a Corrado, zio dell'Imp. Guido, poi
a Rodolfo suo f. . . . . 885 - 988
Dominio dei Vescovi-Conti: Azzo II, 890-899; – Pietro
900-915; – Fredolfo o Aredolfo 920-923; – Girardo
930 c.; – Eriberto 942-944; – Adelardo 945-952; –
Ermenaldo 962 - 4 ag. 979.
Altri vesc. influenti: Teuzone 979-1030; – Sigifredo II,
1031-'49; – Conone 1050-....; – Gandolfo 1066-82;
– S. Anselmo di Lucca 1082-86; – Eriberto od
Euberto 1085-92; – Bonseniore 1098-1118; Al-
berico 1163-87; – Niccolò Maltraversi 1211-43; –
Guglielmo Fogliani 1243-† 27/8 1283.

---

(1) Azzari cap. Fulvio, Compendio dell'Historia della città di Reggio. Reggio, Bartoli, 1623
– Gazata, Chronicon regiense, in Muratori, Rex Ital. Script., vol. XVIII. – Saccani Gio., I.
Vescovi di Reggio, cronotassi. Reggio, 1902. – A. Balletti, Storia di Reggio nell'Emilia.
Roma, 1925.

Conti: Attone o Azzo Adalberto di **Canossa**, nominato
da Ottone I Conte e Govern. di Modena e Reggio   969 - 981
Tedaldo f. ....† 1012; – Bonifacio f. 1012-52; –
Matilde f. *la Gran Cont.* v. 1053-† 24 lugl. 1115.

Enrico V, imp. prende possesso dei beni della C.ª Matilde. . . . . lug. 1115-1125

Papa Onorio II investe dei beni matildici reggiani
prima un Alberto march. e duca (1126-....); poi
Arrigo e Richeza, indi Lotario di Sassonia e Gertrude; e Federico I imp. che riconosce Guelfo IV
fr. di Arrigo pred.. . . . . 1126 - 1167

Governo a Comune indip. retto da Consoli 1136, poi
da Podestà . . . . 1136 - 1289

Passa agli **Estensi** di Ferrara e Modena (Obizzo II poi   1289 - 1306
(1293) Azzo VIII suo f.) . . . . 1306 - 1311

Comune indip. . . . . 1311 - †24 ag. 1313
Ad Enrico VII di Lussemburgo . . . . 1311 - †24 ag. 1313
A Roberto re di Puglia. . . . . 1313 - 1316
Comune libero . . . . 1316 - 1327
Governo del Papa Giovanni XXII. . . . . . . 4 ott. 1326 - 1329
Lodovico IV imp. nomina Giberto **Fogliani** ed Azzo
Manfredi suoi vicari . . . . 27 nov. 1331

Giberto **Fogliani** cede Reggio a re Giovanni di Boemia
f. di Arrigo VII, il quale nom. Niccolò **Fogliani** ed
Azzo **Manfredi** suoi vicari (1331); – Niccolò si
proclama Sig. di Reggio, ott. 1333. . . . 1331 - 20 lugl. 1335

Mastino II **Della Scala** occupa Reggio, cedutagli da
Niccolò Fogliani . . . . 20-31 lugl. 1335

Guido **Gonzaga** Sig. di Mantova, prende possesso di
Reggio, cedutagli dallo Scaligero, pel padre
Luigi I, Sig. di Mantova († 18/1 1360), cui succed.
i f. Guido, Luigi e Feltrino . . . 31 lugl. 1335 - 17 mag. 1371

Reggio passa ai **Visconti** di Milano, vendutogli da Feltrino Gonzaga (eccetto Bagnolo e Novellara)
17 magg. 1371 - 7 magg. 1401

Ottobono **Terzi** (sig. di Parma e Piacenza 1404-09)
Signore . . . . giu. 1404 - † 27 magg. 1409

Jacopo, fr., a nome di Niccolò f. di Ottobono, acclam.
Signore . . . . 28 magg. - 29 giu. 1409

Gli **Estensi** occup. Reggio di nuovo . . 29 giu. 1409 - 3 lugl. 1512

Governo pontificio. Occup. del duca d'Urbino pel pp.,
Gio. Gozzadini gov. († 25/6 1517), poi Fr. Guicciardini 8 lugl. 1517-23 . . . . 3 lugl. 1512 - 29 sett. 1523

Agli **Estensi** di nuovo. . . . . 29 sett. 1523 - 30/7 1702
Occupazione francese . . . . 30 lugl. 1702 - 14 ag. 1706
Viene restaur. il gov. Estense . . . . . . 14 ag. 1706 - lug. 1734
Guerra per la success. di Polonia - Reggio occupata
da Tedeschi e Francesi . . . . lugl. 1734 - ott. 1735

Agli Estensi, di nuovo . . . . nov. 1735 - 17/5 1742
I Piemontesi invadono lo Stato ed entrano in Reggio;
    gov. il C.e Beltrame Cristiani . . . 17 mag. 1742 - 10 febb. 1749
Agli **Estensi** di nuovo. . . . . 10 febb. 1749 - 26 ag. 1796
Proclamaz. della Repubblica Cispadana. . . . . 30 dic. 1796
Approv. degli stemmi della Republ. e della bandiera
    Cispadana (odierna) di tre colori . . . . 7 genn. 1797
La Repubbl. Cispadana si fonde colla Cisalpina 26 apr. 1797-1802
Repubblica Italiana (25 genn. 1802), poi 19/3 1805)
    Regno d'Italia napoleonico . . . . 1802 - 6/4 1814
Gli **Estensi** ricuperano il Ducato (tratt. di Vienna, apr.
    1815) . . . . 1815 - 24 giu. 1859
Anness. definit. di Reggio al regno di Sardegna, poi
    R. d'Italia. . . . . 14 giu. 1859

F – Modena (1).

. . . Agli Ostrogoti 493-539 e 544-553; ai Bizantini 539-
    544 e 553-569; ai Longobardi 569-590, Maurizio,
    imp. d'Oriente, ritoglie Modena ai Longobardi,
    c. 590 - princ. sec. VII; ai Longobardi di nuovo,
    poi ai Bizantini, in diverse riprese, sec. VII, 729;
    ai Longobardi ancora 729-773; ai re Franchi e
    Carolingi d'Italia 773-887.
Ai re nazionali e borgognoni . . . . 888 - 961
Governo dei Vescovi-Conti: Leodoino 871-893; Gio-
    vanni . . .-898; Gemenolfo 898-902; Gotifredo 902-
    933; Ardingo . . .-943; Guido 943-968.
Conti: Attone o Azzo Adalberto, Sig. di **Canossa**, bi-
    savolo della Cont.ª Matilde è nominato Conte e
    govern. perpet. di Modena e Reggio . . . . . 962 - † d. 981
Tedaldo, f., C.e poi March. di Modena (con Reggio,
    Parma e Mantova) . . . . v. 982 - † 1012 c.
Bonifacio, f., C.e di Modena e Reggio (Sig. di Ferrara e
    Mantova, march. di Toscana etc.) . . 1012 - † 7 magg. 1052
Beatrice di **Lorena** († 1076), ved. di Bonifacio, poi Ma-
    tilde, sua f., march. di Tosc.ª ecc. 7 magg. 1052 - † 24 lug. 1115
Comune costituito dopo il 1115 retto da Consoli
    dal 1135, da Podestà dal 1142; Podestà imper. dal
    1156, da Pod. Comunale dal 1177 . . . . . d. 1115 - 1289
Obizzo II d'**Este**, f. di Rinaldo (Sig. di Ferrara 1264),
    Sig. di Modena 15 dic. 1288 – † 13 febb. 1293;

(1) G. TIRABOSCHI, Memor. stor. modenesi, Modena, 1795. – L. A. MURATORI, Antichità Estensi, Modena, 1740. · I. e TOMM. BIANCHI (Lancellotti), Cronaca modenese, Parma, 1861-84, voll. 12. – BARALDI, Stor. di Modena, ivi, 1846. – CRESPELLANI A., Stor. di Modena, ivi 1881. – NAMIAS, Stor. di Modena, ivi, 1900. – E. P. VICINI, I Podestà di Modena 1156-1796, Roma, 1913. – RAGGI O., Modena ne' suoi monumenti, Modena, 1865.

Sp. (1263) Giacobina († 1287), f. di Niccolò Fiesco;
II (1289) Costanza († 1306), f. di Alberto Della Scala.

Azzo VIII, f. [sp. (1282) Giovanna Orsini († 1287), f.
di Bertoldo C.e di Romagna; - II (1305) Beatrice
(†av. 1321), f. di Carlo II di Napoli], Signore
21 febb. 1293 - dep. 26 genn. 1306 († 31/1 1308)

Rivoluz. popolare e cacciata degli Estensi da Modena,
Gov.º di un Podestà e un cap. del pop. I Guelfi sono
espulsi da Modena, (mar. 1307) . . 26 genn.1306-6 genn. 1311

All'imp. Enrico VII. — Guidalosto de' Vercellesi di
Pistoia vic. imp. (13 genn.). Gli esuli guelfi sono
richiamati . . . . 13 genn. - 1º ag. 1311

Francesco **Pico** della Mirandola, vic. imp. 1º ag. 1311 - 8 lugl. 1312

Rinaldo detto **Passerino Bonacolsi** di Mantova, Sig.,
Ramberto Ramberti suo vic. (11/812) 24/7 1312-dep. 18 gen.1318

Rivoluz. popol. — Repubblica. — Franc. **Pico** della
Mirand. pred. capo della repubb. — Governo di
8 podestà, 4 nob. e 4 giudici, dipend. dal **Pico**,
poi (30/1) da un podestà solo 18 genn. 1318 - rin. 30 nov. 1319

Rinaldo **Bonacolsi** pred., di nuovo cap. di Modena. —
Francesco suo f. ed i nip. Guido e Pinamonte, capitani perpetui dal 1321 . . . . 30 nov. 1319 - dep. apr. 1327

Modena si assoggetta al Papa; è govern. da un Rettore rinnovabile ogni 6 mesi . . . apr. 1327 - 27 nov. 1328

Lodovico il Bavarò, imp. — C.e Ettore da Panico (nov.
1328) poi Guido e Manfredo Pio di Carpi (15 dic.
1329) vic. imp. . . . . 27 nov. 1328 - 14 apr. 1331

Giovanni di **Lussemburgo** (re di Boemia 1311) signore,
Guido e Manfredo Pio pred. vic. reg. . . 14 apr. 1331 - 1333

Manfredo **Pio** (sign. di Carpi 1319), Sign. 1333 - rin. 17 apr. 1336

Modena passa sotto il governo degli **Estensi** di Ferrara (V. Ferrara) . . . . 17 apr. 1336 - 18 ag. 1510

Occupata a nome di papa Giulio II, è govern. da Vincenzo Gavazzo poi da Niccolò Bonafede vesc. di
Chiusi . . . . 18 ag. 1510 - 1º febb. 1511

Witfurst prende possesso della città a nome dell'imp.
Massimiliano I . . . . 1º febb. 1511 - 17 giu. 1514

Papa Leone X compra Modena. — Govern.: Fabbiano
Lippi (13 dic. 1514), Gian Francesco Guicciardini
(29 giu. 1516) ; Antonio de Sanctis, poi, Filippo
Nerli . . . . 17 giu. 1514 - 6 giu. 1527

Alfonso I d'Este (duca di Ferrara 1505, di Reggio 1509,
sign. di Carpi 1530) (3) ricupera Modena 6 giu.1527-21 mar. 1530

Carlo V Imp. occupa Modena — Pietro Zappata di Car-
denas, gov. imper. dal 17 apr. 1530 21 mar. 1530 - 21 apr. 1531

Alfonso I d'**Este** di nuovo . . . . . 21 apr. 1531 - † 31 ott. 1534

Ercole II, f. (princ. di Carpi 1535) . 31 ott. 1534 - † 3 ott. 1559

Alfonso II, f. -[sp. (1558) Lucrezia († 1567) f. di Co-

simo I Medici; II (1565) Barbera († 1572) f. di
Ferd. I imp.; III (1579) Eleonora (†1618) f. di
Guglielmo di Mantova] . . . . .   3 ott. 1559 - † 27 ott. 1597

Cesare d'**Este**, cug., f. di Alfonso M.se di Montecchio
(duca di Ferrara 1597-98) duca [sp. (1586) Virginia
(† 1615) f. di Cosimo I di Firenze] 29 ott. 1597 - † 11 dic. 1628

Alfonso III, f. . .   11 dic. 1628 - abd. 25 lugl. 1629 († 24 magg. 1644)

Francesco I, f. (principe di Correggio 1635) [sp. (1631)
Maria († 1646) f. di Ranuccio I Duca di Parma]
succede . . . .   25 lugl. 1629 - † 14 ott. 1658

Alfonso IV, f. [sp. (1655) Lanza († 1687) f. di Girol.
Martinozzi, nip. del Card. Mazzarino] 14 ott. 1658 - † 16 lugl.1662

Francesco II, f., sotto tutela di Laura Martinozzi sua
madre fino al 1674, [sp. (1692) Marg. Maria († 1718)
f. di Ranuccio II di Parma] succ. 16 lugl. 1662 - † 6 sett. 1694

Rinaldo, f. di Francesco I [sp. (1695) Carlotta Felicita
di Brunswick († 1710) f. di Gio. Feder. d'Han-
nover] . . . .   6 sett. 1694 - dep. 30 lugl. 1702

Entrano in Modena i Gallo-Spani comand. dal gen.
Albergotti . . . .   1° ag. 1702 - 7 febb. 1707

Rinaldo d'**Este** (duca di Mirandola e Concordia 1710)
ristab. . . . .   7 febb. 1707 - 20 lugl. 1734

I Gallo-Sardi occupano Modena . .   20 lugl. 1734 - 23 magg. 1736

Rinaldo d'**Este**, *di nuovo* . . . .   24 magg. 1736 - † 26 ott. 1737

Francesco III, f., succ. .   26 ott., gov. 4 dic. 1737 - dep. 6 giu. 1742

Guerra per la success. d'Austria. — Le truppe austro-
sarde, guidate da re Carlo Emanuele, entrano in
Modena . . . .   6 giu. 1742 - 30 apr. 1748

Francesco III d'**Este**, [sp. (1720) Carlotta († 1761) f.
di Filippo II G'Orléans]; ristab. 30 apr. 1748;
consegna degli Stati . . . . . .   11/2 1749 - † 22/4 1780

Ercole III Rinaldo, f., 22 apr. 1780 - dep. 6 ott. 1796 († 14 ott. 1803)

Le truppe francesi occupano Modena, comand. dal
gen. Sandos . . . .   6 ott. 1796

Repubblica Cispadana, poi Cisalpina . .   ott. 1796 - 4 magg. 1799

Modena è occupata dagli Austriaci (4 magg.), dai Fran-
cesi (12 giu.), dagli Austriaci *di nuovo* 20 e 25 giu. 1799 - giu. 1800

Ricostituz. della Repubbl. Cisalpina . .   9 lugl. 1800 - febb. 1802

Repubblica Italiana . . . .   19 febb. 1802 - mar. 1805

Regno d'Italia (dipart. del Panaro) . .   17 mar. 1805 - genn. 1814

Gioacchino Murat, re di Napoli, occupa Modena per
l'imp. d'Austria . . . .   21 genn. - 7 febb. 1814

Francesco IV d'**Austria-Este**, f. dell'arcid. Ferdinando
d'Austria, duca di Modena-Brisgau, proclamato il
7 febbraio, entra in Modena 15 lugl. 1814 - dep. 4 aprile 1815

Gioacchino Murat *di nuovo* . . . .   4-11 apr. 1815

Francesco IV pred. (duca di Massa e Carrara 14 nov.
1829) ristab. [sp. Maria Beatr. di Savoia ÷ 1840]
13 apr. 1815 - 5 febb. 1831

Insurrezione di Modena (1 febb.). Governo provvisorio . . . . 6 febb. - 9 mar. 1831
Ritorno del Duca Francesco IV a Modena 9 mar. 1831 - † 21 gen. 1846
Francesco V, f. [sp. (1842) Adelgonda di Baviera † 1914]
      21 genn. 1846 - dep. 21 mar. 1848
Rivoluzione. – Governo provvisorio, capo Gius. Malmusi . . . . 21 mar. - giu. 1848
Il gov. provv. procl. le prov. di Modena, Reggio, Guastalla, ecc. unite agli Stati Sardi . . . . . 29 magg. 1848
C.e Lodov. Sauli d'Igliano commissario del re di Sardegna . . . . 24 giu. 1848
Francesco V rientra in Modena . . 10 ag. 1848 - dep. 20 ag. 1859
Istituzione di una reggenza ducale (L. Giacobazzi,
      G. Galvani, G. Coppi, P. Gandini) . . . . 11-13 giu. 1859
Governo provv. a Modena (13 giu.) avv. Luigi Zini
      Commissario provvis. del Gov. Sardo . . . 15-19 giu. 1859
Luigi Carlo Farini Governatore Sardo . . . 19 giu. - 28 lugl. 1859
   »   »   »   Dittatore delle RR. prov. Modenesi
      e Parmensi . . . . . . 28 lugl. 1859 - 3 genn. 1860
Luigi Carlo Farini Governatore generale delle RR.
      provincie dell'Emilia . , . , ... 3 genn. - 18 mar. 1860
Decreto di annessione al regno di Sardegna . . . 18 mar. 1860

G – Carpi (1).

. . . ai Longobardi già nel 751, poi (752 e 774) governo
      pontificio. – Ai re Franchi 774-888 c. . . . . . 751 - 888
. . . Azzo, f. di Sigifredo C.e di Lucca (C.e palat. a Milano 901) Sig. di Canossa e C.e di Modena e Reggio . 962 - . . .
Tedaldo, f. (Sig. di Canossa, Ferrara e Guastalla) C.e
      di Modena e Reggio Sign. . . . . . . 1001 - † 1012
Bonifazio (III), f. (March. di Toscana etc.) [sp. (1037)
      Beatrice († 1076), f. del D.a Feder. di Lorena] 1012 - † 6/5 1052
Matilde, la Gran Contessa, f. . . . . 6 magg. 1052 - 24 lugl. 1115
Carpi passa alle Santa Sede. . . . . . lugl. 1115 - 1215
Salingerra Torelli è invest. di Carpi da pp. Infocenzo III . . . . 1215 - dep. s. a.
Occupata dai Modenesi, per cessione di pp. Onorio III,
      e rimane unita a Modena . . . . . 1216 - 1312 (V. Modena)
Passa ai Bonacolsi di Mantova 1312 - dep. magg. 1319 e 1319-27
Manfredo Pio (Sig. di Modena 1333), f. di Federico,
      s' impadronisce di Carpi, con approv. (1327) del
      papa e dell'imp. . . . . 16 magg. 1319 e 1327-1348

(1) Memorie storiche e documenti sulla città e princip. di Carpi: edite dalla Commiss. di Stor.
patr. di Carpi, 1877-88. – Guida artistica della città di Carpi 1875, edita dalla Commissione
predetta. – MAGGI P. GUGLIELMO, Memorie istoriche della città di Carpi, Carpi, 1707. – LITTA
Famiglie celebri d'Italia (Pio).

Galasso I, f. signore . . . . 1348 - † 1367
Giberto, f. († 1389) e Marsiglio, suo fr. († 1384) sigg. 1367 - † 1389
Marco Pio, f., signore . . . . 1389 - † 1418
Giovanni, f. († poco dopo); Alberto I **Pio di Savoia**
    (dal 1450), il *Vecchio* († 1464); Galasso II († 1465);
    Giberto († 1466), figli di Marco . . . . 1418 - 1465
Marco, Pio di Savoia f. di Giberto, con Leonello, f.
    di Alberto I (1463-80) pred., e Gian Marsiglio, f. di
    Galasso II, ed altri sette fratelli, assumono il gov.
    di Carpi . . . . 1465 - 1469
Marco e Leonello († 1477), rimangono soli sigg. di Carpi 1469 - 1477
Marco ed Alberto III, f. di Leonello e (dal 1480)
    Marco solo . . . . 1477 - 1490
Marco († 1494) ed Alberto III, ritornato al potere . . 1490 - 1494
Alberto III [investito (1490) dall'imp.] assoc. con Gi-
    berto, f. di Marco . . . . 1494 - 1499
Giberto vende la sua metà di Carpi agli **Estensi** di Fer-
    rara, in cambio di Sassuolo ed altre terre († 26/9 1500) 1499-1512
Alberto III, unico Sign. di Carpi, riconosc. dalla dieta
    german., annulla la cessione di Giberto . . 1512 - genn. 1523
(*Alberto III è costretto a ricevere guarnigione spagnuola*
    in Carpi . . . . ag. 1522-23)
Carlo V imperatore spoglia Alberto dello Stato di
    Carpi . . . . genn. a 1° sett. 1523
Alberto III pred. riacquista Carpi
               1° sett. 1523-24 febb. 1525 († genn. 1531)
È occupata dagli Spagnuoli, che vi restano di pre-
    sidio . . . . 24 febb. 1525 - marzo 1527
Alfonso I (Duca di Ferrara 1505) prende possesso di
    Carpi, invest. (1530) da Carlo V . . . . marzo 1527
Carpi è innalzata a principato nel 1535, sempre sotto
    gli Estensi, rimanendo però autonoma fino al 1796.
    Viene poscia assoggettata a Modena (V. Modena).

H -- **Guastalla** (1).

Sig., poi Conti dal 1428, Duchi dal 1621.

Ai Vescovi di Reggio, per donaz. di Carlo Magno 781-864 e 912-951
Lodovico II imp. ne fa dono alla moglie Angelberga . . 864 - 877
Angelberga ne fa dono al monast. di S. Sisto di Piacenza 877 - 966
Ottone II imp. ne investe l'Arciv. di Milano . . . . 966 - 980 c.
L'Arciv. di Milano ne infeuda Ubertino da Carcano fr.
    dell'Arc. Landolfo . . . . v. 980 - 991

---

(1) I. **Affò**, Storia della città e ducato di Guastalla, ivi 1785, vol. 4 - I **Enamati**, Storia
della città di Guastalla, Parma 1874, - **Stokvis**, op. cit. vol. III.

Tedaldo, avo della Cont. Matilde di **Canossa**, diviene sig.
    di Guastalla, poi ne investe Bonifacio M. di Toscana ... - 1102
Beatrice di **Lorena** († 1076), ved. di Bonifacio, ne fa
    un castello, che poi dalla C.ª Matilde è restit. al
    monast. di S. Sisto pred. . . . . 1102 - 1129 c.
L'abbad. di S. Sisto vende la terza parte del feudo ai
    Cremonesi . . . . 1162 - 1186 e 1195 - 1307
L'imp. Federico I è riconosc. unico Sig. di Guastalla 1186 - 1195
Giberto da **Correggio** (sig. di Parma 1305-16), Sig., nom.
    da Arrigo VII . . . . 1307 - † fine lugl. 1321
Simone , Guido , Azzone e Giovanni , figli di Gi-
    berto . . . . lugl. 1321 - spod. v. 1346
I **Visconti** di Milano . . . . 1347 - 1402 c.
Ottone de' **Terzi**, generale di Gio. Maria Visconti, sign.
    di Parma e Guastalla . . . . 1403 - 1406
Guido **Torelli** il Grande, Conte (6/7 1408) di Guastalla
    e di Montechiarugolo dal 1428 . 3 ott. 1406 - † 8 lugl. 1449
Cristoforo e Pier Guido I, figli di Guido, 8 lugl. 1449 - † 18 apr. 1460
Guido Galeotto e Francesco Maria, figli di Pier Gui-
    do . . . . 18 apr. 1460 - 8 ott. 1479
Francesco Maria pred., solo . . . . 8 ott. 1479 - † febb. 1486
Pier Guido II, f., Duca . . . . febb. 1486 - † 11 ag. 1494
Achille, fr., reggente Maddalena del Carretto, sua
    avola . . . . ag. 1494 - † 30 nov. 1522
Lodovica, f. . . . . . . 30 nov. 1522 - rin. 3 ott. 1539 († 1569)
Ferrante I **Gonzaga**, f. di Gio. Franc. II march. di Man-
    tova (viceré di Sicilia 1535), conte . 3 ott. 1539 - † 15 nov. 1557
Cesare I, f. Principe di Guastalla . 15 nov. 1557 - † 17 febb. 1575
Ferrante II, f., regg. la madre Cam. Borromeo, [sp. Vit-
    toria Doria] succ. 17 febb. 1675, Duca 2 lug. 1621 - † 5 ag. 1630
Cesare II, f., Duca . . . . 5 ag. 1630 - † 26 febb. 1632
Ferrante III, f. . . . . 26 febb. 1632 - † 11 genn. 1678
Ferdinando Carlo, figlio di Carlo II (duca di Man-
    tova 1665) duca . . . . . . 11 genn. 1678 - 4 magg. 1692
Vincenzo, nip. di Cesare II duca . . 4 magg. 1692 - 30 ag. 1702
I Francesi comand. da Luigi XIV ed i Cesarei sotto
    gli ordini di Eugenio di Savoia entrano in Gua-
    stalla . . . . 30 ag. 1702 - sett. 1704
Ferdinando Carlo, di nuovo, sett. 1704 - dep. 6 dic. 1706 († 5 lug. 1708)
Vincenzo, di nuovo (princ. di Bozzolo 1707, duca di
    Sabbionetta) duca . . . . 6 dic. 1706 - † 27 apr. 1714
Antonio–Ferdinando, f. . . . . . . 27 apr. 1714 - † 19 apr. 1729
Giuseppe Maria, fr.. . » . . . . . 30 apr. 1729 - dep. 19/5 1734
Guastalla è occupata dai Cesarei . . . . . 19 magg. - 30 giu. 1734
È ceduta ai Gallo-Sardi . . . . . . 30 giu. 1734 - 27 magg. 1738
Giuseppe Maria **Gonzaga**, di nuovo . . . nov. 1738 - † 16 ag. 1746
Guastalla è occup. dagli Austriaci a nome di Maria
    Teresa d'**Austria** (3 apr.), gov. . . 4 sett. 1746 - 8 apr. 1748

Aggregata al Ducato di Parma e Piacenza 8 apr. 1748
    (tratt. di Aquisgrana) di fatto . . . 22 febb. 1749 - ott. 1802
Occupazione Francese 1796. – Moreau de S. Méry am-
    ministr. – Unita alla Repubb. Cisalpina . . ott. 1802 - 1805
Paolina **Bonaparte** sorella di Napoleone I, e don Ca-
    millo Borghese suo marito, duchi . 30 mar. - 24 magg. 1806
Paolina vende Guastalla al regno d'Italia 24 magg. 1806 - 7 giu. 1814
Il congresso di Vienna unisce Guastalla al ducato di
    Parma e Piacenza (appannaggio di Maria Luigia
    d'Austria) . . . . 19 giu. 1815 - 17 dic. 1847
Guastalla passa col ducato di Lucca a Carlo Ludovico
    di **Borbone** già duca di Lucca . . dic. 1847 - rin. 8 genn. 1848
È ceduta ai duchi di Modena (V. Modena) . 8 genn. - 16 giu. 1848
Annessione al regno di Sardegna . . . . 16 giu. - 10 ag. 1848
Ritorna in potere del duca di Modena . 10 ag. 1848 - 20 ag. 1859
È definitiv. annessa allo Stato Sardo . . . . 18 marzo 1860

I – **Mirandola** (1).

(*Antic. Corte di Quarantola*).

... Mirandola appartiene al monastero benedettino di
    Nonantola . . . . dalla metà del sec. VIII - ...
Il March. Bonifacio di Toscana ottiene in enfiteusi la
    Mirandola . . . . princ. sec. XI - ..
Si regge a comune dopo la morte della C.ª Matilde f.
    di Bonifacio . . . . dopo il lugl. 1115-1154
Agli **Estensi** di Modena, che acquistano i possessi ita-
    liani del ramo tedesco della loro casa (i Guelfi) cioè
    Este, Solesino, Arquata e Mirandola . . . . . . 1154 - ....
Passa sotto diverse signorie, cioè i **Pio**, i **Pico**, i **Man-**
    fredi, i **Guidoni** etc. . . . . 1212 - 1257
Mirandola è venduta al comune di Modena . . . . 1267 - 1311
L'imp. Arrigo VII la dà in feudo alla famiglia **Pico** . v. 1311 - ..
Francesco I **Pico**, f. di Bartol.º vic. imp. di Mirandola
    (poi di Modena 1311-12 e 1318-19) 1311 - dep.27 nov. 1321 († s.a.)
Rinaldo, detto Passerino. **Bonacolsi** (sign. di Mantova
    1308, di Modena 1312) sign. . 27 nov. 1321 - † 16 ag. 1328
Luigi I **Gonzaga** (sign. di Mantova 1328) ag. 1328 - 23 dic. 1354 (†1360)
Francesco II **Pico**, pronip. di Francesco I . 23 dic. 1354 - † v. 1399
Francesco III e Giovanni, figli, e Ajace loro cugino
    († 1429), C.ⁱ di Concordia 1432, sigg.. v. 1399 - 15 nov. 1451

(1) G. Veronesi, Quadro storico della Mirandola e della Concordia, Modena, 1847. – Pompeo Litta, Famiglie celebri italiane (Pico, Bonacolsi, Gonzaga). – F. Ceretti, Dei podestà, dei luogotenenti, degli auditori e governatori dell'antico ducato della Mirandola, ivi, 1898. – Memorie stor. della città e dell'antico ducato di Mirandola, ivi, 1874-82, voll. 5.

Francesco III pred. († 1458) e Gian Francesco I, f. di
    Giovanni, sigg. . . . . 15 nov. 1451 - sett. 1457
Gian Francesco I, solo signore di Mirandola e C.ᵉ di
    Concordia . . . . sett. 1457 - † 8 nov. 1467
Galeotto I, f. [sp. Bianca Maria d'Este f. nat. di Nic-
    colò III] . . . . 12 febb. 1467 - 7 apr. 1499
Gian Francesco II, f. [sp. Giovanna Carafa]
                16 magg. 1499 - spod. 6 ag. 1502
Lodovico I, fr. [sp. Francesca di G. Giacomo Tri-
    vulzio] . . . . 6 ag. 1502 - † 15 dic. 1509
Galeotto II, f., con truppe francesi; regg. F. Trivulzio
    sua madre e il C.ᵉ Rob. Boschetti, 20 dic.1509 - dep. 21 genn.1511
Papa Giulio II assed. la Mirandola e vi entra vittor.,
    cacciandone Galeotto II e i francesi . . . . . 21 genn. 1511
Gian Francesco II ristab. da pp. Giulio II . . genn. - magg. 1511
Galeotto II e la madre Francesca (1), *di nuovo* . magg. 1511 - 1513
Gian Francesco II, *di nuovo* C.ᵉ della Mirandola 1514 - † 15 ott. 1533
Galeotto II, *di nuovo*, C.ᵉ di Concordia 1514, di Miran-
    dola (15/10), poi la cede (1818) ad Enrico II di
    Francia . . . . 15 ott. 1533 - 1548 († 20/11 1550)
Mirandola diviene piazza forte francese . . . . . 1548 - 1551
Lodovico II, f., sign. [sp. Fulvia da Correggio] 1551 - † 18 dic. 1568
Galeotto III, f., tutrice la madre Fulvia da Correggio
    († 7/10 1590), succ. 18 nov. 1568, assoc. ag. 1592 († 18/11 1597)
Federico, fr., principe di Mirandola e march. di Concor-
    dia dal 1596, assoc. al fr. ag. 1592, solo 16 ag. 1597 († 7 sett. 1602)
Alessandro I, fr. princ. di Mirandola e march. di Con-
    cordia e (1617) Duca, [sp. Laura d'Este († 1630)
    f. di Cesare Duca di Modena] . . sett. 1602 - † 2 dic. 1637
Alessandro II, nip. dal f. Galeotto. . 2 dic. 1637 - 1641 († 2/2 91)
Francesco Maria, nip. dal f. Franc. Maria, Duca della
    Mirandola . . . . 1691 - dep. 1708 († 1747)
Mirandola riceve guarnigione tedesca . . . . . . 1701 - 1705
Occupazione francese della Mirandola . . . 1707 - lugl. 1708
I Francesi sono espulsi dalla Mirandola. – Dominazione
    imperiale . . . . lugl. 1708 - magg. 1710
L'imp. Giuseppe d'Austria, dep. Franc. Maria, vende
    Mirandola, Concordia e S. Martino in Spino a Ri-
    naldo d'Este Duca di Modena . . . . magg. 1710 - 1735
Mirandola è assediata e presa dagli Spagnuoli . . . 1735 - 1742
È occupata dagli Austro-Sardi capit. da Carlo Ema-
    nuele III, re di Sardegna. . . . . magg. 1742 - ott. 1748
Ritorna agli Estensi di Modena (trattato di Aqui-
    sgrana) . . . . 18 ott. 1748 - 1859 (V. Modena)
Annessione al regno di Sardegna, poi d'Italia . . . 18 mar. 1860

(1) Francesca Trivulzio fu reggente pel figlio Galeotto II fino al 1518 e morì nel sett. 1560.

K – **Ferrara** (1).

Sig., poi Marchesi dal 1393, Duchi dal 1471.

.... Ostrogoti, poi (538) Impero d'Oriente [Narsete dal
    553] . . . . 493 - 567
Agli Esarchi di Ravenna, dal 600, dipend. dal Papa 567-742 e 742-51
Ai Longobardi . . . . 742; 751 - 52; 755 - 57; 772 - 74
Ai Franchi 754
Al Papa [Conti papali: Guarino I, 960 c.; Liucio....;
    Giovanni, 967; Gherardo, 971; Guarino II, 984] 754 - 755;
                                   [769 - 772; 921 - 986
All'Arciv. di Ravenna (nominalm. al Papa) . 758 - 69 e 774 - 921
Tedaldo di **Canossa**, f. di Attone; Sign. (C. di Modena
    e Reggio 982, Sig. di Guastalla) . . . . . . 984 c. - † 1012
Bonifacio, f. (March. di Toscana 1027 etc.) Signore 1012-†7 mag.1052
Beatrice di Bar, sua vedova, regg. per la f.ª C.ª Ma-
    tilde, poi (1053) col mar. Goffredo IV D. D. Bassa
    Lorena . . . . 1052 - 1063
Matilde la *Gran Cont.*ª, f. (Marc. di Toscana etc. 1036)
    Signora, sotto regg. della madre . . . . 7 magg. 1052 - 1053
Matilde pred. e Goffredo V il *Gobbo* D. di Bassa Lo-
    rena, suo marito, co-regg. . . . . 1063 - 1076
Matilde propriet., sola (sue donaz. al Papa 1077 e
    1102) . . . . 1076 - 1086 e 1101, - † 24/7 1115
Comune, indip., ghibellino . . . . 1086 - 1101
Comune dipend. dal Papa retto da Consoli poi (1159)
    dipend. dall'Impero . . . . 1115 - 1164
Comune indip. con influenza del Papa, poi (1196) di-
    pend. dal Papa (Podestà dal 1179) . . . . . 1164 - 1196
Comune con a capo Salinguerra **Torelli**, Signore dal 1209, 1196-1209
Azzo I (VI) d'Este, nip. dal f. Azzo V e succ. di Obizzo I
    (march. d'Ancona), Sig. di Ferrara. . . 1209 - † 18/11 1212
Aldobrandino I d'Este, f. sig.. . . . 18 nov. 1212 - †10 ott. 1215
Azzo II (VII) *Novello*, fr. [sp.ª Mabilia Pallavicino] Sig.
    (con prot. del Papa 1240-48) 1215 - dep.1222 e 1240 - † 16/2 1264
Salinguerra **Torelli**, pred. sig. . . . 1222 - dep. 1236 († 25/7 44)
All'Impero . . . . 1236 - 1240
Obizzo I (II) d'Este, nip. di Azzo II (VII) [sp. I,
    Iacopina († 1287) di Niccolò Fieschi; II, Costanza
    († 1396) di Alberto Della Scala] 16 febb. 1264 - † 21 febb. 1293
Azzo III (VIII), f., Sig. [sp. I (1282) Giovanna Orsini,
    II (1305) Beatrice d'Anjou] . . 21 febb. 1293 † 31 genn. 1308
Aldobrandino II, fr. . . . 31 genn. 1308 - rin. 27 nov. 1308 († 26/7 26)
Fresco, f. nat. di Azzo III, Sig. (cede alla Rep. di
    Venezia, 1308, i suoi diritti) . . . . febb. (?) 1308

---

(1) Muratori, Antichità Estensi, Modena, 1740. - Frizzi, Memorie per servire alla storia
di Ferrara, ivi, 1847. - E Calvi, op. cit., parte II.

Folco, f. di Fresco, con Rinaldo, Obizzo II (III) e Nic-
    colò I, f.i di Aldobrandino I . . . . . . febb. a nov. 1308
La Repubb. di Venezia occupa Ferrara 27 nov. 1308 - 28 ag. 1309
Al Papa. – Card. Pelagrua (1310) leg. pont. – Roberto
    d'Anjou re di Napoli (1312) vic. pontif. 28 ag. 1309 - 15 ag. 1317
Ferrara si solleva contro il vicar. pont. Roberto d'Anjou
    e richiama gli Estensi . . . . ag. 1317
Rinaldo († 31/12 1335), Obizzo II (III) e Niccolò I
    d'Este pred.; vic. pont. dal 1332, Sig. 15 ag. 1317 - 31 dic. 1335
Obizzo II e Niccolò I († 1/5 1344) pred., Sig. 31 dic.1335-1 magg. 1344
Obizzo II, pred., Sign. . . . . . 1º magg. 1344 - † 20 mar. 1352
Aldobrandino III, f. (vic. imp. di Modena 1354) suc-
    cede . . . . 20 mar. 1352 - † 2 nov. 1361
Niccolò II, fr. (Sig. di Modena 1351) sig. 2 nov. 1361 - † 26 mar. 1388
Alberto, fr. (Sig. di Modena), assoc.1361, solo 26 mar. 1388-†30 lug. '93
Niccolò III, f., sotto reggenza fino al 1401 (1) (march.
    di Modena, Reggio, Rovigo 1393, Sig. di Parma
    1409-20, di Garfagnana 1429), succ. 30 lugl. 1393-† 26 dic. 1441
Leonello, f., succ. . . . . 29 dic. 1441 - † 1º ott. 1450
Borso, fr., succ. 1º ott. 1450 (nom. duca di Modena e
    Reggio e C.e di Rovigo, 18 magg. 1452), duca di
    Ferrara, 14/4 1471 . . . . 1 ott. 1450 - † 19 ag. 1471
Ercole I, fr. (duca di Modena etc.) . . 19 ag. 1471 - † 25 gen. 1505
Alfonso I, f. (duca di Modena e Reggio 1505-10 e 1527-
    1534), duca . . . . 25 genn. 1505 - † 31 ott. 1534
Ercole II, f. (duca di Mod., Reggio ecc.) 31/10 1534 - † 3 ott. 1559
Alfonso II, f. (duca di Modena, Reggio ecc.) 3/10 1559- † 27 ott. 1597
Cesare, cug. (f. di Alfonso, M.se di Montecchio), duca
    di Modena, Reggio, Carpi, ecc. 29 ott. 1597 - perde
    Ferrara . . . . 30 genn. 1598 **V. Modena**
Governo pontificio . . . . 30 genn. 1598 - 23 giu. 1796
Occupazione francese. – Gov. provvisorio . . . . 26 giu. 1796
Repubblica Cispadana, poi Cisalpina (lug.1797) 18 ott.1796-22/5 1799
Gli Austriaci occupano Ferrara . 22 magg. 1799 - 19 genn. 1801
Occupaz. francese di nuovo. – Repubb. Cisalp. 19/1 1801 - 19/2 1802
Aggregazione alla Repubb. italiana . 19 febb. 1802 - 14 mar. 1805
Aggregazione al regno d'Italia . . . 19 mar. 1805 - 28 genn. 1814
Ripresa dagli Austriaci . . . . 28 genn. 1814 - 6 apr. 1815
Occupata per pochi giorni da Gioacchino Murat   7-13 apr. 1815
All'Austria di nuovo . . . . 13 apr. - 18 lug. 1815
È restituita al Papa (congr. di Vienna) 18 lugl. 1815 - 7 febb. 1831
Rivoluzione; reggenza provvisoria (leg. Mangello) 7 feb.- 4 mar. 1831
All'Austria . . . . 6-15 mar. 1831
Al Papa. . . . . 15 mar. 1831 - lug. 1847

---

(1) Il march. Alberto aveva destinato alla reggenza del figlio, Filippo Roberti reggiano e
Tommaso degli Obizzi lucchese, ponendolo inoltre sotto la protezione dei Veneziani dei
Fiorentini e dei Gonzaga.

L – Bologna (1).

(1) Cronica di Bologna, in MURATORI, Rer. ital. script., v. XVIII. – SAVIOLI, Annali Bolognesi,
Bassano, 1788-95, voll. 6. – S. MUZZI, Annali della città di Bologna, ivi, 1840-46, voll. 8. –
STOKVIS, Manuel d'histoire etc., Leida, 1890-92, vol. III. – CALVI E., Tavole stor. dei Comuni
ital., Roma, 1907 parte III.

e dei Geremei (guelfi), poi dei Lambertini e Sca-
nabecchi, Asinelli e Basacomari 1258, 1263, 1265, 1267 e 1272-74

Comune guelfo (1266 e 1274-78) poi prevale il partito
ghibellino, retto da tre consoli magnatizi (Espul-
sione dei Lambertazzi 1280) . . . . . 1266-78 e 1280 - 1281

Comune guelfo 1281-96, poi sotto la protez. del Papa
dal 1296. (Con prepond. di Romeo Pepoli 1320,
cacciato 1321) . . . . 1281 - 1321

Comune. – Istituz. dei Gonfalonieri di Giustizia; Guido
Pasquali I° Gonf. . . . . 1321 - 1327

Comune. – Nuova sottomissione al Papa. – Card. Bertrando del Poggetto leg. pont. . . 5 febb. 1327 - 28 mar. 1334

Comune libero. – Lotte fra Pepoli, Gozzadini, Scacchesi,
Maltraversi-Beccadelli, cacciati (1335); 28 mar.1334 - 28 ag. 1337

Taddeo **Pepoli**, f. di Romeo, el. sign. con tit. di capitano generale . . . . 28 ag. 1337 - 21 ag. 1340

Bologna si sottomette al Papa (2 ag. 1340). Taddeo
Pepoli vic. pont. e «Conserv. della pace e della
giustizia» . . . . 21 ag. 1340 - † 28 sett. 1347

Giacomo e Giovanni, f.i di Taddeo **Pepoli** sigg. e, dal
1349, vic. pontif.. . . . . . . 2 ott. 1347 - 28 ott. 1350

Giovanni **Visconti**, f. di Matteo I (arc. e signore di Milano 1349) vic. pap. dal 1352, e in suo nome il
nipote Galeazzo . . . . 28/10 1350 - † 5/10 1354

Matteo **Visconti**, nip. e Gio. da Oleggio suo capitano 1354 - mar. 1355

Giovanni **Visconti** da **Oleggio**, forse f. nat. di Giovanni
Visconti, *pred.*; pretore apr. 1351, governatore,
poi signore . . . . . . 18 mar. 1355 - 1° apr. 1360 († 1366)

Nuova sottomissione al Papa. - Card. Egidio d'Albornoz
(28 ott. 1360 - † 24 genn. 1367), poi il Card. Guglielmo di Noellet, legati pont. . 1° apr. 1360 - 20 mar. 1376

Comune indip., capo Taddeo Azzoguidi. – Sono eletti i
16 tribuni della plebe, 4 per ciascuna tribù, e ri-
stabiliti i Consoli . . . . 20 mar. 1376 - sett. 1377

Bologna sotto protez., poi dominio (1378) del Papa
(G. da Lignana vic. pont. 1378) . . . sett. 1377 e 1378 - 1382

Comune libero . . . . 1377 - 1378

Vengono istituiti, sotto la protez. del Papa, il Gonfaloniere di Giustizia e gli Anziani, vic. pontif. . 1382 - 28/2 1401

Vengono istituiti i *Riformatori dello Stato di Libertà*
presied. da un Priore. . . . . 8 genn. 1394

Carlo Zambeccari e Nanne Gozzadini divid. Bologna
in due fazioni, che poi restano fra loro discordi . . . 1398

I Gozzadini sono cacciati da C. Zambeccari che rimane
Sign. di Bologna . . . . 6 magg. 1399 († s. a.)

Sono espulsi il Gonfal. di Giustizia e gli Anziani. –
Ritornano i Gozzadini e i Bentivoglio 1399

Lotta fra i Bentivoglio e i Gozzadini. Ritornano i Zam-
becchari 1400
Giovanni I **Bentivoglio**, f. di Antoniolo; Signore di
Bologna . . . . 28 febb. 1401 - † 30 giu. 1402
Gian Galeazzo **Visconti** (duca di Milano 1395). – Sig.
Giacomo Dal Verme gov., e cap. Pandolfo Malatesta, Commissario . . . . 10 lugl. - † 3 sett. 1402
Gian Maria **Visconti** f., regg. la madre Caterina Vi-
sconti̦ – March. Leonardo Malaspina, poi (febb.
1403) Facino Cane, gov. . . . . . 3 sett. 1402 - 3 sett. 1403
Bologna ritorna al Papa; Baldassarre Cossa (papa 1410)
ne prende possesso . . . . 3 sett. 1403 - 12 magg. 1411
Insurrezione della plebe, capit. da Pier Cossolini. Il
pretore ed altri magistrati sono sostituiti da popolari . . . . 12 magg. 1411 - 14 ag. 1412
I nobili ritornano al potere (14 ag.); Bologna è resa al
Papa; Lodovico Fieschi legato pont. sett. 1412 - 3 genn. 1416
Nuova sommossa popolare. – Il Consiglio dei 600 rinnova i magistrati e crea (1418), i 16 Riformatori
dello Stato popolare, con autorità di riform. statuti.
leggi, ecc. (1416). Cacciata dei nobili. Governo dei
10 Riformatori (1418), capo Antonio Galeazzo Bentivoglio . . . . 3/1 1416-27 genn. 1420
Anton Galeazzo, f. di Giovanni I **Bentivoglio**, capo
della Repubblica . . . 27 genn. - 15 lugl. 1420 († 23 dic. 1435)
Bologna ritorna al Papa (15 lugl.). – Gabriello Condul-
mieri, card. di Siena, leg. pont. . . . 21 lugl. 1420 - 2 ag. 1428
Comune libero . . . . 2 ag. 1428 - 25 sett. 1429
Al Papa di nuovo. – Lucio de' Conti, poi (1430) Giov.
Caffarelli leg. pontificio, Fantino Dandolo gover-
natore [Governo popol. 1430-31] . 25 sett. 1429 - magg. 1438
Niccolò Piccinino, occupa Bologna pel duca di Milano
Fil. M. **Visconti̦** Signore . . . . 21 magg. 1438 - 6 giu. 1443
Annibale I **Bentivoglio**, f. nat. di Anton Galeazzo, si-
gnore . . . . 6 giu. 1443 - † 24 giu. 1445
Governo popolare. Influenza di Galeazzo Marescotti . . . 1445-46
Santi Cascese, f. di Ercole **Bentivoglio**, sig. 13 nov. 1446 - † 1° ott.1462
Si fa, col Papa, una solenne convenzione. – Bologna si
sottomette alla Chiesa, con varie condiz. e franch. . . . 1447
Ultima compilazione degli Statuti di Bologna. 1454
Giovanni II **Bentivoglio** (1), figlio di Annibale I, suc-
cede a Santi Cascese . 1° ott. 1462 - dep. 2 nov. 1506 († 1509)
Il popolo omnina 20 *Riformatori* di partito avverso ai
Bentivoglio . . . . 3-18 nov. 1506

---

(1) Giovanni II, nel 1466, fu nominato da papa Paolo II presidente a vita dei Riformatori,
il numero dei quali fu portato a 21, anch'essi a vita, divisi in due sezioni che governavano alternativamente per 6 mesi.

Papa Giulio II occupa Bologna (11 nov.); espulso il
  Bentivoglio, abolisce i Riformatori; rinnova il
  Gonfaloniere e gli Anziani e stabilisce un senato
  di 40 patrizi a vita con titolo di *Riformatori dello
  Stato di Bologna* . . . . 18 nov. 1506 - 23 magg. 1511
Annibale II ed Ermete **Bentivoglio**, sigg. (1). — Istit.
  dei 31 *Riformatori* . . . . 23 magg. 1511 - giu. 1512
Bologna ritorna al Papa (10 giu. 1512). Vengono ripri-
  stinati i 40 *Riformatori dello Stato* . 24 giu. 1512 - 19 giu. 1526
Governo libero del Senato (1526) ripristinato da papa
  Leone X. – Aboliz. dei Riformatori dello Stato
  (22 giu. 1513). – Dominaz. pontificia . . . 22 giu. 1526 - 1796
Occupaz. francese (19 giu.). – Direttorio franc. 18-20
  giu. 1796. – *Gov. del Senato* sotto il Direttor. 20/6 –
  17/10 1796, sotto la Repubb. Cispad. . 17/10 1796 - 1/5 1797
Repubb. Cisalpina . . . . 27/3 1797 - 30/6 1799
Dominaz. Austro-russa. – I. R. Regg. provvis. austr.
  30/6 - 11/8 1799. – I. R. Regg. stabile 11 ag. 1799 - 29 lugl. 1800
I Francesi, *di nuovo*. Repubblica Cisalpina. (Dipart. del
  Reno) . . . . 28/6 1800 - 31 dic. 1801
Repubb. Italiana (Domin. francese) . 1 genn. 1801 - mar. 1805
Unione al Regno d'Italia napoleonico . mar. 1805 - 30 dic. 1813
Occupazioni di Gioacchino Murat, (re di Napoli dal
  luglio 1808) . . . 30 dic. 1813 - 8 magg. 1814 e 2-16 apr. 1815
Ritorno degli Austriaci in Bologna 8 maggio 1814 al
  2 apr. 1815 . . . . e 16 apr. - 18 lugl. 1815
L'Austria ristabilisce il governo del Papa 18 lugl. 1815 - 4 febb. 1831
Rivoluzione. – Governo provvisorio di 8 cittadini, pre-
  sidente Vicini . . . . 4 febb. - 20 mar. 1831
Occupaz. milit. austriaca, *di nuovo* . . 20 mar. - 15 lugl. 1831
Governo cittadino; prolegato pont. Grassi 15 lugl. 1831 - 20/1 1832
Occupazione militare austriaca, *di nuovo*. — Restaur.
  del gov. pontif. . . . . 28 genn. 1832 - lugl. 1848
Repubb. Romana . . . . 9 febb. - 16 magg. 1849
Nuova occupaz. austriaca (gen°. Wimpffen) e ristab. del
  governo pontificio . . . . . . 16 magg. 1849 - 12 giu. 1859
Gli Austriaci, battuti, lasciano Bologna, la quale invoca
  l'aggreg. al Regno Sardo . . . . 12 giu. 1859
Governo provvisor. presied. da G. N. Pepoli, con G. Mal-
  vezzi, Tanari, Casarini e Montanari . . . 12 giu, - 14 lugl. 1859
Massimo d'Azeglio R. Commiss. straord. pel gov. Sardo.
  – Col. Falicon (16/7) pro commiss. (11 lugl. - 6 ag.).
  – Col. L. Cipriani, gov. gener. (6 ag. - 9 nov.). –
  Luigi C. Farini dittatore, poi Gov. 9 nov. 1859 - 25 mar. 1860
Decreto di annessione delle Romagne al regno di Sar-
  degna, (poi d'Italia 1861) . . . . 25 mar. 1860

_____

(1) Annibale II morì a Ferrara il 24 giu. 1540, Ermete fu ucciso a Vicenza il 7 ott. 1513.

M – Imola (1).

---

(1) G. C. Cerchiari, Ristretto stor. della città d'Imola, Bologna, 1847. – Ginanni P. P.
Memor. stor. della fam. Alidosia, Roma, s. a. – Pasolini P. D., Caterina Sforza, Bologna,1897,
Litta, Famiglie celebri d'Italia (Alidosio). – Calvi E., op. cit., p. III. – S. Gaddoni e G. Zac-
carini, Chartularium Imolense, 964-1200. Imolae, 1911-12, vol. 2.

Comune ghib., poi (1278) guelfo, dip. da Bologna. . 1276 - 1279
Comune dip. da Bologna, con infl. imp., poi (1282)
    sotto autor. del Papa . . . . 1279 - 1290
Alidosio **Alidosi**, Signore, poi (1292 - 93) principe . . 1290 - 1293
Unita a Bologna, sotto l'autor. del Papa, 1290 - 92; 1293 - 95; 1295 - 96
Uguccione della **Faggiuola**, candott. ghib. cap. del pop. 1296 - 1299
Matteo **Visconti** e **Della Scala**, custodi . . . . . 1299 - 1300
Al Papa . . . . 1300 - 1314
A Franc. **Manfredi** di Faenza (gov. di pace pel papa),
    poi (1315) al Roberto d'Anjou re di Napoli . . 9/11 1314 - 1315
Al Papa e per lui al Card. Bertr. del Poggetto (1327-34) 1315 - 1334
Ricciardo **Manfredi** (1335) poi (1335 - 49) Lippo **Ali-
dosi**, vic. pont. dal 1347 - 49 . . . . 1335 - 1349
Roberto **Alidosi**, f. di Lippo, vic. pontif. succ. . . . 1349 - † 1363
Azzo († 1372) e Bertrando **Alidosi** f¹., vic. pont. . . 1363 - 1372
Card. Egidio d'**Albornoz**, pel Papa . . . . 1363 († 24/1 67)
Bertrando **Alidosi** solo, vic. pont., poi (1376, 78 e 79)
    assogg. a Bologna, poi Sig. 1391 . . 1372 - † d. 30 nov. 1391
Al Papa. – Luigi **Alidosi**, f. di Bertr., suo vicario 1391 - 1402
    Sig. assoluto v. dic. . . 1391 - 1424, 1426 - 34, 1435 - giu. 1438
Ai **Visconti** di Milano, v, 2 febb. 1424 - 14 magg. 26; 1434 - 35; 1438-39
Ai **Manfredi** di Faenza (Astorre e Guidantonio, f. di
    Gian Galeazzo) poi, 1448 - 72, Taddeo, f. di Guid-
    dant. . . . . 1439 - 21 apr. 1473
Galeazzo Maria **Sforza** D.ª di Milano, acquista Imola 21/4 - lugl. 1473
Girolamo **Riario**, marito (dal 1477) di Caterina Sforza,
    f. di Galeazzo Maria (Sig. di Forlì 1480), lugl. 1473 – † 14/4 1488
Ottaviano, figlio, reggente Caterina Sforza sua ma-
    dre . . . . 30 apr. 1488 - dep. 27 nov. 1499
Cesare **Borgia** (duca Valentino 1498) occupa Imola
    27 nov. 1499, vic. pont. 9 mar. 1500 - dep. 3 dic. 1503
Annessione d'Imola agli Stati della Chiesa (all'Imp.
    1735 - 37) . . dic. 1503 - 1735; 1737 - 41 e 1745 - 1º febb. 1797
Occup. dagli Austro-Sardi e dagli Ispano-Napoletani . . 1741 - 1745
Alla Repubblica Cispadana, poi Cisalpina (17 luglio
    1797) . . . 1º febb. 1797 - 30 giu. 1799 e lugl. 1800 - genn. 1802
Reggenza provvisoria Austriaca . . . 30 giu. 1799 - 10 lugl. 1800
Alla repubb. Ital., poi, da mar. 1805 a dic. 1813, al
    Regno d'Ital. Napoleon. . . . . . . genn. 1802 - dic. 1813
Al Regno di Napoli . . . . . dic. 1813 - 8/5 14 e 1º-16 apr. 1815
All'Austria . . . . 8/5 1814 - 1/4 '15 e 6/4 - 19/7 1815
Anness. alle « *Prov. Unite Italiane* » . . . . 4 - 21 mar. 1831
Al Papa. (Gov. provvis. 23 genn. - 26 magg. 1849); 19 lug.
    1815-5/2 1831; 21/3 1831 - 25 genn. 1832; e magg. 1849-giu. 1859
Anness. al regno di Sardegna delle Legazioni pontif.
    compresavi Imola; plebiscito . . . . . 11-12 marzo 1860

N – Faenza (1).

---

(1) Tonduzzi, Istoria di Faenza, Ferrara, 1675. – Litta, Famiglie celebri (Manfredi, Alidosio, Riario). – Righi A., Annali della città di Faenza, ivi, 1840. – E. Calvi, Tav. stor. dei
Comuni Ital., Roma , 1907.

Dominazione pontificia .— Card. Egidio d' Albornoz,
legato . . . . 17 nov. 1356 - 1376
A Giovanni Hawkwood, cap. di ventura, poi (1377) a
Niccolò d'Este (Sig. di Modena e Ferrara) . . . 1376 - 1377
Astorre I **Manfredi**, f. di Giovanni, [sp. Leta da Polenta,
† 1402, f. di Guido III di Rav.] 25 lugl. 1377 - dep. 15/9 1404
(† 28/11 1405)
Dominazione pontificia. — Card. Cossa, legato ponti-
ficio . . . . 15 sett. 1404 - 28 giu. 1410
Giangaleazzo I **Manfredi**, f. di Astorre I, 28 giu. 1410 - † 16 ott. 1417
Guidantonio, f., regg. la madre Gentile Malatesta e Gui-
dantonio C.e d'Urbino (vic. pont. 1418) 16 ott.1417-v. febb. 1424
Filippo Maria **Visconti** (D.a di Milano 1412), febb. 1424 - 30/12-1426
Guidantonio **Manfredi**, *di nuovo* (Signore d' Imola
1439) . . . . 30 dic. 1426 - † 20 giu. 1448
Astorre II e Gio. Galeazzo II, fratelli di Guidant., poi
(1465) Astorre solo . . . . 20 giu. 1448 - 12 mar. 1468
Carlo, f. (scacciato dal fr. Galeotto) 12/3 1468 - dep. 9/12 1477 (†1484)
Galeotto, fr., prima assoc. col fr. Carlo, dal 1468, poi
solo [sposa Francesca, f.a di Gio. Bentivoglio, si-
gnore di Bologna] . . . . . . 16 nov. 1477 - † 31 magg. 1488
Astorre III, f. . . . . . 31 magg. 1488 - dep. 25 apr. 1501 († s. a.)
Cesare **Borgia** (duca Valentino 1498, vicario ponti-
ficio di Imola, Forlì, Cesena, Rimini, Pesaro)
occupa Faenza . . . . 25 apr. 1501 - dep. 26 ott. 1503
Francesco, detto *Astorre*, **Manfredi**, f. nat. di Galeotto
pred. . . . . 26 ott. - 19 nov. 1503 († 24 dic. 1509)
La Repubblica di Venezia . . . . 19 nov. 1503 - magg. 1509
Dominaz. pontificia .   magg. 1509 - 24/4 1796 e 26/6 1796 - 1/2 1797
Occupazione francese [Repubblica Cispadana 1 febb. -
27 lugl. 1797] . . . . 24/4 - 26/6 1796 - lugl. 1797
Alla Repub. Cisalp. 27/2 1797 - 29/5 1799; 3 - 7/6 1799;
12/7 9/12 1799; 16/7 - 7/12 1800; 23/1 1801 - 26/1 1802
Occupaz. austriache 29/5 - 3/6 1799; 7/6 - 12/7 99; 9/12 - 16/7 1800;
7/12 1800 - 23/1 1801; 27/12 1813 - 9/2 1814; 17/4 - 9/6 1815
Repubblica Italiana, poi (dal 17 marzo 1805) Regno
d'Italia napoleon. . . . . 26/1 1802 - 27/12 1813
Al Regno di Napoli . . . . 9/2 1814 - 17/4 1815
Dominazione pontificia, *di nuovo* . . . 9 giu. 1815 - 5 febb. 1831
Rivoluzione, poi unione alle *Prov.e Unite Italiane* . 4 - 22/3 1831
Occupaz. austriaca e ritorno del governo pontificio
(Rivoluz. genn. 1832). . . . . . . 22/3 1831 - genn. 1849
Repubblica Romana . . . . genn. - 18 magg. 1849
Occupazione austriaca e restaurazione del governo
pontificio . . . . 18 magg. 1849 - 13 giu. 1859
È votata l'annessione al R.° Sardo, 7 sett. 1859; decr.
di annessione . . . . 18 mar. 1860

O – Forlì (1).

.... Agli Ostrogoti, poi (dal 538) ai Bizantini . . . . . 493 - 567
All' Esarcato di Ravenna (dal 600 con influenza dei
  Papi) . . . . 568 - 711; 712 - 28; 728 - 42; 742 - 52
Repubblica a Forlì, Forlimpopoli, ecc. . . . . 711 - 712
Ai Longobardi . . . . 728; 742; 751 - 54; 755 - 56
Ai Franchi 754
Dominazione pontificia . . 756 - 58; 769 - 74; 777 - 950; 961 - 1000
All'Arciv. di Ravenna (nomin. al Papa) . . . . 758 - 69; 774 - 77
Al Papa, con predom. dell'Arciv. di Ravenna, poi
  (dal 1001) sotto l'autor. imp. . . . . 950 c. - 1017
Agli Arciv. di Ravenna, sotto l'autor. imper. e papale 1017 - 1063
Al Papa e all'Arciv. di Ravenna . . . . 1063 - 1162
Comune, sotto l'autor. imper. poi (1196 - 1209) sotto
  autor. del papa e dell'Arciv. di Ravenna 1162 - 98; 1209 - 33
Comune ghibellino . . . . 1233 - 40; 1241 - 48; 1252 - 57
Comune dipend. dall'Imp., poi (1248 - 52) dipend. dal Papa; 1240 - 1252
Comune ghibellino, poi (1264 - 83) sotto protez. del-
  l'Arcivesc. di Ravenna . . . . 1257 - 1283
Comune dipend. dal Papa, ma, dal 1285, solo nominalm. 1283 - 1290
Stefano Colonna entra in Forlì . . . 27 dic. 1289 - 10 nov. 1290
Comune ghibellino, poi (1294 - 95) dipend. dal Papa; 1257-91 e 1292-95
Guido da Montefeltro entra in Forlì . . . . . . 25 magg. 1295
Comune ghibellino, capo Maghinardo Pagano, ... 1295 - 96
Comune guelfo 1296
Comune ghibellino, capo Ugucc. della Faggiuola, (1297)
  poi (1297-98) Uberto Malatesta e (1298) Zappet-
  tino Ubertini; poi (1298 - 1302) Comune indip. . 1297 - 1302
Comune indip., capo Scarpetta Ordelaffi, f. di Teobaldo;
  cap. del pop. poi Sign., (carcer. 1311-17); 1302 - 1309 († d. 1317)
Comune, dipend. dal Papa . . . . 1309 - 1310
Al re di Napoli . . . . 1310 - 1315
Malatesta II (Malatestino) Malatesta, f. di Malatesta I,
  (V. Rimini), occupa Forlì . . . . 1315 († 14/10 '17)
Cecco I Ordelaffi, fr. di Scarpetta, Signore, poi (1327)
  vic. pap. . . . . 2 sett. 1315 - 1322 e 1323 - † ag. 1331
Al Papa. . . . . .1322 - 23; ag. 1331 - 11/9 33 e 4/7 1359 - 20/12 '75
Cecco II, († 74) nip. di Cecco I, sig., poi (1337) vic. papale
  11/9 1333 - dep. 4/7 1359. L'Albornoz sottom. Forlì   1359 - 76
Sinibaldo Ordelaffi, f. di Cecco II, Signore, poi (1379)
  vic. pontif. . . . . . 5 genn. 1376 - 13 dic. 1385 († 28 ott. 1386)

---

(1) *Annales Forlivienses*, in MURATORI, Rer. ital. script., v. XXII. – Cronache forlivesi edite
da CARDUCCI e PRATI, Bologna, 1874. – LITTA, Fam. cel. ital. (Ordelaffi). – CALVI, op. cit.
parte III, Romagna.

Pino I, († 1402) f. di Giovanni Ordelaffi e Cecco III
     († 1405) fr. di Pino I, vic. pap. (1379), (Cecco III
     solo dal 1402) . . . . 14 dic. 1385 - 8/9 1405
Repubblica, poi, dal 1407, governo pontificio . 1405 - 7 giu. 1411
Antonio I e Giorgio (1418 - † 25/1 '22) f.i di Cecco III, 7/6 1411 - 1422
Teobaldo, f. di Giorgio, regg. la madre Lucrezia Ali-
     dosio e la protez. del Dᵃ di Milano 25/1 1422 - 6/9 '24 († 23/7 '25)
Ai **Visconti** di Milano . . . . 6 sett. 1424 - 1426
Al Papa . . . . 1426 - 1433 e 11/7 1436 - 26 magg. 1438
Antonio I Ordelaffi, *di nuovo* (invest. dal papa 1447)
     Signore . . . . . 26 dic. 1433-11/7 36 e 26/5 1438-† 4/8 1448
Cecco IV, f., († 1466) assoc. col fr. Pino II (solo dal
     4/1 66) regg. la madre Elis. Manfredi 4 ag. 1448 - dep. 4 genn. 1466
Pino II, solo (vic. pontif. dal 1470) 4 genn. 1466 - †9 febb. 1480
Sinibaldo II **Ordelaffi**, f. nat. di Pino II . 10 febb. - † 4 lugl. 1480
Antonio II e Cecco V († 1488) f.i di Cecco IV; 8 lugl. - 8 ag. 1480
C.ᵉ Girol. **Riario** (Sig. d'Imola 1473) . 10 ag. 1480 - † 14 apr. 1488
Ottaviano, f. (Sig. d'Imola 1488-99), regg. la madre
     Caterina Sforza . . . . . . 30 apr. 1488 - dep. 19 dic. 1499
Cesare **Borgia** (duca di Valenza 1498), vic. pontif.
     dal 1500 . . . . 19/12 1499 - dep. 22/10 1503
Antonio II **Ordelaffi**, *di nuovo* . . . . 22 ott. 1503 - † 6 febb. 1504
Lodovico, f. nat. di Cecco IV, 6 febb. - dep. 3 apr. 1504 († 29/5 s. a.)
Al Papa. . . . . . . 7 apr. 1504 - 24 giu. 1796 e 2/7 1796 - 2/2 1797
Occupazione francese . . . . 24 giu. - 2 lugl. 1796 e 2-4 febb. 1797
Repubb. Cispadana 4/2-27/7 '97 (dipart. del Lamone,
     poi del Rubicone) e Repubb. Cisalp. (27/7-14/11
     1797) . . . . 2/2 1797 - 25/5 1799 e 13/7 - 8/12 1800
All'Austria. - Regg. provv. 11/6 1799-13/7 1800 e 8/12 1800-21/1 1801
Repubblica Cisalpina, poi (dal 26/1 1802) Repubblica
     Italiana (dipart. del Rubicone) . . . . 21/1 1801 - 17/3 1805
Al Regno d'Italia napoleonico . . . . . 17/3 1805 - 26/12 1813
Occupaz. austriaca (Gen: Nugent) 26/12 1813 - 9/2 e 20/4 '14 - 9/6 '15
A Gioacchino Murat (re di Napoli 1808) . . 9/2 1814 - 17/4 1815
Al·governo pontificio . . . . 9/6 1815 - 5/2 1831
Governo provvis., poi anness. alle *Prov. Unite Ital.* 5/2 - 24/3 1831
Occupazione austriaca. — Restaurazione del gov. pon-
     tificio . 24/3 - 15/7 1831 e 21/1 1832 - 13/12 1848 e 26/5 1849
Governo civico -(Rivoluzione, genn. 1832). 15/7 1831 - genn. 1832
Repubb. Romana . . . . 9/2 - 25/5 1849
Restaurazione del Papa. . . . . 26/5 1849 - 13/6 1859
Anness. al R.º di Sardegna, giu. 1859 e con decreto 18 marzo 1860

P – Cesena (1).

.... Agli Ostrogoti, poi, dal 538 c., all'Imp. Bizant., con
     influenza, dal 600, dei Papi . . . . 493 - 711
Repubblica, poi (711 - 712), agli Esarchi di Ravenna,
     con infl. del Papa . . . . 711 - 748
Ai re Longobardi 742, (743 - 49 solo in parte); 749 - 50;
                                      [752 - 54; 755 - 56
All'Esarca di Ravenna, con infl. del Papa 743 - 49 (in parte), e 750 - 52
Ai Franchi 754; poi al Papa dal 754 - 55 e 756 - 58, 769 - 74, 777 - 950
All'Arciv. di Ravenna e nominalm. al Papa 758 - 769;
                           774 - 777; 950 - 53 e 998 - 1000
Al Regno d'Italia . . . . 958 - 961
Al Papa, sotto l'autor. imper. . . . . . . 961 - 998, 1001 - 1017
Al Papa, sotto l'autor. imper. e papale . . .1000 - 01, 1017 - 63
Al Papa e all'Arciv. di Ravenna sotto l'autor. dei
     Maegravi d'Ancona . . . . 1063 - 1159 c.
All'Impero, poi (dal 1168), al Papa . . . . . 1159 c. - 1183
Repubblica dipend. dai Margravi imp. d'Ancona . . 1183 - 1198
Al Papa 1198 - 1226, 1230 - 40, 1248 - 75, 1278 - 81, 1283 - 93 e 1295
All'Impero . . . . 1226 - 27, 1230 e 1240 - 1248
A Guido da **Montefeltro** per l'Impero . . 1275 - 78 e 1281 - 83
Repubbl., capo Malatestino **Malatesta**, poi (1295) capo
     Guido **Montefeltro**   1293 - 1295; 1295 - 1301
Al Papa . . . . 1301 - 1309; 1326 - 27
Al Re di Napoli Roberto d'**Anjou** . . . . 1309 - 1315
A Malatestino **Malatesta**, poi (dal 1315) a Ferrantino
     suo f., con protez. del Re di Napoli . . . . . 1315 - 1326
A Rinaldo de' **Cinci** († lugl. 1326) e a Ghello de' Cal-
lisceze, poi al Papa dal 20 giu. 1326-1327, 1331-1333 e 1357-78
All'impero . . . . 1327 - 1331
Galeotto **Malatesta**, Francesco **Ordelaffi** e Ostasio da
     Polenta; poi (dal 1339) l'**Ordelaffi** solo . . . . . 1333 - 1357
Galeotto **Malatesta**, f. di Pandolfo di Rimini, vic. del
     Papa . . . . 1378 - 1385
Andrea, f. di Galeotto Malatesta — vic. papale . . . 1385 - 1416
Pandolfo **Malatesta**, e per esso Carlo sig. di Rimini,
     poi (1421) Pandolfo solo . . . . 1416 - 1432
Domenico **Malatesta** o Malatesta Novello, f. nat. di
     Pandolfo III di Fano . . . . 1432 - 1465
Al Papa (poi a Cesare Borgia 1500 - 04) . . . . . . 1465 - 1796
Alla Francia (dipart. del Rubicone) . . . . 1796 - 1813
A Gioacchino **Murat**, Re di Napoli, ... 1813 - 1814

---

(1) Annales Caesenatenses 1162 - 1362; in MURATORI. Rerum Ital. Scrip., vol. XIV, – E. CALVI, Tavole storiche etc., Roma, Loescher, 1907. – BRISSIO CES., Relazione dell'antica città di Cesena alla S. di Clemente VIII, Ferrara, 1598. – ZAZZERI R. Storia di Cesena Cesena, 1889.

All'Austria. ·. . . . . 1814 - 1815
Al Papa, *di nuovo* 1815 - 31, 24/3 1831 - 1/1832 e 19/1 1832 - dic.1848
Rivoluzione. – Governo provvisorio . 6/2 - 4/3 1831 e genn. 1832
Anness. alle *Prov. Unite Italiane* . . . . 4 - 24 marzo 1831
Rivoluzione . . . . dic. 1848 - mar. 1849
Restaurazione pontificia . . . . magg. 1849 - 13 giu. 1859
Governo provvisorio dal . . . . 20 giu. 1859
Annessione al Regno Sardo, con decreto . . . . . 25 mar. 1860

Q – Rimini (1).

.... Agli Ostrogoti . . . .   493 - 536 e 549 - 553
All'Imp. d'Oriente. . . . .   536 - 549 e 553 - 568
All'Esarcato di Ravenna, con infl. del Papa 568 - 711; 712-751 e 752
Rivoluzione e repubblica . . . .   711 - 712
Ai Longobardi . . . .   751 - 52, 752 - 54 e 755 - 56
Ai Franchi   754
Al Papa, direttamente . . . . . . 754 - 55, 756 - 58, 777 - 950 c.
All'Arciv. di Ravenna (nom. dal Papa) 758 - 769, 774 - 77; 950 - 961
Al Papa, sotto l'autor. imperiale . . . .   961 - 1017
All'Arciv. di Ravenna, sotto l'autor. papale e imp. . 1017 - 1063
Al Papa e all'Arciv. di Ravenna, sotto l'autor. imp. . 1063 - 1083
All'Impero; poi al Papa dal 1122 . . . .   1083 - 1157
Governo a Comune, retto da Consoli dal 1157 e da un
    Conte imper.; da Podestà dal 1199 c. . . . . . 1157 - 1209
Comune ghibell., sotto l'autor. nom. del Papa; poi
    guelfo, capo Malatesta Malatesta (dal 1248) e Tad-
    deo da Montefeltro . . . . 1209 - 1275
Comune ghibellino, *di nuovo*, capo Montagna e Ugolino
    Parcitade (1288) . . . . 1275 - 78 e 1288 - 1290
Comune guelfo, capo Malatesta Malatesta   1278 - 88 e 1290 - 1295
Malatesta I da Verucchio, capo dei Guelfi, f. di Mala-
    testa, Signore, [sp. Concordia Pandolfini († 1266),
    f. di Arrighetto da Vicenza] . . . . . 13 dic. 1295 - † 1312
Malatesta II, detto Malatestino, f., guelfo [sp. a Gia-
    coma di Berarduccio Rossi di Rimini) . 1312 - † 14 ott. 1317
Pandolfo I, fr. (Sig. di Fano), Sign. . 14 ott. 1317 - † 6 apr. 1326
Ferrantino nip., (f. di Malatesta II), Sign. . 6 apr. - 9 lugl. 1326

---

(1) Cronica Riminese, in Rer. Ital. Script., vol. 15°. – L. Tonini, Stor. civ e sacra riminese
Rimini, 1848-88. – Litta, Famiglie celebri ital. (Malatesta). – P. Villari, Rimini e i Malatesta
in Saggi stor. e crit., Bologna, 1890. – E. Calvi, Tav. stor. dei Comuni italiani, Roma, 1907
– Cappelli Ant., Pandolfo Malatesta ultimo Sign. di Rimini, in Atti R. Dep. di Stor. patria
per Modena e Parma, vol. I.

Ramberto, cugino (f. di Gio. Gianciotto di Pesaro,)
  Signore . . . . 9 - 12 lugl. 1326
Ferrantino, *di nuovo*, Signore lugl. 1326 - maggio 1331
  e mar. 1334 - magg. 1335 († 12/11 53)
Dominazione pontificia . . . . . . magg. 1331 - mar. (?) 1334
Malatesta III (II), *Guastafamiglia*, figlio di Pandolfo I,
  (Signore di Pesaro 1326), vicario pontificio 1355,
  Signore . . . . magg. 1335 - rin. ott. 1363 († 27/8 64)
Malatesta IV (III), l' *Ungaro*, figlio, capitano di vent.,
  Signore . . . . ott. 1363 - † 17 lugl. 1372
Galeotto Malatesta, zio (Sig. di Fano 1340, di Pesaro 1373,
  di Cesena 1378) [sp. I, Elisa de La Valette († 1366);
  II, Elisabetta di Rodolfo Varano] 17 lug. 1372 - † 21 genn. 1385
Carlo I, f., cap. di vent. [sp. Elisab. († 1432) f. di Luigi
  Gonzaga di Mantova] Signore 21 genn. 1385 - † 13 sett. 1429
Galeotto II Rob. (nip.), f. di Pandolfo IV di Fano [sp.
  (1429) Margherita di Niccolò III d'Este March.
  di Ferrara]; Sign. 13 sett. 1429 - abd. lugl. 1432 († 10/10 s. a.)
Sigismondo Pandolfo, fr., [sp. Ginevra f.ª di Nic-
  colò III d'Este, † 1440] Sig. . . . lugl. 1432 - † 9 ott. 1468
Roberto, f. nat., Sign. [sp. Elisab. Aldobrandini da
  Montefeltro † 1521]. . . . . . 9 ott. 1468 - † 10 sett. 1482
Pandolfo V (IV), figlio nat.; reggente la madre e gli zii
  Galeotto e Raimondo Malatesta, fino al 31/7 92;
  vic. pont. . . 10 sett. 1482 - dep. 10/10 1500 e 6/9 - 16/12 1503
Cesare Borgia (D. Valentino 1498, vic. pont. d'Imola,
  Forlì e Cesena) occupa Rìmini 10 ott. 1500 - dep. 6 sett. 1503
Alla Repubb. di Venezia . . . . . . 16 dic. 1503 - 14 magg. 1509
Al Papa. . . . . giu. 1509 - 24 magg. 1522
Pandolfo V (IV) *pred.* († 1534) e Sigismondo suo figlio
  († 26/12 '43), Signori 26/5 1522 - 31/1 '23 e 14/6 1527 - 17/6 1528
Al Duca d'Urbino, pel Papa . . . . 31 genn. 1523 - 14 giu. 1527
Al Papa [occupaz. francese 1796] . . . . 17 giu. 1528 - dic. 1797
Occupaz. francese (dipart. del Rubicone) . dic. 1797 - 29 sett. 1808
Unione al R.º d'Italia napoleon.. . 29 sett. 1808 - 24 magg. 1814
Al Papa. . . . . . magg. 1814 - 29 mar. 1815 e 18/7 1815 - 6/2 1831
Gioacch. Murat (re di Napoli), occupa Rimini . 29/3 - 27/4 1815
Occupaz. austriaca . . . . 27 apr. - 18/7 1815
Rivoluzione e governo provvisorio . . . 6 febb. - 25 mar. 1831
È ristabilito il governo del Papa [Rivoluz. e gov. prov-
  vis. 29/3 - 15/7 1849], 25/3 1831 - mar. 1849 e 15/7 1849 - 17/3 1860
Annessione al Regno di Sardegna, con decreto . . 18 mar. 1860

R – Ravenna (1).

Odoacre ed Eruli, poi (493) Ostrogoti, 476 - 540; Bizantini 540 - 752
Belisario entra vincitore in Ravenna, marzo 540,
— Narsete, Maestro dei militi e Patrizio 553 - dep.
567. — Longino, generale (el. 567) 568 - 573. —
Esarchi: Baduario (?) 575 - 576. — Decio 57... - 585.
— Smeraldo (Smaragdus) 585 - 589. — Romano 589 -
† 598. — Kallinicus 598 - dep. 603. — Smeraldo, di
nuovo, 603 - 611. — Giovanni I Lemigio 611 - † 616.
— Elauterio 616 -19 († 620). — All'Impero 619 - 620. —
Isacco 620 - † 637. — All'Impero 637 - 638. — Pla-
tone 638 - 648. — Teodoro I Calliopa 648 - 649. —
Olimpio 649 - 652. — Teodoro I Calliopa, di nuovo,
652 - 666 c. — Gregorio v. 666 - 678 c. — Teodoro II
678 - 687. — Giovanni II Platino 687 - 702. — Teo-
filatte 702 - † 710. — Giovanni III Rizocopo 710 -
† 711. — Eutichio 711 - 713. — Scolastico 713 - 727 c.
— Paolo v. 727 - † 728. — Eutichio, pred. 728 - 752.
I Longob. (cominc. ad invad. l'Esarcato nel 726, occup.
Ravenna 728, la Pentapoli nel 752); 726-729; 752-754 e 755-756
I Longob. espulsi da Ravenna da Orso Doge di Venezia 729 - 730
I Franchi. – Pipino re, occupa l'Esarcato.   754
Dominazione del Papa . . . . . 754 - 755; 756 - 757; 769 - 774
Gli Arciv. di Ravenna gover. con tre tribuni el. dal pop., dal 757

Arcivescovi.

Sergio, arcivesc. di Ravenna
ed esarca . . . . 757 - † 769
Al Papa . . . . . . 769 - 774
Leone l esarca pont. 774 - † 777
Giovanni VIII arciv., esarca
pontif. e Signore . 777 - 784
Grazioso esarca pont. 784 - 795
Giovanni IX arciv. 795 - † 806
S. Valerio o Valeriano 806 - † 810
Martino I . . . . 810 - † 817
Petronax . . 817 - † 10 mar. 834
Giorgio . . . . 835 - † v. 846
Deusdedit . . . . . 847 - 850

Giovanni X 850-† sett. o ott. 878
Romano . . . 878 - † 888 o 889
Domenico . . . . v. 889 - 898
Giovanni XI Traversari, arc.
e Sig. sotto autorità ponti-
ficia . . . . . . 898 - 904
Pietro V . . . . . . 904 - 905
Giovanni XII . . . 905 - 910
Teobaldo . . . . . 910 - 914
Costantino . . . 914 - † v. 924
Onesto I (con titolo di duca
920 - 924) detto Martino II,
Sig. assol. ed esarca 920 - 927

---

(1) GAMS, Series Episcoporum », Ratisbonae, 1873. – ORIOLI, Descrizione storica di Ravenna ivi, 1836. - G. M. CARDONI, Ravenna antica, Faenza, 1879. – LITTA, Fam. cel. ital., Da Polenta – STOKVIS, op. cit., vol. III. – VILLARI, Le invasioni Barbariche in Italia, Milano 1905.

Pietro VI, Sig. assol. 927-apr.961
Al Papa, dipend. dall'Imp. di
Germania . . . . 961 - 998
]Onesto II. intruso 971 - † 983]
[Giovanni XIII intruso 983 -998]
Gerberto (papa Silvestro II
998-1003) v. apr. 998 - apr.999
Leone II arciv. . 999 - 1001 c.
Federico, arciv. di Rav. sotto
autorità del papa 1001 - † 1003
[Adalberto, intruso. . . . 1004]
Sede vacante. - Al Papa 1004 - 14
Arnoldo, fr. dell'Imp., dip. dal
papa . 1014 - † nov. 1019
Eriberto, dipendente dal
papa . . . . 1019 - † 1027
Gebardo, dipendente dal
papa. 1027 - † 15 febb. 1044
[Witgero, intruso . . . . 1044]
Al Papa . . . . . . 1044 - 46
Umfrido, sotto autor. del pa-
pa . . . 1046 - † 22 ag. 1051
Giovanni Enrico (dipendente
dalla Marca d'Ancona dal
1063) . . . v. 1051-† v. 1072
Riccardo id. id. . . 1072 - ...
Sede vesc. vacante. Gov. dei
Margr. imp. d'Anc. 1072-1119

[Ottone Boccatorta, in-
truso. . . . . - † v. 1110]
[Geremia, intruso v. 1110 - ...]
[Filippo, intruso . 1118 - ...]
Gualtiero, dip. dai Margr.
c. s. ag. 1119 - † 13 febb. 1144
Mosè, id. id. 1144 - † 26 ott. 1154
Simone, id. id. . v. 1154 - 1155
Anselmo, 18/6 1155 - † 12/8 1158
Guido Biandrate 1158-†9/7 1169
Gerardo, dipendente dai
Margr. imp. d'Anc. 1170-† 1190
Guglielmo, id. id. . 1190 -1194
Marquardo, Margr. d'Ancona
e Duca imp. di Rav. 1194-1198
Guglielmo, arc. dipend. dalla
autor. del Papa 1198-† 1201
Alberto (vescovo d'Imola) dip.
dal pp. 10 mar. 1202 - † 1207
Egidio Garzoni (vesc. di Mode-
na) dip. dal pp. . 1207 - 1208
Ubaldo (vesc. di Faenza) dip.
d. pp. 21/12 1208, sotto l'au-
tor. imp. dal 1209 - abd. 1215
Piccinino arciv. di Rav.[a] sotto
l'autorità imp. . 1215 - 1217
Simeone (vescovo di Cervia)
succ. . 5 mar. 1217 -(† 1228)

Pietro Traversari, guelfo (C.e di Rimini) Pod. e Duca 1218 - † 1225
Paolo f., toglie Ravenna all'imp. nel 1239 . . . . 1225 - † ag. 1240
Federico II di Svevia, imp., occupa Ravenna ag. 1240 - magg. 1248
Dominaz. pontificia, con prevalenza dei Traversari, magg. 1248-1275
Guido I, f. di Lamberto da Polenta, cap. del pop.1275,
Signore . . . . .1282 - abd. 1297 († 23/1 1310)
Lamberto I, f. di Guido I, Podestà . . . 1297 - † 22 giu. 1316
Guido II Novello, nip., dal fr. Ostasio; Podestà e Sig.
assoluto [sp.. (1313) Caterina († 1380) del C.e Mal-
vicino Malabocca, Signore di Bagnacavallo suc-
cede . . . . 22 giu. 1316 - spod. 1322 († 1330)
Ostasio I da Polenta (Sig. di Cervia), f. di Bernardino,
podestà 1324, cap. e difens. . . . . . . 1322 dep. - 21 ag. 1329
Al Papa; gov. del Rettore, Card. del Poggetto 21 ag. 1329 - sett. 1333
Ostasio I, di nuovo, Sig. e Podestà dal 1336, Rettore
pel pp. dal 1341 . . . . sett. 1333 - † 14 nov 1346
Bernardino I, f., Signore . . . . . . nov. 1346 - dep. 3 apr. 1347
Pandolfo e Lamberto II, fr. di Bei nardino I . 3 apr. - 24 giu. 1347

Bernardino I, *di nuovo* (Rettore pel Papa dal 1355),
   Signore . . . . 24 giu. 1347 - 10 mar. 1359
Guido III, f., Rettore pel Papa; Sig. assoluto dal
   1376 [sp. (1350) Lisa d'*Este* († 1402), figlia di
   Obizzo]; Sig. di Ravenna 10/3 1359 - dep. 1389 († genn. 1390)
Ostasio II, f. († 14/3 1396), Obizzo († 25/1 31), Pietro
   († ag. 1404), Aldobrandino († 1406), figli di Guido III,
   vic. pontifici. . . . . genn. 1390 - 25 genn. 1431
Ostasio III, f. di Obizzo *pred.*, sotto l'influenza di
   Venezia dal 1438 . . 25 genn. 1431 - dep. febb. 1441 († 1447)
Niccolò Piccinino, pel Duca di Milano 1488
Alla Repubb. di Venezia 24/2 1441 - 21/5 1509 e 5/7 1527 - 31/12 1529
Dominazione pontificia 27/5 1509 - 5/7 1527 e 1/1 1530 - 26/6 1796
Occupata dal gen.e Augerau per la Francia . . 26 giu. - 20 lug. 1796
Al Papa, *di nuovo* . . . . 20 lug. 1796 - 2 febb. 1797
Alla Francia, *di nuovo*. - Repubbl. Cispadana, poi,
   29/7 1797, Cisalpina . . 2/2 1797 - 21/6 1799 e 14/7 - 7/12 1800
All'Austria. . . 21 giu. 1799 - 14 lugl. 1800 e 7/12 1800 - 23/1 1801
Alla Repubb. Cisalpina (dip. del Rubicone) 23/1 1801 - febb. 1802
Alla Repubb. Italiana . . . . febb. 1802 - 17/3 1805
Al Regno d'Italia . . . . 17 mar. 1805 - 9 dic. 1813
All'Austria, *di nuovo* . . . 9/12 1813 - 3/4 1815 e 17/4 - 18/7 1815
I Napoletani occupano Ravenna. . . . . 3 - 17 apr. 1815
Al Papa, *di nuovo* (occupazione milit. austriaca 4/2
   1832 - 1838 e 26/5 1849 - 1859) . . . . . 18/7 1815 - 6/2 1831
Rivoluzione. - Governo provvisorio, poi (4 mar.), unione
   alle *Prov. Unite Italiane* . . . . . 6 febb. - 22 mar. 1831
Al Papa, *di nuovo* . . 22/3 1831 - 23/1 1849 e 26/5 1849 - 13/6 1859
Rivoluzione. - Governo provvisorio . . 24 genn. - 26 magg. 1849
Unione al Piemonte. Giunta provvis. di gov., sotto
   la dittatura del Re di Sardegna . . . . 13 giu. - 24/9 1859
L. Carlo Farini incaricato del governo delle Roma-
   gne . . . . 9 nov. 1859 - 18 mar. 1860
Annessione definitiva delle Romagne al R.o Sardo,
   poi d'Italia, decreto . . . . 18 marzo 1860

VI. MARCHE

A – Pesaro (1).

---

(1) Vanzolini C., Cronica di Pesaro, attribuita a Tommaso Diplovatazio; in Archivio storico. marchigiano, I, 79-99, e II, 720-743. – Marcolini C.. Notizie storiche delle prov. di Pesaro e Urbino, dalle prime età fino al presente, Pesaro, 1883. – Feliciangeli B., Sull'acquisto di Pesaro fatto da Cesare Borgia, ricerche, Camerino, 1900. – Litta P., Famiglie celebri d'Italia Malatesta e Sforza, tav. IV a VII. – Calvi E., Tav. storiche etc., Marche,: Roma, 1906.

Galeotto, fr. di Malatesta II (Sig. di Rimini 1372, di
 Cesena 1378) vicario pontificio . . . 1373 - † 21 genn. 1385
Malatesta I, f. di Pandolfo II . . . 21 genn. 1385 - † 19 dic. 1429
Pandolfo III, f. (vesc. di Patrasso † 17/4 41) coi fr.
 Carlo († 14/11 38) e Galeazzo († 1457), Signori
 succedono . . . . . 19 dic. 1429 - 1431 e 1433 - 15 genn. 1445
Dominazione pontificia . . . . 1431 - 1433
Alessandro **Sforza**, f. di Iac. Muzio Attendoli e di Co-
 stanza († 47) f.ª di Piergent. Varano, sua moglie;
 (governatore della Marca d'Ancona pel fr., 1434),
 Signore . . . . 15 genn. 1445 - † 3 apr. 1473
Costanzo, f., Sig. [sp. (1475) Camilla Marzani d'Arag.,
 dei Duchi di Sessa] . . . . . . 3 apr. 1473 - † 19 lug. 1483
Giovanni, f., reggente la madre Camilla d'Arag. fino
 al 1489 . . . . 19 lug. 1483 - spod. 11 ott. 1500
Cesare **Borgia** (D.º Valentino 1498, vic. pont. d'Imola,
 Forlì, Cesena, Rimini) . . . . 11 ott. 1500 - dep. 3 sett. 1503
Giovanni **Sforza**, di nuovo . . . . . 3 sett. 1503 - † 27 lugl 1510
Giuseppe Maria, detto Costanzo II, f, succede sotto
 reggenza . . . . 17 lug. 1510 - † 5 ag. 1512
Galeazzo **Sforza**, f. di Giovanni; 5 ag. - dep. 2 nov. 1512 († 14/4 1515)
Francesco Maria I **Della Rovere**, f. di Giovanni (duca
 d'Urbino 1508), Sig. 20 febb. 1512 - 31 magg. 1516 († 21/10 38)
Lorenzo de' **Medici**, nip. del Magnifico; (D.ª d'Urbino
 1516), Sig. . . . . giu. 1516 - † 4 magg. 1519
Dominaz pontificia . 4 magg 1519 - dic. 1521 e 1631 - febb 1796
Ai **Della Rovere**, duchi d'Urbino . . . . . . dic 1521 - 1631
Alla Francia - Governo provvisorio . . . . 1796 - 21 dic 1797
Repubb. indip., poi con dipend. dalla Cisalpina 21/12 1797 - 7/7 1799
Alla Francia. . . . . 7 lugl 1799 - 23 sett. 1801
Dominaz. pontificia . 23/9 1801 - 28/3 1815 e 7/5 1815-12/9 1860
Occupaz. di Gioacchino Murat, re di Napoli. 28 mar. - 7 magg. 1815
Gli Italiani entrano in Pesaro a nome di Vittorio Ema-
 nuele II (gen. Cialdini) . . . . 12 sett. 1860
Decreto di annessione al nuovo Stato Italiano . . 17 dic. 1860

B – Urbino (1).

Conti, poi Duchi dal 1443.

.... Agli Ostrogoti. . . . . 493 - 538 e 553 - ...
All'Impero d'Oriente . . . . 538 - ... e 553 - 568
All'Esarcato di Ravenna . . . . 568 - 752

---

(1) F. Ugolini, Storia dei Conti e Duchi d' Urbino, Firenze, 1859. – Litta, op. cit', fam.
Montefeltro e Della Rovere. – Calvi E., op. cit., III, Marche. – Baccini G., Cronachetta di
Urbino (*La Marche* I, 61). – Calzini E., Urbino e i suoi monumenti. Rocca S. Casciano, 1897.

Ai Longobardi . . . . 752 - 756
Dominaz. pontificia (con dipend. dai re Franchi dal 774) 756 - 888
Ai re nazionali e Borgognoni d'Italia . . . . 888 - 961
Al Papa, con dipend. dagli Imp. di Germania . . . . 961 - 1198
Antonio C.^e di **Montefeltro**, f. di Oddo Antonio, vic.
   imp. (?) in Urbino . . . . - 1155
Al Papa direttamente . . . . 1198 - princ. sec. **XIII**
Bonconte, nip., I° Conte di Urbino, ghibell.; Sig. effett.
   nel 1234, infeud. dall'imp. Federico II . . . 1213 - † 1241
Montefeltrano, f., ghibell., Conte. . . . . 1241 - † 1255
Guido I, f., C.^e, ghibell., Condottiero, relegato ad Asti,
   nel 1286, da Onorio IV . . . . 1255 - dep. 1286
Al Papa . . . . 1286 - 88; 1289 - 1293 e 1322 - 1323
Il C.^e Corrado di **Montefeltro**, s'impadron. di Urbino e
   vi riconduce i ghibellini . . . . sett. 1289
Giovanni **Colonna** Senat. di Roma 1290), occupa Ur-
   bino pel Papa . . . . 23 sett. 1289 - 1° nov. 1292
Guido I di **Montefeltro**, predetto, entra in Ur-
   bino . . . . 1° nov. 1292 - rin. 17 nov. 1296 († 29/9 98)
Federico I, f., ghibellino, Conte . . . . . nov. 1296 - 26 apr. 1322
Dominaz. pontificia, *di nuovo* . . . . 1359 - 1377
Nolfo I di **Montefeltro**, f. di Federico; vic. imp. (regg.
   lo zio Speranza fino al 1335) . . . . 1323 - 1359
Antonio, figlio di Federico (Signore di Gubbio, marzo
   1384) . . . . 1377 - † 23 mar 1404
Guido Antonio, f , vic, pont. 1404 . 23 apr. 1404 - † 21 febb. 1443
Oddo Antonio, figlio, nominato Duca dal Papa 26 apr.
   1443 . . . . 21 febb. 1443 - † 22 lugl. 1444
Federico III, f. nat., condottiero, succede 22 luglio
   1444, Duca . . . . 23 mar. 1474 - † 10 sett. 1482
Guid'Ubaldo I, f., Duca (Gonfal. e Gener. della Chiesa)
   [dep. da Ces. Borgia 1502-28/7 03]; 10/9 1482-1503 († 11/4 1508)
Francesco Maria I **Della Rovere**, f. di Giovanni, D.^a di
   Sora; (Sig. di Pesaro 1512) 11 apr. 1508 - dep. 31 magg. 1516
Lorenzo de' **Medici**, nipote di Lorenzo il Magnifico,
   Duca . . . . giu. 1516 - † 4 magg. 1519
Dominaz. pont. (Gio. Maria **Varano** 1520-21) 4 mag. 1519-1° dic. 1520
Franc. Maria I **Della Rovere**, *di nuovo*, D.^a dic. 1521 - † 21 ott. 1538
Guid'Ubaldo II, f., D.^a [sp. Vittoria Farnese († 1605),
   f. di Pier Luigi] . . . . 21 ott. 1538 - † 28 sett. 1574
Francesco Maria II **Della Rovere**, f., D.^a [sp.,I° 1571,
   Lucrezia d'Este; II, 1599, Livia di Ippol. Della
   Rovere] succede . . . . 28 sett. 1574 - rin. 1621
Federico Ubaldo, f., D.^a [sp. Claudia Medici, † 1648] 1621 - † 29/6 1623
Francesco Maria II **Della Rovere**, pred., (cede al Papa i
   suoi Stati 1624) . . 29 giu. 1623 - rin. 1624 († 28 apr. 1631)
Domin. pontificia [acquisto definit. di Urbino 1631] 1624 - febb. 1796
Occupaz. francese; gov. provvisor. . 1-17 febb. 1797 - 15 febb. 1798

Repubblica Romana . . . .   15 febb. 1798 - 20 sett. 1799
Governo interinale . . . .   sett. 1799 - 22 giu. 1800
Dominazione pontificia . . . . .   giugno 1800 - 9 aprile 1808;
   maggio 1814 - 28 marzo 1815 e 7 magg. 1815 - 11 febb. 1848
Unione al R.° d'Italia napoleon. . . . .   9 apr. 1808 - apr. 1814
Gioacchino Murat, re di Napoli, occ.ª Urbino 28 mar. - 7 magg. 1815
Rivoluzione (Repubb. Romana) . . . . . 11 febb. - 1 luglio 1849
Al Papa *di nuovo* . . . . luglio 1849 - 11 sett. 1860
Occupata a nome di Vittor. Em. II (gen. Cialdini) . 11 sett. 1860
Annessione al R.° di Sardegna, (poi d'Italia) decreto 17 dic. 1860

C – Ancona (1).

... Assediata da Totila, re Ostrog., è liberata dai Bizantini ... - 551
Rimane in potere dei Bizantini e fa parte, dal 568,
   dell'Esarcato di Ravenna . . . . 551 - 728
Occupata dai Longobardi del ducato di Spoleto. . . . 728 - 774
Presa dai Franchi e compresa nella donaz. di re Pipino
   al Papa, ma sotto la sua supremazia . . . . . 774 - 1095
Guarnieri II (*Werner*), di orig. sveva (Duca di Spoleto
   1093 - 1119), margrav. imper. della Marca anco-
   nitana . . . . v. 1095 - .... († 1160)
Federico, margrav. imperiale della Marca . . . . . - 1137
Lotario II, imp. († 1137) la ricupera, dopo lungo as-
   sedio, pel Papa Innocenzo II e successori . . . 1137 - 1149
All'Imperatore d'Oriente Manuele I Comneno, che vi
   pone un legato . . . . 1149 - 21 lugl. 1177
Comune, prima libero, con censo annuo al Papa, poi,
   dal 1198, da questo dipend. Podestà del 1199; lugl. 1177 - 1348
Passa ai Malatesta di Rimini: Galeotto e Malatesta . 1348 - 1355
Repubb. libera, sotto protezione del Papa . . . . . 1355 - 1434
Francesco Sforza (D.ª di Milano 1450) nom. vicar. pontif.
   nella Marca d'Ancona e Gonfaloniere della Chiesa . 1434 - 1443
Repubb. indip., sotto protezione del Papa . 1443 - 20 sett. 1532
Dominaz. diretta del Papa. - Presa da Bernardo Barba,
   vescovo di Casale e dal Gonzaga, generale di Cle-
   mente VII . . . . 20 sett. 1532 - 9 febb. 1797
Presa dal gen. Victor comand.ᵉ dei Francesi . 9 febb. - 17 nov. 1797
Repubb. Anconitana, fondata dai Francesi 17 nov. 1797 - 7 mar. 1798
Alla Repubblica Romana . . . . . . 7 mar. 1798 - 14 nov. 1799
Gli Austriaci occupano Ancona . . . 14 nov. 1799 - 27 genn. 1801
Alla Francia. 27 genn. 1801 - 28 giu. 1802 e 18/10 1805
   - Regno d'Italia napoleon. dall'11 magg. 1808 - dic. 1813

(1) BERNABEI L., Croniche anconitane etc.. Ancona, 1870. – CIAVARINI C., Sommario della storia d'Ancona, ivi, 1867. - Guida di Ancona descritta nella storia e nei monumenti, ivi, 1884. - CALVI E., op. cit., III, Marche.

Dominaz. pontificia. . . . . 28 giu. 1802 - 18 ott. 1805
Occupata da Gioacchino Murat, re di Napoli, dic. 1813 - giu. 1815
Occupazione austriaca . . . . 1º giu. - 25 lugl. 1815
Dominaz. pontificia (con guarnig. francese dal 23/2 1832
 - 1837); 25 lugl. 1815 - 4 febb. 1831 e 27 mar. 1831 - 10/2 1849
Rivoluzione e proclam. della repubbl. . . 4 febb. - 27 mar. 1831
Alla Repubblica Romana . . . . 10 febb. - 25 magg. 1849
Occupata dall'Austria, che ripristina il governo pon-
 tificio . . . . 25 magg. 1849 - 29 sett. 1860
Annessa al Regno di Sardegna, (poi d'Italia) decreto. 29 sett. 1860

D – **Camerino** (1).

Duchi longobardi, poi, dal 789, Marchesi.

.... Agli Ostrogoti 493 - 539 e 543 - 555. - Ai Bizantini
 539 - 543 e 555 - 570.
Ai Longobardi. - Re Alboino la erige in Ducato . v. 570 - 592 c.
Unito al ducato di Spoleto, cogli stessi duchi (v. Spoleto) 592 - 1043
Tasbuno Conte di Camerino. . . . . 770 c. - ...
Ildebrando, Duca di Spoleto e di Camerino. . . . . 774 - 788
Guinigiso, Duca e March. di Spoleto e di Camerino . 789 - 822
Eggideo, poi (820) Garardo I, Marchesi di Camerino . 814 - 822
Unito al Duc.º di Spoleto, cogli stessi duchi . . . 822 - 834
Escrotomio e Garardo II, Marchesi . . . . 834 - 836
Berengario Duca di Spoleto e di Camerino . . . . 836 - 841
Ildiperto, poi (860) Garardo III, Marchesi . . . . 843 - 866
Guido I, Marchese . . . . 866 - 871
Unito al Ducato di Spoleto (V. Spoleto) . . . . 871 - 1043
Al march. Bonifacio di Canossa . . . . 1050 - 1052
A Matilde di Canossa, f.ª, (tutrice Beatrice di Bar, sua
 madre, fino al 1063) . . . . 1052 - † 24 lugl. 1115
Comune dipendente dai margravi imp. e dal Papa, poi
 (1198) dal Papa solo . . . . 1115 - 1242 e 1250 - 59
Comune dipend. dal Papa, sotto la supremazia imp. 1243 - 1250
A Manfredi, re di Sicilia, f. nat. di Federico I imp.,
 Sig. . . . . 1259 - † 26 febb 1266
Gentile I da **Varano**, f' di Varano; capitano del popolo
 1262, Podestà . . . . 1266 e 1272 - † 1284
Rodolfo I, f' (cap. del pop. a Perugia 1303), sign. 1284 - † 1316
Berardo I, fr. (podestà di Macerata 1316) Signore . 1316 - † 1329
Giovanni, f. di Rodolfo I, Sign. . . . . 1329 - † 1344

(1) C. LILII, Historie di Camerino, Macerata, 1652. – LITTA, Famiglie celebri, Varano. –
FELICIANGELI B., Di alcune rocche dell'antico Stato di Camerino, in Atti e Memorie della R.
Dep. di Stor. patr. per le prov. delle Marche, nuova serie I, 42, Ancona, 1904. – SAVIN P., Storia
della città di Camerino, ivi, 1864, e II ediz. aument., ivi, 1895.

Gentile II, f. di Berardo I; (pod. di Firenze 1312, vic.
    pont. 1332), succ. . . . .   1344 - † 1355
Rodolfo II, nip. (gonfal. della Chiesa 1355, cap. del pop.
    a Firenze 1370, sign. di Macerata 1376) 1355 - † 18 nov. 1384
Giovanni I, fr. (podestà di S. Ginesio 1350) . 18 nov. 1384 - † 1385
Gentile III, fr. (sen. di Roma 1368, pod. di Lucca 1375) 1385 - † 1399
Rodolfo III, f. (sign. di Macerata 1385). . 1399 - † 2 magg. 1424
Gentil Pandolfo e Giovanni II, figli di Rodolfo II; 2 magg. 1424-1434
Piergentile fr. assoc. . . . .   2 magg. 1424 - † 6 sett. 1433
Berardo II fr.   = ...   2 magg. 1424 - † 12 lugl. 1434
Repubblica retta da Franc. Sforza (ott. 1434 - genn.
    1435) e sotto la protez. del Papa . . . . . . lugl. 1434 - 1444
Rodolfo IV da **Varano**, f. di Piergentile . . . . . 1444 - † 1464
Giulio Cesare, f. di Giovanni II; 1444 - dep. 20 lugl. 1502 († 9 ott.1502)
Cesare **Borgia** (duca Valentino 1498, vic. pont. d'Imola,
    Forlì, Cesena, Rimini, Pesaro, Piombino, Fano, etc.)
    occupa Camerino . . . . 20 lugl. 2 sett. 1502
Giovanni **Borgia**, f.(?) duca di Nepi, nom. Duca di Ca-
    merino . . . . 2 sett. 1502 - dep. 25 ott. 1503
Giovanni Maria da **Varano**, f. di Giulio Cesare; suc-
    cede . . . . 25 ott. 1503, Duca 1515 - † 10 ag. 1527
Caterina, f. di Francesco **Cybo**, ved. di Giov. Maria da
    Varano, reggente . . . 10 ag. 1527 - 15 dic. 1534 († 1555)
Ai **Della Rovere** (duchi di Urbino) . . 15 dic. 1534 - 3 genn. 1539
Al Papa. . . . .   3 genn. 1539 - 5 nov. 1540
Ottavio **Farnese**, nip. di Papa Paolo III (duca di Parma
    dal 1547); nomin. Duca 5 nov. 1540 - rin. 24 ag. 1545 († 18/9 '86)
Al Papa, *di nuovo* . . . . ag. 1545 - 1550
Baldovino **Del Monte**, fr. di papa Giulio III, govern.
    perpet. . . . .   1550 - mar. 1555
Unione agli Stati della Chiesa . . . . .   1555 - febb 1797
Occupazione francese . . . . febb. 1797 - febb. 1798
Repubblica romana. . . . . 15 febb. 1798 - 1799
Gli Austriaci ristabiliscono il governo pontificio 1799 - 2 apr. 1808
Regno d'Italia napoleon. (dip. del Musone) 2 apr. 1808 - genn. 1814
Occup. di Gioacc. **Murat** (re di Napoli), genn. 1814 - magg. 1815
Governo pontificio, *di nuovo* . . . . . 7 magg. 1815 - dic. 1860
Annessione al regno di Sardegna . . . . 17 dic. 1860.

VII. **TOSCANA** (¹)

.... Agli Ostrogoti; Totila occupa parte della Toscana nel 542 - ....

Ai Longobardi . . . . 570 - 770 c.

Gli Ostrogoti rioccupano più tardi la Toscana, che
diviene sede di un Ducato . . . . - 774 c.

I Franchi. – Carlo Magno sostituisce ai Duchi i Conti, v. 774 - 812

.... Margravi: *Adalberto I*, f. del D.ᵃ *Bonifazio II di
Lucca* 847 † fra 884 e 890; – *Adalberto II il Ricco*
magg. 890 - † 917; – *Guido*, f., 917 - † 929; – *Lamberto fr.* 929 - dep. 931 († 932 c.); – *Bosone, fratel-
lastro, del re Ugo*, 931 - dep. 936; – *Umberto*, (*Uberto*)
nip. (f. nat. di Ugo re d'Italia) 936 - † 961.

Ugo, il *Grande*, di origine Salica, margrav. (duca di Spoleto e di Camerino 989) . . . . . dopo 961 - † 21 dic. 1001

Bonifacio I, di origine franca, parente di Ugo, nom.
margrav. da Enrico II imp. . . . . 1002 - † 1012

Ranieri, f. di Ugo (?) pred. . . . . v. 1014 - dep. 1024

Bonifacio II, il *Pio*, f. di Tedaldo C.ᵉ di Modena ecc.
[sp., 1037, Beatrice († 1076), f. di Federico di Lo-
rena] . . . . 1027 - † 6/5 (?) 1052

Federico (?), *duca di Lorena* . . . . . . 7 magg. 1052 - † 1053

Beatrice di Lorena, f.ᵃ ved. di Bonifacio II [sp., 1053,
Goffredo il Barbuto duca di Lotaringia, † fine 1069];
succ. . . . . v. 6 magg. 1052 - 18 apr. 1076 c.

Matilde, la *Gran Contessa*, f. di Bonifacio II e di Beatrice pred.; (Dᵃ di Spoleto ecc.) sola nel margrav.,
gov. sotto la direz. del Papa . 18 mar. 1074 - † 24 lugl. 1115

Le città della Toscana si dichiar. indip. dall'Impero e
cominciano a reggersi a Comune. . . . . v. 1115

L'imp. Enrico V manda in Toscana i suoi rappresent.
con tit. di Margravi a prender possesso dei beni
della C.ᵃ Matilde. - Corrado, della casa di Scheiern,
vic. imp. . . . . v. 1120 - 1127

---

(1) R. DAVIDSON, Storia di Firenze, vol. I, Le origini, Firenze, 1909. – VILLARI P., I primi due
secoli della storia di Firenze, ivi, 1905. – G. CAPPONI, Storia della Repubblica di Firenze, ivi,
1876. – PERRENS, Histoire de Florence, Paris, 1877. – A. REUMONT, Tavole cronolog. e sincrone
dell'istoria fiorentina, Firenze, 1841. – STOKVIS, op. cit., vol III

Enrico (D.ª di Baviera 1126, di Sassonia 1138) gen.º
   di Lotario II imp. (che ebbe in feudo i beni allu-
   diali di Matilde), e in sua vece Engelberto, vic.
   imp., dal 1135, margrav. . . . . 1135 - 1139
Ulrico d'Attems, vic. regio . . . . 1139 - 1152 c.
Guelfo di Baviera (D.ª di Spoleto 1152-60), zio di
   Feder.º imp., margrav. . . . .   mar. 1152 - 1162 († 15/12 93)
Rinaldo di Colonia, arciv. legato dell'imp., prende pos-
   sesso del margrav. . . . . 1160 - 1163
Cristiano da Magonza, arciv., vic. imp.. . . . . 1163 - 1173
Filippo di Svevia (D.ª di Svevia 1196) fr. di Enrico VI
   imp., vic. imp. in Toscana . . . . . 1195 - † 28 sett. 1197

A - Firenze.

Governo a comune, guelfo dal 1185, retto da consoli. . . . . princ. sec. XII - 1193
Governo a comune, retto da Podestà fiorentini 1191-96,
   da Consoli 1196 - 1200, 1202 - 05, 1206 e 1211 - 12;
   da Podestà forestieri 1200 - 01, 1207 - 10 e 1213,
   che esercitano il loro ufficio con un Consiglio
   del Comune.. . . . . 1191 - 1213
Lotte tra guelfi e ghibellini. - I guelfi vinti escono
   dalla città . . . . 2 febb. 1248 - 1251
Repubblica bipartita in « Comune » (nobili) e in « Popolo ». Costituz. detta del Primo popolo. Creazione
   di un Capitano del pop. quale capo dei popolani
   e di un Consiglio di 12 anziani. Si mantiene il
   Podestà a capo del Comune . . . . ott. 1250 - . . .
I guelfi ritornano a Firenze nel 1251; i ghibellini ne
   sono cacciati nel 1258
Il C.e Giordano d'Anglona, ghibell., occupa Firenze
   (batt. di Monteaperti 4 sett. 1260) in nome di
   Manfredi re di Sicilia. - I guelfi lasciano Fi-
   renze . . . . 16 sett. 1260
I ghibellini, abolito il Capitano del popolo, accettano
   Guido Novello C.e di Poppi, vic. di re Manfredi,
   come Podestà . . . . 1261 - rin. 11 nov. 1266
Governo dei due Podestà bolognesi, frati gaudenti,
   Catalano de' Malavolti (guelfo) e Lotteringo degli
   Andalò (ghibell.) con un Consiglio di 36 citta-
   dini . . . . 1266 - dep. s. a.
Vinti i ghibellini, i guelfi dànno la signoria per 6 anni
   a Carlo d'Anjou re di Sicilia e vic. papale, il quale
   manda al gov. Filippo di Monforte suo vicar. -
   I ghibellini, cacciati da Firenze (17/4 67), ritornano
   in parte nel 1268 . . . . 17 ag. 1267 - 1269

Vengono istituiti i *Dodici Buoni Uomini*, coi quali il
  Podestà deve consigliarsi, ed un Consiglio di 100
  Buoni Uomini di popolo. - Moltissimi ghibellini
  ritornano (1280) . . . . v. 1267 - 1280
Guido di Monforte vic. regio, poi (1273) governa lo
  stesso re Carlo d'Anjou . . . . 1269 - 1279
Si eleggono ogni 2 mesi *quattordici Buoni Uomini*,
  8 guelfi e 6 ghibellini, che governano col Capitano
  e coi Consigli . . . . mar. 1280 - giu. 1282
Sono posti a capo della Repubb. *Tre priori delle Arti*,
  nello stesso anno portati a sei, uno per Sesto rin-
  novab. ogni 6 mesi . . . . giu. 1282
L'ufficio del Podestà viene ridotto da un anno a sei
  mesi 1290
Viene sanzionata la riforma detta degli Ordinamenti
  di Giustizia di Giano della Bella. I nobili sono
  esclusi dal governo, che passa alle *Arti maggiori*.
  Ai Priori si aggiunge un Gonfal. di giustizia, el.
  ogni 2 mesi, il quale diviene presto capo della
  Repubblica (1) . . . . 18 genn. 1293
Principio delle contese fra i due partiti guelfi dei
  Cerchi (popolani) e dei Donati (nobili), detti poi
  dei Bianchi (pop.) e dei Neri (nob.) . . . . . . v. 1300
Carlo di **Valois**, fr. del re di Francia, ottiene la signoria
  e la guardia della città. Corso Donati, capo dei
  Neri, tenta domin. la città eccitando a tumulto i
  Neri. I Bianchi e i Priori sono cacciati . 5 nov. 1301 - 1302
Si eleggono nuovi Priori ed un Gonfaloniere, tutti di
  parte Nera, che signoreggiano Firenze (1302). -
  Corso Donati desta sospetti, è dichiarato ribelle
  (1308) ed ucciso . . . . 8 nov. 1301 - 1308
Roberto d'**Anjou**, re di Napoli, ottiene la signoria di
  Firenze per 5 anni, aumentata di altri 3 anni nel
  1319 . . . . giu. 1313 - genn. 1322
Cessata la sign. di re **Roberto**, si eleggono di nuovo
  il Podestà e il Capitano del popolo . . . . . 1322 - 1325 c.
Carlo d'**Anjou**, f. di Roberto, D.ª di Calabria, el. signore
  di Firenze 24/12 1325. - Gualtieri di Brienne, duca
  titolare di Atene, suo vicario dal 17 maggio
  1326 . . . . 24 dic. 1325 - 28 dic. 1327
Si riordina il governo della Repubblica . . . . . . 28 dic. 1327
Firenze ritorna indip. Si crea un *Consiglio popol.* di 300
  membri, presied. dal capit. del pop. e un *Consiglio
  comune* di 350 membri, presied. dal Podestà, genn. 1328 - 1342

---

(1) Il Gonfaloniere cominciò ad esser capo della Signoria quando fu creato l'*Esecutore* di
giustizia, con legge del 3 dic. 1306.

Gualtieri di **Brienne**, pred., eletto capitano e conserv.
del popolo (31/5 1342), poi acclamato dal popolo
signore a vita . . . . 8 sett. 1342 - scacc. 3 ag. 1343 († 19/9 56)
I popolani grassi, aiutati dai grandi, cacciano il Duca
d'Atene. - È riprist. il gov. dei Priori e del Gonfaloniere, con intervento dei nobili. . . . . . .   6 ag. 1343
I popolani (Arti mediane) si levano contro i grandi
costringend. a rinunz. agli uffizi (22/9 1343). - Si
istituiscono nove Priori ai quali si aggiunge il titolo
di Signori (1362). - Riform. il gov. che rimane ai
popolani - Piero degli **Albizzi** (autore della legge
dell'ammoniz.[e] 1357), governa Firenze 1375 - 78,
(† 13/12 1379) . . . . . . 22 sett. 1343 - 22 lugl. 1378
Salvestro de' **Medici**, el. Gonfaloniere, fa rimettere in
vigore gli antichi Ordinam. di Giustizia, 1° magg. 1378 - † 1388
Tumulto dei Ciompi. - Michele di Lando, delle *Arti
minori*, eletto Gonfaloniere della plebe. - Governo
del *popolo minuto* . . . . 22 lugl. 1378 - genn. 1382
I guelfi ed il partito dei nobili, diretto da Maso degli
Albizzi (nip. di Piero), abbattono il *popolo minuto*.
- Di Lando viene esiliato, genn. 1382 - † 1401 (1).
- Governo oligarchico delle *Arti maggiori*. - L'**Al-
bizzi** diviene capo della Repubblica (1382 - † 2/10
1417) . . . . genn. 1382 - sett. 1434
Giovanni I Bicci **de' Medici**, f. di Averardo, detto
Padre dei poveri, el. Gonfaloniere [sp. Piccarda
Bueri († 1432)] . . . . . . ag. - sett. 1421 - † 20 febb. 1429
Cosimo I, *il Vecchio*, f., detto «*Pater Patriae*» [sp.
Contessina de' Bardi], capo della fazione popol.
contro gli Albizzi . . . . 1429 - esil. 7/9 1433
Cade il partito degli **Albizzi**. - Cosimo I è richiamato
26 sett. 1434; è el. Gonfaloniere . . . . 1435 - † 1° ag. 1464
Piero I, *il Gottoso*, f. di Cosimo I; el. Gonfaloniere 1461,
poi Signore [sp. Lucrezia Tornabuoni, † 28 mar.
1482] . . . . ag. 1464 - † 3 dic. 1469
Giuliano I,f., gov. col fr. Lorenzo (Congiura dei Pazzi,
26/4 1478) . . . . 4 dic. 1469 - † 26 apr. 1478
Lorenzo I, il *Magnifico*, fr., reggitore della Repubb.,
ma governa come Sig. assoluto [sp. Clarice di Jacopo Orsini († 88)] . . . . 4 dic. 1469 - † 8 apr. 1492
Piero II, f. [cede a Carlo VIII Pietrasanta, Sarzana,
Pisa, Livorno, 1494. – Sposa Alfonsina Orsini
(† 1520)] . . . 8 apr. 1492 - dep. 8 nov. 1494 († 28 dic. 1503)
Cacciata dei **Medici** da Firenze. - Si riforma lo Stato,
si crea una *balìa*, un Consiglio generale ed uno
minore di 80 cittadini . . . . nov. 1494

---

(1) Si crede che egli sia stato a capo del governo per circa due giorni. V. VILLARI, op. cit.

Si nomina un Gonfaloniere a vita, Piero **Soderini**, f. di
    Tommaso, avverso al pp. 10 dic. 1502 - dep. 31/12 1512 († 13/6 22)
I Fiorentini rioccupano definitivamente Pisa . . . . 8 giu. 1599
Card. Giovanni II de' **Medici**, (papa, fr. di Piero II
    1513) . . . . 14 sett. 1512 - mar. 1513 († 1° dic. 1521)
Giuliano II, fr. (D.ª di Nemours 1515) 4 sett. 1512 - 17 mar. 1516
Lorenzo II, f. di Piero II; (Duca di Urbino 1516 -
    1519) . . . . mar. 1516 - † 4 magg. 1519
Giulio, f. nat. di Giuliano I; Cardinale (Papa 1523),
    arciv. e gov. di Firenze pel Papa 4 magg. 1519 - rin. nov. 1523
Il Card. di Cortona, Silvio Passerini, gov. di Firenze
    pel Papa . . . . magg. 1524 - 16 magg. 1527
Ippolito de' **Medici**, cardinale, f. di Giuliano II, go-
    verna . . . . . . 30 lugl. 1524 - dep. 16 magg. 1527 († 1535)
Alessandro, f. nat. di Lorenzo II (?); (D.ª di Civita di
    Penne) mandato da Clemente VII a Firenze 1525 - dep. 16/5 27
Cacciata dei **Medici** da Firenze. - Il Consiglio Gene-
    rale crea i *dieci di libertà*, gli *otto di pratica*, il
    Consigl. degli ottanta e un *Gonfalon. di giustizia* 21/6 1527 - 1530
Alessandro, pred. creato capo della Repubb. dall'imp.
    (ott. 1530), riconosc. dai Fiorentini 16 lugl. 1531,
    el. Duca 1° magg. 1532 . . . . . ott. 1530 - † 6 genn. 1537
Cosimo I de' **Medici**, f. di Giovanni dalle Bande Nere;
    el. supremo regg. di Firenze 9/1 1537, Duca 20/9
    1537, Granduca 27/8 1569. . . . . 9/1 1537 - † 21/4 1574
Francesco Maria, f.; Granduca di Tosc.ª 21/4 1574 - † 19 ott. 1587
Ferdinando I, f. (Card. 2 genn. 1563), Granduca [sp.
    1589 Cristina di Carlo III di Lorena, † 20 dic.
    1637] . . . . 19 ott. 1587 - † 7 febb. 1609
Cosimo II, f., Granduca [sp. Maria Maddalena d'Au-
    stria-Tirolo († 1631)] . . . . . 7 febb. 1609 - † 28 febb. 1621
Ferdinando II, f., sotto regg. fino al 1627 di Cristina
    di Lorena e di Maria Maddalena d'Austria, [sp.,
    1634, Vittoria Della Rovere († 1695), f. di Feder.
    Ubaldo d'Urbino], Granduca. 28 febb. 1621 - † 23 magg. 1670
Cosimo III, f., Granduca [sp., 1661, Luisa Margh. di
    Gastone d'Orléans († 1721)] . . 23 magg. 1670 - † 31 ott. 1723
Gian Gastone, f., Granduca [sp. Maria di Sassonia-Lau-
    enburg] . . . . 31 ott. 1723 - † 9 lugl. 1737
Francesco Stefano I di **Lorena**, f. di Leopoldo Gius. di
    Lorena (D.ª di Lorena 1723, Imp. Rom. e re di
    Germania 1145), Granduca. - Il princ. Marco di
    Craon prende possesso per lui della Toscana 12
    lugl. 1737 . . . . 9 lugl. 1737 - † ag. 1765
Pietro Leopoldo I (II), f. (Imp. Rom. e re di Germ.
    30/9 90), Granduca [sp. Maria Luigia, f. di Carlo III
    di Spagna]. . 18 ag. 1765 - rin. 20 febb. 1790 († 1° mar. 1792)
Consiglio di reggenza per la Toscana. . 20 febb. 1790 - mar. 1791

Ferdinando-III di **Lorena**, f. di Pietro Leopoldo I, Gran-
    duca per rin. del padre . . 21 lugl. 1790 - procl.
    a Firenze. . . . . 7 mar. 1791 - mar. 1799
I Francesi occupano la Toscana. - Gov. provv. istit.
    dal Commissar. francese Reinhard . . . 25 mar. - 5 lugl. 1799
Firenze è occupata dagli Austriaci (8 lugl.). - È rista-
    bilito il governo a nome di Ferdinando III di **Lo-**
    rena pred. . . . . 17 lugl. 1799 - dep. 15 ott. 1800
La reggenza granducale, lasciando Firenze, stabilisce
    un quadrumvirato di reazionari: Pierallini, Cerci-
    gnani, Lessi, Piombati . . . . 15 ott. - 27 nov. 1800
Il gen. Miollis elegge una giunta triumvirale (Chiarenti,
    Pontelli e de Ghores) . . . . . . 27 nov. 1800 - 21 mar. 1801
Vengono riposti in carica i quadrumviri. - Governo
    provvisorio . . . . 21 mar. - 15 ag. 1801
Lodovico I di **Borbone**, principe ereditario di Parma,
    eletto Re di Etruria, 21 marzo, ne prende pos-
    sesso . . . . 2 ag. 1801 - † 27 magg. 1803
Carlo Lodovico, f., regg. la madre Maria Luigia di Spa-
    gna (Duca di Lucca 1815 - 47, di Parma 1847 - 48),
    Re d'Etruria . . 27 magg. 1803. - dep. 27 ott. - rin. 10 dic. 1807
Occupazione francese . . . . 10 dic. 1807 - 12 magg. 1808
Napoleone I istituisce una giunta straord. di gov. in To-
    scana, presid. il gen. Menou . 12 magg. 1808 - 4 febb. 1809 (1)
Unione della Toscana all'Impero Franc.e 24 magg. 1808 - 2 mar. 1809
La Toscana è eretta in Granducato (2 mar.). - Elisa
    Bonaparte-Baciocchi (D.a di Lucca e princ. di
    Piombino 1805) nom. Granduchessa 3 mar. 1809 - 1 febb. 1814
Firenze è occupata dai Napoletani. - Il gen. Minutolo
    ne prende possesso pel re Gioacch. Murat 3 febb. - 15 sett. 1814
Ferdinando III di **Lorena**, *di nuovo* Granduca (1º magg.),
    ne prende possesso . . 15 sett. 1814, entra in Fi-
    renze. . . . . 20 aprile 1815 - † 18 giu. 1824
Leopoldo II, f., Granduca di Toscana 18 giu. 1824 - dep. 7 febb. 1849
Governo provvisorio, coi triumviri: Guerrazzi, Monta-
    nelli, Mazzoni (8 febb.). - Proclamaz. della Repubb.
    Toscana . . . . 18 febb. - 12 apr. 1849
Il Municipio di Firenze, capo Bett. Ricasoli, occupa
    il potere e invita Leopoldo II a tornare - Gover-
    no militare austriaco dal . . . . 12 apr. 1840
Leopoldo II, predetto è ristabilito [sp., 1833, Maria
    Antonietta, † 1898, f. di Franc. di Borbone, re delle
    due Sicilie] . . . . 17 apr. 1849 - dep. 27/4 1859 (2) († 29/1 70)
Governo provvisorio, composto di Ubaldino Peruzzi,
    V. Malenchini, A. Danzini, dal . . . . 27 apr. 1859

---

(1) La Giunta era stata soppressa con decreto imp. 31 dic. 1808.
(2) Il 21 lugl. 1859 Leopoldo II abdica in favore del f. Ferdinando.

La dittatura toscana è accettata da re Vittorio Ema-
nuele II . . . . 28 apr. 1859
Il princ. Eugenio di **Savoia-Carignano**, reggente della
Toscana per S. M. il Re eletto Vittorio Em. II . 7 nov. 1859
La Toscana è unita al Regno di Sardegna, con decr. 22 mar. 1860
Firenze diviene capit. del Regno d'Italia 11 dic. 1864,
- di fatto . . . . maggio 1865 - 3 febb. 1871

B – Massa e Carrara (1).

Marchesi, poi principi del 1568, duchi del 1806.

Dapprima in potere dei vescovi di Luni, sec. X-XII,
poscia signoregg. dai **Malaspina** march. di Luni-
giana, poi dai Fieschi di Genova, da Castruccio
Castracani sign. di Lucca (1316 - 28); dai Pisani, dai
Rossi di Parma (1330-31), dagli Scaligeri di Ve-
rona, dai **Visconti** di Milano, dai Fiorentini, dai
Lucchesi; ritornano infine ai **Malaspina** seguenti:
Antonio-Alberico **Malaspina**, f. di Spinetta (march. di
Fosdinovo 1404), toglie Massa alla repubb. di Lucca
e se ne fa Signore, poi, 1442, march. . . . . 1434 - † 1445
Giacomo, f., march. di Massa e Sig. di Carrara 1473 - † d. 29/3 1481
Antonio-Alberico II, figlio, marchese di Massa e Car-
rara . . . . v. apr. 1481 - † 13/4 1519
Ricciarda, f.ª, [sposa Scipione Fieschi (†1520), poi (1530)
Lorenzo **Cybo**, march. (†14/3 49); 13 apr. 1519 - dep. 20 sett. 1546
Lorenzo **Cybo-Malaspina**, marito di Ricciarda *predetta*,
march. 21 mar. 1530 - dep. 19 sett. 1546 († 14 mar. 1549)
Giulio, f. march. di Massa, Sig di Carr.ª . . 20,9 1546 - † 18/5 1548
Card. Innocenzo Cybò, zio . . . . 20 mar. - 27 giu. 1547
Ricciarda, *di nuovo*, marchesa . . . . 27 giu. 1547 - † 15 giu. 1553
Alberico I, f. (C.e d'Aiello 1566), march. poi principe
di Massa dal 1568, duca dal 1605, succ. 1548 - † fine febb. 1623
Alderano, f., marchese di Carrara . . . ott. 1568 - † fine dic. 1606
Carlo I, f. di Alberico pred., duca d'Ajello e march. di
Carrara 1606, D.ª di Massa . fine febb. 1623 - † 25 febb. 1662
Alberico II, f., duca di Massa, poi (1664) principe di
Carrara, succ. . . . . 25 febb. 1662 - † 2 febb. 1690
Carlo II, f., princ. di Carrara, poi di Massa . 2/2 1690 - †/12 1710
Alberico III, f. di Lorenzo Cybo e di Ricciarda Mala-
spina . . . . 6 dic. 1710 - rin. 1715 († nov. 1715

---

(1) G. SFORZA, Cronache di Massa di Lunigiana, Lucca, 1882. – STAFFETTI, Giulio Cybo-
Malaspina march. di Massa. In Atti e memorie della R. Deput. di Storia Patria di Modena,
IV serie, 1892. – MUSETTINI, Ricciardo Malaspina e Giulio Cybo, ivi, I serie, vol. II. – STOKVIS,
op. cit., vol. III.

Alderano, fr. [sp., 1715, Ricciarda Gonzaga († 1768),
   C.ª erede di Novellara] . . . . . . 21/12 1715 - † 18/8 1731
Maria Teresa, f.ª di Ricciarda Gonzaga Cybo, vedova
   di Alderano, reggente fino al 23 giu. 1744 [sp.,
   1741, Ercole III D.ª di Modena] . 13 ag. 1731 - † 26 dic. 1790
Maria Beatrice Cybo d'Austria d'Este, f.ª, moglie di Fer-
   dinando arcid. d'Austria . . . 26 dic. 1790 - dep. 30 giu. 1796
Occupazione francese . . . . 30 giu. 1796 - lugl. 1797
Massa e Carrara vengono unite alla Repubblica Cisal-
   pina, poi Italiana . . . . 9 lugl. 1797 - mar. 1805
Unione al R.º d'Italia, dipart. del Crostolo, mar. 1805 - 1º/5 1806
Napoleone I le unisce al principato di Lucca e Piom-
   bino, dandole ad Elisa Bonaparte Baciocchi a
   governare . . . . 1º magg 1806 - 4 magg. 1814
Maria Beatrice, pred., di nuovo duch.ª 4 magg. 1814 - † 14 nov. 1829
Francesco IV d'Austria-Este (duca di Modena 1814),
   duca di Massa e Carrara (V Modena) 14 nov. 1829 - 27 apr. 1859
Massa e Carr., sottratte al gov. estense, proclam.
   dittatore il re di Sard.ª . . . . 27 apr. 1859
Loro annessione definitiva al Regno di Sardegna 18 magg. 1860

C – Lucca (1).

... Prime traccie di un governo a comune 1088, retto da
   Consoli dopo il 1115, da Podestà dal 1187. - Il periodo consolare - podestarile si protrae per buona
   parte del sec. XIII. - La magistratura consolare
   scompare nel 1264 (2). . . . . . v. 1088 - princ. sec. XIV
Uguccione della Faggiuola (podestà di Pisa 1313) coi
   ghibellini suoi collegati, saccheggia Lucca e se ne
   fa Signore . . . . . 13 giu. 1314 - dep. 13 giu. 1316 († 1/11 19)
Castruccio Castracani degli Antelminelli Sig. e, dal
   4/11 1327, duca ered. . . . . . 11 apr. 1316 - † 3 sett. 1328
Enrico Anteiminelli, f., duca . . . . . 3 sett. - dep. 7 ott. 1328
L'imp. Lodovico il Bavaro, Sig. di Lucca . . . 7 ott. 1328 - 1329
Federico Burgravio di Norimberga, vicar. imp. . ott. - nov. 1328
Federico, C.ᵉ d'Ottingen, vicar. imp. . . . nov. 1328 - mar. 1329
Francesco Castracani, zio di Enrico pred., vicar. im-
   periale . . . . 16 mar. - dep. 15 apr. 1329
Marco Visconti, f. di Matteo, sig. di Milano; el. sig. di
   Lucca dai cavalieri tedeschi . . . . . 15 apr. - 30 giu. 1329

(1) A. Mazzarosa, Storia di Lucca, Lucca, 1842, voll. 2. - G. Tommasi, Sommario della storia
di Lucca 1004-1700 e contin., Firenze, 1847. - S. Bongi, Inventario del R. Archivio di Stato
in Lucca, ivi, 1872-88. voll. 4. - Stokvis, op. cit., vol. III.

(2) Franchini, Ricerche sull'istit. del Podestà etc., Bologna, 1912.

Gherardo Spinola di Genova, ghibellino, compra Lucca dai Tedeschi, poi la cede a Giovanni, re di Boemia . . . . 2 sett. 1329 - rin. 16 mar. 1331

Giovanni di Lussemburgo, re di Boemia e Carlo suo f. signori. - Simone Filippi di Pistoia governa la città come luogoten. . . . . 16 mar. 1331 - 3 ott. 1333

Marsilio, Pietro e Rolando de' Rossi di Parma comprano Lucca e la tengono con titolo di *vicari regi* . . . . 3 ott. 1333 - 14 nov. 1335

Mastino Della Scala (Sig. di Verona 1329) e Alberto suo fr. Signori, Guglielmo Canacci degli Scannabecchi da Bologna luogotenente, poi capitano generale . . . . 15 nov. 1335 - 24 sett. 1341

Il comune di Firenze compra Lucca. - Ghiberto da Fogliano cap. gen. . . . . 25 sett. 1341 - 6 lugl. 1342

Il comune di Pisa, occupa Lucca. - Ranieri della Gherardesca, C.e di Donoratico, cap. gen. 6 lugl. 1342 - 5 giu. 1347

Gli Anziani di Pisa, capitani, governatori e difensori di Lucca . . . . 6 giu. 1347 - 12 ag. 1364

Giovanni Dell'Agnello De' Conti (Doge di Pisa 13 ag. 1364), cap. gen. e govern. . . . . 22 ott. 1364 - 4 sett. 1368

Carlo IV di Boemia, imp., occupa Lucca. - Marquardo, patr. d'Aquileia, poi (dal 2/7 69) il card. Guidone vic. imp. . . . . 25 ag. 1368   12/3 1370

Gli Anziani di Lucca ottengono le redini del governo e sono investiti del vicariato imp. . . . . 12 mar. 1370

È istituito il Consiglio generale di 180 Consiglieri, presieduto dagli Anziani e dal Gonfaloniere di giustizia . . . . 16 febb. 1370 - 2 lugl. 1400

È creata una balia di 12 cittadini, fra i quali Paolo Guinigi, investiti della piena autorità . . 2 lugl. - 21 nov. 1400

Paolo Guinigi nomin. Capitano e Difensore del pop. (14 ott.), poi Sig. assol. 21 nov. 1400 - spod. 15 ag. 1430 († 1432)

Repubb. retta dagli Anziani e da un Gonfaloniere di giustizia . . . . ag. - 11 ott. c. 1430

È restaurato il Consiglio generale con 120 Consigl. e 40 surrogati (1), presied. dagli Anziani e dal Gonfaloniere di giustizia (11 ott. 30). - Viene escluso il popolo dal governo (legge martiniana, dicembre 1556) . . . . 11 ott. 1430 - 2 genn. 1799

La repubblica *aristocratica* è sostituita dalla *democratica* dal Senato Lucchese . . . . 15 genn. 1799

I Francesi, comandati dal generale Serrurier occupano Lucca (2/1). - Gov. democrat. provvisor. creato dal Serrurier . . . . 4 febb. - 17 lugl. 1799

---

(1) Nel 1432 i Consiglieri vengono ridotti a soli 90 con 30 surrogati e nel 1531 si ritorna al numero di 120 con 40 supplenti.

Gli Austriaci entrano in Lucca. - Il gen. Cleran crea
    una reggenza di 10 cittadini . .   24 lugl. 1799 - 9 lugl. 1800
I Francesi, *di nuovo*, col gen. Launay, il quale vi isti-
    tuisce un governo. democr. di 11 membri 9 lugl. - 15 sett. 1800
Ritornano gli Austriaci ed eleggono una seconda reg-
    genza di 10 ex nobili. . . . .   15 sett. - 9 ott. 1800
I Francesi, *di nuovo*, col gen. Clement, che lascia in
    piedi la *reggenza*, detta poi *Governo provvis.* 9/10 1800 - dic. 1801
Nuova costituz. democratica della Repubb. con un Con-
    sigl. di 12 Anziani ed un Gonfalon. di giust. 26/12 1801 - 28/6 1805
Napoleone **Bonaparte** sopprime la Repubb. di Lucca
    ed affida il gov. al princ. Felice Baciocchi, marito
    di Elisa Bonaparte, sor. dell'imp., la quale governa
    di fatto . . . .   24 giu. 1805 - 18 mar. 1814
Entrano in Lucca i Napoletani, poi gli Austriaci col
    gen. Starhemberg, governat. . .   18 mar. 1814 - 3 mar. 1815
Barone Giuseppe Werklein, ten. colonn., gov.   3/3 1815 - 7/12 1817
Maria Luisa di **Borbone**, f. di Carlo IV re di Spagna,
    [sp. Luigi, re d'Etruria, f. di Ferdinando D.ª di
    Parma] duchessa . . . . .   17 dic. 1817 - † 13 mar. 1824
Carlo Lodovico, f. (D.ª di Parma e Piacenza, 1847
    duca [sp. Maria Teresa di Savoia, f. di Vittorio
    Emanuele I] . . . .   13 mar. 1824 - rin. 5 ott. 1847
Lucca è unita al Granducato di Toscana (V. Firenze) . . 5 ott. 1847

D – Pisa (1).

Comune ghibellino aristocratico fino a metà sec. XIII.
    Retto da consoli(1080-85), poi da Podestà(1190-91).
    Nel 1191 s'inizia il periodo consolare-podestarile,
    che si protrae oltre il primo ventennio del sec. XIII.
    Si hanno Consoli anche nel 1236. . . . . . .   1080 - 1254
Il Comune diviene democratico e retto da un Capitano
    del pop., assistito da 12 Priori. . . . . .   1254 - . . . .
Comune guelfo. - Ugolino della **Gherardesca** (f. del C.ᵉ
    Guelfo I, † 1274), C.ᵉ di Donoratico (2), nom. Po-
    destà (18 ott. 1284), poi Capitano del popolo e
    Signore, col nip. Ugolino Visconti (*Giudice di Gal-
    lura*, † 1296): . . . . 1285 - imprig. giu. 1288 († magg. 1289)

---

(1) P. TRINCI, Annali pisani etc., 2ª ediz., Pisa, 1868-71, voll. 2. - F. DAL BORGO, Dissertaz
sulla storia pisana, Pisa, 1711-68, voll. 3. - STOKVIS, op. cit., vol. III. - FRANCHINI, op. cit.
(2) Il C. Ugolino aveva sposato Margherita Pannocchieschi dei C.i di Monteingegnoli dalla
quale ebbe i figli: Guelfo II, Lotto, Matteo, Gaddo, Uguccione, ed Anselmuccio, nipote del
C. Ugolino, era f. di Lotto. Il figlio Guelfo II sposò Elena figlia di Enzo di Svevia, re di
Sardegna, ed ebbe i figli: Ugolino, detto il *Brigata*, Lapo, Enrico e Nino, che ereditarono i
diritti materni sulla Sardegna e su altri paesi.

Il Comune ritorna ghibellino. - Ruggieri degli Ubaldini, arciv. di Pisa 1278, assume il governo come Podestà e governatore (lug. 1288). lugl. - dep. dic. 1288 († 1295)
Gualtieri di Brunforte, podestà . . . . . dic. 1288 - magg. 1289
Guido di Montefeltro (C.e di Urbino 1255, Sen. di Roma 1268), capit. gen. . . . . 13 magg. 1289 - dep. lugl. 1293
Comune indipendente . . . . 1293 - mar. 1312
Enrico VII di Lussemb. (imp., 1308), sig. 6/3 1312 - † 24 ag. 1313
Uguccione della Faggiuola, capitano del popolo, poi Signore . . . . mar. 1314 - dep. 10 apr. 1316 († 1/11 19)
Gaddo della Gherardesca, C.e di Donoratico, f. di Bonifazio I, Cap. del pop. [sp., 1294, Beatrice di Svevia] . . . . 18 apr. 1317 - † 1o magg. 1320
Ranieri I della Gherardesca, zio, Cap. del pop. mag. 1320 - † 13/12 1325
Lodovico il *Bavaro* (imp. e re di Germania, 1314), Signore . . . . 11 ott. 1327 - apr. 1328
Castruccio Castracane degli Antelminelli (Duca eredit. di Lucca), Signore . . . . apr. - † 3/9 1328
Lodovico il *Bavaro, di nuovo*, signore . 21 sett. 1328 - magg. 1329
Tarlato di Pietramala, vic. imper. . . . . . magg. - 17 giu. 1329
Bonifacio Novello della Gherardesca, f. di Gaddo, Cap. del popolo e Signore . . . . . 17 giu. 1329 - † 2 dic. 1341
Ranieri *Novello*, f., Signore, sotto tutela di Tinuccio Della Rocca . . . . dic. 1340 - 5 lugl. 1347
Andrea Gambacorta, della fazione dei Bergolini (guelfi), Signore . . . . dic. 1347 - † 1354
Franceschetto, Bartolomeo e Lotto Gambacorta, nip., dal fr. Coscio, di Andrea, Signori (fatti decap. da Carlo IV) . . . . 1354 - † 26 magg. 1355
Carlo IV di Lussemburgo (Imp. e re di Germania), Signore. - Marguardo d'Absburgo, vesc. d'Augusta, vic. imp. . . . . magg. - 11 giu. 1355
Governo del *popolo minuto* . . . . giu. 1356 - 1364
Giovanni dell'Agnello, Doge . . . 13 magg. 1364 - dep. sett. 1368
Carlo IV di Lussemburgo, *di nuovo*, occupa Pisa . . sett. 1368
Il *popolo grasso* ritorna al potere nel sett. 1368. - Pietro, f. di Andrea Gambacorta, signore 24 febb. 1369 - † 20 ott. 1392
Iacopo I Appiani, fr. di Vanni d'Appiano; Sig. 25/10 1392 - † 5/9 1398
Gherardo, f., Signore, vende Pisa al D.a di Milano, meno Piombino, l'Elba, Suvereto, Buriano, Scarlino, Vignale e Populonia (V. Piombino) 5/9 1398 - rin. 18/2 1399
Gian Galeazzo Visconti (D.a di Milano), acquista Pisa, 18 febb. 1399, Signore . . . . . . 31 mar. 1400 - † 3 sett. 1402
Gabriele Maria, f. nat., Signore . 3 sett. 1402 - dep. 26 lugl. 1405
Giovanni Gambacorta, nip., dal fr. Gherardo, di Pietro; Capit. del pop. 1405, Sig. . 26 apr. 1406 - 3 ott. 1406 († 1431)
La repubb. di Firenze occupa Pisa . . 9 ott. 1406 - 9 nov. 1494
Repubblica indipendente . . . . 9 nov. 1494 - 8 giu. 1509
I Fiorentini riprendono Pisa (V. Firenze) . . . . . 8 giu. 1509

E – Siena e Stato dei Presidii (1).

.... Ai Longobardi v. 570 - 770. - Ai Franchi: Governo
    dei Conti sec. IX, poi dei Vescovi-Conti princ. sec. XII - 1197 c.

Governo a Comune dal 1100 c., retto da Podestà dal
    1151, da Consoli annuali dal 1156, da Podestà
    forestieri v. 1199. - Riconosciuta Repubblica indip.
    dall'imp. Enrico VI . . . . nel 1186

Gover. a Comune, ghibell. - Istituz. di un Consigl. detto
    dei *Ventiquattro servitori del pop.*, (12 guelfi e 12 ghi-
    bellini, con un *Capit. del pop.*, (1252) come capo, v. 1236 - 1270

Vittoria dei Senesi sui Fiorent. a Montaperti. Il partito
    ghibell. trionfa 4/9 1260

I Fiorentini vincono i Senesi a Colle Val d'Elsa. Siena
    si fa guelfa 1269

Istituz. di un Consiglio detto dei *Trentasei Capitani di
    Parte* (i nobili ghibell. esclusi, 1280) . . . . . . 1271 - 1280

Consiglio dei 15 *Governatori e Difensori* . ag. 1280 - 30 genn. 1287

Consiglio dei Priori e Difensori (in num. di 9, poi di 18
    dal 1291) . . . . 25 genn. 1287 - lugl. 1291

Consiglio dei *sei* poi *nove* Governatori e Difensori del
    Comune . . . . 1° ag. 1291 - 25 mar. 1355

Carlo, Duca di Calabria, f. di Roberto d'**Anjou**, re di
    Napoli, el. signore . . . . 1326 - † 3 sett. 1328

Carlo IV di **Lussemburgo** (imp. 1355), signore . 1355 - rin. s. a.

Nicola (Patriar. di Aquileia, 1350), fr. di Carlo IV,
    signore . . . . 1355 - dep. s. a.

Vengono esclusi dal governo comunale i borghesi ricchi
    (Monte dei nove) e si forma la magistratura dei
    Dodici Governatori e Difensori del Comune, scelti
    dal popolo minuto . . . . 31 mar. 1355 - dic. 1368

Governo dei *Trenta Consoli*, stabilito dalla Nobiltà 2/9 - 24/9 1368

Il *Consiglio dei Dodici* è ristabilito dal Vicario Imp.
    Malatesta da Rimini. - Esso è composto di tre
    ordini della borghesia, cioè il *Monte dei nove*,
    quello dei 12 e quello dei Riformat. 24 sett. 1368 - 18 genn. 1369

Viene deposto il Vicario imperiale . . . . 18 genn. 1369

Gli Artigiani (pop. minuto) escludono dal governo il
    Monte dei Dodici, e creano un Consiglio di 15 *Di-
    fensori del pop.* e *del Comune* rinnovabili ogni
    6 mesi . . . . ag. 1371 - 1385

I nobili, scacciati i popolani, formano un nuovo governo
    detto dei « *Signori Priori governatori della città* »,

(1) G. MILANESI Siena e suo territorio, discorso storico, Siena, 1862. – LISINI, L'Archivio
di Stato di Siena, Siena, 1915. – STOKVIS, op. cit., vol. III.

prima in numero di dieci, poi (1387) di undici,
nom. ogni due mesi. - Parte del governo ritorna
agli Artigiani (1 genn. 1387) . . 28 mar. 1385 - 31 lugl. 1390
Gian Galeazzo **Visconti** (Sig. di Milano), el. Signore di
Siena . . lugl. 1390 - febb. 1392 e 18 nov. 1399 - 1° magg. 1404
Siena riprende la sua indipendenza. - Governo dei 12
Priori 1/9 1398 - 31/12 99; poi di 10 Priori, 1° magg.
1404 - 30/4 59; febb. 1392 - 18 nov. 1399 e 1° magg. 1404 - 1501
Governo degli undici Priori, con un Nobile 1°/5 1459 - 31/12 1464
e 1° sett. 1482 - 22/7 1487
Governo dei dieci Priori: 1°/1 1465 - 30 giu. 1480; 1° sett. 1480
- 31 ag. 1482; 1°/3 - 30/4 1483 e 1°/3 1488 - 31/12 1530
Governo dei nove Priori . . . . 26 giu. al 31 ag. 1480
Governo dei tredici Priori. . . . . . 24 lugl. 1487 - 28 febb. 1488
Siena è occup. da Cesare **Borgia**, Duca Valentino . 1501 - 1502
Pandolfo **Petrucci**, il *Magnifico* (al soldo di Cesare Bor-
gia), Signore di Siena 1502, esiliato 28 gennajo,
ritorna . . . . 29 marzo 1502 - † 21 magg. 1512
Borghese, f., Signore . . 21 magg. 1512 - dep. 6 mar. 1515 († 1526)
Si crea una balìa di 90 cittadini, nominati per 3 anni 1515
Raffaele **Petrucci**, nip. di Pandolfo (vesc. di Grosseto) 1515 - † 1522
Francesco **Petrucci**, cugino . . . . 1522 - dep. 1523
Fabio, f. di Pandolfo **Petrucci** . . . . 1523 - dep. 1525 († 1529)
Siena si libera dalla Signoria dei **Petrucci** e crea una
balìa di 16 cittadini . . . . 17 febb. 1525 - 1532
Alessandro **Bichi**, capo della repubb. e partig. di Francia 1525 - † s. a.
È occupata dagli Spagnuoli a nome di Carlo V, imp. . 1531 - 1546
Il Commissario spagnuolo, card. Granvela, crea una
balìa di 4 cittadini nominati per 2 anni . 7 dic. 1541 - 1546
Caduta del governo aristocratico. - Gov. dei nove Priori
ed un Capitano del popolo . . . . 4 mar. 1545 - 4 mar. 1546
Governo dei dieci Priori . . . . . . 4 mar. 1546 - 30 ott. 1548
Le truppe spagnuole sono cacciate da Siena . 1546 - 29/9 1547
Gli Spagnuoli ritornano in Siena. - D. Diego Hurtado
de Mendozza, gov. . . . . 29 sett. 1547 - 3 ag. 1552
Si crea una *balìa* di 40 cittadini . . . . 4 nov. 1548 - 25 lugl. 1552
Governo dei 13 Priori, poi ridotti ad 8; compresi
4 ufficiali di balìa . . . . nov. 1548 - 31/1 1560
Creazione del « *Governo e Capitano di Siena* » composto
di 33 membri . . . . ag. 1552 - . . . .
L'armata francese caccia gli Spagnuoli ed elegge gov.
per la Francia il Card. Ippolito d'Este 25 lugl. 1552 - apr. 1555
Si crea una *balìa* di 20 cittadini nominati per un anno,
un Gonfaloniere, un Cap. del pop. e suoi Consiglieri
per 6 mesi ed una Signoria per 3 mesi 1553
Un'armata imperiale e fiorentina obbliga Siena ad ar-
rendersi a Carlo V, il quale nom. Filippo II, suo
figlio, vicario imperiale . . . . 17 apr. 1555 - 1557

Filippo II, re di Spagna, cede in feudo Siena e gran
    parte del suo territorio a Firenze (3 lugl. 1557). -
    Cosimo I de' **Medici** ne prende possesso . . . 19 lugl. 1557
Il numero dei Priori viene ridotto ad otto . . . . . febbr. 1560
Rimangono alla Spagna: Orbetello, Talamone, Porto
    Ercole, Monte Argentaro, Santo Stefano e Monte
    Filippo, formanti lo *Stato dei Presidii* . . . . . 1557 - 1708
Siena rimane unita a Firenze di cui segue le sorti (V. Firenze).
Lo *Stato dei Presidii* è conquistato dagli Austriaci . 1708 - 1735
   »   »   »   passa a far parte del Regno di
    Napoli . . . . 1735 - 14 genn. 1801
Lo *Stato dei Presidii* è occupato dai Francesi comandati
    dal gen. Pino . . . . 14 genn. - 28 mar. 1801
Lo *Stato dei Presidii* viene unito al reame d'Etruria
    (mar. 1801), poi al Granduc. di Toscana (Congr. di
    Vienna 9 giu. 1815) . . . . marzo 1801 - giu. 1815

F – Piombino ed Elba (1).

Signori, poi Principi dai 1509.

... Piombino è unito alla Repubb. di Pisa . . . . v. 1013 - 1399
Gherardo **Appiani**, f. di Iacopo I; (Sign. di Pisa 1398-99),
    Signore di Piombino e dell'Elba . 19 febb. 1399 - † 1405
Iacopo II, f., sotto regg. della madre Paola Colonna
    (sorella del Papa Martino V), e la protez. dei
    Fiorentini . . . . 1405 - † 1441
Paola Colonna-**Appiani**, pred. . . . . . . 1441 - † nov. 1445
Rinaldo **Orsini**, C. di Tagliacozzo e d'Alba e sua moglie
    Caterina, f.ª di Gherardo Appiani . . nov. 1445 - 5 lugl. 1450
Caterina **Appiani-Orsini**, pred., sola . 5 lugl. 1450 - † 19 febb. 1451
Emanuele **Appiani**, fr. di Gherardo, sign. . 19 febb. 1451 - † 1458
Iacopo III, f. nat., sig. di Piombino e dell'Elba (adot-
    tato, 1465, dalla casa regn.e di Napoli) . 1458 - † 22 mar. 1474
Iacopo IV **Appiani d'Aragona**, f., sig., poi (8 nov. 1509)
    Princ. di Piomb. e d'Elba . . 22/3 1474 - dep. 3/9 1501
Cesare **Borgia**, duca Valentino 1428 (vic. pont. d'Imola,
    Forlì, Cesena, Rimini, Pesaro, Faenza) 3 sett. 1501 - sett. 1503
Iacopo IV, **pred.**, ristabilito . . . . . sett. 1503 - † apr. 1510
Iacopo V, f. . . . . apr. 1510 - † 1545
Iacopo VI, figlio, reggente la madre Elena Salviati
    († 1552) . . . . 1545 - dep. 22 giu. 1548
Cosimo de' Medici, duca di Firenze, occupa Piom-
    bino . . . 22 giu. - 24 lugl. 1548 e 12 ag. 1552 - 29 magg. 1557

---

(1) A. Dati, Historia Plumbinensis. Senis, 1503 – A Cesaretti, Storia del principato di Piombino, Firenze. 1788. – L. Cappelletti, Storia della città e Stato di Piombino Livorno, 1897.

Occupazione spagnuola . . . . 24 lugl. 1548 - 12 ag. 1552

Iacopo VI, pred., ristabilito 29 magg. 1557, ne prende
possesso . . . . 1º ag. 1559 - † 15 magg. 1585

Alessandro, f. nat. legittimato . . . 15 magg. 1585 - † 28 sett. 1590

Felice d'Aragona, gov. gen. del presidio spagnuolo,
acclamato Signore . . . . . . 14 ott. 1590 - dep. genn. 1591

Iacopo VII, f. di Alessandro, Sign. 6 apr. 1591, principe . . . . febb. 1594 - † 5 genn. 1603

Carlo d'Aragona-Appiani, f. di Sforza Appiani, acclam.
principe . . . . 15 genn. - 20 febb. 1603

Il viceré di Napoli occupa Piombino a nome dell'Imperatore, - Pietro Pasquier, gov. . 20 febb. 1603 - 31 ott. 1611

Isabella Appiani, C.ª di Binasco, sorella di Iacopo VII,
principessa . . . . . 31 ott. 1611 - 10 apr. 1628 († 1661)

L'imp. Ferdinando II d'Absburgo cede Piombino a
Filippo IV di Spagna . . . . . 10 apr. 1628 - 20 mar. 1634

Piombino è ceduto a Niccolò **Ludovisi** princ. di Venosa,
nip. di pp. Gregor. XV. . . 20 mar. 1634 - dep. 5 ott. 1646

Occupazione francese. - Manicamp gover.ᵉ . 5 ott. 1546 - giu. 1650

Niccolò **Ludovisi**, *ristabilito* . . . . . giu. 1650 - † 25 dic. 1664

Giovanni Battista, f. . . . . 17 sett. 1665 - † 24 ag. 1699

Olimpia, sorella . . . . ag. 1699 - † 27 nov. 1700

Ippolita **Ludovisi-Buoncompagni**, sor.ª 27 febb. 1701 - † 29 dic. 1733

Gregorio **Boncompagni**, marito di Ippolita e co-reg-
gente . . . . 27 febb. 1701 - † 1 febb. 1707

Eleonora, f.ª, prende possesso dello Stato, con presidio
di milizie napoletane . . . . . 30 dic. 1733 - † 5 genn. 1745

Gaetano, f. . . . . 6 genn. 1745 - † 24 magg. 1777

Antonio, f. . . . 24 magg. 1777, dep. 21 mar. 1801 († 26 apr. 1805)

Occup. francese (colon. Datti) poi gen.ᵉ Gio. Blanc sett. 1801-18 3 1805

L'isola d'Elba è unita alla Francia con *senatus-consulto*
del 26 ag. 1802.

Elisa **Bonaparte-Baciocchi**, sorella di Napoleone I e suo
marito Felice **Baciocchi**, nom. principi 18/3 1805 - dep. 18/3 1814

Entrano in Piombino gli Austriaci, condotti dal generale Starhemberg . . . . mar. 1814 - giu. 1815

Napoleone I **Bonaparte** ottiene la sovranità dell'isola
d'Elba nell'apr. 1814; ne prende possesso 5/5 1814 - 26/4 1815

L'isola d'Elba è aggreg. al. granducato di Toscana;
trattato di Vienna . . . . giu. 1815

Ferdinando III di **Lorena**, Granduca di Toscana, ottiene la sovranità del principato (trattato di
Vienna) . . . . 9 giu. 1815 (V. Firenze)

VIII. UMBRIA

A – Perugia (1).

.... Agli Ostrogoti 493 - 537. – Occup. da Belisario per
  l'Imp. d'Oriente 537 - 546 e 547 - 548. – È piesa
  e distrutta da Totila, re Ostrog. 548 - 553. – Al-
  l'Imp. d'Oriente (occup. da Naisete) 553 - 580 e
  592 - 593. – Ai Longobardi 580 - 592 e 593 - 727.
  – Ai Bizantini 727.
Perugia si libera dalla dominaz. imper. e si regge a
  governo popolare sotto protez. del Papa . . . . . 727 - 756
I Franchi. - Re Pipino ne fa donaz. al Papa (conferm.
  da Carlo M. 773) . . . . 756 - ...
Si regge a comune libero; retta da Priori, poi, dal 1130,
  da Consoli, dal 1177 da Podestà, dal 1235 da Cap.
  del pop. . . . . sec. XII - XIII
Comune guelfo . . . . sec. XIII - 1370 e 1375 - 1392
Passa, di nuovo, sotto il gov. dei Papi . . . 1370 - 75 e 1392 - 93
Pandolfo Baglioni, capo dei ghibellini . . . . 1393 - † 30/7 s. a.
Biordo dei Michelotti (sig. di Orvieto 1391 - 93), capo
  di parte a Perugia . . . . 1393 - † 10 mar. 1398
Ceccolino, fr., cap. di ventura . . . . 10 mar. 1398 - 1400 († 1416)
Al Duca di Milano . . . . 1400 - 1402
Al Papa, di nuovo . . . . 1402 - 1409
Repubblica libera . . . . 1414 - 7 lugl. 1416
Andrea Fortebracci, detto Braccio da Montone (C.e di
  Foggia, princ. di Capua, poi, 1423, di Aquila) 7/7 1416 - † giu. 1424
Al Papa. Convenzione tra Martino V e la città di Pe-
  rugia, con predom. dei nobili . 29/4 1424 - 1440 e 1445 - 1488
Niccolò Piccinino . . . . 1440 - 1445
Braccio Baglioni, Sig. di Perugia . . . . . 1479 - † 8 dic. s. a.
Guido Baglioni, nip. di Pandolfo, pred. . . . . . . 1488 - 1500
Giampaolo Baglioni, nip., Sig. di Per.a 1500 - 02, 1503 - 06 e 1513 - †20

(1) Bonazzi L., Storia di Perugia dalle origini al 1860. Perugia 1875-79. - G. Moroni, Dizionario di erud. storico-ecclesiast. Venezia, 1840-62. - G B Rossi Scotti, Guida di Perugia
1867. - Stokvis, op. cit., vol. III. - Vito la Mantia, I Comuni delle Stato Romano nel
Medio Evo. In « Rivista stor. ital. » anno I, 1884.

Carlo **Barelglia**, pronip. di Guido, pred., rappresentante
di Cesare Borgia . . . . 1502 - ag. 1503 († 1518)
Al Papa, *di nuovo*. Giulio II abolisce il Consiglio dei
Dieci e rimette al potere i Priori . . . . 1506 - 1513
Gentile (vesc. di Orvieto), f. di Guido **Baglioni** 1520 - 1522 († 27)
Orazio, f. di Giampaolo **Baglioni**. . . . . 1522 († 1528)
Malatesta, fr. . . . . 1522 - 1529
Al Papa, *di nuovo* . . . . 1529 - 30 e 1536 - 1540
Ridolfo, f. di Malatesta, pred.. . . . 1531 - 1535 e 1540 († 1554)
Sollevaz. dei Perugini per la tassa sul sale (v. metà
sec. XVI) e nomin. 25 cittadini pel governo; ma
la città va perdendo le sue antiche franchigie. Papa
Giulio III però restituisce a Perugia i suoi antichi
ordini, rimettendo i Priori e i Camerlenghi coi con-
sueti onori . . . . 21 apr. 1553
Ritorna sotto il governo dei Papi 1540 - 1798 e 1814 - 14 giu. 1859
È occup. dai Francesi (dipart. del Trasimeno 1808-14). 1798 - 1814
È occupata dagli Austriaci, che invad. gli Stati romani . 31/5 1849
Insurrez. contro il gov. del Papa. - Giunta provvis.
di gov., composta di: Nicola Danzetta, Guarda-
bassi, Zeffirino Faina, Baldini, Tiberio Bernardi 14 - 20 giu. 1859
Duemila Svizzeri, partiti da Roma, occupano Perugia
pel Papa . . . . 20 giu. 1859 - 14 sett. 1860
Il gen. Manfredo Fanti occupa Perugia. - Il Commis-
sario R.º, Gualtiero, ne prende possesso per Vittorio
Emanuele II, re di Sardegna . . . . 14 sett. 1860

B – Spoleto.

.... Agli Ostrogoti, 493 - 539 e 543 - 555. – Ai Greci,
539 - 543 e 555 - 570. – Ai Longobardi, 570 - 774:
Alboino erige Spoleto in ducato quasi indip. nel
570; – Faroaldo I, duca, 570 - † 592; – Ariulfo,
duca di Spoleto e Camerino, 592 - 602; – Teode-
lapio, id. id., 602 - 50; – Attone, 650 - 65; – Trasmondo I, 665 - 703; – Faroaldo II, f., 703 - 24; –
Trasmondo II, f., 724 - 39; – Ilderico, 739; – Trasmondo II, *di nuovo*, 739 - 42; – Agiprando, o Ans-
prando, 742 - 44; – Lupo, 745 - 52; – Unnolfo, 752;
– Alboino, 757 - 59; – Gisulfo, 758 - † 763; – Teo-
dicio, 763 - 73; – Ildeprando, duca e governatore
pel Papa, 774 - 788.
Domin. franca: Guinigiso, duca e march. 789 - 822; –
Suppone I, 822 - 24; – Adalardo, 824; – Mauringo,
824 - 36; – Berengario, 836 - 41; – Guido I, f. di
Lamberto di Nantes, 842 - 58; – Lamberto I, f.,
860 - 71; – Suppone II, 871 - 74.

Domin. dei re nazion.: Lamberto I, *di nuovo*, 875 - † 79;
– Guido II, 876 - † 82; – Guido III, f. di Lamberto I
(re d'Italia 889 - 94), 880 - † 894; – Lamberto II, f.
(re d'Italia 891 - 98), 894 - † 98; – Guido IV (duca
di Benev. 895 - 97), 895 - † 98; - Alberigo, 898 - †22;
– Bonifacio I, 923 - 28; – Teobaldo I, 933 - † 36; –
Anscario d'Ivrea, 936; - 40 – Sarlione, 940 - 43; –
Uberto di Toscana, 943 - 46; – Bonifacio II, 946 -
53; – Teobaldo II, 953 - 59; – Trasmondo III, 959
- 67; – Pandolfo I (duca di Benev. 943 - 81), 967
- 81; – Trasmondo IV (duca di Camerino 982 - 95),
982 - 989.

Unione alla Toscana: Ugo I, (M.° di Toscana), 989 - 99; –
Ademaro, 999 - ...; – Romano, 1003 - ....; –
Ranieri I (duca di Toscana 1014 - 27), 1010 - 14; –
Ugo II, v. 1020 - 35; – Ugo III, 1036 - 43; – Bonifacio di Canossa (M.e di Toscana 1027 - 52),
1050 - 52; – C.ª Matilde, f.ª (M.ª di Toscana 1076 -
1115), 1053 - 56 e 1070 - 82; – Vittore II (papa),
1056 - 57; – Goffredo (duca della Bassa Lorena
1056 - 70), 1057 - 70; – Ranieri II, 1082 - 86; –
Werner II, (Guarniero) di Lenzbourg (M.e d'Ancona 1095), 1093 - 1119; – Guelfo III di Baviera
(march. di Toscana 1152 - 60 e 1167 - 71), 1152 - 60;
– Guelfo VI di Baviera (vic. imp. di Toscana 1160),
1160 - 67; – Guelfo VI, *di nuovo*, 1167 - 71; – Ride-
lulfo d'Urslingen, 1172 - ....; – Corrado d'Urslingen, 1183 - 90 e 1195 - 98; – Pandolfo II, 1190 - 95.

Dominazione pontificia . . . . 1198 - 1222
Bertoldo d'Urslingen poi (1228) Reinoldo d'Urslingen
    Duchi . . . . 1222 - 1228
Spoleto ritorna in possesso dei Papi . . . . . 1228 - apr. 1808
Occupazione francese . . . . 2 apr. 1808 - 22 mar. 1815
Al Papa, *di nuovo* . . . . 22 mar. 1815 - 17 ott. 1860
Unione al Regno di Sardegna, decreto . . . . . . 17 ott. 1860

IX. LAZIO E STATO PONTIFICIO

1. Roma (1).

(Veggasi la serie degli imperatori e re d'Italia e dei papi nelle Tavole cronogr.-sincrone, pagg. 206-289).

.... Gli Ostrogoti tolgono Roma ai Bizantini . . 493 - 9 dic. 536
Ai Bizantini *di nuovo* . . . . 9 dic. 536 - 17 dic. 546
Assediata *di nuovo* dagli Ostrogoti, che entran in Roma
 capit. da Totila . . 17 dic. 546 - 12 mar. 547 e 549 - mar. 553
Belisario rientra in Roma coi Bizantini . . . . 12 mar. 547 - 549
Narsete pone fine alla dominaz. gota in Italia . . . marzo 553
Roma è governata pei Bizantini da un Duca o gover.
 militare, (2), capo dell'esercito (el. dall'Imp. poi [600]
 dal pop. e dal Papa) dipend. dall'Esarca di Ravenna (579 - 743 c.) e da un Prefetto o gov. civile
 (579 - 600) . . . . sec. VI - 755
La potenza del papato, iniziatasi con S. Leone I (410-
 461) si esplica maggiormente con S. Gregorio Magno, che acquista predomin. polit. e morale ed è
 consid. Signore di Roma . . . . v. 590 - 604
Comincia a formarsi in Roma il nuovo comune o Repubblica aristocratico-militare con prevalenza del
 potere militare sul civile. Il Prefetto va scompa-
 rendo innanzi al « *Magister Militum* » . . . . . princ. sec. VII

---

1) GREGOROVIUS F. Geschichte der Stadt Rom im Mittelalter, Stuttgart, 1894. - VENDETTINI, Del Senato Romano, Roma, 1782. - REUMONT A., Geschichte der Stadt Rom, Berlin, 1867-68. - VITALE, Storia diplomatica dei Senatori di Roma, Roma, 1790-91. - J. PAPENCORDT, Geschichte der Stadt Rom, Paderborn, 1857. - Archivio della R. Società Romana di Storia patria, Roma 1878-1925. - L. C. FARINI, Lo Stato Romano dal 1815 al 1850, Firenze, 1853, voll. 4. - GENNA-RELLI, Il governo pontificio e lo Stato romano, Prato, 1860. - B. MALFATTI, Imperatori e Papi, Milano, 1876. - LA MANTIA, Stor. della Legisl. italiana, vol. I, Roma e Stato Romano, Roma, 1884. - P. VILLARI, Il Comune di Roma nel medio evo; in *Saggi storici*, Bologna, 1890. - id. Invasioni barbar. in Italia, Milano, 1905. - id. L'Italia da Carlo M. ad Arrigo VII, Milano, 1910. —— PASTOR L., Storia dei Papi nel M. Evo, Trento, 1890.

(2) Si conoscono alcuni nomi di Duchi Bizantini a Roma, cioè: Cristoforo, principio del sec. VIII; Marino 717 o 718 ...; Basilio, 726 o 727; Pietro, 727 ...; Stefano, *patrizio*, ultimo duca indip., 727-754.

L'« *Exercitus Romanus* », con a capo i nobili, acquista
    importanza e comincia a governare Roma   princ. sec. VIII
Il comune va rendendosi indipend. dall'Imp. Il duca
    Basilio è cacciato da Roma nel 726 e il Papa ne
    diviene nominalm. sovrano . . . .   727 - 755
Colle donazioni (755) di re Pipino alla Chiesa, conferm.
    ed aument. (773) da Carlo Magno, il Papa diviene
    Sig. di Roma, pur rimanendo la Repubb. - Inizio
    del potere temporale dei Papi . . . .   755 - 928
Tumulto dei nobili capitan. da Toto duca di Nepi
    contro il Papa. Elez. dell'antip. Costantino. - Il
    partito papale trionfa . . . .   767 - 772
Altra rivolta dei nobili per togliere al Papa il potere
    politico di Roma. (799) - Carlo Magno, Romano,
    ristabilito l'ordine dal Papa è coron. Imperat. . . - 25 dic. 800
Nuova costituzione di Lotario I imp., giurata da Papa
    Eugenio II (824-827) per la comunanza dell'Imp.
    e del Papa nel reggimento dello Stato pontificio . . . 824
Caduto l'imp. franco (887), sostegno del papato, l'ari-
    stocrazia ritorna padrona di Roma. Alla testa della
    Repubb. eleggesi un capo, il C.^e Teofilatto, con
    titolo di *Senator et Consul* o *Princeps Romanorum*,
    riconosc. dal Papa. — Teodora, moglie di Teofilatto,
    ha titolo di *Senatrix* . . . .   princ. sec. X
Marozia, loro f.^a, domin. di Roma [sp. I°, Alberico, sold.
    di vent.; II°, Guido, margrav. di Toscana; III°,
    Ugo, re di Provenza], succ. . . . . .   v. 914 - dep. 931 († 945)
Nuova Repubb. indip. di nobili; capo Alberigo, f. di
    Marozia, acclam. « *Princeps atque omnium Rom. Se-
    nator* » [sp. I°, Alda f. di Ugo re d'Italia; II°, Ste-
    fania romana] . . . .   932 - 954
Ottaviano, f. di Alberico (dal 956 papa Giovanni XII)
    Signore di Roma . . . .   954 - dep. 4 dic. 963 († 964)
Ottone I imp. assed. e prende Roma e fa elegg. l'antip.
    Leone VIII. — Rivoluzione popolare contro l'imp.,
    che lascia Roma . . . .   nov. 963 - metà febb. 964
Papa Giov. XII pred. governa Roma. (Sinodo contro
    Ottone I) . . . . febb. 964 - † 14 5 magg. s. a.
I Romani elegg. Benedetto V, che viene esil. dall'imp.
    23 giu. 965 . . . .   1° nov. 964 - 29 giu. 965
I nobili, capitan. dal Prefetto Pietro e il popolo, con 12
    decarcones alla testa, si sollevano, avendo il partito
    imp. fatto elegg. Giov. XIII (965), che viene imprig.
    — Ottone I ritorna: il pp. è liber. e Roma sacchegg. nov. 966-972
I Romani si sollevano contro Ottone II, capitanati da
    Crescenzio (f. di Teodora I), Console di Roma 980.
    - Viene ucciso (giu. 973) il pp. Bened. VI. . . . giu. 973 - 958

Giordano **Pierleoni**, Gonfaloniere, coi poteri giudiziari del Prefetto, eletto capo della Repubblica con 56 senatori . . . .   1144 - 1145

Riforma del Senato dal quale sono cacciati i nobili, abolito il Patrizio, riprist. il Prefetto, i senatori invest. dal Papa, il quale riconosce la Repubb. .   1145 - 1152

Giacomo da **Vico** (Signore di Viterbo e d'Orvieto), nominato di Roma Prefetto . . . .   1146 - 1152

Nuova riforma del Senato, compon. di 100 Senat. con due Consoli, uno per affari interni, l'altro per gli esterni . . . .   1152 - 1191

La Repubb. continua ad avversare il Papa. — Predicaz. di Arnaldo da Brescia. — Interdetto lanciato su Roma . . . .   1154 - giu. 1155

Pietro I da **Vico**, f. di Giac.°, Prefetto, poi (1167), Giov. suo f., pure Prefetto . . . .   1158 - 1178

Accordo tra il Papa e l'Imp., che rinunzia alle sue pretese su Roma. — Aless. III è riconosc. legitt. Papa e principe indipend. di Roma; egli torna a nomin. i Prefetti. (Tratt. di Venezia) . . . .   1° ag. 1177

Pietro II, f. di Giov. I, Prefetto. — Si sottomette al Papa, 1198 . . . .   1186 - 1228

Rivoluz. popol. — Il Senato, divenuto aristocr. è abolito. — Elez. di un solo Senat. Benedetto Carissimus o Carus Homo, plebeo, (dep. 1193) - Demoliz. di Tuscolo e fine di quella potente famiglia . .   1191 - 1193

Giovanni Capoccio, nobile, sen. 1193 - 95; poi .... Pierleoni, sen. dal 1195 . . . .   1193 - 1195

Nuova rivoluz. popol. — È riprist. il Senato, con 56 sen. quasi tutti baroni feud., con un Prefetto   1197

Scotto Paparone, sen. unico, nominato dal popolo   1198

Innocenzo III elegge un *Mediano*, il quale nom. un nuovo senat. che giura fedeltà al Papa   1198

Pandolfo della Suburra, nom. senatore dal Papa . .   1199 - 1204

Gregorio **Pierleoni** Rainerio, nominato senatore dal Papa . . . .   apr. - rin. nov. 1204

I Romani formano un governo di *Buoni Uomini*, opposto a quello creato dal Papa   1204

Il Papa nom. ancora 56 Senatori . . . . .   nov. 1204 - apr. 1205

Pandolfo della Suburra, sen. nom. dal Papa .   apr. 1205 - 1207 (?)

Giov. di Leone, 1207; Gentile, 1212; Giov. del Giudice, 1213, senatori . . . .   1207 c. 1213

Pietruccio di Settisolio, Giovanni degli Alberteschi, Guido Buonconte, senatori . . . .   1213 - 1215

Pandolfo, f. di Gian Pietro Giudice, sen.   1216

Nicola di Parenzi, 1217; Lorenzo de Processu, 1218; Stefano Malabranca, 1219, senatori . . . . . .   1217 - 1219

Giac. di Ottone di Franc., poi Parenzo de' Parenzi, sen.   1220

La Repubb. elegge un Senat. forestiero, con ampi poteri:
Brancaleone degli Andalò, C.^e di Casalecchio, ghi-
bell., sen. e cap. del pop. [Promuove la Costituz.
delle Arti] . . . . ag. 1252 - ag. 1254
[Jacopo Capoccio e Buonconte de' Monaldeschi, sen. . . . 1255]
[Martino della Torre, di Milano, sen.. . . . . . 1256 rin. s. a.]
Emanuele de Madio bresc. guelfo, *creatura dei nobili*, sen. 1256 - 1257
Le Arti cacciano i nobili dal gover. e mettono in fuga il
Papa. – Brancaleone degli Andalò è richiam. . 1257 - † 1258
Castellano degli Andalò, zio di Brancaleone, eletto dal
popolo . . . . 1258 - dep. primav. 1259
Due senat. romani: Napoleone Orsini e Riccardo degli
Anibaldi, el. dal Papa 1259
Giovanni Savelli e Anibaldo Anibaldi, sen. . . v. 1260 - apr. 1261
Governo provvisorio dei *Boni Homines* incaric. di rived.
gli statuti, riord. la città, elegg. i senatori . . . 1261 - 1263
Pietro IV, nip. di Pietro III Vico, Prefetto . . . 1262 - † 1268
Carlo I d'Anjou (re di Sicilia 1265), el. senat. pel Papa
dal partito guelfo. Entra in Roma 1265 e 28 6
riceve la investitura di Roma, di Napoli e la
corona . . . . ag. 1263 - rin. magg. 1266
Luca Savelli, padre di papa Onorio IV, sen. . . 1266 - † s. a.
Il pop. insorge e costit. un gover. democr. di 26 Boni
Homines con Angelo Capocci ghibell. per capit.
Don Arrigo, f. di Ferdinando III di Castiglia,
el. sen. . . . . 1267 - ag. 1268
Carlo I d'Anjou, *di nuovo* sen.. . . . 16 sett. 1268 - 16 sett. 1278
Pietro V da Vico, f. di Pietro IV, prefetto . . . . 1272 - 1302
Matteo Rossi-Orsini II, el. sen. da Papa Nicolò III, suo fr. 1278
Nuova costituz. del Papa, che stabil. non potersi elegg.
Senatore alcun princ., imp., conte straniero. . 18 lugl. 1278
Giov. Colonna I e Pandolfo Savelli, el. sen . . . ott. 1279 - 1280
Pietro de' Conti e Gentile Orsini, f. di Bertoldo, sen. . . . 1280
Carlo d'Anjou, re di Sicilia, *di nuovo* senat. – Filippo
di Lavena, Guglielmo l'Etendard e Goffredo de
Dragona pro-senat. . . . . 1281-22 genn. 1284
Il popolo, capitanato dagli Orsini, insorge e ricostituisce
il gov. popolare. – Giovanni di Cencio Malabranca,
parente degli Orsini, el. Capitano e difensore di
Roma. – Governa la città col Senatore e col Priore
delle Arti (1282). – Si ritorna ai due Senatori ro-
mani (1284): Annib. Annibaldi e Pandolfo Savelli 1284 - 1285
Pandolfo Savelli e Annibale Transmundo, sen. 1285
Papa **Onorio IV**, † 1287, el. sen. a vita. – Gentile Orsini
sen. dal 1286 . . . . 1285 - 1287
Bertoldo Orsini I, nip. di pp. Niccolò III, C.^e di Romagna, sen. . . . . dic. 1288 - 1289
Orso Orsini I e Niccolò de' Conti, sen. . . . . sett. 1288

Nicola Conti e Luca Savelli, sen. . . . . genn. 1290

Giovanni Colonna I, sen. e signore di Roma . . . . . sett. 1290

Pandolfo Savelli, *di nuovo* sen. 1291

Stefano Colonna I, C.° di Romagna e Matteo Rinaldo
    Orsini, sen. 1292

Agapito Colonna e un Orsini, sen. . . . . mar. 1293

Pietro Raineri de' Stefaneschi ed Eude di S. Eusta-
    chio, sen. . . . . ott. 1293 - 1294

Tommaso da San-Severino, C.° di Marsico, sen. 1294

Ugolino de' Rossi di Parma, sen. 1295

Pietro de' Stefaneschi e Andrea Romano di Trastev., sen. . . 1296

Pandolfo Savelli, *di nuovo* el. sen. dal pp. 13 mar. 1297 - 1298 († 1306)

Eude o Oddone di Sant'Eustacchio, sen. 1298

Riccardo Annibaldi e Gentile Orsini, sen. 1300

Giacomo Napol. Orsini e Matteo Rinaldi Orsini, sen. . . giu. 1302

Guido de Pileo, sen. . . . . 19 genn. 1303

Gli Orsini, guelfi, si fanno padroni di Roma 1303

Tebaldo, f. di Matteo Orsini e Alessio Bonavent., sen. . 11 giu. 1303

Gen ile Orsini e Luca Savelli, sen. 1304

Viene eletto un *Capitano del popolo* (1) con tredici *An-
    ziani* ed un *Senatore*, Paganino della Torre . . 1305 - 1306

Gentile Orsini e Stefano Colonna II, sen. . . . 2° semestre 1306

Pietro Savelli e Giovanni Normanni, sen. per 6 mesi . 9 mar. 1307

Pietro Savelli e Giovanni Cerese, sen. . . . . ag. 1307

Riccardo degli Annibaldi e Giov. Colonna . 1° nov. 1307 - 1308

Giac. Sciarra Colonna e Giac. Savelli, sen. . . . . . 15 apr. 1308

Manfredi, fr. di Pietro V da Vico, Prefetto. . . . 1308 - † 1337

Papa Clemente V trasferisce la sede del papato ad
    Avignone . . . . 21 mar. 1309

Giovanni Pietro de' Stefaneschi e Tebaldo di S. Eu-
    stachio, sen. . . . . 27 giu. e 13 sett. 1309

Fortebraccio Orsini e Giovanni degli Annibaldi, se-
    natori . . . . 1310 - dep. 19 mag. 1310

Il Papa lascia libera facoltà ai Romani di darsi il go-
    verno che desiderano 1310

I nobili si oppongono alle mire di Arrigo VII di re-
    staurare l'impero. – Gli Orsini, alleati con Roberto
    di Napoli, occup. Cas'el S. Angelo e Tras'evere. . . . 1310

Luigi di Savoia (Riccardo Orsini e Giov. Annibaldi
    vicari), sen. . . . . 1° ag. 1310 - nov. 1311 (2)

Giovanni di Savigny, cap. del pop. 1312

Nuova ricostituzione del governo in forma affatto de-
    mocratica, escludendo del tutto i nobili 1312

---

(1) Il bolognese Giovanni *de Ygiano* o *de Lignano*. V. GREGOROVIUS, Storia di Roma, volume VI, pag. 9.

2) C. FRASCHETTI, Luigi di Savoia, Senatore di Roma, Roma, 1902.

Tumulto popolare. – Giacomo Arlotti de' Stefaneschi, el.
cap. del popolo con un Consiglio di 26 Buoni Uomini, poi sen. . . . . 1312 - 1313
Frances. Orsini e Giac. Sciarra Colonna, sen. . . . . . ott. 1312
I nobili fuorusciti abbattono il gover. popol. ponendo
fine al partito ghibell. – L'Orsini e Sciarra Co-
lonna *di nuovo* sen. . . . . fine febb. 1313
Roberto d'Anjou, re di Napoli, el. sen. dal Papa, gov.
in suo nome . . . . 1314 - 1326
Vicari regi: Poncello Orsini 1314; Guglielmo Scarrer
1314-15; Gentile Spinola 1315; Tebaldo Orsini e
Riccardo Anibaldi 1316; Rinaldo de Lecto 1317;
Nicolò de Jamvilla e Roberto de Lentino 1318;
Giov. Alkerutii Bobonis, poi Guglielmo Scarrer
1319-20; Giordano Orsini e Stef. Colonna II 1320;
Annibale Riccardi e Riccardo Orsini 1321; Giov.
Savelli e Paolo de' Conti 1322; Stef. de' Conti e
Stef. Colonna I, poi Bertol. Orsini II e Stef. Co-
lonna I 1323; Bertran. de Baux, Gugl. Eboli, An-
nib. di Ricciardo, Giov. de' Stefaneschi, Buccio di
Processu e Orsino Orsini 1324; Franc. Bonaventura
e Giov. de' Conti 1324-25; Giac. Savelli 1325; Ro-
mano Orsini e Riccar. Frangipani, poi Franc.
dell'Anguillara 1326.
Il popolo insorge: forma un nuovo governo democrat.
– Giac. Sciarra Colonna, ghibell., cap. del pop.,
con un Consiglio comunale di 52 popolani, poi
Giac. Savelli, sen. . . . . v. apr. 1327 - rin. ag. 1328
Lodovico IV° il Bavaro, (cor. imp. da Sciarra Colonna
17 genn.) el. senat.e e cap. del popolo . 11 genn. - 4 ag. 1328
Castruccio Castracani degli Antelminelli (sign. di Pisa
e Lucca 1328), vic. imp. e sen. . . . 18 genn. - 1° febb. 1328
Rainero della Faggiuola, f. di Ugo, sen. . . . . . . magg. 1328
Cade il governo democr. – Nuovo gov. di sen. nobili, 4 ag. 1328 - 1338
Bertoldo Orsini e Stef. Colonna, sen. inviati dal Papa . 8 ag. 1328
Roberto d'Anjou, re di Napoli, *di nuovo* sen. . 18 ag. 1328 - 1333
Guglielmo di Eboli e Novello di Monte Scabioso, vic.
regi . . . . 18 ag. 1328 - 4 febb. 1329
Napol. Orsini III, e Stef. Colonna I, sindaci del pop. . 4 febb. 1329
Bertoldo Orsini III, C.e di Nola e Bertoldo di Poncello
Orsini, vic. regi, poi sen. . . . . giu. 1329
Giovanni d'**Anjou**, C.e di Gravina, fr. del re di Napoli,
sen. e vic. regio 1330
Buccio di Gio. Savelli e Franc. de' Stefaneschi, vic. regi . . 1331
Stef. Colonna I e Niccolò Stefano de' Conti, vic. regio . . . 1332
Simone de Sangro, vic. regio e Raimondo di Loreto,
pro-senatore . . . . 1333 - 34
Riccardo Fortebraccio Orsini e Giac. Colonna, sen. giu. a sett. 1335

Commissari delegati dal popolo 1336

Patrasso C.° dell'Anguillara e Anibaldo Anibaldi, vic.
regi (4 mar.). – Stef. Colonna e Orso dell'Anguill., sen. . . . 1337

Papa **Benedetto XII**, el. dal popolo senatore e capit.
a vita. . . . . lugl. 1337 - apr. 1342

Giacomo di Cante dei Gabrielli e Bosone Novello dei
Raffaelli da Gubio, senat. delegati dal Papa . . 15 ott. 1337

Si eleggono 13 Priori delle Arti, un Gonfaloniere di Giustizia e un Capit. del popolo 1338

Il Papa nomina ancora due Senatori. 1338

Matteo Orsini e Pietro Colonna, sen. pel Papa 2 ott. 1338 - lugl. 1339

Sommossa popolare. Nuovo governo democratico (1338-
42), Giordano Orsini e Stefano Colonna, rettori . . . lugl. 1339

Tebaldo di S. Eustachio e Martino de' Stefaneschi,
sen. pel Papa . . . . 1° mar. - 1° sett. 1340

Orso dell'Anguillara e Giordano Orsini, sen. fino a sett.
1341, poi Franc. Orsini e Paolo Niccolò degli Anibaldi, poi Franc. Savelli e l'Anibaldi. 1341

Papa **Clemente VI**, el. sen. a vita . . . . . 1342 - 6 dic. 1352

Stef. Colonna e Bertol. Orsini, vic. 1342, poi Matteo
Orsini e Paolo Conti, sen. . . . . . 1312 - 1343 - lugl. 1344

Giordano Orsini e Giov. Colonna, sen. . . . 1° lugl. - 31 dic. 1344

Bertol. Orsini e Orso dell'Anguill. (1° sem.); poi Rai-
naldo Orsini e Nicola Anibaldi (2° sem.) 1345

Orso Orsini e Nicola Conti (1° sem.), poi Nicola Anibaldi e Giord. Orsini (2° sem.) 1346

Roberto Orsini e Pietro di Agapito Colonna (1° sem.) . . . 1347

Rivoluz. popolare. – **Cola Rienzi** (Gabrini), el. Tribuno
e dittatore del pop. « *liberatore della Sacra Repubblica Romana* » . . . . 19 mag. - dep. 15 dic. 1347

È ripristinata l'autorità del Papa . . . . 19 dic. 1347

Bertoldo Orsini e Luca Savelli, sen. pel Papa . . . . gen. 1318

Nicola de Zancato cav. di Anagni e Guido Francesco
Orsini, sen. 1349

Pietro Colonna Giordani e Giov. Orsini, poi Rinaudo
Orsini e Stefanello Colonna (el. 14 sett.) . . 1350 - febb. 1351

Rivoluz. popolare. – Giov. **Cerroni** capitano e dittatore pel popolo . . . . 26 dic. 1351 - sett. 1352

Bertoldo Orsini e Stefanello Colonna, sen., non approv.
dal Papa, che manda a Roma il Card. di Albornoz
a riprist. lo Stato della Chiesa 1352

Giovanni Orsini e Pietro Sciarra, sen. 1352

Francesco **Baroncelli**, el. tribuno e dittatore . 14 sett. - dic. 1353

L'Albornoz ottiene il gov. di Roma 1353

Guido Giordani Patrizi (Guido dell'Isola), sen. pel papa 1353 - 1354

Cola Rienzi, eletto senatore, riprende il governo in
Roma, ... 5 ag. - ucciso 8 ott. 1354

---

(1) Col Tolomei incomincia la serie dei Senatori forestieri, che si rinnovano di sei in sei mesi, avversi ai nobili.

(2) I Riformatori, imitaz. dei Priori di Firenze, erano eletti di tre in tre mesi fra i popolani. Appaiono nel 1360. La milizia era stata ricomposta popolarm. sotto due Banderesi, imitaz. dei Gonfalonieri di Firenze che dovevano sostenere i Riformatori, abbattere i nobili e difendere la Repubblica. V. VILLARI, Saggi storici, Bologna, 1890.

(3) *Conservatores Camerae Urbis*, cioè un consiglio municipale fornito di podestà giudiziaria ed amministrativa. V. GREGOROVIUS, Storia di Roma, Venezia, 1875, vol. VI, pag. 507.

Bernardo Corrado de' Monaldeschi d'Orvieto, sen. 1369 - lugl. 1370

Il Papa Urbano V ritorna ad Avignone (ove muore 19 dic.) - apr. 1370

Governo dei tre Conservatori col potere politico dei Riformatori . . . . lugl. 1370 - 1371

Vengono ripristinati i Banderesi con nome di *Executores Justitiae*, e i quattro Antepositi, che si chiamar. « *Consiliarii* ». – Papa **Gregorio XI** el. sen. a vita; Giov. de Malavolti di Siena, sen., el. dal papa . . . 1371

Raimondo de' Tolomei di Siena (2° sem.), sen. 1372

Pietro de Marina da Recanati (1° sem.); Fortunato Rainoldi da Todi (2° sem.), sen. 1373

Antonio da San Raimondo (1° sem.), sen. 1374

Francesco C.e di Campello di Spoleto (2° sem.), sen. 1375

Simeone de' Tommasi di Spoleto (2° sem.) sen. 1376

Giovanni Cenci è nomin. Capitano del popolo, con potere supremo nel Patrim. e nella Sabina . . . . febb. 1376

Governo dei Banderesi coi Conservatori, gli Esecutori, gli Antepositi e i due Consigli. . . . . 1376 - 1377

Papa Gregorio XI trasferisce la sede dei Papi da Avignone a Roma . . . . 17 genn. 1377

Gomez Albornoz, nip. di Egidio, poi Guido de Prohinis, sen. . . . . 1377 - 1378

Papa Urbano VI Signore di Roma . . mar. 1378 - † 15 ott. 1389

Tommaso da San Severino, sen. 1378, poi Conservatori e Banderesi . . . . 1378 - 1379

Guglielmo *de Morıamanis*, di Napoli, poi Brancaccio di Bonaccorsi di Monte Melone, poi Bart. de Riccomanno di Siena, sen. . . . . 1378 - 1379

Giov. Cenci, romano, poi Pietro Lante di Pisa, sen. 1380 - 81, poi Ragante de Tudinis di Massa, sen. 1380 - 1381

Tommaso Minotti de Angelellis, di Bologna, sen. el. 23 lugl. 1382

Conservatori e Banderesi . . . . 1383-89 e 1389-91

Damiano Cattaneo, di Genova, sen. 1389, poi Gio. Cenci, romano, sen. . . . . 1389 - 1392

Conserv. e Banderesi 1393 - ag. 1398. – Ang. Alaleoni, vice-sen. 1398

È abolito *di nuovo* l'ufficio dei Banderesi. – Si ritorna al Senat. forestiero coi tre Conservat. Malatesta de' Malatesti di Rimini, el. sen. da papa Bonifacio IX, sig. di Roma . . . . ag. 1398

Angelo Alaleoni, poi Zaccaria Trevisan di Venezia, senatore 1399

Benuttino Cima, di Cingoli, poi Bartol. Carafa di Napoli (el. 28 apr.), sen. 1400

Pier Francesco de' Brancaleoni di Castel Durante, poi Ant. Avuti, C.e di Monteverde, sen. 1401

Pier Franc. De' Brancaleoni, *pred.*, senatore 1402

Riccardo d'Agnello, di Salerno, senatore 1403

Giac. di Montedolce, poi Bente dei Bentivogli, Bolog., sen. 1404-1405

Si nominano sette Governatori della libertà e della
repubblica romana . . . . ott. 1404 - 1405
Francesco Panciatichi di Pistoja, sen. . . . . . . 30 ott. 1405
Pier Franc. de' Brancaleoni di Cast. Durante, sen. 5/11 1406 - 1407
Gio. Cima da Cingoli, sen.; poi Gov.º dei tre Conservatori . 1407
È ripristinato il reggimento dei Banderesi 11 apr. - 21 apr. 1408
Ladislao re di Napoli, sign. di Roma 21 apr. 1408 - 4 genn. 1410
Giannezzo Torti, sen. a nome di re Ladislao 23/4 1408 - 4/1 1410
Ruggero di Antigliola, di Perugia, sen. . . . . 15 lugl. 1410 - 1411
Riccardo degli Alidosi d'Imola, sen. . . . . 27 ag. 1411 - ag. 1412
Giacomo Paoli, C.ᵉ di Podio, di Foligno, sen. 13 ag. 1412 - 1413 (?)
Felcino de Hermannis, C.ᵉ di Monte Giuliano, sen. apr. (?) - giu. 1413
Ladislao, re di Napoil, *pred.*, sig. – Niccolò de Diano,
sen. . . . . 8 giu. 1413 - 6 ag. 1414
Giovanni Torti, poi Antonio de' Grassi, sen. 1º genn. e 4 mar. 1414
Pietro di Matuzzo, tribuno del popolo 10 sett. - dep. 26 ott. 1414
È ristaur. dal Papa il governo dei Conservatori. – Giac.
Isolani card. legato . . . . 19 ott. 1414
Riccardo degli Alidosi d'Imola, sen. . . . . . . 6 ott. 1415
Gio. Alidosi, sen. 1416
Braccio da Montone di Perugia, *defensor Urbis*. – Rug-
gero, C.ᵉ di Antigliola, sen. . . . . . . 16 giu. - 26 ag. 1417
Giovanni Spinelli di Siena, sen. . . . . 27 ag. 1417 - genn. 1418
Gover. dei tre Conservat. 1418. – Ranuccio Farnese, sen. 27 apr. 1419
Nerio Vettori di Firenze, poi Baldassare, C.ᵉ di Bar-
della d'Imola, senatori el. dal Papa . . . . 27 nov. 1420
Stefano de' Branchis, di Gubbio e Giov. Nicolai Sa-
lerno, veronese, sen. 1421
Bartol. **Gonzaga** di Mantova e Battista de' Conti di
Pianciano (podestà di Firenze 1403) sen. (1) 1422
È acclam. di nuovo la Repubb., restaur. i Banderesi
con sette Governat. della libertà . . 29 magg. - 26 ott. 1434
Dominaz. del Papa, con due sen., poi uno solo annuale,
come capo di una larva di repubb. 25 ott. 1434 - 10 febb. 1798
I Franco-Cisalpini, col gen. Berthier, occup. Roma . 10 febb. 1798
Per ordine di Napoleone I, Pio VI è rapito dal Vatic.
e condotto a Valenza . . 20 febb. 1798, ove † 29 ag. 1799
Proclamaz. della Rep. Romana. – Gov. dei Consoli 15/2 - 27/11 1798
Governo dei cinque Consoli . . . . 20 mar. - sett. 1798
Nuovo Consolato . . . . sett. - 27 nov. 1798
I Napoletani occup. Roma (27/11). – Gov. prov. 29 nov. - 12 dic. 1798
È ristabilito il Consolato . . . . 12 dic. 1798 - 24 giu. 1799
Comitato di gov. di 5 membri, Périller presid. 24 giu. - 30 sett. 1799

---

(1) Qui sospendiamo l'indicazione dei nomi de' Senatori che reggevano la Repubblica
perchè ormai di poca importanza storica. Rimandiamo quindi all'opera, già cit., del VITALE,
il quale ci dà i nomi dei senatori di Roma fino al 1765. Ultimo dei quali fu don Abbondo,
Rezzonico, nipote di papa Clemente XIII.

I Napoletani rientrano in Roma (30/9). – Gover. provv. 3 ott. 1799
I Napoletani lasciano Roma. – È ristabilito il governo
   del Papa. – Pio VII entra in Roma nel lu-
   glio 1800 . . . . 23 giu. 1800 - 2 apr. 1809
Napoleone I fa occupare Roma (2 febb.) e le legazioni
   di Urbino, d'Ancona, di Macerata e Camerino . . febbr. 1808
Pio VII esule e prigioniero a Grenoble, poi, 6 luglio
   1809, a Savona, 1812-14 a Fontainbleau 5/7 1808 - 24/5 1814
Napoleone I unisce Roma e il Lazio alla Francia 17/5 1809 - 24/5 1814
Pio VII rientra in Roma . . . . . 24 magg. 1814 - 22 marzo 1815
Gioacch. **Murat**, re di Napoli, fa occupare Roma. –
   Pio VII si ritira a Genova . . . . . 22 mar. - 22 magg. 1815
Gli Austriaci, comand. dal gen: Nugent, occup. Roma 22/5 - 2/6 1815
È restaurato il Governo del Papa 7 giugno; gli sono
   rese le provincie romane . . . . 18 lugl. 1815 - 5 febb. 1849
Apertura della Costituente (5 febb.). – Procl. della Re-
   pubb. romana; triumviri: Armellini, Montecchi,
   Saliceti, poi (29 marzo) Mazzini, Saffi, Armel-
   lini . . . . 9 febb. - 4 lugl. 1849
I Francesi ristab. a Roma il potere temporale e l'au-
   torità del Papa . . . . 14 lugl. 1849 - 20 sett. 1870
Le truppe italiane occupano Roma (gen. Cadorna) (1) 20 sett. 1870
Giunta provvisoria di governo di Roma e provin-
   cia . . . . 24 sett. - 9 ott. 1870
Roma e le provincie romane sono annesse al Regno
   d'Italia (Plebiscito 2 ott.), con decreto . . . 9 ott. 1870
La capitale d'Italia è trasferita da Firenze a Roma;
   legge . . . . 3 febb. 1871
Entrata in Roma di Vittorio Emanuele II . . . . . 2 lugl. 1871
Cessa il dissidio fra il Papa ed il Governo italiano per
   l'occup. di Roma. Firma del concord. di conciliaz. 11 febb. 1929

2. Viterbo.

... Al Papa, per donazione di re Pipino . . . . . 755 - 1095
Si regge a comune indipendente . . . . . 1095 - 3 magg. 1291
È assoggett. al Comune di Roma e giura vassallaggio
   ai Senatori . . . . 3 magg. 1291 - 1328
Silvestro **de' Gatti**, ghibellino, Signore di Viterbo (de-
   posto dall'imp. Lodovico IV) . . . . . 1328 - dep. 1329
Faziolo **di Vico**, f. nat. di Manfredi di Vico († 1337),
   Signore di Viterbo . . . . 1329 - † 1338

---

(1) Le truppe italiane erano entrate nel territorio pontificio il giorno 12 settembre occu-
pando Montefiascone e Civitacastellana (gen. Bixio) e Viterbo (gen. Ferrero). Il giorno 16
veniva occupata Civitavecchia (gen. Bixio) e il 29 dello stesso mese fu anche occupata la
città Leonina, a richiesta del Papa. – V. CASTAGNOLA, Da Firenze a Roma. Torino 1896

Giovanni I **di Vico**, f. di Manfredi *pred.*; Signore di Vi-
    terbo, Orvieto e Civitavecchia . . . . . . 1338 - 1354 († 67)
Il Card. Egidio Albornoz occupa Viterbo pel Papa . 1354 - 1375
Francesco **di Vico** . . . . 1375 - 1387
Ritorna al Papa . . . . 1387 - 1391
Giovanni II **Sciarra di Vico**, nip. di Giovanni I (dal fr.
    Sciarra), Sig. di Viterbo e Civitav. . . 1391 - 1395 († 1430)
Passa ancora ai Papi . . . . 1395 - 1413
Giovanni **de' Gatti**, poi, dal 1438, suo f.º Princivalle . 1413 - 1454
Antoniaccio **de' Gatti** . . . . 1454 - 1461
Ritorna in potere dei Papi . . . . 1461 - 12 sett. 1870
Le truppe italiane occupano Viterbo (gen.ᵉ Ferrero)
    pel re Vittorio Emanuele II . . . . 12 sett. 1870

X. CAMPANIA

1. Napoli (1).

... Agli Ostrogoti 493 - 536; – Ai Bizantini (Belisario) . 536 - 543
Agli Ostrogoti, *di nuovo* (Totila) . . . . 543 - 553
Ai Bizantini *ancora* . . . . 553 - sec. VII
Governo dei Duchi Bizantini (indip. dal 755) . sec. VII - 1027
Duchi: Basilio, 661-66; Teofilatto I, 666-70; Cosmas, 670-
    73; Andrea I, 673-77; Cesario I, 677-84; Stefano I,
    684-87; Bonello 687-96; Teodosio, 696-706; Cesa-
    rio II, 706-11; Giovanni I, 711-19; Teodoro. 719-29;
    Giorgio 729-39; Gregorio I, 740-55.
Duchi indip.: Stefano II, 755-66; Gregorio II, 767-94;
    Teofilatto II, 794-801; Antimo, 801-18; Stefano III,
    821-32; Bono, 832-34; Leone 834; Andrea II, 834-40;
    Contardo, 840; Sergio I Contardo, 840-60; Grego-
    rio III, 864-70; Sergio II, 870-77; Atanasio, 877-98;
    Gregorio IV, 898-915; Giovanni II, 915-919; Ma-
    rino I, 919-28; Giovanni III, 928-68; Marino II,
    968-75 (?); Sergio III, 975-99 (?); Giovanni IV,
    999 (?)-1002; Sergio IV, 1002-27 (V. Aversa).

---

(1) Schipa, Il Ducato di Napoli; nell'Archivio Storico della Prov. Napoletane, vol. XVII. –
Giornale dell'istoria del regno di Napoli dal 1266 al 1478, Napoli, 1770. – Giannone, Storia
civile del regno di Napoli, Milano, 1827, voll. 9. – P. Colletta, Storia del reame di Napoli
Milano, 1861, voll. 2. – Stokvis, op. cit., vol. III.

Unione al princip. di Capua, 1027-30; Sergio IV *di nuovo*,
1030-36; Giovanni V, 1036-50; Sergio V, 1050-82 (?);
Sergio VI, 1082-97 (?); Giovanni VI, 1097 (?)-1120;
Sergio VII (ultimo duca bizantino), 1120-† 1137.

Il ducato viene riunito al regno di Sicilia sotto il Normanno Ruggero II d'**Altavilla** e success. (V. Sicilia) . . . . 1137 - 2 sett. 1282

Carlo I d'**Anjou**, f. di Luigi VIII re di Francia: (C.e di Provenza 1246, sen. di Roma 1263, re di Sicilia e Napoli (1266-82) [sp. Margherita di Borgogna Nevers], re del Napoletano soltanto   sett. 1282 - † 7 genn. 1285

Carlo II, *lo Zoppo*, f. (C.e di Provenza 1285), re di Napoli (prigioniero 1285-97), regg., dur. prig. il f. Carlo Martello e l'alta direzione del Papa [sp. Maria († 1303), sor. ed erede di re Ladislao IV d'Ungheria] . . . . 7 genn. 1285 - † 5 magg. 1309

Roberto, *il Saggio*, f. (C.e di Provenza 1309) [sp. Jolanda d'Aragona, f.a di Pietro III] re, invest. dal Papa, in agosto 1309, succ. . . . . . 5 magg. 1309 - † 26 genn. 1343

Giovanna I, nipote, figlia di Carlo d'**Anjou** duca di Calabria; (C.a di Provenza 1343), succede sotto tutela, col marito Luigi di Taranto 1352-62 (1); regina di Napoli 16 genn. 1343 - dep. 26 ag. 1381 († 22/5 1382)

Luigi, *il Grande*, f. di Caroberto d'**Anjou**; (re d'Ungheria 1342, di Polonia 1370) usurp. dic. 1348 - dep. dic. 1349 († 11/9 '82)

Carlo III di **Durazzo**, *il Piccolo c della Pace*, f. di Luigi C.e di Gravina; (re d'Ungheria 1385); procl. re 2 giugno, occupa Napoli . . . . . 16 lugl. 1381 - † 24 febb. 1386

[*Luigi I d'*Anjou, *f. di Giovanni II re di Francia, competitore di Carlo III, re titolare* . giu. 1382 - († 20 sett. 1384)

Luigi II, f. di Luigi I d'**Anjou** (Conte di Provenza); re titolare di Napoli 14 luglio 1386 entra in Napoli . . . . 1o nov. 1389 - dep. febb. 1400 († 29 apr. '17)

Ladislao (*Lanzilao*), f. di Carlo III di **Durazzo**, reggente la madre Margherita fino al 1400; re nominale febb. 1386, re di fatto . . . . 10 lugl. 1400 - † 3 ag. 1414

Giovanna II d'**Anjou-Durazzo**, sorella di Ladislao (Pandolfello Piscopo d.o Alopo, † 1o ott. 1415, poi Giovanni Caracciolo, † 18/8 1432, ministri [sp. Gugl. d'Austria], succ.   3 ag. 1414, cor. 28 ott. 1419 - † 2 febb. 1435

Giacomo di **Borbone** (C.e della Marca 1393), 2o marito (1415) di Giov.a II, usurpa il trono 10/10 1415 - dep. ott. '16 (†38)

---

(1) Giovanna I sposò: 1o, il 26 sett. 1333, Andrea, f. di Caroberto d'Anjou, re d'Ungheria e Duca di Calabria, † 21 ag. 1345; 2o, nel 1346, Luigi di Taranto, † 25 maggio 1362; 3o, nel 1362, Giacomo d'Aragona, infante di Majorica, † 1375; 4o, il 15 ag. 1376, Ottone di Brunswick, † 1393. – I due ultimi non furono associati al trono.

Luigi III d'**Anjou** (D.ª di Calabria), f. di Luigi II, re
    collega di Giovanna II [sp. Margherita di Sa-
    voia] . . . . 1424 - † v. 15 nov. 1434
I Napoletani eleggono una Balìa di venti cittadini che
    govern. insieme col Consiglio regio . . . . . . 15 febb. 1435
[Renato d'**Anjou**, *il Buono*, fr. di Luigi III: (D.ª di Lo-
    rena 1431, C.ᵉ di Provenza 1434), reggente Isa-
    bella di Lorena sùa moglie, dal 18 ott. 1435 al
    19 magg. 1438; re titolare di Napoli febb. 1435
    . . . . dep. 12 giu. 1442 († 10 lugl. 1480]
Alfonso I d'**Aragona**, *il Magnanimo*, f. di Ferdinando I,
    (re d'Aragona e Sicilia 1416) re 12 giu. 1442 - † 27 giu. 1458
Ferdinando I, *il Bastardo* f. nat. [sp. Iº (1445) Isabella,
    f.ª di Tristano di Chiaramonte († 1465); IIº (1477)
    Giovanna d'Aragona († 1517), figlia di Giovan-
    ni II] re . . . . 27 giu. 1458 - † 25 genn. 1494
Alfonso II, f., re 25/1, cor. 8/5 1494 - abd. 23/1 1495 († 19/11 1495)
Ferdinando II (*Ferrandino*), f. re . . . 23 genn. - dep. 22 febb. 1495
Carlo VIII d'**Anjou**, f. di Luigi XI; (re di Francia 1483).
    (Gilberto di Montpensier, viceré) entra in Na-
    poli . . . . 21 febb. - dep. 7 lugl. 1495 († 7 apr. '98)
Ferdinando II *di nuovo* [sp. Giovanna d'Aragona, sua
    zia] re . . . . 7 lugl. 1495 - † 7 ott. 1496
Federico, figlio di Ferdinando I, *il Bastardo*; succe-
    de 7 ott. 1496, cor. 26 giu. 1497 - dep. 2 ag. 1501 († 9 sett. 1504)
Luigi XII d'**Orléans**, regg. Isabella d'Aragona, mogl. di
    Ferd. il Cattol.; (re di Francia 1498) 2/8 1501 - 14/5 '03 († 1/1 '15)
Napoli è unita al regno di Sicilia sotto Ferdinando
    il Cattolico e successori (V. Sicilia) . 14 magg. 1503 - lugl. 1707
Viceré: Consalvo di Cordova, 1504-07; Giov. d'Ara-
    gona, C.ᵉ di Ripacorsa, 1507-09; Raimondo di
    Cardona, 1509-22; Carlo di Lannoy, 1522-24; An-
    drea Carafa, C.ᵉ di S. Severina, 1524-26; Ugo di
    Moncada (regg. 1523), 1527-28; Filiberto di Chà-
    lons-Orange, 1529-30; Pompeo Colonna, 1530-32;
    Pedro di Toledo, march. di Villafranca, 1532-53;
    Card. Pedro Pacheco, march. di Villena (Pro–Vi-
    ceré 1552), 1553-55; Bern. di Mendoza, 1555;
    Fernando-Alvarez di Toledo, duca d'Alba, 1555-58;
    Federico di Toledo, Juan–Manriquez de Lara e
    Card. Bartol. de la Queva d'Albuquerque, *interin*.
    1558; Perafan di Ribera, duca d'Alcala, 1558-71;
    Card. Ant. Perrenot (Granvella), 1571-75; Iñigo
    López Hurtado di Mendoza, Princ. di Pietrapersia;
    1575-79; Juan de Zuñiga, 1579-82; Pedro Girón,
    duca d'Ossuna, 1582-86; Juan de Zuniga, C.ᵉ di
    Miranda, 1586-95; Enriquez de Guzman, C.ᵉ d'Oli-
    vares, 1595-99; Fernando-Ruiz de Castro, C.ᵉ di

Lemos, 1599-1603; Juan-Alfonso Pimentel d'Herrera, C.^e di Venevente, 1603-10. Pedro-Fernando de Castro, 1610-16; Pedro Girón duca d'Ossuna, 1616-20; Card. Gaspare Borgia, *interin*. 1620; Card. Antonio Zapata, 1620-22; Ant. Alvarez de Toledo, duca d'Alba, 1622-29; Fernando de Ribera, duca d'Alcala, 1629-31; Manuel de Guzmán, C.^e de Monterey, 1631-37; Ramiro Felipe Nuñez de Guzmán, duca di Medina las Torres, 1637-43; Juan-Alfonso Enriquez, 1644-46; Rodrigo Ponce de Leon, duca d'Arcos, 1646-48.

Sollevaz. popol. a Napoli, diretta da Tommaso Aniello, Cap. Gen. del popolo . . . . 7 lugl. - † 17 lugl. 1647

Vicerè: Juan d'Austria, 1648; Iñigo-Velez de Guevara 1648-53; Garcia d'Avelaneda y Haro, C.^e de Castrillo, 1653-59; Gaspare de Guzman, di Bracamonte, C.^e di Peñarauda 1659-64; Card. Pasquale d'Aragona, 1664-65; Pedro-Antonio d'Aragona, 1665-71; Federico di Toledo, M.^e di Villafranca, 1671-72 (p. int.); Antonio Alvarez, M.^e d'Astorga, 1672-75; Ferd. Gioac. Faxardo, M.^e de los Velez, 1675-83; Gasparo de Haro, M.^e del Carpio. 1683-87; Franc. Benavides, C.^e di S. Isteban, 1687-95; Luigi de la Cerda, duca di Medina Cœli, 1695-1702; Juan-Manuel-Fernandez Pacheco de Acuna, duca di Escalona, M.^e di Villena, 1702-07.

Carlo VI d'**Austria**, fr. dell'imp. Giuseppe I (duca di Milano 1707, imp. e re di Germania 1711, re di Sicilia 1718), re . . . sett. 1707 - dep. mar. 1734 († 20 ott. 1740)

Vicerè: Giorgio Adamo, C.^e di Martinitz, 1707; Wirico Filippo Lorenzo, M.^e di Rivoli, C.^e di Daun, 1707-8; Card. Vincenzo Grimani, 1708-10; Carlo Borromeo, C.^e d'Arona, 1710-13; C.^e di Daun, *pred.*, 1713-19; Giov. Venceslao, C.^e di Gallas, 1719; Wolfango-Annibale di Schrattenbach, Arciv. di Olmuetz, 1719-21; Marcant. Borghese, 1721-22; Card. Michele Federico d'Aithan, 1722-28; Card. Gioacch. Portocarrero, 1728; Luigi Tom. Raim., C.^e d'Harrach, 1728-33; Giulio de' Visconti, 1733-34.

Carlo VII di **Borbone**, f. di Filippo V di Spagna (duca di Parma e Piac. 1731, re di Spagna 1759), re di Napoli e Sicilia (1) 15 magg. 1734 - rin. ag. 1759 († 14 dic. 1788)

Ferdinando IV, f., regg. il minist. Bern. Tanucci (†1783), poi G. Acton († 1808) fino al 1777 [sp. (1768) Maria Carolina d'Austria († 1814), f.^a di Maria Teresa mp., re di Napoli e Sicilia . 6 ott. 1759 - dep. 23 genn. 1799

---

(1) Pel trattato di Vienna, prelim. 3 ott. 1735.

Occupazione Francese. – Repubb. Partenopea 23 gen. - 23 giu. 1799
Ferdinando IV di **Borbone**, ristab. . . . 23/6 1799 - dep. 13/2 1806
Giuseppe-Napoleone **Bonaparte**, prende possesso di
    Napoli a nome e come luogot. gen. del fr. **Napo-**
    leone I imp. . . . . 15 febb. - 30 mar. 1806
Giuseppe-Napol.ᵉ **Bonaparte** nom. re delle Due Sicilie
    [sp. Maria G. Clary di Svezia], 30 mar. 1806 - rin. 2 lugl. 1808 (1)
Gioacchino **Murat**, cognato di Napoleone I **Bonaparte**,
    avventuriero [sp. Carolina Bonaparte, † 18 mag-
    gio 1839] re . . lugl. 1808 - dep. 19 magg. 1815 († 13 ott. 1815)
Leopoldo di **Borbone** entra in Napoli e ne prende pos-
    sesso a nome del padre Ferdinando IV, 22 magg. - 2 giu. 1815
Ferdinando IV di **Borbone** (con tit. di Ferdinando I
    dal 22 dic. 1816), ristab. . . . . 2 giu. 1815 - 15 mar. 1821
Governo provvisorio, presieduto dal March. di Cir-
    cello . . . . 15 mar. - 15 magg. 1821
Ferdinando I di **Borbone** rientra in Napoli 15/5 1821 - † 4 gen. 1825
Francesco I, f., (D.ª di Puglia, poi, 1817, di Calabria)
    [sp. Maria Clem. d'Austria † 1811] re delle Due
    Sicilie . . . . 4 genn. 1825 - † 8 nov. 1830
Ferdinando II, f. |sposa Maria Cristina di Savoia
    † 1835] . . . . 8 nov. 1830 - † 22 magg. 1859
Francesco II, f., re . 22 magg. 1859 - dep. 21/10 1860 († 27/12 1894)
Il gen. Garibaldi entra in Napoli . . . . 7 sett. 1860
Decreto d'annessione delle provincie Napoletane al
    regno di Sardegna . . . . 17 dic. 1860
Entrata solenne in Napoli di S. M. Vittorio Emanue-
    le II e del gen. Garibaldi . . . . 13 febb. 1861

2. Benevento, Salerno e Capua.

Duchi, poi (758) *Principi indipendenti.*

A. Benevento (2).

.... Presa da Totila, re Ostrogoto . . . . 545 - ...
Autari, re Longobardo, se ne impadronisce e lo erige
    a Ducato, indipendente dal 758 (3) . . . . . . 590 - 839
Duchi Longobardi: Zottone, 590 - † 594. *Dinastia dei*
    Gisolfingi: Arichi I, parente di Gisulfo I, (D.ª del
    Friuli, 590) 594 - † 640 (o 641); Aione I, f., 641 -
    † 642; Radoaldo, f. di Gisulfo, duca del Friuli,
    642 - † 647; Grimoaldo I, fr. (re Longob. 662-71),

---

(1) Nominato re di Spagna 6 giugno 1808 : dic. 1813, † 28 lugl. 1844.

(2) Sɪɢᴏɴɪᴏ, Storia dei Duchi di Benevento. - Mᴏʀᴏɴɪ, Dizion. di erudiz. ecclesiastica, Venezia, 1805.

(3) Il Ducato di Benevento comprendeva l'odierna Terra di Lavoro, il contado di Molise, l'Abruzzo ulteriore e i due principati, eccettuate le terre greche al mare

647-62; Romualdo I, f., 662 - † 677; Grimoaldo II,
fr., 677 - † 680; Gisulfo I, fr., 686 - † 703; Ro-
moaldo II, f., 703 - † 729; Andelao, 729-732; Gregorio, 732-38; Godescalco, 738 - † 742; Gisulfo II,
nip. di re Liutprando, 742 - † 750; Liutprando,
750-58; Arichi II, gen.º di re Desider., *princ.* 758 -
† 788; Grimoaldo III, f., 788 - † 806 (1); Grimoaldo IV «*Storesaiz*», 806 - † 817; Licone di Aurenza,
817 - † 832; Sigardo, f., 832 - 839.

Il Principato si suddivide nei due princip. di Benevento
  e di Salerno e nella Contea di Capua . . . . .   839 - 1075
Principi indip. di Benev. Radelchi I, 839 - † 851; Ra-
delgario, f., 851 - † 854; Adelchi, 854 - † 878; Gai-
deriso, nip. 878 - dep. 881; Radelchi II 881 - dep.
884; Ajone II, 884 - † 890; Orso, f., 890 - dep. 891;
Dominaz. Greca, 891 - 895): Guido (duca di Spoleto, 895), 895 - 897; Radelchi II, *pred.*, 897 - dep.
900; Atenolfo I, 900 - † 910; Landolfo I, *Antipater*,
910 - † 943; Atenolfo II, 911 - † 940; Atenolfo III
Carinola, 933 - † 943; Landolfo II, 940 - † 961;
Pandolfo I, *Testa di ferro* (duca di Spoleto, 967),
943 - † marzo 981; Landolfo III, 959 - † 968; Landolfo IV, f. di Pandolfo *Testa di ferro*, 968 - dep.
981; Pandolfo II, cug., 981 - † 1014; Landolfo V,
f., 987 - † 1033; Pandolfo III, f. (duca di Capua,
1026), 1012 - dep. 1053; Landolfo VI, 1038 - dep.
1053; Rodolfo, 1053 - 54; Pandolfo III, *di nuovo*,
1054 - 59; Landolfo VI, *di nuovo*, 1054 - † 1077;
Pandolfo IV, f,. 1056 - † 1074.
Benevento si dà al Papa (invest. dall'imp. Enrico III
  1053 . . . .   1051 - 1078
Roberto « *il Guiscardo* » d'**Altavilla** (duca di Puglia e
  Calabria, 1059), conquista Benevento . . . . .   1078 - 1081
La città di Benev. e territ. viene data da Roberto Gui-
  scardo a Greg. VII e unita agli Stati della Chiesa   1081 - 1241
Dominaz. Sveva: Federico I d'**Hohenstaufen**, imp., (re
  di Napoli e Sicilia, 1198) toglie al Papa Benevento   1241 - 1265
Al Papa, *di nuovo* . . . .   1265 - 1408
Al regno di Napoli . . . .   1408-1418 e 1440-42
A Francesco Sforza, datagli in feudo da Giovanna II,
  regina di Napoli . . . .   1418 - 1440
Alfonso I d'Aragona, il *Magnanimo*, (re di Napoli e Si-
  cilia 1416), occupa Benevento . . . .   1442 - 1458
Al Papa, *di nuovo* (eccetto 1769 - 1774 al re di Na-
  poli) . . . .   1458 - 1806 e 1814 - 27/10 1860
Napoleone I, aggregata Benevento all'Imp., e ne fa un

---

(1) Nell'801 perde il gastaldato di Chieti, toltogli da Pipino re d'Italia, il quale lo unisce
a Spoleto.

principato a favore del C.e Talleyrand . 5 giu. 1806 - 24/5 1814
Aggregato al regno di Sardegna, poi d'Italia . . . . . 27 ott. 1860

B. Salerno.

Unita al ducato di Benevento . . . . 571 - 840
Principi Longobardi di Salerno: Siconulfo, 840 - 851;
Sicone, f., 851 - 853; Pietro, col f. Ademaro, 852 -
† 856; Ademaro, f., 852 - dep. 861; Guaifaro, 856 -
880; Guaimaro I (Waimaro), f., 877 - 901; Guaimaro II, f., assoc. col padre, 893 - 933; Gisulfo, f.,
assoc. col padre, 933 - 972; Landolfo I e Landolfo II, 972 - 974; Gisulfo I, *di nuovo*, 974 - 978;
Pandolfo I, f. di Pandolfo *Testa di ferro*, 978 - dep.
981; Pandolfo II, 974 - 981; Mansone (duca di
Amalfi), 958) e il f. Giovanni I, 981 - 983; Giovanni II, detto Lamberto, 983 - 994; Guido, f.,
983 - † 988; Guaimaro III, f. di Giovanni, 988 -
1031; Guaimaro IV (duca di Amalfi, 1039), 1018 -
1052; Giovanni III, f., 1038 - † 1042; Guido di Sorrento, 1040 - . . . .; Gisulfo II (duca di Amalfi,
1088), 1042 - 1075.
Salerno viene conquistata da Roberto Guiscardo, duca
Normanno di Puglia e Calabria e rimane unita a
questo ducato dall'anno 1077.

C. Capua

Unita al ducato di Benevento . . . . 571 - 840
Conti poi principi longob. di Capua: Landolfo I, C.e,
840 - † 842; Landone I, *Cyrrutu*, f., 842 - 61; Landone II, 861; Pando Marepahis, 861 - 62; Pandenulfo, 862; Landolfo II, 862 - 79; Pandenulfo, *di
nuovo*, 879 - 82; Landone III, 882 - 85; Pande-
nolfo I, 885 - 87; Atenolfo I, 887 - † 910; Landolfo III, *Antipater*, 901 - 43; Atenolfo II, 911 - 40;
Atenolfo III, 933 - 43; Landolfo IV, 940 - 61; Pandolfo I, 943 - 81; Landolfo V, 959 - 68; Landolfo VI,
968 - 82; Aloara, 982 - 92; Landenolfo II, 982 - 93;
Laidolfo, 993 - 99; Ademaro, 999; Landolfo VII,
999 - 1007; Pandolfo II, 1007 - 22; Pandolfo III,
(di Benev.), 1009 - 14; Pandolfo IV, 1016 - 22;
Pandolfo V, 1020 - 22; Pandolfo VI, 1022 - 26;
Giovanni, 1022 - 26; Pandolfo IV, *di nuovo* 1026 -
38; Pandolfo V, *di nuovo*, 1026 - 38; Guaimaro.
princ. di Salerno, 1038 - 47; Pandolfo IV, *di nuovo*.
1047 - 50; Pandolfo V, *di nuovo*, 1047 - 57; Landolfo VIII, 1047 - 62.

I Conti Normanni d'Aversa conquist. Capua 1058, . 1062 - 1194
Capua viene unita al regno di Napoli-Sicilia, sotto gli
   Svevi nel 1194 (V. Sicilia).

3. **Amalfi** (1).

... Unita al ducato di Napoli . . . . 553 - 837
Conquistata dal Duca di Benevento . . . . 837 - 840
Unita al principato di Salerno . . . . 840 - 859
Repubblica, governata dapprima da prefetti annuali,
   poco noti, fino all'860 c., poscia da prefetti a vita
   (*Giudici* dal 914 e *Duchi* dal 958), talora ereditari.
   E sono:
Marino I, prefetto, 859 - 73; Pulcaro, 874 - 83; Sergio
   di Leonato, 883 - 84; Sergio di Turcio, 884 - 89;
   Mansone, 890; Marino II, 890 - 96; Mansone, pref.
   spatario (col f. Mastalo dal 900), 897 - 914; Mastalo I, col tit. di giudice e patrizio imperiale, 914 -
   952; id. col f. Leone, 922 c.; id., solo 931 - 39; id.,
   col f. Giovanni, 939 - 47; id., solo, 947 - 50; poi col
   nip. Mastalo II, 950 - 52; Mastalo II, 952 - 58; Sergio I (dinast. amalfitana), Duca e patr. imper., poi
   duca col f. Mansone I, 958 - 66; Mansone I, duca,
   966 - 76; Mansone I, col f. Giovanni I, 976 - 84;
   Adelferio, col f. Sergio II, 984 - 88 c.; Mansone I,
   di nuovo, col f. Giovanni I, . . . - 1002; id., col f.
   Gio. e col nip. Sergio III, 1002 - 04; Giovanni I,
   col f. Sergio III, 1004 - 07; Sergio III, 1007 - 14;
   id., col f. Giovanni II, 1014 - 28; Giovanni II,
   1028 - 30; col f. Sergio IV, 1030 - 34; Mansone II,
   con la madre Maria, 1034 - 38; Maria, col f. Giovanni II e col nip. Sergio IV, 1039; Guaimario I
   (Longob.), [principe di Salerno], 1039 - 42; Mansone II, *di nuovo*, 1043 - 47; id., con Guaimario,
   1047 - 52; Giovanni II, col f. Sergio IV, *di nuovo*,
   1052 - 69; Sergio IV, col f. Giovanni III, 1069 -
   dep. 1073.
Normanni di Puglia: Roberto Guiscardo, col f. Ruggiero, duchi di Puglia . . . . 1073 - 1085
Ruggiero d'Altavilla, duca di Puglia . . . . 1085 - 1088
Longobardi di Salerno: Gisulfo (già Princ. di Salerno) . . . 1088
Normanni di Puglia, *di nuovo*: Ruggiero, *pred.*, duca . 1089 - 1096
Duca Nazionale: Marino Sebasto . . . . 1096 - 1100
Normanni di Puglia, *di nuovo*: Ruggiero 1, duca, col f.

(1) V. FILANGIERI DI CANDIDA C.e RICCARDO, Codice diplomatico Amalfitano, Napoli, 1917
Lavoro del quale ci siamo in parte serviti per la compilazione di questo transunto. — PANSA,
Istoria dell'antica repubb. d'Amalfi. — M. CAMERA, Memorie storiche e diplom. dell'antica città
e ducato di Amalfi, cronol. ordinate e contin. fino al sec. XVIII, Salerno, 1876.

Guiscardo, 1100 - 1108; col f. Guglielmo, 1108 - 1111;
Guglielmo, f. di Ruggiero I, duca di Puglia e Ca-
labria, succ. 1111 - † 1127.
Normanni di Sicilia: Ruggiero II, duca, 1127, (re di
Sicilia, cor. 25 dic. 1130); conquista Amalfi. 1131 - † 26/2 1154
Saccheggiata e in parte distrutta dai Pisani, Amalfi
rimane però ai Normanni (V. Sicilia) . . . . . 1135 - 1136

4. Ducato di Gaeta.

... *Comune:* Consoli dall'823 - ...; al Papa, che ne infeuda il C.e di Capua Landolfo II, ... 823 - 877
Ai Mussulmani . . . . 844 - ...
Nell'anno 877 Gaeta diventa un ducato particolare
sotto la sovranità dell'imp. d'Oriente . . . . . 877 - 1045
Duchi: Giovanni I, 877 - 933; Docibilis II, 915 - 54;
Giovanni II, f., 933 - 62; Gregorio 963 - 66; Giovanni III, 969 - ...; Marino 978 - 84; Giovanni IV,
978 - 1008; Giovanni V, 991 - 1012; Leone I, 1012 -
1015; Giovanni VI, 1012 - 40; Leone II, 1015 - 21;
Emilia, 1023 - 32; Guaimaro (C.e di Salerno 1018,
d'Amalfi 1039), 1040 - 41; Rainolfo (C.e d'Aversa
1030), 1041 - 45.
I Conti Normanni di Aversa Riccardo e Giordano, dopo
occupata Capua, s'impadroniscono anche di Gaeta,
v. 1057; Atenolfo I (C.e d'Aquino), 1045 - 58; Giordano (princ. di Capua-Aversa 1062), 1058 - 62;
Atenolfo II (C.e d'Aquino), 1062 - 64; Lando (C.e
di Traietto), 1064 - 65; Dannibaldo, 1065 - 67;
Goffredo Ridello, Normanno (C.e di Pontecorvo),
1068 - 86; Rinaldo Ridello, 1089 - 91; Landolfo,
1092 - 1103; Guglielmo, 1103 - 04; Riccardo I del-
l'Aquila, 1104 - 11; Andrea dell'Aquila, 1111 - 13;
Jonathas, 1113 - 21; Riccardo II, 1121 - 1135 . .
Ruggero II d'Altavilla, Normanno (re di Sicilia, 1113),
unisce Gaeta ai suoi Stati (V. Sicilia e Napoli) 1135-13/2 1861
La piazza forte di Gaeta, ove eransi rifugiati i reali di
Napoli, si arrende al generale Cialdini, dopo lungo
assedio, 13 febb. 1861. – Annessione di Gaeta al
Regno d'Italia . . . . mar. 1861

5. Capua e Capua - Aversa

Contea, poi (1062) *Principato.*

.. Sergio IV (duca di Napoli, 1002-27) cede ai Normanni
parte del suo territ., ove essi costruisc. poi Aversa . . . 1029
Rainolfo Quarrel, Normanno (duca di Gaeta, 1011),

C.ᵉ d'Aversa, 1030 - † 1047; Asclettin, *genero*, 1047-
† 1048; Raidolfo I, *Cappellus*, 1048; Raidolfo II,
Trincanotte, 1048 - † s. a.; Ermanno, f., (reggente
Guglielmo *Bellabocca*), 1048 - † 1050; Riccardo I,
fr. di Asclettin, *pred.* (Principe di **Capua** dal
1062), 1050 - † 1078.

6. Principato di Capua- Aversa.

Principi: Giordano I, f. di Riccardo I (duca di Gaeta
1058), 1062 - 91; Riccardo II, f., 1081 - 91; Lando IV, 1091 - 98; Riccardo II, *di nuovo*, 1098 -
† 1106; Roberto I, fr., 1107 - † 1120; Riccardo III,
f., 1120 - † s. a.; Giordano II, fr. di Roberto I,
1120 - † 1127; Roberto II, f., 1127 - 37 († d. 1156);
Anfuso, 1137 - 44; Guglielmo d'**Altavilla** (re di
Napoli e Sicilia, 1154), 1144 - 55; Roberto II, *di
nuovo*, 1155 - 56.

Il principato viene unito al regno normanno di Napoli-
Sicilia (V. Sicilia di cui segue le sorti). . . . . 1156 - 1861
Occupazione di Aversa e Capua (gen. Cialdini) in nome
di Vitt. Em. II . . . . 13 mar. 1861

XI.

1. Puglia e Calabria

Conti, poi Duchi dal 1059.

... I Saraceni, stabiliti in Sicilia, occupano le Puglie,
839 - 881. – Stabiliscono poi una colonia a Trajetto
sul Garigliano, 881 - 916. – Papa Giovanni X
guida le truppe italiane all'attacco del Garigliano
e ne scaccia i Saraceni, 916. – All'Imp. d'Oriente,
874 - 1043. – I Normanni, nel 1043, conquistano la
Puglia fondando la Contea di Puglia, poi (1060)
la Calabria, Taranto nel 1063, Matera nel 1064,
Bari nel 1071, Amalfi, Sorrento e Salerno nel 1075.
Guglielmo I, *Braccio di Ferro*, f. di Tancredi d'**Altavilla**,
proclam. a Melfi *Conte di Puglia* . . . . . 1042 - † 1046
Drogone, fr., Conte di Puglia e d'Ascoli ricon. la supremazia del princ. di Salerno, succ. . . . 1046 - † 10 ag. 1051
Umfredo, fr., Conte di Puglia, succ. . . . . . 1051 - † 1057
Roberto Guiscardo, fr., Conte (1057), poi Duca di Puglia e Calabria dal 1059 e di Sicilia dal 1061,
invest. da papà Niccolò II° a Melfi; (occupa Salerno 1075, Benevento 1078, Durazzo 1082, Canne
1083); [sp. I°, Alberada, sor. di Gerardo C.ᵉ di

Ariano, ripud. 1059; II°, Sigelgaita, f.ª di Gi-
solfo II, princ. di Salerno], succede . . . 1057 - † 17/7 1085
Boemondo, f. di Roberto Guisc.; [sp. Costanza, f.ª di
Filippo I re di Francia] . . . . 1085 - rin. 1088 († 1111)
Ruggero I, detto *Borsa*, f. [sp. Adala di Fiandra], Duca
di Puglia . . . . 1085, effett. 1088 - † 22 febb. 1101
Simone, f., C.ᵉ di Sicilia e di Calabria dal . . . . 1101 - † 1113
Guglielmo II, f. di Ruggiero I, Duca di Puglia 1111 - 30 lugl. 1127
Nel 1088 il ducato fu diviso e formò il ducato di Puglia
e Calabria e il principato di Taranto. – Entrambi
passar e ai Conti di Sicilia, per eredità, nel 1127-1137 (V. Sicilia)
Lotario II, imp., viene in Italia contro i Normanni ed
occupa parte del loro territ. nelle Puglie e in Calab. 1136 - 1137
Ruggiero II d'**Altavilla**, f. del re Ruggiero II, gran conte
di Sicilia; ricupera (1137) i possed. occup. dall'imp.
Lotario II. – Re di Puglia e di Sicilia 1130. - † 26 febb. 1149
Il Ducato di Puglia e Calabria rimane unito al Regno
di Sicilia.

2. Ducato di Bari (1).

.. Ai Bizantini, che la tolgono (554) agli Ostrogoti . . 554 - 690
Unita al Ducato di Benevento . . . . 690 - 853
Ai Saraceni, sede di un Sultanato . . . . . 852 (o 53)-871
L'Imp. Lodovico II, alleato coll'Imp. d'Oriente, se
ne impadronisce, dopo un assedio di tre anni
(868 - 871) . . . . 871 - 874 c.
All'Impero d'Oriente, che la fa capitale dell'Apulia e
vi pone (885) un luogoten. (stratigò), poi (999) un
sovrint. gen. (catapan) o gov. della provincia v. 874 - 1071
Ai Normanni. – Umfredo, poi Roberto Guisc. † 1085,
duchi di Puglia e Calabria e successori. . . . . 1071 - 1309
Rimane unita al regno di Sicilia e Napoli (Angioini poi
Aragonesi) . . . . 1309 - 9 sett. 1464
Roberto, **d'Anjou**, f. di Carlo II; (re di Napoli 1309-43)
concede in feudo Bari al suo favorito Amelio **Del
Balzo**; poi passa al nipote Roberto (princ. di Ta-
ranto, 1332), cui succ. (1364) il fr. Filippo († 1373),
poi la sorella Margherita, f.ª di Filippo d'Anjou,
princ. di Taranto, e moglie del Duca d'Andria,
Franc. del Balzo].
Per donazione della regina Giovanna I di Napoli, f.ª di
Carlo d'**Anjou**, il ducato passa a Roberto d'Artois v. 1376 - ....

(1) BONAZZI F.. Statuti ed altri provvedimenti intorno all'antico gov. municip. di Bari, napoli, 1076. – L. PEPE, Storia della successione degli Sforzeschi negli Stati di Puglia e Calabria, Bari, 1900,

Ferdinando d'Aragona, re di Napoli, fa dono di Bari,
con Palo e Modugno, a Sforza Maria **Sforza** (f.º di
Francesco I, duca di Milano) . . 9 sett. 1461 - † 29 lugl. 1479
Lodovico Maria, **Sforza** il *Moro*, fr. di Sforza Maria
(duca di Milano, 1494), invest. 14 **ag.** 1479. [Gov.ᶜᵉ
del ducato Ippolita **Sforza**] . . . . . . 1479 - † 20 ag. 1484
Padoano Macedonico, [Vice-duca di Bari, nel 1492]
14 ag. 1479 - rin. 27 apr. 1497 († 1510)
Isabella d'Aragona, vedova del Duca Gian Galeazzo
Sforza. . . . . nov. 1500 - † 11 febb. 1524
Bona **Sforza**, f. di Gian Galeazzo, duca di Milano
[sp., 1518, Sigismondo il Grande († 1/4 1548), re
di Polonia] . . . . febb. 1524 - † 20 nov. 1557
Lo Stato di Bari torna in possesso dei reali di Napoli (V. Napoli) 1558

3. Principato di Taranto.

Filippo I d'**Anjou**, f. di Carlo II re di Napoli; (II° come
    imp. tit. di CP. e princ. di Romania e di Acaja
    1307, duca di Durazzo 1315), [sp., 1313, Caterina
    di Valois, sua cugina, † 1346], principe .   1294 - † 26 dic. 1332
Roberto, f. (imp. tit. di Costantinopoli, princ. di Morea
    1346), [sp., 1347. Maria di Borbone, f.ᵃ di Luigi
    C.ᵉ di Clermont] principe . . . 26 dic. 1332 - † 16 sett. 1364
Filippo II, (III come imp. tit. di CP.), f. cadetto di
    Filippo I [sp., I, Maria d'Anjou, † 1366, vedova
    di Carlo d'Anjou, duca di Durazzo 1366; II, Eli-
    sabetta, († 1376), f. di Stefano, re di Unghe-
    ria]; (princ. d'Acaja 1370) princ.. 16 sett. 1364 - † 25 nov. 1373
Giacomo **Del Balzo**, nip., f. di Francesco, duca d'Adria
    e di Margherita d'Anjou-Taranto, sorella di Fi-
    lippo III, imp. tit. di CP., princ. di Taranto e di
    Acaja, [sp. Agnese d'Anjou-Durazzo, vedova di
    Cansignorio della Scala] . . . . 1373 - 7 lugl. 1383
Ottone di Brunswick - Grubenhagen, f. di Enrico di
    Grecia, principe . . . . 1383 - 1393 c.
Raimondello **Orsini**, marito di Maria d'Enghien-Lecce 1393 c. - 1406
Gianantonio **Orsini** di **Baux**, f., principe . . . . . 1406 - 1415
Giacomo di **Borbone-La Marche** (re di Napoli, marito
    di Giovanna II, 1415), principe . . . 1415 - 1419 (†1438)
Isabella, f. di Tristano di **Clermont**, moglie, dal 1445,
    di Ferdinando I, re di Napoli; princ. . . 1463 - † 20/3 1465
Il Principato di Taranto rimane unito al Regno di
    Napoli, di cui segue le sorti. (1)

---

(1) Principi titolari di Taranto:

Federico d'Aragona (re di Napoli 1496)	1478 - † 1504	
Carlotta d'Aragona, f.ᵃ di Feder. *pred.* [sp. (1500) Guido XVI, C.ᵉ di Laval] 1493 - † 6 ag. 1505		
Anna di Laval, princip.ᵃ di Taranto, nip. di Federico d'Aragona re di Napoli;		
sposa (1502) Francesco II, principe di Talmont	1502 - 1542	
Luigi La Trémoille D.ᵃ di Thouars	1541	
Claudio » f.	1577	
Enrico » f.	1604	
Carlo III » f. di Carlo II	1672 - 1709	
Carlo IV » f.	1709 - 1719	
Carlo V » f.	1719 - 1741	
Carlo VI » f.	1741 - 1792	
Carlo VII » f.	1792 - † 1839	
Carlo Luigi [sp. (1862) Margherita Duchatel]	1839 -	

Luigi-Carlo de la Trémoille, princ. di Taranto, figlio di Carlo Luigi, princ. di Taranto.

XII.

1. Sicilia (1).

Duchi, poi Re dal 1130.

---

(1) M. AMARI, Guerra del vespro siciliano, 9ª ediz., 1886-87, e Storia dei Musulmani in Sicilia,
Palermo, 1853-73. - R. DI GREGORIO, Considerazioni sulla storia della Sicilia dai Normanni
a noi, Palermo, 1816. - I. LA LUMIA, Storie siciliane, Palermo, 1882-83, voll. 4. - DI BLASI,
Storia del Regno di Sicilia, Palermo, 1830.
(2) Secondo l'AMARI, alla fine del sec. XI l'isola era araba più che a metà e bizantina per
quasi tutto il resto.

Tancredi, nip. dal fr. Ruggero (C.ᵉ di Lecce 1149), assoc.,
  col figlio Ruggero; re . . . . . .   16/11 1189 - † 20/2 1194
Guglielmo III, f. di Tancredi; (principe di Taranto
  1190), re . . . .   20/2 - dep. ott. o nov. 1194 († 98)
Svevi: Enrico I [VI] d'Hohenstaufen, (imp. e re di Germ.
  1191), regg. la moglie Costanza, f.ª di Ruggero II
  d'Altavilla; entra in Palermo . 25/12 1194 - † 28 sett. 1197
Federico I, f. (imp. e re di Germ. 1220), regg. la madre Costanza († 27/11 1198), poi il papa Innocenzo III, succ. . . . 28/9 1197, cor. 17/5 1198 - † 13/12 1250
Corrado I, f. (re de' Rom. 1237), regg. in Puglia e Sicilia, Manfredi di Svevia principe di Taranto, re
  di Sicilia . . . .   13/12 1250 - † 21/5 1254
Corrado II, d.º Corradino, f., regg. Bertoldo di Hohen-
  burg, poi Manfredi pred. 21/5 1254 - dep. 11/8 1258 († 29/10 1268)
Manfredi, f. nat. di Federico II imp.; (princ. di Taranto 1240), cor. re a Palermo 1258 [sp. (1247) Beatrice, f.ª di Amedeo IV di Savoia], re . 10/8 1258 - † 26/2 1266
Carlo I, C.ᵉ d'Anjou e di Provenza, f. di Luigi VIII di
  Francia; (re di Napoli sett. 1282) [sp., 1245, Bea-
  trice, f.ª di Raim.-Berengario IV di Provenza
  (V. Napoli) . . cor. re 16/2 1266 - dep. 4/9 1282 († 7/1 1285)
Sommossa a Palermo (Vespri), poi in tutta l'Isola con-
  tro i Francesi, che sono scacciati . . . 31/3 - 28 apr. 1282
Pietro I [III] d'Aragona, il Grande, gen.º di Manfredi
  e f. di Giacomo I; (re d'Aragona 1276) [sp. Co-
  stanza di Svevia, f.ª del re Manfredi]; cor. re di
  Sicilia dopo il . . . . 4/9 1282 - † 10/11 1285
Giacomo, f. (re d'Aragona 1291, di Sardegna 1324), suc-
  cede 10/11 1285, sotto la supremaz. del fr. Alfonso;
  cor. re . . . . 2/7 1290 - rin. genn. 1296 († 5/11 1327)
Federico II, fr., assoc. al f. Pietro II 19 apr. 1321; suc-
  cede . . . . 15/1 1296 - † 25/6 1337
Pietro II, figlio, associato al padre dal 1321, cui suc-
  cede [sp. Elisabetta di Enrico, D.ª di Carinz. e re
  di Boemia]. . . . . 25/6 1337 - † 15/8 1342
Luigi, fr., reggenti lo zio Giovanni († apr. 1348), poi
  Blasco d'Alagona. . . . . 15/9 1342 - † 16/10 1355
Federico III, il Semplice, fr., regg. Eufemia, sua sorella
  [sp. Costanza d'Aragona, † 1363], ott. o nov. 1355 - † 27/7 1377
Maria, f. (Artale, Alagona, Ventimiglia, Chiaramonte e
  Peralta vic. regi 1377 - 96), succ. . . 27/7 1377 - † 25/5 1402
Martino I d'Aragona, il Giovane, mar. di Maria dal
  29/11 1391, cor. re . . . 1392, solo 25/5 1402 - † 25/7 1409
Martino II, il Vecchio, f. di Pietro IV d'Aragona, e
  padre di Martino I (re d'Aragona 1395), suc-
  cede . . . . 25/7 1409 - † 31/5 1410

Vicariato di Bianca, f. di Carlo III re di Navarra, ved.
di Martino I. . . . . 31/5 1410 - 30/6 1412

Ferdinando I, *il Giusto*, f. di Giovanni I re di Castiglia;
(re d'Aragona e Sardegna 1412), el. 30 giu., assume
il governo . . . . 28/7 1412 - † 2/4 1416

Giovanni, Conte di Pegnafiel, figlio di Ferdinando I,
viceré . . . . 1415 - ag. 1416

Alfonso I, *il Magnanimo*, f., (re di Castiglia, Aragona e
Sardegna 1416, di Napoli 1442) . . . 2/4 1416 - † 27/6 1458

Viceré: Antonio Cardona e Domenico Ram, vesc. di
Lerida, 1416-19; Ferdinando Velasquez, Martino
de Torres e il Cardona, 1419-21; Giov. Podio De
Nucho, Arnaldo Ruggero de Pallas, Niccolò Casta-
gna, 1421-22; Ferd. Velasques, De Nucho e De Pallas, 1422-23; Niccolò Speciale,1423-24;Pietro, princ.
d'Aragona, 1424-25; Niccolò Speciale, 1425-29; Guglielmo Moncada e N. Speciale, 1429-30; Giov.
Ventimiglia, C.e di Gerage, N. Speciale e Gugl.
Moncada, 1430-32; Pietro Felice e Adamo Asmundo
pres. 1432-33; Pietro, princ. d'Aragona, 1435; Ruggero Paruta, 1435-39; Bernardo Requesens, 1439-
1440; Gilberto Centelles e Battista Platamon,
1440-41; Ramón Perellos, 1441-42; Lopez Ximen
de Urrea, 1445-59.

Giovanni, fr. di Alf. I, (re di Navarra 1425, di Castiglia,
Aragona, Sardegna 1458), re . . . . 27/6 1458 - † 19/1 1479

Viceré: Giov. de Moncayo, 1459-62; Gugl. Raimondo de
Moncada (inter.), 1462-63; Bernardo Requesens,
1463-64; Lopez Ximen de Urrea, 1464-75; Giov.
Moncayo (inter.), 1475; Gugl. Peralta e Gugl.
Pujades, 1475-77; Giovanni Cardona, C.e di Pra-
des, 1477-79.

Ferdinando II, *il Cattolico*, f. di Giovanni; (re d'Aragona
e Sardegna 1479, di Granata 1492, di Napoli 1503,
di Castiglia 1507, di Spagna 1512), succ. 19/1 1479-† 23/1 1516

Viceré: Gaspare de Spes, 1479-87; Raimondo Santa-
pace e José Centelles, 1487-88; Ferd. d'Acuña,
1488-94; Giov. de Lanuza, 1495-1506; Raimondo
de Cardona, 1506-09; Ugo de Moncada, 1509-16.

Carlo II [V] d'**Absburgo-Austria**, nip. di Ferd. II; (re di
Spagna 1516, di Germania e d'Austria 1519), succede . . . . 23/1 1516 - rin. 16/1 1556 († 21/9 1558)

Viceré: Ettore Pignatelli, C.e di Monteleon, 1517-34;
Simone Ventimiglia, march. di Gerace (int.), 1534-
1535; Ferd. Gonzaga, 1535-46; Ambrogio Santa-
pace, march. di Licodia (int.), 1546-47; Giov. de
Vega, 1547-57.

Filippo I, [II] figlio di Carlo II [V] (re di Spagna 1556),
    succede . . . . 16/6 1556 - † 13/9 1598
Viceré: Ferd. de Vega (int.), 1557; Giovanni della Cerda,
    duca di Medina Coeli, 1557-65; Garcia de Toledo,
    1565-66; Carlo d'Aragona, duca di Terranova (int.),
    1566-68; Franc. Ferd. d'Avalos, march. di Pescara,
    1568-71; Gius. Franc., C.e di Landriano, 1571-76 (?);
    Carlo d'Aragona, princ. di Castelvetrano, 1576-77;
    Marcant. Colonna, duca di Tagliacozzo, 1577-84;
    Giov. Alfonso Bisbal, C.e di Briatico (int.), 1584-85;
    Diego Henriquez de Guzmán, C.e d'Alba, 1585-91;
    Enrico de Guzmán, 1592-95; Giov. Ventimiglia,
    march. di Gerace, 1595-98.
Filippo II, f. di Filippo I; (re di Spagna 1598) [sp. Maria
    Margh. d'Austria-Stiria]; succede . . 13/9 1598 - † 31/3 1621
Viceré: Bernardino de Cardines, 1598-1601; Giorgio de
    Cardines (int.), 1601-02; Lorenzo Suarez de Fi-
    gueróa, duca di Feria, 1602-06; Giov. Ventimiglia,
    march. di Gerace (int.), 1606-07; Giov. Ferd. Pa-
    checo, duca d'Escalona, 1607-10; Giov. Doria, card.
    (int.), 1610-12; Pietro Girón, duca d'Ossuna, 1612-
    1616; Franc. di Lemos, 1616-22.
Filippo III, f. di Filippo II; (re di Spagna 1621) [sp.
    Isabella di Enrico IV di Francia]; succ. 31/3 1621 - † 17/9 1665
Viceré: Filiberto di Savoia, 1622-24; Card. Gio. Doria,
    1624-26; Antonio Pimentel, march. di Tavora,
    1626-27; Enrico Pimentel, C.e di Villada, 1627;
    Franc. Ferd. de la Cueva, duca d'Albuquerque,
    1627-32; Ferd. de Ribera, duca d'Alcala, 1632-35;
    Luigi di Moncada, duca di Montalto (int.), 1635-39;
    Franc. di Mello, duca di Braganza, 1639-41; Al-
    fonso-Henriquez de Caprera, C.e di Modica, 1641-
    1644; Pietro Faxardo Zuñiga Requesens, march.
    de los Velez, 1644-47; Vincenzo di Guzmán, march.
    di Montalegre (int.), 1617; Card. Teodoro Trivulzio,
    1647-48; Giovanni d'Austria, 1648-51; Rodrigo de
    Mendoza, duca d'Infantado, 1651-55; Giov. Tellez
    Girón, duca d'Ossuna, 1655-56; Franc. Gisulfo e
    Pietro Rubeo (int.), 1656; Martino di Redin, 1656-
    1657; Gian Batt. Ortiz de Spinoza (int.), 1657; Pie-
    tro Rubeo (int.), 1657-60; Ferd., C.! d' Ayala, 1660-
    63; Franc. Caetani, duca di Sermoneta, 1663-67.
Carlo III, f. di Filippo III; (re di Spagna 1665), regg.
    la madre Maria Anna d'Austria († 1696 f.a di
    Ferd.o III) fino al 1676 (?), [sp. Maria Luisa d'Or-
    léans]; succ. . . . . 17 sett. 1665 - † 1o nov. 1700
Viceré: Franc. Fernández de la Cueva, duca d'Albu-
    querque, 1667-70; Claudio Lamoral, princ. di

Ligne, 1670-74; Franc. Bazan di Benavidez (int.),
1674; Fed. di Toledo, march. di Villafranca,
1674-76; Angelo di Guzmán, march. di Castel
Rodrigo, 1676; Fr. Gattinara (int.), 1676-77; Card.
L. F. di Portocarrero (int.), 1677-78; Vinc. Gonzaga, duca di Guastalla, 1678; Franc. Benavides,
Cᵉ. di Santisteban, 1678-87; Giov. Franc. Pacecho,
duca d'Uzeda, 1687-96; Pietro Colon, duca di
Veragua, 1696-1701.

Filippo IV di Borbone, f. di Luigi delfino di Francia; (re
di Spagna 1700), succ. 1º nov. 1700 - dep. sett. 1713 († 9/7 46)

Vicerè: Giov. Eman. Fern. Pacecho de Acuna, duca
d'Escalona, 1701-02; Card. Franc. del Giudice,
1702-05; Isidoro de la Cueva, march. di Bedmar,
1705-07; Carlo Spinola, march. di Los Balbases,
1707-13.

Vittorio Amedeo (duca di Savoia e Piemonte 1675),
re (trattato di Utrecht, 11 apr.) succ. in sett. coronato . . . . 24 dic. 1713 - dep. 2 ag. 1718 († 30/10 32)

Vicerè: C.ᵉ Annibale Maffei, 1713-18.

Carlo II [VI] d'Austria, fr. di Giuseppe I, imperatore è re
di Germania ott. 1711 2 ag. 1718 - dep. lugl. 1735 († 30/10 1740)

Vicerè: Niccolò Pignatelli, 1719-22; Gioacch. Fern. Portocarrero, 1722-28; Crist. Fern. de Córdoba, 1728-34.

Carlo IV [VII] di Borbone, f. di Filippo IV re di Spagna;
(duca di Parma e Piac. 1731, re di Spagna 1759), re
di Napoli e Sicilia 15 magg. 1734 - rin. ag. 1759 († 13 dic. 1788)

Vicerè: Josè Castillo Albornoz, 1734; Pietro de Castro
Figueróa, 1734-37; Bart. Corsini, 1737-47; Eustachio
duca di Viefuille, 1747-54; Giuseppe C.ᵉ Griman,
1754-55; Arciv. Marcello Papiniano Cusani, 1755;
Giov. Fogliani d'Aragona, 1755-73.

Ferdinando III, f. di Carlo IV, regg. il min. Bernardo
Tanucci fino al 1761, succ. . . . . 5 ott. 1759 - 16 genn. 1812

Vicerè: Serafino Filangieri arciv., 1773-75; Marcantonio Colonna, 1775-81; Domenico Caracciolo,
1781-86; Franc. d'Aquino, 1786-95; Filippo López
y Royo arciv., 1795-98; Tom. Firrao, 1798; Domen.
Pignatelli arciv., 1802-03; Aless. Filangieri, 1803-06.

Francesco Gennaro, f. di Ferdinando III, vicario generale del regno . . . . 16 genn. 1812 - 4 lugl. 1814

Ferdinando III, *pred.* (con tit. di Ferdinando I, re delle
due Sicilie dal 22 dic. 1816), riassume il go-
verno . . . . 4 lugl. 1814 - † 4 genn. 1825

Francesco I, figlio, reggente, poi re delle Due Sicilie [sp., 2ª moglie, 1802, Isabella di Spagna,
† 1848] . . . . 4 genn. 1825 - † 8 nov. 1820

Ferdinando II, f., *Re Bomba* [sp. Maria Crist., † 36, f.ª
 di Carlo Felice di Savoia], re . .   8 nov. 1830 - dep. genn. 1848
Insurrezione di Palermo (12 genn. 1848), poi di altre
 città dell'isola. - Governo provv., Ruggero Settimo
 presid. . . . .   genn. 1848 - 15 magg. 1849
Ferdinando II di Borbone, *di nuovo* (V. Napoli) 15/5 1849 - † 22/5 59
Francesco II, fr., re delle Due Sicilie, 22 magg. 1859,
 dep. pel plebiscito . . . .   21 ott. 1860
Rivoluz. a Palermo provoc. da Giovanni Riso 4 apr.,
 fucil. 14 apr. 1860.
Giuseppe Garibaldi, Dittatore per Vitt. Emanuele II
 occupa Marsala, 11 magg., vittoria di Calatafimi
 15 magg.; presa di Palermo 6 giugno; vittoria di
 Milazzo 27 lugl.; presa di Messina 27 lugl. 1860.
Annessione delle prov. Siciliane al Regno Sardo, plebiscito 21 ott. e decreto . . . . 17 dic. 1860

XIII. FRANCIA
E PRINCIPALI STATI ANNESSI

1. Francia.

Prima razza – Merovingi.

Re dei Franchi Salii: Clodione . . . . 427 - † 448
Merovingi: Meroveo (Merwich), parente di Clodione . 448 - † 457
Childerico I, f. [sp. Basina, già moglie di Basino, re di
 Turingia] . . . . 457 - † 481
Clodoveo I, f., capo di una tribù dei Franchi Salii
 della Gallia Belgica, poi Re; fonda la monarch.
 franca; [sp., 493, Clotilde (S.) nip. di Gondebaldo,
 re dei Burgundi]. Vince gli Alemanni a Tolbiaco.
 496. Unisce tutta la naz. franca; succ. 481 - † 27 nov. 511
Il Regno Franco viene diviso negli Stati di: Parigi,
 Orléans, Soissons e Metz o Austrasia, tra i figli di
 Clodoveo: Teodorico (Metz), Clodomiro (Orléans),
 Childeberto (Parigi), Clotario (Soissons) . . . . . nov. 511
Teodorico I, f. di Clodoveo I, (n. 486), re d'Austrasia (1), resid. a Metz. (Conquista Turingia, 530), nov. 511 - † 534

---

(1) Paese tra la Schelda e la Saale, parte orient. del regno dei Franchi Merovingi.

Teodeberto I, f. (n. v. 504), re d'Austrasia . . . . . 534 - † 547

Teodebaldo, f., re d'Austrasia . . . . 547 - † 555

Clodomiro, f. di Clodoveo, (n. 495) re d'Orléans, . . nov. 511 - † 524

Childeberto I, fr. (n. v. 495), re di Parigi 511, di Borgogna 534 . . . . nov. 511 - † 23 dic. 558

Clotario I, fr. (n. 497); re di Soissons 511, d'Orléans 526,
di Borgogna 534, d'Austrasia 23 dic. 558, unendo
tutti i dominii dal 23 dic. 558 . . . nov. 511 - † 10 nov. 561

Cariberto I, f., (n. 521), re di Parigi. . . . . 10 nov. 561 - † 567

Gontranno I, fr. (n. v. 525), re di Borgogna e d'Orléans . . . . 10 nov. 561 - † 28 mar. 593

Sigeberto I, fr., (n. 535), re d'Austrasia [sp. Brune-
childe] . . . . 10 nov. 561 - † 575

Childeberto II, f. (n. 570), re d'Austrasia 575, di Borg.ª
e d'Orléans 28 mar. 593 . . . . . 575 - † dopo 28 febb. 597

Childerico I, fr. di Sigeberto I, (n. 539), re di Soissons
561, poi di Parigi 567 [sp. Fradegonda] 10 nov. 561 - † sett. 584

Teodeberto II (n. 586), f. di Childeb. II, re d'Austrasia 597 - † 612

Teodorico II, fr., re d'Orléans e di Borg.ª mar.-lug. 596-† d. mar. 613

Sigeberto II, f., re d'Austrasia . 613 - † d. 1º sett. 613 o fine 614

Clotario II, f. di Childerico I; re di Soissons fra 1º settem. e 18 ott. 584, rimane solo re nel 613 - † fra ott. 629 e apr. 630

Dagoberto I, f., regg. Pipino di Landen (maggiordomo
d'Austrasia) col vescovo di Metz; re d'Austrasia fra
20 genn. e 7 apr. 623, di Neustria (1), Borgogna
e Soissons . . . . 629 o 630 - † 19 genn. 639

[Cariberto II, fr. (n. 606), re d'Aquitania 630 - † 631] (V. Aquitania)

Sigeberto III (S.) (n. 630), f. di Dagoberto I; re d'Austrasia . . . . v. genn. 634 - † 1º febb. 656

Clodoveo II, fr. (n. 632), re di Neustr.ª e Borg.ª genn. 639 - † fine 657

Childeberto, f. di Grimomaldo di Pipino di Landen;
maggiordomo, poi re d'Austrasia dal . . . . . . 656 - † 657

Clotario III, f. di Clodoveo II; re di Neustria e di Borg.ª
657 (regg. la madre Batilde fino al 665), . fine 657 - † genn. 673

Childerico II (n. v. 653), f. di Clodoveo II; re d'Austrasia . . . . principio 673 - † fine 675 (?)

Dagoberto II, f. di Sigeberto III; re d'Austrasia . 674 - † 23 dic. 679

[Morto Dagoberto, l'Austrasia viene governata dai
suoi Duchi: Iº Martino, (f. di Wulfoaldo) Duca
d'Austrasia dal . . . . 679 - 687

IIº Pipino d'**Heristal**, (nip. di Pipino di Landen † 642);
fondat. della dinastia **Carolingia**, acquista potenza
come Maestro di palazzo tra i Franchi, Duca ered.
d'Austrasia dal 687 e anche di Neustria dal (688) - † 16/12 714

---

(1) Regione situata tra la Loira e la Mosa, cioè il N. O. della Gallia (V. Normandia).

Teodorico III (n. 654), f. di Clodoveo II; re di Neustria,
  poi di Borgogna . . . . fine 675 - † primav. 691
Clodoveo III (n. 682), f. di Teodorico III; re di Neu-
  stria e di Borgogna . . . . 691 - † mar. 695
Childeberto III, fr., re di Neustria e di Borg.ª, mar. 695 - † 14 apr. 711
Dagoberto III, figlio (n. v. 699), re di Neustria e di
  Borgogna . . . . 14 apr. 711 - † 24 giu. 715
Clotario IV, f. di Teodorico III (?); re d'Austrasia . 717 - † 719
Chilperico II (n. v. 670), f. di Childerico II; re d'Au-
  strasia . . . . 717 - † genn. 722
Teodorico IV (n. 713), f. di Dagoberto III; re di Neu-
  stria, Borgogna e Austrasia . . . fine 721 o genn. 722 - † 737
Interregno. — Carlo Martello, f. nat. di Pipino d'Heristal
  predetto, govern. d'Austrasia e Neustria, Duce e
  principe dei Franchi e Maggiordomo unico [sp.,
  Iº, Rotruda; IIº, Sonnechilde, princ. bavarese],
  succ. . . . . 737 - † 22 ott. 741
Childerico III, f. di Chilperico II; re (nominale) di
  Neustria, Borgogna e Austrasia 742 - dep. 3 magg. 752 († 755)

Seconda razza — **Carolingi.**

Pipino, *il Piccolo*, f. di Carlo Martello; maggiordomo
  di palazzo 747, re dei Franchi . . .   mar. 752 - † 24 nov. 768
Carlomagno, f., re di Neustria 758, di Borgogna 768,
  poi, dal 771, di tutta la monarch.; re di Lombardia
  magg. 774; cor. Imper. Romano 25 dic. 800, associato col fr. Carlomanno 768-71. [sp. Ildegarda
  771-38] . . . . 24 nov. 768 - † 28 genn. 814
Carlomanno, fr., re d'Austrasia, assoc. . 24 nov. 768 - † 3 dic. 771
Lodovico I, *il Pio*, f. di Carlomagno, collega del padre
  dal sett. 813 [sp., Iº, Ermengarda d'Anjou († 818);
  IIº (819), Giuditta di Baviera († 19/4 843)], succede al padre . . . . 28 genn. 814 - † 20 giu. 840
L'Impero è diviso fra i tre figli di Lodovico I: Lotario
  (imp.), Lodovico, e Carlo II (Tratt. di Verdun) . . . 843 (1)
Carlo II, *il Calvo*, f. di Lodov. I (re d'Aquitania 838),
  succ. al padre 20/6 840, re della Francia Occident.
  10/8 843, della Lorena e Borgogna cisalpina 9/9
  869, Imp. Romano 25/12 875 . . . 20 giu. 840 - † 6 ott. 877
Lodovico II, *il Balbo*, f., re d'Aquitania 866, di Neustria, Borg.ª, Lorena e Provenza. . 6 ott. 877 - † 10 apr. 879

---

(1) Il trattato di Verdun (843) divide l'Impero tra i figli di Lodovico, cioè: a Lotario (imp.
l'Italia e una striscia di territorio separante i regni di Francia e Germania dalle bocche del
Rodano a quelle del Reno (Lotaringia); a Carlo il Calvo, la Gallia occid. sino alla Mosa e a l
Rodano (Francia); a Lodovico il Germanico le regioni all'est del Reno (Germania).

Lodovico III, f., re di Neustria, succede col fr. Carlo-
mann . . . . 10 apr. 879 - † 5 ag. 882
Carlomanno II, fr., re di Aquitania e di parte della
Borgogna, succ. col fr. Lodov. III 10 apr. 879,
re di tutta la monarchia dal . . . . 5 ag. 882 - † 6 dic. 884
Carlo [III], il Grosso, f. di Lodov., il Germanico; (re di
Svevia 876, d'Italia 879, Imp. 881) [sp. Riccarda
di Scozia], succ. . 6 dic. 884 - dep. 11 nov. 887 († 13 genn. 888)
L'Impero Carolingio si scioglie nei 5 regni di Francia,
Germania, Italia, Alta Borgogna e Bassa Borgogna . . . 888
Eude (Oddone), C.e di Parigi, f. di Roberto, il Forte;
D.a di Francia 866, re (con Carlo IV 896) v. nov. 887 - † 1o/1 898
Carlo III, il Semplice, f. di Lodov. II; re di Francia,
divide il regno con Eude 896, solo, dal genn. 898,
(ered. da Lodovico IV parte della Lorena 911);
re . . . . 28 genn. 893 - dep. 15 giu. 922 († 7 ott. 929)
Roberto I, fr. di Eude; C.e di Parigi, D.a di Francia,
compet. di Carlo III re di Francia . 29 giu. 922 - † 15 giu. 923
Rodolfo, D.a di Borgogna, genero, f. di Riccardo d'Autun,
compet. di Carlo III . . . . . 13 lugl. 923 - † 15 genn. 936
[Ugo, il Grande, f. di Roberto I; C.e di Parigi, D.a di
Francia 923, tutore di Luigi IV dal 936. (Conquista
Borgogna e Neustria 943). Non regna, ma acquista
grandissima autorità . . . . giu. 923 - † 16 giu. 956]
Lodovico IV d'Oltremare, f. di Carlo III, il Semplice,
re di Francia [sp. Gerberga, † 969, f.a di Ottone I
imper.] . . . . 19 giu. 936 - † 10 sett. 954
Lotario, f., collega del padre dal 952, cor. re 12 nov. 954 - † 2 mar. 986
Lodovico V, il Neghittoso, figlio, collega del padre dal-
l'8 giu. 978, re di Francia . . . 2 mar. 986 - † 21 magg. 987

Terza razza – Capetingi.

Ugo Capeto, f. di Ugo, il Grande, C.e di Parigi, D.a 956,
poi re di Francia 987 [sp. Io, Alice, figlia di Guglielmo di Guienna; IIo, nel 970, Adelaide d'Aqui-
tania], re . . . . 3 magg. 987 - † 24 ott. 996
Roberto II, il Santo, f., [sp. Io, Berta di Corrado III
di Borgogna; IIo, Costanza d'Arles]; reggente col
padre dal 988; re . . . . 24 ott. 996 - † 20 lugl. 1031
Enrico I, f., (duca di Borgogna 1017), collega del padre
14 maggio 1027 [sp. Anna di Juroslaw, duca di
Russia], re . . . . 20 lugl. 1031 - † 4 ag. 1060
Filippo I, f., cor. re 23 magg. 1059, succ. 29 ag. 1060 - † 29 lugl. 1108
Luigi VI, il Grosso e il Battagliero, f. [sp. Adelaide, f.a di
Umberto II di Savoia], re 29 lugl., cor. 3 ag. 1108 - † 1o ag. 1137
Luigi VII, il Giovane, f., re 25 ott. 1131, succ. 1o ag. 1137 - † 18/9 1180

Filippo II, *l'Augusto*, f., [sp. Isabella, f.ª di Baldov.º V,
C.ᵉ di Hainaut], re 1/11 1179, cor. 29/5, succ. 18/9 80 - † 14/7 1223
Luigi VIII, *il Leone*, f., succ. 14 lugl., cor. 6 o 8 ag. 1223 - † 8 nov. 1226
Luigi IX, *il Santo*, f., regg. la madre Bianca, f.ª di Al-
fonso VIII di Cast.ª; succ. 8 nov., cor. 29 nov. 1226 - † 25 ag. 1270
Filippo III, *l'Ardito*, f., succ. 25 ag. 1270, cor. 15 ag. 1271 - † 6/10 1285
Filippo IV, *il Bello*, f., (re di Navarra 1284) [sp., 1284,
Giovanna II, f.ª di Enrico I di Navarra], succede
6 ott. 1285, cor. . . . . . .   6 genn. 1286 - † 29 nov. 1314
Luigi X, *il Protervo*, fr. (re di Navarra 1304) [sp. Mar-
gherita di Roberto II di Borgogna], re 1307,
succ. . . . . . .   29 nov. 1314, cor. 3 ag. 1315 - † 5 giu. 1316
Giovanni I, f. postumo, ...   nato 15 nov. - † 19 nov. 1316
Filippo V, *il Lungo*, f. di Filippo IV; (re di Navarra 1316)
regg. per Giov. I dal 17 lugl. al 19 nov. 1316 [sp.
Giovanna, f.ª di Ottone IV di Borgogna], succ.
19 nov. 1316, cor. . . . . . .   6 genn. 1317 - † 3 genn. 1322
Carlo IV, *il Bello*, fr. (re di Navarra 1322) [sp. Maria,
f.ª di Enrico VII, imper.], succede 3 gennaio,
cor. . . . .   21 febb. 1322 - † 1º febb. 1328

Capetingi – *Ramo dei* Valois.

Filippo VI, *il Fortunato*, f. di Carlo C.ᵉ di Valois; regg.
dal 1º febb. al 1º apr.: re 1º apr.; cor. 29 magg. 1328 - † 22/8 1350
Giovanni II, *il Buono*, f., succ. 22 ag., cor. 26 sett. 1350 - † 8 apr. 1364
Carlo V, *il Saggio*, f., regg. pel padre 1356-60 [sp. Giov.ª,
f.ª del D.ª Pietro di Borbone], re 8/4, cor. 19/5 1364 - † 16/9 1380
Carlo VI, *il Benamato*, f. [sp., 1385, Isabella di Baviera,
f.ª di Stef. II], re sotto regg. 19/9, cor. 4/10 1380 - † 22/10 1422
Gli Inglesi conquistano quasi tutta la Francia . . .   1415 - 1436
[*Enrico VI, f. di Enrico V d'Ing., re nominale di Francia,
regg. il duca di Bedford* 1422, cor. 17/12 - dep. 1436 († 21/5 1471)]
Carlo VII, *il Vittorioso*, f. di Carlo VI; [sp., 1422, Maria
d'Anjou, f.ª di Luigi II], 21/10 1422, cor. 7/7 1429 - † 22/7 1461
Luigi XI, f., [sp. Iº, 1436, Margher. di Scozia; IIº, 1451,
Carlotta di Savoia, figlia del duca Lodovico], suc-
cede . . . .   22 lugl., cor. 15 ag. 1461 - † 30 ag. 1483
Carlo VIII, *l'Affabile*, f., regg. Anna Beaujeu, sua so-
rella, [sp., 1491, Anna († 1514), f.ª di Franc. II di
Bretagna], succ. 30 ag. 1483, cor. 30 magg. 1484 - † 7 apr. 1498

Capetingi – *Ramo dei* Valois-Orléans.

Luigi XII, *Padre del Popolo*, figlio di Carlo, duca
d'Orléans; [sposa Anna di Bretagna, vedova di
Carlo VIII], succ. 7 apr., cor. 17 magg. 1498 - † 1º genn. 1515

Capetingi – Ramo dei **Valois-Angoulême**.

Francesco I, *Padre delle Lettere*, C.° d'Angoulême, cugino e genero di Luigi XII; [sp. Claudia, f.ª di
Luigi XII], succ.. 1° genn., cor. 25 genn. 1515 - † 31 mar. 1547
Enrico II, *il Belligero*, f., succ. 31 mar., cor. 28/7 1547 - † 10/7 1559
Francesco II, f., regg. la madre Caterina de' Medici
(† 89), f.ª di Lor.° II; succ. 10 lugl., cor. 18/9 1559 - † 5/12 1560
Carlo IX, fr., regg. Caterina de' Medici ed Ant.° di Borbone, luogot. gen.   .   5/12 1560, cor. 15/5 1561 - † 30/5 1574
Enrico III, duca d'Anjou, fr., (re di Polonia 1573-75),
[sp. Luigia, f.ª di Nicola di Lorena Mercoeur], succede   . . . .   30 magg. 1574, cor. 15 febb. 1575 - † 2 ag. 1589

Capetingi – Ramo dei **Borboni**.

Enrico IV, *il Grande*, f. di Antonio di **Borbone**; (re di
Navarra e duca di Vendôme 1572), [sp., I°, 1572,
Margherita, f.ª di Enrico II, *pred.*; II°, 1600, Maria
Medici († 3/7 1642), f.ª del G. D. Franc. I]; succ.
2 ag. 1589, cons.   . . . . .   27 febb. 1594 - † 14 magg. 1610
Luigi XIII, *il Giusto*, f., tutrice, dal 18/5 1610, la madre
Maria de' Medici fino al 2 ott. 1614, poi il Concini
(† 1617); [sp., 1615, Anna d'Austria, † 1666, f.ª di
Filippo III di Spagna]; succede 14 maggio 1610,
cons.   . . . .   17 ott. 1610 - † 14 magg. 1643
Luigi XIV, *il Grande*, f., tutrici la madre Anna d'Austria e il Card. Mazzarino fino al 5 sett. 1651 [sp.
1660, Maria Teresa, † 1683, f.ª di Filippo V di Spagna]; re, succ. 14 magg. 1643, cons. 7 giu. 1654 - † 1 sett. 1715
Luigi XV, *il Benamato*, pronip., f. di Luigi duca di Borgogna, regg. Filippo D.ª d'Orléans fino al 13/2 1723
[sp., 1725, Maria Leszczynska, † 1768, regina di Polonia], succ.   . 1° sett. 1715, cons. 25 ott. 1722 - † 10 magg. 1774
Luigi XVI, nip., f. di Luigi delfino di Francia; [sp., 1770,
Maria Ant. d'Austria, † 93, f.ª di Franc. I]; re 10/5
1774, cons.   . 11 giu. 1775 - dep. 21 sett. 1792 († 11 genn. 1793)
[*Luigi XVII, f., n.* 27/3 1785, *re nominale* 21 *genn.* 1793 - † 8 *giu.* 1795]

Prima Repubblica.

Governo della Convenzione Nazionale . 21 sett. 1792 - 26 ott. 1795
[*Luigi XVIII, fr. di Luigi XVI, re nominale dal* 1795 *al* 1804]
Governo del Direttorio Esecutivo .   26 ott. 1795 - 10 nov. 1799
Governo del Consolato provvisorio . .   11 nov. 1799 - 7 febb. 1800
Il Consolato. Napoleone **Bonaparte**, f. di Carlo p.° Console 7/2 1800
Napoleone **Bonaparte** Console a vita . .   2 ag. 1802 - 18 magg. 1804

Primo Impero, poi Regno di Francia.

Napoleone I **Bonaparte**, imp. 18 magg. 1804-31 mar. 1814 (abd. 6 apr.)
Governo provvisorio, Talleyrand presid. . . . . . 1 a 6 apr. 1814
Luigi XVIII di **Borbone**, *pred.*, re di Francia 6/4 1814 - 19/3 1815
Napoleone I imp., *di nuovo*, 10 mar. al 22 giu. 1815 († 5 magg. 1821)
[*Napoleone II, f., re nominale dal 22 giu. al 3 lugl.* 1815 († 22 *lugl.*1832)]
Commissione esecutiva . . . . 22 giu. al 7 lugl. 1815
Luigi XVIII **Borbone**, *di nuovo* . . . 8 lugl. 1815 - † 16 sett. 1824
Carlo X, fr. (C.ᵉ d'Artois), re 16/9 1824 - abd. 2/8 1830 († 6/11 1836)
Governo prov. e luogotenenza gener. del regno 30 lugl. - 9 ag. 1830
Luigi Filippo di **Borbone-Orléans**, f. del D.ᵃ Luigi Fi-
	lippo Gius. d'Orléans (già luogotenete generale),
	re . . . . . . 9 ag. 1830 - abd. 24 febb. 1848 († 26 ag. 1850)

Seconda Repubblica.

Governo provvisorio . . . . 24 febb. - 6 magg. 1848
Proclamaz. della Repubblica (gov. provv.) . 25 febb. - 6 magg. 1848
Assemblea costituente che proclama ancora la Repub-
	blica . . . . 4 magg. 1848 - 10 magg. 1848
Commissione esecutiva di 5 membri . . . 10 magg. - 28 giu. 1848
Presidenza provvisoria del Cavaignac . . . 28 giu. - 10 dic. 1848
Luigi Napoleone **Bonaparte**, nip. di Napol. I; presid.
	della Repubblica per 4 anni, poi (dicembre 1851)
	per 10 anni . . . . 10 dic. 1848 - 2 dic. 1852

Secondo impero.

Luigi Napoleone **Bonaparte** *predetto* (Napoleone III),
	proclam. imp. . 2 dic. 1852 - dep. 4 sett. 1870 († 9 genn. 1873)
Reggenza dell'imp. Eugenia Montijo, moglie di Napo-
	leone III . . . . 23 lugl. - 4 sett. 1870

Terza Repubblica (parlamentare).

Governo provvisorio della Difesa Nazionale, presid.
	Trochu, con Giul. Favre, G. Simon, L. Gam-
	betta . . . . 4 sett. 1870 - 13 febb. 1871
Assemblea Nazionale a Bordeaux . . . . 12 febb. - 11 mar. 1871
Luigi Adolfo Thiers capo del potere esec.º 17 febb. - 28 mar. 1871
Governo della Comune a Parigi . . . . . 15 mar. - 28 magg. 1871
Luigi Adolfo Thiers, *pred.*, Presidente della Repub-
	blica . . . . 31/8 1871 - rin.24/5 1873 († 3/9 77)
Maresc. Maurizio Mac-Mahon, Pres. 24/5 1873-rin.30/1 79 († 17/10 93)

Giulio Grevy, Presid. 30 genn. 1879 - rin. 1° dic. 1887 († 9 sett. 1891)
Maria Francesco Sadi-Carnot, Presid. . 3 dic. 1887 - † 25 giu. 1894
Casimiro Périer, Pres. 27 giu. 1894 - rin. 16 genn. 1895 († 12/3 1906)
Felice Faure, Presid. . . . . . . 17 genn. 1895 - † 16 febb. 1899
Emilio Loubet, Presid. . . . . . 18 febb. 1899 - rin. 17 genn. 1906
Clem. Armando Fallieres, Presid. . . 18 febb. 1906 - 18 febb. 1913
Raimondo Poincaré (el. 17/1 1913), Pres. 18 febb. 1913 - 18 feb.1920
Paolo Deschanel (el. 17/1 1920), Pres. 18 febbraio - rin. 21 sett. 1920
Alessandro Millerand, Presid. . . 23 sett. 1920 - dep. 10 giu. 1924
Gastone Doumergue, Presid. . . . . 13 giu. 1924 - . . . .

(Segue a pag. 571)

2. Aquitania (Guienna).

Re e Duchi.

Ai Visigoti 419 - 507; ai Franchi 507 - 628.
Cariberto, (f. di Clotario II † 628) **Merovingio** (V. Francia); re d'Aquitania . . . . 630 - † 631
Childerico, f., re . . . . 631 - † (?)
Boggis e Bertrando, figli di Cariberto, duchi d'Aquit.ª
e di Tolosa . . . . 637 - 688
Eude o Odone, f. di Boggis, duca . . . . . 688 - † 735
Unaldo (Hunold), f., duca . . . . 735 - abd. 745 († 774)
Vaifro (Waifar), f., duca . . . . 745 - † 2 giu. 768
Pipino, *il Breve*, re dei Franchi, f. di Carlo Martello,
unisce al reame dei Franchi l'Aquitania, giu. 768 - † 24 nov. s. a.
La signoria di Carlo Magno su Croazia, Istria, ecc.,
riconosciuta dall'imperatore d'Oriente 810
Lodovico, *il Pio*, f. (imp. 814), re di Aquit.ª . . 781 - 814 († 840)
Pipino I, f., re d'Aquitania . . . . . . dic. (?) 814 - † 13 dic. 838
Carlo I, *il Calvo*, fr. (re de' Franchi occid. 840), re . . 838 - 845
Pipino II f. di Pipino I, re d'Aquitania . . . . . . 845 - 852
Carlo I, *il Calvo*, *di nuovo* (re di Lorena 869, imp.
875), re . . . . 852 - 854 († 6/10 877)
Pipino II, *di nuovo*, re . . . . 854 - 855 († 865)
Carlo II f. di Carlo I, re. . . . . . . metà ott. 855 - † 29/9 866
Lodovico II, *il Balbo*, fr. (re di Neustria, Borgogna, Lorena 877), succ. . . . . sett. 866, cor. mar. 867 - † 10/4 879
Carlomanno, f., re (di Francia 882) di Aquitania 10/4 879 - † 6/12 884

Conti di Poitiers *e* Duchi d'Aquitania.

Abbone, nomin. C.ᵉ di Poitiers da Carlo Magno. . . . 778 - . . .
Bernardo, C.ᵉ di Poitiers . . . . 814 - † d. 830
Emenone, figlio, (Conte d'Angouleme 863) Conte di
Poitiers . . . . v. 838 - dep. 839 († 866)

Rainolfo I, f. di Gerardo C.ᵉ d'Alvernia; duca d'Aquit.
    845, succ. . . . . 839 - † 867
Rainolfo II, f., duca d'Aquitania . . . . 867 - † 890
Eble, f., C.ᵉ di Poitiers . . . . 890 - dep. 893
Ademaro, f. di Emenone, C.ᵉ di Poitiers . . . . . 893 - 902
Eble, di nuovo, C.ᵉ di Poitiers e duca d'Aquitania . 902 - † 935
Guglielmo I, *Testa di stoppa*, C.ᵉ di Poitiers e duca
    d'Aquitania . . . . 935 - abd. 963 († s. a.)
Guglielmo II, *Fierabras*, f., C.ᵉ di Poitiers e duca di
    Aquitania . . . . 963 - abd. 990 († 3/2 995)
Guglielmo III, *il Grande*, f., C.ᵉ di Poitiers e duca di
    Aquitania [rifiuta la corona offertagli dagli Ita-
    liani] . . . . 990 - abd. 1029 († 31/1 30)
Guglielmo IV, *il Grasso*, f., C.ᵉ di Poitiers e duca di
    Aquitania . . . . 1029 - † 1038
Eude o Odone, figlio, Conte di Poitiers e duca di Aqui-
    tania . . . . 1038 - † 10 mar. 1039
Guglielmo V, *l'Ardito*, f. di Guglielmo III; C.ᵉ di Poi-
    tiers e duca d'Aquitania . . . . . . 10 mar. 1039 - † 1058
Guglielmo VI, fr., C.ᵉ di Poitiers e duca d'Aquitania 1050 - † 1088
Guglielmo VII, *il Giovane*, f., C.ᵉ di Poitiers e duca
    d'Aquitania [combatte contro gli Arabi in Spa-
    gna; crociato, 1101-03] . . . . . 1088 - † 10 febb. 1127
Guglielmo VIII, f., Conte di Poitiers e Duca d'Aqui-
    tania . . . . 10 febb. 1127 - † 9 apr. 1137
Eleonora, f.ᵃ, e Luigi [VII], *il Giovane*, re di Francia,
    suo marito dal quale è ripudiata 1152 apr. 1137 - 18 mar. 1152
Eleonora, *pred.*, ed Enrico Plantageneto re d'Inghilterra
    1154, suo marito . . . . 18 magg. 1152 - rin. 1169
Riccardo I, f. (re d'Inghilt. 1189), duca 1169 - rin. 1196 († 6/4 1199)
Ottone di **Brunswick**, nip. (re de' Rom. 1198) . 1196 - 6 apr. 1199
Eleonora, *pred.*, e Giovanni I, *Senza Terra* (re d'In-
    ghilterra, (1199) succ. . . . . 6 apr. 1199 - † 1204
Giovanni I, *pred.*, solo, duca . . . . . 1204 - † 19 ott. 1216
L'Aquitania rimane unita all'Inghilterra fino al 1453
La cont. di Poitiers è confisc. dalla Francia 1427, l'Aquitania 1453
L'Aquitania è unita definitivam. alla corona francese nel magg. 1472

3. Regno di Borgogna, poi (933) d'Arles.

Gundicaro (Gontero), re dei Burgundi, fonda un regno
    sulla sinistra del Reno, capitale Worms . . . . 407 - † 437
Gundioco, f., re dei Burgundi nella parte S. E. della
    Gallia (resid. a Ginevra) . . . . 436 - † 473
Chilperico, f., assoc. al padre v. 466, succ. . . . 473 - † v. 474
Gundobaldo, fr., Patrizio e Generaliss. dell'Impero
    d'Occid. 20/8 472, succ. . . . . v. 474 - † 516

Rodolfo II, f. di Rodolfo I (re d'Italia 922-26, I re di
    Provenza (Arles) 933); re della Borg. Transjur. 912 - 11/7 937
Corrado, *il Pacifico*, f., re d'Arles . . . . lugl. 937 - † 19 ott. 993
Rodolfo III, *il Pigro*, f., re. [La Borgogna è unita alla
    Germania [dal 1032] . . . . 19 ott. 993 - † 6 sett. 1032
Corrado II, *il Salico*, f. di Enrico di Franconia e nip.
    di Ottone duca di Carinzia; (re di Germ. 1024), ered.
    da Rodolfo III il regno d'Arles 6 sett. 1032, ed
    è coron. re 2 febbr. 1033 . . . . . 6 sett. 1032 - † 4 giu. 1039
Il reame rimane unito a la Germania fino al 1213
Repubb. governata da un capo detto *Podestat*, da Con-
    soli e da un Giudice . . . . 1213 - 1251
È sottomesso da Carlo I d'Anjou C.e di Provenza . 1251 - 1257
Rimane unita alla Provenza fino al 1486
Viene unita definitivamente alla corona di Francia . nell'ott. 1486

4. Ducato di Borgogna.

Riccardo, *il Giustiziere*, C.e d'Autun, fr. di Bosone re
    della Borgogna Cisjurana, duca . . . . v. 893 - † 921
Rodolfo (Raul), figlio (re di Francia 923-36), duca;
    [sp. Emma, figlia di Roberto re di Francia]
    duca . . . . 921 - rin. 923 († 15/1 936)
Gisleberto « *de Vergy* », cognato [sp. Emma, f.a di Ro-
    berto re di Francia] (C.e dell'Alta Borgogna 952),
    duca, per cessione di Rodolfo . . . 923 - 943 († 9/4 956)
Ugo I, *il Nero*, f. di Riccardo *pred.*; (C.e dell'Alta Bor-
    gogna 915), duca . . . . 938 - rin. 943 († 17/12 952)
Ugo II, *il Grande*, padre di Ugo Capeto; (duca di Fran-
    cia 923) duca . . . . 938 - † 15/6 956
Ottone, figlio [sposa Liutgarda nipote di Riccardo
    pred.], duca . . . . 15 giu. 956 - † 3/2 965
Enrico I, *il Grande*, fr., duca . . . . 3 febbr. 965 - † 15/10 1002
Ottone-Guglielmo, nip., f. di Adalberto re d'Italia; (C.e
    dell'Alta Borgogna 995), [V. Savoia e Piemonte,
    pag. 301], duca . . . . 1002 - 1015 († 21/9 1027)
Enrico II, f. di Roberto II di Francia, *il Santo*; (re di
    Francia 1031), duca . . . . . 1015 - rin. 1032 († ag. 1060)
Roberto I, *il Vecchio*, fr., ha in feudo la Borg.a 1032-1075 († 21/3 1076)
Ugo I [III], nip. (da figlio), duca 1076 - rin. in favore
    del fr. Eude . . . . ott. o nov. 1079 († 1093)
Eude I, *Borel*, fr., duca . . . . 1079 - † 1102 o 1103
Ugo II, *il Pacifico*, f.[sp. Matilde di Turenna], duca . 1102 - † 1143
Eude II, f. [sp. Maria, f.a di Tebaldo II di Champagne,
    regg. pel f. Ugo], duca . . . . . . 1142 - † sett. 1162
Ugo III, f. [sp. Alice di Matteo I duca di Lorena;
    ripud.], duca . . . . sett. 1162 - † v. genn. 1193

Eude III, f. [sp. Alice, f.ª di Ugo di Vergy, † 51], regg.
pel f. Ugo, duca . . . . genn. 1193 - † 6/7 1218
Ugo IV, f. [sp., 1229, Iº, Iolanda di Dreux, † 1255;
IIº, Beatrice di Champagne, † 95]. D.ª 6 lugl. 1218 - † v. dic. 1272
Roberto II, f. (re titol. di Tessalonica) [sp. Agnese, f.ª
di Luigi IX di Francia], duca. . . . dic. 1272 - † mar. 1306
Ugo V, f., tutrice la madre Agnese, duca . . mar. 1306 - † 1315
Eude IV, fr. (C.e della Franca Contea 1330) [sp. Gio-
vanna di Francia, f.ª del re Filippo V], D.ª 1315 - † 1349 o 1350
Filippo I di Rouvres, nip. dal f.º; (C.e della Franca
Contea 1347), duca . . . . 1350 - † 21/11 1361
Giovanni II, di **Valois** (re di Francia) 1350) unisce il du-
cato alla monarchia francese, nov. 1361 - 6 sett. 1363 († 8/4 64)
Filippo II di **Valois**, l'Ardito, f. di Giovanni II, pred.:
(C.e della Franca Contea 1384), duca 6 sett. 1363 - † 27/4 1404
Giovanni, Senza Paura, f. (C.e di Nevers 1384, Sig. de'
Paesi Bassi 1404), duca. . . . . . 28 apr. 1404 - † 10/9 1419
Filippo III (II), il Buono, f. (Sig. de' Paesi Bassi 1419),
[sp. Isabella di Portogallo (3ª moglie), D.ª 10/9 1419 - † 15/6 1467
Carlo, il Temerario, f. (Sig. de' Paesi Bassi, C.e di Fian-
dra 1467), duca . . . . 15 giu. 1467 - † 5/6 1477
Il ducato di Borgogna viene unito alla corona di
Francia . . . . mar. 1477 - 14/1 1526
Francesco I, re di Francia, sconfitto alla batt. di Pavia
(24 febb. 1525), cede il ducato di Borg.ª a Carlo V
imp. e re di Spagna (tratt. di Madrid) 14 genn. 1526 - 5 ag. 1529
Francesco I ritorna definitivamente in possesso del
Ducato (pace di Cambron) . . . . 5 ag. 1529

5. **Provenza.**

Conti dal 926.

.... Ai Visigoti di Spagna v. 411 - 493; – ai Borgognoni
493 - 502; – agli Ostrogoti d'Italia v. 502 - 536; –
ai Franchi 536 - 879; – al regno d'Arles 879; –
Bosone, C.e d'Autun, cacciati i Franchi, fonda il
regno della Borgogna Cisjur. (Provenza o Bassa
Borgogna) 879 - † 11 genn. 887 (V. Regno di Bor-
gogna 879 - 933).
Bosone I, nip. di Bosone re della Borgogna Cisjurana;
conte . . . . 926 - † 948
Bosone II, f. di Rotboldo di Provenza, conte . . 948 - † v. 968
Guglielmo I, f.. . . . . » . . v. 968 - † v. 992
Rotboldo, fr. . . . . » . . v. 992 - † d. 1008
Guglielmo II, f. di Guglielmo I . . . . . . » . . v. 1008 - † 1018
Guglielmo III, f. di Rotboldo . . . . » . . 1018 - † 1037
Bertrando I, f. di Guglielmo II . . . . . . » . . 1018 - † v. 1054

Goffredo I, fr. conte . . . . 1018 - † v. 1063
Bertrando II, f. » . . . . v. 1063 - † 1090 o 1093
Stefanetta, vedova di Goffredo I contessa . . . 1093 - † v. 1100
Gerberga, f.ª e Gerberto, C.e di Gévaudan, d'Arles,
    di Milhaud ecc., suo marito conte . . 1100 - rin. 1º febb. 1112
Dolce I, figlia (erede della contea di Provenza), con-
    tessa . . . . . . 1º febb. 1112 - rin. 13 genn. 1113 († d. 1190)
Raimondo-Berengario I, della casa di Barcellona, marito
    di Dolce I (C.e di Barcell. 1082); 1112, solo 13 genn. 1113 - † 1131
Berengar.-Raimondo, f., [sp. Beatr. di Melgueil], C.e 1131 - †v./1 1144
Raimondo-Berengario II, il Giovane, f., [sp. Petronilla
    d'Aragona] . . . . conte 1144 - † 6 ag. 1162
Raimondo - Berengario III, f. [sp. Richilde, nip. di
    Feder. I Barbarossa] . . . . conte 1162 - †1166
Alfonso I, f. (re d'Aragona e Navarra 1162), eredita
    Provenza e Roussillon, conte 1167 - 1178 e 1185 - † 22 apr. 1196
Raimondo-Berengario IV, fr. » . . . . . . 1172 - † 5 apr. 1181
Sancio, fr. (unito col f. Nuño 1209-17), C.e 1181 - 85 e 1209 -'17 († 25)
Nuño Sanche, f. di Sancio, C.e, assieme col padre, du-
    rante la minorità di Raim.-Bereng. V, conte . . 1209 - 1217
Alfonso II, f. di Alfonso I [sp. Garsenda di Forcal-
    quier], conte . . 1189 - ott. 1193 e 1196 † ott. 1209 a Monreale
Raimondo-Berengario V, f. (nato 1205), C.e di Provenza
    e di Forcalquier [sp. Beatr. di Savoia]; C.e 1217 - † 19 ag. 1245
Beatrice, f.ª (regina di Napoli e Sicilia 1265) [sp. Carlo I
    d'Anjou 1245] . . . . 19 ag. 1245 - † lugl. 1267
Carlo I d'Anjou, f. di Luigi VIII di Francia, marito di
    Beatrice, (re di Napoli e Sic.ª 1266); genn. 1246 -† 7 genn. 1285
Carlo II, lo Zoppo, f.; (re di Napoli 1285). 7/1 1285 - † 6/5 1309
Roberto, il Saggio, f. (re di Napoli 1309) 6 magg. 1309 - † 14/1 1343
Giovanna, nip. (reg. di Napoli 1343) . 14 genn. 1343 - † 22/5 1382
Luigi I (duca d'Anjou 1356), f. di Giovanni re di
    Francia . . . . conte magg. 1382 - † 20/9 1384
Luigi II, f. (duca d'Anjou 1384). . » . 20 sett. 1384 - † 29/4 1417
Luigi III, f. (duca d'Anjou 1417) . » 29 apr. 1417 - † 24/11 1434
Renato, il Buono, fr. (duca di Lorena 1431, re di Na-
    poli 1435) . . . . conte 24 nov. 1434 - † 10/7 1480
Carlo III, nipote (Conte del Maine e duca d'Anjou
    1472) . . . . conte lugl. 1480 - † 12/12 1481
Luigi XI, re di Francia, eredita nel 1481 la Provenza,
    che viene poi unita definitiv. alla corona nell' . . ott. 1486.

6. Bretagna.

Re 843-874, Conti dall'874, Duchi dal 992.

Nominoé, re 843 . . . . v. 841 - † 851
Erispoè, f., re . . . . 851 - † 857

Salomone, nip. di Nominoé, re . . . . 857 - † 874
Pasquiten, (C.e di Vannes) e Gurvand (C.e di Rennes),
 fratelli di Erispoé, Conti . . . . 874 - † 877
Alano I, *il Grande*, f. di Pasquiten, (C.e di Vannes) conte 877 - † 907
Iudicaël I, f. di Gurvand, (C.e di Rennes), conte . . 877 - † 888
Gurmaëlon, o Wermealon, (C.e di Cornovaglia), conte . 908 - . . .
Juhel Bérenger, (C.e di Rennes), f. di Judicaël . . . v. 930 - v. 952
Alano II, *Barbatorta*, nip. di Alano I. (C.e di Nantes); C.e 937 - † 952
Drogone, f., (C.e di Nantes) . . . . » 952 - † 953
Hoel, fr., (C.e di Nantes) . . . . » 953 - † 980
Guérech, f. di Alano II (C.e di Nantes) . . . . . . » 980 - † 987
Conan I, *il Torto*, f. di Juhel, (C.e di Rennes, Duca
 992); di Bretagna . . . . 987 - † 992
Goffredo I, f., C.e di Bretagna, poi duca. . . . . 992 - † 1008
Alano III, f, duca. . . . . 1008 - † 1º ott. 1040
Conano II, f., duca . . . . 1º ott. 1040 - † 11 dic. 1066
Hoel II, genero di Alano II, duca . . 11 dic. 1066 - † 13 apr. 1084
Alano IV Fergente, f. . . . duca 13 apr. 1084 - 1112 († 13 ag. 1119)
Conano III, *il Grosso*, f. . . . » . . . . . 1112 - † 17 sett. 1148
Hoel III, f. . . . . » 17 sett. 1148 - dep. 1156
Eude C.e di Perhoet, genero di Conano III; duca . . 1148 - 1156
Goffredo d'Anjou, f. di Enrico II d'Inghilterra, *usurp.*
 [sp. Costanza, f.ª di Conano IV], duca . 1156 - † 27 lugl. 1158
Conano IV, *il Piccolo*, f. di Eude; D. 1156 - dep. 1169 († 20 febb. 1171)
Goffredo II d'Anjou, *pred.*, genº di Conano IV, D.ª 1169 - † 18/8 1186
Costanza, figlia di Conano IV, vedova di Goffre-
 do II . . . . duchessa 18 ag. 1186 - 1196 († 1201)
Arturo I, f., (C.e d'Anjou 1199), duca . . 1196 - † 3 apr. 1203
Guido di Thouars, padre di Arturo I, duca . 3 apr. 1203 » 1206
 » » » reggente . . . . » . . . . 1206 - 1213
Pietro I Mauclerc, (Cº. di Dreux) duca 1213 - 1237 († fine magg. 1250)
Giovanni I, f. . . . . » . . . . 1237 - † 8 ott. 1286
Giovanni II, f. . . . . » . . 8 ott. 1286 - † 18 nov. 1305
Arturo II, f. . . . . » . . 18 nov. 1305 - † 17 ag. 1312
Giovanni III, *il Buono*, f. . . . » . . 17 ag. 1312 - † 30 apr. 1341
Giovanni IV di Montfort, fr. . . » . . 30 apr. 1341 - † 26 sett. 1345
Carlo di Blois, nip. . . . . . . » . . 26 sett. 1345 - † 29 sett. 1364
Giovanni V, f. di Giovanni IV . . » . . 29 sett. 1364 - † 1º nov. 1399
Giovanni VI, *il Buono*, f. . . . » . . 1º nov. 1399 - † 28 ag. 1442
Francesco I, f. . . . . » 28 ag. 1442 - † 17 o 19 lugl. 1450
Pietro II, fr. . . . . duca 17 o 19 lugl. 1450 - † 22 sett. 1457
Arturo III, f. di Giovanni V » . . 22 sett. 1457 - † 26 dic. 1458
Francesco II, nip. . . . . . . » . . 26 dic. 1458 - † 9 sett. 1488
Anna, f.ª di Francesco II, moglie di Carlo VIII, poi
 di Luigi XII re di Francia . . 9 sett. 1488 - † 9 genn. 1514
Claudia, f.ª di Anna e di Luigi XII, moglie di Fran-
 cesco I re di Francia, duchessa . 9 genn. 1514 - † 20 giu. 1524
La Bretagna viene unita definitivamente alla corona
 di Francia nel 1532

7. Alsazia (1).

---

(1) A. SCHMIDT, Elsass und Lothringen, Leipzig, 1859. - SPACH, Histoire de la Basse Alsace
et de la ville de Strasbourg, Strasbourgo, 1860.

Rodolfo, f., 1259 - 1273; Alberto I, f., 1273 - 1282
e 1290 - 1298; Rodolfo II, fr., 1273 - 1290; Art-
manno, fr., 1273 - 1287; Rodolfo III, f. di Alberto I, 1298 - 1307; Leopoldo I, fr., 1307 - 1326;
Ottone, fr., 1326 - 1339; Alberto II, fr., 1326 - 1358 . 1139 - 1358

L'Alta Alsazia è venduta ai vescovi di Strasburgo . 1358 - 1631

L'Alta Alzazia è occupata dagli Svedesi (1631), che
la cedono poi alla Francia . . . . 1631 - 1634

Alla Francia, confermatagli dalla pace di Westfalia
del 1648 . . . . 1634 - 1871

Alla Germania . . . . 1871 - nov. 1918

Conti della Bassa Alsazia (Nordgau): Adalberto, (duca
d'Alsazia), C.e 680 - ...; Rutardo, 736 - 758; Udalrico I, 778 - 804; Wuraud, 817 - ...; Erkenger,
819 - ...; Rudelino, 826 - ..; Ugo I di Hohenbourg,
924 - 940; Eberardo I, 986 - 996; Ruitfredo VII
(C.e di Sundgau), 997 - ...; Ottone I (C.e di Sundgau), ...-...; Eberardo II, 1000 -1016; Wezilo,
1027 - ....; Ugo II, 1035 - 1046; Enrico I, 1052 -
1063; Gerardo, 1065 - 1074; Ugo III, 1078 - 1089;
Godfrido I di **Metz**, 1089 - 1122; Teodorico (land-
grav. 1138), 1129 - 1150; Godfrido II, 1150 - 78 (?).
— *Dominaz. imperiale,* 1178 c. - 1192. — Sigeberto
(dei Conti di Werth, 1197 - 1350), 1192 (o 1197) -
1228; Enrico II, 1228 - 1238; Enrico Sigeberto,
1238 - 1278; Giovanni I, 1278 - 1308; Ulrico II,
1308 - 1336; Giovanni II, 1336 - 1358; Federico
d'Hoettingen, 1340 - 1357; Luigi, 1348 - 1358 . . 680 - 1358

La Bassa Alsazia è venduta ai Vescovi di Strasburgo
(dal 1648 Landgravi) . . . . 1358 - 1681

Strasburgo, con altre città dell'Alsazia, sono occupate
da Luigi XIV re di Francia, conferm. dalla pace
di Ryswick, 30 ott. 1697 . . . . . 1681 - 6 febb. 1870

La Francia cede alla Germania (pace di Francoforte)
l'Alsazia e il N. E. della Lorena . . . 6 febb. 1871 - nov. 1918

L'Alsazia è restituita alla Francia (pace di Losanna) . nov. 1918

8. Lorena.

Re, poi Duchi dal 900.

Lotario (II), della casa **Carolingia**, f. dell'Imp. Lo-
taro I, eredita dal padre il paese fra Reno, Mosa
e Schelda colla Frisia. [sp. I (856) ,Teotberga, f.ª
di Bosone, ripud. 861; II (862), Gualdrada. Riprende
Teodberga 865], re . 22/9 855 (re di Borgogna 863) - † 8 ag. 869

Carlo I, *il Calvo,* zio di Lotario; (re di Francia 840, imp.
e re d'Italia 875), re . . . 8 ag., cor. 9 sett. 869 - † 6 ott. 877

Lodovico I, *il Germanico*, fr. (re di Baviera 843), associato . . . . 870 - † 28 ag. 876

Ludovico II, *il Balbo*, f. (re d'Aquitania, Francia e Borgogna), re . . . . 877 - † 10 apr. 879

Ludovico III, f. (re di Francia 879), re . 10 apr. 879 - † 5 ag. 882

Carlo II, *il Grosso*, f. di Lodov., *il Germ.*; (imp. 881, re di Francia 884, di Baviera 882, d'Italia 879), succ. . . . . 5 ag. 882 - dep. 11 nov. 887

Arnolfo, nip. (re di Germ. 887, d'Italia 894) 887 - rin. 895 († 8 dic. 899)

Sventiboldo, f. nat. . . . . 895 - dep. 900 († 13 ag. 900)

Ludovico IV, *il Fanciullo*, f. di Arnolfo, (imp. e re di Germania e di Baviera 899): duca . . . . 900 - † sett. 911

Carlo III, *il Semplice*, f. di Lodovico II; (re di Francia 893), ottiene parte della Lor.ᵃ sett. 911 - spod. 923 († 7 ott. 929)

La Lorena passa alla Germania nel 923. È governata, dal 900, dai duchi:

Reginaro o Raineri (C.ᵉ di **Hainaut** 875), duca . . 900 - † v. 916

Gisleberto, f. (C.ᵉ di Hainaut), [sp. Gerberga sorella di Ottone I imp.], duca . . . . v. 916 - † 939

Enrico I, f. di Enrico I dei **Ludolfingi** imp. e re di Germania, (duca di Baviera 947), duca . . 940 - † 1° nov. 955

Enrico II di **Hainaut**, f. di Gisleberto; duca . . . . 940 - † 943

[Ottone, (tutore di Enrico II 940-43), duca . . . 940 - † 944]

Corrado, *il Saggio*, gen.° (D.ᵃ di Franconᵃ 939), 944 - dep. 953 (†955)

Brunone di Sassonia, fr., f. di Enrico I, *l'Uccell.*, re di Germania; (Arciv. di Colonia 953, poi pp., Gregorio IV, 996), Arcid. [Divide il suo Stato in Alta e Bassa Lorena] duca . . . . 953 - 965 († 999)

Federico I, C.ᵉ di **Bar** (958), duca dell'Alta Lorena (1) 959 - 984 († 990)

Carlo I, f. di Luigi IV re di Francia; duca della Bassa Lorena. (V. Paesi Bassi del Sud) 976 - dep. v. 991 († 994)]

Tierrico I (C.ᵉ di **Bar**), f., e Beatrice, sua madre, tutrice fino al 1011, duca . . . . 984 - † 2 genn. 1026

Federico II, (C.ᵉ di **Bar**) f. duca . . . . . 2 genn. 1026 - † 1033

Gotelone (Gothelo), duca anche della Bassa Lorena 1023, tutore delle figlie di Federico II, duca . 1033 - † 1044

Goffredo, f., duca della Bassa Lorena 1065 (2), succ. . 1044 - 1045

Adalberto, (Conte d'**Alsazia**), duca dell'Alta Lorena 1047 - † 1048

Gherardo d'**Alsazia**, fr., 1° D.ᵃ ered.t dell'Alta Lor.ᵃ 1048 - † 6/3 1070

Tierrico II, f. [sp. I, Edvige di Formbach, † 1078; II, Gertrude di Fiandra, † 1126] duca 6 mar. 1070 - † 23 genn. 1115

Simone I, f. . . . . » 23 genn. 1115 - † 19 apr. 1139

Matteo I, f. . . . . » 19 apr. 1139 - † 13 magg. 1176

Simone II, f., duca . . . 13 magg. 1176 - rin. 1205 († 14/1 1207)

Federico I [III] (Ferri), fr., duca . . 1205 - rin. 1206 († 1207

---

(1) Brunone aveva diviso il suo territorio in *Alta* e *Bassa Lorena*, ponendovi a capo due Duchi. La *Bassa Lorena* nel 1190 prese nome di *Brabante*. V. Paesi Bassi del Sud.

(2) Per gli altri duchi della Bassa Lorena, veggasi la serie completa in Paesi Bassi, Brabante.

Federico II, Ferri II, f. di Federico I, duca . 1206 - † 10 ott. 1213
Tibaldo I (Dietbald), f., duca . . . . 10 ott 1213 - † mar. 1220
Matteo II, fr., duca . . . . mar. 1220 - † 24 giu. 1251
Federico III, Ferri III, f., duca . . 24 giu. 1251 - † 31 dic. 1303
Tibaldo II, f., duca . . . . . . 1° genn. 1304 - † 13 magg. 1312
Federico IV, Ferri IV, f., duca . 13 magg. 1312 - † 23 ag. 1328
Rodolfo (Raul), f. [sp. Eleonora di Bar-le-Duc, † 1332;
    II, Maria di Blois, erede di Guisa, † 1379], suc-
    cede . . . . 23 ag. 1328 - † 26 ag. 1346
Giovanni I, f. duca . . . . 26 ag. 1346 - † 1390
Carlo I, f., Connestab. di Francia, duca . 1390 - † 25 genn. 1431
Renato d'**Anjou**, f. di Luigi II, re di Napoli; (duca
    di Bar 1430, re di Provenza 1434, di Napoli
    1435) e Isabella ered. di Lorena, sua moglie, fi-
    glia di Carlo I, duchi 25 genn. 1431 - rin. 1452 (†10/7 1480)
Giovanni II, f., duca . . . . 26 mar. 1453 - † 13 dic. 1470
Niccolò I, f. . . . . » . . . . 13 dic. 1470 - † 24 lugl. 1473
Renato II, (C.e di **Vaudemont** 1470), nipote di Gio-
    vanni II, duca . . . . 24 lugl. 1473 - † 10 dic. 1508
Antonio, il *Buono*, f. [sp. Renata di Montpensier, ered.
    di Mercoeur, † 1539] . . duca . 10 dic. 1508 - † 14 giu. 1544
Francesco I, f. . . . . » . 14 giu. 1544 - † 12 giu. 1545
Carlo IV, il *Grande*, f., duca dell'Alta Lorena [sp.
    Claudia di Enrico II di Francia] 12 giu. 1545 - † 14 magg. 1608
Enrico, f. [sp. Margher. († 1632), f.a di Vincenzo I
    Gonzaga] . . . . 14 magg. 1608 - † 31 lugl. 1624
Nicolea, f.a duchessa. . . . . 1624 - 1625 († 1657)
Francesco II, fr. di Enrico [sp. Cristina, erede di Salm,
    † 1627], duca . . . . . . 1625 - abd. 26 nov. 1625 († 1632)
Carlo III, fr. duca . . . . 26 nov. 1625 - rin. 19 genn. 1634
Dominazione francese . . . . genn. 1634 - 1661
Carlo III, di *nuovo* [sp. I Beatrice di Cusance, † 1663;
    II, Maria d'Aspremont, † 92] 1661 - dep. sett. 1670 († 18/9 75)
Dominazione francese . . . .1670 - 1697 e febb. 1766 26/ 2 1871
Leopoldo di **Vaudemont**, *pronip.* di Carlo III, 1697 - † 27 mar. 1729
Francesco III Stefano, f..duca 27 mar. 1729 - rin. febb. 1736 († 1765)
Stanislao **Leszczynski**, (già re di Polonia); febb. 1736 - † 23/2 1766
La parte Nord-Est della Lorena, cioè parte dei dipar-
    timenti della Mosa e della Mosella, passa alla
    Germania (Tratt. di Francoforte) 10 magg. 1871 - 9 nov. 1918
Il N.-E. della Lorena ritor. alla Francia (tratt. di Losanna) nov. 1918

9. **Fiandra.**
Conti.

Eretta in contea dipendente dal re di Francia 862
Baldovino I, *Braccio di Ferro*. cavaliere franco, conte,
    invest. da Carlo, il *Calvo* . . . . 863 - † v. 879

Baldovino II, *il Calvo*, f., conte . . . . v. 879 - † v. 919

Arnolfo I, *il Grande* o *il Vecchio*, f., col figlio Baldovino III, collega dal 958, conte . . . . v. 919 - † 964

Baldovino III, *il Giovane*, f., collega del padre . . . 958 - † 961

Arnolfo II, *il Giovane*, nip. di Arnolfo I, conte 962 - † 23 mar. 988

Baldovino IV, *il Barbuto*, f. . . . mar. 988 - † 30 magg. 1036

Baldovino V, *il Pio*, f., tutore di Filippo I, re di
Francia conte . . . . 1036 - † 1069

Baldovino VI, *il Buono*, f., conte di Fiandra e di
Hennegau . . . . 1069 - † 1071

Arnolfo III, *lo Sfortunato*, f. conte . . . . 1071 - † 22 febb. 1072

Roberto I, *il Ricciuto*, zio conte . . . . . . 1072 - † ott. 1092

Roberto II, *il Gerosolimitano*, f. conte 1092 - † 5 ott. o 4 dic. 1111

Baldovino VII *Hapkin*, *il Severo*, f. conte 1111 - † 17 giu. 1119

Carlo I di Danimarca, *il Buono*, cugino, nip. di Roberto II e f. di Canuto IV, re di Danimarca;
conte . . . . giu. 1119 - † 2 mar. 1127

Guglielmo I Cliton, f. di Roberto II, duca di Normandia; conte . . . . 23 mar. 1127 - dep. 1128 († s. a.)

Tierrico d'**Alsazia**, nip. di Roberto I e f. di Tierrico II,
duca di Lorena; [sp. Sibilla d'Anjou], C.e 27/5 1128 - † 17/1 1168

Filippo I d' **Alsazia**, f. conte . . . 17 genn. 1168 - † 1º giu. 1191

Margherita I** d'Alsazia**, sorella di Filippo I, e Baldovino VIII, *il Coraggioso* († 95), suo mar.º, giu. 1191 - 15/11 1194

Baldovino IX [I], f. (Imp. di Costantinopoli 1204) 1194 - † 15/4 1205

Giovanna, f.ª, contessa . . . . 1205 - † 5 dic. 1244

Ferrando di Portogallo, 1º marito di Giovanna, C.e. 1211 - † 23/7 1233

Tommaso di **Savoia**, zio di Margherita 1ª, 2º marito di
Giovanna, conte . . . . 1237 - 1244 († 1259)

Margherita III, *la Nera*, sorella di Giovanna e vedova
del C.e Guglielmo di Bourbon-Dampierre, contessa 1244 - † 1279

Guido di Dampierre, f., [occup. franc. 1301-04] C.e 1279-†7 mar. 1305

Roberto III di Betunia, f., conte . . 7 mar. 1305 - † 17 sett. 1322

Luigi I di Nevers, nip., dal f. Luigi; (C.e di Nevers)
conte . . . . 1322 - † 26 ag. 1346

Luigi II di Male, f., conte . . . . . . ag. 1346 - † 9 genn. 1384

Margherita III, f.ª, [sposa (1369) Filippo *l'Ardito*, duca
di Borgogna († 27/4 1404)] C.ª . . genn. 1384 - † 16 mar. 1405

La Fiandra è unita al ducato di Borgogna . . . . 1405 - 1477

Giovanni, *Senza Paura*, (duca di Borgogna), C.e 1405 - † 10 sett. 1419

Filippo III, *il Buono*, f., (duca di Borg.ª), C.e 1419 - † 15 lugl. 1467

Carlo, *il Temerario*, f.. (duca di Borg.ª), C.e 15/7 1467 - † 5 giu. 1477

Maria, f.ª di Carlo, *il Temerario*, [sp. 1477, Massimiliano,
arcid. d'**Austria**], contessa . . . . . . 1477 - † 27 mar. 1482

Filippo IV *il Bello*, f. (Re di Castigl. 1504) 27/3 1482 - † 25/9 1506

Carlo III [V] d'**Austria**, re di Spagna, ottiene da Francesco I la sovranità sulla Fiandra, la quale diviene
feudo della Germania . . . . ag. 1529 - nov. 1659

Parte della Fiandra viene unita alla corona Fran-
cese . . . . 7 nov. 1659 - ag. 1667
Luigi XIV, re di Francia. conquista parte della Fiandra,
occupa Gand nel 1678; . . . giu.-ag. 1667 e febb. 1678 - 1713
All'Impero Germanico (la parte di Fiandra che appar-
tenne alla Spagna) . . . . 1713 - 1795
Tutta la Fiandra passa ancora alla Francia . . . . 1795 - 1814
La parte meridionale della Fiandra resta alla Francia,
il resto passa ai Paesi Bassi . . . . 1814 - 1831
Staccatosi il Belgio dall'Olanda, a questa rimane solo
la parte della Fiandra che sta presso le foci della
Schelda . . . . 1831 (V. Belgio)

10. Normandia.

Duchi.

Rollone (*Rolf, Roberto*), capo normanno, nom. duca dal
re Carlo, *il Semplice*, del paese sulla Bassa Senna,
già Neustria; [sp. Gisela (?), f.ª di Carlo *pred.*] . 912 - abd. 927
Guglielmo I, *Lungaspada*, f., duca . . . . . 927 - † 17 dic. 942
Riccardo I, *Senza paura*, f. duca . . . . . . 943 - † 20 nov. 996
Riccardo II, *il Buono*, f. duca . . . 20 nov. 996 - † 23 ag. 1026
Riccardo III, f. duca . . . . 23 ag. 1026 - † 6 ag. 1028
Roberto I, *il Diavolo*, fr. [sp. Estrida, princ. danese,
ved. di Ulf. Jarl.], duca . . . . . 6 ag. 1028 - † 2 lugl. 1035
Guglielmo II, *il Bastardo* o *il Conquistatore*, f. nat. (con-
quista l'Inghilt. 1066; duca 1035, (cor. re 25 dic.
1066) - † 9 sett. 1087
Roberto II, *Gambaron*, f. duca sett. 1087 - dep. 27 sett. 1106 († 1134)
[*Guglielmo III*, *il Rosso*, fr., *reggente* (?) . . . . 1096 - † 2 ag. 1100]
Enrico I, *il Leone* (usurpatore), fratello (re d'Inghil-
terra 1100), duca . . . . . . 27 sett. 1106 - † 1° dic. 1135
Stefano di Blois, C.ᵉ di Boulogne, nip. dalla sorella,
(re d'Inghilt. 1135) [sp. Matilde, f.ª di Eustachio,
C.ᵉ di Boulogne], duca . . . . . . dic. 1135 » - † 25 ott. 1154
Goffredo *Plantageneto* (C.ᵉ d'Anjou 1129), duca 20/1 1144 - † 7/9 1151
Enrico II, f. (re d'Inghil. 1154) . . . 7 nov. 1153 - † 6 lugl. 1189
Riccardo IV, *Cuor di Leone*, f. (re d'Inghilterra
1189), duca . . . . 6 lugl. 1189 - † 6 apr. 1199
Giovanni, *Senza terra*, fratello (V. Aquitania) (re d'In-
ghilterra 1199), duca 6 apr. 1199 - dep. 1204 († 19 ott. 1216)
Filippo II, re di Francia, toglie la Normandia agli
*Inglesi, eccetto Jersey, Guernesey ed Aurigny, che
restano all'Inghilterra* . . . . lugl. 1204 - lugl. 1346
Edoardo III, re d'Inghilterra, invade la Normandia lugl. 1346 - 1375
Carlo V di Valois, re di Francia, la ricupera 1375 e 1380 - 21/5 1420

XIV. IMPERO GERMANICO

V. anche « Tav. cron.-sincr. », pag. 245 seg.

1. Germania.

(*V. anche « Tav. cron. sincr. »*, pag. 244-284).

Re ed Imperatori.

Arnolfo, f. nat. di Carlomanno (duca di Carinzia 880,
    re di Baviera 887); re di Germania nov. 887, coron.
    a Roma dal Papa, febbraio 894, poi imperatore
    romano, 22 febbraio 896 . . . . . . nov. 887 - † 8 dic. 899
Lodovico IV, *il Fanciullo*, f., regg. Attone arciv. di Ma-
    gonza; (re di Lorena e Baviera 900), re 8/12 899 - † 24/9 911
Corrado I di **Franconia**, nip. di Arnolfo e f. di Corrado
    C.e di Langau; (D.a di **Franconia** 906), re dei Franchi
    orient. (Germ.a) 8/11 911 (re di Baviera 914) - † 23 dic. 918
Enrico I dei **Ludolfingi**, *l'Uccellatore*, f. di Ottone I
    di Sassonia; (duca di **Sassonia** 912), re 9 apr. 919 - † 2 lugl. 936
Ottone I, *il Grande*, f. (duca di Sassonia 936 re d'Italia
    961), succ. 8 ag. 936, Imp. rom. cor. 2 febb. 962 - † 7 magg. 973
Ottone II, *il Rosso*, f., re 26 magg. 961, imp., collega
    del padre dal 25/12 967. [sp. (972) Teofano († 991),
    f.a dell'Imp. d'Oriente], solo imperatore e re di
    Germania . . . . 7 magg. 973 - † 7 dic. 983
Ottone III, f., regg. la madre, 24/12 983, imp. 21/5 996 - † 23/1 1002
Enrico II, *il Santo*, pronip. di Enrico I; (duca di Ba-
    viera 995), succ. 7 giu. 1002, imp. 14 febb. 1014 - † 13 lugl. 1024
Corrado II, dei **Waiblingen**, *il Salico*, f. di Enrico di
    Franconia, succede 8 settembre 1024 (duca di Ba-
    viera e re d'Italia 1026), cor. imp. 26 mar. 1027 - † 4 giu. 1039
Enrico III di **Franconia**, *il Nero*, f. (duca di Baviera
    1027) re 4 giu. 1039, imp. rom. 1046 . . . . † 5 ott. 1056
Enrico IV, f. (duca di Baviera 1053), succ. sotto regg. 5
    ott. 1056, imp. rom. 31 mar. 1084 - dep. 31 dic. 1105 († 7 ag. 1106)

*Rodolfo di Svevia, cognato di Enrico IV, eletto re dai
ribelli* . . . . 15 mar. 1077 - † 16 ott. 1080
Ermanno, Conte di **Lussemburgo** (eletto re dai ribelli),
antirè . . . . 26 dic. 1081 - rin. 1088 († 28/9 s. a).
Corrado, f. di Enrico IV di **Franconia,** ribelle al padre,
eletto re di Germania nel 1087 (coronato re d'Italia
1093) . . . . nov. 1087 - dep. 1100 († 27 lugl. 1101)
Enrico V di **Franconia,** f. di Enrico IV; el. re di Germ.ª
6 genn. 1099, cor. re 6/1 1106, cor. imp. 13/4 1111 - † 23/5 1125
Lotario II, f. di Gebardo di Supplinburgo; (duca di **Sassonia** 1106), re cor. 13 sett. 1125, imp. 4 giu. 1133 - † 4 dic. 1137
Corrado III, fr. di Feder. di **Svevia**; (duca di Franconia
1112), re de' Romani 29 giugno 1128, re di Germania . . 7 mar. 1138 (duca di Baviera 1141) - † 15 febb. 1152 .
Enrico, f., el. re dei Romani . . 30 mar. 1147 - † fra giu. e ott. 1150
Federico I, *Barbarossa*, nip. (f. di Federico d'Hoenstaufen); d. di Svevia 1147, [sp. Beatrice di Borgogna]
re di Germ.ª e de' Rom. 5 mar. 1152, imp. 18/6 1155 - † 10/6 90
Enrico VI, *il Crudele*, f., re 15 ag. 1169, succ. 10 giu.
1190, imp. rom. 15 apr. 1191 (re di Sicilia 1194) - † 28 sett. 1197
Federico II, f., re dal giu. 1196, succede 1197, sotto
tutela della madre, (re di Sicilia 1197) cor. re de'
Romani 9 dicembre 1212 (duca di Svevia 1212),
cor. imperatore 22 nov. 1220, [dep. 17 lugl. 1245] † 13 dic. 1250
*Filippo di Svevia, f. di Feder. I; regg. per Federico II,
duca di Svevia* 1196, *re de' Rom.* 6 mar. 1198 - † 21 giu. 1208
Ottone IV di Wittelsbach, (duca di **Brunswick** 1180), f.
di Enrico duca di Baviera; cor. re di Germania
12 lugl. 1198, cor. imp. rom. 27 sett. 1209 - † 19 magg. 1218
[*Enrico*, figlio di Federico II, *duca di Svevia* 1216 ;
re competitore 8 magg. 1222 - dep. lugl. 1235 († 12 febb. 1242)]
[*Enrico Raspe, land. di Turingia* 1242, *antire* 22/5 1246 - † 17/2 1247]
Corrado IV, f. di Feder. II, regg. Manfredi di Svevia
in Italia; re de' rom. febb. 1237 (re di Sicilia
1250), re di Germania . . . . 13 dic. 1250 - † 21 magg. 1254
Guglielmo, C.e d'Olanda, f. di Fiorenzo IV (V. Paesi
Bassi), comp., re de' Rom. 29/9 1247, cor. 1°/11 1248 - † 28/1 '256
Riccardo di Cornovaglia, f. di Giovanni re d'Inghilt.;
re de' Romani, competitore . 17 magg. 1257 - † 2 apr. 1272)
Alfonso (re di Castiglia 1252), f. di Ferdin. III; re de'
Romani, competit.e 1° apr. 1257, dep. 21 ag. 1273 († 4 apr. 1284
Rodolfo I, f. del C.e Alberto IV d'**Absburgo**; re di Germania 1° ott., re dei Romani . . 28 ott. 1273 - † 15 lugl. 1291
Adolfo di **Nassau**, el. re dei Rom. e di Germ. 5/5 1292,
coronato 1° luglio 1292 - [deposto 23 giugno 1298] - † 2 lugl. 1298
Alberto I d'**Absburgo**, f. di Rodolfo I; duca d'Austria
e di Stiria 1282; re de' Rom. 27 lugl. 1298 [sp. Elisab.
(† 1313) f.ª di Mainardo V di Gor.ª], re lugl., cor. 24/8 98-†1°/5 '08

Interregno . . . . dal 1⁶ magg. al 27 nov. 1308
Arrigo VII, f. di Enrico III di Luss.°; (C.e di **Lussemburgo** 1288), re di Germ.ᵃ 27 nov. 1308, re de' Rom.
6 genn. 1309, imp. rom. cor. . . . 29 giu. 1312 - † 24 ag. 1313
Interregno di nuovo . . . . dal 24 ag. 1313 - 25 nov. 1314
Lodovico IV, *il Bavaro*, f. di Lodovico II; (duca di **Ba-
viera** 1294) re de' Romani 25 nov. 1314, cor. re a
Milano 31 magg. 1327, imp. rom. 17 genn. 1328 - † 11 ott. 1347
[*Federico III* di **Absburgo**, *il Bello*, figlio di Alberto I;
(duca d'Austria 1308), re dei Romani, competitore,
cor. 25 nov. 1314, dep. 1322; collega di Lod. IV 1325 - † 13/1 '30]
Carlo IV, C.e di **Lussemburgo**, f. di Giovanni re di Boe-
mia; re 11 lugl. 1346, succede 11 ott. 1347, cor. a
Milano 6 genn. 1355, imp. rom. . 5 apr. 1355 - † 29 nov. 1378
[*Gontiero di Schwarzburg* (linea di Blunkenburg), com-
petitore, eletto re dalla fazione bavarese contro
Carlo IV . . . 30 genn. - rinunzia 26 magg. 1349 († 14/6 s. a.)]
Venceslao [duca di **Lussemburgo** e re di Boemia (IV)],
figlio di Carlo IV; re de' Romani 1° giugno 1376,
re, succede . . . . 29 nov. 1378, dep. 22/8 1400 († 16/8 1419)
Roberto, f. di Roberto II del Palatinato; (Conte Palat.
di **Baviera** 1398), re de' Romani 21/8 1400, re di
Germania, cor. . . . . 6 genn. 1401 - † 18 magg. 1410
[*Jobst* (*Giodoco*), f. di Gio. Enrico di Lussemb.; (margr.
di Moravia 1375 e vicar. in Italia pel re Venceslao),
re dei Romani, competitore . 1° ott. 1410 - † 17 genn. 1411]
Sigismondo di **Lussemburgo**, f. di Carlo IV *pred.*; (re
d'Ungheria 1387, re de' Romani 20 sett. 1410, re
di Boemia 1419); re di Germania 21 lugl. 1411,
cor. imp. . . . . 31 magg. 1433 - † 9 dic. 1437
Alberto II di **Absburgo**, genero di Sigismondo; (duca
d'Austria 1404), re de' Romani . 18 mar. 1438 - † 27 ott. 1439
Federico III di **Absburgo**, figlio del duca Ernesto di
Stiria; (duca d'**Austria** dal 1463), re de' Romani
6 apr. 1440, re di Germ.ᵃ 2/2 1440 imp. 15 mar. 1452, - † 19/8 1493
Massimiliano I, f.; (arciduca d'**Austria** 1493), eletto re
de' rom. 9 apr. 1486 [sp. Bianca M., † 1510, f.ᵃ di
Galeazzo M. Sforza]; *Imperatore Eletto »* 10 feb-
braio 1508; succede . . . . . 19 ag. 1493 - † 12 genn. 1519
Carlo V d'**Absburgo**, nip.; (re di Spagna e di Napoli 1516,
arcid. d'Austria 1519) re de' Rom. 28 giu. 1519, cor.
imperatore rom. 26 ott. 1520 - abd. 23 ag. 1556 († 21 sett. 1558)
Ferdinando I, fr., re 5 genn. 1531, imp. 24 febb. 1556 - † 25 lugl. 1564
Massimiliano II, f., re 24 nov. 1562, imp. 25 lugl. 1564 - † 12 ott. 1576
Rodolfo II, f., el. re 27 ott. 1575, imp. 12 ott. 1576 - † 20 genn. 1612
Mattia, fr. (arciduca d'Austria 1608), re 13 giu. 1612,
cor. imp. rom. . . . . 14 giu. 1612 - † 20 mar. 1619

Ferdinando II d'**Absburgo**, nip. di Massimil. II f. di
   Carlo duca di Stiria; re ed imp. rom. 28/8 1619 - † 15/2 16377
Ferdinando III, f., eletto re de' Rom. 22 dic. 1636, imp.
   e arciduca d'Austria . . . . 15 febb. 1637 - † 2 apr. 1657
[*Ferdinando IV*, f., re de' Romani 24 magg. 1653 - † 9 lugl. 1654]
Interregno . . . . dal 2 apr. 1657 al 18 lugl. 1658
Leopoldo I, f. di Ferdin. III; (Arc. d'Austria 1657),
   re ed imp. rom. . . . . 18 lugl. 1658 - † 5 magg. 1705
Giuseppe I, f., re de' Rom. 24/1 1690, imp. 5 magg. 1705 - † 17/4 1711
Carlo VI, fr. (arcid. d'Austria), regg. la madre; re ed
   imp. 1711 [sp., 1708, Elisab. Crist. di Brunswick-
   Lüneburg, † 1750, f.ª di Luigi Rod.º], 12/10 1711 - † 20/10 1740
Interregno . . . . dal 20 ott. 1740 al 12 febb. 1742
Carlo VII Alberto, di **Baviera**, f. di Massimil. II; (elett.
   di Baviera, 1726), imp. 24 genn., cor. 12 febb. 1742 - † 20/1 1745
Francesco I d'Abs. **Lorena**, f. di Carlo VI; imp. 13/9 1745 - † 18/8 1765
Giuseppe II, f., el. re 27 marzo 1764, imp. 18 ag. 1765 - † 20 febb. 1790
Leopoldo II, fr. (arcid. d'Austria 1790, granduca di To-
   scana 1765), coron. imperatore romano 30/9 1790
   [sp. Maria Luigia († 1792), f.ª di Carlo III di Spa-
   gna], re di Germania . . . . . 30 sett. 1790 - † 1º mar. 1792
Francesco II, f., cor. imp. 5 lugl. 1792 - rin. 6 ag. 1806 († 21/3 1835)
Interregno . . . . dal 6 ag. 1806 al 18 genn. 1871
Confederaz. del Reno (Baviera, Würtemberg, Baden, G. D.
   di Berg, G. D. d'Assia Darmstadt e D. di Nassau),
   sotto la protez. di Napoleone I . 12 lugl. 1806 - 16-19 ott. 1813
Confederaz. German. dei 39 Stati colla supremazia del-
   l'Austria . . . . 9 giu. 1815 - 23 ag. 1866
Confederaz. della Germania del Nord . . . . ag. 1866 - genn. 1871
Guglielmo I **Hohenzollern**, f. di Feder. Gugliel. III di
   Prussia; [sp., 1829, Augusta di Sassonia Weimar];
   re di Prussia 1861, imp. di Germania 18 genn. 1871-† 9 mar. 1888
Federico, f., re di Prussia, imp. di Germ.ª 9 mar. 1888 - † 15 giu. s. a.
Guglielmo II, f. [sp. Augusta Vittoria di Schleswig-
   Holstein S. A.], imp. 15/6 1888 - abd. e ritir. in Olanda 9/11 1918
Repubblica federativa dei territori dei 17 paesi tedeschi
   (Reich) 9 nov. 1918, (unitaria, secondo la costituz.
   approv. a Weimar 10 ag. 1919) - Presid. Friedrich
   Ebert, el. . . . . 11 febb. 1919 - † 28 febb. 1925
Presid. Maresc. Paolo v. Beneckendorff und v. **Hin-
   denburg**, el. . . . . 12 magg. 1925 - . . . .
(Segue a pag. 571)

2. Brandeburgo poi Regno di Prussia.

Margravi della Marca Settentrionale, poi di Brandeburgo
   dal 1136; Elettori dal 1356; Re di Prussia dal 1701.

Sigfrido di **Mersebourg**, margravio della Marca settentrionale (Sassonia) . . . . 936 - † 938

Gerone, Conte di **Stade** (margravio di Lusazia 938),
    margravio . . . . 938 - † 20 magg. 965
Teodorico (*Dietrich*), C.^e di **Haldensleben** . . 965 - dep. 983 († 985)
Lotario, C.^e di **Waldeck**, margrav. . . . . . 983 - † 25 genn. 1003
Werner, f. margrav. . . . . genn. 1003 - dep. 1010 († 1014)
Bernardo I di **Haldensleben**, f. di Teodorico, margr. 1010 - † d. 1018
Bernardo II, f., margrav. . . . . 1036 - † d. 1044
Guglielmo, f., margrav. . . . . fra il 1046 e 1051 - † 1056
Ludgero Udone I, (C.^e di **Stade**) margrav. . . . . 1056 - † 1057
Udone II, f., margrav. . . . . 1057 - † 4 magg. 1082
Enrico I, *il Lungo*, f., margrav. . . . . . .4 magg. 1082 - † 1087
Ludgero Udone III, fr., margrav. . . . . . 1087 - † 2 giu. 1106
Enrico II, f., e Rodolfo suo zio, fino al 1124, margrav. 1106 - † 1128
Udone IV, f. di Rodolfo, margrav. . . . . . 1128 - † 13 mar. 1130
Corrado di **Ploetzkau**, margrav. . . . . 1130 - † 1133
Alberto I, *l'Orso*, della casa d'**Ascania** (march. di Lu-
    sazia 1124, duca di Sassonia 1138), 1134 ottiene
    da Lotario III la Nordmark; margravio di Bran-
    denburg, 1143, succ. . . . . 1134 - † 18 nov. 1170
Ottone I, f., margravio di Brandeb. 18 nov. 1170 - † 8 lugl. 1184
Ottone II, f., margravio » « . . . . 1184 - † 1205
Alberto II, fr. » » » . . . . 1205 - † 1220
Giovanni I di **Stendal**, f., sotto regg. della madre, col
    fr. Ottone III, margrav. di Brandenb. . 1220 - † 4 apr. 1266
Ottone III di **Saltzwedel**, col fr. Giovanni I° marg. 1220 - † 3/10 1267
Giovanni II, f., margrav. . . . . 1266 - † 1281
Ottone IV *«colla freccia»*, f. di Gio. I di **Stendal** 19/4 1267 - † 27/11 1309
Corrado II, fr., margrav. . . . . 1267 - † 1304
Giovanni III, f. di Ottone III di **Saltzwedel**; ott. 1267 - † 20 apr. 1268
Ottone V, *il Lungo*, fr., margrav. . . . . . ott. 1267 - † 1299
Alberto III, fr., margrav. . . . . v. 1268 - † 1300
Ottone VI, fr. « . . . . 1280 - 1286 († 1303)
Giovanni V, f. di Corrado II di **Stendal**, margrav. 1286 - † 1305
Ottone VII, fr., margrav. . . . . 1291 - 1297 († 1308)
Valdemaro, *il Grande*, nip., margrav. . . . . 1308 - † 14 ag. 1319
Ermanno, *il Lungo*, f. di Ottone V di **Saltzwedel**, 1295 - † v. 1308
Giovanni VI, *l'Illustre*, fr., margr. . . 24 ott. 1308 - † nov. 1317
Enrico III, *il Giovane*, nip. di Corrado II, succ. a Val-
    demaro . . . . fra giu. e sett. 1319 - † sett. 1320
Luigi V, *il Vecchio*, di **Wittelsbach** (Baviera), f. di
    Lodovico IV imp. e re di Germania; (duca di Ba-
    viera 1347), succ. 24 giu. 1324 - rin. 14 dic. 1351 († ott. 1361)
Luigi VI, *il Romano*, f. (cura di Baviera 1347);
    Elettore dal 1356, Margravio . . . . 1347 - † 1356
Ottone V, *il Neghittoso*, fratello; (duca di Baviera
    1347), vende il Brandeburgo a Carlo IV re di
    Germania; Elettore 1347 - abd. 23 ag. 1373 († 15 nov. 1379)
Venceslao di **Lussemburgo**, f. dell'imp. e re di Germania

Carlo IV; (re di Boemia e Germania 1378, D.ª di Lussemburgo 1383), Elettore, sotto la reggenza del padre . . . . 1373 - rin. 11 giu. 1378 († 1419)
Sigismondo, fr. (re d'Ungheria 1387, di Germania 1410, di Boemia 1419), Elettore . . . . . 11 giu. 1378 - rin. 1388
Jobst, *il Barbuto* (march. di Moravia 1375, re dei Rom. 1410), nip. dell'Imp. Carlo IV ; Elettore 1388 - † 18 genn. 1411
Sigismondo, *di nuovo* . 8 genn. 1411 - rin. 30 apr. 1415 († 9 dic. 37)
Federico I d'**Hohenzollern** (burgrav. di Norimberga 1397), el. margrav. di Brahdeburgo . 30 apr. 1415 - † 21 sett. 1440
Federico II, *Dente di ferro*, f., sett. 1440 - abd. gen. 1471 († 10/2 s. a.)
Alberto *l'Achille*, fr. (unisce tutti i possedim. degli Hohenzollern) Elettore . . . . . 1471 - † 11 mar. 1486
Giovanni, *il Cicerone*, f. Elettore 1487 11 mar. 1486 - † genn. 1499
Gioacchino I, *il Nestore*, f. Elettore 9 genn. 1499 - † 11 lugl. 1535
Gioacchino II, *l'Ettore*, f. Elettore 1534 11 lugl. 1535 - † 3 genn. 1571
Giovanni-Giorgio, f. (vescovo di Brandeburgo 1560), Elettore, succede . . . . 3 genn. 1571 - † 8 genn. 1598
Gioacchino-Federico, f. (vescovo di Brandeburgo 1571), Elettore, succede . . . . . . 8 genn. 1598 - † 18 lugl. 1608
Giovanni-Sigismondo, f., Elettore, eredita (1618) il ducato di Prussia [sp. Anna di Prussia, † 1625, f. di Alberto] Elettore . . . . 18 lugl. 1608 - † 23 dic. 1619
Giorgio-Guglielmo, f. Elettore . . . 23 dic. 1619 - † 1º dic. 1640
Federico-Guglielmo, f. Elettore . . . 1º dic. 1640 - † 29 apr. 1688
Federico III [I], f., Elettore 29 apr. 1688; Iº re di Prussia, cor. . . . . 18 genn. 1701 - † 25 febb. 1713
Federico-Guglielmo I, f., re . . . 25 febb. 1713 - † 31 magg. 1740
Federico II, *il Grande*, f.,(conq. Slesia 1641) re 31/5 1740 - † 17/8 1786
Federico-Guglielmo II, nip., re . . . 17 ag. 1786 - † 16 nov. 1797
Federico-Guglielmo III, f. [sp. Luigia di Meklemburgo Strelitz, † 1810] re . . . . 16 nov. 1797 - † 7 giu. 1840
Federico-Guglielmo IV, f. (sotto regg. 1858) re 7/6 1840 - † 2/1 1861
Guglielmo I, fr. (regg. pel fr. dal 9 ott. 1858), re di Prussia . . . 2/1 1861 (imp. di Germ.ª 18/1 1871), - † 9 mar. 1888
Federico III, f. (imp. di Germania), re 9 mar. 1888 - † 15 giu. 1888
Guglielmo II, f. (imp. di Germania), re 15 giu. 1888 - dep. 9 nov. 1918
(V. Germania).

3. Baviera.

Duchi, poi Re dal 788, *Duchi dal* 911, *Elettori dal* 1623, *Re dal* 1806.

Duchi della casa degli **Agilulfingi**, sotto la sovran. dei re Franchi e d'Austrasia: Garibaldo I, 555 c. - † 590; Tassilone I, 592 - . . .; Garibaldo II, f. 612 - . . .;

Indip.: Teodone I, 690 c. - † 717; Teodeberto,
... - † 724; Grimoaldo, fr. ... - 728; Teodebaldo,
fr. ... - † 713 (?); Tassilone II, fr., ...; Ugberto,
f. di Teodeberto, 725 - † 737; Odilone, f. di Tassilone II, 737 - † 748; Tassilone III, f., 749 - dep. 788
e Teodone II, f., 777 - dep. da Carlo M. 788 . . 690 c. - 788

Carlo Magno, vinto Tassilone III, unisce il soppresso
ducato di Baviera al R.º dei Franchi, ponendovi
al gov. Geraldo, suo luogoten.; re 788-814

Lotario, f. di Ludovico *il Pio*; governatore . . . 814 - 817 († 855)

Ludovico II, *il Germanico*, fr., ottiene la Baviera e le
Marche orient. e ne affida il governo al f. Carlomanno. El. re . . . . 817 - † 28 ag. 876

Carlomanno (II), f. (re d'Italia ott. 877), re ag. 876 - † 22 sett. 880

Ludovico III, fr. [sposa Liutgarda di Sassonia],
re . . . . 22 sett. 880 - † 20 genn. 882

Carlo, *il Grosso*, fr. (imp. rom. 881, re di Francia 884),
re . . . . 20 genn. 882 - dep. 11 nov. 887 († 13/1 888)

Arnolfo I, f. nat. di Carlomanno; (D.ª di Carinzia 880, re
di Germania 887, imp. rom. 22/2 896), re nov. 887 - † 8 dic. 899

Ludovico IV, *il Fanciullo*, f. (imp. d'Occid. e re di Germ.)
succ. sotto regg. dell'arciv. Attone di Magonza,
(V. Germania e Lorena), re . . . . 8 dic. 899 - † 24 sett. 911

Arnolfo II, *il Malvagio*, (f. di Luitpold di **Scheyern**, C.ᵉ
di Baviera, † 907); el. duca . . . . 911 - dep. 914

Corrado I di **Franconia** (re di Germ. 911), duca . 914 - † 23 dic. 918

Arnolfo II, *di nuovo*, duca . . . . 919 - † 12 giu. 937

Eberardo, f., duca 14 lugl. 937 - dep. da Ottone I imp. 939 († v. 966)

Bertoldo, fr. di Arnolfo I; duca . . . . 938 - † 947

Enrico I di **Sassonia**, f. di Enrico I di Sassonia imp.
e re di Germania, (duca di Lorena 940, margr. di
Verona e Treviso 952), Dª . . . . . . 947 - † 1 nov. 955

Enrico II, *il Pacifico*, f., tutrice la madre Giuditta di
Arnolfo II fino al 974. (*Si ribella ad Ottone II*
975, e perde il duc.) duca . . . . . 1º nov. 955 - dep. 976

Ottone I di **Sassonia**, nip. di Ottone I imp., duca . . 976 - † 982

Enrico III, *il Giovane*, f. di Bertoldo *pred.* (duca di
Carinzia 976) duca . . . . 982 - dep. 985 († 996)

Enrico II, *di nuovo* [sposa Gisela di Borgogna,
(fª. del re Corrado), † 1007] . . . . 985 - † 28 ag. 995

Enrico IV di **Sassonia**, *il Santo*, f.; (imp. e re di Germania 1002) duca . . . . 28 ag. 995 - rin. 1004

Enrico V di **Lussemburgo**, nip. duca . . . . 1004 - dep. 1009

Enrico IV, *di nuovo* (imp. 1014) . . 1009 - 1018 († 13 lugl. 1024)

Enrico V, *di nuovo* . . . . 1018 - † 1026

Corrado II di **Franconia** (imp. e re di Germania
1024) duca . . . . 1026 - 1027 († 4 giu. 1039)

Enrico VI, *il Nero*, f. (D.ª di Svevia 1038 e di Carinzia
    1039; re di Germ.ª e d'Italia 1039, imp. 1046), duca 1027 - 1042
Enrico VII di **Lussemburgo**, nip. di Enrico III imp.,
    duca . . . . 1042 - † 1047
Enrico VI, *di nuovo*; (imperatore romano 25 dic. 1046),
    [sp., 1043, Agnese di Poitou], duca 1047 - 1049 († 5 ott. 1056)
Corrado III di **Zütphen**, duca . . . . 1049 - dep. 1053 († 1054)
Enrico VIII di **Franconia**, f. di Eurico III imperatore;
    da esso nom. duca di Baviera . . . . . 1053 - dep. 1054
Corrado IV, (II) fr., dùca, sotto reggenza di Agnese sua
    madre . . . . 1054 - 1055 († 1061)
Agnese di **Poitou**, (Aquit.ª), imp.ᵉ, f.ª di Gugliel. V di
    Guienna, ved. di Enrico III imp.; essa poi abdica
    in favore di Ottone II . . 1055 - abd. 1061 († 14 dic. 1077)
Ottone II di **Nordheim**, sassone, nominato duca dal-
    l'imp. Agnese . . . . . . 1061 - dep. 1070 († 11 genn. 1083)
Guelfo I, f. di Alberto-Azzo II, signore d'**Este** . .1070-dep. 1077
Enrico VIII, *di nuovo* . . . . . . 1077 - 1096 († 7 ag. 1106)
Guelfo I, *di nuovo* [sp. Etelina di Nordheim] . . . 1096 - † 1101
Guelfo II, f. [sp. la C.ª Matilde di Canossa nel 1089,
    divisi 1095], duca . . . . 1101 - † 1120
Enrico IX, *il Nero*, fr., duca [sp. Vulfilda del D.ª Magno
    di Sassonia, erede del Lüneburg] . . . 1120 - † 13 dic. 1126
Enrico X, *il Superbo*, figlio, (duca di Sassonia dal
    1137), duca . . . . . dic. 1126 - dep. 1138 († 20 ott. 1139)
Leopoldo d'**Austria**, *il Liberale* (march. d'Austria 1136) 1138-† 1141
Corrado V d'**Hohenstaufen** (imperatore e re di Germ.ª
    1138), duca . . . . 1141 - 1143 († 15 febb. 1152)
Enrico XI d'**Austria**, fr. di Leopoldo *pred.* (margr., poi
    D.ª d'Austria 1156), duca . 1143 - dep. 1156 († 13 genn. 1177)
Enrico XII **Guelfo**, *il Leone* (duca di Sassonia 1142)
    duca di Baviera 17 sett. 1156 - dep. 13 genn. 1180 († 6 ag. 1195)
Ottone I di **Wittelsbach**, *il Grande*, f. di Ottone V; C.ᵉ
    palatino di Baviera, duca . . . 16 sett. 1180 - † 11 lugl. 1183
Lodovico I, f. (sotto tutela di Corrado di Wittelsbach
    suo zio), duca [sp. Ludmilla di Boemia ved. del
    C.ᵉ Alberto von Bogen] . . . . 11 lugl. 1183 - † 15 sett. 1231
Ottone II, *l'Illustre*, f. (C.ᵉ palatino del Reno 1227),
    succede . . . . 15 nov. 1231 - † 29 nov. 1253
Lodovico II, *il Severo* († 2/2 1274), ed Enrico XIII
    († 1290), figli di Ottone II, governano in co-
    mune, poi si accordano per la divisione del du-
    cato . . . . 29 nov. 1253 - 28 mar. 1255
Il Ducato viene diviso in Alta e Bassa Baviera, la
    prima tocca a Lodovico II assieme al Palatinato,
    la seconda ad Enrico XIII del Reno . . . . 28 mar. 1255

a) Alta Baviera.

(*Monaco, Ratisbona, Amberg e il Palatinato del Reno*).

Lodovico II, *il Severo*, pred., duca . 28 mar. 1255 - † 1º genn. 1294
Rodolfo I, *il Balbo*, f., succ. col fr. Lod. IV, 1º/1 1294 - 1317 († 1319)
Lodovico IV, *il Bavaro*, fr. (imp. di Germ. 1328), assoc.,
   so (o reggenza . . . . 1 genn. 1294 - † 11 ott. 1347
Lodovico V, *il Vecchio*, f., succ. ott. 1347 - abd. 1351 († 18 sett. 1361)
Guglielmo I, fr. duca . . . . 11 ott. 1347 - 1349 († 1388)
Stefano II, *l'Affibbiato*, fr., associato duca . . . 11 ott. 1347 - 1349
Alberto I, fr. duca . . . . ott. 1347 - 1349 († ott. 1404)
Lodovico VI, *il Giovane*, fr., associato ott. 1347 - 1351 († 17/5 1365)
Ottone V, *il Neghittoso*, fr., associato . . . . ott. 1347 - 1351
Mainardo, f. di Lodovico V, duca . . . . 1351 - † 1363
Stefano II, *l'Affibbiato (di nuovo)* duca . . 1363 - † 19 magg. 1375
Ottone V, *il Neghittoso (di nuovo)* duca . . . . mag. 1375 - † 1379
Stefano III, Federico e Giovanni II, *il Pacifico*, figli
   di Stefano II, gov. in comune . . . . . 19 magg. 1375 - 1392
Si dividono l'Alta Baviera nel 1392, formando i rami
   di *Ingolstadt*, di *Landshut* e di *Monaco* (v. pag. 484).

b) Bassa Baviera.

(*Landshut, Braunau, Schaerding, Vilshofen, Straubing, Cham*).

Enrico I, [XIII] pred., duca . . . . 28 mar. 1255 - † 1290
Ottone III, f. (Re d'Ungh. 1305 - 8), duca . 1290 - † 9 sett. 1312
Lodovico III, fr. duca . . . . genn. 1294 - † 1296
Stefano I, fr. duca . . . . genn. 1294 - † 1310
Enrico II, f. duca . . . . 1310 - † 1339
Ottone IV, fr. duca . . . . 1310 - † 1334
Enrico III, f. di Ottone III, gli succ. . . 9 sett. 1312 - † 1333
Lodovico V, *il Vecchio*, f. di Lodovico IV, *il Bavaro*;
   duca dell'Alta e Bassa Baviera . . 1347 - 1349 († ott. 1361)
Stefano II, *l'Affibbiato*, f., associato . . . 1347 - † 19 magg. 1375
Guglielmo I, fr. . . . . 1347 - 1358
Lodovico VI, *il Giovane*, fr.. . . . . 1347 - 1349
Alberto I, fr. . . . . 1347 - † 1404
Ottone V, *il Neghittoso*, fr., associato . . . 1347 - 1349 († 1379)
Guglielmo II, f. di Alberto I, gli succede . . . 1404 - † 1417
Giovanni III, fr. (Vescovo di Liegi), duca . . . . 1417 - † 1425
La Bassa Baviera viene divisa fra i rami di *Ingolstadt*,
   di *Landshut* e di *Monaco*, nel 1425.

c) Ramo di Ingolstadt.

Stefano III, f. di Stefano II duca . . . . 1392 - † 1413
Lodovico VII, *il Barbuto*, f. duca . . . . . 1413 - 1443 († 1447)
Lodovico VIII, *il Gobbo*, f. duca. . . . . 1443 - † 1445
Ingolstadt è unita a Landshut nel 1445.

d) Ramo di Landshut.

Federico, f. di Stefano II, *pred.*. duca . . . 1392 - † 30 lugl. 1393
Enrico IV, *il Ricco*, f. duca. . . . . 1393 - † 1450
Lodovico IX, *il Ricco*, f. duca. . . . 30 lugl. 1450 - † 18 genn. 1479
Giorgio, f. . duca . . . . 1479 - † 1503
Landshut è unita a Monaco nel 1503.

e) Ramo di Monaco.

Giovanni II, *il Pacifico*, f. di Stefano II, duca . 1392 - † 8 ag. 1397
Ernesto, f., duca . . . . 8 ag. 1397 - † 1º lugl. 1438
Guglielmo III, fr., duca . . . . 8 ag. 1397 - † 1435
Adolfo, f., duca . . . . 1435 - 1439 († 1440)
Alberto II, *il Pio*, f. di Ernesto; duca 1º lugl. 1438 - † 1º mar. 1460
Giovanni IV, f., duca . . . . 1º mar. 1460 - † 1463
Sigismondo, fr., duca . . . . . . 1º mar. 1460 - abd. 1465 († 1501)
Alberto III, *il Saggio*, fr. (riunisce tutto il ducato nel
    1503) duca. . . . . 1465 - † 18 mar. 1508
Guglielmo IV, *il Costante*, f., duca . . 18 mar. 1508 - † 6 mar. 1550
Lodovico X, fr. duca, ... 1516 - † 1545
Alberto IV, *il Magnanimo*, f. di Gugliel. IV; duca 1550 - † 24 ott. 1579
Guglielmo V, *il Religioso*, f., duca 1579 - abd. 1598 († 7 febb. 1626)
Massimiliano I, f., duca 1598, elett.ᵉ dal 25 febb. 1623 -† 27 sett. 1651
Ferdinando, f., sotto tut. di Alberto suo zio, 27/10 1651 - † 26/5 1679
Massimiliano II, f. (govern.ᵉ, poi principe dei Paesi
    Bassi 1692), elettore . . . . 26 magg. 1679 - dep. 1706
Occupazione imperiale . . . . 29 apr. 1706 - 6 mar. 1714
Massimiliano II, *di nuovo*, elettore . 6 mar. 1714 - † 26 febb. 1726
Carlo-Alberto, f. (imp. di Germ.ᵃ 1742) . . 26/2 1726 - † 20/1 1745
Massimiliano III Giuseppe, f. . . . 20 genn. 1745 - † 30 dic. 1777
Carlo Teodoro di **Wittelsbach**, C.ᵉ palatino di Sultzbach
    (1733), elettore . . . . 1777 - † 16 febb. 1799
Massimiliano I [IV] di **Wittelsbach**, ramo Due-Ponti,
    elettore 16 febb. 1799, (re di Baviera 1º genn. 1806) -† 13/10 1825
Luigi I, f., re [sp. Teresa di Sassonia Hildburghausen,
    † 1827] . . . 13 ott. 1825 - abd. 20 mar. 1848 († 29 febb. 1868)
Massimiliano II, f., re . . . . . . 20 mar. 1848 - † 10 mar. 1864

Luigi II, 'f., succ. marzo 1864, dichiarato inetto a re-
gnare; . . . . 10 mar. 1864 - dep. 10 giu. 1886 († 13 giu. s. a.)
Ottone, fratello (demente), reggente Luitpoldo suo
zio, re . . . . 13 giu. 1886 - dep. nov. 1913
Luigi III, zio (già reggente pel nipote dal 1912), coronato re . . . . 5 nov. 1913 - dep. 7 nov. 1918 († 26 ott. 1921)
 Λ Monaco è proclam. la decadenza della casa Wittelsbach e costituita la Repubb. Bavarese . 7 nov. 1918 - ag. 1919
Unione alla Repubb. unitaria di Germania, ag. 1919 (V. Germ.ª)

4. Sassonia.

Duchi, poi Elettori dal 1356, Re dal 1806.

Casa dei Ludolfingi.

Ludolfo, forse nip. di Witikindo, († 807); duca della Sas-
sonia orient., invest. da Ludov. il Germanico . 850 - † 866
Bruno, f. . . . . 866 - † 2 febb. 880
Ottone I, *l' Illustre*, fr. (duca di Turingia 908) 2 febb. 880 - 13 nov. 912
Enrico I, *il Sassone*, f. (duca di Turingia 912, re dei
Franchi orient. [Germ.ª] 919), duca 13 nov. 912 - † 2 lugl. 936
Ottone II, f. (re di Germ. e duca di Turingia 936, re
d'Italia 961, imp. 962), duca lugl. 936 - rin. 961 († 7 magg. 973)
Ermanno, della casa dei **Billung,** suo parente, D.ª 961 - † 1º apr. 973
Bernardo I, f. duca . . . . 1º apr. 973 - † 1011
Bernardo II, f. » . . . . 1011 - † 1059
Ordolfo, f.. . . . » . . . . 1059 - † 1071
Magno, f. . . . . 1071 - † 28 ag. 1106
Lotario, f. di Gebardo di **Supplinburgo;** (re di Ger-
mania 1125, imp. 1133), duca . . . . . 1106 -† 4 dic. 1137
Enrico I, *il Superbo*, f. di Enrico, *il Nero*, della casa
dei **Guelfi** (duca di Baviera 1126, march. di To-
scana 1133), duca . 4 dic. 1137 - dep. 1138 († 20 ott. 1139)
Corrado III di **Svevia** toglie la Sassonia ad Enrico I e
la dà ad Alberto di Brandeb.º, casa d'Ascania, . . . 1138
Alberto, *l'Orso*, della casa d'**Ascania,** genero di Magno
(margr. di Brandeb. 1134), duca 1138 - 1142 († 18 nov. 1170)
Enrico II, *il Leone*, f. di Enrico I, casa dei **Guelfi;** (duca
di Baviera 1156), D.ª. 1142 - dep. dall'imp., 1178 († 6 ag. 1195)
Bernardo III (Sig. dell'**Anhalt** 1170), f. di Alberto, *l'Orso*;
solo Wittemberg e Lauenburg, duca . . . . . . 1178 - † 1212
Alberto I, f.; il territorio è diviso tra i fr. Giov. e
Alberto II nei due rami d'Anhalt e Sassonia e
questa in Sass. Lauenburg e Sass. Wittemberg, D.ª 1212 - † 1260
Alberto II, f., duca di Sassonia-Wittemberg . 1260 - † 25 ag. 1298
Rodolfo I, f., duca . . . . 25 ag. 1298 - † 1356

Rodolfo II, f., Principe Elettore duca . . . . 1356 - † 6 dic. 1370
Wenceslao, fr., Principe Elettore   »   . . . . 6 dic. 1370 - † 1388
Rodolfo III, f., Principe Elettore   »   . . . . . . 1388 - † 1419
Alberto III, fr., Principe Elettore   »   . . . . . 1419 - † 1422
Federico I di Misnia, *il Bellicoso*, della casa di Wettin,
   genero di Wenceslao; (margravio di Misnia 1407),
   succ. al ramo di Sass. Wittemberg 6 giu. 1423 - † 4 genn. 1428
Federico II, *il Mansueto*, f. (margravio di Misnia 1428)
   (Lotta con gli Hussiti); Elettore. 4 genn. 1428 - † 7 sett. 1464
Ernesto, f.; stipite della linea Ernestina, che ebbe
   l'Elettorato, parte della Turingia, Vogtland e
   Coburgo; Elettore . . . . 7 sett. 1464 - † 26 ag. 1486
Alberto IV, *il Coraggioso*, fr. (margravio di Misnia
   1464), duca; stipite della linea Albertina; ebbe la
   Misnia e il resto della Turingia 7/9 1464 - 1485 († 12/9 1500)
Federico III, *il Saggio*, f. di Ernesto; Elet.ᵉ 26 ag. 1486 - † 5/5 1525
Giovanni, *il Costante*, fr., Elettore . . 5 magg. 1525 - † 16 ag. 1532
Giovanni-Federico, *il Magnanimo*, f. [sp. Sibilla di
   Cleve]; Elettore 16 ag. 1532 - dep. 24 apr. 1547 († 3 mar. 54)
Maurizio, nip. di Alberto IV e f. di Enrico, *il Pio*; mar-
   gravio di Misnia, Elettore di Sass.ᵃ 4 giu. 1547 - † 11 lugl. 1553
Augusto, *il Pio*, fr. (acq. il Voigtland 1569) 11/7 1553 - † 11/2 1586
Cristiano I, f. . . . Elettore . . . 11 febb. 1586 - † 25 sett. 1591
Cristiano II, f. . . . . . » . . . 25 sett. 1591 - † 23 giu. 1611
Giovanni-Giorgio I, fr. . . . . . 23 giu. 1611 - † 8 ott. 1656
Giovanni-Giorgio II, f. . » . . . . 8 ott. 1656 - † 22 ag. 1680
Giovanni-Giorgio III, f. . » . . . 22 ag. 1680 - † 22 sett. 1691
Giovanni-Giorgio IV, f. . » . . . 22 sett. 1691 - † 27 apr. 1694
Federico-Augusto I, *il Forte*, fr. (re di Polonia 1697),
   [sp., 1693, Cristina Eberard di Brandeb.-Bayreuth
   († 1727)], El. . . . . 27 apr. 1694 - † 1º febb. 1733
Federico-Augusto II, f. (re di Polonia 1733, cor. 1734)
   [sp. Maria Gioseffa d'Austria], Elettore 1/2 1733 - † 5/10 1763
Federico-Cristiano Leopoldo, f., Elettore 5 ott. 1763 - † 17 dic. 1763
Federico-Augusto III, *il Giusto*, f. di Feder. Aug. II,
   tutore Franc. Saverio suo zio, Elettore 17/12 1763 - 11 dic. 1806
Federico-Augusto III, *pred.*, creato Re da Napoleone I,
   con tit. di Federico Aug. I (1) . . 11 dic. 1806 - prig. ott. 1813
*Il reame è amministrato dalla Russia, poi dalla
   Prussia* . . . . ott. 1813 - genn. 1815
Federico Augusto I, (già III), *ristab. sul trono, perdendo
   gran parte del suo territorio*, re . . genn. 1815 - † 5 magg. 1827
Antonio-Clemente, fr., si associa il nip. Federico-Augu-
   sto dal 1830, re . . . . magg. 1827 - † 6 giu. 1836
Federico-Augusto II, nip. (f. del D.ᵃ Massimiliano) [sp.
   Carolina d'Austria, † 1832]; associato dal 1830,
   re . . . . 6 giu. 1836 - † 9 ag. 1854

---

(1) Granduca di Varsavia, pel trattato di Tilsit, 8 lugl. 1807.

Giovanni, fr., re [sp. (1822) Amalia Augusta di Baviera] . . . . 9 ag. 1854 - † 29 ott. 1873
Alberto-Federico-Augusto, f., [sp., 1853, Carolina d'Holstein-Gottorp-Wasa], re . . . . . 29 ott. 1873 - † 19 giu. 1902
Giorgio, fr. [sp. Maria Anna, inf. del Portogallo, † 1884, f.ª del re Ferdinando] re . . . . 19 giu. 1902 - † 15 ott. 1904
Federico-Augusto III, f., [sp. Luisa Maria Ant.ª, arcid. d'Austria-Toscana] re . . . . . 15 ott. 1904 - rin. 13 nov. 1918
La Sassonia è unita alla Repubb. federativa germanica nell'agosto 1919 (V. Germania).

5. Würtemberg.

Conti, poi Duchi dal 1495, Re dal 1806.

Corrado I di **Beutelsbach**, Conte . . . . v. 1083 - 1105
Corrado II, *nip.* . . . . » . . . . 1110 - 1122
Luigi I, f. . . . . » . . . . 1134 - 1158
Luigi II, f. . . . . » . . . . 1166 - 1181
Luigi III, f. . . . . » . . . . 1201 - 1228
Eberardo I, f. . . . . » . . . . 1236 - 1241
Ulrico I, *dal Pollice*, fr. . . . » . . . . . 1241 - † 20 febb. 1265
Ulrico II, f., col fr. Eberardo Conte . . . . . . 1265 - † 1279
Eberardo II, fr. *l'Illustre*,; col fr. Ulrico II fino al 1279; Conte . . . . 1279 - † 5 giu. 1325
Ulrico III, figlio, Conte [Lega delle città sveve, 1331] . . . . 5 giu. 1325 - † 11 lugl. 1344
Eberardo III, *il Contendente*, f., Conte (col fr. Ulrico IV fino al 1363) [a Stuttgart dal 1320] C.e 11/7 1344 - † 15/3 1392
Ulrico IV, fr., Conte . . . . 11 lugl. 1344 - † 1366
Eberardo IV, *il Pacifico*, nip., dal f. Ulrico, del C.e Eberardo III; [sp. (1380) Antonia di Bernabò Visconti]; Conte . . . . 1392 - † 16 magg. 1417
Eberardo V, *il Giovane*, f., Conte . 16 magg. 1417 - † 2 lugl. 1419
Luigi I, f., ad Urach dal 1442, Conte; divide col fr. Ulrico V gli Stati il 23 genn. 1442 . . . 1419 - † 23 sett. 1450
Ulrico V, *il Benamato*, f. di Eberardo IV; a Stuttgart dal 1442; Conte col fr. Luigi dal 1419, poi, dal 1450, col nip. Eberardo V . . . . 1433 - † 1480
Luigi II, f. di Luigi I, ad Urach . . . . . . 1450 - † 1457
Eberardo I, *il Barbuto*, fr., sotto tutela di Ulrico V suo zio, fino al 1459; (conte d'Urach 1475-95,) Duca del Württemberg 21 lugl. 1495. [Sp. Barbara f.ª di Luigi III Gonzaga, † 1503], succ. . . . 1457 - † 24 febb. 1496
Eberardo II, *il Giovane*, f. di Ulrico V, d.ª 25/2 1496 - dep. 98 († 1504)
Ulrico I, nip. di Ulrico V,, *sotto reggenza*, duca 1498 - 1503, solo . . . . 1503 - dep. 1519

Interregno (all'Austria) . . . . 1519 - 19 giu. 1534
Ulrico I, *di nuovo* duca . . . . . 19 giu. 1534 - † 6 nov. 1550
Cristoforo, *il Pacifico*, f   duca . . . 6 nov. 1550 - † 28 sett. 1568
Luigi III, f. duca . . . . 28 sett. 1568 - † 28 ag. 1593
Federico I, fr., duca . . . . 28 ag. 1593 - † 29 genn. 1608
Giovanni Federico di Stuttgart, *il Pacifico*, figlio, suc-
    cede . . . . 29 genn. 1608 - † 18 lugl. 1628
Eberardo III, f., sotto tutela di Luigi Federico, Conte
    di Montbéliard, poi (1631-32) di Giulio Federico
    suo fr.; duca . . . . 18 lugl. 1628 - † 12 lugl. 1674
Guglielmo-Luigi, f. duca   . . . . 12 lugl. 1674 - † 23 giu. 1677
Eberardo-Luigi, f., regg. Federico Carlo suo zio fino
    al 1693, succ. . . . . 23 giu. 1677 - † 31 ott. 1733
Carlo-Alessandro, nip. di Eberardo III, 31 ott. 1733 - † 12 mar. 1737
Carlo Eugenio, f., sotto tutela della madre e di Carlo
    Rodolfo; duca di Würtemb.-Neustadt, poi di Carlo
    Federico di Wurt-Oels fino al 1744. [Sp. Federico
    di Bayreuth, nip. di Federico il Grande] 12/3 1737 - † 24/10 1793
Luigi Eugenio, fr., duca   . . . . . 24 ott. 1793 - † 20 magg. 1795
Federico Eugenio, fr. »   . . . . . 20 magg. 1795 - † 23 dic. 1797
Federico II [I], f., duca dal 1797, Elettore dal 27 apr.
    1803, Re dal 1º genn. 1806. [Sp. Augusta Carolina
    di Brunswich-Wolfenbüttel], succ. 23 dic. 1797 - † 30 ott. 1816
Guglielmo I, f., Re . . . . 30 ott. 1816 - † 25 giu. 1864
Carlo I, f., Re . . . . 25 giu. 1864 - † 6 ott. 1891
Guglielmo Carlo II, f. del princ. Federico e nip. di
    Guglielmo I. [Sp., 1886, Carlotta di Schaunburg-
    Lippe]. Re. . . . . 6 ott. 1891 - dep. 9 nov. 1918 (†3/10 1921)
Unione definitiva alla Repubblica unitaria di Ger-
    mania . . . . agosto 1919

XV. **IMPERO AUSTRO-UNGARICO**

1. Austria.

Margravi, poi Duchi dal 1156, Arciduchi dal 1453
Imperatori dal 1804.

.... Leopoldo I dei Conti di **Babenberg**, *l'Illustre*, f. di
    Adalberto, C.e di Mertal, march.e dall'882; margr.
    d'Austria, resid. a Mölk, [sp. Richeza...]. . 976 - † 10 lugl. 994
Enrico I, Babenberger, f., margravio 10 lugl. 994 - † 23 giu. 1018

Adalberto, *il Vittorioso*, fr., margravio . . . 23 giu. 1018 - † 1055
Ernesto, *il Valente*, f., margravio . . . . 1055 - † 9 giu. 1075
Leopoldo II, *il Bello*, f. [sp. Ida, † 1101], margr. 9 giu.
   1075 - deposto da Arrigo IV imp. 1081, rist. 1083 - † 12/12 '96
Leopoldo III, *il Santo*, f. [sp., 1106, Agnese († 43), f.ᵃ
   di Arrigo IV imp.], margravio . 12 dic. 1096 - † 15 nov. 1136
Leopoldo IV, *il Liberale*, f. [sp. Maria, f.ᵃ di Sobieslao
   D.ᵃ di Boemia]; (D.ᵃ di Baviera 1138), 15 nov. 1136 - † 18 ott. 1141
Enrico II, *Jasomirgott*, f. (D.ᵃ di Baviera 1143), margr.º
   dal 18/10 1141, duca ereditario d'Austria 20/9 1156 - † 13/1 1177
Leopoldo V, *il Virtuoso*, f. (duca di Stiria 1192) 13/1 '77 - † 31/10 '94
Federico I, *il Cattolico*, f., duca . . . 21 dic. 1194 - † 11 ag. 1198
Leopoldo VI, *il Glorioso*, f. (duca di Stiria 1194) 11/8 '98 - † 28/7 '30
Federico II, *il Belligero*, f. (duca di Stiria 1230) 28/7 1230 - † 15/6 1246
Ottone, *Conte d'Eberstein, governa a nome dell'imperatore* 1246 - 1248
Ermanno VI, *f. di Ermanno V di Baden; margravio di
   Baden, investito da Guglielmo d'Olanda, erede d'Au-
   stria e di Stiria* 1248 [*sp. Gertrude, nipote di Leo-
   poldo VI*] . . . . 1248 - † 4 ott. 1250
Federico, *f., margravio di Baden e duca d'Austria, regg.
   la madre* . . . . . . 1250 - dep. 1251 († 29 ott. 1268)
Premislao-Ottocaro, f. di Venceslao III; (march. di Mo-
   ravia 1247, re di Boemia 1253), 1251 - dep. 1276 († 26/8 1278)
Interregno . . . . dal 1276 al 27 dic. 1282
Alberto I d'**Absburgo**, f. del re di Germ.ᵃ Rodolfo I; (re
   di Germania 1298, duca di Stiria), duca 27/12 1282 - † 1º/5 1308
Rodolfo II, fr. (land. d'Alsazia 1273-90), assoc. 1289 - † 27 apr. 1290
Rodolfo III, f. di Alberto I; (re di Boem.ᵃ 1306), assoc. 1298 - † 4/7 '07
Federico I, *il Bello*, fr. (re di Germania 1314), suc-
   cede, col fratello Leopoldo I; duca d'Austria e
   di Stiria . . . . 1º magg. 1308 - † 13 genn. 1330
Leopoldo I, *il Glorioso*, fr. (land. d'Alsazia 1307) 1/5 1308 - † 28/2 1362
Alberto II, *il Saggio*, fr. (duca di Carinzia e Stiria 1335),
   succ. col fr. Ottone. - Nel 1344 unisce tutti i possed.
   absburghici . . . . 13 genn. 1330 - † 16 ag. 1358
Enrico, *il Placido*, fr. (prigioniero a Mühldorf fino al
   1323) . . . . 1308 - † 3 febb. 1327
Ottone, *l'Audace*, fr. (duca di Carinzia 1335) genn. 1330 - † 16/2 1339
Federico II, f. . . . . febb. 1339 - † 1344
Rodolfo IV, *l'Ingegnoso*, f. di Alberto II (duca di Ca-
   rinzia 1358) . . . . 1356 - † 27 lugl. 1365
Federico III, *lo Splendido*, fr. di Rodolfo IV . . . 1358 - † 1362
Alberto III, *la Treccia*, f. di Alberto II (duca di Ca-
   rinzia 1358), fondatore della linea Albertina degli
   Asburgo, succ. . . . . 27 lugl. 1365 - † 29 ag. 1395
Leopoldo II, *il Valoroso*, fr. [sp. Verde, f.ᵃ di Bernabò
   Visconti] (duca di Carinzia 1379) . . . 1379 - † 9 lugl. 1386

Alberto IV, f. di Alberto III, tutore Guglielmo, f. di
    Leopoldo II; duca . . . . . .   29 ag. 1395 - † 14 sett. 1404
Alberto V, f. (re di Boemia e d'Ungheria 1437, di Ger-
    mania e imp. rom. 1438) [sp., 1422, Elisabetta, [†42]
    f.ª di Sigism. imp.], duca . . . 14 sett. 1404 - † 27 ott. 1439
Federico V [III], nip. di Leopoldo II e f. del duca
    Ernesto di Stiria; (re di Germania 1440, imperat.
    rom. 1452) [sp., 1452, Eleonora di Portogallo († 67)
    f.ª di Re Odoardo]; duca . . . .   ott. 1439 - 1444
Ladislao, *Postumo*, f. (re di Boemia 1440, d'Ungheria
    1453), duca 21 febb. 1440, arciduca 6 genn. 1453 - † 23 nov. 1457
Alberto VI, *il Prodigo*, fr. di Federico V,; duca. . .   1444 - 1446
Sigismondo, f. di Federico IV d'**Absburgo**; duca, poi
    arciduca dal 1453, succede   1446 - rin. 1490 († 4 mar. 1496)
Alberto VI, *di nuovo*, arciduca . . . 23 nov. 1457 - † 3 dic. 1463
Federico V [III], *di nuovo*, arciduca . 3 dic. 1463 - † 19 ag. 1493
Massimiliano I, f. (imper. rom. e re di Germania 1493),
    [sp., 1477, Maria, duch. di Borgogna, f.ª di Carlo
    il Temerario] arciduca . . . . .   19 ag. 1493 - † 12 genn. 1519
Carlo I [V] d'**Austria**, nip., f. di Filippo, *il Bello*; (re di
    Spagna 1516, imp. e re di Germ. 1519), [sp. Isabella
    di Portogallo †39] genn. 1519 - rin. 28 apr. 1521 († 21 sett. 1558)
Ferdinando I, fr. (re di Boemia e d'Ungheria 1527,
    imp. e re di Germ. 1556) [sp., 1521, Anna, († 47),
    sor. di Luigi II d'Ungheria] . . . magg. 1521 - † 25 lugl. 1564
Massimiliano II, f. (imperatore e re di Germania 1564,
    re d'Ungheria 1564), succede . . 25 lugl. 1564 - † 12 ott. 1576
Rodolfo V, f. (imperatore e re di Germania e d'Ungheria
    1576), succede . . .   12 ott. 1576 - giu. 1608 († 20 genn. 1612)
Mattia, fr. (imp. di Germ. re d'Ungh. 1612) 26/6 1608-† 20 mar. 1619
Ferdinando II d'**Absburgo**, nip. di Ferdinando I (imp.
    e re di Germania e d'Ungheria 1619) [sp., 1600,
    Maria Anna di Baviera, † 1616] 20 mar. 1619 - † 15 febb. 1637
Ferdinando III, f. (imp. di Germania e re d'Unghe-
    ria 1637) . . . .   15/2 1637 - † 2/4 1657
Leopoldo I, f. (imp. e re di Germ. 1658) 2 apr. 1657 - † 6 magg. 1705
Giuseppe I, f. (imp. di Germ. re d'Ungh. 1705) 6/5 1705-†17 apr. 1711
Carlo II [VI] fr. (imp. di Germ. re d'Ungh. 1711) 12/10'11-† 20/10'40
Maria-Teresa, f.ª [sp. Francesco-Stef. D.ª di Lorena
    1729]; (Sig. d'Ungheria e Boemia, D.ª di Milano,
    Parma ecc. 1740-45), succede . . 20 ott. 1740 - † 29 ott. 1780
Giuseppe II d'**Absburgo-Lorena**, f. (imp. e re di Ger-
    mania 1765, re d'Ungheria) . . 29 ott. 1780 - † 20 febb. 1790
Leopoldo II [I], fr. (grand. di Toscana 1765, imp. e re
    di Germania 1790, re d'Ungh.) 20 febb. 1790 - † 1º mar. 1792
Francesco I [II], f. (imp. rom. e re di Germ. 1792, rin.
    1806), succ. 1º/3 1792, imp. d'Austria 14/8 1804 - † 2/3 1835
Ferdinando I, f., imp. d'Austria, 2/3 1835 - abd. 2 dic. 1848 († 1875)
Francesco-Giuseppe, nip., f. di Francesco Carlo; imp.

(occupa Bosnia ed Erzegovina 5 ottobre 1908).

Eccidio di Serajevo 28/6 1914) succede 2 dic. 1848 - †21/11 9116

Carlo Francesco Giuseppe d'**Este**, pronip. (f. dell'arcid.

Ottone) . . . . 21 nov. 1916 - dep. 10 nov. 1918 († 1 apr. 1922)

Dissoluz. dell'antica monarchia Austro-Ungarica . . . . nov. 1918

Repubblica federale democratica, riconosciuta dal trattato 10 sett. 1919 di S. Germain en Laye. – Presid.

Karl Seitz, el. . . . . 12 mar. 1919 - 9 dic. 1920

Presidente Dott. Michele Hainisch, el., per 4 anni. 9 dic.

1920, conferm. per altri 4 anni . . . . . . nel 1924 - . . . .

(Segue a pag. 568)

2. Ducato di Carinzia.

Unita al Friuli, 796 - 828. – Governata da Margravi par-
ticolari, 828 - 907. – Arnolfo, f. nat. di Carlomanno,
duca di Carinzia 880 (re di Baviera. poi di Germania 887, imp. 895) † 8 dic. 899.

Unita al Ducato di Baviera . . . . 907 - 976

Duchi: Enrico I, *il Giovane*, f. di Bertoldo, C.ᵉ di **Scheiern**,
in Baviera; (duca di Baviera 982), duca di Carinzia,
col Friuli, nom. da Ottone II, 976 - dep. 978, e 982 - 989 († 996)

Ottone I di **Weiblingen**, f. di Corrado II, duca di Lorena;
(duca di Franconia 955) duca . . . 978 - 982 († 4 nov. 1004)

La Carinzia è unita ancora alla Baviera . . . . . . 989 - 995

Corrado I, *il Vecchio*, f. di Ottone I; (duca di Franconia), duca . . . . . . 4 nov. 1004 - † 11 o 12 dic. 1011

Adalberone d'**Eppenstein**, duca . . . 1012 - dep. 1035 († 1039)

Corrado II, *il Giovane*, f. di Corrado I; (duca di Franconia 1011) duca . . . . 1036 - 1039

Interregno . . . . 1039 - 1047

Guelfo (Welf), f. di Guelfo II, C.ᵉ d'Altorf, duca . 1047 - † 1055

Corrado III, nip. di Corrado II duca . . . . . . 1056 - † 1061

Bertoldo, *il Barbuto*, f. di Bezelin; (D.ᵃ di Zähringen
1061), duca . . . . 1061 - dep. 1072 († 1076)

Marquardo, f. di Adalberone d'**Eppenstein**, *pred*.D.ᵃ . 1072 - 1076

Liutoldo, f., duca . . . . 1076 - 1090

Enrico II, fr. (margr. d'Istria e Carniola 1108), duca 1090 - † 1122

Enrico III, dei **Conti di Sponheim**, duca . . . 1122 o 23 - † 1124

Engelberto II, fr. (marg. d'Istr. e Carniol. 1108), 1124 - abd. 1134 (†41)

Ulrico I, f., dei **Conti di Sponheim** duca . . . . . 1134 - † 1143

Enrico IV, f.   »   »   . . . 1143 - † 1161

Ermanno, fr.   »   »   » . . . 1161 - † 5 ott. 1181

Ulrico II, f.   »   »   » . . . 1181 - † 1202

Bernardo, fr.   »   »   » . . . 1202 - † febb. 1256

Ulrico III, figlio, ultimo della dinastia degli Sponheim,
duca . . . . febb. 1256 - † 23 ott. 1269

Filippo (patr. d'Aquileia 1269) D.ᵃ 23 ott. 1269 - dep. 1270 († 1279)

Premislao-Ottocaro (duca d'Austria 1251, Re di Boe-
mia 1253, (duca di Stiria 1261), ered. Carinzia e
Carniola, duca . . . . 1269 - dep. 1276 († 26 ag. 1278)
Rodolfo, f. di Alberto IV **d'Absburgo** (re di Germania
1273), duca . . . . 1276 - 1286 († 15 lugl. 1291)
Mainardo di Gorizia (C.e del Tirolo 1258) D.ª 1286 - † 31 ott 1295
Ottone II, f. († 1310) (C.e del Tirolo 1295) coi fratelli:
Luigi, 22/9 1305, ed Enrico V, † 4/4 1335, duchi
di Carinzia . . . . 31 ott. 1295 - 14 apr. 1335
Alberto II d'Absburgo, f. di Alberto I imper.; duca
d'Austria, ered. Carinzia e Carniola e ric. in feudo
il Tirolo (1335), succ., col fr. Ottone, 2 magg. 1335 - † 16 ag. 1358
Il ducato rimane unito ai possed. di casa d'Austria 1358 - 14/10 1809
Alla Francia, in parte, che la include nelle Provincie
Illiriche . . . . 14 ott. 1809 - 8 ag. 1813
Cess.e all'Austria di tutte le Prov. Illiriche 8 ag. 1813 (V. Austria)

3. Boemia (Cecoslovacchia dal 1918).

Duchi, poi Re dal 1198

Borziwoy I, discendente da **Przemysl** capo dei Cechi
di Boemia; primo duca cristiano (battezz. 894)
[sp. Ludmilla (S.ª), † 927] . . . . 873 - † v. 894
Spitignew I, f., duca, col fr. Wratislao . . . . . 895 - † v. 912
Wratislao I, fr., duca . . . . 895, solo 912 - † 926
Drahomira, ved. di Wratislao I, reggente . . . . 926 - 928 († 935)
Venceslao I (S.), f. . . . . 926 - † 28 sett. 935
Boleslao I, fr. (riconosce la supremaz. tedesca 950) 935 - † 15 lugl. 967
Boleslao II, f., *il Pio* [sp. Emma di Borg.ª] 15 lugl. 967 - † 7 febb. 999
Boleslao III, *il Cieco*, f. . . . . 7 febb. 999 - abd. 1002
Wladiwoj, nip. di Boleslao II . . . . 1002 - † 1003
Boleslao III, *di nuovo* (da Boleslao di Polonia preso,
accec. e imprig. 1003) . . . . 1003 († 1037)
Jaromiro, fr.. . . . . 1003 - dep. 1012 († 1038)
Udalrico o Ulrico I, fr.; riconq. in parte la Moravia
(1028) . . . . 1012 - † 9 nov. 1037
Bretislao I, *l'Achille*, fr. . . . . . 9 nov. 1037 - † 10 genn. 1055
Spitignew II, f. . . . . . . 10 genn. 1055 - † 28 genn. 1061
Wratislao II, fr., duca 28 gennaio 1061, nom. re di
Boemia 16 giugno, ... cor. 3 lugl. 1086 - † 14 genn. 1092
Corrado I, fr., duca . . . . 14 genn. 1092 - † 1092
Bretislao II, f. di Wratislao II, duca . . . 1092 o 1093 - † dic. 1100
Borziwoy II, fr., duca . . . . . . 25 dic. 1100 - spod. 1107
Swatopluk (Sventiboldo), cugino . . . . 1107 - † 12 sett. 1109
Wladislao I, fr. di Borziwoj II, duca . . . . 12 sett. 1109 - 1117
Borziwoy II, *di nuovo*, duca . . 1117 - spod. 1120 († 2 febb. 1124)

Wladislao I, *di nuovo*, duca . . . . 1120 - † 12 apr. 1125

Sobieslao I, fr., duca . . . . 12 apr. 1125 - † 13 mar. 1140

Wladislao II, f. di Wladislao I, duca, succ. 12 apr. 1140,
   re . . . . 13 genn. 1158 - abd. 1173 († 17 genn. 1174)

Sobieslao II, f. di Sobieslao I, duca . . 1173 - spod. 1179 († 1180)

Federico, f. di Wladislao II, duca . . . . 1179 - † 1189

Corrado II, nip. di Corrado I (M.e di Moravia 1182), D.a '89 - † 1191

Venceslao II, f. di Sobieslao I, duca . 1191 - spod. 1192 († v. 1197)

Premislao II, *detto Ottocaro I*, figlio di Wladislao II,
   duca . . . . 1192 - spod. 1193

Enrico Bretislao, f. di Wladislao I, duca . . . . 1193 - † 1197

Wladislao III, f. di Wladislao II (march. di Moravia
   1192), duca . . . . 1197 - abd. s. a. († 1222)

Premislao II, *di nuovo*, succ. . 1197, cor. Re 1198 - † 15 dic. 1230

Venceslao III, *il Guercio*, f., cor. re 1228, 15 dic. 1230 - † 22/9 1253

Premislao-Ottocaro II, *il Vittorioso*, f. (march. di Moravia 1247, margr. d'Austria 1251) re 23 sett. 1253 - † 26/8 1278

Interregno . . . . dal 26 ag. 1278 al 1283

Venceslao IV, f., (re di Polonia 1300) . . . 1283 - † 21 giu. 1305

Venceslao V, f. (re d'Ungh. 1302, di Polon. '05), re 21/6 '05 - † 4/8 '06

Rodolfo I, f. di Alberto I d'**Absburgo** (margr. d'Austria
   1298), re . . . . 26 ag. 1306 - † 4 lugl. 1307

Enrico di Carinzia, genero di Venceslao IV, re [sp.
   Beatrice, figlia del Conte Amedeo V di Savoia],
   succede . . . . 4 lugl. 1307 - dep. 1310 († 4 ag. 1335)

Giovanni, *il Cieco*, (C.e di **Lussemburgo** 1313), genero
   di Venceslao IV, re . . . . 1310 - † 26 ag. 1346

Carlo I [IV], f. (imp. e re di Germ. 1347), re ag. 1346 - † 29 nov. 1378

Venceslao VI, figlio (re di Germania e imperatore 1378),
   re di Boemia 29/11 1378 (dep. da imp. 20/8 1400) - † 9/12 1437

Sigismondo, fr. (imp. e re di Germ. 1410), re 16/8 1419 - † 9/12 1437

Alberto d'**Absburgo**, f. di Alberto IV (duca d'Austria
   1404, re d'Ungheria 1437, de' Rom. 1438), gen.o di
   Sigismondo, succ. . . . 9/12 1437, cor. 6/5 1439 - † 27/10 1439

Ladislao *Postumo*, f. (arciduca d'Austria e re d'Ungheria 1453), re . . . . . . 22 febb. 1440 - † 23 nov. 1457

Giorgio Podiebrad, ussita, regg. dal 1444 [sp. Giovanna
   von Rozmital]. re 2 mar., cor. 7 magg. 1458 - † 22 magg. 1471

Ladislao II **Fagellone**, f. di Casimiro IV re di Polonia;
   (re d'Ungheria 1490), re 27/5, cor. 16/8 1471 - † 13 mar. 1516

Luigi, f. (re d'Ungheria 1516), re . . . 13 mar. 1516 - † ag. 1526

Ferdinando I d'**Austria**, genero di Ladislao II; eredita
   la Boemia . . . . . dic. 1526 (imp. rom. 1558) - † 25 lugl. 1564

La Boemia, nel 1547, è dichiarata stato ereditario della
   corona d'Austria e rimane unita ai suoi possessi
   fino al . . . . 14 nov. 1918

Repubblica democrat. unitaria, dal 28/10 '18 composta

della Boemia, Moravia, Slesia e del territorio degli
Slovacchi, già ungherese. – Presid. G. T. Mas-
saryk, el. 14 nov. 1918, rielett. 28 magg. 1920 e 27 magg. 1927-...

(Segue a pag. 569)

4. Ungheria.

Duchi, poi Re dal 1000.

Dinastia degli Arpadi *fino al* 1301.

Arpad, f. d'Almos, capo dei Magiari, che egli guida alla
conquista del paese di qua dei Carpazi (Ungheria);
primo duca (*Vaivoda*) . . . . 894 - † 907
Zsolt (Zoltan), f., duca . . . . 907 - † 947
Taksony, f. . . . . • . . . . 947 - † 972
Geiza I, pronipote di Arpàd, si fa cristiano nel 996
[sp. Sarolta, poi Adelaide di Polonia] . . . . 972 - † 997
Stefano (Wajk) I, *il Santo*, f., battezz. 994, duca 995,
coronato Re, con titolo di *Apostolico*, 15 ag. 1000 - † 15 ag. 1038
Pietro, l'*Alemanno*, nip., dalla sorella Maria, f. di Ot-
tone Orseolo doge di Venezia, e di Maria sorella
di Stefano I; re . . . . ag. 1038 - dep. 1041
Aba Samuele, marito di Sama sorella di Stefano I,
succede, re . . . . 1041 - detr. 5 lugl. 1044 († 1044)
Pietro, *di nuovo*, riceve l'Ungheria come feudo imp.
da Arrigo III, re . . . . 1044 - dep. 1046 († 1047)
Andrea I, f. di Vazul, cug. di Stefano I; re per usurpa-
zione [sp. Anastasia di Russia], succ. . . . . 1046 - † 1061
Bela I, fr., re . . . . 1061 - † 1063
Salomone, f. di Andrea I, re . . . . . . 1063 - dep. 1074 († 1087)
Geiza I, f. di Bela I [sp. Sinnadena principessa bizan-
tina], re . . . . 1074 - † 25 apr. 1077
Ladislao I, *il Santo*, fr. (si annette, 1089, la Croazia
settentrionale), re . . . . apr. 1077 - † 19 lugl. 1095
Colomano, *il Santo*, f. di Geiza I, (unisce all'Ungheria
la Croazia 1102) re . . . . . 20 lugl. 1095 - † 3 febb. 1114
Stefano II, *la Folgore*, f.; re . . . . 3 febb. 1114 - † 1131
Bela II, *il Cieco*, f. di Almos, fr. di Colomano, 1131 - † 13 febb. 1141
Geiza II, d., tutore suo zio Belus, fino al 1146, re, co-
ronato . . . . 16 febb. 1141 - 31 magg. 1161
Stefano III, f., re . . . . 31 magg. 1161 - detr. 1161
Ladislao II, f. di Bela II (usurp.) . . . . 1161 - † 14 genn. 1162
Stefano IV, fr. (usurp.) . . . . . 14 genn. 1162 - dep. s. a. († 1163)
Stefano III, *di nuovo*, re . . . . 1163 - † 4 mar. 1173
Bela III, fr. (conq. la Ga lizia 1190), cor. re mar. 1173 - † 18 apr. 1196
Emerico, f., re . . . . 18 apr. 1196 - † genn. 1204
Ladislao III, f., regg. Andrea suo zio; re . . 1204 - † 7 magg. 1205

Andrea II, *il Gerosolimitano*, f. di Bela III; (D.ª di
    Croazia) [sp. Gertrude di Andeches, † 13], re 7/5 1205 - † 7/3 '35
Bela IV, figlio [sp. Maria principessa bizantina], re, suc-
    cede . . . . 7 mar., cor. 14 ott. 1235 - † 1270
Stefano V, f. re . . . . 1270 - † ag. 1272
Ladislao IV, *il Cumano*, f. re . . . . . 1272 - † 19 lugl. 1290
Andrea III, *il Veneziano*, ultimo degli **Arpad**, nip. di
    Andrea II e f. del princ. Stefano; 28/7, cor. 4/8 1290 - † 4/1 1301
Venceslao dei Premislidi (re di Boemia e Polonia 1305),
    re, ... 1302 - abd. 1305 († 4 ag. 1306)
Ottone di Wittelsbach, nip. di Stefano V (re di Baviera
    1290) . . . . 1305 - abd. 1308 († 1312)
Caroberto o Roberto Carlo d'Anjou, f. di Carlo Martello
    († 1296) e pronip. di Stefano V, re . . 1308 - † 16 lugl. 1342
Luigi I, *il Grande*, f. (re di Polonia 1370), 16/7 1342 - † 11 o 12/9 1382
Maria, detta Re Maria, f., regg. sua madre Elisabetta,
    11/9 1382 - 12/1385 - rin. pel marito Sigismondo 1387 († 17/5 '95)
Carlo di Durazzo, *il Piccolo* (re di Napoli 1381), coro-
    nato re . . . . 31 dic. 1385 - † 31 dic. 1386
Sigismondo di Lussemburgo, marito di Maria (re de'
    Romani 1410, di Boemia 1419), con la moglie dal
    1388, solo re dal 1395, succ. . . . . . . 1387 - † 9 dic. 1437
Alberto d'Austria, genero di Sigismondo (re di Boemia
    1437), re succ. . 19 dic. 1437, cor. 1° genn. 1438 - † 27 ott. 1439
Elisabetta, ved. di Alberto (v. Austria) 27 ott. 1439 - genn. 1440 († '42)
Vladislao I, Jagell. (re di Polonia 1434), genn. 1440 - † 10 nov. 1444
Interregno. – Giovanni Hunyadi, governatore nov. 1444 - 13 febb. 1453
Ladislao V, *il Postumo*, f. di Alberto d'Austria (re di
    Boemia 1440, arcid. d'Austria 1453), re febb. 1453 - † 23 nov. 1457
Mattia Corvino, f. di Giov. Hunyadi, re 24 genn. 1458 - † 6 apr. 1490
Vladislao II di Polonia, f. (re di Boemia 1471), suc-
    cede . . . . . . 15 lugl., cor. 21 sett. 1490 - † 13 mar. 1516
Luigi II di Polonia, f. (re di Boemia 1516), succ. sotto
    regg.; [sp. (1521) Maria d'Austria, sor. di Carlo V
    imp.], re . . . . mar. 1516 - † 29 ag. 1526
Giovanni Szapolya f. diSte fano (vaivoda di Transilvania
    1510) [sp. (1539) Isabella di Polonia († 1559), f.ª di
    Sigismondo I] re 10/11, cor. 11 nov. 1526 - genn. 1527 († 22/7 '40)
Ferdinando I d'Austria, cogn. di Luigi II (arc. d'Austria
    1521, imp. e re di Germ.ª 1556); re, genn. 1527 - † 25 lugl. 1564
Gli stati di Presburgo dichiar. la corona d'Ungheria
    ereditaria per casa d'Austria 31 ott. 1687.
L'Ungheria rimane unita ai possessi di casa d'Austria
    fino al 16 nov. 1918 (v. Austria).
È proclam. la Repubbl. indip. popolare, 31 ott. 1918;
    presid. il C.e Michele Karolyi . . . 16 nov. 1918 - mar. 1919
Stato Soviet (Bela Kun) . . . . 21 mar. - 7 ag. 1919
Il potere passa al proletariato, che nomina un governo

provvisorio, i cui membri hanno nome di *commissari del popolo*. Presid. Garbai. . 22 mar. 1919 - 1° mar. 1920
Nikolaus Horthy von Nagybánya, reggente, el. 7 mar. 1920 - . . . .

(Segue a pag. 578)

5. Transilvania *(Principi) V. Romania a pag. 525*

Giovanni **Zapolyai**, vaivoda (gov.) ungherese di Transilvania dal 1507, se ne impadronisce nel 1526 e vi
   regna come principe indip. dal 1538 . . . 1526 - † lugl. 1540
Giovanni Sigismondo, f., princ. . . . . lugl. 1540 - † magg. 1571
Stefano **Bathori** (re di Polonia 1575-86), voivoda [sp.
   Anna Jagellona, f.ª di Sigism. I] magg. 1571 - rin. 76 († 12/12 86)
Cristoforo, fr. princ. . . . . 1576 - † 1581
Sigismondo, f.   » . . . . 1581 - 1598
Andrea **Bathori**, cardin., nip., dal fr., di Stefano re di
   Polonia, princ. regg. . . . . 1598 - † 1599
Dominio dei Valacchi . . . . 1599 - 1601
Sigismondo Bathori, *di nuovo* [sp. Maria Cristina di
   Austria], cede la Transilvania all'imp Rodolfo II
   d'**Austria** . . . . 1601 - rin. 1602 († 27 ag. 1613)
Dominazione Austriaca . . . . 1602 - 1603
Giorgio **Basta**, princ. . . . . 1602 - 1603 e 1603 - 1604
Mozes **Szekeli**   » . . . . 1603 - † s. a,
Stefano **Bocskay**, ungherese, princ. . . . . 1604 - † 29 dic. 1606
Sigismondo **Rakoezy**, eletto Principe febb. 1607, abdica . . . . 3 mar. 1608 († 5 dic. 1608)
Gabriele **Bathori**, ungherese, princ. . . . . ott. 1613 - 1629
Caterina di Brandeburgo, princ. . . . . 1629 - 1630
Giorgio **Rakoezy**, princ. . . . . 1648 - 1657, 1658 e 1659 - 1660
Francesco **Rhedey**, princ. . . . . 1657 - 1658
Akos **Barksey**, princ. . . . . . . 1658 - 1659 e 1660 - 1661
Giovanni **Kemeny**, princ. 1661
Michele **Apaffi** I, princ. . . . . 1661 - † 15 apr. 1690
Tokoli **Jmre**, princ. . . . . apr. 1690 - 1692
Michele **Apaffi**, II princ. . . . . . 1692 - abd. 19 apr. 1697 (o 99)
All'Austria pel trattato di Carlowitz . . . . 26 genn. 1699 - 1704
Ferencz (Francesco) **Rakoezy**, nip., dal f. Francesco I,
   di Giorgio II; princ. . . . . . 1704 - 1711 († 8 apr. 1735)
Michele **Apaffi** II, *di nuovo* . . . . . 1711 - † 11 febb. 1713
Unione all'Austria-Ungheria . . . . febb. 1713 - 1765
Unita definitivamente all'Austria-Ungheria . . . . . 1867 - 1916
La Romania, entrata in guerra (1916) contro gli Imperi
   centrali, conquista buona parte della Transilvania,
   che le viene accordata . . . . 1° dic. 1918

XIV. PENISOLA BALCANICA

1. Impero Romano d'Oriente.

(*V. anche Tavole cronol. sincr.*, pag. 220-240).

Casa di Teodosio.

Arcadio, f. dell'imp. **Teodosio I**; imp. rom. d'Or. [sp.,
   395, *Eudossia* Augusta, † 404, f.ᵃ di Bauto] 17/1 395 - † 1º/5 408
Teodosio II Flavio, *it Giovane*, f., tutore Antemio;
   imp. [sp. Eudossia (Atenaide)] . 1º magg. 408 - † 28 lugl. 450
Pulcheria Elia Augusta (S.ᵃ), sorella, regg. pel fr., poi
   gli succede, come imperatrice [sposa il generale
   Marciano] . . . . 450 - ag. s. a. († 453)
Marciano, gen. di Arcadio; imp.. . 24 o 25 ag. 450 - † 7 febb. 457

Casa Trace, poi (508) di Giustino.

Leone I, *Magno*, della Tracia [sp. Verina]; Imp. 7/2 457 - † ?/1 474
Leone II, *il Giovane*, nip., regg. il padre Zenone (Cesare
   fine 473), imp . . . . genn. - † nov. 474
Zenone Isaurico, padre di Leone II; imp. febb. 474 - dep. genn. 476
Basilisco, cognato, per la sorella Verina, di Leone I,
   usurp.. . . . . genn. 476 - dep. ag. 477 († 484)
Zenone Isaurico, ristabilito sul trono coll'aiuto di
   Teodorico . . . . ag. 477 - † 9 apr. 491
Anastasio I, *Dikoros*, gen.º di Leone I, cor. 11 nov. 491 - † 9 lugl. 518
Giustiuo I, *il Vecchio*, nato nell'Illiria (già comand. della
   Guardia imp.); acclam. imp. Gov. il questore Proclo
   e il nipote Giustiniano 9 lugl. 518, assoc. 4/4 527 - † 1º ag. 527
Giustiniano I, nip.; cor. imp. 4 apr., assoc. 1º ag. 527 - † 13 nov. 565
*Ipazio, nip. di Anastasio I, grid. imp. dai ribelli nella
   rivoluz. Nica. Ucciso da Belisario* 532
Giustino II, *il Giovane*, nip. di Giustiniano I; (Tiberio II,
   suo collega dal 574); imp. . . . . 13 nov. 565 - † 5 ott. 578
Tiberio II Costantino, genero di Giustino II; Cesare
   dic. 574, cor. imp. . . . . 26 sett., succ. 5 ott. 578 - † 14 ag. 582

Maurizio, gen.° di Tiberio II, cor. 13 ag., succ. 14 ag. 582 - † 27/11 602
[*Rivoluzione militare contro Maurizio* dal . . . . . . 23 nov. 602]
Foca, grid. imp. nella rivoluz. milit. contro Maurizio,
    coron. . . . . 23 nov. 602 - † 5 ott. 610

Casa degli **Eracli**, poi (820) casa **Frigia**.

Eraclio I, di Cappadocia [sp., I°, Eudossia; II°, Martina,
    sua nip.], imp. . . . . . 5 ott., cor. 7 ott. 610 - † 10 febb. 641
Costantino III, f., assoc. 22/1 613, succede mar. 641 - † 22 giu. 641
Eracleona Costant.°, fr., imp. 22/1 613, solo 22 giu. - esil. ott. 641
Costante II, f. di Costantino III; imp. . . lugl. 641 - † sett. 668
Costantino IV, *Pogonato*, figlio, augusto 654, suc-
    cede . . . . sett. 668 - † princ. sett. 685
Giustiniano II, *Rinotmete*, f. sett. 685 - detr. 695, rist. 704 - † 11/12 711
Leonzio, usurpatore, f. . . . . 695 - detr. 698 († 704)
Tiberio III, Absimaro, usurp. . . . . 698 - detr. 704 († s.a.)
Filippico *Bardane*, armeno, imp. . . . . dic. 711 - dep. 4 giu. 713
Anastasio II, *Artemio*, imp. . . . 4 giu. 713 - dep. genn. 716 († 719)
Teodosio III, *Atramiteno* . . v. genn. 716 - dep. 25 mar. 717 († 722)
Leone III Isaurico, gen.ᵉ bizantino, imp. cor. 25/3 717 - † 18/6 741
Costantino V, *Copronimo*, f., augusto 31 mar. 720,
    imp. . . . . 18 giu. 741 - † 14 sett. 775
[*Artavasde, cognato di Costantino V, usurp.* . 742 - dep. 2 nov. 743]
Leone IV, *Khazaras*, f. di Costantino V, collega del
    padre 6 genn. 751, succ. . . . . . 14 sett. 775 - † 8 sett. 780
Costantino VI, f., assoc. 14 apr. 776, succede, sotto la
    regg.ᵃ di Irene, sua madre, fino al 789 . 8/9 780 - dep. 15/6 797
Irene Attica, madre di Cost.° VI, giu. 797 - dep. 31/10 802 († 9/8 803)
Niceforo I di Seleucia, già *Logoteta* dell'imperatrice
    Irene, succ. . . . . 31 ott. 802 - † 23 lugl. 811
[*Stauracio, f. favorito dell'imp. Irene*, 25 lugl. - 2 ott. 811 († 5/9 812)]
Michele I, Curopalata, *Rhangabé*, gen.° di Niceforo I e
    cognato di Stauracio, cor. . . . 2/10 811 - dep. 11/8 813 († 843)
Leone V, *l'Armeno* . . . . 11 ag. 813 - † 25 dic. 820
Michele II, *il Balbo*, di Amorio in Frigia (perde Creta
    825, Sicilia 827), imp. . . . . . . 25 dic. 820 - † 1° ott. 829
Teofilo, f. [sp. Teodora], imp. . . . . . 1° ott. 829 - † 20 genn. 842
Michele III, *l'Ubriaco*, f., regg. Teodora sua madre fino
    all'857, succ. . . . . 20 genn. 842 - † 23 sett. 867

Casa **Macedone**.

Basilio I, *il Macedone*, associato 21 maggio 866, suc-
    cede . . . . 23 sett. 867 - † 1° mar. 886
Leone VI, *il Filosofo*, f., augusto nell'870 [sp. Zoe
    « Carbopsina »], succ. . . . . . . 29 ag. 886 - † 11 magg. 911

Costantino VII, *Porfirogenito*, f. (reggente la madre Zoe
912 - 919), succ. (collo suocero Romano I dal 919,
come segue); solo, dal 944; . . . 11 magg. 911 - † 9 nov. 959

Alessandro, *fr. di Leone VI, tutore e collega di Costantino VII* . . . . 11 magg. 911 - † 6 giu. 912

Romano I, *Lakapenos*, suocero e collega di Costantino VII . . . . dic. 919 - dep. 20 dic. 944 († 15 lugl. 948)

Cristoforo, f., assoc. col padre . . . . . . 921 - † ag. 931

Stefano e Costantino VIII, figli di Romano I, associati
col padre . . . . 928 - dep. 27 genn. 945

Romano II, *il Giovane*, f. di Costantino VII, assoc. col
padre 949, gli succ. . . . . . . 9 nov. 959 - † 15 mar. 963

[Niceforo II Foca, generale bizantino, marito di Teofano
ved. di Romano II, *usurp.* 2 lugl., cor. 16 ag. 963 - † 11 dic. 969]

Giovanni I *Zimiscè*, cognato di Romano II, usurpatore. . . . . 11 dic., cor. 25 dic. 969 - † 10 genn. 976

Basilio II, f. di Romano II, assoc. con Giovanni I, poi
col fratello . . . . 10 genn. 976 - † dic. 1025

Costantino XI, associato col fratello Basilio II,
imp. . . . . . . 10 genn. 976, solo dic. 1025 - † 12 nov. 1028

Bardas Skleros e Bardas II Foca, *nip. di Niceforo II,
usurp.* . . . . 976 - 989

Romano III *Argiro*, marito di Zoe f.ᵃ di Costantino VIII,
succ. . . . . 12 nov. 1028 - † 11 apr. 1034

Michele IV *Paflagonio*, secondo marito di Zoe, succede . . . . 11 apr. 1034 - † 10 dic. 1041

Michele V *Calafato*, nip., cor. . . 14 dic. 1041 - detr. apr. 1042

Zoe, *pred.* († 1052), e Teodora, figlie di Costantino VIII,
imperatrici . . . . apr. - 12 giu. 1042

Costantino X *Monomaco*, marito di Zoe, *pred.*, succede
11 giu., cor. imp. . . . . . . 12 giu. 1042 - † 30 nov. 1054

Teodora, *pred.*, imp. . . . . . . 30 nov. 1054 - † 22 ag. 1056

Michele VI, *Stratiotico* . . . 22 ag. 1056 - abd. 31 ag. 1057 († 1059)

Case **Comneno**, *poi* d'**Angelo** *e* **Doukas**.

Isacco **Comneno** I, f. di Manuele, augusto 8 giugno,
imp. . . . . 31 ag. 1057 - abd. dic. 1059 († 1061)

Costantino XI **Doukas**, f. adottivo, cor. 25 dic. 1059 - † magg. 1067

Eudossia, ved. di Costantino XI, coi figli Michele VII
Parapinace, Andronico e Costantino magg. 1067 - genn. 1068

Romano IV *Diogene*, secondo marito di Eudossia (prig.º
dei Selgivacchi 1071), succ. . . . . 1º genn. 1068 - † ott. 1071

Michele VII *Parapinace*, pred.. . . . ott. 1071 - dep. 31 mar. 1078

Niceforo *Briennio*, procl. imp. . . . . 3 ott. 1077 - dep. apr. 1078

Niceforo III *Botoniate*, 10 ott. 1077, cor. 3 apr. 1078 - dep. 1º/4 1081

Alessio I **Comneno**, detto *Bambacorace*, nip. dal fr. Giovanni, di Isacco I, *pred.*, imp. . . 1º apr. 1081 - † 15 ag. 1118

Giovanni II, f., augusto 1092, imp. . . . . 15 ag. 1118 - † 8 apr. 1143

Manuele I, f. [sp. Berta, f.ª del C.e Gerhard von Pulzi-
bach; II, Maria d'Antiochia, f.ª di Raimondo di
Poitiers] . . . . 8 apr. 1143 - † 24 sett. 1180

Alessio II, f., regg. la madre Maria d'Antiochia, [sp.
Agnese, f.ª di Luigi VII re di Francia], imp. 24/9 1180 - † ott.1183

Andronico I, cugino di Manuele I, assoc. 1182, succede . . . . ott. 1183 - † 12 sett. 1185

Isacco II **Angelo**, pronip. di Alessio I, 12 sett. 1185 - dep. 8 apr. 1195

Alessio III Angelo, fr., imp. (governa la moglie Eufro-
sina Ducena) . . . . 10 apr. 1195 - dep. 18 lugl. 1203

I Crociati assaltano Costantinopoli, vi entrano e ripong.
sul trono Isacco II . . . . 18 lugl. 1203

Isacco II, *di nuovo*, assoc. col figlio . . 18 lugl. 1203 - † febb. 1204

Alessio IV Angelo, figlio, associato col padre, coronato . . . . 1º ag. 1203   † 8 febb. 1204

Sollevazione degli abitanti di Costantinopoli contro i
Crociati, che escono dalla città . . . . ott. 1203

Nicola *Canabe*, usurp. . . . . . . 25 genn. - dep. 12 apr. 1204

Alessio V **Doukas**, detto *Murzuflo usurp.*, proclamato
imperatore . . . . febb. - dep. 12 apr. 1204

Nuova caduta e smembramento dell'Impero greco per
opera dei crociati Veneti e Franchi . . . . 12 apr. 1204

Baldovino, Conte di **Fiandra**, fonda l'Impero Latino
di Costantinopoli; Teodoro I **Lascaris**, genero di
Alessio III, *pred.*, fonda la Despot. poi Imp. greco
di Nicea; Michele I **Angelo-Comneno**, cugino di
Alessio III, la Despotia di Epiro e Alessio I **Comneno**, nip. di Andronico I, la Despotia poi Impero
di Trebisonda . . . . magg. 1204

2. *Imperatori Latini di* **Costantinopoli.**

Baldovino I (C.e di Fiandra 1194), eletto Imper.e latino
d'Or. (1) 9 magg., cor. 16 magg. 1204 - dep. 15 apr. 1205 († s. a.)

Enrico I, fr., imperatore . . . . cor. 20 ag. 1206 - † 11 giu. 1216

---

(1) Baldovino, sebbene fosse riconosc. come alto sovrano di tutto l'Imp., non riceve in dominio diretto che una quarta parte del territorio greco, cioè la Tracia coi palazzi di Blacherne
e Bucaleone. Una metà circa delle rimanenti tre parti rimane alla Repubbl. Veneta, cioè gran
parte della Morea (conquistata poco dopo da Villehardouin e da Champlitte), le isole di Negroponte (Eubea), Candia (ceduta dal march. di Monferrato), le Cicladi e le Sporadi, la città di
Gallipoli, l'Epiro, l'Acarnania, l'Etolia, le isole Jonie e qell'Arcip. sett., e una parte di Costantinopoli. Il march. di Monferrato ebbe la Macedonia, ed altre terre formanti il regno di
Tessalonica.

Parecchi nobili Veneziani conquistano inoltre, per proprio conto, varie isole nel mare Egeo,
assegnate alla Repubb. Veneta, ma ancora in potere dei Bizantini, come: Marco Sanudo, nel

Pietro di **Courtenay**, C.^e di Auxerre, cognato dei pre-
cedenti e nipote di Luigi VI re di Francia, eletto
    imp. 1216 . . . . . .   cor. 9 apr. 1217 - prigion. s. a. († 1219
[*Conone di Bethune, reggente* . . . .   1216 - 1221]
Roberto di **Courtenay**, f. di Pietro, *pred.*, cor. 25 mar. 1221 - † 1228
Baldovino II, fr., regg. (1229), poi collega (1231-37) lo
    suocero Giovanni di **Brienne**, re tit. di Gerusalem-
    me; succ. 1228, solo 23 mar. 1237 - dep. 25 lugl. 1261 († fine 1273)
Costantinopoli è ripresa dall'Imp. Bizantino di Nicea 25 lugl. 1261

3. *Imperatori Bizantini a* **Nicea** *poi a* **Costantinopoli.**

Teodoro I **Lascaris**, genero di Alessio III **Angelo** de-
    spota 1204, imp. a Nicea . . . .   1206 - † 1222
Giovanni III **Doukas-Vatatzès**, genero, imp. 1222 - † 30 ott. 1255
Teodoro II **Doukas-Lascaris**, f., succ. ott., cor. 25 dic. 1255 - † ag. 1259
Giovanni IV, f., reggente Michele [VIII] Paleologo, suc-
    cede . . . .   ag. 1259 - detr. 1° genn. 1260

Caduto l'Imp. Latino di Costantinopoli, risorge il **Bizantino,**
coi **Paleologo.**

Michele VIII **Paleologo**, regg. 1259, poi Imp., cor. 1260,
    occupa Costantinop., scacc. i Franchi, 27/7 1261 - † 11/12 1282
Andronico II, *il Vecchio*, figlio, (associa all' impero
    il figlio Michele IX, 21 maggio 1295), succe-
    ce . . . 11 dic. 1282 - detron. 13 magg. 1328 († 13 febb. 1332)
Andronico III, *il Giovane*, nip., dal f. Michele; [sp.
    Giovanna di Amedeo V di Savoia]; collega del-
    l'avo 2 febb. 1325, solo imp. . 24 magg. 1328 - † 15 giu. 1341
Giovanni V, f., sotto tutela della madre Anna di
    Savoia fino al 1347; poi di Giov. VI, fino al 1355
    [sposa Elena, figlia di Giovanni VI Cantacuzeno],
    succ. 15 giu., cor. 19 nov. 1341 - prig. dei Bulgari 1365 (liber. '66)

1207, le isole di Nasso, Paro, Antiparo, Milo, Cimolo, Delo, Sira, Stampalia, Santorino, Sifanto,
Termia, Nio. Nello stesso anno Marino Dandolo occupa Andro; Andrea e Geremia Ghisi le
isole di Sciro, Scopelo, Zia, Sciato, Tino, Micone ed Amorgo; Leonardo Foscolo l'isola di Nanfio
e Filocalo Navigajoso l'isola di Lemno. Queste isole sono poi conquistate dai Turchi negli
anni 1537-38, eccetto Nasso, Andro e Zia che vengono conquistate nel 1566, Sifanto e Termia
nel 1617, Tino e Micone nel 1718.
    L'isola di Negroponte, assegnata ai Veneziani, viene pure conquistata nel 1204 da Giacomo
d'Avesne per conto del march. di Monferrato, poscia divisa in signorie, ma riconosce, verso
il 1210, la sovranità di Venezia, la quale vi tiene dei bali fino al 1470, nel qual anno ò occupata
dai Turchi. - Candia appartiene alla Repubb. Veneta, che vi tiene dei governatori, duchi dal
1204 al 1669), poi viene conquistata anch'essa dai Turchi.

[*Giovanni VI* Cantacuzeno, usurp.   13 magg. 1347 - abd. genn. 1355]
[*Matteo*, f., assoc. al padre . . . . febb. 1354 - abd. 1357 († 1383)]
Andronico IV Paleologo, f. di Giovanni V, assoc. col
   f. Giovanni VII, imp.   18 ott. 1376 - dep. 8 lugl. 1379 († 28/6 85)
Giovanni V *di nuovo*, assoc. col figlio Manuele 8/7 1379 - † 16/2 1390
Manuele II, f., assoc., poi solo . 1391 - abd. 1423 († 21 lugl. 1425)
Giovanni VII, f. di Andronico IV, *pred.*, associato a
   Manuele II . . . .   4 dic. 1399 - abd. 1402 († d. 1408)
Giovanni VIII [sp. Maria Comneno † 1439]; 25/7 1425 - † 3/10 1448
Costantino XII *Dragazès*, f. di Manuele II, già Despota
   d'Acaja 1428-48; imp. princ. nov. 1448, cor. 6/1 '49 - † 29/5 '53
Maometto II, sultano dei Turchi, prende Costantino-
   poli, ponendo fine all'Impero Bizantino (1) . . 29 magg. 1453

Despotia d'Epiro (*Albania Merid.*) *ed* Isole Jonie

Michele I Angelo-Comneno, f. nat. di Giov. Angelo;
   despota d'Epiro, Etolia ed Acarnania (dal 20 giu-
   gno 1210 vassallo di Venezia) . . . . .   1204 - † 1214
Teodoro, fr. (imperatore di Tessalonica 1222-30) oc-
   cupa Durazzo e Corfù, despota d'Epiro 1214, ac-
   ciecato e deposto . . . .   1230 († d. 1254)
Manuele, fr. (imp. di Tessalon. 1230-40), desp. 1230 - dep. 1237 († 40)
Michele II, nip., dal fratello, di Manuele, despota . 1240 - † 1271
Niceforo I, f., succ., sotto la sovran. del re di Napoli, 1271 - † 1296
Tommaso, f., sotto tutela della madre Anna Paleologo
   Cantacuzeno, despota . . . .   1296 - † 1318
Nicola Orsini (C.e di Cefalonia 1317-20) (2), despota . 1318 - † 1323
Giovanni, fr. (C.e di Cefalonia e Zante 132-35), despota 1323 - † 1335
Niceforo II, f. (Conte di Cefalonia 1335-58), tutrice Anna
   Paleologo sua madre, despota . . . . . .   1335 - dep. 1339
La Despotia d'Epiro viene unita all'Impero Bizantino 1339 - 1356
Niceforo II, *di nuovo*, despota d'Epiro e di Tessaglia 1356 - † 1358
Carlo Thopia, capo Albanese, vince ed uccide Nice-

---

(1) Rimaneva ancora ai Bizantini Trebisonda, nell'Asia Minore, dal 1204 governata, come vedremo, da COMNENO (imperatori dal 1280) ma venne anch'essa conquistata dai Turchi nel 1462 (V. Trebisonda).

(2) Gli ORSINI erano conti di Cefalonia dal 1194 e signori di Leucade dal 1295. Alla morte di Niceforo II ORSINI nel 1358 le due isole passarono al cugino Leonardo I Tocco, signore di Zante. Questa famiglia occupò anche Argirocastro nel 1405, Arta e Giannina nel 1418. Cefalonia, Zante e Leucade appartennero poi alla repubb. Veneta, salvo brevi interruzioni, dal 1485 al 1797. In quest'anno le isole Jonnie furono occupate dai Francesi, ma nel 1799 dalla flotta russo-turca furon tolte alla Francia, e (21 marzo 1800) costit. *Repubb. delle sette isole* tributar. della Turchia. Nell'ag. 1807 furono ancora unite alla Francia fino al 1815, poi all'Inghilterra, che la cedette alla Grecia nel 1863 (V. Grecia, nota).

foro II ed occupa l'Epiro (1) . . . . . . 1358 - † genn. 1388
Annessione alla Grecia dell'Epiro del sud 1381
e dell'Epiro del nord (trattato di Bucarest) . . 10 ag. 1913

5. Albania

All'Impero d'Oriente . . . . 395 - sec. VI
Teodorico, re Ostrogoto . . . . princ. sec. VI - 552
L'Imp. Giustiniano ritoglie (gen.ᵉ Narsete) agli Ostro-
goti la penisola balcanica . . . . 552 - 554
I Serbi (pop. slavo) occupano Serbia, Bosnia, Dal-
mazia ed Albania . . . . prima metà sec. VII
I Croati l'occupano pure nel . . . . sec. VII
I Bulgari invadono la media e la bassa Albania e vi
fondano uno Stato fiorente . . . . v. 870 - sec. XI
Simeone, primo zar dei Bulgari, conquista l'Albania . 914 - 927
Peter, gli succede . . . . 927 - 969
Samuele, zar, occupa Durazzo . . . . 977 - 1010
Stefano **Dobroslaw**, zupano (principe Serbo), occupa
l'Albania . . . . sec. XI
Michele, f. *krali*, sovrano d'Albania . . . . . . 1050 - 1080
Roberto *Guiscardo* e suo figlio Boemondo, (Normanni)
occupano Durazzo . . . . giu. 1081 - 1084
I Veneziani occupano l'Albania, primavera del 1085 - luglio s. a.
poi ancora nel . . . . 1205 - . . . .
I Serbi occupano Durazzo . . . . 1110 - 1143 c.
L'imp. bizant. Manuele I **Comneno**, f. di Giov. II,
toglie Durazzo ai Serbi . . . . 1143 - † 24 sett. 1180
Michele I **Angelo**, dei **Comneno** († 1214), f. nat. di
Giovanni Angelo f. di Costantino, riceve dal
nuovo imp. greco, la despotia d'Epiro, con l'Al-
bania (vassallo di Venezia dal 1210) . . . . 1204 - † 1214
Teodoro, fr. di Michele I, despota d'Epiro, occupa Du-
razzo, succ. con tit. d'imper.ᵉ . . 1214 - dep. 1230 († d. 1254)
Durazzo è unito alla despotia d'Epiro . . . . - 1259
Durazzo si stacca dalla despotia d'Epiro e passa sotto
il governo di Manfredi, re di Sicilia . . . . 1259 - † 26/2 1266
Carlo I d'**Anjou** (princ. d'Acaja 1278, re di Sicilia 1266),
occupa Corfù e l'Albania . . . . . . 1272 - † 7 genn. 1285
Valona è occupata dai Bizantini nel 1314; è conquistata
dai Turchi nel 1414 . . . . 1314 - 1414

----

(1) Nel 1259 Durazzo e Lepanto si erano staccate dalla despotia d'Epiro per passare sotto
il governo di Manfredi, re di Sicilia e sign. di Corfù dal 1257. Quest'isola appartenne in seguito
ai Veneziani dal 1386 al 1796, poi fu occupata dai Francesi. Lepanto passò ai Turchi nel 1699,
dopo aver appartenuto alla repubbl. Veneta dal 1407 al 1499 e dal 1687 al 1699. – La Tessaglia
l'Acarnania e l'Etolia passarono nel 1271 a Giovanni fratello del despota d'Epiro Niceforo I
e furono occupate dai Turchi nel 1393. Per le isole Jonie V. anche a pag. 508, nota 2.

Filippo II, Principe di Taranto, f. di Carlo II d'**Anjou;**
    duca di Durazzo . . . . 1315 - † 26 dic. 1332
Giovanni, fr. (8° f. di Carlo II); (principe d'Acaja e
    Morea 1318), duca di Durazzo e Signore d'Al-
    bania . . . . 1333 - † 5 apr. 1335
Carlo I, f. († 24 genn. 1348), duca di Durazzo. Gli
    succedono i suoi fratelli Luigi († 1326) e Ro-
    berto († 1356) . . . . 1335 - 1356
Durazzo rimane in possesso degli Angioini di Napoli 1356 - 1368
Carlo **Thopia,** f. di Andrea, capo albanese (vince ed
    uccide Niceforo II, despota d'Epiro, che egli oc-
    cupa) e si fa re di Albania; toglie Durazzo agli
    Angioini 1368 . . . . .1358 - † genn. 1388
Giorgio, f., re d'Albania dal 1368, e principe di Du-
    razzo, succ. . . . . . genn. 1388 - rin. mar. 1392 († ott. 1392)
La repubblica di Venezia occupa l'Albania, eccetto
    Croia e suo territorio . . . . mar. 1392 - 1479
Elena, sorella di Giorgio († 1401 c.), principessa di
    Croia, col marito Marco Barbarigo († 1428) . ott. 1392 - 1395
Costantino **Castriota,** f. di Paolo, principe di Croia
    [sposa Elena, † 1402, nipote di Carlo Thopia, *pred.*],
    succede . . . . . . 1395 - dep. 1401 († 1402)
Niceta **Thopia,** Conte di Croia . . . . 1401 - † 1415
Dominazione ottomana a Croia . . . . 1415 - 1443
Giorgio **Castriota,** *Skanderbeg,* nip. di Costant. 1443 - † 17/1 '68
Giovanni, f. (sotto tutela della Repubblica di Venezia),
    principe di Croia, che poi cede ai Veneti, 11/1 1468 - rin. ag. 1474
Alla Repubblica di Venezia . . . . ag. 1474 - 1478
Maometto II, sultano dei Turchi, occupa Croia nel
    1478; Ottiene da Venezia anche Scutari nel 1479 - († 3/5 1481)
Durazzo cade in potere di Venezia nel 1500, ma i
    Turchi la riprendono dopo due anni . . . . . 1500 - 1502
L'Albania è dichiarata indip. dalla Turchia 28 nov. 1912 - ott. 1918
Gli Italiani occup. Valona 29/12 1914, Giannina 3/6 '17
L'Albania è occupata dagli Austriaci . . . . - fine ott. 1918
Occupata in gran parte dagli Italiani fra il 14 ottobre
    (Durazzo, poi Scutari) e il principio di nov. 1918 - ag. 1920
Proclamazione della Repubblica. — Ahmet-Zogou, el.
    presidente per 7 anni. . . . . . 1° febb. 1925 - 1° sett. 1928
L'Assemblea Costituente nomina re d'Albania Ahmet-
    Zogou, *pred.* . . . . 1° sett. 1928 - . . . .

(Segue a pag. 568)

6. *Regno di* **Tessalonica** (*Salonicco*) *e* **Macedonia** *del Sud.*

Bonifacio (march. di Monferrato 28 apr. 1192), re di
    Tessalonica e della Macedonia del sud [cede Creta
    alla rep. Veneta 12 ag. 1204] . . . . 1204 - † 1207

Demetrio I, f., re . . . . 1207 - dep. 1222 († 1227)
Teodoro **Angelo-Comneno** (despota d'Epiro 1214), im-
   peratore . . . . 1222 - 1230 († d. 1254)
Manuele, fr. (despota d'Epiro 1230), imp. . 1230 - 1240 († 1241)
Giovanni I, f. di Teodoro; imp., poi despota dal 1242; 1240 - † 1244
Demetrio II, fr., despota . . . . 1244 - dep. 1246
Tessalonica è conquistata dall'imp. greco di Nicea. . 1246 - 1423
Alla Repubblica di Venezia . . . . . v. dic. 1423 - 1° mar. 1430
Presa dai Turchi . . . . . . mar. 1430 - 1881. Al R.° di Grecia.

7. *Despotia, poi* (1280) *Impero* **greco** *di* **Trebisonda.**

Alessio I **Comneno**, nip., dal f. Emanuele, dell'Imp.
   Andronico I; despota, poi assume tit. d'Imp.,
   1204 - † 1222; – Andronico I, gen.° di Alessio I,
   1222 - † 1235; – Giovanni I, f. di'Aless. I, 1235 -
   † 1238; – Manuele I, fr., 1238 - † 1263; – Andronico II, f., 1263 - † 1266; – Giorgio, fr. 1266 - 1280;
   – Giovanni II, fr., Imp., 1280 - † 1297; – Alessio II,
   f., 1297 - † 1330; – Andronico III, f., 1330 - † 1332;
   – Manuele II, f., 1332; – Basilio, fr., 1333 - † 1340;
   – Irene, ved. di Basilio, 1340 - † 1341; – Anna, sorella di Basilio, 1341 - † 1342; – Giovanni III, nip.
   di Giovanni II, 1342 - 1344 († 1361); – Michele, padre di Giov. III, 1344 - 1349; – Alessio III († 1330),
   f. di Basilio, poi (1390) Manuele III, suo f.; 1349 -
   † 1390; – Manuele III, f., 1390 - † 1417; – Alessio IV, f., 1417 - † 1446; – Giovanni IV *Calogio-
   vanni*, f., 1447 - † 1458; – Alessio V, f., 1458; –
   Davide, fr. di Gio. IV; [Una sua sorella sp. il Sultano Maometto II], 1458 - dep. 1462 († 1466); 1204 - 1462
I Turchi pongono fine all'Impero greco di Trebisonda
   dopo un mese d'assedio. – Maometto II, *il Grande*
   lo unisce ai suoi dominii (V. Turchia) . . .' 1462

8. *Principato d'***Acaja** *e* **Morea,**

Guglielmo di Champlitte (casa di *Champagne*) conquista
   l'Acaja; signore . . . . 1205 - dep. 1209 († 1212)
Goffredo I di Villehardouin, signore . . . . 1209 - † 1218
Goffredo II, f., principe di Acaja . . . . 1218 - † 1245
Guglielmo II, fr., principe (prig. de'Bizant. 1259-62) 1245 - † 1/5 1278
Carlo I d'**Anjou**, f. di Luigi VIII di Francia; (re di Si-
   cilia, e despota di Romania, 1266) magg. 1278 - † 7 genn. 1285
Carlo II, f. (re di Napoli, e despota di Romania 1285,
   ecc.) genn. 1285 - rin. a fav. di Fiorenzo d'Hainaut 1289 († 6/5 '09)

Isabella di Villehardouin, figlia di Guglielmo II, *pre-*
detto; [sp. Filippo I di Savoia]; vende l'Acaja agli
Anjou di Napoli 1307; . . . . 1289 - 1307 († 1311)
Fiorenzo d'**Hainaut**, marito d'Isabella, *pred.* . . . 1289 - † 1297
Filippo I di **Savoia**, terzo marito d'Isabella, *pred.*
(princ. di Piemonte 1282) . . 1301 - dep. 1307 († 25 sett. 1334)
Filippo II d'**Anjou**, f. di Carlo II, *pred.* (princ. di
Taranto e despota di Romania 1294) 1307 - 1313 († 26 dic. 1332)
Matilde d'**Hainaut**, f.ª d'Isabella e Fiorenzo, *pred.*; sposa
a Luigi di Borgogna († 1316) . . . . . 1313 - 1318 († 1331)
[*Ferdinando I di Majorca, competitore* . . . . . 1315 - † 1316]
Giovanni d'**Anjou**, C.ᵉ di **Gravina**, fr. di Filippo II,
pred. (duca di Durazzo 1333) . . . . . 1318 - 1333 († 1335)
Caterina di **Valois**, moglie di Filippo II, *pred.* . . 1333 - † 1346
Roberto d'**Anjou**, f. (despota di Romania 1331, princ.
di Taranto 1332) . . . . 1346 - † sett. 1364
Maria, f. di Luigi I di **Borbone**, vedova di Roberto,
col marito Ugo di Lusignano, principe di Galilea
(† 1347) . . . . 1364 - rin. 1370 († 1387)
Filippo III d'**Anjou**, f. di Filippo II e di Caterina, *pred.*
(princ. di Taranto 1364), principe titolare . . 1370 - † 1373
Giovanna d'**Anjou**, f. di Carlo duca di Calabria (regina
di Napoli 1343) . . . . . 1374 - dep. 1381 († 11 magg. 1382)
Ottone di **Brunswick-Grubenhagen**, marito di Giovan-
na d'Anjou, *pred.* . . . . . 1376 - dep. 1381 († v. 1398)
Giacomo di **Beaux**, nip. di Filippo III, *pred.* . . 1381 - † 1383
Maiotto Coccarelli, poi (1386) *Pietro di S. Esuperanzo,*
detto Bordeaux, vicari . . . . 1383 - 1396
Pietro di Sant'Esuperanzo, *pred.*, principe . . . . 1396 - † 1402
Maria **Zaccaria**, vedova . . . . 1402 - † 1404
Centurione **Zaccaria**, nip. (signore d'Arcadia ecc. 1401),
principe . . . . 1404 - rin. 1430 († 1432)
Tomaso **Paleologo**, genero . . . . 1430 - dep. 1460 († 1465)
Il principato viene conquistato dai Turchi . . . . 1460 - 1685 c.
La Repubblica di Venezia occupa, in diverse riprese,
la Morea . . . . 1684 - giu. 1714
La Morea è conquistata dai Turchi nel 1714 e ad essi
viene assegnata (tratt. di Passarowitz) 21 lugl. 1718 (1) V. Grecia

9. *Signoria, poi* (1259) *Ducato d'***Atene**.

Ottone de la **Roche**, riceve in feudo dal marchese
di Monferrato l'Attica e la Beozia formanti la
signoria d'Atene . . . . 1205 - 1225 († v. 1234)

---

(1) Il principato d'ACAJA dal 1209 in poi, erasi andato dividendo in signorie che furono più
tardi riconquistate dai Greci, come: Geraki nel 1262, Calavrita nel 1263, Passava nel 1314;,
Akova e Nikli nel 1320, Patrasso nel 1430, San Salvatore Arcadia e Chalandritza nel 1432.

Guido I, f.. sign. d'Atene, poi duca dal 1259 . . .   1225 - † 1263
Giovanni, f. . . . . duca   1263 † 1280
Guglielmo I, fr. . . . . »   1280 - † 1287
Guido II, f. . . . . »   1287 - † 1308
Gualtieri I di **Brienne**, nip. di Guglielmo I, *pred.* » 1308-†15/3 1311
I pirati Catalani occupano il ducato, meno Argo e
    Nauplia (1), ed offrono la sovranità agli Aragonesi
    di Sicilia 1311
Manfredi, f. di Federico II **d'Aragona**, re di Sicilia;
    duca d'Atene . . . . 1312 - 1317 c. († 26/2 66)
Guglielmo, fr. duca . . . . 1317 - † 22 ag. 1338
Giovanni, fr..   »   . . . . 22 ag. 1338 - † 3 apr. 1348
Federico I, f.   »   . . . . 3 apr. 1348 - † lugl. 1355
Federico II, *il Semplice*, cugino (re di Sicilia 1355),
    succede . . . . lugl. 1355 - † 27 lugl. 1377
Maria, f.ª (reg.ª di Sicilia 1377), duch. 27 lugl. 1377 - 1381 († 25/5 1402)
Pietro [IV] **d'Aragona**, *il Cerimoniere* (re d'Aragona
    1336), duca . . . . 1381 - 1385 († 5 genn. 1387)
Neri (Ranieri) I **Acciaiuoli**, f. di Jacopo (sign. di Co-
    rinto) conquista Atene, duca . . . . . . 1385 - † nov. 1394
Antonio I, f. nat. . . . . duca   1394 - 1395
La Repubblica di Venezia occupa Atene . . . . . . 1395 - 1402
Antonio I, *di nuovo* duca . . . . 1402 - † 1435
Neri (Ranieri) II, cugino, duca. . . . . . . 1435 - dep. 1439
Antonio II, fr. duca . . . . 1439 - † 1441
Neri II, *di nuovo* duca . . . . 1441 - † 1451
Chiara Giorgi, vedova di Neri II, col marito Barto-
    lomeo **Contarini** dal 1453, succ. . . . . 1451 - † 1454
Francesco I, f., duca . . . . 1451 - 1454
Francesco II, (Acciainoli) f. di Antonio II, d. 1455 - 1458 († 1460)
Atene e Corinto sono occupate dai Turchi 1458 - 1828 (2). V. Grecia.

---

(1) Furono Duchi di ARGO e NAUPLIA:
Gualtieri II di BRIENNE, f. di Gualtieri I (sign. di Firenze 1342-43) . . . .   1311 - † 1356
Guido III d'ENGHIEN, nip. . . . .   1356 - † 1377
Maria, f., sposa a Pietro CORNARO († 1388) . . . .   1377 - rin. 1388
    Il ducato passa alla repubb. di Venezia 1388 - 1540, poi ai Turchi 1540 - 1686 e di nuovo
a Venezia nel 1686, finchè viene occupato ancora dai Turchi nel 1715.
(2) Altre signorie, derivanti dal ducato, erano state già occupate dai Turchi, come la
contea di SALONA nel 1410, il marchesato di BODONITZA nel 1414. Più tardi essi occuparono
anche la signoria di TEBE (1460) e quella d'EGINA nel 1537, la quale apparteneva, dal
1451, alla Repubblica Veneta.

10. *Regno di* **Grecia**.

Pel trattato di Passarowitz, la Turchia si trova in
   possesso di quasi tutta la Grecia (1) . 21 lugl. 1718 - mar. 1821
Insurrezione contro il governo Turco (mar. 1821). —
   Istituzione di un Consiglio esecutivo di 5 membri
   diretto da Maurocordato e di un Senato di 59 mem-
   bri presieduto da Demetrio Ypsilanti. 1° genn. 1822 - genn. 1828
Governo provvisorio (Panhellenion). — Giovanni **Capodistria** presid. . . . . 24 genn. 1828 - † 9 ott. 1831
Il sultano Mahmud II riconosce l'indipendenza della
   Grecia (trattato di Adrianopoli) . . . . 14 sett. 1829
Agostino **Capodistria**, presid. del governo provviso-
   rio . . . . . . 20 dic. 1831 - dep. 18 genn. - abd. 10 apr. 1832
Ottone di **Wittelsbach**, f. di Luigi I re di **Baviera;** eletto
   re 7 maggio, accetta 5 ottobre 1832 (2), sale al
   trono 6 febbraio 1833, sotto reggenza; dichiarato
   maggiorenne . . 1° giu. 1835 - dep. 22 ott. 1862 († 26 lugl. 1867)
Rivoluzione a Missolungi, Patrasso, Atene ecc. . 19 - 23 ott. 1862
Governo provvisorio. - A. G. **Bulgaris** presid., 23 ott. 1862 - giu. 1863
Giorgio I di **Schleswig-Holstein-Sonderbourg-Glueks-
   bourg**, f. di Cristiano IX re di Danimarca; el. re
   di Grecia 30 mar., accetta 6 giu., dichiar. maggio-
   renne 27 giu., assume il governo 31 ott. 1863 - † 18 mar. 1913
Costantino XII, f. (duca di Sparta) re 18/3 1913 - abd. 11 giu. 1917
Alessandro, f. re . . . . 11 giu. 1917 - † 25 ott. 1920
Governo provvisorio 26 - 29 ott. 1920; poi Conduriotis
   reggente . . . . 29 ott. 1920 - rin. 14 nov. 1920
La regina Olga, vedova del re Giorgio, regg. 18 nov. - 15 dic. 1920
Costantino XII, *di nuovo*, 15 dic. 1920 - abd. 27 sett. 1922 († 11/1 23
Princ. Giorgio (duca di Sparta) [sp., febb. 1921, la
   princ. Elisabetta di Romania], re . 27 sett. 1922 - mar. 1924
Repubblica Ellenica democratica (Presid. Paolo Kon-
   douriotis), eretta 25 mar. 1924, rattificata poi
   dal plebiscito 14 apr.1924.

(Segue a pag. 572)

(1) Pel detto trattato, alla Repubb. di Venezia rimase soltanto l'Isola di Cerigo (*Citera*)
e qualche piazza marittima del continente. fra le isole di Corfù e di S. Maura.

(2) Il 21 lugl. 1832 è conchiuso a Costantinopoli un trattato cel quale la Porta acconsente,
all'estensione dei confini del nuovo regno di Grecia dal golfo d'Arta a quello di Volo, con l'Ellade
la Morea, Negroponte, le Cicladi. Le isole Jonie formavano una repubblica sotto la protezione dell'Inghilterra, come vedemmo, ma nel nov. 1863 il governo inglese rinunziò al loro
protettorato in favore della Grecia. Nel 1880 (pace di Berlino) vengono aggiunte al reame
anche la Tessaglia con Volo, Larissa, Tricala, Farsalo e la parte dell'Epiro situata all'est del
fiume Arta.

XV. SVIZZERA

1. Elvezia.

Entrano a far parte della *Confederazione*: Lucerna nel
1332, Zurigo nel 1351, Glaris e Zug nel 1351, Berna nel 1353 (1)

L'Austria riconosce l'indipendenza degli Svizzeri nel
1394 e alla pace di Basilea 1499

Entrano ancora nella *Confederazione* i cantoni di Friburgo e Soletta nel 1481, Basile a eSciaffusa nel
1501, Appenzell nel 1513. Altri stringono alleanza
con essi (2) . . . . 1481 - 1513

L'indipendenza degli Svizzeri è riconosciuta alla pace
di Westfalia . . . . 24 ott. 1648

Abolizione delle lega Svizzera e proclamaz. della **Repubblica unitaria Elvetica**, composta di 22 cantoni,
cioè: Vallese, Friburgo, Léman, Lucerna, Berna,
Soletta, Basilea, Argovia, Unterwalden, Uri, Bellinzona, Lugano, Turgovia, Rezia, Sargans, Glaris.
Appenzell, S. Gallo, Sciaffusa, Zurigo, Zug, Schwytz 2 apr. 1798

La Repubblica Elvetica viene divisa nei 19 cantoni:
Vallese, Paese Alto (una parte di Berna), Friburgo,
Léman, Lucerna, Berna, Soletta, Basilea, Argovia,
Waldstaetten, Baden, Bellinzona, Lugano, Turgo-
via, Rezia, Sciaffusa, Zurigo, Säntis e Linth . 1º magg. 1798

Il Vallese viene eretto in repubblica indipendente . . . . 3 apr. 1802 - 19 febb. 1803

La Svizzera torna ad essere una *Confederaz. di Stati*, com-
prendente 19 cantoni, cioè: Friburgo, Berna, Soletta, Basilea, Zurigo, Lucerna, Uri, Schwitz, Unterwalden, Zoug, Glarona, Sciaffusa, Appenzel, San
Gallo, Grigioni, Argovia, Turgovia, Ticino e Vaud, 19 febb. 1803

Cambiamento della costituzione federale. Le redini del
governo sono affidate ad un cantone *direttore*; la
dieta siederà alternativamente nei cantoni di Zurigo, Berna e Lucerna . . . . 8 sett. 1814

Tre nuovi cantoni si uniscono alla Confederaz.: Ginevra,
Vallese e Neuchàtel, la Svizzera è dich. neutrale. 14 sett. 1814

Divisione del cantone di Basilea. – I comuni della
campagna formano un cantone distinto (Basilea-
campagna). . . . . 22 ag. 1832

Nuova costituzione. La Svizzera diviene uno *stato fe-
derativo*. Il potere esecutivo è rappresentato dal
consiglio *federale* col presid. della Confederazione
alla testa, eletto ogni anno . . . . 27 giu. 1848

<hr>

(1) Essi rimangono però sotto la giurisdizione dell'Impero fino alla pace di Basilea del 1499.
(2) Come: Neuch-Âtel (1424), S. Gallo (1451), il Vallese (1473), le tre leghe dei Grigioni (1497),
Ginevra (1558), ecc.

Presidenti della Confederazione.

Ionas Furrer, di Zurigo	1849
Enrico Druey, di Vaud	1850
Giuseppe Munzinger, di Soletta	1851
Ionas Furrer, di Zurigo (2ª volta)	1852
Guglielmo Näff, di San Gallo	1853
Federico Frey-Herosée, di Argovia	1854
Ulrico Ochsenbein, di Berna	1855
Giacomo Stämpfli, di Berna	1856
Costantino Fornerod, di Vaud	1857
Ionas Furrer, di Zurigo (3ª volta)	1858
Giacomo Stämpfli, di Berna (2ª volta)	1859
Federico Frey-Herosée, di Argovia (2ª volta)	1860
Martino Knüsel, di Lucerna	1861
Giacomo Stämpfli, di Berna (3ª volta	1862
Costantino Fornerod, di Vaud (2ª volta)	1863
Giacomo Dubs, di Zurigo	1864
Carlo Schenk, di Berna	1865
Martino Knüsel, di Lucerna (2ª volta)	1866
Costantino Fornerod, di Vaud (3ª volta)	1867
Giacomo Dubs, di Zurigo (2ª volta)	1868
Emilio Welti, di Argovia	1869
Giacomo Dubs, di Zurigo (3ª volta)	1870
Carlo Schenk, di Berna (2ª volta)	1871
Emilio Welti, di Argovia (2ª volta)	1872
Pietro Ceresole, di Vaud	1873
Carlo Schenk, di Berna (3ª volta	1874

La costituzione del 1848 viene modificata in senso ancor più liberale. L'assemblea federale è composta di un *Consiglio nazionale* di 167 membri e di un *Consiglio degli Stati* di 44 membri. Questi due corpi legislativi eleggono a loro volta un *Consiglio federale* come autorità esecutiva per 3 anni. Il presid. della Confederazione è preso ogni anno dal Consiglio federale. . . . . 29 magg. 1874

Giovanni Giacomo Scherer, di Zurigo, *presidente*	1875
Emilio Welti, di Argovia (3ª volta)	1876
Gioacchino Heer, di Glaris	1877
Carlo Schenk, di Berna (4ª volta)	1878
Bernardo Hammer, di Soletta	1879
Emilio Welti, di Argovia (4ª volta)	1880
(Fridolino Anderwert, di Turgovia . . . el. 7 dic. - † 25 dic. 1880)	
Numa Droz, di Neuchâtel	1881
Simeone Bavier, dei Grigioni	1882
Luigi Ruchonnet, di Vaud	1883
Emilio Welti, di Argovia (5ª volta)	1884

Carlo Schenk, di Berna (5ª volta) 1885
Adolfo Deucher, di Turgovia 1886
Numa Droz, di Neuchâtel (2ª volta) 1887
Guglielmo Federico Hertenstein, di Zurigo 1888
Bernardo Hammer, di Soletta 1889
Luigi Ruchonet, di Vaud (2ª volta) 1890
Emilio Welti, di Argovia (6ª volta) 1891
W. Hauser, di Zurigo 1892
Carlo Schenk, di Berna (6ª volta) 1893
E. Frey, di Basilea 1894
Giuseppe Zemp, di Lucerna 1895
Adriano Lachenal, di Ginevra 1896
Adolfo Deucher, di Turgovia (2ª volta) 1897
Eugenio Ruffy, di Vaud 1898
Edoardo Müller, di Berna 1899
W. Hauser, di Zurigo (2ª volta) 1900
Ernesto Brenner, di Basilea 1901
Giuseppe Zemp, di Lucerna (2ª volta) 1902
Adolfo Deucher, di Turgovia (3ª volta) 1903
Roberto Comtesse, di Neuchâtel 1904
Marco E. Ruchet, di Vaud 1905
L. Forrer, di Winterthur 1906
Edoardo Müller, di Berna (2ª volta) 1907
Ernesto Brenner, di Basilea (2ª volta) 1908
Adolfo Deucher, di Turgovia (4ª volta) 1909
Roberto Comtesse, di Neuchâtel (2ª volta) . . . 1910
Marco E. Ruchet, di Vaud (2ª volta) 1911
L. Forrer, di Winterthur (2ª volta) 1912
Edoardo Müller, di Berna (3ª volta) 1913
Colonn. Dott. Arturo Hoffmann 1914
Giuseppe Motta, di Airolo (Canton Ticino) 1915
Camillo Decoppet, di Vaud 1916
Edmondo Schultess, di Argovia 1917
Emilio Ador, di Ginevra 1918
Gustavo Adler, di Ginevra 1919
Giuseppe Motta, di Airolo (Canton Ticino) (2ª volta) . . . 1920
Edmondo Schultess, di Argovia (2ª volta) . . . 1921
R. Haab, di Zurigo 1922
Carlo Scheurer, di Berna 1923
E. Chuard, del Cantone di Vaud 1924
I. M. Musi, di Friburgo 1925
Haeberlin, di Turgovia 1926
Giuseppe Motta, di Airolo (Canton Ticino) (3ª volta) . . . 1927
E. Schultesse, di Argovia (2ª volta) . . . 1928
R. Haab, di Zurigo 1929

(segue a pag. 577)

2. Lugano.

XVI. RUSSIA E POLÓNIA

1. *Granprincipi di* Nowgorod *e di* Kiew.

Swiatopolk I, f. di Jaropolk, 15/7 1015 - rin. 1016, poi 1017 - dep. 1019
Jaroslaw I, f. di Wladimiro I, battezzato 988, Granprinc.
  di Nowgor., dal 1019, di Kiew; 1016 - dep. 1017, poi 1019 - † 1054
Isiaslaw I, *Demetrio*, f. . . . . 1054 - dep. 1068
Wseslaw Bracislawitch, pronip. di Wladim. I, 1068 - dep. '69 († 1101)
Isiaslaw I, *di nuovo* . . . . 1069 - dep. 1073
Swiatoslaw II, f. di Jaroslaw I . . . . 1073 - † 1076
Wsewolod I Jaroslawitch, fr. di Iziaslaw I . . . 1076 - dep. 1077
Isiaslaw I, *di nuovo* . . . . 1077 - † 1078
Wsewolod I, *di nuovo* : . . . . 1078 - † 13 apr. 1093
Michele Swiatopolk II, f. di Isiaslaw I. . . 13 apr. 1093 - † 1113
Wladimiro II, *Monomaco*, f. di Wsewolod . . . 1113 - † 1125
Mstislaw I, f. . . . . 1125 - † 1132
Jaropolk II, fr. . . . . 1132 - † 1139
Wiaceslaw, fr. . . . . 1139 - dep. d. 12 gior.
Wsewolod II Olgowitch, nip. di Swiatoslaw II, *pred.* 1139 - † 1146
Igor II Olgowic, fr. . . . . 1146 - dep. d. 40 gior.
Isiaslaw II, f. di Mstislaw I . . . . 1146 - dep. 1149
Iouri (Giorgio) I, f. di Wladimiro II, Granprincipe di
  Wladimir . . . . 1149 - dep. 1150
Isiaslaw II, *di nuovo*, e Wiaceslaw, *pred.*, suo zio 1150
Iouri I, *di nuovo* . . . . 1150 - dep. 1151
Isiaslaw II, *di nuovo* . . . . 1151 - † 1154
Rostislaw, f. di Mstislaw I, *pred.*, 1154 - dep. 1155 e 1158 - † 1167
Isiaslaw III Dawidowitch, nipote di Swiatoslaw, suc-
  cede . . . . 1155 - dep. s. a.; 1157 - 1158 e 1161
Mstislaw II, f. di Isiaslaw II . . . . . 1167 - 1169 e 1170 († s. a.)
Iouri I, *di nuovo* . . . . 1155 - † 1157

2. Granprincipi di Souzdal e Wladimir

Andrea I Bogolubskii, f. di Iouri I, principe di Souz-
  dal e Wladimir . . . . 1157 - † 29 gin. 1174
Jaropolk e Mstislaw, nipoti di Andrea I . . . . . 1174 - 1175
Michele I, fr. di Andrea I . . . . 1175 - † 1176
Wsewolod III, fr. . . . . 1176 - † 1212
Iouri II, f., princ. di Souzdal e Wladimir . . . 1212 - dep. 1216
Costantino, fr., principe di Rostow, e (1216) di Wla-
  dimir . . . . 1212 - † 1218
Iouri II, *di nuovo* . . . . 1218 - † 1238
Jaroslaw II Feodor, fr. — [I Mongoli invadono e signo-
  regg. la Russia, meno Nowgorod, 1238 - 1481]. 1238 - † 1246
Swiatoslaw III, fr. . . . . 1246 - dep. 1248
Michele, f. di Jaroslaw II . . . . 1248 - † s. a.
Swiatoslaw III, *di nuovo* . . . . . 1248 - dep. 1249 († 1250)
Andrea II, f. di Jaroslaw II . . . 1249 - dep. 1252 († 1264)
Alessandro I Newski, fr. . . . . 1252 - † 1263

Jaroslaw III, fr. (granprinc. di Twer 1246) . . . .   1264 - † 1272
Wassilii (*Basilio*) I, fr., Granprinc. di Mosca . . .   1272 - † 1277
Demetrio I, f. di Alessandro I Newski. . . . . .   1277 - † 1294
Andrea III, fr., sig. di Wladimir . . . .   1294 - † 1304
Michele II, f. di Jaroslaw III (granprincipe di Twer
   1294), succ. . . . .   1304 - † 1319
Iouri III Danilowitch, nip. di Andrea III (granprinc.
   di Mosca 1303), succ.. . . . .   1319 - 1325

3. *Granprincipi di* Mosca, *poi* (1547) Zar di Russia.

Danilo, f. di Alessandro I Newski, pred. . . . . .   1294 - † 1303
Iouri III Danilowtich, *pred.*. . . . .   1303 - † 1325
Alessandro II, f. di Michele II princ. di Wladimir e di
   Nowgorod . . . .   1326 - dep. 1328 († 1339)
Iwan (Giovanni) I Danilowitch, *Kalita*, fr., unisce i
   principati di Mosca, di Nowgorod e di Wladimir 1325 - † 1340
Semen o Simeone, *l'Orgoglioso,* f. . . . .   1340 - † 1353
Iwan II, fr. . . . .   1353 - † 13 nov. 1359
Demetrio II, f. di Costantino Wassilievic, nip. di An-
   drea II, princ. di Souzdal, succ. nov. 1359 - dep. 1362 († 5/7 1383)
Demetrio III, Denskoi, f. di Iwan II, granpr. 1362 - † 19 magg. 1389
Wassilii II, f., Granprinc. di Mosca 19 magg. 1389 - † 27 febb. 1425
Wass:lii III *Temnii (il cieco)*, f., granpr. 27 febb. 1425 - † 17 mar. 1462
Iwan III *il Grande*, f., granprinc. di Mosca e Nowgorod
   e sign. di Pskow 1478, di Twer 1485, di Viatka
   1489. Caccia dalla Russia i Mongoli 1480 |sp. Sofia
   f.ª di Tommaso Paleologo|, succ. 17 mar. 1462 - † 27 ott. 1505
Wassilii IV, f. |sp. Elena...|, zar di Russia 27 ott. 1505 - † 21 nov. 1533
Iwan IV [I], f., sotto tutela di Elena sua madre fino
   al 1538, poi di tre reggenti fino al 1543; succede
   il 4 dicembre 1533, Zar e Autocrate di tutte le
   Russie con nome di Iwan I, . 16 genn. 1547 - † 18 mar. 1584
Feodor (Feodoro) I, f., ultimo dei Rurik, |sp. Irene,
   sorella di Boris Godunow|, succede 18 marzo, co-
   ronato . . . . 31 lugl. 1584 - † 7 genn. 1598
Boris Feodorowic Godunow, regg., fr. della zarina Irene,
   succ. . . . .   1598 - † 23 apr. 1605
Feodor II, f., sotto regg. della madre, succ. 23 apr. - † 10 giu. 1605
Giorgio Otrepief |falso Demetrio I|, usurp., succede 10
   giu., cor. . . . . 5 lugl. 1605 - † 17 magg. 1606
Wassilii Iwanowic Chouisky 21/5 1606 - dep. ag. 1610 († 12/9 1611)
Falso Demetrio II, usurp. . . . . . .   1608 - † 11 dic. 1610
Ladislao Wasa (re di Polonia 1632), succ. . . . sett. 1610 - 1612
Michele Feodorowitch, f. di Feodor Romanow, el. zar
   21 febb., assume il gov. . . . 19 mar. 1613 - † 12 lugl. 1645
Alessio, f. . . . . 12 lugl. 1645 - † 8 febb. 1676

Feodor III, f. . . . . 8 febb. 1676 - † 27 apr. 1682
Iwan II, fr., regg. Sofia sua sor. 25 giu. 1682 - rin. 1689 († 29/1 1696)
Pietro I; *il Grande* fr., co-regg. dal 1682, succ. 9/9 1689;
   princ. d'Estonia 1710, di Livonia 1721 ecc., imp. e
   autocrate di tutte le Russie . . 2 nov. 1721 - † 28 genn. 1725
Caterina I Alexiewna Skawronska, moglie dal 1712 di
   Pietro I; cor. 7/5 1724, succ. 28 febb. 1725 - † 17 magg. 1727
Pietro II Alexiewitch, nip. di Pietro I, regg. Menzikof
   sino al 19 sett. 1727, succ. . 17 magg. 1727 - † 30 genn. 1730
Anna, f.ª di Iwan II, *pred.* (duchessa di Curlandia
   1711-30), succ. . . . . febb. 1730 - † 28 ott. 1740
Iwan III Antonowitch, pronip. di Iwan II, regg. il
   duca di Biren, succ. . . 29 ott. 1740 - dep. 6 dic. 1741 († 1764)
Elisabetta, f.ª di Pietro I, 7 dic. 1741, cor. 7 magg. 1742 - † 5/1 1762
Pietro III Feodorowitch, nip., f. di Anna Petrowna
   Romanow e di Carlo-Federico d'**Holstein-Gottorp**,
   succ. . . . . 5 genn. - dep. 9 lugl. 1762 († 17 lugl. s. a.)
Caterina II Alexiewna, d'Anhalt-Zerbst, moglie, dal 1°
   sett. 1745, di Pietro III; succ. 9/7, cor. 3/10 1762 - † 17/11 1796
Paolo I Petrowic, f. . . . . 17 nov. 1796 - † 13 mar. 1801
Alessandro I, f. (granduca di Finlandia 17 sett. 1809,
   re di Polonia 1815), [sp. Luisa Maria (Elisab.) di
   Baden], zar di tutte le Russie . . 3 mar. 1801 - † 1° dic. 1825
Niccolò I, fr. (re di Polonia 26/2 1832), zar 1° dic. 1825 - † 2/3 1855
Alessandro II, f. (re di Polonia), zar 2 marzo 1855,
   coronato . . . . 7 sett. 1856 - † 1 mar. 1881
Alessandro III, f. (re di Polonia), zar . 1 mar. 1881 - † 1° nov. 1894
Niccolò II, f.. 1/11 1894, cor. 26/5 1896 - dep. 16/3 1917 († lugl. 1918)
Governo provvisorio Rivoluz. poiitico-sociale 16 mar. - 15/9 1917
Proclamazione della Repubb. Federativa dei Sovieti
   comunista Pietrogrado occup. dai Bolsevichi 7/11 1917 17/7 1917
Lenin Vladimiro Ulić Ulianov, detto *Nicolas*, Presid.
   dei Commissari del popolo, el. 10 nov. 1917 - † 21 genn. 1924
Alessio Ivanov Rikoff, Presidente dei Commissari del
   popolo, el.. . . . . genn. 1924 - . . . .

(Segue a pag. 579)

4. Polonia. (1)
Duchi, poi Re

Duchi di razza slava, incerti: Lech I, v. 550; Craco,
   v. 600; Przemislao I, v. 760.... ecc.
Piast, duca, fondatore della prima dinastia « Piasti »,
   polacca, ... v. 842 - † 861 c.

---

(1) Microslawschi, Historie de Pologne. – Witold Olzewski, La Polonia nel passato e nell'ora presente, Bologna, 1910. – Know, Die Polonische Aufstande seit 1830, Berlin, 1880. G. d'Acandia, La questione polacca, Catania, 1910.

[Zsemowit, †., 861 - † 892; Lesko (Leszek) I, f., 892 -
  † 913; Ziemomislao, f., 913 - † 960]. . . . . . .   861 – 960
Miecislao (Mscislaw) I, f. di Zsemomislao (cristiano dal
  966) [sp. Dembrowka, f.ª di Boleslao, re di
  Boemia] duca. . . . . 960 - † 992
Boleslao I Chrobry (l'Intrepido), f., succ. 992, re v. 1025 - † 28 ott. 1025
Miecislao II, f., re 28/10 1025 - abd. 1031 e, di nuovo, 1032 - † 15/3 '34
Bezprim, fr., re . . . . 1031 - † 1032
Casimiro I, il Riparatore, f., tutr. la madre Richeza f.ª
  del Palatino Ezone da Rhein, re . . . 1034 - † 28 nov. 1058
Boleslao II Smialy (l'Ardito), f., re 28 nov. 1058 - dep. 1079 († 1082)
Ladislao I Herman, fr. duca. . . . . 1079 - † 26 lugl. 1102
Boleslao III Krzywousty (Boccatorta) f., re . 26 lugl. 1102 - † 1139
Ladislao II f., re . . . . 1139 - spod. 1146 († 1163)
Boleslao IV Kedzierzawy (il Ricciuto), fr., re 1146 - † 30 ott. 1173
Miecislao III Stary (il Vecchio), fratello, re, succe-
  de . . . . 30 ott. 1173 - dep. 1177 e 1200 - dep. 1201
Casimiro II (il Giusto), fr., re . . . . . 1177 - dep. 4 magg. 1194
Lesko II Bialy (il Bianco), f., reggente Elena sua ma-
  dre . . . 4 magg. 1194 - dep. 1200, 1201 e 1206 - † 11 nov. 1227
Miecislao III, Stary, di nuovo re . . . . 1201 · † 1202
Ladislao III Laskonogi (gamba sottile), f. 1202 - dep. 1206 († 1231)
Boleslao V, il Casto, f., regg. Corrado suo zio fino al 1238,
  re, [I Mongoli devas. la Polonia 1240] 11/11 1227 - † 10/10 1279
Lesko III Czarny (il Nero), pronip. di Casimiro II,
  re, succ . . . . 10 dic. 1279 - † 1288
Boleslao VI, nip, re. . . . . 1288 († 1313)
Enrico, pronipote di Ladislao II (duca di Breslau
  1266) re . . . . v. 1288 - † 1290
Przemislao, pronip. di Ladislao III (duca di Posnania
  1272-96); [1290 - 1291], re . . . . 26 giu. 1295 - † 8 febb. 1296
Ladislao IV Lokietek, fr. di Lesko III, duca febb. 1296 - dep. 1300
Venceslao I, genero (re di Boemia 1283) [1291 - 1300],
  re . . . . 1300 - † 21 giu. 1305
Venceslao II, f. (re di Boemia 1305), re . 21 giu. 1305 - † 4 ag. 1306
Ladislao IV Lokietek, di nuovo, duca 1306, re 1320 - † 10 mar. 1333
Casimiro III, il Grande, f. [sp. Anna di Lit.ª] 10/3 1333 - † 5/11 1370
Luigi I d'Anjou, il Grande, nip. (re d'Ungheria 1342),
  re . . . . 5 nov. 1370 - † 11 o 12 sett. 1382
Interregno . . . . 12 sett. 1382   1384
Edvige, f.ª di Luigi I d'Anjou . . . 1381 - 17 febb. 1386 († 1396)
Ladislao V Jagellone (granduca di Lituania 1382), ma-
  rito di Edvige pred. e re . . 17 febb. 1386 - † 31 magg. 1434
Ladislao VI Warnenczyk, f. (re d'Ungheria 1440), succ.
  sotto reggenza . . . . giu. 1434 - † 10 nov. 1444
Casimiro IV, fr., succ. . . . 1445, cor. 26 giu. 1447 - † 7 giu. 1192
Giovanni I Alberto, f. . . . . v. giu. 1492 - † 17 giu. 1501

Alessandro, fr. (grand. di Lituania 1492), giu. 1501 - † 19 ag. 1506

Sigismondo I, *il Vecchio*, fr. (granduca di Lituania 1506), succ. . . 20 ott. 1506, cor. 24 genn. 1507 - † 1° apr. 1548

Sigismondo II Augusto I, f. (granduca di Lituania dal 1544), succ. . . . . 1° apr. 1548 - † 7 lugl. 1572

Enrico di Valois (re di Francia 1574 - 1589), eletto re 9 magg. 1573, cor. febb. 1574 - dep. 15 lugl. 1575 († 2/8 1589)

Stefano Batory, cognato di Sigism. II (principe di Transilvania 1572-76), el. . . . . . 15 dic. 1575 - † 13 dic. 1586

Sigismondo III Wasa, nip. (re di Svezia 1592), eletto re . . . . 9 ag., cor. 27 dic. 1587 - † 29 apr. 1632

Ladislao VII, f. (zar di Russia 1610-12) 13 nov. 1632 - † 19 mag. 1648

Giovanni Casimiro V, fr.; [sp., 1649, Maria Luigia († 67), f.ª di Carlo I Gonzaga D.ª di Mantova], re 20 nov. 1648, coronato 17 genn. 1649 - abd. 16 sett. 1668 († 16 dic. 1672)

Interregno . . . . 16 sett. 1668 - 19 giu. 1669

Michele Korybut Wiszñiewiecki, el. . 19 giu. 1669 - † 10 nov. 1673

Giovanni III Sobieski . . . . . . 21 magg. 1674 - † 17 giu. 1696

Interregno . . . . 17 giu. 1696 - 15 sett. 1697

Federico Augusto II di Sassonia (elettore di Sassonia 1694), cor. . . . . . . 15 sett. 1697 - dep. 15 febb. 1704 († 1733)

Stanislao I Leszczynski di Posnania (duca di Lorena 1737), el. . . . . 12 lugl. 1704 - dep. 24 sett. 1709

Federico Aug.° II di Sassonia, *di nuovo* re fine ag. 1709 - † 1/2 1733

Stanislao I Leszczynski, p.°, re 12/9 1733 - dep. 1/'34 - rin. 3/10 '35 (1)

Federico Augusto III di Sassonia, f. di Feder. Augusto II (elett.e di Sasson. 1733), re 5 ott. 1733, cor.17/1 1734 - † 17/1 63

Interregno . . . . dal 17 dic. 1763 al 6 sett. 1764

Stanislao II Poniatowski, eletto re 6 settembre, coronato . . . . 25 nov. 1764 - abd. 25 nov. 1795 († 12 dic. 1798)

Partizioni della Polonia (tratt. di Pietroburgo 5/8 1772) fra la Russia, l'Austria e la Prussia agosto 1772, luglio 1793 e . . . . 24 ott. 1795

La Prussia ottiene i distretti situati tra il Niemen fino a Grodno esclusivamente, e il Bog, affluente orient. della Vistola, con i territori di Bialistok e di Plock, la prov. di Varsavia fino alla Pilica, affluente occid. della Vistola e un piccolo distretto del palatinato di Cracovia.

L'Austria ottiene la maggior parte del palatinato di Cracovia e tutto il paese dalla Pilica al Bog.

La Russia il paese alla destra del Niemen e del Bog, il resto della Lituania e della Volinia . 24 sett. 1795 - 8 lug. 1807

Pace di Tilsit (8/7 '07). - Ricostit.e di uno Stato polacco coi ducati di Posen e di Varsavia, detto *Grandu-*

---

(1) Ottiene in compenso l'arc. (pace di Vienna 1738) e Duc. di Lovena e Bar.

cato di Varsavia. — Federico Augusto di **Sassonia**,
nipote di Federico Augusto III *pred.*, (elettore,
poi re di Sassonia 1763), nominato granduca di
Varsavia . . . . 8 lugl. 1807 - giu. 1813
Il Granducato è soppresso dai Russi . . . . giu. 1813
Cracovia è costituita in repubblica separata, sotto il
protettorato dell'Austria, Russia e Prussia; trat-
tato . . . . 21 apr. e 3 magg. 1815 - 1839 (1)
Il granducato di Posen è restituito alla Prussia. — La
Russia occupa il granducato di Varsavia (2). —
Governo dei granduca Costantino, fratello dello
zar . . . . giu. 1815 - 29 nov. 1830
Insurrezione di Varsavia e cacciata del granduca Co-
stantino. — Governo provvisorio . . . . . 29 nov. - dic. 1830
Sgombro dei Russi dalla Polonia . . . . 13 dic. 1830
Il generale Klopicki ottiene la dittatura 5 dic. 1830 - rin. febb. 1831
Princ. Radziwill generalissimo, poi (26 febb.) general
Skrzynecki . . . . febb. - magg. 1831
Dembiuski generalissimo (in lugl.) poi, dopo pochi
giorni, Krukowiecki dittatore . . . . . . 16 ag. - 7 sett. 1831
Capitolazione di Varsavia (7 sett.); la Polonia è nuova-
mente aggregata all'Impero Russo, con propria am-
ministrazione . . . . 9 sett. 1831 - 15 genn. 1863
Insurrezione nazionale a Varsavia, Plock, Radzin,
Siedler . . . . 15 genn. 1863 - mar. 1864
La Polonia è di nuovo aggregata alla Russia mar. 1864 - 24/2 1867
Il Regno di Polonia, fuso col resto dell'Imp. Russo, è
diviso in 10 provincie . . . . 27 nov. 1867 - 5 nov. 1916
Dichiarata Regno indip. dalla Germ.ª e dall'Austria . 5 nov. 1916
Stabilim. effettivo della Polonia, indip. dalla Russia,
dalla Germania e dall'Austria e composta degli
antichi territori . . . . 14 nov. 1918
Repubb. democratica unitaria, proclam. 14 nov. 1918,
riconosc. dal tratt. di Versailles . . . . . . 28 genn. 1919
Governo provvisorio. — Gen. Giuseppe Pilsudski presid.,
eletto . . . . . . 14 nov. 1918, riel. 20 febb. 1920 - 9 dic. 1922
Assemblea Costituente di 191 membri, el. febb. 1919. —
Narutowicz Gabriele Presid. della Repubb.. 9 dic. - † 16 dic. 1922
Wojciechow Stanislao, Presid., el . 19 dic. 1922 - dep. magg. 1926
Vilna e suo territ. sono assegnati alla Polonia . . . . febb. 1923
Dott. Ignazio Moscicki, Presid., el. per 7 anni,   4 giu. 1926 - . . . .

(Segue a pag. 575)

(1) Cracovia viene occupata dalle truppe austriache . . . . . . 1839 - 20 febb. 1841
   »   si regge di nuovo a repubblica . . . . .20 febb. 1841 - 11 nov. 1846
   »   viene unita ai domini austriaci col cors. di Prussia e Russia 11/11 1846 - 11/1916
(2) Lo zar Alessandro I prende il titolo di re di Polonia il 15 gen. 1815,

5. Lituania.

Granduchi indipendenti.

Mindowe, 1247 - 1263; – Stroinat, 1263 - 1264; – Woi-
schelg, 1264 - 1267; – Swarno Daniilowic di *Halich,
usurp.*, 1265 - 1270; – Troiden, 1270 - 1282; – Lu-
tuwer, 1282 - 1293; – Witen, 1293 - 1316; – Ghe-
dymin, 1316 - 1341; – Olgierd-Alessandro I, 1341 -
1377; – Kestuit, 1341 - 1382; – Ladislao [V] Jagellone (re di Polonia), battez. 14/2 1386, [sp. Edvige
f.ᵃ di Luigi I d'Anjou, re d'Ungheria] 1386 - 1387;
– Skirgiello, Casimiro I, 1387 - 1392; – Witold-
Alessandro II, 1392 - 1430 . . . . 1217 - 1413
La Lituania è unita alla Polonia con atto della Dieta
di Vilna . . . . 1413 - 1569
Swidrigiello-Boleslao, 1430 - 1432; Korybut-Sigismon-
do I, granprinc., 1432 - † 1440; – Casimiro II (re
di Polonia 1445), 1440 - 1492; – Alessandro III
(re di Polonia 1501), 1492 - †1506; – Sigismondo II
(re di Polonia 1506), 1506 - 1544; – Sigismondo III
Augusto (re di Polonia 1548 - 1572), 1544 - 1569 († 7/7 1572)
Nuova riunione della Lituania alla Polonia (dieta di
Lublino). . . . . 12 ag. 1569 - 9 apr. 1793
Gran parte della Lituania, con la prov. merid. della
Volinia è occupata dai Russi . . . 9 apr. 1793 - febb. 1918
La Russia occupa il resto della Lituania, della Vo-
linia ecc. . . . . 24 ott. 1795 - 16 febb. 1918
Proclamazione della Repubblica democratica indipend.
16/2 1918 (Presid. A. Stulginskis, riel. 19/6 1923).
– Riconosc. dal trattato di Versailles . . . . . 28 giu. 1919
La Lituania è proclam. stato libero . . . . 4 apr. 1919
È riconosc. dalle grandi potenze alleate . . . . . 13 lugl. 1922
Il territorio di Memel viene accordato definitivamente
alla Lituania . . . . 8 magg. 1926
Repubblica. Presidente: Prof. Antanas Smetona, el.
dalla Dieta per 3 anni . . . . dic. 1926 - . . . .

(Segue a pag. 574)

6· Finlandia

Tribù finniche indipendenti . . . . - sec. XIII
Occupata dagli Svedesi capo Birger Farl che dal 1323
vi si stabiliscono col consenso della Russia . . 1249 - 1284 c.
Gli Svedesi ne fanno un ducato . . . . 1284 - 1718
Pietro I (*il Grande*), imp. di Russia, conquista la parte
S.-E. della Finlandia (Viborg e Kexholm) 30 ag. 1721 - † 28/1 '25

Elisabetta, f.ª di Pietro 1, occupa diverse regioni in-
torno al lago Saima (procl. zarina 25/11) 1741 - †5 genn. 1762
Alessandro I, f. di Paolo I di Russia, conquista intera-
mente la Finlandia . . . . 21 feb. 1808 - 1809
I Russi (Alessandro I) ne fanno un Granducato (dal
1811 con un governo particolare), pace di Fre-
drikshauen. . . . . 17 set. 1809
Il Granducato è confermato alla Russia dalle altre potenze 1814
Al Granduc. vengono tolte molte guarentigie costituz. 1899 - 1905
Gli viene accordata l'autonomia, ma con restriz. 1905 - 6 dic. 1917
Si dichiara Repubb. indip. - Riconosc. dalla Russia
e da altri Stati . . . . 6 dic. 1917
Si libera dai bolscevichi russi e finnici, assistita da forze
militari tedesche . . . . primavera 1918
Acquisto del territorio di Petsamo; pace di Tartù . . 14 ott. 1920
Presidente (el. per 6 anni) Dott. L.K. Relander el. 1º mar. 1925 - ...

(Segue a pag. 570)

XVII. TURCHIA

1. Turchia.

Dinastia degli Osmanli.

[Ertoghroul, sultano dei Turchi in Armenia . . . 1231 - † 128 8
Osman, o Othman I, emiro v. 1281, poi (1299) sovrano
indipendente in Frigia, dopo la caduta del sulta-
nato selgiucida di Konieh . . . . 1288 - † 10 ag. 1326
Orkhan (Urchan), f., sultano dei Turchi in Frigia (1326
conq. Brussa, poi quasi tutta l'Asia Min.) 10 ag. 1326 - † 1359
Murad o Amurat I, detto *Lamorabaquin*, f.. sult. (dal
1365 ad Adrianopoli) . . . . 1359 - † 15 giu. 1389
Bajazet I, *il Lampo*, f. (conq. Bulgaria, Macedonia e
Tessaglia), sultano . 1389 - spod. 20 lugl. 1402 († 8 mar. 1403)
Solimano I *Chélébi*, f., sultano . . . . 1402 - † 1410
Musa *Chélébi*, fr., assoc. col fr. che segue . . 1410 - † apr. 1413
Maometto I, fr., assoc. 1410, solo . . . apr. 1413 - † magg. 1421
Murad II, f. . . . . magg. 1421 - † 9 febb. 1451
Maometto II, f. (Padichah dopo la presa di Costantino-
poli 29/5 1453, occupa Trebisonda 1462) 12/2 1451 - † 3/5 1481
Bajazet II, *Lamorabaquin*, f., 3/5 1481 - abd. magg. 1512 († 26/5 12)
Selim I, f. (Califo nel 1518), succ. . magg. 1512 - † 21 sett. 1520
Solimano II, *il Legislatore*, f. (Sultan es Selatim 1538),
(conquista Belgrado 1521, Rodi 1522, Buda 1529,
Tabris presa ai Persiani nel 1534, Chio 1566) 21/9 '20 - † 30/8 '66

Selim II, f. . . . . 30 ag. 1566 - † 12 dic. 1574
Murad III, f. . . . . 12 dic. 1574 · † 16 genn. 1595
Maometto III, f. . . . . 16 genn. 1595 - † 22 dic. 1603
Achmed I, f. . . . . 22 dic. 1603 - † 22 nov. 1617
Mustafà I, fr., 22 nov. 1617 - dep. 26/2 18 e 20/5 1622 - 29/8 23 (†'39)
Osman II, f. di Achmed I, sultano 26 febb. 1618 - † 20 magg. 1622
Murad IV, *il Prode*, fr. di Osman II . . 29 ag. 1623 - † 9 febb. 1640
Ibrahim, fr. . . . . 9 febb. 1640 - † 18 ag. 1648
Maometto IV, f. . . 18 ag. 1648 - dep. 8 nov. 1687 († 17 dic. 1692)
Solimano III, fr. . . . . 8 nov. 1687 - † 23 giu. 1691
Achmet II, fr. . . . . 23 giu. 1691 - † 6 febb. 1695
Mustafà II, f. di Maom. IV, 6/2 1695 - dep. 22 ag. 1703 († gen. 1704)
Achmet III, fr. . . 22 ag. 1703 - dep. 1° ott. 1730 († 23 giu. 1736)
Mahmud I, f. di Mustafà II . . . 1° ott. 1730 - † 13 dic. 1754
Osman III, fr. . . . . 13 dic. 1754 - † 28 ott. 1757
Mustafà III, f. di Achmet III . . . 28 ott. 1757 - † 24 dic. 1773
Abd-el-Hamid I, fr. . . . . 24 dic. 1773 - † 7 apr. 1789
Selim III, f. di Mustafà III, 28/4 1789 - dep. 29/5 1807 († 28/7 1808)
Mustafà IV, f. di Abd-el-Hamid I, 29/5 1807 - dep. 28/7 08 († 16/11s.a)
Mahmud II, fr. . . . . 28 lugl. 1808 - † 1 lugl. 1839
Abd-el-Medijd, f. . . . . 1 lugl. 1839 - † 25 giu. 1861
Abd-el-Aziz, fr. . . 25 giu. 1861 - dep. 30 magg. 1876 († 4 giu. s. a.)
Mourad V, f. di Abd-el-Medijd, 30 /5 - dep. 30 ag. 1876 († 29/8 1904)
Abd-el-Hamid II, fr. . . . . . . 31 ag. 1876 - dep. 27 apr. 1909
Maometto V (Mehemed Réchad Khan V), fr., 27/4 1909 - † 3/7 1918
Abolizione del Sultanato e dell'Alta Porta . . . . 1° nov. 1922
Maometto VI (Vahid Eddin), f., 3/11 1918 - dep. 2/11 22 († 15/5 26)
Repubblica, comprend.: CP. Asia Minore sett. ed Or. ecc. 29 ott. 1923
G. Mustafà Kemal Pascià, Presid. del Governo Nazio-
    nale d'Angora e capo dello Stato (2 nov. 1922),
    eletto 29 nov. 1923, e *di nuovo*, per 4 anni. . 3 mar. 1924 - . . . .
Aboliz. del Califato 3 marzo 1924 . . . . 3 mar. 1924

(segue a pag. 578)

Regno dei Serbi, Croati e Sloveni (Jugoslavia).

All'Impero d'Oriente, con qualche interruzione . . . 678 - 1040
[Stefano « *Wojislaw* » assicura l'indip. della Serbia nel
    1040 - † 1042; – Michele, suo figlio, gli succede 1050 - 1084]
.... Stefano **Nemanya**, detto *S. Simone*, f. di Urosch
    (zupan di Raska dal 1159), si rende indipen-
    dente . . . . 1186 - abd. 25 mar. 1195 († s. a.)
Stefano I Simone, f. [sp. una f.ª del Doge Andrea Dan-
    dolo di Venezia] . . 25 mar. 1195, cor. re 1220 - † 24 sett. 1228
Stefano II *Radoslav*, f., re . . . . sett. 1228 - rin. 1234
Vladislao, fr., re . . . . 1234 - † 1237
Stefano III Urosch I, *il Cieco*, fr., succ. 1237, re 1240 - dep. 1272
Stefano IV *Dragoutin*, f., re (duca di Sirmia 1275) [sp.
    Caterina d'Ungheria] . . . . 1272 - dep. dal fr. 1275 († 1317)

Stefano V, Urosch II *Miloutin*, fr. (*usurp.*), re [sp.
  Simona-Paleologina] . . . . 1275 - † 29 ott. (?) 1322
Stefano VI, Urosch III *Decianski*, figlio naturale,
  re . . . . 1322 - dep. ag. 1331 († 11 nov. 1333)
Stefano VII Duschan, *il Grande*, f. (*usurp.*), re [sp. Elena
  di Bulgaria], succ. 8/9 1331, Zar dei Serbi 1347 - † 26/12 1355
Stefano VIII, Urosch IV, f., zar . . . . 1355 - † 2 dic. 1366
Vouchachin **Mrnyaveevitch** (*usurp.*). . . . . 1366 - † 26 sett. 1371
Simone, detto *Sinisa Urosch*, fr. di Stefano VIII de-
  spota di Tessaglia . . . . 1366 - † 26 sett. 1371
Lazzaro I **Greblyanovitch**, zar . . . . 1371 - † 15 giu. 1389
Stefano Lazarevitch, o Lazzaro II, *il Cieco*, f.; tutrice
  la madre Elena Angelina Militza, succ. . 1389 - † 19 lugl. 1427
Giorgio I **Brankovitch**, nip., (f. di Vuk Stefano, genero
  di Lazzaro I) desp.ª 1427 - dep. dai Turchi... e 1444 - † 21/12 1456
Lazzaro II, f., re, assoc. 18 dic. 1446, succ. 21 dic. 1456 - † 20/1 1458
La Serbia viene conq. dai Turchi . 1458 - 1808 e ott. 1813 - apr. 1815
Giorgio **Petrovitch**, detto *Kara-Georges* (*il Nero*), prin-
  cipe . . . . 1808 - dep. 21 sett. 1813 († 13 lugl. 1817)
Rivolla dei Serbi, capo Miloch **Obrenovitch**, apr. 1815 - 6 nov. 1817
Miloch I **Obrenovitch**, *pred.*, principe, 6 nov. 1817 abd. 13 giu. 1839
Milan II **Obrenovitch**, f., principe . . . . 12 magg. 1839 † s. a.
Michele III **Obrenovitch**, fr., principe giu. 1839 - dep. 14 sett. 1842
Alessandro I **Kara Georgevitch**, f. di Giorgio Petrovitch,
  succ. 27 giu. 1843 - dep. 24 dic. 1858 - abd. 3/1 1859 († 3/5 85)
Miloch I **Obrenovitch**, *di nuovo* . . . 23 dic. 1858 - † 26 sett. 1860
Michele III, f., *di nuovo* . . . . . 26 sett. 1860 - † 10 giu. 1868
La Serbia è elevata a Princip. indip. 13 luglio 1878
  (tratt. di Berlino). È elevata a Regno . . . . . 6 mar. 1882
Milan IV **Obrenovitch**, *pronip.* di Miloch I, succ. 2 lugl.
  1868, esce di minor. 22/8 1872; Princ. indip. (tratt.
  di Berlino) 13/7 78, re 22/2 1882 - abd. 6/3 1889 († 29/1 1901)
Alessandro I **Obrenovitch**, f., regg. Ristitch Belimarko-
  vitch e Protitch [sp. Draga Mascin, † 1903], suc-
  cede . . . . 6 mar. 1889 - † 10 giu. 1903
*Governo provvisorio, in seguito all'eccidio dei reali a
  Belgrado* . . . . 11 - 15 giu. 1903
Pietro, f. di Alessandro I **Kara-Georgevitch**, *pred.*, el.
  re 15 giugno, assume il governo (sotto reggenza
  dal 1919) . 24 giu. 1903, cor. 21 sett. 1904 - † 16 ag. 1921
Belgrado è occupata dagli Austriaci . . 2 dic. 1914 - 1º nov. 1918
I Serbi ricuperano Belgrado . . . . 1º nov. 1918
Unione del Montenegro alla Serbia . . . . . 13 nov. 1918
La Slavonia, la Bosnia-Erzegovina, la Croazia e le
  prov. serbe dell'Ungheria merid. si uniscono con
  la Serbia nel Regno unito dei Serbi, Croati e Sloveni 1º dic. 1918
Riconoscimento del trattato di Versailles . . . . . 28 giu. 1919
Alessandro I , f. (già reggente pel padre dal 1919),
  re . . . . 16 ag. 1921, cor. nov. 1926 - . . . .

(Segue a pag. 573)

Bulgaria.

(Segue a pag. 569)

Valacchia e Moldavia, (*ant.* Dacia) *poi* Romania (1)
Principi, poi Re dal 1881.

(1) N. JORGA, Breve istoria del popolo Romeno — A. XENOPOL Histoire des Roumains,
. . . jusque en 1859, Leroux 1892. — J. V. RATTI, Romania Latina, Firenze 1916. — A.
NICOLAU, Romania. Milano, 1919.

Gli Ungheri occupano la Transilvania, sede dei Romeni (V. Transilvania, pag. 496) . . . . . . v. 900 - 1290

I Romeni passano in parte dalla Transilvania nella Valacchia e, più tardi, nella Moldavia e vi fondano il primo princip. Romeno, con Filippo II d'Anjou, princ. dal 1294 (V. Taranto ed Acaja) . . . fra 1290 e 1360

La Moldavia si rende indip. dall'Ungheria . . . . 1360 - . . . .

Il principato Valacco si rende indip. dall'Ungheria ed è gov. da *vaivod*, o principi . . . . 1377 - 1391

Lotte coi Turchi. – Sottomiss. del princ. Valacco **Mircea**, *il Vecchio*, che paga ai Turchi un tributo di vassallaggio . . . . 1391 - 1395

Vittoria del princ. valacco **Mircea** sui Turchi . . . 1395 - 1417

Mircea è di nuovo vinto. – La Valachia si sottomette alla Turchia . . . . 1417 - 1456

Vittoria sui Turchi del princ. valacco **Vlad IV**, f. di Vlad Dracul . . . . 1456 - dep. 1466

Maometto II depone Vlad IV, che fugge in Ungheria 1466

Stefano, *il Grande* (Vaivoda di Moldavia 1456) vince i Turchi nel 1466, poi nel 1473 e 1475 . . . . 1466 - 1475

Stefano, *pred.*, è vinto dai Turchi e fugge in Polonia nel 1475. – Ritorna e vince ancora i Turchi . . 1475 - 1481

Bajazet II, f. e success. di Maometto II, vince ancora Stefano nei 1481 . . . . 1481 - . . . . († 1504)

Bogdan, f. e success. di Stefano, si sottomette ai Turchi. Moldavia e Valacchia diveng. tributarie della Porta . . . . 1504 - 1658

I Turchi conq. la Moldavia . . . . 1529 - 1658

La Moldavia è unita alla Turchia nel 1658 e la Valacchia nel 1716 . . . . 1658 - 1716

La Bessarabia è assegnata alla Russia . . . . . . 1815 - 1856

Valacchia e Moldavia divengono quasi al tutto ind'p. dalla Turchia (trattato di Parigi) . . . . . 30 mar. 1856

La Bessarabia è data ai principati di Moldavia e di Valacchia dal Congresso di Parigi 30 mar. 1856

I principati sono riorg. sotto il nome di «*Provincie Unite*» . . . . 2 ott. 1858

Alessandro Giovanni I **Couza** el. principe (*hospodaro*) dei due principati pred., cioè di Moldavia il 17 genn. e di Valacchia il . . . . 5 febb. 1859 - abd. 23 febb. 1863

A Jassy e a **Bukharest** si proclama la riunione dei due princip. pred. in uno Stato solo, detto **Romania** . 23 dic. 1861

Governo provvisorio (Neculaiu Golescu, Lascaru Catargiu, Neculaiu Haralambiu, gov.) . 23 febb. - 20 apr. 1866

La Romania si dichiara indip. dalla Turchia . . . 22 magg. 1877

Anness. della Dobrugia del Nord . . . . 3 ag. 1878

Anness. della Dobrugia del Sud, pace di Bukarest, . 10 ag. 1913

Carol I, f. di Carlo Ant.°, di **Hohenzollern-Sigm.**, procl.

Princ. con plebisc. 8 apr., sale al trono 22/5 1866,
riconosc. dalla Turchia 24/10 1866, si rende da essa
indip. 22/5 1877. Perde la Bessarabia, presagli dalla
Russia 1878 (1) [sp., 1866, Elisabetta di Wied].
Eletto Re . . . .   14 mar., cor. 22 magg. 1881 - † 10 ott. 1914
Nella guerra romena contro la Bulgaria (1913), la pace di Bukarest dà alla Romania la città di Silistria
e suo territorio . . . .   ag. 1913
Ferdinando, nip., di Carol e f. di Leopoldo di Hohenzol-
lern [sp., 10/1 1893, la principessa Maria di Sassonia
Coburgo-Gotha] re . . . 11/10 1914, cor. 15/10 22 - † 20/7 1927
Annessione alla Romania della Bessarabia 11/4 1918,
della Bucovina 28/11 1918, della Transilvania e
di quasi tutto il banato di Temesvar 1/12 1918
Michele, f. di Carol II, el. Re, sotto reggenza del princ.
Nicola di Romania, di Mgr. M. Cristea e di Giorgio
Buzdugan (questi † 7 ott. 1929) . . . . . 20 lugl. 1927 - . . .

(Segue a pag. 576)

XVIII. **PAESI BASSI,**
BELGIO E LUSSEMBURGO

1. **Paesi Bassi del Nord.** (2)

Conti d'Olanda, Zelanda, Gheldria, Utrecht, Frisia, Over-Yssel,
Groninga e Drenta

All'Impero 51 a. C. - 358 d. C.; Stato indip. 358 - 736;
ai Franchi . . . .   736 - 922
Dirk (Teodorico) I, f. di Gerolfo (?), C.e di Frisia,
ottiene da Carlo, *il Semplice*, re di Francia, la
chiesa d'Egmond e sue dipendenze . v. 15 giu. 922 - † v. 936
Teodorico II, f. (C.e della Frisia occid.), succ. . . v. 936 - † 988
Arnolfo, *il Grande*, f. . . . .   988 - † 993
Teodorico III, f., regg. Lugarda sua madre, durante
minorità, succ. . . . . dic. 993 - † 27 dic. 1039
Teodorico IV, f. . . . . 27 dic. 1039 - † 14 genn. 1049
Fiorenzo I, fr. [sp. Gertrude di Sassonia] genn. 1049 - 18 giu. 1061
Teodorico V, f., regg. Gertr.e di Sass.a, sua madre, 18 giu. 1061 - 1063
Roberto, *il Ricciuto*, marito di Gertrude, *pred.* (C.e di
Fiandra 1072) . . . . 1063 - dep. 1071 († ott. 1092)

---

(1) Compens. con parte della Dobrugia, Trattato di Berlino 1878.
(2) C. MANFRONI, Storia dell'Olanda, Milano, 1908.

Goffredo, *il Gobbo* (duca della Bassa Lorena 1070),
succ. . . . . 1071 - † 26 febb. 1076
Teodorico V, *pred.* . . . . giu. 1076 - † 17 giu. 1091
Fiorenzo II, *il Grosso*, f., regg. la madre Otilde, durante
minorità. . . . . 17 giu. 1091 - † 2 mar. 1122
Teodorico VI, f., regg. la madre Petronilla, durante
minorità, succ. . . . . 2 mar. 1122 - † 5 ag. 1157
Fiorenzo III, f. . . . . 5 ag. 1157 - † 1° ag. 1190
Teodorico VII, f. . . . . 1° ag. 1190 - † 4 nov. 1203
Ada, f.ª, e **Luigi II**, C.e di Looz (1191), suo marito
(† 1218), succ. . . . . 4 nov. 1203 - dep. 1204
Guglielmo I, fr. di Teodorico VII . . . . . 1204 - † 4 febb. 1223
Fiorenzo IV, f., regg. Gerardo IV. C.e di Gheldria,
suo zio . . . . 4 febb. 1223 - † 19 lugl. 1234
Guglielmo II, f. (re di Germania 1247), reggente Ottone III vescovo d'Utrecht († 1249), suo zio;
succ. . . . . 19 lugl. 1234 - † 28 genn. 1256
Fiorenzo V, f., reggente, durante minorità, Fiorenzo
suo zio, poi (1258) Adelaide sua zia; succe-
de . . . . 28 genn. 1256 - † 28 giu. 1296
Giovanni I, d'**Avèsnes**, regg. Giovanni d'Avèsnes, C.e
d'Hainaut, nip. di Gugliel, II; succ. 28 giu. 1296 - † 1° ag. 1299
Giovanni II d'**Avèsnes**, C.e d'Hainaut (1279), già reggente; succ. . . . . 1° ag. 1299 - † 22 ag. 1304
Guglielmo III, *il Buono*, f. Conte d'Hainaut e di Ze-
landa, succ. . . . . 22 ag. 1304 - † 7 giu. 1337
Guglielmo II [IV], f. . . . . 7 giu. 1337 - † 26 sett. 1345
Margherita, sorella di Guglielmo IV, moglie dell'imp.
Lodovico, *il Bavaro*; succ. . . . . . ott. 1345 - † 23 giu. 1356
Lodovico, *il Bavaro*, imp. (V. Germania), duca di Ba-
viera 1302 . . . . ott. 1345 - † 11 ott. 1347
Guglielmo III [V], f. (duca di Baviera 1347), 5/1 1349 - † 1°/4 1389
Alberto, fr., (duca di Baviera 1347), regg. dal 1358,
succ. . . . . 1° apr. 1389 - † 13 dic. 1404
Guglielmo IV [VI], f. (duca di Bav.ª 1404), 13/12 1404 - † 31/5 1417
Giacomina, f.ª, vedova di Giovanni, Delfino di Francia
(† 1417); succede . . . . 31 magg. 1417 - rin. 1433
Giovanni IV di Borgogna, duca del Brabante dal 1415,
2° marito di Giacomina . . . . . 1 apr. 1418 - dep. 1422 († 1427)
Umfredo di Glocester, fr. di Enrico VI re d'Inghilt.,
3° marito di Giacomina . . . . . 1422 - dep. 1426 († 1446)
Giacomina *pred.*, cede Olanda, Zelanda ed Hainaut
a Filippo II, D.ª di Borgogna . . . . . 1433 († 8 ott. 1436)
Filippo II, *il Buono*, duca di Borgogna, sovrano, dal
1419, dei Paesi Bassi: Fiandra, Artois, Franca
Contea, Malines, Anversa, Limburgo, Namur, Brabante ecc. occupa Olanda, Zelanda, Hainaut 1433 - †15/6 1467

Carlo I, *il Temerario,* f. (duca di Borgogna 1467), sovr.
de' Paesi Bassi . . . . . . 15 giu. 1467 - † 14 genn. 1477

Maria, figlia, e Massimiliano d'Austria, suo marito,
succede . . . . genn. 1477 - † 27 mar. 1482

[Adolfo di Clèves (signore di Ravestein 1462), governatore . . . . febb. - 18 ag. 1477]

Filippo III, *il Bello,* f. di Massimiliano d'Austria e di
Maria, *pred.* (Re ,di Castiglia dal 1504), succede . . . . 27 mar. 1482 - † 25 sett. 1506

[Engilberto (Conte di Nassau - Breda 1475), governatore . . . . 1485 - giu. 1486 († 1504)

Alberto di Wettin (duca di Sassonia e margr. di Misnia
1464), govern. . . . . 1489 - rin. 1494 († 12 sett. 1500)

Guglielmo de Croïs, march. d'Arschot, govern. 1505 - 1507 († 1521)]

Carlo II [V], f. (re di Spagna e di Napoli 1516, imp.
romano 1520, duca di Milano nel 1535, ecc.), succede . . . . sett. 1506 - abd. 25 ott. 1555 († 21 sett. 1558)

[Margherita d'Austria, f.ª dell'imp. Massimiliano, governatrice . . . . 1507 - † 27 nov. 1530

Maria d'Austria, sorella di Carlo II [V], *pred.*; governatrice . . . . nov. 1531 - rin. ott. 1555 († sett. 1558)

Filippo IV [II], f. di Carlo II; (re di Spagna e duca di
Milano 1556). 25 ott. 1555 - dep. 26 lugl. 1581 († 13 sett. 1598)

[Emanuele Filiberto (duca di Savoia 1553), governatore. . . . . 1555 - rin. 1559 († 30 ag. 1580)

Margherita d'Austria, figlia nat. di Carlo II [V], *pred.*
e moglie di Ottavio Farnese duca di Parma; governatrice . . . . . 1559 - rin. 30 dic. 1567 († 18 genn. 1586)

Don Ferdinando-Alvarez di Toledo, duca d'Alba, governatore . . . . 16 ag. 1567 - nov. 1573

D. Luigi di Requesens y Zuniga, gov. . 17 nov. 1573 - † 5 mar. 1576

D. Giovanni d'Austria, f. nat. di Carlo II [V], *pred.,*
governatore . . . . v. mar. 1576 - † 1º ott. 1578

Alessandro Farnese, (duca di Parma e Piacenza 1586,
ecc.), luogoten. generale di D. Giovanni, *pred.,*
18 dic. 1577, gov. . . . . ott. 1578 - lugl. 1581

I Paesi Bassi del Nord, cioè Olanda, Zelanda, Utrecht,
parte della Gheldria e, poco dopo, la Frisia, si liberano (unione d'Utrecht) dal giogo spagnuolo,
formando una « *Repubblica federativa delle sette
Provincie Unite* ». . . . 25 genn. 1579 (1) - 18 genn. 1795

Guglielmo I d'Orange, *il Taciturno,* f. del Conte Guglielmo di Nassau, come erede del nip. (da frat.)
Renato, statolder d'Olanda, Zelanda e Utrecht dal

---

(1) Alla Repubblica si unirono l'Over-Yssel nel 1580 e Groninga nel 1594. Il re di Spagna
venne dichiarato decaduto dal potere il 2 luglio 1581. Le *Provincie unite* furono riconosciute
indipendenti col trattato di Münster 30 genn. 1648.

1559 e di Frisia dal 1581; Comand. in capo dei P. B.
e gov. . . . . 1555 - 1567 († 10 lugl. 1584)

Guglielmo Lodovico di **Nassau**, statolder di Frisia 1584,
poi di Groninga 1594 . . . . 1584 - 1620

Adolfo di **Neunahr-Moers**, statolder di Utrecht, Over-
Yssel e Gheldria . . . . 1585 - 1589

Maurizio, f. di Guglielmo I d'**Orange**, statolder d'O-
landa e Zelanda dal 1585, d'Utrecht, Over-Yssel
e Gheldria dal 1590 . . . . 1585 - † 23 apr. 1625

Federico - Enrico, fr., statolder d'Olanda, Zelanda,
Utrecht, Over-Yssel e Gheldria. 23 apr. 1625 - † 14 mar. 1647

Ernesto Casimiro, statolder di Frisia e Groninga 1620,
di Drenta 1625 . . . . 1620 - 1632

Enrico Casimiro I, statolder di Frisia, Groninga e
Drenta . . . . 1632 - 1640

Guglielmo II [IV], f. di Feder.-Enrico d'Orange; sta-
tolder d'Olanda, Zelanda, Utrecht, Over-Yssel,
Gheldria e Drenta [sp. Maria Stuard († 60), f.a di
Carlo I d'Inghilterra] . . . . . . 14 mar. 1647 - † 6 nov. 1650

*È soppresso lo Statolderato in Olanda, Zelanda, Utrecht,
Over-Yssel e Gheldria* . . . . nov. 1650 - febb. 1672

Guglielmo Federico, statolder di Frisia e Groninga
1640, di Drenta 1650 . . . . 1640 - 1664

Giovanni De Vitt, gran pensionario. . . . . . . 1653 - ag. 1672

Enrico Casimiro II, statolder di Frisia e Groninga
1664, di Drenta 1674. . . . . 1664 - 1696

Guglielmo III d'**Orange**, f. di Guglielmo II; (re d'In-
ghilterra 1689), cap. gen., poi statolder d'Olanda,
Zelanda e Utrecht febb. 1672, di Over-yssel e
Gheldria 1675 . . . . 1672 - † 19 mar. 1702

Giovanni Guglielmo Friso, statolder di Frisia e Groninga . . . . 1696 - 1711

*È soppresso lo statolderato in Olanda, Zelanda, U-
trecht, Over-yssel. Antonio Heynsius gran pension.
1679 - 1720* . . . . 19 mar. 1702 - magg. 1747

*È soppresso lo statolderato in Gheldria dal 1702 al
1722, in Groninga dal 1711.* . . . . 1702 al 1718

Guglielmo IV d'**Orange-Nassau**, statolder di Frisia 1711,
di Groninga 1718, di Drenta e Gheldria 1722, di
Olanda, Zelanda, Utrecht, Over-Yssel, 22/11 1747 - † 22/10 1751

Guglielmo V, f., regg. la madre Anna d'Inghilterra
(† 12 genn. 1759), poi il duca Luigi di Brunswick-
Wolfenbuttel fino all'8 mar. 1766; statolder delle
Provincie Unite . . 22 ott. 1751 - rin. 18 genn. 1795 († 9/4 1806)

Invasione e conquista francese . . . . genn. 1795

Governo degli Stati Generali . . . 16 magg. 1795 - 1° mar. 1796
 »   dell'Assemblea Nazionale . . 1° mar. 1796 - 22 genn. 1798
 »   dell'Assemblea Costituente . . . . . 22 - 25 genn. 1798

Proclamaz. della Repubb. Batava (franc.) 22/1 1798 - 5 giu. 1806
Ruggero Giovanni Schimmelpenninck, *gran pensionario* . . . . 29 apr. 1805 - 5 giu. 1806
Luigi **Bonaparte**, fr. di Napol. I imp.; re di Olanda [sp. Ortensia Beauharmis † 37] 5/6 1806 - abd. 1/7 1810 († 25/7 '46)
Unione dell'Olanda all'Impero Francese 9 lugl. 1810 - 17 nov. 1813
I Paesi–Bassi si dichiarano indipendenti (17 nov.). —
   Governo provvisorio . . . . 20 nov. - 6 dic. 1813
Guglielmo I d'**Orange-Nassau**, f. di Guglielmo V, *pred.*;
   sovrano dei Paesi Bassi 1° dic. 1813, [sp., I°, Guglielmina di Prussia; II°, la Contessa d'Oultremont], re dei Paesi Bassi e granduca del Lussem. 16/3 1815, Re d'Olanda 1830 - abd. 7/10 1810 († 12/12 '43)
Guglielmo II, f. (granduca del Lussemb.) re 7 ott. 1810 - † 17/3 1849
Guglielmo III, f.   «   «   re 17 mar. 1849 - † 23/11 1890
Guglielmina, f., regg. la madre Emma di Waldeck-Pyrmont fino al 31 ag. 1898 [sp. 7/2 1901, Enrico di Mecklemburgo Schwerin]; regina dei Paesi Bassi 23/11 1890 - . . . .

(Segue a pag. 574)

2. Paesi Bassi del Sud.

Bassa Lorena, poi (1190) Brabante e (1794) Belgio.

Gotifredo (*Goffredo*) I, nom. duca della Bassa Lorena
   dall'Arc. Brunone di Sassonia (V. Lorena, pag. 470) 959 - † 964
Gotifredo II, f. . . . . 964 - † 976
Carlo I, f. di Luigi IV re di Francia; duca 976 - dep. v. 991 († 994)
Ottone, f., succ. . . . . 991 - † 1005
Gotifredo III (C.e di Verdun), duca . . . . . . 1005 - † v. 1023
Gotelone I, fr., unisce l'Alta Lorena 1033, succ. . 1023 - † 1044
Gotelone II, f., duca della Bassa Lorena . . . . 1044 - 1046
Federico, f. di Federico I C.e di **Lussemburgo** . 1046 - † ag. 1065
Gotifredo IV, *il Barbuto*, f. di Gotelone I (duca dell'Alta Lorena 1044-45, di Spoleto 1057-70); [sp. Beatrice ved. di Bonif. M. di Canossa] . 1065 - † 21 dic. 1069
Gotifredo V, *il Gobbo*, f. (C.e d'Olanda 1071), [sp. Matilde di Toscana]; succede . . 21 dic. 1069 - † 26 febb. 1076
Corrado di **Franconia**, f. di Enrico IV imp. di Germ.;
   (re di Germ. 1087-93) . . . . 1076 - dep. 1088 († lugl. 1101)
Gotifredo VI, *di Bouilon*, f. di Eustacchio II C.e di Boulogn; (re di Gerusalemme 1099), succ. . . 1088 - † 18 lugl. 1100
Feudo vacante . . . . 19 lugl. 1100 - 25 dic. 1101
Enrico I (C.e di Limburgo 1081), nip. di Federico, *pred.*,
   succ. . . . . 25 dic. 1101 - dep. 13 magg. 1106 († 1119)
Gotifredo VII, *il Barbuto*, Conte di **Lovanio**, succede . . . . magg. 1106 - dep. 1128
Valeriano, f. di Enrico I, *pred.* . . . . 1128 - † 1139

Gotifredo VII, *il Barbuto, di nuovo*, primo duca ereditario . . . . 1139 - † 15 genn. 1140
Gotifredo VIII, *il Giovane*, f. . . . . . . 15 genn. 1140 - † 1142
Gotifredo IX, *il Coraggioso*, f., associato col figlio dal 1172), succede . . . . 1142 - † 10 ag. 1190
Enrico I, *il Guerriero*, f., duca del Brabante, assoc. col padre dal 1172, gli succ. . . . . 10 ag. 1190 - † 5 nov. 1235
Enrico II, *il Magnanimo*, f., succ. . . 5 nov. 1235 - † 1° febb. 1248
Enrico III, *il Buono*, f. . . . . . 1° febb. 1248 - † 28 febb. 1261
Giovanni I, *il Vittorioso*, f. . . . . . 28 febb. 1261 - † 4 magg. 1294
Giovanni II, *il Pacifico*, f. . . . . . 4 magg. 1294 - † 27 ott. 1312
Giovanni III, *il Trionfante*, f. . . . . 27 ott. 1312 - † 5 dic. 1355
Giovanna, f.ª (col mar. Venceslao D.ª di Lussemburgo † 7/12 1383), succ. 5 dic. 1355 - rin. 7 magg. 1404 († 1° dic. 1406)
Margherita (contessa di Fiandra); nipote, f.ª di Luigi I, C.ᵉ di Fiandra; succede . . . . 7 magg. 1404 - † 16 mar. 1405
Antonio, f. di Filippo, *l'Ardito*, duca di **Borgogna** e di Margherita, *pred.*; (duca di Lussemburgo 1411), succ. . . . . 16 mar. 1405 - † 25 ott. 1415
Giovanni IV, f. . . . . 25 ott. 1415 - † 17 apr. 1427
Filippo I, fr. . . . . 17 apr. 1427 - † 4 ag. 1430
Il Brabante viene unito al ducato di Borg.ª ag. 1430 - 14 genn. 1477
Maria, f.ª di Carlo, *il Temerario*, e Massimiliano d'Austria suo marito (1) ered. i Paesi B. 14 genn. 1477 - 27 mar. 1482
Filippo III, *il Bello*, f. (C.ᵉ di Fiandra 1482, re di Castiglia 1504), sovrano de' Paesi Bassi, 27 mar. 1482 - † 25 sett. 1506
Carlo II [V], f. (re di Spagna 1516, imperat. e re di Germania 1520 ecc.), sovrano de' Paesi Bassi, succ. . . . . 25 sett. 1506 - abd. 25 ott. 1555 († 21 sett. 1558)
Filippo IV [II], f. (re di Spagna 1556, del Portogallo 1580), sovrano de' Paesi Bassi . 25 ott. 1555 - † 13 sett. 1598
Alessandro **Farnese** (duca di Parma 1586, gov. de' Paesi Bassi del Nord 1578-81), gov. . . . . 1581 - † 3 dic. 1592
Pietro Ernesto (Conte di **Mansfeld** 1531), governatore . . . . dic. 1592 - genn. 1594 († 1604)
Ernesto d'Austria, fratello di Rodolfo V imperat. e re di Germania, gov. . . . . 30 genn. 1594 - † 21 febb. 1595
D. Pedro Enriquez de Acevedo, (C.ᵉ di Fuentes,) governatore . . . . 1595 - genn. 1596 († 1610).
Card. Alberto d'**Austria**, *il Pio*, f. dell'imperatore Massimiliano II; (arcivescovo di Toledo 1594-98, Conte del Tirolo 1620), governatore 29 genn. 1596, poi sovrano de' Paesi Bassi 6/5 1598, gov. 29/1 1596 - † 13 lugl. 1621
Isabella Clara, f.ª del re di Spagna, cugina e sposa (13 apr. 1599 di Alberto d'**Austria**, gov. 6 magg. 1598 - † 1° dic. 1633

---

(1) Pei *Governatori dei Paesi Bassi* fino al 1581, veggasi 1, Provincie del Nord, pag. 528.

Filippo V [IV] re di Spagna e Portogallo, 31 mar. 1621 - † 17/9 1665

D. Francisco di Moncada, gov. interin. dic. 1633 - 4/11 1634 († 1635)

D. Ferdinando, fr. di Filippo IV re di Spagna (card. e arciv. di Toledo), gov. . . . . . 4 nov. 1634 - † 9 nov. 1641

D. Francesco De Mello, C.e d'Assumar, gov. . . nov. 1641 - 1644

D. Manuel de Moura Cortéréal, (march. di Castel Rodrigo), gov. . . . . 1644 - 1647 († 30 genn. 1661)

Leopoldo Guglielmo, d'**Austria**, f. dell'Imper. Ferdinando II, gov. . . . . 1647 - 1656 († 21 nov. 1662)

D. Giovanni d'**Austria**, figlio naturale di Filippo IV re di Spagna (viceré di Napoli 1648), governatore . . . . 1656 - mar. 1659 († 17 sett. 1679)

D. Luigi De Benavides Carillo, (march. di Fromiata), gov. . . . . 1659 - sett. 1664 († 6 genn. 1668)

D. Francesco De Moura Cortéréal, (march. di Castel Rodrigo), gov. . . . . . . 1664 - sett. 1668 († 23 nov. 1675)

Carlo II, f. di Filippo V re di Spagna. . 17/9 1665 - † 1º/11 1700

D. Iñigo Melchior Fernandez de Velasco, (duca di Feria), gov. . . . . v. sett. 1668 - lugl. 1670

D. Juan-Domingo de Zuñiga y Fonseca, C.e di Monterey, gov. . . . . 1670 - febb. 1675

D. Cárlos de Gurrea, duca di Villahermosa, gov. 1675 - ott. 1677

Alessandro Farnese, fr. di Ranuccio II duca di Parma, gov. . . . . . 24 ott. 1678 - rin. apr. 1682 († 18 febb. 1689)

Ottone-Enrico, march. del Carretto, (C.e di Millesimo), gov. . . . . apr. 1682 - † 19 giu. 1685

D. Francesco Antonio de Agurto (march. di Castañaga), gov. . . . . 1685 - 1692

Massimiliano di Wittelsbach (elettore di Baviera 1679), gov. . . . . 26 mar. 1692 - 22 mar. 1701

Filippo VI [V] di **Borbone** (re di Spagna e Sicilia 1700), succ. . . . . 16 nov. 1700 - 6 mar. 1714

D. Isidoro de la Cueba y Benavides (march. di Bedmar e d'Assentar, C.e di Villanova), gov. interin. . . 1701 - 1704

Massimiliano (elettore di Baviera, *pred.*), gov. (poi principe dei Paesi Bassi 1712-14) . . . . 1º ott. 1704 - lugl. 1706

Governo del *Consiglio di Stato* . . . . 20 lugl. 1706 - 1714

I Paesi Bassi del sud passano all'Austria (pace di Rastadt) . . . . 6 mar. 1714 - dic. 1794

Giuseppe-Lotario (C.e di Koenigseck), governatore generale . . . . nov. 1715 - genn. 1716

Eugenio-Giov.-Franc. di Savoia-Soisson, luogoten., gov. e cap. gen. . . . . . 25 genn. 1716 - rin. 8 dic. 1724 († 1736)

Wirico C.e di Daun, gov. interin. . . . dic. 1724 - 9 ott. 1725

Maria Elisabetta, f. di Carlo II arcid. d'Austria; governatrice . . . . 9 ott. 1725 - † 26 ag. 1741

Federico Augusto, C.e di Harrach-Rohrau, gov. e cap. gen. interin. . . . . ag. 1741 - 1744

Maria Anna, f. di Carlo II d'Austria, gov., assieme col
    marito . . . . 1744 - † 16 dic. 1744
Carlo Alessandro, princ. di Lorena, marito di Maria
    Anna, *pred.*, gov. . . . . 1744 - † 4 lugl 1780
Giorgio Adamo, princ. di Starhemberg, gov interin.. 1780 - 1781
Maria Cristina, f. di Francesco I imp. e di Maria Teresa
    d'**Austria**, e Alberto-Casimiro di **Sassonia** Teschen,
    suo marito, luogot. gov. e cap. gen. . . . . . . 1781 - 1793
Bruxelles in potere dei ribelli . . . . dic. 1789
Tutte le provincie belghe, eccetto Lussemburgo, pro-
    clam. la loro indipendenza . . . . 4 genn. 1790 - nov. 1792
Sono invase dalle truppe francesi . . nov. 1792 - 18 mar. 1793
Carlo Lodovico d'**Austria** (D.ª di Teschen 1822-47),
    governatore . . . . mar. 1793 - dic. 1794
I Francesi occupano il Belgio, che poi sgombrano dopo
    la battaglia di Neerwinden . . . . 18 mar. 1793
I Francesi (gen. Pichegru) occupano ancora le provincie
    belghe, poi l'Olanda (gen. Daendels) scacciandone
    gli Inglesi . . . . 25 dic. 1794
L'Austria cede alla Francia le provincie belghe . . . . apr. 1797
Occupazione francese. – I Paesi Bassi del Sud pren-
    dono nome di **Belgio** . . . . dic. 1794 - 21 lugl. 1814
Unione del Belgio alle Provincie del Nord (Olanda),
    costituite per Gugliel. I d'Orange; M. de Cappellen
    amministr.. . . . . 21 lugl 1814 - 30 sett 1830
Insurrezione di Bruxelles (25 ag), poi di tutto il Belgio.
    – Governo provvisorio . . . . . 27 sett. 1830 - 25 febb. 1831
Il Belgio si dichiara indipendente . . . . 18 nov. 1830
Governo provvisorio . . . . 26 sett. 1830 - 25 febb. 1831
Erasmo Luigi Barone di Surlet di Chokier, reg-
    gente . . . . 25 febb. - 21 lugl. 1831 († 7 ag. 1839)
Leopoldo I di **Sassonia-Coburgo Gotha**, [sp. Luigia
    Maria d'Orléans († 1850)], eletto re del Belgio
    4 giu., sale al trono . . . . . 21 lugl. 1831 - † 10 dic. 1865
Il Consiglio di Gabinetto, governa . . . . 10 - 17 dic. 1865
Leopoldo II, f. di Leopoldo I (sovrano dello Stato del
    Congo dal 1885), succ. . . . . 17 dic. 1865 - † 17 dic. 1909
Alberto Leopoldo, nipote, f. di Filippo Conte delle
    Fiandre . . . . 17 dic. 1909 - dep. 20 ag. 1914
Occupazione tedesca; governatore generale Von der
    Goltz . . . . 20 ag. 1911 - 18 nov. 1918
Alberto Leopoldo, *pred.*, rimesso sul trono; [sp., 2 ott.
    1909, Elisabetta di Baviera] . . . . . . 22 nov. 1918 - . . . .

(Segue a pag. 569)

3. Lussemburgo.

Conti, poi Duchi dal 1354, *Granduchi dal* 1815.

Sigfrido, f. di Widerico (?), acquista dall'abbate di
  S. Massimo di Treviri il castello di Lutzelburg,
  conte . . . . 12 apr. 963 - † v. 26 nov. 998
Federico, f., conte . . . . 998 - † 1019
Gilberto o Giselberto, f., conte . . . . 1019 - † fra 1055 e 1060
Corrado I, f., conte . . . . v. 1060 - † 20 ag. 1086
Guglielmo, f.   »   . . . . 1086 - † fra 1127 e 1130
Corrado II, f. 1130 - † 1136
Enrico I, *il Cieco*, f. di Goffredo C. di Namur e nip.
  di Corrado I; conte . . . . 1136 - † 1196
Ermesinda, f. è Tebaldo C. di Bar suo marito (morto
  1214), conti . . . . 1196 - 12 febb. 1211
Ermesinda, *pred.*, sola (poi sposa di Walerano f. di En-
  rico III duca di Limburg), contessa . . 12 febb 1211 - † 1247
Enrico II, *il Grande*, f. di Ermesinda e di Walerano;
  (duca di Limbourg), conte . . . . 1247 - † 1281
Arrigo III, f. (duca di Limbourg), conte . . . 1281 - † 5 giu. 1288
Arrigo IV [VII], f., regg., durante minorità, la madre
  Beatrice d'Avesnes; (re de' Rom. 1308, imp. 1312),
  succ. . . . . 5 giu. 1288 - † 24 ag. 1313
Giovanni, *il Cieco*, figlio (re di Boemia 1310), suc-
  cede . . . . 24 ag. 1313 - † 26 ag. 1346
Carlo, f., [IV] (re di Boemia e di Germania 1346,
  re d'Italia e imperatore romano 1355); suc-
  cede . . . . 26 ag. 1346 - rin. 1353 († 29 nov. 1378)
Venceslao I, fr. (duca del Brabante 1355), succ. 1353,
  [sp. Giovanna Maria, duchessa (1355) di Brabante],
  nominato duca . . . . 1354 - † 7 dic. 1383
Venceslao II, *l'Infingardo*, f. di Carlo, *pred.*; (elett. di
  Brandeburgo 1373, re de' Romani 1376, di Ger-
  mania e Boemia 1378), duca . . . 7 dic. 1383 - † 16 ag. 1419
Jobst, nip. (march. di Moravia 1375, elett. di Brandeburgo 1388, re de' Rom. 1410), duca . 1388 - † 16 genn. 1411
Antonio, f. di Filippo di **Borgogna;** (duca del Brabante 1405), duca, succ. . . . . . . 1411 - † 25 ott. 1415
Elisabetta di Görlitz, sorella di Jobst, *pred.* e vedova di
  Antonio; sposa, nel 1418, a Giovanni re di Baviera
  († 6 genn. 1425); duca, succ. . . . 25 ott. 1415 - † 3 ag. 1451
Sigismondo, fr. di Venceslao II, *pred.*; (elett. di Brandeburgo 1378, re d'Ungheria 1387, re dei Romani
  1410, di Boemia 1419, imperatore romano 1433),
  duca, succede al fr. . . . . 16 ag. 1419 - † 9 dic. 1137

Alberto d'**Absburgo**, genero di Sigismondo; (duca d'Au-
   stria, re di Boemia e Ungheria 1437, de' Romani
   1438), duca, succ. . . . . 9 dic. 1437 † 27 ott. 1439
Elisabetta, figlia di Sigismondo e vedova di Alberto,
   pred., duchessa . . . . 27 ott. - rin. dic. 1439 († 1442)
Anna († 1462), f.ª di Alberto, *pred.*, con Guglielmo di
   Turingia suo marito († 1482), duchi . . . . dic. 1439 - 1443
Ladislao, fr. (arcid. d'Austria e re di Boemia 1440,
   d'Ungheria 1453), duca . . . . 1443 - † 23 nov. 1457
Filippo, *il Buono*, f. di Giov. D.ª di Borg.; (duca di
   Borgogna e signore dei Paesi Bassi 1419), ammini-
   stratore del ducato dal 1441, duca 25 ott. 1451 - † 15 giu. 1467
Il Lussemburgo rimane unito ai Paesi Bassi del Sud e
   ne segue le sorti . . . . giu. 1467 - 1° ott. 1795
Occupazione francese . . . . 1° ott. 1795 - magg. 1815
Parte del Lussemburgo è unita alla Prussia; il rima-
   nente è eretto in Granducato, dipendente dalla
   Confederazione Germanica. . . . . 10 magg. 1815
Guglielmo I d'**Orange-Nassau**, re dei Paesi Bassi, f. di
   Gugl.° V; grand. del Luss.° 10/5 1815 - abd. 7/10 '40 († 12/12 '43)
Guglielmo II, f., re dei Paesi Bassi, granduca del Lus-
   semburgo . . . . 7 ott. 1840 - † 17 mar. 1849
Guglielmo III, f., re dei Paesi Bassi, granduca del Lus-
   semburgo . . . . 17 mar. 1849 - † 23 nov. 1890
Adolfo Guglielmo di **Nassau**, f. di Guglielmo duca di
   Nassau; granduca . . . . . . 23 nov. 1890 - † 17 nov. 1905
Guglielmo, f., granduca, sp. a Maria Anna infanta di
   Portogallo, regg. pel marito . . 17 nov. 1905 - † 25 febb. 1912
Maria Adelaide, f.ª, sotto reggenza di Maria Anna, gran-
   duchessa ved.ª . 25 febb. 1912 - abd. 14 genn. 1919 († 24/1 24)
Carlotta (Adelgonda Guglielmina), sorella [sp., 6/11 '19
   il princ. Felice di Borbone-Parma] . . . . . 15/1 1919 - . . . .

(Segue a pag. 574)

XIX. GRAN BRETAGNA e IRLANDA

1. Britannia (Inghilterra).

La Britannia merid., provincia romana dal 43 d. C.; –
   Invasione Germanica, 448; – Fondaz. dei regni
   sassoni ed angli (Eptarchia), 449 - 584.
Regni sassoni: Kent, 455; Sussex, 491; Vessex, 516;
   Essex, 526. Convers. al cattol. di Etelberto, (dal
   568 re di Kent), 597.

Regni angli: Nortkumberland, 547; Est-Anglia, 571; Mercia, 584.

Dell'Eptarchia restano in Inghilterra solo i regni di Northumberland al nord, di Wessex al sud e, nel mezzo, di Mercia. A questa si erano uniti l'Est-Anglia e l'Essex al nord e il Kent al sud del Tamigi.

Re Anglo-Sassoni.

Egberto, f. di Ealmondo; re di Wessex dall'800 c., sottomette tutti i capi anglosassoni, formando un solo regno (Anglia) e s'intitola re d'Inghilterra, v. 827 - † 839

Etelvolfo, f., re di Wessex [sp. Giuditta, f.ª di Carlo *il Calvo*] . . . . 836 - rin. 857 († 858)

Etelbaldo, f. » » [sp. Giuditta, sua matrigna] 857 - † 860

Etelberto, fr. » » . . . . 860 - † 866

Etelredo I, fr. » » . . . . 866 - † 23 apr. 871

Alfredo, *il Grande*, fr., re di Wessex [sp. Aswinta] 23/4 871 - † 27/11'01

Edoardo I, *il Vecchio*, f., re d'Inghilterra [sp., Iº, Efleda; IIº, Edvige] . . . . 28 ott. 901 - † 924

Atelstano, f., re d'Inghilterra . . . . 924 - † 27 ott. 940

Edmondo I, fr., re d'Inghilt. [sp. Edgive] 27 ott. 940- † 26 magg. 946

Edredo, fr., re d'Inghilterra . . . . 26 magg. 946 - † 955

Edwig, f. di Edmondo I, re d'Inghilt. [sp. Elgive] . 955 - † 958

Edgardo, *il Pacifico*, fr., re d'Inghilt. [sp. Elfrida] 958 - † 18 lugl. 975

Edoardo II, *il Martire*, f., re d'Inghilterra . . 18 lugl. 975 - † 978

Etelredo II, f., *lo Sconsigliato* (fa trucidare i Danesi), re [sp., 1002, Emma di Normandia (2ª moglie), † 1052, f.ª di Riccardo I di Normandia] . . . . . 978 - dep. 1013

Principe Danese.

Svenone Tiyguskegg (re di Danimarca 981) prende Londra ed è proclam. re d'Inghilterra nov. 1013 - † 3 febb. 1014

Anglo-Sassoni.

Etelredo II, *di nuovo* . . . . 1014 - † 23 apr. 1016

Edmondo II, *Fianco di ferro*, f. (di 1º letto) . . 1016 - † nov. s. a.

Danesi.

Canuto, *il Grande*, f. di Svenone, *pred.* (re di Danimarca 1018, di Norvegia 1028); re . . . . . 1017 - † 12 nov. 1035

Aroldo I (Harefod, *piè di lepre*), f.; re . . . 12 nov. 1035 - † 1030

Canuto II, *Ardicanuto*, fr. (re di Danimar. 1035) 1039 - † 8 giu. 1042

Aglo-Sassoni, restaur.

Edoardo III, *il Confessore*, f. di Etelredo II; [sp. Edita,
    f.ª di Goodwin]; re . . . . 1042 - † 5 genn. 1066
Aroldo II, di Essex, figlio del C.e Goodwin e cogn. di
    Edoardo III; re d'Inghilt. . . . 5 genn. 1066 - † 14 ott. 1066

Dinastia Normanna.

Guglielmo I, *il Conquistatore* e *il Bastardo*, f. nat. di
    Roberto I D.ª di Normandia; (D.ª di Normandia
    1035), re, [sp., 1054, Matilde († 83), f.ª di Baldo-
    vino V di Fiandra] re 14 ott., cor. 25 dic. 1066 - † 9 sett. 1087
Guglielmo II, *il Rosso*, f., re 9 sett., cor. 26 sett. 1087 - † 2 ag. 1100
Enrico I, *il Leone*, fr., (D.ª di Norm.ª 1106(, [sp. Matilde,
    † 18, f.ª di Malcolm III di Scozia] cor. 5 ag. 1100 - † 1º/12 1135
Stefano di Blois, nip., dalla sor. Adele, di Enrico I; [sp.
    Matilde, f.ª di Eustachio C.e di Boulogne], (D.ª di
    Normandia 1135); re 1º dic., cor. 26 dic. 1135 - † 25 ott. 1154

Ramo d'Anjou-Plantageneti.

Enrico II, nip. di Enrico I, e f. di Gioffredo III d'Anjou;
    (D.ª di Normandia 1151, d'Aquitania 1152, con-
    quistatore d'Irlanda 18 ott. 1171); [sp. Eleonora
    (ripudiata 1152), duchessa della Guienna, † 1204]
    re . . . . 25 ott., cor. 19 dic. 1154 - † 6 lugl. 1189
Riccardo I, *Cuor di Leone*, f., (D.ª d'Aquit. e C.e d'Anjou
    1169, di Normandia 1189); [sp., 1191, Berengaria,
    f.ª di Sancio VI re di Navarra]; re 6/7, cor. 3/9 1189 - † 6/4 1199
Giovanni, *Senza Terra*, fr. (D.ª di Normandia 1199, D.ª
    d'Anjou 1203); [sp., Iº, 1189, Isabella, f.ª di Gugl.
    C.e di Glocester (ripud. 1190); IIº, 1200, Isabella
    († 1245), f.ª di Aimar C.e d'Angoulême]; re, suc-
    cede . . . . 6 apr., cor. 27 magg. 1199 - † 19 ott. 1216
Enrico III, *Winchester*, figlio [sp., 1236, Eleonora,
    † 1191, figlia di Raimondo Berengario IV re di
    Provenza]; re . . . 19 ott., cor. 28 ott. 1216 - † 16 nov. 1272
Giovanni, f., primo vicerè d'Irlanda, per poco tempo 1269
Edoardo I, *Longshanks*, f. (conquista il paese di Galles
    1283), [sposa Eleonora, f.ª di Ferdinando III di
    Castglia]; re . . 16 nov. 1272, cor. 19 ag. 1274 - † 7 lugl. 1307
Edoardo II, *Caernarvon*, f. (principe di Galles), [sposa,
    1308, Isabella di Francia, † 1357, f.ª di Filippo V
    re]; succ. 7/7 1307, cor. 23/2 1308 - dep. 7/1 1327 († 21/9 s. a.)
Edoardo **Bruce**, fr. del re di Scozia, sbarca in Irlanda
    ed è proclam. re dagli Irlandesi . . . . 1315 - † 1318

Edoardo III, *Windsor*, f., tutrice la madre e il Mor-
timer, fino al 1330; [sp., 1328, Filippa, f.ª di Gugl.º
C.ᵉ d'Hainault, † 69], succ. 7/1., cor. 29/1 1327 - † 21 giu. 1377

Riccardo II, *Bordeaux*, nip., f. di Edoardo III Princ. di
Galles; [sp., Iº, 1381, Anna († 94), f.ª di Carlo IV;
IIº, 1396, Isabella, f.ª di Carlo VI re di Francia];
succ. sotto regg. 21/6, cor. 17/7 1377 - dep. 29/9 1399 († 1400)

Ramo dei Lancaster (*Rosa Rossa*).

Enrico IV, *Bolingbroke*, nip. di Edoardo III e f. di Giovanni di Gand, succ. 29 sett., cor. 13 ott. 1399 - † 20 mar. 1413

Enrico V, *Monmouth*, f., [sposa, 1420, Caterina († 1438),
figlia di Carlo VI re di Francia]; succede 20 mar.,
coronato . . . . 9 apr. 1413 - † 31 ag. 1422

Enrico VI, *Windsor*, f., tutore suo zio, Gio. Plantagen.,
Dª di Glocester; [sp., 1445, Margher. († 82), f.ª di
Renato D.ª d'Anjou]; succ. 31 ag 1422, cor. 6 nov.
1429 - deposto 4 mar. 1461 - ristabilito 6 ott. 1470
- deposto . . . . 14 ag. 1471 († 21 magg. s. a.)

Ramo di York (*Rosa Bianca*).

Edoardo IV, f. di Riccardo duca di York; [sp. Elisab.
Woodville, f.ª di Riccardo C.ᵉ di Rivers]; e etto re
2 mar., cor. 28 giu. 1461 - deposto 6 ott. 1470,
ristab. . . . . 13 apr. 1471 - † 9 apr. 1483

Edoardo V, f., tutore Riccardo III suo zio, re, succede . . . . 9 apr. 1483 - dep. 26 giu. 1483 († s. a.)

Riccardo III, *il Gobbo*, fr. di Edoardo IV; (D.ª di Glou-
cester 1461); [sp. Anna Nevil († 1485), f.ª di Riccardo C.ᵉ di Warwick], succ. 22/6, cor. 7/7 1483 - † 22/8 1485

Ramo dei Tudor.

Enrico VII **Tudor**, f. di Edmund Tudor, Conte di Rich-
mond [sp., 1486, Elisab. d'York, † 1502, f.ª di
Edoardo IV], succ. 22 ag., cor. 13 ott. 1485 - † 21 apr. 1509

Enrico VIII, f. [sp., 1º, Caterina d'Aragona († 1536), f.ª
di Ferdin., *il Cattolico*; 2º, Anna Bolena († 1536);
3º, Giovanna († 1537), f.ª di Giov. Seymour; 4º,
Anna di Cleves (ripud. 1538), f.ª di Giov. III di
Cleves; 5º, Caterina Howard († 1542), f.ª di Sir
Edmond; 6º, Caterina Parr († 1548), f.ª di Tomm.
di Kendul], succ. . 21 apr., cor. 24 giu. 1509 - † 28 genn. 1547

Edoardo VI, f., regg. suo zio Tomm. Seymour, † 1549,
poi Edoardo suo fr., † 1552, poi il C.ᵉ di Warwick;
succede . . . . . . 31 genn., cor. 25 febb. 1547 - † 6 lugl. 1553

Giovanna Grey, nip., f.ª di Enrico D.ª di Suffolk; acclam. regina . 10 lugl. 1553 - dep. 19 lugl. 1553 († 12 febb. 1554)
Maria I, *la Cattolica*, sorella di Edoardo VI; [sp., 1554,
   Filippo II re di Spagna]; succede 19 luglio, sale
   al trono . . . . 3 ag., cor. 1 ott. 1553 - † 17 nov. 1558
Elisabetta, f.ª di Enrico VIII e di Anna Bolena, succede . . . . 17 nov 1558, cor 15 genn. 1559 - † 24 mar. 1603

Ramo degli Stuart.

Giacomo I [VI], f. di Maria **Stuart** e di lord Darnley:
   (re di Scozia 24 lugl. 1567), [sp., 1590, Anna († 1618)
   f.ª di Federico II re di Danimarca]; re d'Inghilterra
   e d'Irlanda 24 mar., cor . . . 25 lugl. 1603 - † 27 mar. 1625
Carlo I, f., [sp. Enrichetta di Francia († 69), f.ª di Enrico IV re di Francia] 27/3 1625 - dep. 30/11 1648 († 30/1 1649)
Repubblica . . . . febb. 1649 - magg. 1660
Consiglio di Stato di 40 membri . . . . 1649 - dic. 1653
Oliviero Cromwell, Lord protector . . . . 26 dic. 1653 - † 13 sett. 1658
Riccardo Cromwell, Lord protector, f., 14 sett. 1658 - abd. 1659 († 1712)
Carlo II, f. di Carlo I **Stuart**, [sp., 1662, Caterina
   († 1705), figlia di Giovanni IV re di Portogallo];
   re . . . . . 30 genn. 1660, cor. 23 apr. 1661 - † 16 febb. 1685
Giacomo II [VII], D.ª di York, fr., (re di Scozia), [sp.,
   1660, Anna Hyde († 71), f.ª di Edoardo C.e di Cla-
   rendon]; succ. 6/2, cor. 23/4 1685 - dep. 2/2 1688 († 17/9 1701)
Guglielmo III, f. di Guglielmo IX d'**Orange** e di Maria
   Stuart, primo re costituzionale 13 febb. 1689 - † 19 mar. 1702
Maria II **Stuart** f.ª di Giacomo II, moglie di Guglielmo III . . . . 13 febb. 1689 - † 7 genn. 1695
Anna **Stuart**, sor. di Maria II, [sp., 1683, Giorgio († 1708),
   f. di Feder. III re di Danim.ª]; reg.ª 19/3, cor.15/5 1702-†10/8 '14
Giorgio I, f. di Ernesto Aug.º di **Brunswick-Lünebourg**,
   [sp., 1682, Sofia Dorotea, princ. d'Halden, † 1726],
   succede . . . . . . 10 ag., cor. 20 ott. 1714 - † 9 giu. 1727
Giorgio II, f., [sp., 1705, Carolina d'Anshach, † 1737]:
   succede . . . . 9 giu., cor. 11 ott. 1727 - † 25 ott. 1760
Giorgio III, nip., f. di Feder e princ di Galles; (Re di
   Hannover 1815), [sp, 1761, Sofia Carlotta di Meck-
   lemburg Strelitz, † 1818]; re 25/10 '60, cor 22/9 '61 - † 29/1 1820
Unione dell'Irlanda all'Inghilterra e Scozia . . . 2 lugl. 1800
Giorgio IV, f., regg dal 1811, [sp Carolina, f.ª di Ferdin.
   di Brunswick] 29 genn. 1820, cor. 19 lugl. 1821 - † 26 giu. 1830
Guglielmo IV, fr., succ 26 giu. 1830, cor. 8 sett. 1831 - † 20 giu. 1837
Vittoria, nip., casa di **Brunswick Lüneburg**, f.ª del princ.
   Edoardo D.ª di Kent, f. di Giorgio III; [sp., 10/2 40,
   Alberto princ. di Sassonia-Coburgo-Gotha, † 1862];
   (Imp. delle Indie 1858), regina 20 giu. 1837 - † 22 genn. 1901

Edoardo VII, di **Brunswick-Lüneb.**, f. (Imp. delle Indie),
    [sp., 10/3 1863, Alessandra, f.ª di Cristiano IX, re di
    Danimarca] . . 22 genn. 1901, cor. 9 ag. 1902 - † 7 magg. 1910
Giorgio V (princ. di Galles), f. (Imp. delle Indie), [sp. la
    princ. Vittoria Maria di Teck], re 7/5 1910, cor. 15/5 1911 - . . . .
L'Irlanda, tranne la parte settentrionale, proclama
la propria indipendenza (vedi pag. 592) . . . . . . genn. 1919

(Segue a pag. 572)

2. Scozia.

Gli **Scoti**, orig. d'Irlanda e i **Pitti** occupano la Scozia
    settentrionale . . . . sec. VI
Kenneth, I *Mac Alpin*, re degli **Scoti**, sottom. i Pitti
    (844), unendo sotto di sè i due regni . . . . v. 844 - † 854
Donald III, fr., re . . . . 854 - † 862
Costantino I, f. di Kenneth I, re . . . . 862 - † 876
Gregorio, *il Grande*, re . . . . 876 - 889
Donald IV, f. di Costantino I, re . . . . 889 - † 900
Costantino II, nip. di Costantino I, re . . . . 900 - 943 († 952)
Malcolm I, f. di Donald IV (re d'Alban dal 912), re 943 - † 954
Illuilb, f. di Costantino II, re . . . . 954 - † 962
Dubh, f. di Malcolm I, re . . . . 962 - † 967
Cuillen, f. di Illuilb, re . . . . 967 - † 971
Kenneth II, f. di Malcolm I, re . . . . 971 - † 995
Costantino III, f. di Cuillen, re . . . . 995 - † 997
Kenneth III, f. di Dubh, re . . . . 997 - † 1005
Malcolm II, f. di Kenneth II, re . . . . 1005 - † 1034
Duncan I, nip. di Malcolm II, re . . . . 1034 (?) - † v. 1040
Macbeth, cug., f. di Finnlaech, re . . . . . v. 1040 - † 15 ag. 1057
Lulach, cug. di Macbeth, re . . . . v. 1057 - † 1058
Malcolm III, f. di Duncan I, [sp., 1068, Margherita, sor.
    di Edgardo Atelier, † 16/11 1093], re . 1058 - † 13 nov. 1093
Donald V *Bane*, fr. di Malcolm III, 13 nov. 1093 - detr. magg. 1094
Duncan II, f. nat. di Malcolm III, re . . . magg. 1094 - † 1095
Donald V, *di nuovo*, re . . . . 1095 - detr. v. 1098 († 1098)
Edgardo, f. di Malcolm III, re . . . . 1098 (?) - † 1107
Alessandro I, *il Selvaggio*, fr., re . . . . 1107 - † 24 apr. 1124
David I, fr., re . . . . 24 apr. 1124 - † 24 magg. 1153
Malcolm IV, « *la Vergine* », nip., re . 24 magg. 1153 - † 9 dic. 1165
Guglielmo, *il Leone*, fr., re . . . . . 9 dic. 1165 - † 4 dic. 1214
Alessandro II, f., re . . . . cor. 5 dic. 1214 - † 8 lugl. 1249
Alessandro III, f. (ultimo dei **Kenneth**) 8 lugl. 1249 - † 12/3 1286

Margherita, nip. di Alessandro III e f. di Erico II re di
   Norvegia, regina . . . . 1286 - † 1290
Interregno . . . . dal 1290 al 1292
Giovanni **Baliol**, figlio di Giovanni C.e d'Harcourt, el.
   re . . . . 17 nov. 1292 - dep. 27 apr. 1296 († 1315)
Interregno. – La Scozia è sottomessa da Edoardo I
   re d'Inghilterra 1272). . . . . . . apr. 1296 - mar. 1306
Roberto I **Bruce**, f. di Roberto Conte di Carrick, co-
   ronato, re . . . . 25 mar. 1306 - † 7 giu. 1329
David II **Bruce**, f., regg. il C.e di Murray, re 7 giu. 1329 - dep. 1332
Edoardo **Baliol**, f. di Giovanni *pred.* re . . . . . 1332 - dep. 1342
David II **Bruce**, *di nuovo* re, . 1342 - 1346 e 1357 - † 25 febb. 1371
Roberto II **Stuart**, nip. di David II **Bruce**, re 25/2 1371 - † 19/4 1390
Roberto III, f., re . . . . 19 apr., cor. 13 ag. 1390 - † 4 apr. 1406
Giacomo I, f. (prigion. degli Inglesi 1405-23) 1406 - † 20 febb. 1437
Giacomo II, f., regg. Alan Livingston . 20 febb. 1437 - † 3 ag. 1460
Giacomo III, f., sotto reggenza [sp. Margherita di Dani-
   marca], re . . . . 3 ag. 1460 - † 11 giu. 1488
Giacomo IV, f. [sp. Margherita, f.a di Enrico VII d'In-
   ghilterra], re . . . . 11 giu. 1488 - † 9 sett. 1513
Giacomo V, f., regg. la madre Margherita, poi il duca
   d'Albania, re . . . . 9 sett. 1513 - † 13 dic. 1542
Maria, f. (regina di Francia 1558-60), succ., sotto reg-
   genza, ... 14 dic. 1542 - abd. 24 lugl. 1567 († 18 febb. 1587)
Giacomo VI, f., reggenti: il C.e di Murray, fr. di Maria
   (1567-70); il C.e di Lenox (1570-71); il C.e Marr
   (1571-72); Giac. Douglas C.e di Morton (1572-78).
   Re d'Inghilterra e Scozia con nome di Giacomo I,
   24 mar. 1603; re, succ. . . . . 24 lugl. 1567 - † 27 mar. 1625
La Scozia è governata dai Re d'Inghilterra, come un
   regno particolare . . . . dall'apr. 1603
Unione definitiva delle due corone e dei due parlam. 25 mar. 1707

XX. PENISOLA IBERICA

1. Iberia [Hispania]

L'Iberia provincia Romana dal 197 a. C. – Sottomessa
   completamente all'Impero . . . . 27 a. C. - 406 d. C.
Gli Alani occupano il sud-ovest della penisola v. 406 - distrutti 418
I Vandali e i Silingui ne occupano il sud-est, poi (429)
   passano in Africa . . . . v. 409 - 429
Gli Svevi e gli Asdingui ne occupano il nord-ovest
   (Galizia, Lusitania, Betica). – La parte merid. del

    loro regno è conquist. dai Visigoti nel 456, poi (585)
    sono da questi sottommessi interamente . . . . v. 411 -585
I Visigoti (dal 585 regn. su tutta la penisola) v. 414 - 418 e 507 - 711
Re Visigoti: Alarico I, 395 - 410; Ataulfo, cognato di
    Alarico I, re 410 - 415; Vallia, fr., 415 - † 19; Teo-
    dorico I (casa dei Balti), re 419 - † 51; Torismondo,
    f., 451 - † 53; Teodorico II, f., 453 - † 66; Elrico,
    f. di Teodorico I, 466 - † 85; Alarico II, f., 485 -
    † 507; Gesaurico, f., 507 - † 11; Amalarico, f. di
    Alarico II (tutore l'avo Teodorico, *il Grande* [re
    ostrogoto] fino al 526), 507 - † 31; Teudi 531 - † 48;
    Teudigisilo 548 - 49; Agila 549 - 54; Atanagildo
    554 - † 67, (a Toledo). Liuva 567-72 — Leovigildo,
    569–86; Recaredo, 586-601. Seguono altri re Visig.
    ultimo Rodrigo, 710 sconfitto da Tarik, . . luglio 711.
Gli Arabi della Mauritania, condotti da **Tarik** *ben zeiad*,
    emiro maomettano, gov. di Tangeri, invadono la
    penisola, meno le Asturie e Biscaglia; cacciano i
    Visigoti e vi tengono governatori . . . . . v. lugl. 711 - 756

2. Stati Musulmani.

a. *Califato di* Cordova.

Abd-er-Rhaman I, dinast. **Ommiade**, venuto in Spagna,
    fonda un califato indip. resid. a Cordova 15/5 756 - † 29/9 788
Hisham I, f. califo . . . . 1º ott. 788 - † 27 apr. 796
El Hakim I, f. califo . . . . 28 apr. 796 - † 22 magg. 822
Abd er Rhaman II, f., califo. . . . . 22 magg. 822 - † 18 ag. 852
Mohammed I, f., califo . . . . 18 ag. 852 - † 31 lugl. 886
El Mundhir, f.   »   . . . . 7 ag. 886 - † lugl. 888
Abdallah, fr.,   »   . . . . lugl. 888 - † ott. 912
Abd-er-Rhaman III, nip., califo . . . . . ott. 912 - † 16 ott. 961
El-Hakim II, f., califo . . . . . 16 ott. 961 - † 30 sett. 976
Hisham II, f., sotto tutela di Mohammed II, 3/10 976 - dep. 24/2 1009
Mohammed II, cugino, califfo per usurp..   24 febb. - dep. nov. 1009
Suleiman, pronip. di Hakim II (*per usurp.*) 6 dic. 1009 - dep. 1010
Mohammed II, *di nuovo* . . . . 1010 - 21 lugl. 1010
Hisham II, *di nuovo* . .   21 lugl. 1010 - dep. 20 apr. 1013 († 1015)
Suleiman, *di nuovo* . . . . 20 apr. 1013 - † 1016
Abu 'l Hasan Aly, dinast. **Ammuditi** 1016 - dep. 1017 († mar. 1018)
Abd-er-Rhaman IV, **Omniade**, pronip. di Hakim II, califo . 1017
El-Kasim, **Ammudita**, califo . . . . 1017 - 1021
Yahia, **Ammudita**, nip.   »   . . . . . sett. 1021 - dep. 1022
El Kasim, **Ammudita**, *di nuovo* . . . . . . 1022 - dep. apr. 1023
Abd-el-Rahaman V, **Ommiade**, pronipote di Hakim II,
    califo, succ. . . . . dic. 1023 - dep. s. a. († febb. 1024)

Mohammed III **Ommiade**, pronip. di Hakim II . . 1023 - † 1024
Yahia **Ammudita**, *di nuovo* . . . . 1024 - † 28 febb. 1026
Hisham III, **Ommiade**, fr. di Abd-er-Rhaman IV, ca-
  lifo . . . . magg. 1026 - abd. 30 nov. 1031 († 1037)
Fra il 1009 c. e il 1031 il Califato di Cordova va divi-
  dendosi in tanti piccoli Stati indipendenti, come:
  Toledo e Badajoz nel 1009; Murcia 1010; Saragozza
  1012; Almeria e Granata 1013; Denia 1014; Malaga
  1016; Valenza 1021; Siviglia 1023; Maiorca 1015;
  Cordova 1031, ecc., poi Orihuala, Huesca, Iaen,
  Carmona, Niebla, Algesiras.
Cordova si regge a repubblica aristocratica . . . dic. 1031 - 1070
Occupata da Mohammed II (re di Siviglia 1069) 1070 - sett. 1091
Conquistata dagli **Almoravidi** d'Africa (1086), poi (1148)
  dagli **Almoadi** della Mauritania . . . . 1091 - 1229
Occupata da Ibn Hud di Murcia . . . . . 1229 - giu. 1236
Aggregata al regno di Castiglia (V. Castiglia) . . . . 29 giu. 1236

b. Toledo.

Mohammed Ibn Yaïsh, si rende indipendente . . . 1009 - 1036
Ismaël, della dinastia dei **Benu Dhin Nun** . . . . . 1036 - 1038
Yahia I el-Mamun, f., re (V. Valenza 1065) . . . 1038 - † 1075
Yahia II el-Kadir, nip., re (V. Valenza 1080) 1075 - dep. 25/5 1085
Alfonso VIII [VI] (re di **Castiglia** 1158) occupa Toledo
  e vi pone la sua residenza . . . 25 magg. 1085 (V. Castiglia)

c. Saragozza.

Al Mundhir al-Mansur, dei **Tudjibiti**, si rende indipen-
  dente . . . . v. 1012 - † 2 sett. 1039
Suleiman al-Mustaïn billah, dei **Benu Hud** . . ott. 1039 - † 1046
Ahmed I al-Muktadir billah, f. . . . . 1046 - † 1081
Yusuf al-Mutemin, f. . . . . ott. 1081 - † 1085
Ahmed II al-Mustaïn billah, f. . . . . 1085 - † febb. 1110
Abd el-Melik Imad ed Daula, f. . . . febb. 1110 - † lugl. 1130
Ahmed III Seif ed Daula, f. . . . . . . 1130 - dep. 1146
Saragozza è occupata dagli **Aragonesi** . . . . 1146 (V. Aragona)

d. Valenza.

Abd el-Aziz el-Mansur, f. di Abd er-Rahman, degli
  Ameridi, si rende indip. . . . . 1021 - † 1061
Abd el-Melik, f. . . . . 1061 - dep. 1 nov. 1065
Yahia I el-Mamun (re di Toledo 1038) occupa Va-
  lenza . . . . 1° nov. 1065 - † 1075
Abubeker, fr. di Abd el-Mehk, *pred.* . . . . 1075 - 1085
Othman, f. di Abd el-Melik 1085

Yahia II el-Kadir (re di Toledo 1075) . . . . . 1085 - † 1092
Valenza si regge a repubblica . . . . 1092 - 1094
Rodrigo Diaz de Bivar (il *Cid*) occupa Valenza . . 1094 - † 1099
Valenza è occupata dagli **Almoravidi** . . . . 1102 - 1145
Ritorna indipendente . . . . 1145 - 1172
Occupata dagli **Almoadi** . . . . 1172 - 1229
Ritorna indip. sotto Zeiyan Ibn Mardenish (re di Mur-
   cia 1239-40) . . . . 1229 - dep. 29 sett. 1238
Giacomo I, re d'**Aragona**, occupa Valenza 29 sett. 1238 (V. Aragona)

e. Siviglia.

Mohammed I, f. d'Ismaël, degli **Abbaditi**, si rende in-
   dip. . . . . 1023 - † 24 genn. 1042
Abbad el-Mutadhid billah, f. . . . . 27 genn. 1042 - † 2 apr. 1069
Mohammed II el-Mutamid billah, 3 apr. 1069 - dep. sett. 1091 († 1095)
Siviglia è occupata dagli **Almoravidi** . . . . . . sett. 1091 - 1147
Occupata dagli **Almoadi** . . . . . . 1147 - 1228 e 1238 - 1242
Occupata dai **Benu Hafs** di Tunisi. . . . . 1242 - 1248
Ferdinando III, f. di Alfonso IX, re di Castiglia; oc-
   cupa Siviglia dopo 15 mesi d'assedio. . . 1248 (V. Castiglia)

f. Granata.

Ai **Benu Zeiri**, 1013 - 1090; agli **Almoravidi** . . . . 1090 - 1157
Agli **Almoadi** . . . . 1157 - 1229
Unita al regno di Murcia . . . . 1229 - 1238
Mohammed I el Ghalib billah, dei **Nasridi** (princ. di
   Jaen 1232), re . . . . 1238 - † genn. 1273
Mohammed II el Fakih, f. . . . . . . genn. 1273 - † 8 apr. 1302
Mohammed III el Mahlua, f., 8/4 1302 - dep. 15/3 1309 († 24/1 1314)
Nasr, fr. succede 15 mar. 1309 - dep. 16 febb. 1314 († 16 nov. 1322)
Ismaël I, nip. . . . . 19 febb. 1314 - † 8 lugl. 1325
Mohammed IV, f., sotto regg. . . . . 8 lugl. 1325 - † 25 ag. 1333
Yusuf I, fr. . . . . 25 ag. 1333 - † 19 ott. 1354
Mohammed V, f. . . . . 19 ott. 1354 - dep. 23 ag. 1359
Ismaël II, fr. . . . . 23 ag. 1359 - † 12 lugl. 1360
Mohammed VI, pronip. d'Ismaël I . . 12 ag. 1360 - † apr. 1362
Mohammed V, *di nuovo* . . . . 16 apr. 1362 - † 1391
Yusuf II, f. . . . . 1391 - dep. 1392 († 1396)
Mohammed VII, f. . . . . 1392 - † 11 magg. 1408
Yusuf III, fr. . . . . magg. 1408 - † 1423
Mohammed VIII, *el-Aisar* (*il Mancino*), f. . . 1423 - dep. 1427
Mohammed IX, *es-Saghir* (*il Piccolo*), nip. di Moham-
   med V . . . . 1427 - † 1429
Mohammed VIII, *di nuovo* . . . . . . 1429 - dep. v. genn. 1432
Yusuf IV, nip. di Mohammed VI . . . v. genn. - † 24 giu. 1432

Mohammed VIII, *di nuovo* . . . . giu. 1432 - dep. 1444
Mohammed V *el-Ahnaf* (lo *Zoppo*), nip. . . . . 1444 - dep. 1445
Saad, nip. di Yusuf III . . . . 1445 - dep. 1446
Mohammed X, *di nuovo* . . . . 1446 - dep. 1453
Saad, *di nuovo* . . . . 1453 - † 1462
Ali, f. . . . . 1453 - † 1462
Mohammed XI (*Boabdil*), f. . . . . 1462 - dep. 1482
Ali, *di nuovo* . . . . 1482 - dep. 1483
Mohammed XII, *ez-Zaghall* (il *Bravo*), fr. (gov. di Ma-
    laga) . . . . 1483 - dep. 1485
Mohammed XI *Boabdil*, *di nuovo* . . . 1486 - dep. 5 genn. 1492
Ferdinando II, *il Cattolico* (re d'**Aragona** 1479), occupa
    Granata (1) . . . . 5 genn. 1492

3 Stati Cristiani.
a) **Oviedo**, *poi* **Asturie** (740) *e* **Leon** (918).

Pelagio, Goto (forse discend. dei **Balti**), fonda uno Stato
    nelle Asturie nel 718, re dei Visigoti (crist.) . 720 - † 18 sett. 737
Favila, fr. . . . . sett. 737 - † 739
Alfonso I, *il Cattolico*, f. di Pietro D.ª di Cantabria,
    discend. da Reccaredo re Visig., gen.º di Pelagio;
    1º re delle Asturie . . . . 739 - † 757
Fruëla (*Froila*), re (fonda Oviedo 760) re delle Asturie . 757 - † 768
Aurelio, cugino germano di Fruëla I   » . . 768 - † 774
Silo, genero di Alfonso I . . . . . . » . . 774 - † genn. 785
Mauregato, f. nat. di Alfonso I . . . » . . 785 - † 789
Bermudo I, fr. di Aurelio. . . . . . . » . . 789 - † 792
Alfonso II, *il Casto*, f. di Fruëla I   » . 792 - † dic. 842
Ramiro I, f. di Bermudo I . . . . . . » . 812 - † 1º febb. 850
Ordoño I, f., re delle Asturie . . . . febb. 850 - † 17 magg. 866
Alfonso III, *il Grande*, f., re 17/5 866 - abd. dic. 910 († 20/12 912)
Garcia, f., re delle Asturie e di Leon . . . . dic. 910 - † genn. 913
Ordoño II, fr. (re di Galizia), ottiene Leon gennaio
    918, re . . . . dic. 910 - † 923
Fruëla II, fr., re delle Asturie e di Leon. . . . dic. 910 - † 924
Alfonso IV, *il Monaco*, f. di Ordoño II, re delle Asturie
    e Leon . . . . 924 - † 931
Bamiro II, fr.; re delle Asturie e Leon . . . 931 - † 5 genn. 950
Ordoño III, f. . . . . 950 - † 955
Sancio I, *il Grosso*, fr. . . . . 955 - dep. 958

---

(1) La presa di Granata pone fine alla dominaz. musulmana in Spagna. Gli altri Stati si erano
già sottomessi agli Aragonesi o ai Castigliani e furono, oltre i già accennati: le isole Balear i
prese dagli Aragonesi nel 1229; Badajoz, nel 1230; Murcia, dai Castigliani nel 1243, Denia nel
1244; Algesiras nel 1344; Malaga, dai Castigliani nel 1487; Almeria, pure dai Castigliani,
nel 1489, ecc.

Ordoño IV, *il Malo*, f. di Alfonso IV . . . . . . 958 - dep. 960
Sancho I, *di nuovo* . . . . 960 - † 967
Ramiro III, figlio, sotto tutela della madre Teresa di
  Monçon; re di Leon . . . . 967 - dep. 982 († 984)
Bermudo II, f. di Ordono III . . . . » . . . . 982 - † 999
Alfonso V, f., regg. la madre Elvira e il C.^e di Mélanda
  fino al 1017, re di Leon, succ. . . . . 999 - † 1027
Bermudo III, f., re di Leon . . . . 1027 - † luglio 1037
Ferdinando I, *il Grande*, f. di Sancio III re di Navarra
  e cognato di Bermudo III; C.^e di Castiglia 1035, è
  acclamato re di Castiglia e di Leon 22 lugl. 1037 (V. Castiglia).

b) **Navarra.**

[**Aznar**, *primo capo indip.*, 831, † v. 836; *Sancio* 837 -
  † 852; *Garcia*, *C.^e indip.*, 853 - † 857; *Garcia Iniguez*, f.. 857 C.^e, *poi*, 860, re, - † 880; *Fortunio, il
  Monaco* 880 - 905].

Sancio II Abarea f. di **Garcia Iniguez**, C.^e di Navarra, re 906 - † 926
Garcia II, f., re (poi Thenda ved. di Sancio II 966-993) 926 - † 966
Garcia III, f. di Sancio II, re . . . . 993 - 1000
Sancio III, *il Grande*, f., re di Navarra (re d'Aragona
  1001, C.^e di Castiglia 1028-35), succ. 1000 - † febb. 1035 (1)
Garcia IV, f., re . . . . febb. 1035 - † 1° sett. 1054
Sancio IV, f., re . . . . sett. 1054 - † 4 giu. 1076
Sancio V, nip. di Sancio III (re d'Aragona 1063), re 1076 - † giu. 1094
Pietro I, f. (re d'Aragona 1094), re . . giu. 1094 - † 28 sett. 1104
Alfonso I, *il Battagliero*, fr., (re d'Aragona 1104), suc-
  cede . . . . 28 sett. 1104 - † 7 sett. 1134
Garcia V, nip. di Sancio IV re . . . . sett. 1134 - † 21 nov. 1150
Sancio VI, *il Saggio*, f. re . . . . 21 nov. 1150 - † 27 giu. 1194
Sancio VII, *il Forte*, f. re . . . . 27 giu. 1194 - † 7 apr. 1234
Tibaldo I, *il Postumo*, (C.^e di **Champagne** 1201), nip.,
  re . . . . 7 magg. 1234 - † 8 lugl. 1253
Tibaldo II, f. (C.^e di Champagne 1253), regg. Marghe-
  rita di Borbone sua madre († 1258), re lugl. 1253 - † 5 dic. 1270
Enrico I, *il Grasso*, fr., (C.^e di Champagne 1270), [sp.,
  1269, Bianca f.^a di Roberto I d'Artois] 5 dic. 1270 - † 22/7 1273
Giovanna I, f.^a, (C.^a di Champagne 1274), succede,
  (reggente la madre Bianca d'Artois, fino al 16 ag.
  1284,) re . . . . lugl. 1274 - † 4 apr. 1305
Filippo I, *il Bello*, **Capetingio**, f. di Filippo, *l'Ardito*,

---

(1) Sancho III nel 1034, aveva diviso i proprii stati fra i quattro figli. Garcia ebbe la **Navarra**
e la Vecchia Castiglia fino a Burgos; Ferdinando la Castiglia; Gonzales, la contea di Sobrarbe
la quale fu unita all'Aragona nel 1039, alla morte di Gonzales; Rámiro , l'Aragona. (V. Aragona
e Castiglia).

marito di Giovanna I; (re di Francia 1285), re,
  succede . . . . . .   16 ag. 1284 - 4 apr. 1305 († 29 nov. 1314)
Luigi I, *il Protervo*, f., (re di Francia 1314) re apr. 1305 - † 5/6 1316
Filippo II, *il Lungo*, fratello, (re di Francia 1316), suc-
  cede . . . .   5 giu. 1316 - † 3 genn. 1322
Carlo I, *il Bello*, fratello; (re di Francia 1322), suc-
  cede . . . .   3 genn. 1322 - † 1° febb. 1328
Giovanna II, figlia di Luigi I; (C.ª di Champagne
  1316-35) regina . . . . 1329 - † 8 ott. 1349
Filippo III, *il Saggio*, (C.e d'**Évreux**), marito di Gio-
  vanna II re . . . . 1329 - † sett. 1343
Carlo II, *il Malvagio*, f., re . . . . . 8 ott. 1349 - 1° genn. 1387
Carlo III, *il Nobile*, f., re . . . . 1° genn. 1387 - † 8 sett. 1425
Bianca, f., re . . . . sett. 1425 - † 1441
Giovanni I d'**Aragona** (re d'Aragona 1458), marito di
  Bianca, re . . . . sett. 1425 - † 19 genn. 1479
Eleonora, f., (C.ª di **Foix** 1472), regina . . genn. - † 12 febb. 1479
Francesco Febo, (C.e di **Foix**), nip., re febb. 1479 - † 3 febb. 1483
Caterina, sorella di Francesco Febo, succede, reg-
  gente la madre Maddalena di Francia fino al
  1484, regina . . . . febb. 1483 - † 11 febb. 1517
Giovanni II d'**Albret**, f. di Alain, visc. di Tartas, marito
  di Caterina; C.e di Foix e re di Navarra 14/6 1484 - † 17/5 1516
Ferdinando II, *il Cattolico*, f. di Giov. II d'Arag.ª; (re
  d'Aragona 1479, di Napoli 1503), conquista l'alta
  Navarra (1) . . . . 26 lugl. 1512 (V. Aragona)
Enrico II d'**Albret**, f. di Giovanni II; re della Bassa
  Navarra o Navarra Francese, succede a Caterina
  sua madre, [sp. Margher. d'Angouleme], 12/2 1517 - † 25/5 1555
Giovanna III, f.ª, succ. col marito . 25 magg. 1555 - † 9 giu. 1572
Antonio di **Borbone** (duca di **Vendôme** 1537), marito
  di Giovanna III, re . . . . . 25 magg. 1555 - † 7 nov. 1562
Enrico III [IV], *il Grande*, f.; (re di Francia 1589), [sp.,
  1°, Margher. di Valois, f.ª di Enrico II di Francia;
  2°, Maria Medici]; re . . . . 9 giu. 1572 - † 14 magg. 1610
Luigi II, *il Giusto*, figlio; (re di Francia 1610), succede . . . . . .   14 magg. 1610 - dep. 1620 († 14 magg. 1643)
La Bassa Navarra è unita definitivam. alla Francia (V. Francia) 1620

c) Aragona.

Ramiro I, f. di Sancio III re di Navarra (v. pag. 546,
  nota 1); re d'Aragona . . . . . febb. 1035 - † 8 magg. 1063
Sancio, f. (re di Navarra 1076), re . 8 magg. 1063 - † 4 giu. 1094
Pietro I, f. (re di Navarra 1094), re 4 giu. 1094 - † 28 sett. 1104

---
(1) Cioè la regione a mezzogiorno dei Pirenei.

Alfonso I, *il Contendente*, fr. (re di Navarra 1104, di
   Castiglia 1126), [sp., 1109, Urraca, erede di Ca-
   stiglia]; re . . . . 28 sett. 1104 - † 17 lugl 1134
Ramiro II, *il Monaco*, fratello [sp. Agnese d'Aqui-
   tania], re . . . . 1134 - abd. 1137 († 16 ag. 1147)
Petronilla, f.ª, sotto tutela di Raimondo Berengario IV
   (Conte di **Barcellona** 1131, suo marito) dal 1151,
   regina . . . . 1137 - 8 ag. 1162 († 1173)
Alfonso II di **Barcellona**, f. (Conte di Provenza 1167,
   unisce ai suoi Stati la Catalogna 1162), re 8/8 1162 - † 25/4 1196
Pietro II, f. (sig. di Montpellier 1204),re 25 apr. 1196 - † 13 sett. 1213
Giacomo I, *il Conquistatore*, f. (sig. di Montpellier
   1213), reggente Simone di Montfort durante mi-
   norità, re . . . . 17 sett. 1213 - † 25 lugl. 1276
Pietro III, f. (re di Sicilia 1282), [sp. Costanza di Svevia
   († 1302), f.ª di re di Manfredi], succede 25 luglio, coronato, re . . . . 27 nov. 1276 - † 10 nov. 1285
Alfonso III, f., succ. 10 nov. 1285, cor. 14 apr. 1286 - † 18 giu. 1291
Giacomo II, fr. (re di Sicilia 1285-96, di Sardegna 1323),
   re, cor. . . . . 6 sett. 1291 - † 5 nov. 1327
Alfonso IV, f. (re di Sardegna 1327), succede nov. 1327,
   cor., re . . . . 31 magg. 1328 - † 7 genn. 1336
Pietro IV, *il Cerimoniere*, f. (ha tit. di re di Sicilia 1377;
   duca d'Atene 1381), re . . . . . genn. 1336 - † 5 genn. 1387
Giovanni I, f. (re di Sardegna 1387), re 5 genn. 1387 - † 19/5 1395
Martino, fr. (re di Sicilia 1409), re 19 magg. 1395 - † 31 magg. 1410
Interregno . . . . dal 31 magg. 1410 al 24 giu. 1412
Ferdinando I di **Castiglia**, *il Giusto*, f. di Giovanni I
   re di Castiglia; (re di Sicilia e Sardegna 1412), re
   d'Aragona . . . 24 giu. 1412, cor. 15 genn. 1414 - † 2 apr. 1416
Alfonso V, *il Magnanimo*, f. (re di Sicilia 1416, di
   Napoli 1442), re . . . . 2 apr. 1416 - † 28 giu. 1458
Giovanni II, fr. (re di Navarra 1425, di Sicilia 1458),
   re 28 giu. 1458 regg. col f. Ferdin. II dal 1466, - † 19 genn. 1479
Ferdinando II [V], *il Cattolico*, f. (re di Castiglia e
   Leon, con Isabella, 1474, di Granata 1492, di Na-
   poli 1503, di Navarra 1512), a d'Aragona 19/1 1479 (V. Spagna)

d) Catalogna.

Gli Arabi della Mauritania occupano la Catalogna 718 -
   801; Carlomagno la conquista 801; Lodovico, *il
   Pio*, f., la erige in contea 801 c.; Viene unita al-
   l'Aquitania settentrionale e lasciata alla Francia,
   pel trattato di Verdun 843 . . . . 718 - 843
Conti di Barcellona: Bera (D.ª di Settimania 817-20)
   invest. C.e da Lodovico *il Pio*, 801-20; Bernardo
   (D.ª di Settiman. 822-44), C.e 820-32 e 832-44. - *Ai*

Conti di Tolosa 832-33 e 845-50; Aledrano 844-45
e 850-52; Adalrico (D.ª di Settimania), C.ᵉ 852-58.
Conti ereditari: Vifredo I (D.ª di Settimania 858-64)
858 - † 906 c.; Vifredo II, f., 906 - † 913; Mirone,
fr., 913 - † 928; Sunifredo, f., 928 - 967; Borel,
nip. di Vifredo I (C.ᵉ d'Urgel 950-93) 967 - † 93.
Barcellona è presa dagli Arabi 985-..; Raimondo
Borel, f., riprende Barcellona) 993 - † 1017; Be-
rengario-Raimondo I, f., 1017-35; Raimondo-Berengario I, *il vecchio*, f., (C.ᵉ di Carcassona 1070-76)
1035 - † 1076; Raimondo-Berengario II, *Testa di
stoppa* (C.ᵉ di Cerdagna 928-88) 1076 - † 1082; Be-
rengario-Raimondo II, f., 1076 - † 1093; Raimondo-
Berengario III, f. (C.ᵉ di Provenza 1113-31) [sp.
Dolce di Provenza, † 1190] 1082 - † 1131; Raimondo-Berengario IV, *il giovane*, f. (re d'Aragona
1151) [sp. Petronilla reg.ª d'Aragona] 1131 - † 1162;
Alfonso, f. (re d'Aragona 1162), unisce ai suoi Stati
la Contea di Barcellona 1162 (V. Aragona) . . .   801 - 1162

c) **Castiglia** e **Leon** (*unite dal 1230*).

Conti: Fernando Gonzales 923-68; Garcia Fernandez,
f., 968-1006; Sancio Garcia, f., 1006-1028; Garcia
1028 - † s. a. . . . .   923 - 1028
La Castiglia passa alla sorella di Garcia, vedova di
Sancio, *il Grande*, re di Navarra . . . . . .   1028 - 1035
Ferdinando I, *il Grande*, figlio di Sancio III re di
Navarra, divide il Regno tra i figli Sancio e Al-
fonso IV; Conte febb. 1035, poi Re di Castiglia
1036, di Lenon . . . .   1037 - † 27 dic. 1065
Sancio II, *il Forte*, f., re di Castiglia . 27 dic. 1065 - † 5 ott. 1072
Alfonso VI, *il Valoroso*, fr., re di Leon 27 dic. 1065,
di Castiglia ott. 1072, di Galizia 1073 (1), di To-
ledo 1085; succ. . . . .   1072-1086 - † 29 giu. 1109
L'Almoravide d'Africa, Yussuf, prese Ceuta e Tangeri,
invade la penisola; molti Almoravidi vi rimangono.
Alfonso VI è sconfitto a Zalaca giu. 1109 . . .   1086 - †1109
Urraca, f.ª di Alfonso VI, vedova di Raimondo di Ga-
lizia; [sposa, 1109, Alfonso I re d'Aragona]; suc-
cede . . . .   29 giu. 1109 - † 10 mar. 1126
Alfonso VII, f. di Urraca e di Raimondo Berengar. Iº di
Gatalogna, suo 1º marito, succ. . 10 mar. 1126 - † 21 ag. 1157

---

(1) Alla morte di Ferdinando I, la Galizia toccò al suo terzo figlio Garcia, ma nel 1073 esso
fu spogliato del reame dal fratello Alfonso V. Garcia morì nel 1090.

Gli Almoadi d'Africa invadono la penisola, occupano
    Tarifa, Algesiras, Xeres 1146, Siviglia e Lisbona
    1147, Cordova 1148] . . . . 1146 - 1148
Sancio III, f. di Alfonso VII; re di Castiglia 21/8 1157 - † 31/8 1158
Ferdinando II, fr., re di Leon . . 21 ag. 1157 - † 21 genn. 1188
Alfonso VIII, *il Nobile* e *il Buono*, f. di Sancho III; re
    di Castiglia [sp. Eleonora d'Inghilt. f.ª di En-
    rico II]. È vinto dagli Arabi ad Alarcos 1195.
    (Gli Almoadi invadono ancora la penisola 1210,
    vinti 1212) . . . . 31 ag. 1158 - † 5 ag. 1214
Enrico I, figlió, re di Castiglia, sotto reggenza, suc-
    cede . . . . 5 ag. 1214 - † 6 giu. 1217
Alfonso IX, f. di Ferdinando II; re di Leon 21/1 1188 - † sett. 1230
Ferdinando III, *il Santo*, f., re di Castiglia 30 ag. 1217
    e di Leon 1230 (conquista Cordova, Jaen, Siviglia,
    Cadice) . . . . ag. 1217 - † 30 magg. 1252
Alfonso X, *il Saggio*, f. (re del Germania 1257), re di
    Castiglia e Leon [sp. Violante d'Aragona] 30/5 1252 - † 4/4 1284
Sancio IV, *il Prode*, f., [sp., 1282, Maria de Molina,
    † 1322], re di Castiglia e Leon . 4 apr. 1284 - † 25 apr. 1295
Ferdinando IV, f., regg. il padre Sancio IV, 25/4 1295 - † 7/9 1312
Alfonso XI ,f., regg. (1312), re Sancio IV; re 7/9 1312 - † 26/3 1350
Pietro, *il Crudele*, f. re . . . . . 26 mar. 1350 - † 23 mar. 1369
Enrico II, *il Trastamare* e *il Magnifico*, f. nat. di Al-
    fonso XI [sp. Giovanna di Penafiel] re 23/3 1369 - † 29/5 1379
Giovanni I, f. [sp., 1383, Beatrice di Portog.] 29/5 1379 - † 9/10 1390
Enrico III, *il Malaticcio*, f. (Principe delle Asturie
    1386); re di Castiglia e Leon . . 9 ott. 1390 - † 25 dic. 1406
Giovanni II, re di Castiglia e Leon . 25 dic. 1406 - † 21 lugl. 1454
Enrico IV, l'*Impotente*, f. [sp. Giov.ª di Portog.] 2/17 1454 - † 14/12 '74
[*Alfonso XII, fr., acclam. re dai ribelli* 5 giu. 1465 - † 5 lugl. 1468]
Isabella I, sorella di Enrico IV [sposata, 1469, a Fer-
    dinando, *il Cattolico*], re di Cast.ª e Leon 13/12 1474 - † 26/11 1504
Giovanna, *la Pazza*, f.ª, col mar. Filippo I nov. 1504, poi
    sola, sotto reggenza, dal . 25 sett. 1506 - 1516 († 13 apr. 1555)
Filippo I d'**Austria**, *il Bello*, f. dell'imp. Massimil. I;
    (C.e di Fiandra e sovrano dei Paesi Bassi 1482),
    marito (1496) di Giov.ª, *la Pazza*, 26 nov. 1504 - † 25 sett. 1506
Ferdinando V d'**Aragona**, *il Cattolico*, f. di Giovanni II;
    (re d'Aragona, Sardegna e Sicilia 1479, di Napoli
    1503), re di Castiglia 1474; regg. a nome di Carlo I
    suo nip. ott. 1506-16; re di tutta la Spagna lugl. 1512 (V. Spagna)

4. Spagna.

Ferdinando V d'**Aragona**, *pred.*, mar. di Isabella Iª d'A-
    ragona, *pred.*, unisce tutta la Spagna; re 16/7 1512 - † 23/1 1516
. Carlo I [V] d'**Absburgo-Austria**, f. di Filippo I, *il Bello*;

(re di Napoli 1479, di Sicilia 1516, di Germania
    1519, imperatore 1520, signore de' Paesi Bassi
    1506-55), reggente il card. Ximenes († 8/11 1517)
    [sp. Isabella di Port.]; re 23/1 1516 - abd. 16/1 '56 († 21/9 '58)
Filippo II, f. (signore de' Paesi Bassi 1555-81, re di
    Sicilia 1556, re del Portogallo 1580), [sp., I, Maria
    di Portog. († 1545); II, Maria Tudor reg. d'Inghilt.,
    † 58; III, Elisab. di Enrico II di Francia, † 68;
    IV, Anna d'Austria, † 80] re 24 mar. 1556 - † 13 sett. 1598
Filippo III, *il Pio*, f. (re del Portogallo e di Sicilia 1598),
    [sp., 1599, Margher. d'Austria († 1611), f.ª di Carlo
    D.ª di Stiria]. (Gov. il D.ª di Lerma, Gomez San-
    doval); re, succ. . . . . . . 13 sett. 1598 - † 31 mar. 1621
Cacciata dei Mori da Valenza 9 dic. 1609, poi da tutta
    la Spagna, editto reale . . . . 10 genn. 1610
Filippo IV, f. (sovr. de' Paesi Bassi, re di Sicilia e del
    Portogallo 1621), [sp., 1615, Isabella († 44), f.ª di
    Enrico IV di Francia]; re, succ. 31 mar. 1621 - † 17 sett. 1665
Carlo II, f. (sovrano de' Paesi Bassi e re di Sicilia 1665),
    re, succ., regg. la madre Anna d'Austria, 17/9 1665 - † 1º/11 1700
Filippo V di **Borbone**, f. di Luigi delfino di Francia,
    (sovr. de' Paesi Bassi 1700-14, re di Sicilia 1700-13),
    [sp., Iº, 1701, Maria Luisa, f.ª di Vittor. Amed. II di
    Savoia; IIº, Elisabetta, f.ª di Odoardo Farnese di
    Parma, † 11/7 '66]; re, succ. . . . 24/11 1700 - abd. 10/1 1724
L'ammiraglio inglese Rook occupa l'import. posiz. di
    Gibilterra, la quale rimane in potere dell'Inghilt. dal 4 ag. 1704
Luigi, f., di Filippo V, re [sp. Maria Luisa d'Orléans] 10/1 - † 6/9 1724
Filippo V, *di nuovo* . . . . 6 sett. 1724 - † 9 lugl. 1746
Ferdinando VI, f., [sp. Maria di Braganza] 10/8 1746 - †
    demente 10/8 1759
Carlo III, fr. (duca di Parma e Piacenza 1731-34, re di
    Napoli e Sicilia 1735-59), re . . 11 sett. 1759 - † 13 dic. 1788
Carlo IV, f . . . 14 dic. 1788 - abd. 20 mar. 1808 († 19 genn. 1819)
I Francesi invadono la Spagna, occupano la Catalogna 1794 - 1795
Pace coi Francesi 1795
La Spagna si allea coi Francesi 1797
Ferdinando VII, f. (princ. delle Asturie 1788), re 20/3 - abd. 2/5 1808
Giuseppe **Bonaparte**, fr. di Napoleone I imp.; (re di Na-
    poli 1806-08), nom. re 6 giu. 1808 - 11 dic. 1813 († 28 lugl. 1844)
Ferdinando VII di **Borbone**, *di nuovo*, re 11 dic. 1813 - † 29 sett. 1833
Isabella II, f.ª, regg. la madre Maria Cristina fino al
    12 ott. 1840; poi, dal magg. 1841 al 1843 Espartero;
    succ. 29 sett. 1833, dichiarata maggiorenne 8/11 '43
    [sp. Franc. d'Assisi suo cugino] deposta 30/9 1868 († 9/4 1904)
Rivoluzione. Governo provvisorio, reggenza di Fran-
    cesco Serrano . . . . 17 sett. 1868 - dic. 1870
Amedeo di **Savoja**, duca d'Aosta, figlio di Vittorio

Emanuele II re d'Italia, eletto re 16 novembre,
accetta . . . 3 dic. 1870 - abd. 11 febb. 1873 († 18 genn. 1890)
Repubblica federale, poi unitaria; capi: Figueras, Pi y
Margall, Salmerón, Castellar, Serrano, Cánovas del
Castillo . . . . febb. 1873 - 31 dic. 1874
Alfonso XII di **Borbone**, f. di Isabella II, regg. Cánovas
del Castillo *pred.* re di Spagna . 31 dic. 1874 - † 25 nov. 1885
Maria Cristina de Las Mercedes, vedova di Alfonso XII,
sotto regg. della madre, . . . 25 nov. 1885 - 18 magg. 1886
Alfonso XIII, nato 17 magg. 1886, f. di Alfonso XII,
sotto regg. della madre Maria Cristina *pred.*, fino
al 17 magg. 1902, re . . . . 18 magg. 1886 - . . . .

(Segue a pag. 576)

5. Portogallo.

Conti, poi Re dal 1139.

Regno degli Svevi, nella Lusitania 416-581; - I Visigoti
v. 584 - 712; – I Mori 712 - fine sec. XI; – Unione
alla Castiglia . . . . fine sec. XI - 1094
Enrico I, casa di **Borgogna**, nip. di Roberto duca di
Borgogna e genero di Alfonso VI re di Castiglia; nominato Conte delle provincie tra il Minho e il Duero
(Portog.°), [sp. Teresa di Castiglia]; re 1094 - † 1° magg. 1114
Alfonso I « *Henriquez* », f. (1), regg. la madre Teresa
di Castiglia fino al 1128; Conte 1° magg. 1114; vince
i Mori ed è acclam. Re 25/7 1139, conferm. 1143 - † 6 dic. 1185
Sancio I, *Poplador*, f., (titol. di re d'Algarve 1189, ac-
quista l'Alemtejo) 1203, cor. re v. 12 dic. 1185 - † 27 mar. 1211
Alfonso II, *il Grosso*, f. [toglie ai Mori (1217) Alcazar
do Sal] . . . . 27 mar. 1211 - † 25 mar. 1223
Sancio II, *Capello*, f. . . . 25 mar. 1223 - dep. 11/1 1245 († 1/1 48)
Alfonso III, *il Ristauratore*, fr. (2), regg. del reame
dal 1245 [sp., 1145, Matilde di Savoja, † 1158, f.ª
di Amedeo III], re . . . . . 3 genn. 1248 - † 16 febb. 1279
Dionigi (*Diniz*), *il Giusto*, f. [sp. Isabella (S.), † 1336,
f.ª di Pietro III d'Arag.ª] . . 16 febb. 1279 - † 7 genn. 1325
Alfonso IV, *l'Ardito*, f. [sposa Beatrice di Castiglia],
succ. . . . . 7 genn. 1325 - † 28 magg. 1357
Pietro I, *il Giustiziere*, f. . . . . 28 magg. 1357 - † 18 genn. 1367
Ferdinando, f., col quale si estingue la linea masch.
dei re Borgognoni . . . . . . 18 genn. 1367 - † 29 ott. 1383
Giovanni I, *il Grande*, Gran Maestro dell'Ordine degli
Aviz, figlio naturale di Pietro I; reggente del
reame . . . . 29 ott. 1383, re 1385 - † 14 ag. 1133

---

(1) Acquista le provincie di Beira e di Estremadura, 1139; toglie ai Mori Lisbona, 1147, ed Evora, 1166.

(2) Assoggetta il paese degli Algarvi nel 1251.

Edoardo (*Duarte*), f. [sp. Eleonora d'Aragona] 14/8 1433 - 17/9 1438
Alfonso V, *l'Africano*, fr., regg. la madre Eleonora
    d'Aragona fino al 1439, poi Pietro suo zio fino al
    1449 (1), re . . . . 17 sett. 1438 - † 28 ag. 1481
Giovanni II, *il Perfetto*, f., re . . . . 29 ag. 1481 - † 25 ott. 1495
Emanuele d'Aviz, *il Fortunato*, cugino (f. di Ferdinando
    duca di Viseo), re . . . . ott. 1495 - † 13 dic. 1521
Giovanni III, f. . . . . 19 dic. 1521 - † 11 giu. 1557
Sebastiano d'Aviz, nip., regg. Caterina sua avola fino al
    1562, poi il Cardinale Enrico suo pro-zio; suc-
    cede . . . . 11 giu. 1557 - † 4 ag. 1578
Enrico II d'Aviz, pro-zio (arciv. di Evora 1540, di Li-
    sbona 1564, card. 1645), già regg., re 4 ag. 1578 - † 31 genn. 1580
[Antonio, gran priore di Crato, nip., 24/6 - dep. 25/8 1580 (†26/8 95)]
Filippo I [II] d'Absburgo-Austria, f. di Carlo V imp. (re
    di Spagna 1556), procl. re del Portogallo 2/9 1580 - † 13/9 1598
Filippo II [III], f. (re di Spagna 1598) 13 sett. 1598 - † 31 mar. 1621
Filippo III [IV] (re di Spagna 1621) [sp., 1615, Isabella,
    f.ª di Enrico IV di Francia] 31/3 1621 - dep. 1/12 1640 († 17/9 65)
Rivoluzione nel Portogallo, promossa dagli amici di
    Giovanni IV di Braganza . . . . nov. 1610
Margherita di Savoia, f.ª di Carlo Eman. I e ved. del
    D.ª di Mantova, Vice Regina 1635 - 1º dic. 1640 († 25 giu. 1655)
Giovanni IV di Braganza, *il Fortunato*, f. di Teodoro
    D.ª di Braganza, procl. re . . . . 8 dic. 1640 - † 6 nov. 1656
Alfonso VI, f., regg. la madre Anna Luisa di Guzman,
    fino al 1662 . 6 nov. 1656 - dep. 23 sett. 1667 († 12 sett. 1683)
Pietro II, fr., reggente dal 23 settembre 1667, procla-
    mato re . . . . 12 sett. 1683 - † 9 dic. 1706
Giovanni V, f. (rex fidelissimus 23 dic. 1748) [sp. Maria
    Anna d'Austria f.ª di Leopoldo I[, re dal 9 dic.
    1706, coron. . . . . 1º genn. 1708 (2) - † 31 lugl. 1750
Giuseppe-Emanuele, f. [lascia il gov. al Marchese di
    Pombal. Dal 1766 è regg. per lui la moglie Maria
    Anna, f.ª di Filippo V di Spagna] 31 lugl. 1750 - † 24 febb. 1777
Maria I, f.ª, succ. col marito e zio Pietro (III), poi gov.
    il duca di Lafoens, e, dal 1790, reggente il figlio
    Giovanni VI . . . . 24 febb. 1777 - dep. 30 nov. 1807
Pietro III, f. di Giovanni V e marito (1760) di Maria I,
    succ. . . . . 24 febb. 1777 - † 25 magg. 1786
Occupazione francese (gen. Junot). — Smembramento
    della monarchia portoghese . . . . 30 nov. 1807 - dic. 1813
Maria I, *restaurata* . . . . dic. 1813 - † 20 mar. 1816

---

(1) Toglie ai Mori Arzilla e Tangeri nel 1471.
(2) Colto da paralisi nel 1744, lascia il governo al francescano P. Gaspare de Incamaçao

Giovanni VI, f., già regg. per la madre dal 1°/2 1790 al
    1807; (dimora nel Brasile 1808-22), succ., con regg.
    inglese, fino al 24 ag. 1820, re 20 mar. 1816 - † 10 mar. 1826
Pietro IV, f. (Imp. del Brasile 1822-31). succ., regg. Isa-
    bella sua sorella   27 mar. - rin. 2 magg. 1826 († 24 sett. 1834)
Maria II, *da Gloria*, f.ª, regg. Isabella, *pred.*, fino al 26
    febb. 1828, poi Michele suo zio fino al 30 giu. 1828,
    succ. . . 2 magg. 1826, procl. regina 23 sett. 1833 - † 15/11 1853
Michele, fr. di Pietro IV; reggente dal 3 luglio 1826, si
    dichiara re . . 25 giu. 1828 - rin. 26 magg. 1834 († 14/11 '66)
Pietro V, f. di Maria II e di Ferdinando di **Sassonia-**
    Coburgo-Gotha; sotto regg. del padre, fino al 16
    sett. 1855, succ. . . . . 15 nov. 1853 - † 11 nov. 1861
Luigi I, fr., regg. il padre Ferdinando; [sp., 1862, Maria
    Pia di Savoia] . . . 11 nov., cor. 23 dic. 1861 - † 19 ott. 1889
Carlo I, f. [sp. Maria Amalia di Borbone-Orléans, nata
    1865] . . . . 19 ott. 1889 - † 1° febb. 1908
Manuel II, f. . . . . 1° febb. 1908 - dep. 5 ott. 1910
Proclamazione, della Repubblica democratico-unitaria
    5 ott. 1910. — Governo provvisorio, presid. Teofilo
    Braga . . . . 5 ott. 1910 - 19 giu. 1911
L'Assemblea Costituente proclama solennem. la Repubb.
    19 giu. 1911, Presid. Braachamp . . . . 20 giu. - 24 ag. 1911
Manuel de Arriaga, Presid. . . . . . . 24 ag. 1911 - 7 ag. 1915
Bernardino Machado, Presid. . . . . . 7 ag. 1915 - 6 ag. 1919
Antonio Josè de Almeida, Presid. . . . . 6 ag. 1919 - † ag. 1923
Manuel Texeira Gomes, Presid. . . . . 6 ag. 1923 - 10 dic. 1925
Bernardino Machado, *di nuovo*, Presid. . . . . 11 dic. 1925 - 1926
Antonio Oscare di Fragoso Carmona, gen. Presid. . . 1926 - . . . .

(Segue a pag. 575)

XXI. DANIMARCA, SVEZIA E NORVEGIA

1. Danimarca.

Re.

Prima dinastia di re, fondata da **Skiold:**
    .... [Sigifredo di Giutlandia, re . . . . v. 803 - 810]
Aroldo I, nip., battezz. 826, re dei Danesi . . . . 826 - † 852
Gorm II, *il Vecchio*, riunisce i diversi Stati danesi v. 899,
    re di Scania e di Danimarca dal 913 . . . . . 899 - † 936
Aroldo II *Blatand (dente azzurro)*, f., re . . 936 - dep. 986 († s. a.)
Svenone I *Tiyguskegg (barba forcuta)*, f., re; (scacciato
    (987) da Erico re di Svezia) . . . . 986 - dep. 987
Dominazione svedese . . . . 987 - 1000

Svenone I, *di nuovo* [sp. Sigrid vedova di Erico re di
    Svezia]; (re d'Inghilterra 1013) . . . . 1000 - † 3 febb. 1014
Aroldo III, f. . . . . 3 febb. 1014 - † 1018
Canuto II, *il Grande*, fr. (re d'Inghilt. 1016) [sp. Emma
    figlia di Etelredo II d'Inghilterra]; (re di Norvegia
    1028) re . . . . 1018 - † 12 nov. 1035
Canuto III, *Ardicanuto*, figlio; (re d' Inghilterra 1039)
    succ. . . . . 12 nov. 1035 - † 8 giu. 1042
Dominazione norvegiese (*Magno I, il Buono, f. di Olao*) 1042 - ott. 1047
Dinastia degli **Estridi**:
Svenone II **Estridso**, f. di Ulfo e di **Estrida**, sorella
    di Canuto II, succ. . . . . ott. 1047 - † 28 apr. 1076
Aroldo IV, *Hein*, f. . . . . 1076 - † 17 apr. 1080
Canuto IV, *il Santo*, fr. [sp. Etela f.ª di Roberto I C.e
    di Fiandra], re . . . . 17 apr. 1080 - † 10 lugl. 1086
Olao III (Olafr), *il Famelico*, fr. . . . 10 lugl. 1086 - † 18 ag. 1095
Erico III, *il Buono*, fr. . . . . . 18 ag. 1095 - † 11 lugl. 1103
Interregno di alcuni mesi . . . . 11 lugl. 1103 - 1104
Nicola (Niels), fr. di Erico III . 1104 - dep. 1131 († 25 giu 1134)
Erico IV « Harefod » (*Piè di lepre*), figlio di Erico III,
    succ. . . . . 1134 - † 18 sett. 1137
Erico V, *l'Agnello*, nip. di Erico I . . sett. 1137 - abd. 1147 († s. a.)
Svenone III, f. di Erico IV, re [el. 1152], succ. 1147 - † 23 ott. 1157
Canuto V Laward (pronip. di Sveno II), f. di Magno, re
    di Svevia, re collega di Sveno III . . . 1147 - † 9 ag. 1157
Valdemaro I, *il Grande*, f. di Canuto (duca di Schleswig,
    assogg. la Norvegia e conq. Rügen), re ott. 1157 - † 12/5 1182
Canuto II, *il Pio*, f. (D.ª di Schleswig 1182; assogg. gli
    Obotriti, conq. Holstein e Amburgo), re 12/5 1182 - † 12/11 1202
Valdemaro II, *il Grande*, fr. (duca di Schleswig 1191,
    conq., 1219, l'Estonia), re . . . 12 nov. 1202 - † 28 mar. 1241
Erico VI, *Plogpenning*, figlio (duca di Schleswig 1218),
    re . . . . 28 mar. 1241 - † 9 o 10 ag. 1250
Abele, fr. (duca di Schleswig 1232) re dopo 10 ag. 1250 - † 29/6 1252
Cristoforo I, fr. . . . . 29 giu. 1252 - † 29 magg. 1259
Erico VII *Gipping*, f. . . . . 29 magg. 1259 - † 21 o 22 nov. 1286
Erico VIII *Menved*, f. (riconosce la supremazia della
    S. Sede), re . . . . 22 nov. 1286 - † 13 nov. 1319
Cristoforo II, fratello, col figlio Erico 1324 - 1331,
    re . . . . 1320 - dep. 1326, ristab. 1330 - 1332
Valdemaro IV (duca di Schleswig 1325) . 1326 - abd. 1330 († 1364)
Interregno dal . . . . 1332 al 1340
(*Gerardo, Conte d'Holstein, amministratore* . . . . 1326 - 1340)
Valdemaro V, *Atterdag*, f. del re Cristof. II (cede l'Esto-
    nia all'Ord. Teuton. e conq. Oland e Gotland) 1340 - † 25/10 1375
Interregno dal . . . . 25 ott. 1375 al 13 magg. 1376
Olao IV, nip. di Valdem. V, f. di Haakon II re di
    Svezia; (re di Norvegia 1380) . . 13 magg. 1376 - † 3 ag. 1387

Margherita, *la Grande*, madre di Olao IV (regina di
Norvegia 1388, di Svezia 1389, unisce Calmar 1397),
reggente 1375, reg.ª di Danimarca 3 ag. 1387 - † 28 ott. 1412
Erico IX di **Pomerania**, nip., da sorella, di Margher.;
regg. la madre fino al 1412, re di Danimarca,
Svezia e Norvegia . . . . . 28 ott. 1412 - dep. 1438 († 1459)
Cristoforo III di **Baviera**, nip. da sorella (re di Svezia
1440, di Norv. 1442), re . . . 9 apr. 1440 - † 6 genn. 1448
Cristiano I (*Christiern*), f. di Thierri il Fortunato, C.ᵉ
di **Oldenburgo**; (re di Norvegia 1450, di Svezia
1457), re . . . . 1° sett. 1448 - † 22 magg. 1481
Giovanni (Hans), figlio, [sp. Cristina di Sassonia], (re,
di Norvegia 1481, di Svezia 1497), re 22/5 1481 - † 21/2 1513
Cristiano II, *il Malvagio*, figlio; (re di Svezia 1520),
re . . . . 21 febb. 1513 - dep. 20 genn. 1523 († 25 febb. 1559)
Federico I, *il Pacifico* (duca d'Holstein, 1481), f. diCri-
stiano I; (re di Norvegia 1532), re. . . 1523 - † 18 apr. 1533
Cristiano III, f. (duca di Schleswig-Holstein 1533) [sp.
Dorotea di Sassonia Lauenburg], succede 1533,
re di Danim.ª e Norvegia . . . 17 lugl. 1534 - † 1° genn. 1559
Federico II, f. [sp. Luisa (di Mecklenburg], re 1/1 1559 - † 4/4 1588
Cristiano IV, f. [sp. Anna Caterina di Brandeburgo],
re di Danimarca e Norvegia . . 4 apr. 1588 - † 28 febb. 1648
Federico III, f. (vesc. di Brema 1634), re mar. 1648 - † 19 febb. 1670
Cristiano V, f. [sp. Carlotta Amal. d'Assia-Cassel], re
(acq. le Indie occ. danesi) . . . 19 febb. 1670 - † 25 ag. 1699
Federico IV, f. [sp., I°, 1573, Luisa di Mecklemburgo;
II°, 1721, Anna Sofia di Reventlow, duca di
Schleswig]; re . . . . 25 ag. 1699 - † 12 ott. 1730
Cristiano VI, *il Pio*, f., re . . . . . 17 ott. 1730 - † 6 ag. 1746
Federico V, f. [sp. Luisa di Granbret., † 51], re 6/8 1946 - † 14/1 1766
Cristiano VII, f. [sp. Carolina Matilde di Hannover, nel
1776], re di Danimarca e Norvegia 14/1 1766 - † 13 mar. 1808
Federico VI, f., già regg. pel padre dal 1784 [sp. Maria
d'Assia-Cassel] (perde Norvegia 1814) 13/3 1808 - † 8/12 1839
Cristiano VIII, cugino [sp. Carlotta di Mecklemb.
Schwerin], re . . . . 3 dic. 1839 - † 20 genn. 1848
Federico VII, f. [sp., 1850 (morgan.), Luisa Cristina
Rasmussen, † 74], re . . . . . 20 genn. 1848 - † 15 nov. 1863
Cristiano IX, f. di Guglielmo, d.ª di **Schleswig-Holstein-
Sonderbourg-Glücksbourg** [sp., 1842, Luisa d'Assia-
Cassel, † 98], (perde lo Schleswig, l'Holstein e il
Lauenburg 1864); re . . . 15 nov. 1863 - † 29 genn. 1906
Federico VIII, figlio [sposa Luisa principessa di Svezia],
re . . . . 31 genn. 1906 - † 14 magg. 1912
Cristiano X, f.; ricupera la parte settentr. dello Schle-
swig, restituitagli dalla Germania 1918 [sp. Ales-
sandrina di Mecklemburgo]; re . . . . . 15 magg. 1912 - . . . .

(Segue a pag. 570)

2. Svezia.

Re.

Dinastia oscura degli **Ynglings**, poi dei danesi, **Skiol-dungs**, che seguono:

Olao (*Olaf*) *Sköttkonung*, f. del re Erico; re della tribù
  d'Upsala dal 995, riunisce tutti gli Stati svedesi,
  e prende titolo di Re di Svezia (primo re cri-
  stiano) . . . . 1000 - † 1024
Amundo Giacomo, *kolbränner* (carbonaio), f. . . . 1022 - † 1050
Emund **Slemme**, fr., re . . . . 1050 - † 1060
Casa **Stenkil: Stenkil** Ragnvaldsson, genero di E-
  mund, re . . . . 1060 - † 1066
Erico VII ed Erico VIII, re 1066
Ingo I, f. di **Stenkil**, († 1110), col fr. Alstano dal 1081,
  († 1090), re . . . . 1066 - 1090
Haakon I, *il Rosso*, re . . . . 1066 - 1079 (?)
Blot-Sven, re . . . . 1081 - 1083
Kol o Erico Arsall, f., re 1083
Filippo, f. di Alstano, re . . . . 1110 - † 1118
Ingo II, fr., re . . . . 1110 - † 1125
Ragnvaldo Knaphöfde . . . . 1125 - 1129
Magno, f. di Nicola re di Danimarca . . . . . 1129 - † 1134
Casa degli **Sverker** *e d'***Erico**, *il Santo*, regnanti alter-
  nativamente: **Sverker I**, f. di Kol . . . . . 1134 - † 1155
Erico IX, *il Santo*, f. di Jedvard . . . . 1155 - † 17 magg. 1160
Magno, nipote di Nicola re di Danimarca e di Ingo I,
  pred. . . . . 1160 - † 1161
Carlo VII, f. di Sverker I . . . . 1161 - † 1168
Canuto I, nip., f. di Erico IX . . . . 1168 - † 1195
Sverker II, f. di Carlo VII . . v. 1196 - dep. 1208 († 17 lugl. 1210)
Erico X, f. di Canuto I . . . . 1208 - † 1216
Giovanni I, *il Buono*, f. di Sverker II . . . . 1216 - † 1222
Erico XI, *lo Scilinguato*, f. di Erico X. . . 1222 - † 2 febb. 1250
Canuto II *Lange*, pronip. della casa dei **Folkungs** . . 1229 - † 1234
Casa dei **Folkungs**: Valdemaro, f. del C.ᵉ Birger, suo
  tutore fino al 1266, re . . . febb. 1250 - dep. 1274 († 1276)
Magno I *Ladulas*, fr. (usurpatore) . . . . . 1274 - † 18 dic. 1290
Birger Magnusson, f. . . . . . dic. 1290 - spod. 1319 († 1326)
Magno II *Smek*, f. del duca Erico di Norvegia (re di
  Norvegia 1369), re . . . . . . 1319 - spod. 1343 († 1379)
Erico XII, f. . . . . 1343 - 1359
Haakon II, fr. (re di Norvegia 1349), amministratore 1361 - 1363
Alberto di Mecklemburgo, nip. di Magno II, 1364 - dep. 24/2 1389
Margherita, *la Grande*, f.ᵃ di Valdemaro, regina di Nor-
  vegia e Danimarca 1387, moglie di Hakon di Nor-
  vegia, regina dal 1389. – Unisce i tre Stati Scandi-

navi in uno solo (unione di Kalmar) 15 luglio
1397 . . . . 1389 - † 28 ott. 1412
Erico XIII, di Pomerania, nip. di Margher.ª; (re di Da-
nimarca e Norv.ª 1412), di Svezia 23/7 1396 - dep. 1439 († 1459)
Cristoforo di Baviera, nipote da sorella . . 1439 - † 6 genn. 1448
Carlo VIII, figlio di Canuto maresciallo di Svezia;
regg. 1436-48, re . . . . . . 20 giu. 1448 - spod. 24 giu. 1457
Cristiano I (re di Danimarca etc.) re 24/6 1457 - dep. 1464 († 22/5 81)
Carlo VIII, *di nuovo* . . . . ag. 1464 - rin. 1465
Kettil Karlsson Wasa, amministratore del reame 1465
Jöns Bengtston Oxenstjerna, amministratore . . . . 1465 - 1466
Erik Axelsson Tott, amministratore . . . . 1466 - 1467
Carlo VIII, *di nuovo*, re di Svezia . . 1467 - † 13 magg. 1470
Stenone I, f. di Gustavo Sture I, amministratore . . . 1471 - 1497
Giovanni (Hans) II, re di Danimarca, f. di Cristiano I;
re 14 ag. 1483, sale al trono 26 nov. 1497 - dep. 1501 († 21/2 1513)
Stenone I, f. di Gustavo Sture II, amministratore, di
nuovo . . . . 1501 - † 13 dic. 1503
Svante-Nilsson Sture, maresc., amministratore . 1503 - † 2 genn. 1512
Stenone II Sture, f., amministratore . 21 genn. 1512 - † febb. 1520
Cristiano II, *il Malvagio*, f. di Giovanni II; (re di Dan.ª
e Norv.ª 1513), re 6 mar. 1520 - dep. 20/1 1523 († 25/2 1559)
Gustavo I **Wasa**, f. di Erico duca di Gripsholm; ammi-
nistratore del Regno 24 ag. 1521 (scaccia i Danesi
dalla Svezia 1523), el. re 7 giu. 1523 - abd. 25/6 1560 († 29/9 1560)
Erico XIV, f., re . 25 giu. 1560 - dep. 30 sett.1568 († 26/2 1577)
Giovanni III, fr., re . . . . 30 sett. 1568 - † 17 nov. 1592
«igism.º, f. (re di Pol.ª 1587), nov. 1592 - dep. mar. 1604 († 29/4 1632)
Carlo IX, *il Grande*, f. di Gustavo I Wasa; amministr.ᵉ
del regno 1595-99, re . . . . 1604 - † 8 nov. 1611
Gustavo II Adolfo, f. (occupa Carelia, Ingria, Estonia,
Livonia, Curlandia e, 1630, il Mecklembuɾgo), [sp.,
1630, Maria Eleon. di Brandb.], re 8 nov. 1611 - † 17 nov. 1632
Cristina, f.ª, sotto reggenza, nov. 1632 - abd. 16/6 1654 († 9/4 1689)
Carlo X Gustavo, f. di Giov. Casimiro, D.ª del **Palatinato-**
Due Ponti [sp. Edv.ᵉ d'Holstein-Gottorp.] 16/6 1654 - † 23/2 1660
Carlo XI, f., regg. Edvige sua madre, re 23/2 1660 - † 15 apr. 1697
Carlo XII, f. . . . . 15 apr. 1697 - † 11 dic. 1718
Ulrica Eleonora, sorella, dic. 1718 - abd. 4 apr. 1720 († 5 dic. 1741)
Federico I, principe di Assia–Cassel, marito di Ulrica
Eleonora, associato al trono . . . 4 apr. 1720 - † 5 apr. 1751
Adolfo Federico II d'**Holstein-Gottorp**, f., vescovo di
Lubecca, re . . . . 6 apr. 1751 - † 12 febb. 1771
Gustavo III, figlio [sp. Sofia Maddalena di Danimarca],
re . . . . 12 febb. 1771 - † 29 mar. 1792
Gustavo IV Adolfo, f., regg. il duca Carlo di Sudermania
fino al 1799, re . 29 mar. 1792 - abd. 6 giu. 1809 († 7 febb. 1837)
Carlo XIII, fr. (re di Norvegia 1814) re 6 giu. 1809 - † 5 febb. 1818

Pel tratt. di Kiel, il 4 nov. 1814 la Svezia è unita alla
    Norvegia. Cristiano Federico d' **Holstein-Schleswig**
    princ. di Danimarca, è fatto re di Svezia 19 febb. - 17 magg. 1814
Accettazione della Norvegia . . . . 14 ag. 1814
Carlo XIV Gio. Batt.ª Giulio **Bernadotte**, re di Svezia e
    Norv.ª [sp. Eugenia Clary di Marsiglia] 5/2 1818 - † 8/3 1844
Oscar I, f. (D.ª di Södermanland), re di Svezia e Norv.ª,
    [sp. Giusepp.ª di Leuchtenberg] . 8 mar. 1844 - † 8 lugl. 1859
Carlo XV, f., re . . . . 8 lugl. 1859 - † 18 sett. 1872
Oscar II, fr. (re di Norvegia 1872-1905), re 18 sett. 1872 - † 8 dic. 1907
*La Norvegia si stacca dalla Svezia proclamandosi regno indip.*7/6 1905
Gustavo V, f. di Oscar II; regg. dal 1903, re di Svezia
    [sp., Vittoria di Baden, 20 sett. 1881], succ. 8/12 1907-....

(Segue a pag. 577)

3. Norvegia.

Re.

a) *Dinastia degli* **Ynglings** *(?).*:

Araldo I Harfagr (*Bella chioma*), primo re cono-
    sciuto v. 875 . . . . 872 - abd. 930 († v. 933)
Erico I *Blodyxa* (*Ascia di sangue*), . re . 930 - spod. 934 († 954)
Haakon I, *il Buono*, f. nat. di Araldo I, re (battezz. 961) 935 - † 961
Araldo II *Graafeld* (*Pelle grigia*), f. di Erico I 961 - 970 · † (976)
[C.ᵉ Haakon di Lade . . . . 970 - † 995]
Olao (Olaf) I, Tryggvessön, pronip. di Erico I. 995 - † 9 sett. 1000
[C.ᵉ Erico ed Haakon . . . . 1000 - 1016]
Olao II, *il Santo*, fratello di Araldo Graenski pronip.
    di Erico I . . . . 1016 - dep. 1029 († 31 ag. 1030)
Svenone (Svein), figlio di Canuto, *il Grande*, re di Da-
    nimarca . . . . 1030 - 1035
Magno I, *il Buono*, figlio di S. Olao (re di Danimarca
    1042), re . . . . 1035 - † 1047
Araldo III *Haardraad* (*il Severo*), f. di Sigurd pronip.
    di Haakon I. . . . . 1047 - † 1066
Olao III Kyrre (*il Pacifico*), fr. di Araldo III, solo,
    dal 1069 . . . . 1066 - † 22 sett. 1093
Magno II, f. di Araldo III, assoc. col fr. Olao III; solo,
    dal 1069 . . . . 1066 - † 28 apr. 1069
Magno III Barfod (*piedi nudi*), f. di Olao III, 22/9 1093 - † 24/8 1103
Eystein I, f. (assoc. col fr. Sigurd I ed Olao IV) . 1103 - † 1122
Sigurd I Jorsalfar, fratello, associato 1103, solo, dal
    1122, succede . . . . 1103 - † 26 mar. 1130
Olao IV, fr., re assoc. . . . . 1103 - † 1116
Magno IV den Blinde (*il Cieco*), f. di Sigurd I, re 1130 - 1135 († 1139)
Araldo IV *Gilli*, f. (?) di Magno III (*avventuriero*) 1130 - † 13/12 1136

[Sigurd II *Mund*, f. di Sigurd, *usurp.* . . . 1136 - † 10 giu. 1155]
Eistein II, f., re . . . . 1136 - 1157
Ingo I, fr. di Sigurd II, re . . . . 1136 - † 1161
Haakon II, Herdabreid (*spalle larghe*), f. di Sigurd II, re 1161 - † 1162
Magno, fr. di Eistein II, re . . . . . . 1162 - † 15 giu. 1184
Sverre, fr. di Sigurd II, re . . . . . 15 giu. 1184 - † 9 mar. 1202
Haakon III, f., re di Norvegia . . . . . 1202 - † 1 genn. 1204
Haakon IV, *den Gamle* (*il Vecchio*), (acquista Islanda
    e Groenlandia), re . . . . 1217 - † 15 dic. 1263
Magno VI, Lagaböte (*il riformatore*), f., re . 1263 - † 9 magg. 1280
Erico II, f., assoc. col fr. Haakon dal 1290, 1280 - † 13 lugl. 1299
Haakon V, fr., assoc. col fratello Erico dal 1290;
    solo . . . . 13 lugl. 1299 - † 8 magg. 1319
(Segue a pag. 574)

b) *Dinastia dei* Folkungs:

Magno VII Smek (*il buono*), f. di Erico II; (re di Svezia
    1319), re . . . . giu. 1319 - dep. 1343 († 1 dic. 1374)
Haakon VI, f., re di Svezia 1361, [sp. (1363) Margherita
    la Grande, erede di Danimarca], re . . . 1343 - † giu. 1380
Olao V, f. di Haakon re di Svezia; (re di Danimarca
    1376), regg. la madre Margherita; re . giu. 1381 - † 3 ag. 1387
Margherita, *la Grande*, f.ª di Valdemaro IV, ved.ª di
    Haakon VI, regina di Danimarca e Norvegia 1387,
    di Svezia 1389; fa proclam. a Kalmar l'unione per-
    sonale dei tre regni scandinavi 12 lugl. 1397; suc-
    cede . . . . 2 ag. 1387, rin. lugl. 1389 - † 27 ott. 1412
Erico di Pomerania, nip. (dalla sorella Ingeborga) di
    Margherita, *pred.*; re di Danimarca e Svezia dal
    1412, re di Norvegia . . . . . lugl. 1389 - dep. 1439 († 1459)
Cristoforo di Baviera, nip. da sorella; (re di Danim. e
    Svezia 1440), di Norvegia . . . . . . 1439 - † 6 genn. 1448
Carlo Knutsson *Bonde* (re di Svezia 1448), re di Nor-
    vegia . . . . 20 nov. 1449, riconosc. 1450 - † 15 ag. 1470
La Norvegia viene separata dalla Svezia 1450
Cristiano I di Oldemburgo (re di Danimarca 1448, di
    Svezia 1457), re . . . . 1450 - † 22 magg. 1481
La Norvegia rimane unita alla Danimarca (V. Dani-
    marca) . . . . 1450 - 14 genn. 1814
La Norvegia accetta il re di Svezia Cristiano Federico, 14 ag. 1814
Pel trattato di Kiel (4 nov. 1814), la Norvegia viene
    unita alla Svezia, come regno indip., conserv. la
    sua costituzione particolare. – Carlo XIII di Svezia,
    el. re di Norvegia . . . 4 nov. 1814 - † 5 febb. 1818 (V. Svezia)
Lo *Storthing* proclama la separaz. della Norvegia dalla
    Svezia. Gov. prov. 7 giu. 1905 (plebisc. 16 ag. 1905) - 18 nov. 1905
Haakon VII, f. di Federico VIII re di Danimarca; [sp.
    22 lugl. 1887, Maud princip. reale di Granbret.],
    el. re di Norvegia . . . 18 nov. 1905, cor. 23 giu. 1906 - . . . .

PARTE SESTA

Appendice

TAVOLE CRONOLOGICO-SINCRONE

per la storia d'Italia dal 1929 al 1977

(segue da pag. 289)

Era cristiana	Indizione	Pasqua e rinvio al calend.	RE D'ITALIA E PRESIDENTI DELLA REPUBBLICA	PAPI
1929	12	31 M.	**(Vittorio Emanuele III**, re) — Conciliazione fra Chiesa e Stato, 11/2. Elezioni plebiscitarie per la 28ª legislatura del regno, 24/3.	(Pio XI)
1930	13	20 A.	— Nozze fra Maria-José del Belgio e Umberto di Savoia, 8/1.	—
1931	14	5 A.	— Muore a Torino il duca d'Aosta Emanuele Filiberto di Savoia, 4/7. A. Starace viene nominato segretario del Partito Fascista, dicemb.	—
1932 b	15	27 M.	—	—
1933	1	16 A.	— Firma a Roma del « Patto a quattro » fra Italia, Francia, Germania, Regno Unito, 7/6.	—
1934	2	1 A.	— Si insediano le Corporazioni (complessivamente 22), genn. Plebiscito elettorale per la 29ª legislatura del regno, 25/3. Nella Villa Pisani di Stra, primo incontro ufficiale tra B. Mussolini e A. Hitler, 14-15/6. Forze abissine attaccano le truppe italiane a Ual-Ual, 5/12; scoppia la crisi etiopica.	—
1935	3	21 A.	— Conferenza di Stresa, 11-14/4. Inizio della guerra ital.-etiop., 2-3/10. Sanzioni della Società delle Nazioni contro l'Italia, 18/11.	—
1936 b	4	12 A.	— Conquista dell'Amba Alagi, 23/2. Le truppe italiane entrano ad Addis Abeba, 5/5. Proclamazione dell'Impero, 9/5. Revoca delle Sanzioni, 15/7. Si costituisce l'Asse Roma-Berlino, 23/10.	—

Era cristiana	Indizione	Pasqua e rinvio al calend.	RE D'ITALIA E PRESIDENTI DELLA REPUBBLICA	PAPI
1937	5	28 M.	— L'Italia partecipa alla guerra civile spagnola con truppe al comando del gen. E. Bastico; combattono tra i Repubblicani alcuni fuorusciti italiani, tra cui P. Nenni e P. Togliatti. Patto anticomintern fra Italia, Germania e Giappone, 6/11. L'Italia esce dalla Società delle Nazioni 11/12.	—
1938	6	17 A.	— A Monaco l'Italia firma nuovi accordi con Germania, Regno Unito e Francia, 29/9. L'Italia inizia una politica razzista, ott.	—
1939	7	9 A.	— L'Italia invade l'Albania, 7/4. Vittorio Emanuele III diviene re d'Albania, 16/4. Firma del « Patto d'acciaio » fra Italia e Germania, 22/5. L'Italia comunica la non belligeranza, 1/9.	Pio XI muore a Roma, 10/2. **Pio XII**, Eugenio Pacelli, di Roma, el. 2/3.
1940 b	8	24 M.	— S'inasprisce la politica autarchica italiana, dic. Incontro al Brennero tra Mussolini e Hitler per rinforzare la politica dell'Asse, 18/3. L'Italia entra in guerra contro Francia e Regno Unito, 10/6. Armistizio italofrancese a Roma, 24/6. Patto tripartito Italia-Germania-Giappone, 27/9. L'Italia attacca la Grecia, 28/10. Aerosiluranti inglesi attaccano a Taranto la flotta italiana, 11/11. Disfatta italiana in Cirenaica per opera delle truppe inglesi del gen. A. Wawell, dic.	—
1941	9	13 A.	— Perdite gravi in Africa Orientale (Eritrea), mar. Guerra a fianco della Germania contro la Iugoslavia, 6/4. Alcune divisioni italiane partecipano all'attacco tedesco in Russia, giu. Dichiarazione di guerra agli Stati Uniti, 11/12.	—
1942	10	5 A.	— Avanzata delle truppe italiane a fianco di quelle tedesche del gen. Rommel in Africa settentrionale, giu. Controffensiva e vittoria degli inglesi in Africa settentrionale.	—
1943	11	25 A.	— Tripoli è occupata dagli inglesi: cade l'impero coloniale, 23/1. Gli Alleati sbarcano a Pantelleria, 11/6,	—

Era cristiana	Indizione	Pasqua e rinvio al calend.	RE D'ITALIA E PRESIDENTI DELLA REPUBBLICA	PAPI
			e in Sicilia, 9-10/7. Il Gran Consiglio del fascismo vota la sfiducia a Mussolini, 25/7; arresto di Mussolini; il maresciallo d'Italia Badoglio diventa presidente del consiglio, e il re capo delle FF.AA.; si scioglie il Partito Nazionale Fascista e vengono soppresse le Corporazioni. Firma a Cassibile, 3/9, dell'« armistizio corto » fra Italia e Alleati, che entra in vigore l'8/9. Sbarco alleato a Salerno, 9/9. Mussolini, relegato a Campo Imperatore (L'Aquila), è liberato dai tedeschi, 12/9. Costituzione della Repubblica Sociale Italiana con a capo Mussolini, 23/9. Le 4 giornate di Napoli, 28/9-1/10. Firma a Malta dell'armistizio definitivo fra Italia e Alleati, 29/9. Dichiarazione di guerra alla Germania, 13/10.	
1944 b	12	9 A.	— Processo di Verona contro i votanti del 25/7/43 al Gran Consiglio del fascismo, genn. Liberazione di Roma, 4/6. Vittorio Emanuele III nomina il figlio Umberto luogotenente generale del regno e si ritira, 5/6. I. Bonomi, capo del C.L.N. (Comitato di Liberazione Nazionale), succede a Badoglio come presidente del consiglio, 18/6.	—
1945	13	1 A.	— Liberazione dell'Italia sett., 25/4. Mussolini viene fucilato dai partigiani a Giulino di Mezzegra (Como), 28/4. La Germania capitola, 7/5; finisce la guerra in Europa, 8/5. F. Parri pres. del cons., 19/6. Si inaugura la Prima Consulta Nazionale dell'Italia libera, 25/9. A. De Gasperi pres. del cons., 11/12.	—
1946	14	21 A.	— Vittorio Emanuele III abdica in favore del figlio **Umberto II**, 9/5. Referendum istituzionale favorevole alla Rep., 2/6. Umberto II esule in Portogallo, 13/6. **Enrico De Nicola** pres. provvisorio della rep., 28/6. De Gasperi confermato pres. del	—

Era cristiana	Indizione	Pasqua e rinvio al calend.	RE D'ITALIA E PRESIDENTI DELLA REPUBBLICA	PAPI
			cons., 12/7. Accordo De Gasperi-Gruber per l'Alto-Adige, 5/9.	
1947	15	6 A.	— Vittorio Emanuele III muore ad Alessandria d'Egitto, 28/12.	
1948 b	1	28 M.	— Elezioni per la 1ª legislatura, 18/4. Luigi Einaudi pres. della rep., 11/5. Attentato a Togliatti, 14/7.	
1949	2	17 A.	— Entra in vigore la nuova costituzione, 1/1. Adesione al Patto Atlantico, 4/4.	
1950	3	9 A.	— L'Italia riceve in amministrazione fiduciaria la Somalia, 1/4.	—
1951	4	25 M.	—	—
1952 b	5	13 A.	—	—
1953	6	5 A.	— Elezioni per la 2ª legislatura, 7/6.	—
1954	7	18 A.	— Trieste e la zona A del Territorio libero passano sotto l'amministrazione italiana, 26/10.	
1955	8	10 A.	— Giovanni Gronchi pres. della rep., 29/5. L'Italia è ammessa all'assemblea gen. dell'ONU, 14/12.	
1956 b	9	1 A.	—	—
1957	10	21 A.	— L'Italia firma i trattati istitutivi della CEE e dell'EURATOM, 25/3.	
1958	11	6 A.	— Elezioni per la 3ª legislatura, 23/5. L'Italia diventa membro non permanente del Consiglio di Sicurezza dell'ONU.	Pio XII muore a Castelgandolfo, 9/10. Giovanni XXIII, Angelo Roncalli, di Sotto il Monte (Bergamo), el. 28/10.
1959	12	29 M.	—	— Giovanni XXIII annuncia il Concilio Vaticano II, 25/1.
1960 b	13	17 A.	— Cessa l'amministrazione fiduciaria in Somalia, 1/7. Incidenti in alcune città (specialmente a Genova) per le manifestazioni contro il governo Tambroni, lug.	
1961	14	2 A.	— Primi attentati in Alto-Adige per ottenere una revisione degli accordi De Gasperi-Gruber, sett.	—
1962	15	22 A.	— Antonio Segni pres. della rep., 6/5.	— Si apre il Concilio Vaticano II, 11/10.
1963	1	14 A.	— Elezioni per la 4ª legislatura, 28/4. I socialisti entrano a far parte del governo, 12/12.	Giovanni XXIII muore a Roma, 3/6. Paolo VI, Giovanni Battista Montini, di Concesio (Brescia), el. 21/6.

Era cristiana	Indizione	Pasqua e rinvio al calend.	RE D'ITALIA E PRESIDENTI DELLA REPUBBLICA	PAPI
1964 *b*	2	29 M.	— P. Togliatti muore, 21/9. **Giuseppe Saragat** pres. della rep., 28/12.	—
1965	3	18 A.	—	— Si chiude il Concilio Vaticano II, 8/12.
1966	4	10 A.	—	—
1967	5	26 M.	—	—
1968 *b*	6	14 A.	— Elezioni per la 5ª legislatura, 19/5.	—
1969	7	6 A.	—	—
1970	8	29 M.	— Prime elezioni dei Consigli regionali per le Regioni a statuto ordinario, 7/6.	—
1971	9	11 A.	— **Giovanni Leone** pres. della rep., 24/12.	—
1972 *b*	10	2 A.	— Elezioni per la 6ª legislatura, 7/5.	—
1973	11	22 A.	—	—
1974	12	14 A.	— Referendum per il divorzio, 12/5.	—
1975	13	30 M.	—	—
1976 *b*	14	18 A.	— Elezioni per la 7ª legislatura, 20/6.	—
1977	15	10 A.	—	—
1978	1	26 M.	—	—
1979	2	15 A.	—	—
1980 *b*	3	6 A.	—	—
1981	4	19 A.	—	—
1982	5	11 A.	—	—
1983	6	3 A.	—	—
1984 *b*	7	22 A.	—	—
1985	8	7 A.	—	—
1986	9	30 M.	—	—
1987	10	19 A.	—	—
1988 *b*	11	3 A.	—	—
1989	12	26 M.	—	—
1990	13	15 A.	—	—
1991	14	31 M.	—	—
1992 *b*	15	19 A.	—	—
1993	1	11 A.	—	—
1994	2	3 A.	—	—
1995	3	16 A.	—	—
1996 *b*	4	7 A.	—	—
1997	5	30 M.	—	—
1998	6	12 A.	—	—
1999	7	3 A.	—	—
2000 *b*	8	23 A.	—	—

Tavole cronologiche dei Sovrani
e Governi dei principali Stati d'Europa
(aggiornamento al 1977)

ALBANIA
(segue da pag. 504)

Zogu I, re	1/9/1928 - abd. apr. 1939
Vittorio Emanuele III, re d'Italia e d'Albania (reggente l'ambasciatore d'Italia in Albania F. Jacomoni)	16/4/1939 - set. 1943
Occupazione tedesca	1943 - 1944
Proclamazione della repubblica	11/2/1945
O. Nishani, pres. presidium (1)	1945 - 1952
E. Hoxha, capo del governo	2/12/1945 - 12/7/1954
H. Lleshi, pres. presidium (1) . . . . ▪ . .	24/7/1953 - ....
M. Shehu, capo del governo	12/7/1954 - ....

AUSTRIA
(segue da pag. 491)

Presidenti della repubblica

M. Hainisch, pres. rep. (rieletto 9/12/1924)	9/12/1920 - 5/12/1928
W. Miklas, pres. rep. (rieletto 9/10/1931)	5/12/1928 - 13/3/1938
Unione dell'Austria con la Germania (« Anschluss »)	13/3/1938
Finita la 2ª guerra mondiale, divisione dell'Austria, da parte degli Alleati, in quattro zone d'occupazione	8/8/1945
Riconoscimento alleato della nuova Repubblica austriaca	20/10/1945
K. Renner, pres. rep.	20/12/1945 - † 13/12/1950
T. Körner, pres. rep.	27/5/1951 - † 12/1/1957
A. Schärf, pres. rep. (rieletto 28/4/1963)	7/5/1957 - † 28/2/1965
F. Jonas, pres. rep. (rieletto 25/4/1971)	23/5/1965 - † 23/4/1974
R. Kirchschläger, pres. rep.	8/7/1974 - ....

---

(1) Carica che comporta anche le funzioni di capo dello stato.

BELGIO
(segue da pag. 533)

Alberto I . . . . 22/11/1918 - † 17/2/1934
Leopoldo III, f. [sp. 4/11/1926 la pr. Astrid di Svezia († 29/8/1935);
    sp. 11/9/1940 Maria Liliana Baels] (reggente il fr. Carlo di
    Fiandra, 27/9/1944 - 22/7/1950; delega i poteri al f. Baldo-
    vino 5/8/1950) . . . . 23/2/1934 - abd. 16/7/1951
Baldovino I, f. [sp. 15/12/1960 Fabiola de Mora y Aragón] 17/7/1951 - ....

BULGARIA
(segue da pag. 524)

Boris III, zar [sp. 25/10/1930 la pr. Giovanna di Savoia] 3/10/1918 - † 28/8/1943
Simeone II, f., zar (con un consiglio di reggenza presieduto fino al
    9/9/1944 da B. Filov e poi da T. Pavlov) . . . . 28/8/1943 - 8/9/1946
Il Fronte Patriottico si impadronisce del potere 9/9/1944
K. Georgiev, pres. cons. . . . . 9/9/1944 - 22/11/1946
Proclamazione della repubblica 15/9/1946
V. Kolarov, pres. provvisorio della repubblica . . . . 15/9/1946 - 9/12/1947
G. Dimitrov, pres. cons. . . . . 22/11/1946 - † 2/7/1949
M. Neičev, pres. presidium (1) . . . . 9/12/1947 - 1950
V. Kolarov, pres. cons. . . . . 20/7/1949 - † 23/1/1950
V. Červenkov, pres. cons. . . . . gen. 1950 - 17/4/1956
G. Damianov, pres. presidium (1) . . . . 1950 - 30/11/1958
A. Jugov, pres. cons. . . . . 17/4/1956 - 5/11/1962
D. Ganev, pres. presidium (1) . . . . 30/11/1958 - † 20/4/1964
T. Živkov, pres. cons. . . . . 9/11/1962 - 7/7/1971
G. Traikov, pres. presidium (1) . . . . 23/4/1964 - 7/7/1971
T. Živkov, pres. cons. di stato (1) . . . . 7/7/1971 - ....
S. Todorov, pres. cons. . . . . 7/7/1971 - ....

CECOSLOVACCHIA
(segue da pag. 494)

G. T. Masaryk, pres. rep. (rieletto 28/5/1920, 27/5/1927 e 25/5/1934)
    . . . . 14/11/1918 - 14/12/1935
E. Beneš, pres. rep. . . . . 18/12/1935 - 5/10/1938
E. Hácha, pres. rep. . . . . 30/11/1938 - mag. 1945
Lo Stato slovacco proclama la sua indipendenza 14/3/1939
Sorge il protettorato di Boemia e Moravia sotto il Führer del Reich
    tedesco 15/3/1939

---

(1) Carica che comporta anche le funzioni di capo dello stato.

Z. Fierlinger, pres. cons.	4/4/1945 - mag. 1946
E. Beneš, pres. rep. (di nuovo)	mag. 1945 - 7/6/1948
K. Gottwald, pres. cons. (segr. P. C. 1939 - 1951)	mag. 1946 - giu. 1948
K. Gottwald, pres. rep.	14/6/1948 - † 14/3/1953
A. Zápotocký, pres. cons.	giu. 1948 - mar. 1953
A. Novotný, segr. P.C.	1951 - 5/1/1968
A. Zápotocký, pres. rep.	mar. 1953 - † 13/11/1957
V. Široký, pres. cons.	21/3/1953 - set. 1963
A. Novotný, pres. rep.	19/11/1957 - 22/3/1968
J. Lenart, pres. cons.	21/9/1963 - 8/4/1968
A. Dubček, segr. P.C.	5/1/1968 - 17/4/1969
L. Svoboda, pres. rep.	31/3/1968 - 29/5/1975
O. Černík, pres. cons.	8/4/1968 - 28/1/1970
Invasione da parte delle truppe del patto di Varsavia.	20-21/8/1968
Repubblica federale	1/1/1969
G. Husák, segr. P.C.	17/4/1969 - ....
L. Štrougal, pres. cons.	28/1/1970 - ....
G. Husák, pres. rep.	29/5/1975 - ....

DANIMARCA
(segue da pag. 556)

Re e Regine

Cristiano X [sp. 26/4/1898 la duchessa Alessandrina di Mecklem-
burgo] (reggente il f. Federico ott. 1942 e 8-20/4/1947)
. . . . 15/5/1912 - † 20/4/1947
Federico IX, f. [sp. 24/5/1935 la pr. Ingrid di Svezia] 20/4/1947 - † 14/1/1972
Margherita II, f. [sp. 10/6/1967 il conte Henri de Laborde de
Monpezat] . . . . 15/1/1972 - ....

FINLANDIA
(segue da pag. 521)

Presidenti della repubblica

L. K. Relander	16/2/1925 - 16/2/1931
P. Svinhufvud	16/2/1931 - 16/2/1937
K. Kallio	16/2/1937 - nov. 1940
R. Ryti	dic. 1940 - ago. 1944
C. G. E. Mannerheim	ago. 1944 - mar. 1946
J. K. Paasikivi	mar. 1946 - feb. 1956
U. Kekkonen	16/2/1956 - ....

FRANCIA
(segue da pag. 462)

Terza Repubblica

. . . .
G. Doumergue, pres. rep. . . . .   13/6/1924 - 13/5/1931
P. Doumer, pres. rep. . . . .   13/5/1931 - † 7/5/1932
A. Lebrun, pres. rep. (rieletto 5/4/1939) . . . . . .   10/5/1932 - 11/7/1940

Stato Francese (10/7/1940 - ago. 1944)

P. Pétain, capo dello stato . . . .   10/7/1940 - ago. 1944

Governo provvisorio della Repubblica, 3/6/1944 - 16/1/1947

C. De Gaulle, pres. cons. . . . .   3/6/1944 - 20/1/1946
F. Gouin, pres. cons. . . . .   23/1/1946 - 12/6/1946
G. Bidault, pres. cons. . . . .   23/6/1946 - 12/11/1946
L. Blum, pres. cons. . . . .   16/12/1946 - 16/1/1947

Quarta Repubblica, 16/1/1947 - 5/10/1958

V. Auriol, pres. rep. . . . .   16/1/1947 - 15/1/1954
R. Coty, pres. rep. . . . .   16/1/1954 - 8/1/1959

Quinta Repubblica, 5/10/1958 - ....

C. De Gaulle, pres. rep. . . . .   8/1/1959 - 27/4/1969
G. Pompidou, pres. rep. . . . .   15/6/1969 - † 2/4/1974
V. Giscard d'Estaing, pres. rep. . . . .   27/5/1974 - ....

GERMANIA
(segue da pag. 478)

P. von Beneckendorff und Hindenburg, pres. rep. . .   12/5/1925 - † 2/8/1934
A. Hitler, cancelliere 30/1/1933
   ottiene pieni poteri 23/3/1933
   Führer . . . .   2/8/1933 - † 30/4/1945
Inizio della 2ª guerra mondiale 1/9/1939
Resa incondizionata della Germania a Reims 7/5/1945
Divisione della Germania in quattro zone d'occupazione   5/6/1945 - ago. 1948
Divisione della Germania in Germania Occidentale e Germania
   Orientale . . . .   ago. 1948

Germania Occidentale

K. Adenauer, cancelliere . . . . 14/9/1949 - 11/10/1963
Nascita della Repubblica Federale di Germania 21/9/1949
T. Heuss, pres. rep. . . . . 21/9/1949 - 15/9/1959
H. Lübke, pres. rep. . . . . '. . 15/9/1959 - 30/6/1969
L. Ehrard, cancelliere . . . . 16/10/1963 - 30/11/1966
K. G. Kiesinger, cancelliere . . . . 1/12/1966 - 22/10/1969
G. Heinemann, pres. rep. . . . . 1/7/1969 - 30/6/1974
W. Brandt, cancelliere . . . . 22/10/1969 - 6/5/1974
H. Schmidt, cancelliere . . . . 16/5/1974 - ....
W. Scheel, pres. rep. . . . . 1/7/1974 - ....

Germania Orientale

Nascita della Repubblica Democratica Tedesca 7/10/1949
W. Pieck, pres. rep. . . . . 11/10/1949 - † 7/9/1960
O. Grotewohl, pres. cons. . . . . : . . 11/10/1949 - † 21/9/1964
W. Ulbricht (segr. del partito 1953 - 3/5/1971), pres. cons. di
   stato (1) . . . . 12/9/1960 - † 1/8/1973
W. Stoph, pres. cons. . . . . 24/9/1964 - 3/10/1973
E. Honecker, segr. del partito . . : . . . . 3/5/1971 - ....
W. Stoph, pres. cons. di stato (1) . . . . 3/10/1973 - ....
H. Sindermann, pres. cons. . . . . 3/10/1973 - ....

GRAN BRETAGNA E IRLANDA DEL NORD

(segue da pag. 540)

Giorgio V, re (incoronato 15/5/1911) . . . . 7/5/1910 - † 20/1/1936
Edoardo VIII, f., re . . . . 20/1/1936 - abd. 11/12/1936
Giorgio VI, fr. [sp. 26/4/1923 Lady Elisabetta di Strathmore e
   Kinghorne], re (incoronato 12/5/1937) . . . . . 11/12/1936 - † 6/2/1952
Elisabetta II, f. [sp. 20/11/1947 il pr. Filippo di Grecia], regina (in-
   coronata 2/6/1953) . . . . 6/2/1952 - ....

GRECIA

(segue da pag. 508)

Re

Giorgio II [sp. 27/2/1921 la pr. Elisabetta di Romania; divorzia
   6/7/1935] (esule dal 19/12/1923, reggente P. Kunduriotis)
. . . . 27/9/1922 - 14/4/1924

---

(1) Carica che comporta anche le funzioni di capo dello stato.

Presidenti della repubblica

P. Kunduriotis (provvisorio)	14/4/1924 - 19/3/1925
T. Pangalos (provvisorio)	11/4/1926 - 22/8/1926
P. Kunduriotis (provvisorio fino al mag. 1929)	24/8/1926 - 10/12/1929
A. Zaimis (rieletto 26/10/1934)	14/12/1929 - 12/10/1935

Re

Giorgio II (di nuovo) (esule 22/5/1941 - 27/9/1946; reggente l'arcivescovo Damaskinos 31/12/1944 - 27/9/1946)	25/11/1935 - † 1/4/1947
Paolo I, fr. [sp. 9/1/1938 la pr. Federica di Brunswick]	1/4/1947 - † 6/3/1964
Costantino II, f. [sp. 18/9/1964 la pr. Anna Maria di Danimarca] (esule dal 14/12/1967)	6/3/1964 - 1/6/1973
G. Zoitakis, reggente	14/12/1967 - 21/3/1972
G. Papadhopulos, reggente	21/3/1972 - 1/6/1973

Presidenti della repubblica

G. Papadhopulos (provvisorio fino al 19/8/1973)	1/6/1973 - 25/11/1973
P. Ghizikis	25/11/1973 - 18/12/1974
M. Stassinopulos (provvisorio)	18/12/1974 - 20/6/1975
C. Tsatsos	20/6/1975 - ....

JUGOSLAVIA

(segue da pag. 523)

Alessandro I [sp. 8/6/1922 la pr. Maria di Romania], re	16/8/1921 - † 9/10/1934
Trasformazione da stato costituzionale a monarchia assoluta	6/11/1929
Pietro II, f. (con la reggenza di Paolo Karagjorgjević fino al 27/3/1941; esule dall'apr. 1941 [invasione tedesca]) [sp. mar. 1944 la principessa Alessandra di Grecia], re	9/10/1934 - 29/11/1945
D. Simović, pres. cons. (esule a Londra)	27/3/1941 - 16/1/1942
A. Pavelić, dittatore del nuovo stato indipendente di Croazia	11/4/1941 - 6/5/1945
S. Jovanović, pres. cons. in esilio	16/1/1942 - 26/6/1942
M. Trifunović, pres. cons. in esilio	26/6/1942 - ago. 1943
B. Purić, pres. cons. in esilio	ago. 1943 - mag. 1944
I. Subašić, pres. cons. in esilio	mag. 1944 - 22/1/1945
I. Subašić, pres. cons.	29/1/1945 - 5/3/1945
J. Broz detto Tito, pres. cons.	7/3/1945 - 14/1/1953
Proclamazione della repubblica	29/11/1945
J. Broz detto Tito, pres. rep.	14/1/1953 - ....
P. Stambolić, pres. cons.	29/6/1963 - 18/5/1967
M. Spiljak, pres. cons.	18/5/1967 - 17/5/1969
M. Ribičić, pres. cons.	17/5/1969 - 30/7/1971
D. Bijedić, pres. cons.	30/7/1971 - ....

LITUANIA

(segue da pag. 520)

A. Smetona, pres. rep. . . . . 17/12/1926 - 16/6/1940
Annessione all'U.R.S.S. come repubblica federata 3/8/1940
Occupazione tedesca. . . . . giu. 1941 - autunno 1944
Ritorno all'U.R.S.S. . . . . autunno 1944

LUSSEMBURGO

(segue da pag. 535)

Granduchi

Carlotta . . . . 15/1/1919 - abd. 12/11/1964
Giovanni, f. [sp. apr. 1953 la pr. Giuseppina Carlotta, figlia dell'ex
  re dei Belgi Leopoldo III] . . . . 12/11/1964 - ....

MONACO

(segue da pag. 327)

Principi

Luigi II . . . . 26/6/1922 - † 9/5/1949
Ranieri III, f. di Carlotta di Valentinois (figlia di Luigi II) e del
  principe Pierre de Polignac [sp. 19/4/1956 l'attrice statuni-
  tense Grace Kelly] . . . . 9/5/1949 - ....

NORVEGIA

(segue da pag. 560)

Re

Haakon VII (incoronato 23/6/1906; reggente il f. Olav dal 1955)
  . . . . 18/11/1905 - † 21/9/1957
Olav V, f. [sp. 21/3/1929 la pr. Marta di Svezia, la quale muore
  5/4/1954) (incoronato 22/6/1958) . . . . 21/9/1957 - ....

PAESI BASSI

(segue da pag. 530)

Guglielmina (con la reggenza della madre Emma fino al 31/8/1898
  e della figlia Giuliana sett.-dic. 1947 e 14/5 - 30/8/1948),
  regina . . . . 23/11/1890 - abd. 4/9/1948
Giuliana, f. [sp. 7/1/1937 il pr. Bernardo di Lippe-Biesterfeld],
  regina (incoronata 6/9/1948) . . . . 4/9/1948 - ....

POLONIA

(segue da pag. 519)

I. Mościcki, pres. rep. (rieletto 1933)	4/6/1926 - 29/9/1939
Invasione tedesca	1/9/1939
W. Raczkiewicz, pres. rep. in esilio	29/9/1939 - 2/8/1945
W. Sikorski, pres. cons. in esilio	6/10/1939 - † 4/7/1943
S. Mikołajczyk, pres. cons. in esilio	4/7/1943 - 29/11/1944
T. Arciszewski, pres. cons. in esilio	30/11/1944 - 2/8/1945
Formazione del Governo polacco di Unità Nazionale	28/6/1945
E. Osóbka-Morawski, pres. cons.	28/6/1945 - 7/2/1947
Proclamazione della repubblica	4/2/1947
B. Bierut, pres. rep.	5/2/1947 - nov. 1952
J. Cyrankiewicz, pres. cons.	7/2/1947 - nov. 1952
B. Bierut, segr. Partito Operaio	2/9/1948 - † 12/3/1956
A. Zawadzki, pres. cons. di stato (1)	nov. 1952 - † 7/8/1964
B. Bierut, pres. cons.	nov. 1952 - 19/3/1954
J. Cyrankiewicz, pres. cons. (di nuovo)	19/3/1954 - 23/12/1970
E. Ochab, segr. Partito Operaio	mar. 1956 - 21/10/1956
W. Gomułka, segr. Partito Operaio 1943 - 2/9/1948 e 21/10/1956 - 20/12/1970
E. Ochab, pres. cons. di stato (1)	12/8/1964 - 9/4/1968
M. Spychalski, pres. cons. di stato (1)	11/4/1968 - 23/12/1970
E. Gierek, segr. Partito Operaio	20/12/1970 - ....
J. Cyrankiewicz, pres. cons. di stato (1) . . .	23/12/1970 - 19/3/1972
P. Jaroszewicz, pres. cons.	23/12/1970 - ....
H. Jabłoński, pres. cons. di stato (1)	28/3/1972 - ....

PORTOGALLO

(segue da pag. 554)

B. Machado, pres. rep.	11/12/1925 - 1/6/1926
Governi militari	1/6/1926 - 29/11/1926
A. de Carmona, dittatore	29/11/1926 - mar. 1928
A. de Carmona, pres. rep.	mar. 1928 - † 18/4/1951
A. de Oliveira Salazar, pres. cons.	5/7/1932 - 26/9/1968
F. H. Craveiro Lopes, pres. rep.	22/7/1951 - 9/8/1958
A. de Deus Rodrigues Tomás, pres. rep. . . .	9/8/1958 - 25/4/1974
M. Caetano, pres. cons.	26/9/1968 - 25/4/1974
A. de Spinola, pres. rep.	15/5/1974 - 30/9/1974
F. Costa Gomez, pres. rep.	30/9/1974 - 14/7/1976
A. dos Santos Ramalho Eanes, pres. rep.	14/7/1976 - ....

---

(1) Carica che comporta anche le funzioni di capo dello stato.

ROMANIA

(segue da pag. 526)

Michele, re . . . . 20/7/1927 - abd. 8/6/1930
Carol II, padre [sp. 10/3/1921 la pr. Elena di Grecia, da cui divorzia
   21/6/1938], re . . . . 8/6/1930 - abd. 6/9/1940
Michele, predetto, re . . . . 6/9/1940 - abd. 30/12/1947
P. Groza, pres. cons. . . . . 6/3/1945 - 2/6/1952
Proclamazione della repubblica popolare 30/12/1947
C. Parhon, pres. presidium (1) . . . . 9/1/1948 - 2/6/1952
Anna Pauker, segr. Partito Operaio . . . . feb. 1948 - lug. 1952
P. Groza, pres. presidium (1). . . . . 2/6/1952 - † 7/1/1958
G. Gheorghiu-Dej, pres. cons. . . . . giu. 1952 - ott. 1955
G. Gheorghiu-Dej, segr. Partito Operaio . . . . . .
   . . . . lug. 1952 - apr. 1954 e ott. 1955 - † 19/3/1965
C. Stoica, pres. cons. . . . . ott. 1955 - 21/3/1961
I. G. Maurer, pres. presidium (1) . . . . 11/1/1958 - 21/3/1961
G. Gheorghiu-Dej, pres. cons. di stato (1) . . . . 21/3/1961 - † 19/3/1965
I. G. Maurer, pres. cons. . . . . 21/3/1961 - 28/3/1974
C. Stoica, pres. cons. di stato (1). . . . . 22/3/1965 - 9/12/1967
N. Ceaușescu, segr. P.C. . . . . 22/3/1965 - . . . .
N. Ceaușescu, pres. cons. di stato (1) . . . . . . 9/12/1967 - 28/3/1974
N. Ceaușescu, pres. rep. . . . . 28/3/1974 - . . . .
M. Manescu, pres. cons. . . . . 28/3/1974 - . . . .

SPAGNA

(segue da pag. 552)

Alfonso XIII (con la reggenza della madre Maria Cristina fino al
   17/5/1902) [sp. 31/5/1905 la pr. Vittoria Eugenia di Batten-
   berg], re . . . . 18/5/1886 - 14/4/1931
Proclamazione della repubblica 14/4/1931
N. Alcalá Zamora, pres. rep.. . . . . 10/12/1931 - 10/5/1936
M. Azaña y Díaz, pres. rep. . . . . 10/5/1936 - feb. 1939
F. Franco Bahamonde, capo del governo nazionalista 30/9/1936 - 8/6/1973
F. Franco Bahamonde, capo dello stato . . . . 30/1/1938 - † 20/11/1975
La Spagna si costituisce in regno, ma capo dello stato rimane
   F. Franco Bahamonde, assistito da un consiglio di reggenza   6/7/1947
L. Carrero Blanco, capo del governo . . . . 8/6/1973 - † 20/12/1973
C. Arias Navarro, capo del governo . . . . 2/1/1974 - 3/7/1976
Giovanni Carlo pr. di Borbone, nipote di Alfonso XIII, capo prov-
   visorio dello stato. . . . . 30/10/1975 - 22/11/1975
Giovanni Carlo I, predetto [sp. 14/5/1962 la pr. Sofia di Grecia],
   re . . . . 22/11/1975 - . . . .
A. Suárez González, capo del governo . . . . . . 3/7/1976 - . . . .

---

(1) Carica che comporta anche le funzioni di capo dello stato.

SVEZIA

(segue da pag. 559)

Re

Gustavo V . . . . 8/12/1907 - † 29/10/1950
Gustavo VI Adolfo, f. [sp. 15/6/1905 la pr. Margherita di Connaught
   († 1/5/1920); sp. 3/11/1923 Lady Luisa Mountbatten] 29/10/1950 - † 15/9/1973
Carlo XVI Gustavo, nipote [sp. 19/6/1976 Silvia Sommerlath] 15/9/1973 - . . . .

SVIZZERA

(segue da pag. 512)

Presidenti della confederazione

Jean Marie Musy, di Albeuve (Friburgo) (2ª volta)	1930
Heinrich Haeberlin, di Bissegg e Frauenfeld (Turgovia) (2ª volta) . .	1931
Giuseppe Motta, di Airolo (Ticino) (4ª volta)	1932
Edmund Schulthess, di Brugg (Argovia) (4ª volta).	1933
Marcel Pilet-Golaz, di Château-d'Oex (Vaud)	1934
Rudolf Minger, di Müchi e Schüpfen (Berna)	1935
Albert Meyer, di Fällanden e Zurigo (Zurigo)	1936
Giuseppe Motta, di Airolo (Ticino) (5ª volta)	1937
Johannes Baumann, di Herisau (Appenzello)	1938
Philipp Etter, di Menzingen (Zugo).	1939
Marcel Pilet-Golaz, di Château-d'Oex (Vaud) (2ª volta)	1940
Ernst Wetter, di Winterthur (Zurigo). . . . . : .	1941
Philipp Etter, di Menzingen (Zugo) (2ª volta)	1942
Enrico Celio, di Ambrì (Ticino)	1943
Walter Stampfli, di Aeschi (Soletta)	1944
Eduard Von Steiger, di Berna e Langnau (Berna)	1945
Karl Kobelt, di Marbach (San Gallo)	1946
Philipp Etter, di Menzingen (Zugo) (3ª volta)	1947
Enrico Celio, di Ambrì (Ticino) (2ª volta)	1948
Ernst Nobs, di Seedorf e Grindelwald (Zurigo)	1949
Max Petitpierre, di Neuchâtel e Couvet (Neuchâtel)	1950
Eduard Von Steiger, di Berna e Langnau (Berna) (2ª volta)	1951
Karl Kobelt, di Marbach (San Gallo) (2ª volta)	1952
Philipp Etter, di Menzingen (Zugo) (4ª volta)	1953
Rudolphe Rubattel, di Villarzel (Vaud)	1954
Max Petitpierre, di Neuchâtel e Couvet (Neuchâtel) (2ª volta) . . .	1955
Markus Feldmann, di Glarona e Berna (Berna)	1956
Hans Streuli, di Wädenswil e Richterswil (Zurigo)	1957
Thomas Holenstein, di Bütschwil (San Gallo)	1958
Paul Chaudet, di Corsier-sur-Vevey (Vaud)	1959

Max Petitpierre, di Neuchâtel e Couvet (Neuchâtel) (3ª volta) 1960
Friedrich Wahlen, di Trimstein (Berna) 1961
Paul Chaudet, di Corsier-sur-Vevey (Vaud) (2ª volta) 1962
Willy Spühler, di Zurigo (Zurigo) 1963
Ludwig von Moos, di Sachseln (Obwalden) 1964
Hans Peter Tschudi, di Basilea e Schwauden (Basilea) 1965
Hans Schaffner, di Gränichen (Argovia) 1966
Roger Bonvin, di Icogne-Lens (Vallese) 1967
Willy Spühler, di Zurigo (Zurigo) (2ª volta) 1968
Ludwig von Moos, di Sachseln (Obwalden) (2ª volta) 1969
Hans Peter Tschudi, di Basilea e Schwauden (Basilea) (2ª volta) . . . 1970
Rudolf Gnägi, di Schwadernau (Berna) 1971
Nello Celio, di Quinto (Ticino) 1972
Roger Bonvin, di Icogne-Lens (Vallese) (2ª volta) 1973
Ernst Brugger, di Bellinzona (Ticino) 1974
Pierre Graber, di La Chaux-de-Fonds (Neuchâtel) 1975
Rudolf Gnägi, di Schwadernau (Berna) (2ª volta) 1976
Kurt Furgler, di San Gallo (San Gallo) 1977

TURCHIA

(segue da pag. 522)

Presidenti della repubblica

Mustafa Kemal (Kemal Atatürk dopo l'introduzione obbligatoria
    del cognome, 1934) . . . . 29/10/1923 - † 10/11/1938
İsmet İnönü . . . . 11/11/1938 - 21/5/1950
Celâl Bayar . . . . 22/5/1950 - 27/5/1960
Cemal Gürsel . . . . 26/10/1961 - 27/3/1966
Cevdet Sunay . . . . 28/3/1966 - 28/3/1973
Fahri Korütürk . . . . 6/4/1973 - . . . .

UNGHERIA

(segue da pag. 496)

N. Horthy, reggente in assenza del re Carlo I. . . . 7/3/1920 - 15/10/1944
F. Szálasy riceve pieni poteri dai Tedeschi . . . . . 15/10/1944 - feb. 1945
M. Rákosi, segr. P.C. . . . . dic. 1944 - 18/7/1956
Occupazione militare sovietica . . . . feb. 1945
Z. Tildy, pres. cons. . . . . 15/12/1945 - 1/2/1946
Proclamazione della repubblica 1/2/1946
Z. Tildy, pres. rep. . . . . 1/2/1946 - ago. 1948
F. Nagy, pres. cons. . . . . 4/2/1946 - 30/5/1947
L. Dinnyes, pres. cons. . . . . set. 1947 - 10/12/1948
A. Szakasits, pres. rep. . . . . ago. 1948 - mag. 1950
I. Dobi, pres. cons. . . . . 10/12/1948 - 14/8/1952

Formazione della repubblica popolare 20/8/1949
S. Ronai, pres. rep. . . . . mag. 1950 - ago. 1952
M. Rákosi, pres. cons.. . . . . 14/8/1952 - 3/7/1953
I. Dobi, pres. presidium (1) . . . . 3/7/1953 - 14/4/1967
I. Nagy, pres. cons. . . . . 3/7/1953 - 18/4/1955
A. Hegedüs, pres. cons. . . . . 18/4/1955 - 24/10/1956
E. Gero, segr. P.C. . . . . 18/7/1956 - 25/10/1956
I. Nagy, pres. cons. . . . . 24/10/1956 - 4/11/1956
J. Kádár, segr. P.C. . . . . 25/10/1956 - . . . .
Invasione sovietica 4/11/1956
J. Kádár, pres. cons. . . . . 4/11/1956 - gen. 1958
F. Münnich, pres. cons.. . . . . 28/1/1958 - set. 1961
J. Kádár, pres. cons. . . . . set. 1961 - 28/6/1965
G. Kállai, pres. cons. . . . . 28/6/1965 - 14/4/1967
P. Losonczi, pres. presidium (1) . . . . 14/4/1967 - . . . .
J. Fock, pres. cons. . . . . 14/4/1967 - 15/5/1975
G. Lázár, pres. cons. . . . . 15/5/1975 - . . . .

U.R.S.S. (1)

(segue da pag. 516)

I. V. Stalin, segr. P.C. . . . . apr. 1922 - † 5/3/1953
A. I. Rykov, pres. commissari del popolo . . . . . . gen. 1924 - 1930
V. M. Molotov, pres. commissari del popolo . . . . 1930 - 6/5/1941
M. I. Kalinin, pres. presidium (1) . . . . 1938 - 18/3/1946
I. V. Stalin, pres. commissari del popolo . . . . . 6/5/1941 - 1946
I. V. Stalin, pres. comitato per la difesa nazionale. . 22/6/1941 - 1946
I. V. Stalin, capo del governo . . . . 1946 - † 5/3/1953
N. M. Švernik, pres. presidium (1) . . . . 19/3/1946 - 6/3/1953
K. E. Vorošilov, pres. presidium (1) . . . . 6/3/1953 - 7/5/1960
G. M. Malenkov, segr. P.C. . . . . 16/3/1953 - 14/3/1953
G. M. Malenkov, pres. cons.. . . . . 16/3/1953 - 8/2/1955
N. S. Chruščëv, segr. P.C. . . . . 13/9/1953 - 15/10/1964
N. A. Bulganin, pres. cons. . . . . 8/2/1955 - 27/3/1958
N. S. Chruščëv, pres. cons. . . . . 27/3/1958 - 15/10/1964
L. I. Brežnev, pres. presidium (1) . . . . 7/5/1960 - 15/7/1964
A. I. Mikojan, pres. presidium (1) . . . . 15/7/1964 - 9/12/1965
A. N. Kosygin, pres. cons. . . . . 15/10/1964 - . . . .
L. I. Brežnev, segr. P.C. . . . . 15/10/1964 - . . . .
N. V. Podgornij, pres. presidium (1) . . . . . . 9/12/1965 - 16/6/1977
L. I. Brežnev, pres. presidium (1) . . . . 16/6/1977 - . . . .

(1) Carica che comporta anche le funzioni di capo dello stato.

Tavole cronologiche dei Sovrani
e dei Governi di alcuni Stati europei
e non europei dalle origini al 1977

CINA

Re

Dinastia Shang (fondata da T'ang, 28 re) . . . .   1767 - 1123 a.C.
Dinastia Chou (fondata da Wu Wang, estese il dominio nel bacino
 del F. Yang tze; capitale Hao, poi Lo i) . . . . . .   1122 - 249 a.C.

Imperatori

Dinastia Ch'in (fondata da Ch'in Shih; capitale Hsi an) . .	249 - 206 a.C.	
Dinastia Han	206 a.C. - 221 d.C.	
Kao ti	206 - † 195 a.C.	
Wen ti	195 - † 157 a.C.	
Ching	157 - 140 a.C.	
Wu ti (conquistò Canton)	140 - 87 a.C.	
. . . . .		
Wan Mang, usurpatore	8 d.C. - ucciso 23 d.C.	
Kuang Wu ti (capitale Lo yang)	23 - ?	
Ming ti	58 - 66	
. . . .		
Ho ti	89 - 106	
Tre regni: Wei; Wu; Shu	221 - 265	
Dinastia Ts'in (capitale, dal 310, Nanchino)	265 - 420	
1ª dinastia Sung	420 - 478	
Dinastia Ts'i merid.	478 - 501	
Dinastia Liang	502 - 556	
Dinastia Ch'en	557 - 588	
Dinastie varie	588 - 620	

Dinastia T'ang . . . .   620 - 907
    T'ai Tsung (conquistò Corea, Turchestan, Pamir, India,
    Tibet) . . . .   627 - 649
    Hsüan Tsung (o Ming Huang) . . . .   712 - 756
    . . . . .

Le cinque dinastie: Liang; T'ang; Chin; Han; Chou . . . . .   907 - 960
2ª dinastia Sung (fondata da Chao K'uang Yin) . . . .   960 - 1279
Dinastia Yüan (mongola) . . . .   1280 - 1368
    Kubilay . . . .   1280 - 1294
    Timur Oldjaitu . . . .   1294 - 1307
    Khaichan . . . .   1307 - 1311
    Bouyantou . . . .   1311 - 1320
    Souddhipala . . . .   1320 - 1323
    Yesun Timur . . . .   1323 - 1328
    Kousala . . . .   1328 - 1329
    Togh Timur . . . .   1329 - 1332
    Rintchenpal   1332
    Toghan Timur . . . .   1332 - 1368
Dinastia Ming . . . . : . . . .   1368 - 1644
    Chu Yan chang (Hung wu) . . . .   1368 - 1398
    Chu Yun wen (Chien wen) . . . .   1398 - 1402
    Chu Ti (Yung lo) . . . .   1402 - 1424
    Chu Kao chic (Hung hsi) . . . .   1424 - 1425
    Chu Chan chi (Hsuan te) . . . .   1425 - 1435
    Chu Ch'i chen (Chen t'ung) (imprigionato dai Mongoli, 1449)   1435 - 1449
    Chu Ch'i yu (Ching t'ai) (sostituisce il fr. Chu Ch'i chen) . .   1450 - 1457
    Chu Ch'i chen (Cheng t'ung), predetto . . . .   1457 - 1464
    Chu Chien shen (Ch'eng hua) . . . .   1464 - 1487
    Chu Yu t'ang (Hung chih) . . . .   1487 - 1505
    Chu Hou chao (Cheng te) . . . .   1505 - 1521
    Chu Hou tsung (Chia ching) . . . .   1521 - 1566
    Chu Tsai kou (Lung ch'ing) . . . .   1566 - 1572
    Chu I chun (Wan li) . . . .   1572 - 1620
    Chu Ch'ang lo (T'ai ch'ang)   1620
    Chu Yu chiao (T'ien ch'i) . . . .   1620 - 1627
    Chu Yu chien (Ch'ung chen) . . . .   1627 - 1644
Dinastia Ts'ing (mancese) . . . .   1644 - 1912
    Fu lin (Shun Chih) . . . .   1644 - 1661
    Hsüan yeh (K'ang Hsi) . . . .   1661 - 1722
    Yin chen (Yung Cheng) . . . .   1722 - 1735
    Hung li (Ch'ien Lung) . . . .   1735 - 1796
    Yung yen (Chia Ch'ing) . . . .   1796 - 1820
    Min ning (Tao Kuang) . . . .   1820 - 1850
    I chou (Hsien Feng) . . . .   1850 - 1861
    Tsai Ch'un (Tung Chih) (con la reggenza della madre Tzu Hsi)   1861 - 1875
    Tsai t'ien (Kuang Hsü) (con la reggenza di Tzu Hsi) . . .   1875 - 1908
    P'u i (Hsuan Tung) . . . .   1908 - abd. 12/2/1912

Sun Wen (Sun Yat sen), pres. rep. provvisoria   2/12/1911 - si dimette 1912
Proclamazione ufficiale della rep. . . . .   feb. 1912
Yüan Shin kay, pres. rep. . . . .   feb. 1912 - † 6/6/1916
Li Yüan hung, pres. rep. . . . .   1916 - si dimette 1917
Sun Wen (Sun Yat sen), predetto, a causa della scissione tra Nord
    e Sud costituisce il gov. indip. di Canton . . 1916 - 1923 († 12/3/1925)
Feng Kuo chang, pres. rep. . . . .   1917 - 1918
Hsü Shih chang, pres. rep. . . . .   1918 - si dimette 1922
Vengono eletti illegalmente diversi presidenti della repubblica,
    tra cui Tsao Kun   1922
Li Yüan hung, pres. rep. (di nuovo) . . . .   1922 - 1923
Tuan Chi jui, dittatore . . . .   1922 - 1924
Chang Tso lin, dittatore virtuale della Cina del Nord 1924 - ucciso lug. 1928
Chiang Kai shek crea il governo di Nanchino   1927
    occupa Pechino   1928
    eletto presidente del Consiglio Naz. Militare   1932
Lin Sen, pres. rep. nazionalista . . . .   1932 - † 1/8/1943
Scoppio della guerra cino-giapponese 27/7/1937
Chiang Kai shek, dittatore . . . .   apr. 1938 - set. 1943
Chiang Kai shek, pres. rep. . . . .   set. 1943 - 21/1/1949
Capitolazione del Giappone 10/8/1945
Dopo la 2ª guerra mondiale, ripresa della guerra civile e vittoria dei
    comunisti 27/12/1949

Repubblica Popolare

Mao Tse tung, pres. P.C. . . . .   1934 - † 9/9/1976
Mao Tse tung, pres. governo centrale . . . . . .   30/9/1949 - 20/9/1954
Chu En lai, capo del governo . . . .   30/9/1949 - † 8/1/1976
Proclamazione della repubblica popolare 1/10/1949
Mao Tse tung, pres. rep. . . . .   20/9/1954 - 12/4/1959
Liu Shao chi, pres. rep. . . . .   12/4/1959 - 31/10/1968
Tung Pi wu, pres. rep. ad interim . . . .   31/10/1968 - 17/1/1975
Nuova costituzione con abolizione della carica di pres. rep. . .   17/1/1975
Hua Kuo feng, capo del governo ad interim . . . .   7/2/1976 - 7/4/1976
Hua Kuo feng, capo del governo. . . . .   7/4/1976 - ....
Hua Kuo feng, pres. P.C. . . . .   9/9/1976 - ....

Cina nazionalista (Formosa)

Chiang Kai shek, trasferitosi a Formosa, vi proclama la Repub-
    blica di Cina 1/3/1950
Chiang Kai shek, pres. rep. . . . .   1/3/1950 - † 5/4/1975
Yen Cha kan, pres. rep. . . . .   6/4/1975 - ....

EGITTO

Re.

Epoca Pretinita e Tinita, 3300 - 2778 a.C.

    I dinastia: Narmer (Menes); Aha; Zet; Zer; Udimu; Azit; Semerchet; Ka.

    II dinastia: Hotpesechemui; Nebre; Neterimu; Peribsen; Sendi; Cha'sechem; Cha'sechemui.

Regno Antico, 2778 - 2423 a.C.

    III dinastia, 2778 - 2723 a.C.

    Zoser; Cha'ba; Neferca; Hu.

    IV dinastia, 2723 - 2563 a.C.

    Snefru; Cheope; Chefren; Mycherino; Didufri; Shepseskef.

    V dinastia, 2563 - 2423 a.C.

    Userkef; Sahure; Nefererkere; Shepseskere; Nefererre.

Fine del Regno Antico, 2423 - 2242 a.C.

    VI dinastia, 2423 a.C. - ?
    Teti; Usirkere; Pepi I; Mernere; Pepi II; Mentesuphis; Nitocris.

    VII dinastia (fittizia ?).

    VIII dinastia, ? - 2242 a.C.

Dinastie eracleopolitane, 2242 - 2060 a.C.

    IX dinastia, 2242 - 2150 a.C.

Cheti I	2242 - 2200 a.C.
altri 5 re	2200 - 2150 a.C.

    X dinastia, 2150 - 2060 a.C.

Cheti II	2150 - 2100 a.C.
Mericare	2100 - 2080 a.C.
Cheti III	2080 - 2060 a.C.

Regno Medio, 2160 - 1580 a.C.

    XI dinastia (tebana), 2160 - 2000 a.C.

Antef I	2160 ? - 2150 a.C.
Antef II	2150 - 2090 a.C.
Antef III	2090 - 2085 a.C.
Mentuhotpe I	2085 - 2065 a.C.

Mentuhotpe II . . . . 2065 - 2060 a.C.
Mentuhotpe III . . . . 2060 - 2010 a.C.
Mentuhotpe IV . . . . 2010 - 2008 a.C.
Mentuhotpe V . . . . 2008 - 2000 a.C.

XII dinastia, 2000 - 1785 a.C.

Amenemhet I . . . . 2000 - 1970 a.C.
Sesostri I . . . . 1970 - 1936 a.C.
Amenemhet II . . . . 1938 - 1904 a.C.
Sesostri II . . . . 1906 - 1888 a.C.
Sesostri III . . . . 1887 - 1850 a.C.
Amenemhet III . . . . 1850 - 1800 a.C.
Amenemhet IV . . . . 1800 - 1792 a.C.
Sebeknefrure . . . . 1792 - 1785 a.C.

XIII e XIV dinastia, 1785 - 1680 a.C.

Sebekhotpe I; Sekhemkare; Penten; Sembuf; Amenemhet I;
Ugaf; Sesostri; Amenemhet II; Amenemhet III; Mermesha;
Sebekhotpe II; Neferhotpe I; Sebekhotpe III; Sebekhotpe
IV; Sebekhotpe V; Neferhotpe II; Sebekhotpe VI; Chenzer I; Chenzer II; Iaib; Ai; Neberieraut; Didumete I; Didumete II; Senebmiu; Mentuemasat; Nehesi; Seshib; Hornez-
heriotef.

XV e XVI dinastia (Hyksos), 1730 - 1580 a.C.

Chian; Apopi I; Apopi II; Aasehre; Apopi III.

XVII dinastia, 1580 - 1320 a.C.

Hotpe; Antef I; Antef II; Antef III; Sebekemesaf I; Sebekemesaf II; Zehuti; Taa I; Taa II; Kames.

Regno Nuovo, 1580 - 1090 a.C.

XVIII dinastia, 1580 - 1320 a.C.

Amosis . . . . 1580 - 1558 a.C.
Amenhotpe I . . . . 1557 - 1520 a.C.
Thutmosis I . . . . 1530 - 1520 a.C.
Thutmosis II . . . . 1520 - 1484 a.C.
Hatshepsut . . . . 1520 - 1484 a.C.
Thutmosis III . . . . 1504 - 1450 a.C.
Amenhotpe II . . . . 1450 - 1425 ? a.C.
Thutmosis IV . . . . 1425 - 1405 a.C.
Amenhotpe III . . . . 1405 - 1370 a.C.
Amenhotpe IV . . . . 1370 - 1352 a.C.
Semenkhere . . . . 1352 - 1320 a.C.
Tutankhamon . . . . 1352 - 1320 a.C.
Ai . . . . 1352 - 1320 a.C.
Horemheb . . . . 1352 - 1320 a.C.

XIX dinastia, 1320 - 1200 a.C.

Ramsete I	1320 - 1318 a.C.
Seti I	1318 - 1298 a.C.
Ramsete II	1298 - 1232 a.C.
Mineptah; Amenmete; Siptah;	
Seti II	1232 - 1200 a.C.

XX dinastia, 1200 - 1085 a.C.

Sethnacth	1200 - 1198 a.C.
Ramsete III	1198 - 1166 a.C.
Ramsete IV; Ramsete V; Ramsete VI; Ramsete VII;	
Ramsete VIII	1166 - 1085 a.C.
Ramsete IX; Ramsete X; Ramsete XI.	

Epoca Bassa, 1085 - 525 a.C.

XXI dinastia, 1085 - 950 a.C.

Smendete	1085 - 1054 a.C.
Eridoro	1085 - 1054 a.C.
Psusennete I	1054 - 1009 a.C.
Pinezem I	1054 - 1009 a.C.
Amenemepet	1009 - 1000 a.C.
Siamon	1000 - 984 a.C.
Psusennete II	984 - 950 a.C.

XXII dinastia, 950 - 730 a.C.

Shoshenk I	950 - 929 a.C.
Osorkon I	929 - 893 a.C.
Takelot I	893 - 870 a.C.
Osorkon II	870 - 847 a.C.
Shoshenk II	847 a.C.
Takelot II	847 - 823 a.C.
Shoshenk III	823 - 772 a.C.
Pami	772 - 767 a.C.
Shoshenk IV	767 - 730 a.C.

XXIII dinastia, 817 - 730 a.C.

Petobastis	817 ? - 763 a.C.
Shoshenk V	763 - 757 a.C.
Osorkon III	757 - 748 a.C.
Takelot III	
Amurud	748 - 730 a.C.

XXIV dinastia, 730 - 715 a.C.

Tefnacht	730 - 720 a.C.
Bocchoris	720 - 715 a.C.

XXV dinastia (etiopica), 751 - 656 a.C.

Piankhi	751 - 716 a.C.
Shabaka	716 - 701 a.C.
Shabataka	701 - 690 a.C.
Taharka	690 - 664 a.C.
Tanutamon	664 - 656 a.C.

XXVI dinastia (saita), 663 - 525 a.C.

Psammetico I	663 - 609 a.C.
Nekao	609 - 594 a.C.
Psammetico II	594 - 588 a.C.
Apries	588 - 568 a.C.
Amasis	568 - 525 a.C.
Psammetico III	525 a.C.

Dominio persiano, 525 - 333 a.C.

XXVII dinastia, 525 - 404 a.C.

Cambise	525 - 522 a.C.
Dario I	522 - 485 a.C.
Serse	485 - 464 a.C.
Artaserse	464 - 424 a.C.
Dario II	424 - 404 a.C.

XXVIII dinastia, 404 - 398 a.C.

Amirteo	404 - 398 a.C.

XXIX dinastia, 398 - 378 a.C.

Neferite I	398 - 392 a.C.
Achoris	392 - 380 a.C.
Psammutis	380 - 379 a.C.
Neferite II	379 - 378 a.C.

XXX dinastia, 378 - 341 a.C.

Nectanebo I	378 - 360 a.C.
Teos	361 - 359 a.C.
Nectanebo II	359 - 341 a.C.
Artaserse III	341 - 338 a.C.
Arse	338 - 335 a.C.
Dario III	335 - 333 a.C.

Epoca greca, 333 - 30 a.C.

Alessandro il Grande	333 - 323 a.C.
Tolomeo I Sotere (satrapo dal 323 a.C.)	305 - 283 a.C.
Tolomeo II Filadelfo, f.	283 - 246 a.C.
Tolomeo III Evergete, f.	246 - 221 a.C.
Tolomeo IV Filapatore, f.	221 - 203 a.C.
Tolomeo V Epifane, f.	203 - 181 a.C.

Tolomeo VI Filometore, f. . . . .   181 - 145 a.C.
Tolomeo VII Neo Filopatore, f. . . . .   145 a.C.
Tolomeo VIII Evergete II, fr. di Tolomeo VI . . . . .   145 - 116 a.C.
Tolomeo IX Sotere II, f. . . . .   116 - 107 a.C.
Tolomeo X Alessandro I, fr. . . . .   116 - 88 a.C.
Tolomeo IX Sotere II, predetto . . . .   88 - 80 a.C.
Tolomeo XI Alessandro II, f. di Tolomeo X . . . . .   80 a.C.
Tolomeo XII Aulete, f. di Tolomeo IX . . . . . .   80 - 51 a.C.
Tolomeo XIII, f. . . . .   51 - 47 a.C.
Tolomeo XIV, fr. . . . .   47 - 44 a.C.
Cleòpatra VII, sorella . . . .   51 - 30 a.C.

Provincia romana . . . .   30 a.C. - 640 d.C.
 Dominio di Zcnobia, regina di Palmira . . . .   269 - 272
 Dominio dei Persiani . . . .   616 - 627
Governatorato dipendente dal califfato musulmano . . .   640 - 968
Dinastia dei Fatimidi (califfi) . . . .   968 - 1171
Dinastie degli Ayyubidi (sultani) . . . .   1171 - 1250
Dinastie dei Mamelucchi (sultani e bey) . . . . . .   1250 - 1798
Occupazione francese . . . .   1798 - 1801
Dominio dei Turchi . . . .   1801 - 1805
Mehmet Ali, governatore . . . .   1805 - 1841
 sovrano (formalmente vassallo dell'impero ottomano) .   1841 - 1848
Ibrahim Pascià, f., sovrano   1848
Abbas I, f., sovrano . . . .   1848 - 1854
Said Pascià, sovrano . . . .   1854 - 1863
Ismail Pascià, nipote, sovrano . . . .   1863 - 1867
 chedivé . . . .   1867 - 1879
Tevfik Pascià, f., chedivé . . . .   1879 - 1881
Arabi Pascià, dittatore . . . .   15/1/1881 - 11/9/1882
Tevfik Pascià, chedivé (ritorna al potere con l'intervento delle
 truppe britanniche) . . . .   1882 - 1892
Abbas II, f., chedivé . . . .   1892 - 1914
Protettorato britannico . . . .   1914 - 1922
 Husein Kamil, f. di Ismail Pascià, sultano . . . .   1914 - 1917
 Ahmed Fuad Pascià, fr., sultano (poi re Fuad I) .   1917 - 1922
Fuad I, re . . . .   1922 - 1936
Faruk I, f., re (con un consiglio di regg. fino al 1937)   1936 - abd. 23/7/1952
Fuad II, f., re (con un consiglio di reggenza) . . . .   1952 - dep. 18/6/1953
Muhãmmad Neguib, pres. della rep. . . . .   18/6/1953 - dep. 18/4/1955
Preparazione della nuova costituzione . . . .   18/4/1955 - 23/6/1956
Gamal Abder Nasser, pres. della rep. . . . .   23/6/1956 - . . . .
Fuad I, re . . . .   15/3/1922 - † 28/4/1936
Faruk I, f. [sp. 20/1/1938 Farida Zulfikar, divorzia 1948; sp. mag.
 1951 Narriman Sadek, divorzia feb. 1954], re (con un consiglio
 di reggenza fino al 29/7/1937) . . . .   28/4/1936 - abd. 23/7/1952
Fuad II, f., re (con un consiglio di reggenza) . .   23/7/1952 - dep. 18/6/1953
Muhammad Nagib, pres. rep. . . . .   18/6/1953 - dep. 14/11/1954
Gamal Abd el-Nasser, pres. rep. . . . .   23/6/1956 - † 28/9/1970
Anwar el-Sadat, pres. rep. . . . .   17/10/1970 - . . . .

GIAPPONE

Imperatori

Periodo mitico, fino al 660 a.C.

Periodo preistorico (1), 660 a.C. - 400 d.C.

Jimmū-tennō (stabilì la capitale a Kashiwabara, 660 a.C.)	660 - 585 a.C.
Suisei, f. (stabilì la capitale a Katsragi)	584 - 549 a.C.
Annei, f.	548 - 511 a.C.
Itoku, f.	510 - 477 a.C.
Kōshō, f.	476 - 393 a.C.
Kōan, f.	392 - 291 a.C.
Kōrei, f.	290 - 215 a.C.
Kōgen, f.	214 - 158 a.C.
Kaika, f.	157 - 98 a.C.
Sujin, f. 97	a.C. - 30 d.C.
Suinin, f.	29 - 70
Keikō, f.	71 - 130
Seimu, f.	131 - 191
Chūai (stabilì la capitale nell'isola di Kyūshū)	192 - 200
Ojin, f. (reggente la madre Jingō-kōgo fino al 269) . . .	201 - 310
Nintoku, f.	313 - 399

Periodo protostorico, 400 - 540.

Richū, f.	400 - 405
Hanshō, fr.	406 - 411
Inkyō	412 - 453
Ankō, f.	454 - 456
Yuriaku	457 - 479
Seinei, f.	480 - 484
Kensō, nip. dell'imp. Richū	485 - 487
Ninken, f.	488 - 498
Buretsu, f.	499 - 506
Keitai, discendente dell'imp. Ojin 507	- abd. 531
Ankan, f.	532 - 535
Senka, fr.	536 - 539

Periodo storico, 540 - . . . .

Kimmei	540 - 571
Bitatsu, f.	572 - 585
Yōmei	586 - 587
Sushun, fr. 588	- ucciso 592

---

(1) Per collegare la dinastia imperiale con le generazioni divine del periodo mitico, agli imp. del periodo preistorico viene attribuita un'età superiore ai 100 anni.

Rokujō, f. . . . . 1166 - dep. 1168
Takakura . . . . 1169 - abd. 1180
Antoku . . . . 1181 - dep. 1183
Go-Toba, f. dell'imp. Takakura . . . . 1184 - abd. 1198
Tsuchimikado . . . . 1199 - abd. 1210
Juntoku, fr. . . . . 1211 - abd. 1221
Chūkyō, f. . . . . 1221 - dep. 1221
Go-Horikawa . . . . 1222 - abd. 1232
Shijō, f. . . . . 1233 - 1242
Go-Saga, f. dell'imp. Tsuchimikado . . . . 1243 - abd. 1246
Go-Fukakusa, f. 1247 - 1259
Kameyama, fr. . . . . 1260 - abd. 1274
Go-Uda, f. . . . . 1275 - abd. 1287
Fushimi, cugino, f. dell'imp. Go-Fukakusa . . . . . . 1288 - abd. 1298
Go-Fushimi, f. . . . . 1299 - abd. 1301
Go-Nijō, f. dell'imp. Go-Uda . . . . 1302 - 1308
Hanazono, f. dell'imp. Fushimi . . . . 1308 - abd. 1318
Go-Daigo . . . . 1319 - 1338
Go-Murakami, f. 1339 - 1368
Chōkei, f. . . . . 1369 - abd. 1372
Go-Kameyama, fr. 1373 - abd. 1390

Dinastia del Nord, 1331 - 1392

Kōgon . . . . 1331 - 1333
Kōmyō . . . . 1336 - 1348
Sūkō . . . . 1349 - 1352
Go-Kōgon . . . . 1353 - 1371
Go-En-yū . . . . 1372 - 1382
Go-Komatsu . . . . 1383 - 1392

Go-Komatsu . . . . 1392 - abd. 1412
Shōkō . . . . 1413 - 1428
Go-Hanazono . . . . 1429 - abd. 1464
Go-Tsuchimikado . . . . 1465 - 1500
Go-Kashiwabara . . . . 1501 - 1526
Go-Nara . . . . 1527 - 1557
Ogimachi . . . . 1558 - abd. 1586
Go-Yōzei . . . . 1587 - abd. 1611
Go-Mi-no-o, f. . . . . 1612 - abd. 1629
Myōshō, figlia . . . . 1630 - abd. 1643
Go-Kōmyō . . . . 1644 - 1654
Go-Saiin, fr. . . . . 1655 - abd. 1662
Reigen, fr. . . . . 1663 - abd. 1686
Higashi-yama . . . . 1687 - abd. 1709
Nakamikado, f. . . . . 1710 - abd. 1735
Sakuramachi . . . . 1736 - abd. 1746

Momozono . . . . 1746 - 1762
Go-Sakuramachi, sorella . . . . 1763 - abd. 1770
Go-Momozono, nipote . . . . 1771 - 1779
Kōkaku . . . . 1780 - abd. 1816
Ninkō . . . . 1817 - 1846
Kōmei . . . . 1847 - 1867
Meiji, f. (abolì lo shogunato e il feudalesimo, 1/6/1868; stabilì
    la capitale a Tōkyō, 17/7/1868; annetté la Corea, 1910) 1868 - 1912
Taishō, f. (reggente il f. Hirohito dal 1921) . . . . . 1912 - 1926
Hirohito, f. . . . . 1926 - . . . .

Shogun (1)

Famiglia Minamoto, 1192 - 1219 (residenza in Kamakura).

Yoritomo . . . . 1192 - 1199
Yoriie, f. . . . . 1202 - ucciso 1203
Sanetomo . . . . 1203 - ucciso 1219
Succede nel potere la famiglia Hōjō senza il titolo di shogun.

Famiglia Fujiwara, 1226 - 1252 (residenza in Kamakura).

Yoritsune . . . . 1226 - abd. 1244
Yoritsugu . . . . 1244 - abd. 1252

Principi imperiali, 1252 - 1338 (residenza in Kamakura).

Munetata . . . . 1252 - abd. 1266
Koreyasu . . . . 1266 - abd. 1289
Hisa-Akira . . . . 1289 - abd. 1308
Marikuni . . . . 1308 - 1333
Morinaga . . . . 1333 - dep. 1334
Naringa, f. . . . . 1334 - abd. 1338

Famiglia Ashikaga, 1338 - 1573 (residenza in Kyōto).

Takauji . . . . 1338 - † 1358
Yoshiakira . . . . 1358 - abd. 1367
Yoshimitsu . . . . 1367 - abd. 1395
Yoshimochi, f. . . . . 1395 - abd. 1423
Yoshikazu . . . . 1423 - † 1425
Yoshinori . . . . 1428 - † 1441
Yoshikatsu . . . . 1441 - † 1443
Yoshimasa . . . . 1449 - abd. 1474
Yoshihisa . . . . 1474 - † 1489
Yoshitane I . . . . 1490 - abd. 1493
Yoshizumi . . . . 1493 - abd. 1508
Yoshitane II . . . . 1508 - abd. 1521

---

(1) Esercitarono il potere effettivo in nome dell'imperatore.

```
Yoshiharu . . . . . . . . . . . . . . . . . . . . . . 1521 - abd. 1545
Yoshiteru . . . . . . . . . . . . . . . . . . . . . 1545 - † 1565
Yoshihide . . . . . . . . . . . . . . . . . . . . . 1568 - † 1568
Yoshiaki . . . . . . . . . . . . . . . . . . . . . . 1568 - abd. 1573
```

Famiglia Tokugawa, 1542 - 1868 (residenza in Edo, attuale Tōkyō).

```
Ieyasu . . . . . . . . . . . . . . . . . . 1603 - abd. 1605 († 1616)
Hidetada, f. . . . . . . . . . . . . . . . 1605 - abd. 1622 († 1632)
Iemitsu, f. . . . . . . . . . . . . . . . . . . . . 1623 - † 1651
Ietsuna . . . . . . . . . . . . . . . . . . . . . . 1651 - † 1680
Tsunayoshi . . . . . . . . . . . . . . . . . . . . 1680 - † 1709
Ienobu . . . . . . . . . . . . . . . . . . . . . . 1709 - † 1712
Ietsugu . . . . . . . . . . . . . . . . . . . . . . 1713 - † 1716
Yoshimune . . . . . . . . . . . . . . . 1716 - abd. 1745 († 1751)
Ieshige, f. . . . . . . . . . . . . . . . 1745 - abd. 1760 († 1761)
Ieharu . . . . . . . . . . . . . . . . . . . . . . 1760 - † 1786
Ienari, f. adottivo . . . . . . . . . . 1786 - abd. 1837 († 1841)
Ieyoshi, f. . . . . . . . . . . . . . . . . . . . . 1837 - † 1853
Iesada . . . . . . . . . . . . . . . . . . . . . . 1853 - † 1858
Iemochi . . . . . . . . . . . . . . . . . . . . . 1858 - † 1866
Keiki . . . . . . . . . . . . . . . . 1866 - abd. 1868 († 1913)
```
L'imp. Meiji abolì lo shogunato, 1/6/1868.

IRLANDA (EIRE)

```
Proclamazione della Repubblica indipendente . . . . . . . . . .      gen. 1919
    E. De Valera, pres. provvisorio della rep. . .     gen. 1919 - 8/1/1922
Dominion dell'Impero britannico . . . . . . . .     6/12/1921 - 29/12/1937
    A. Griffith, pres. cons. esecutivo . . . .    10/1/1922 - † 12/8/1922
    W. T. Cosgrave, pres. cons. esecutivo.     22/8/1922 - feb. 1932
    E. De Valera, pres. cons. esecutivo .     feb. 1932 - 29/12/1937
Repubblica indipendente nell'ambito del Commonwealth 29/12/1937 - 18/4/1949
    D. Hyde, pres. rep. . . . . . . . . .     4/5/1938 - 25/6/1945
    S. T. O'Kelly, pres. rep. . . . . . . .     25/6/1945 - 18/4/1949
Repubblica indipendente . . . . . . . . . .    18/4/1949 - ....
    S. T. O'Kelly, pres. rep. . . . . . . .     18/4/1949 - 17/6/1959
    E. De Valera, pres. rep. . . . . . . . .     17/6/1959 - 25/6/1973
    E. Childers, pres. rep. . . . . . .    25/6/1973 - † 17/11/1974
    C. O'Dalaigh, pres. rep. . . . . . . . .    19/12/1974 - 22/10/1976
    P. Hillery, pres. rep. . . . . . . . . .    9/11/1976 - ....
```

LIECHTENSTEIN

Principi

```
Unione della signoria di Schellenberg e della contea di Vaduz nel
    Principato di Liechtenstein . . . . . . . . . . . . . . .     23/1/1719
Antonio Floriano . . . . . . . . . . . . . . . . . . . . . . 1719 - † 1721
```

Giuseppe, f.	1721 - † 1732
Giovanni Carlo, f.	1732 - † 1748
Giuseppe Venceslao, cugino di Giuseppe	1748 - † 1772
Francesco Giuseppe I, f. di Giuseppe	1772 - † 1781
Luigi I, f.	1781 - † 1805
Giovanni I, fr. (Liechtenstein membro della Confederazione del Reno, fondata dall'imp. Napoleone I, 1805 - 1815; membro della Confederazione Germanica 1815 - 1866)	1805 - † 1836
Luigi II, f. (unione doganale con l'Austria - Ungheria, 1852-1919)	1836 - † 1858
Giovanni II, f.. (unione postale dal 1921 e doganale dal 1923 con la Svizzera)	1858 - † 1929
Francesco I, fr.	1929 - † 1938
Francesco Giuseppe II, nipote di un cugino di Francesco I . .	1938 - . . . .

PERSIA

Dinastia degli Achemenidi, 539 - 330 a.C.

Ciro II il Grande, f. di Cambise I re di Anzan e dei Persi (riunì Persia e Media, conquistò Babilonia e Lidia, stabilì la capitale a Ectabana)	559 - 529 a.C.
Cambise II, f. (conquistò l'Egitto, 525, la Nubia e la Libia)	529 - 522 a.C.
Dario I (estese il regno fino alle soglie dell'India e del Danubio; stabilì la capitale a Persepoli).	522 - 485 a.C.
Serse I, f.	485 - ucciso 465 a.C.
Artaserse I, f.	465 - 424 a.C.
Serse II, f. . . . . . 424 - ucciso dal fratellastro Sogdiano	424 a.C.
Sogdiano, fratellastro . . 424 - ucciso dal fratellastro Dario II	424 a.C.
Dario II, fratellastro	424 - 404 a.C.
Artaserse II, f.	404 - 359 a.C.
Artaserse III, f.	359 - 338 a.C.
Dario III, f.	338 - 330 a.C.
Alessandro il Grande	330 - 323 a.C.

Dinastia dei Seleucidi 312 - 174 a.C.

Seleuco I Nicatore, re di Siria	312 - ucciso 280 a.C.
Antioco I Sotere, f.	280 - 261 a.C.
Antioco II Teo, f.	261 - 246 a.C.
Seleuco II Callimaco, f.	246 - 225 a.C.
Seleuco III Cerauno, f.	225 - ucciso 223 a.C.
Antioco III il Grande, fr. (conquistò l'Armenia)	223 - 187 a.C.
Seleuco IV, f. di Seleuco III	187 - 175 a.C.
Antioco IV Epifane, f. di Antioco III	175 - 174 a.C.

Dopo l'invasione dei Parti, la dinastia seleucide continuò fino al 64 a.C. con il solo titolo di re di Siria.

Dinastia degli Arsacidi, 174 a.C. - 224 d.C.

Mitridate I (si proclamò Re dei Re) . . . .   174 - 136 a.C.
Fraate II, f. . . . .   136 - 127 a.C.
Artabano II, zio . . . .   127 - 124 a.C.
Mitridate II, f.   124 - 88 a.C.
Sanatruce . . . .   76 - 69 a.C.
Fraate III . . . .   69 - ucciso dal f. Mitridate III 60 a.C.
Mitridate III, f. . . . .   60 - ucciso dal fr. Orode I·56 a.C.
Orode I, fr. . . . .   56 - 37 a.C.
Fraate IV . . . .   37 a.C. - ucciso dal f. Fraate V 2 d.C.
Fraate V, f. . . . .   2 - ucciso 4
Orode II, usurpatore . . . .   4 - ucciso 8
Vonone I, f. di Fraate IV . . . .   8 - 10 (ucciso 11)
Artabano III . . . .   10 - 40
Vardane I . . . .   42 - 46
Gotarze . . . .   46 - 51
Vonone II, f.   51
Vologese I, f. . . . .   51 - 77
Vologese II . . . .   77 - 79
Pacoro . . . .   81 - 93
Artabano IV, fr. di Vologese II . . . .   81 - 93
Osroe . . . .   107 - 130
Vologese II, predetto . . . .   130 - 148
Vologese III . . . .   148 - 191
Vologese IV . . . .   191 - 208
Vologese V . . . .   208 - 224
Artabano V . . . .   224 - ucciso dal sasanide Ardashīr 224

Dinastia dei Sasanidi, 226 - 651.

Ardashīr . . . .   226 - abd. 240
Shāpur I, f. (estese il regno fino alla valle dell'Indo; occupò
Armenia e Mesopotamia) . . . .   240 - 272
Ōhrmazd, f. . . . .   272 - 273
Adhur, f.   273
Bahrām I, f. di Shāpur I . . . .   273 - 276
Bahrām II, f. . . . .   276 - 293
Bahrām III, f.   293
Narsete, f. di Shāpur I . . . .   293 - 302
Ōhrmazd II . . . .   303 - 309
Shāpur II, f. . . . .   309 - 379
Ardashīr, fr. o cognato . . . .   379 - 383
Shāpur III, f. di Shāpur II . . . .   383 - ucciso 388
Bàhrām IV . . . .   388 - 399
Yazdagart I, f. di Shāpur III . . . .   399 - 420
Bahrām V, f. . . . .   420 - 438
Yazdagart II, f.   438 - 457
Ōhrmazd III . . . .   457 - 459

Tekuder, f. . . . . 1282 - 1284
Arghun . . . . 1284 - 1291
Gaïkhatu, fr. . . . . 1291 - ucciso 1295
Baïdu, cugino 1295
Gharzan, f. di Arghun . . . . 1295 - 1304
Oldjaïtu, fr. . . . . 1304 - 1316
Abu Sa'īd . . . . 1316 - 1335
Periodo di anarchia . . . . 1335 - 1387

Dinastia dei Timuridi, 1387 - 1469.

Timur (Tamerlano) . . . . 1387 - 1405
Mirānshāh, f. 1405 - 1408
Shāh Rokh, fr. 1408 - 1447
Ulūg Begh, f. . . . . 1447 - ucciso dal f. 1449
'Abd al-Latif, f. . . . . 1449 - 1450
'Abd Allah, f. 1450 - 1452
Abū Sa'īd . . . . 1452 - 1469

Lotte tra le orde del Montone Bianco e quelle del Montone Nero   1469 - 1502

Dinastia dei Safawidi, 1502 - 1736.

Ismail I . . . . 1502 - 1524
Ṭahmāsp, f. . . . . 1524 - 1576
Ismail II . . . . 1576 - 1578
Moḥammed . . . . 1578 - 1587
'Abbas I (stabilì la capitale a Isphahan) . . . . . . 1587 - 1629
Safi I . . . . 1629 - 1642
'Abbas II . . . . 1642 - 1667
Sulaymān . . . . 1667 - 1694
Husain I . . . . 1694 - 1722
Ṭahmāsp II . . . . 1722 - 1731
'Abbas III . . . . 1731 - 1736
Nādir Shah . . . . 1736 - ucciso 1747
'Adīl Shah, nipote . . . . 1747 - 1750

Dinastia degli Zand, 1750 - 1794.

Khārim Khan . . . . 1750 - 1779
Periodo di anarchia . . . . 1779 - 1794
Luft 'Alī Khan . . . . 1794 - ucciso 1794

Dinastia dei Qāgiāri, 1794 - 1925.

Aqā Moḥammed Khān . . . . 1794 - 1797
Fatḥ 'Alī Shah . . . . 1797 - 1834
Moḥammed Shah . . . . 1834 - 1848
Nāsir ad-dīn Shah . . . . 1848 - 1896
Muzaffar ad-dīn Shah, f. . . . . 1896 - 1907
Moḥammed 'Alī Shah . . . . 1907 - dep. 1909
Ahmed Shah (esule dal 1923) . . . . 1909 - dep. 1925

Dinastia dei Pahlavi, 1925 - ....

Riza Khan, scià (incoronato 25/4/1926). . . 14/12/1925 - abd. 16/6/1941
Muhammad Riza, f. [sp. 16/3/1939 Fawzia, divorzia dic. 1948;
sp. 11/2/1951 Soraya Esfandiari, divorzia mar. 1958; sp.
21/12/1959 Farah Diba], scià (incoronato ott. 1967). . . 16/9/1941 - ....

STATI UNITI D'AMERICA

Presidenti

(Le elezioni avvengono l'anno prima dell'inizio della presidenza. Il presidente assume la carica il 20 gennaio. La presidenza dura 4 anni. Ai presidenti morti in carica o dimessi succede d'ufficio il vicepresidente).

1	George Washington, nato nella contea di Westmoreland (Virginia)	1789 - 1793
	rieletto	1793 - 1797
2	John Adams, n. a Quincy (Massachusetts)	1797 - 1801
3	Thomas Jefferson, n. a Shadwell (Virginia)	1801 - 1805
	rieletto	1805 - 1809
4	James Madison, n. a Port Conway (Virginia)	1809 - 1813
	rieletto	1813 - 1817
5	James Monroe, n. nella contea di Westmoreland (Virginia)	1817 - 1821
	rieletto	1821 - 1825
6	John Quincy Adams, n. a Quincy (Massachusetts)	1825 - 1829
7	Andrew Jackson, n. a Waxhaw (South Carolina)	1829 - 1833
	rieletto	1833 - 1837
8	Martin Van Buren, n. a Kinderhook (New York)	1837 - 1841
9	William Henry Harrison, n. a Berkeley (Virginia) (muore in carica 4/4/1841)	1841
10	John Tyler, n. a Greenway (Virginia)	1841 - 1845
11	James Knox Polk, n. nella contea di Mecklenburg (North Carolina)	1845 - 1849
12	Zachary Taylor, n. a Montebello (Virginia) (muore in carica 9/7/1850)	1849 - 1850
13	Millard Fillmore, n. a Locke (New York)	1850 - 1853
14	Franklin Pierce, n. a Hillisboro (New Hampshire)	1853 - 1857
15	James Buchanam, n. a Mercersburg (Pennsylvania) . . .	1857 - 1861
16	Abraham Lincoln, n. a Hodgenville (Kentucky) (ucciso in carica 14/4/1865)	1861 - 1865
17	Andrew Johnson, n. a Raleigh (North Carolina)	1865 - 1869
18	Ulysses Simpson Grant, n. a Point Pleasent (Ohio) . . .	1869 - 1873
	rieletto	1873 - 1877
19	Rutherford Birchard Hayes, n. a Delaware (Ohio)	1877 - 1881
20	James Abram Garfield, n. a Orange (Ohio) (ucciso in carica 18/9/1881)	1881
21	Chester Alan Arthur, n. a Fairfield (Vermont)	1881 - 1885

22	Grover Cleveland, n. a Caldwell (New Jersey)	1885 - 1889
23	Benjamin Harrison, n. a North Bend (Ohio)	1889 - 1893
24	Grover Cleveland (2ª volta)	1893 - 1897
25	William McKinley, n. a Niles (Ohio)	1897 - 1901
26	Theodore Roosevelt, n. a New York (New York) . . .	1901 - 1905
	rieletto	1905 - 1909
27	William Howard Taft, n. a Cincinnati (Ohio)	1909 - 1913
28	Woodrow Wilson, n. a Staunton (Virginia)	1913 - 1917
	rieletto	1917 - 1921
29	Warren Gamaliel Harding, n. a Corsica (Ohio) (muore in carica 2/8/1923)	1921 - 1923
30	Calvin Coolidge, n. a Plymouth (Vermont)	1923 - 1925
	rieletto	1925 - 1929
31	Herber Clark Hoover, n. a West Branch (Iowa)	1929 - 1933
32	Franklin Delano Roosevelt, n. a Hyde Park (New York) .	1933 - 1937
	rieletto	1937 - 1941
	rieletto (muore in carica 12/4/1945, dopo essere stato rieletto nel 1944 per il quadriennio 1945 - 49)	1941 - 1945
33	Harry S. Truman, n. a Lamar (Missouri)	1945 - 1949
	rieletto	1949 - 1953
34	Dwight David Eisenhower, n. a Denison (Texas) . . .	1953 - 1957
	rieletto	1957 - 1961
35	John Fitzgerald Kennedy, n. a Brookline (Massachusetts) (ucciso in carica 22/11/1963)	1961 - 1963
36	Lindon Baines Johnson, n. a Johnson City (Texas) . . .	1963 - 1965
	rieletto	1965 - 1969
37	Richard Milhous Nixon n. a Yorba Linda (California) . .	1969 - 1973
	rieletto (si dimette 9/8/1974)	1973 - 1974
38	Gerald Ford, n. a Omaha (Nebraska)	1974 - 1977
39	James (Jimmy) Carter, n. a Plains (Georgia)	1977 - ....

INDICE ALFABETICO

(I numeri indicano le pagine del volume)

CORREZIONI ED AGGIUNTE

pag.	linea	invece di	leggasi
111	14 (dalla fine)	Appariito	Apparitio
185	18 (dalla fine)	Pntius	Pontius
197	3	si aggiunga:	Basiliscus (Fl.) 465; II, 476.
200	23	togliere Iohannes (*Imp.*), 425	
200	9 (dalla fine)	162	M. Iustinus Bithinicus, 162
201	dopo l'ultima linea si aggiunga:		Q. Mustius, s., 163
205	22	si aggiunga:	Valentinianus III, 425, 426, 430, 435, 440, 450, 455
205	14 (dalla fine)	(T. Tibius), 134	(T. Vibius), 134
206	nota 1, linea 3ª	si aggiunga:	ant., antipapa;
215	13	ucciso da Carino	vinto da Carino
225 e 226	2	RE ERULI	RE GOTI
239	8 (dalla fine)	**Costantino VI,** suo fr.	**Costantino VI,** suo figlio
239, 240 e 241	2	RE DI GERMANIA	RE FRANCHI
245	30	(C. di Provenza)	(Re di Provenza)
256	12 (dalla fine)	abbassare la data **1138,** 1, 3 A. alla linea che segue cominciante con **Corrado III** pred.	
256	10 (dalla fine)	imp. rom.	re de' rom.
262	7 (dalla fine)	di Sicilia e imp. rom.	e di Sicilia, succ. al padre
263	3 (dalla fine)	Alfonso di Castiglia re, dep. 21/8 '84	Alfonso di Castiglia re, dep. 21/8 1273.

pag.	linea	invece di	leggasi
266	9	alzare la data **1311** alla linea superiore.	
268	10 (dalla fine)	Imp. 29/11	succede al padre 29/11
270	18	muore 18/10	muore 17/1
280	9 (dalla fine)	Brunswig	Brunswick
281	17	(† 1780)	(† 1750)
292	19	Ipazio imp. d'Oriente 797-532	Ipazio imp. d'Or. 532
292	35	re Caroling. imp. 849	re Caroling. 844-875
293	9	aggiungasi:	Valentiniano II imp., 383-392 Valentiniano III imp., 425-455
294	5 (dalla fine)	Dono II di Roma 974	Dono II di Roma 978
302	22	12 giu. 1685	12 giu. 1675
321	13	Ottone I f. 1027 c. - †1'84	Ottone I f. † 1084
335	14	1°/1117 53	1°/11 1753
336	25	5 giu. 1850	5 giu. 1859
337	19	Podestà 1180, 1911	Podestà 1180, 1191
352	31	Cisorcella	Cisorella
375	6 (dalla fine)	1530 (3)	1530 (V. Carpi)
386	5 (dalla fine)	Il popolo omnina	Il popolo nomina
403	5 (dalla fine)	18/10 1805	18 ott. 1805 - 3 dic. 1813
410	4	8 giu. 1599	8 giu. 1509
410	8 (dalla fine)	(Da. di Lorena 1723	(Da. di Lorena 1729
448	2 (dalla fine)	Federico I di **Svezia,**	Federico I di **Svevia**
448	(ultima linea)	† 26 febb.	† 26 febb. 1266.
450	18	Messina 1061	Messina 1060
450	26	1061	1060
491	3	† 21/11 9116	† 21/11 1916

Finito di stampare
nelle Officine Fotolitografiche S.A.
Casarile (Milano)